ILICITUD CONTRACTUAL
Supuestos y efectos

ILICITUD CONTRACTUAL
Supuestos y efectos

Dr. D. EDUARDO VÁZQUEZ DE CASTRO
Profesor de Derecho Civil
Universidad de Cantabria

tirant lo blanch
Valencia, 2002

© TIRANT LO BLANCH
EDITA: TIRANT LO BLANCH
C/ Artes Gráficas, 14 - 46010 - Valencia
TELFS.: 96/361 00 48 - 50
FAX: 96/369 41 51
Email:tlb@tirant.com
http://www.tirant.com
Librería virtual: http://www.tirant.es
DEPOSITO LEGAL: V - 4449 - 2002
I.S.B.N.: 84 - 8442 - 727 - 7
IMPRIME: GUADA LITOGRAFIA, S.L. - PMc

*A mis padres, consciente de que
el hijo único siempre da
más preocupaciones que satisfacciones*

AGRADECIMIENTO

Mi más sincero agradecimiento a los miembros de la comisión encargada de evaluar la tesis doctoral titulada «Contratos ilegales y con causa ilícita», que queda parcialmente reproducida en esta obra, compuesta por los Profesores: Agustín Luna Serrano, Vicente Montés Penadés, Ricardo De Angel Yagüez, Fernando Pantaleón Prieto y Francisco Capilla Roncero, cuyas atinadas y certeras observaciones y sugerencias han perfeccionado, sin duda alguna, la calidad de esta publicación. También quiero extender mi agradecimiento por toda la ayuda prestada, que no es poca, al Profesor José Manuel Fínez Ratón con quien la judicatura pasa a enriquecer ahora su capital humano.

ÍNDICE

Capítulo III
CONTROL FUNCIONAL DE LA LEGALIDAD CONTRACTUAL

Capítulo IV
EFECTOS CIVILES DEL CONTRATO ILEGAL

PRÓLOGO

Escribir estas líneas supone para mí una doble y contradictoria sensación de alegría y de tristeza.

Sensación de tristeza —cuya confesión en este momento sabrá dispensar, a la vez que sin duda agradecerá, el autor del libro presentado—, porque este prólogo debería haber sido escrito por el maestro del autor, mi discípulo Luis Rojo Ajuria, gran civilista prematuramente desaparecido, bajo cuya guía certera esta obra se empezó a confeccionar.

Y sensación de alegría —sentimiento que ahora ha de sobreponerse al anterior—, porque me permite comprobar a través del libro de Eduardo Vázquez de Castro que el lector tiene en sus manos la continuidad, en sazonada superación, de una trayectoria universitaria que he seguido con atención y con afecto desde sus inicios.

* * * *

En el sentido ahora referido, la monografía, que se presenta al conocimiento y a la consideración crítica de los estudiosos del Derecho civil y de quienes alrededor de su ámbito normativo desenvuelven su actividad profesional, procede, como ya se habrá adivinado, de una tesis doctoral, magníficamente elaborada y brillantemente defendida en la Universidad de Cantabria, cuyo patrocinio acogió, ocasional y generosamente, el profesor Orduña Moreno. La asignación al doctorando del tema por su director inicial estaba basada en la consideración, inmediatamente comprobada, de que sus dotes de inteligencia, paciencia y honestidad —indispensables, casi en el mismo grado, en todo buen investigador— no sólo podían presumirse en Eduardo Vázquez de Castro sino que desde un principio ya se manifestaron en él. El meritorio resultado de la labor científica encomendada quedó bien acreditado por las alabanzas que recibió la tesis del Tribunal que la juzgó —que tuve la suerte y el honor de presidir—, otorgándole la máxima calificación.

El recuerdo de estos datos sitúan el contexto en que este libro se concibió y en sí mismos suponen una especie de aval respecto de su autor, que ya no es, por cierto, un escritor novel, puesto que al Dr. Vázquez de Castro se debe también, al lado de otros destacados trabajos de los llamados menores, una enjundiosa publicación —valiosa, entre otros aspectos, por haber procedido con éxito y con fruto en la compleja y hasta procelosa disciplina en que el estudio se desenvuelve— sobre el precio y la renta en las viviendas de protección oficial.

* * * *

El tema de este libro sobre la contratación ilegal no es, entre nosotros, siquiera como concepto asumido y a menudo confundido con el de contratación ilícita, ciertamente nuevo. Sin embargo, hasta ahora sólo se venía abordando de manera fragmentaria y en la perspectiva de algunos de sus aspectos más o menos concretos —como el de la causa ilícita, el de la usura, el de las cláusulas de sumisión expresa en los contratos de adhesión o, más en general, el de las cláusulas abusivas insertadas en los mismos, el de la cogencia de las normas arrendaticias o el del precio ilegal en relación a la transmisión de las viviendas de protección oficial—, mientras que en la monografía del Dr. Vázquez de Castro el asunto se presenta con carácter general y con finalidad reconstructivamente sistemática. Este es, sin duda, el primer mérito del libro que presento, si bien no es, desde luego, con ser grande su valor, el único ni, a lo que creo, con ser, según digo, muy importante, el principal. A él se unen, en efecto, otros varios, según intentaré resaltar, y sobre él pienso incluso que se destaca, no obstante ser el indicado tan fundamental, el de la gran valía del minucioso contenido material o sustantivo —lógicamente coordinado en el planteamiento sistemático acogido— de los diferentes apartados de la obra.

Como enseguida se echa de ver, el propósito del libro de Vázquez de Castro es de gran trascendencia, en cuanto que en él se propone analizar el autor, en su perspectiva más significativa, los efectos de las leyes sobre el ámbito de la autonomía de la voluntad y, en concreto, examinar las consecuencias que acarrea para los contratos la circunstancia de no ajustarse a las exigencias legales imperativas. Señalado de esta sencilla manera el objeto de su estudio por el autor en la acertada presentación que hace de su trabajo —cuya ilustrativa lectura recomiendo vivamente—, parecería que se tratase de una investigación al uso o de poca entidad. Sin embargo, a poco que se reflexione —mediante la atenta visión del índice del libro, con la ayuda de la introducción a que me he referido y que no dudo en calificar, aun en la amable humildad de su formulación, de luminosa— se verá enseguida que el libro se refiere, considerada con gran rigor, a una problemática de gran hondura, y que en el mismo no se trata *de apicibus iuris civilis* sino de un aspecto básico, analizado además en perspectiva evolutiva, del ordenamiento de la vida social en que el derecho consiste.

* * * *

La parte inicial del libro, al igual que su presentación, tiene un alcance señaladamente metodológico. En ella se propone justamente el autor situar la perspectiva propia del contenido de su investigación, mediante la fijación del concepto de contrato ilegal y la indicación de sus rasgos o caracteres generales. Su objeto es, en efecto, precisar —a través, por cierto, de reflexiones técnicamente muy depuradas y argumentativamente muy ponderadas— el alcance y significado de la ilegalidad, en cuanto contraposición de lo pactado con la legalidad positiva, como algo distinto de la ilicitud contractual, en cuanto contradicción de la convención con las referencias extrapositivas del ordenamiento consistentes en la moral y en el orden público. Se trata de una diferenciación cuyo establecimiento entraña no poca dificultad, pero sobre la cual, de manera consciente y cifrando en concreto la ilegalidad en la contradicción del contrato con la norma imperativa, se propone el autor, como opción metodológica, elaborar su contribución.

Establecido así el ámbito propio de la investigación, aborda Vázquez de Castro lo que denomina control estructural de la ilegalidad, que adecuadamente refiere, en términos generales, al entramado normativo que resulta de la conjunción de las diferentes virtualidades que generan los contenidos normativos de los arts. 1271, 1275 y 6.3 de nuestro Código Civil. Sobre la base de este oportuno planteamiento introductorio, examina el autor a continuación el sentido de la ilegalidad por referencia a los distintos aspectos estructurales del contrato en relación a su elemento objetivo, en el caso de su imposibilidad jurídica, y en relación a su elemento causal, analizado, por cierto, a los fines indicados, con atentísima minuciosidad. A propósito de este análisis, observa Vázquez de Castro una sensible evolución del sistema normativo, en el que, a su entender, se perfila una progresiva especificación positiva hacia la concreción de la ilegalidad como índice de la irregularidad contractual diferenciado del que supone la ilicitud, evolución que el autor de la obra valora en paralelo a la que, partiendo del que califica como control estructural, se orienta hacia el que llama control funcional de la ilegalidad contractual, por referencia al tratamiento de la prohibición de ciertas convenciones, como las de carácter sucesorio, las de alcance comisorio, las dirigidas a transmitir animales enfermos, las de carácter transaccional sobre objetos indisponibles o los contratos usurarios y algunas relativas a las convenciones sobre el juego o a las de disposición de los órganos humanos. Las implicaciones que cada uno de estos aspectos sugieren al autor le llevan a expresar unas ciertas reservas respecto de las técnicas de control estructural de la ilegalidad contractual en cuanto a su eventual discrecionalidad o rigidez y en cuanto a su frecuente ineptitud para acoger todos los supuestos de ilegalidad por referencia a alguno de los concretos elementos del convenio.

Un vez examinados, por relación a ciertos aspectos emblemáticos, los aspectos propios del control estructural de la ilegalidad contractual, el paso siguiente de la investigación de Vázquez de Castro se focaliza —mediante un atento análisis de la legislación, de la jurisprudencia y de la acción administrativa— en la perspectiva funcional en que puede también desenvolverse y desplazar su cometido el mencionado control, adecuadamente considerado por el autor tanto en el plano de la proyección externa de los límites de la libertad contractual —por referencia, en este caso, a la norma infringida— como en el de la interna de los intereses que se proponen alcanzar las partes contratantes. En esta doble perspectiva, que en sí misma enriquece metodológicamente la elaboración llevada a cabo, se estudian en la monografía que se presenta la trascendencia de las normas imperativas en cuanto suponen límites a la autonomía de la voluntad contractual —a través del análisis de las de carácter urbanístico, de las de orden penal o de las referidas a las tasas—, lo que obliga a planteamientos previos de carácter básico como los referidos a la descripción de las normas por su preeminencia, su trascendencia o su eficacia, a la ilegalidad sobrevenida o a la ilegalidad que se reporta a la persona del contratante. El contenido de este apartado —que conforma el Capítulo III del libro de Vázquez de Castro— constituye, en sí mismo, por la depurada técnica que el autor utiliza en la formulación de sus reflexiones, por el apropiado manejo que hace de los conceptos y por la coherente deducción que hace derivar de las reglamentaciones concretas a efectos argumentales, una exposición ejemplar que puede proponerse, sin exageración, como modelo en la labor de investigación.

Los ulteriores apartados del libro del Dr. Vázquez de Castro que se prologa vienen a significar, utilizando un símil propio de la repartición de las secuencias en cierto tipo de composiciones literarias, el nudo de la cuestión, al cual ha de seguir, según el símil acabado de utilizar, el desenlace o solución. Esta no se despacha en este caso, como ocurre casi siempre en las obras escénicas, en unas pocas previstas expresiones contundentes, sino que se desgrana —aunque esté en buena parte preparada, desde la inicial trama, por las consideraciones antecedentes que en definitiva la fundamentan— a lo largo de un estudio minucioso y detenido, a la vez que profundo, de las consecuencias de la ilegalidad contractual. Esta manera parsimoniosa de abordar este aspecto último del tema escogido para la investigación es, sin duda, la más adecuada para un trabajo tan comprometido como el que su inicial director confió a Vázquez de Castro, pues ahora tiene que discurrirse a propósito de la ineficacia que es, como bien se sabe, uno de los conceptos más resbaladizos de los que constituyen el entramado básico del entero sistema del derecho civil.

Y ello no sólo porque el mismo se presenta con notable imprecisión en los textos de la legislación positiva y suscita también no pocas incertidumbres en el ámbito doctrinal sino porque, además, las soluciones legislativas que se refieren al mismo se desplazan, de una parte, hacia planteamientos más o menos virtuales o propenden, de otra, a una dulcificación de la trascendencia del propio concepto de ineficacia que bascula, en términos generales, desde la nulidad radical hasta la mera anulabilidad.

Tras unas reflexiones previas sobre estas cuestiones básicas o cruciales, se inclina el autor por examinar la cuestión de la ineficacia del contrato ilegal —acogiendo una opción metodológica acertadamente escogida y que se demuestra en su investigación como particularmente proficua— no mediante un análisis de problemas generales, que pudiera comprometer a la larga los logros de su trabajo, sino mediante la consideración específica —como banco de prueba— de casos concretos en que se ha podido plasmar específicamente, por poderosas razones económicas o sociales, los aspectos evolutivos señalados y, en concreto, mediante el seguimiento de la jurisprudencia que ha evolucionado, arrancando de posturas propensas a la aceptación tranquilizadora de la nulidad radical y matizándose luego de manera concorde con la evolución doctrinal, adoptando en definitiva criterios de muy acusada flexibilidad a través de una progresiva valoración teleológica, situada por encima de la meramente textual, de la norma infringida.

Estos apartados finales de la obra del Dr. Vázquez de Castro se destinan, de este modo, al examen de las perspectivas flexibilizadoras en que se presenta, en los últimos tiempos, el tradicionalmente rigorista concepto puro de la nulidad, ya sea por consecuencia de la sustitución de los efectos contractuales rechazados por otros efectos legales, ya por la frecuente admisión de la llamada nulidad parcial, ya mediante la introducción habitual de criterios correctores basados en la idea de responsabilidad o ya sea, en su caso, por una suerte de gradación o de combinación del alcance de la nulidad. Estas importantes cuestiones, cuando a juicio del autor así es necesario, son examinadas con minuciosidad y rigor, de manera que, a continuación de la consideración de los aspectos generales o introductorios que los temas sugeridos proponen —en la cual la acertada valoración de la política del derecho, puesto que en definitiva se inscriben en la idea de la conservación del negocio jurídico, corre pareja a la bien concertada indicación de su instrumentación técnica—, se estudian en profundidad las que el autor denomina, teniendo en cuenta la evolución del ordenamiento positivo, opciones alternativas a la nulidad radical en la ilegalidad contractual. Se examinan aquí, como supuesto básicos o fundamentales, la nulidad parcial, la limitación de la legitimación activa para alegar la ilegalidad contractual y la denegación de la acción de nulidad a la parte contratante cuyo interés no se considera, a la luz del ordenamiento, como legítimo.

Estas tres variantes alternativas a la tradicional nulidad radical del contrato ilegal son estudiadas detenidamente por nuestro autor, que considera atentamente, según es habitual en él, tanto la evolución legislativa, como la jurisprudencial y la doctrinal.

Sin duda, el lector verá corroborada en esta parte final del libro —de amplia extensión— una triple impresión que enseguida suscita la lectura de la obra de Vázquez de Castro: la del perfecto dominio de la técnica jurídica, la de la exigente acribia de la exposición y la de su envidiable dosis de sentido común como jurista, virtud esta última, a juicio de quien escribe, tan importante como las demás y acaso no siempre concurrente con ellas. En este triple sentido, me parece oportuno resaltar ahora las acertadas consideraciones del autor, en relación con el objeto de su investigación, a propósito de las leyes sobre defensa de los consumidores y usuarios y sobre condiciones generales de la contratación y a propósito de las viejas y siempre vigentes reglas *nemo auditur propriam turpitudinem allegans* o de *non venire contra factum proprium*, así como las que suscita en Vázquez de Castro el estudio de la responsabilidad derivada de la ineficacia, con el que nuestro autor cierra su obra.

* * * *

Como colofón de esta breve presentación del contenido de la obra de Eduardo Vázquez de Castro quisiera poner de relieve todavía una característica del libro que no por ser fácilmente perceptible para el lector debe dejar de señalar su presentador. Me refiero a la riqueza de matices que de continuo aparecen, con frecuencia apenas esbozados, en la exposición. Como bien se comprende, este mérito del libro de Vázquez de Castro es fruto de muchos otros que a lo largo de estas páginas se han ido señalando, acaso en menor grado de lo que nuestro autor merece.

Todavía quiere el prologuista indicar una última cualidad en relación a la obra presentada, a propósito de su redacción. Se trata, en efecto, de una obra muy bien escrita, de fácil lectura no obstante la gravedad de los temas examinados y, en consecuencia, de accesible comprensión, a pesar de las dificultades que aquella gravedad comporta. También en este caso este logro de la obra de Vázquez de Castro es producto, como bien se entiende, de otros merecimientos del autor, al que desde aquí auguro muchos éxitos en la difícil andadura universitaria.

AGUSTÍN LUNA SERRANO

NOTA PRELIMINAR

Condicionado por la brevedad que impone la redacción de una nota preliminar voy a tratar de limitarme a destacar tan sólo alguno de los relevantes aspectos que aporta esta obra y alguna de las reflexiones que a mi personalmente me han sugerido. Sirva lo anterior como aviso de que a lo largo del texto que ahora se presenta se abordan numerosas cuestiones de interés que también merecerían ser destacados y que, sin embargo, debo dejar a la indagación y profundización del lector.

El control funcional de legalidad contractual resulta la forma más moderna de fiscalizar los contratos contrarios a las leyes. Dicha perspectiva, en primer término, ha tenido un claro paralelismo en el predominio de las concepciones sociales e intervencionistas que poco a poco han ido objetivizando las vías de integración contractual, sobre todo con deberes *ex bona fide* y el recurso a soluciones de equidad contractual. En segundo término, y con mayor incidencia si cabe, hay que tener en cuenta que el nuevo control formal de la validez contractual diseñado sobre la idea o el dogma de la concurrencia perfecta de voluntades y su ámbito de ineficacia contractual derivado ha sido sustituido o complementado, en gran medida, por una mayor relevancia de las perspectivas funcionales en orden no sólo a la determinación objetiva del contenido contractual sino también al control del alcance y eficacia de los contratos. En este sentido la contratación seriada, como modo genuino de contratar, ofrece un campo especialmente abonado hacia el predominio de estas perspectivas funcionales en donde, por lo menos en muchas ocasiones, el contenido contractual y su eficacia o alcance se forma con criterios distintos de aquelllos sobre los que las partes quisieron vincularse formalmente, de manera que el principio de buena fe contractual posee un gran margen de actuación: un contrato debe presentar el contenido y eficacia que las partes, según la confianza razonable, podían esperar conforme a parámetros más o menos objetivables de tipicidad.

En la obra no se escatima en ejemplificar con multitud de supuestos y sentencias esta tendencia. Además, es un hecho que actualmente al abordar un caso de supuesta ilegalidad contractual encontramos más sencillo y cómodo acudir al artículo 6.3 del Código Civil y al particular análisis de la norma imperativa infringida que recurrir a la ampulosidad de la teoría de la causa ilícita y a las consiguientes consecuencias aparejadas al artículo 1275 del Código Civil. Sin embargo, es evidente que no se trata necesariamente de tomar partido por una forma de control en detrimento de otra sino, como bien indica el autor, armonizar y combinar ambas para que ese control sea lo más completo posible. Cuando una norma prohíbe un negocio jurídico, veda en rigor una finalidad, un resultado práctico en los terrenos jurídico y económico. En consecuencia, en cuanto a la prohibición es indiferente que el resultado proscrito se persiga de una manera directa o indirecta y para desentrañar cuál es la finalidad prohibida habrá que atender a la letra y al espíritu de la ley. Existen casos, también, en los cuales la prohibición de la ley se refiere no a un resultado sino a un determinado medio para lograr aquél. En consecuencia, aparece igualmente legítima la pretensión de llegar a idéntica o análoga finalidad censora con el empleo de otros métodos, no alcanzados por la letra de la norma.

Pero lo fundamental del control de legalidad en el contenido de los contratos es el encontrar la sanción jurídica más oportuna y adecuada a cada infracción. Con el abrumador número de normas que previsiblemente interfieren en las actividades privadas no siempre resulta sencillo determinar qué régimen jurídico debe aplicarse al contrato que no ha observado sus preceptos. No resulta sencillo saber si procede considerar al contrato ineficaz o procede mantener sus efectos por la ausencia en la propia norma infringida de previsiones expresas para tal incidencia. Tampoco ayuda la rigidez de la regla general de la nulidad de los actos y contratos contrarios a las normas imperativas y prohibitivas, contenida tanto en el artículo 6.3 como en los artículos 1275 y 1271 del Código Civil. Aplicar en todo caso la tradicional sanción repetiría el error del «*dura lex sed lex*», contestado sabiamente por el pretor romano con el «*summum ius, summa iniuria*».

Precisamente, es éste uno de los puntos donde esta obra se vuelve realmente valiosa. El autor acude a las fuentes jurisprudenciales para analizar caso por caso cómo los tribunales van resolviendo estos problemas. Sistematiza los casos y los dota de lógica jurídica extrayendo las pautas y criterios de interpretación. Se acude también a la doctrina más avanzada y se aprecian las nuevas aportaciones en el, hasta no hace mucho, oscuro tema de la ineficacia contractual. Se indagan las nuevas soluciones que ofrece el legislador y se obtienen directrices, para proceder a una interpretación adecuada en aquellos otros casos en los que se omiten las consecuencias que debe llevar aparejada la infracción. No hace falta tal previsión expresa ni nos hemos de plantear cuales son las soluciones que estuvieron o pudieron estar en la mente del legislador –*mens legislatoris*– sino los que se desprenden de la propia ley, de su interpretación objetiva –*mens legis*–. Es por ello que la ley así considerada se desvincula, en cierto modo, del legislador y el intérprete podrá entender la ley, incluso mejor de lo que la entendieron sus creadores. En este sentido conviene recordar las formas de permeabilidad del Derecho Civil a los principios sociales y políticos que conducen el tráfico (objeto éste de un específico estudio del autor en otra interesante obra titulada «*Determinación del contenido del contrato: presupuestos y límites de la libertad contractual*»). Se rompe así con el principio de de exclusividad de la ley, nacido de la idea de que no hay más Derecho que el Codificado y que la ley es la única fuente de cognición del Derecho.

Este último principio o dogma de la plenitud de la ley escrita, conduce en materia de prohibiciones a sostener que los únicos negocios vedados son aquellos expresamente prohibidos por la ley. Y como una consecuencia de ello, inexcusable para la filosofía liberal individualista: a).No puede hablarse de prohibiciones virtuales o tácitas, aunque se invoquen para fundarlas el orden público o las buenas costumbres b). Los negocios que «no les fueron expresamente prohibidos» a las personas les están o son permitidos.

En cambio, no sería posible explicar con este principio clásico la gran variedad y modalidades en cuanto a la figura de la ineficacia contractual. En la obra se analizan de forma bien pormenorizada todas y cada una de estas modalidades que en la mayoría de los casos nos ofrecen las nuevas leyes especiales y cuyo régimen jurídico es desarrollado por los tribunales: nulidad radical o de pleno derecho, nulidad parcial simple, nulidad parcial sustitutiva, nulidad relativa o con límites en cuanto a la legitimación activa en su interposición, nulidad sometida a plazo… En este aspecto es fácilmente constatable una tendencia a la conservación de los efectos del contrato en la mayor medida que resulte posible. Apostando por la mayor seguridad y fluidez en el tráfico económico.

Respecto a los límites en la legitimación para interponer la nulidad está claro que hay que solicitar la nulidad o impugnar el contrato ilegal para que a través del mecanismo judicial se eviten sus efectos. El control depende, por consiguiente, de la actividad del interesado y es absolutamente excepcional la intervención de oficio del juez. La obra analiza minuciosamente los supuestos en los que el Tribunal Supremo ha decidido que puede entrar a conocer y declarar la nulidad de *motu propio.* El comportamiento del interesado, en cuya esfera pesa la carga de iniciar el procedimiento en tiempo y forma so pena de aplicar al caso el axioma romano (en su versión canónica) «*qui tacet, consentire videtur*», es crucial para considerar si se está ante un interés legítimo que merece ser atendido a pesar de la predicada imprescriptibilidad de la acción.

También se puede cuestionar, en cuanto a la legitimación tan amplia con la que siempre se ha caracterizado a la nulidad, si el que ha provocado de propósito el vicio que origina la ilegalidad del contrato puede igualmente solicitar la ineficacia. La tradición nos obliga a no distinguir a la hora de otorgar y estimar la nulidad de los contratos el comportamiento o conocimiento de los contratantes que se encuentran siempre legitimados para impugnar el contrato que les vincula cuando objetivamente concurre el vicio de ilegalidad. Únicamente se realizan consideraciones al comportamiento de los contratantes en los reducidos casos en los que se aprecia que existe un contrato con causa torpe y procede la aplicación de los artículos 1305 o 1306 del Código Civil.

Sin embargo, tal tradición operaba sobre el presupuesto de que todos los hombres, actuando con la mínima diligencia, debían y podían conocer el Derecho, por lo que la ignorancia o defectuoso conocimiento del mismo debían imputarse a quien la padecía. Es evidente que dicho presupuesto no existe en los tiempos actuales, ya que, dado el elevado grado de desarrollo que han alcanzado los modernos ordenamientos jurídicos, resulta ilusorio pensar que todo hombre puede conocer el Derecho, desplegando una mínima diligencia. La idea de que el error de Derecho carece de relevancia ha sido una constante histórica a pesar de que se ha llegado a definir por el Tribunal supremo como «la ignorancia de una norma jurídica en cuanto a su contenido, existencia o permantencia en vigor para el caso concreto». (Sentencia de 25 de mayo de 1963).

Con esta última consideración tampoco se está proponiendo la derogación de la regla *ignorantia legis non excusat*, que consagra un principio inderogable de orden social plasmado de muy antiguo por la jurisprudencia: «el error de derecho a nadie excusa ni favorece» (sentencia de 20 de febrero de 1861). Principio del que se extrae la consecuencia del deber jurídico de obediencia y cumplimiento de las normas jurídicas que incumbe a sus destinatarios, con independencia del efectivo conocimiento de las mismas (*nemo legem ignorare censetur).*

Por otra parte, los supuestos a los que se hace alusión son especiales. Éstos son casos en los que se niega acción a quien demanda la anulación de un contrato pretendiendo la ineficacia del mismo para excusarse del cumplimiento de las obligaciones contraidas obteniendo con ello ventajas en perjuicio de la buena fe del otro contratante. El contratante que impugna conocía de antemano la existencia del vicio de ilegalidad, que incluso podría haber buscado para obtener su ineficacia en un momento posterior, mientras el otro contratante se encontraba dispuesto a cumplir llevado de la convicción de la plena validez del contrato.

Como el autor apunta en el último capítulo de esta obra, en realidad, estos supuestos también podrían ser óptimamente resueltos a través de la responsabilidad por *culpa in contrahendo.* Exigiendo el contratante «víctima» de la ineficacia contractual y que ha visto truncadas sus expectativas la correspondiente indemnización a la parte contratante que le resulte imputable. Quizá lo que resultase deseable sería un mayor desarrollo jurisprudencial de este tipo de responsabilidad que parece tener poco predicamento en lo que se refiere a su aplicación en los casos de nulidad contractual derivada de una causa de ilicitud o ilegalidad.

El autor, a quien tengo el honor de dirigir en tareas académicas, era ya conocido del lector curioso de sus trabajos: «Determinación del contenido del contrato: presupuestos y límites de la libertad contractual» y «Precio y renta en las viviendas de protección oficial», esta última obra cuenta ya con una segunda edición. Ahora lleva a cabo una nueva andadura por los caminos y vericuetos de la literatura jurídica en el que se mueve con gran soltura demostrando un bagaje muy amplio de lecturas y conocimientos, junto con una afinada utilización de las técnicas jurídicas para proponer soluciones fructíferas, características que permiten esperar fundadamente de él que alcance en un futuro próximo cotas muy altas en la doctrina civilística española.

FRANCISCO JAVIER ORDUÑA MORENO.
Catedrático de Derecho Civil.

INTRODUCCIÓN

El objeto del presente trabajo se centra en el estudio del complejo fenómeno de la ilegalidad contractual. Este fenómeno requiere, necesariamente, en su tratamiento una serie de acotaciones para conseguir una delimitación comprensiva.

Resulta curioso que desde que se comenzó la elaboración del trabajo que aquí se publica ha sido sencillo comprobar las diferentes ideas que cualquiera puede hacerse sobre el objeto del mismo. No fue necesario servirse de ninguna encuesta sobre los contratos ilegales a modo de trabajo de campo. El muestreo estadístico al que me refiero se vale de la inevitable pregunta que espontáneamente se formula al investigador, aquello de —«¿sobre qué tema estás trabajando?» Al contestar —«sobre los contratos ilegales», se podían observar dos reacciones. Normalmente, cuando el interlocutor era alguien profano al mundo del derecho solía responder «Ah, de ese tipo de contratos yo conozco muchísimos».

En cambio, cuando el interlocutor era conocedor del Derecho normalmente acababa preguntando «¿Contratos ilegales como por ejemplo...?». La explicación de estas reacciones resulta evidente: mientras que parece que existe un concepto o acepción vulgar de contrato ilegal más o menos asumido, no contamos con un concepto técnico o jurídico del mismo.

El fenómeno de la ilegalidad contractual no es nuevo ni exclusivo de nuestro actual ordenamiento jurídico. También lo encontramos desenvuelto en el ámbito del derecho histórico y del comúnmente denominado «Derecho comparado». Se trata de un tema clásico pero de continua actualidad y evolución. En realidad, las referencias históricas suelen referirse a los límites de la libertad contractual de una manera más amplia incluyendo siempre a la moral y al orden público. En algunos casos es difícil diferenciar si un contrato resulta finalmente ineficaz por considerarse atentatorio contra la ley, la moral, el orden público o cualesquiera de sus posibles combinaciones.

En cambio, hoy en día la Ley, como límite a la libertad contractual, reclama todo el protagonismo. De hecho, lo que resulta relativamente más novedoso es la influencia del creciente «intervencionismo estatal» en una doble proyección: en el área económica y en la justicia contractual, ya sea en ámbitos concretos, (tutela del consumidor), ya sea en general, (control de las condiciones generales del contrato). Por esta razón, tras un rastreo histórico de las fuentes de ilicitud de los contratos, es palmaria la necesidad de abandonar algunos lastres dogmáticos que se han ido perpetuando.

La abundancia legislativa y los nuevos principios que contienen las leyes especiales van a innovar las manifestaciones tradicionales de la libertad contractual, dinámicas de por sí. El Derecho necesario viene a trastocar tanto la libertad de decisión a la hora de contratar (posibilidad de optar libremente entre contratar o no hacerlo y elegir libremente a la contraparte), como la de configuración de los contratos (tanto en cuanto a la elección de forma y tipos como en cuanto a la reglamentación de los mismos). El presente estudio se centra, precisamente, en analizar de qué manera invaden los preceptos normativos el espacio hasta ahora reservado a la voluntad privada. En particular, qué contenidos de los contratos se ven afectados directamente por los imperativos legales y qué consecuencias acarrea el que los contratos no se ajusten a estos.

Las vías o medios que se pueden emplear para controlar la legalidad de los contratos se analizan y desarrollan en el trabajo. Comienza la exposición con el método más clásico, el control estructural. Este control estructural ha servido como instrumento de revisión del contenido contractual ante la eventual contravención de cualquier límite (ley, moral y orden público). Parte de la base de que cualquier vicio de ilicitud tiene que verse necesariamente reflejado en algún elemento del contrato. Por esta razón se emplean los conceptos de objeto ilícito (art. 1271 del Código Civil) y de causa ilícita (art. 1275 del Código Civil). La otra vía de control está propiamente dedicada al limite legal. Esta forma de controlar la ilegalidad se basa en un análisis de la finalidad de la norma jurídica infringida, magnitud de la infración y circunstancias o posición de los contratantes (arts. 6.3 y 1255 del Código Civil).

Como colofón del estudio sobre la ilegalidad contractual se exponen las distintas consecuencias y efectos jurídicos que se pueden derivar de ella. Estos efectos no se reducen a los de la ineficacia contractual, aunque serán los que se deriven normalmente. Dentro de la ineficacia habrá que aclarar conceptos y distinguir variedades. La explicación de las distintas posibilidades en el resultado de la ilegalidad, su fundamento y justificación ocupan el capítulo cuarto del trabajo y, por su complejidad, se le ha dedicado una mayor extensión expositiva.

Para el planteamiento del tema objeto de estudio se ha acudido al auxilio de numerosos trabajos doctrinales tanto clásicos como modernos. Sin embargo, se observa que, en general, el tratamiento que la doctrina tradicional ha venido dando a la cuestión es siempre fragmentario. Se puede ver tratado, de forma indistinta, unas veces al analizar los vicios de los elementos del contrato, sobre todo en la ilicitud de la causa; otras veces al analizar el contenido del contrato y las concretas estipulaciones de las partes; y, por último, también es posible acometer su análisis desde la ineficacia contractual, como una de las causas de esta.

La mayor parte de estos tratamientos se hacen desde una perspectiva demasiado teórica, elucubrando sobre la causa ilícita y sobre la teoría clásica de la nulidad. Aunque no faltan los autores que en algún momento y sobre algún aspecto concreto manifiestan una vertiente crítica selectiva. De ésta forma se explica la gran variedad de fuentes bibliográficas citadas.

La modestia se impone ante una materia tan extensa y heterogénea donde no se aspira a un análisis exhaustivo de todos los supuestos comprendidos por las normas. Quizá sea este uno de los factores por los que no se habla de una categoría de contratos ilegales, ni se ha prodigado y extendido esta denominación entre los tratamientos que ha ofrecido la doctrina, hasta ahora. Es cierto que la gran variedad y riqueza de los casos a los que puede referirse un concepto de contrato ilegal es, aparte de numerosísima, tan heterogénea que desanima cualquier tentativa de aglutinar todos estos supuestos para proceder a una sistematización lógica.

En este punto es apreciable la influencia y repercusiones del propio cambio de concepción en la política legislativa que conlleva la, denominada por IRTI como, «Edad de la descodificación». Por esta razón, era necesario cierto cambio de planteamiento al acometer el estudio de la ilegalidad. En este sentido, el esplendor y la atención que recababa el artículo 1275 y sus concordantes artículos 1305 y 1306 del Código Civil se ven cada vez más desplazados por el artículo 6.3 del Código Civil y otros preceptos contenidos en leyes especiales fuera del Código a los que éste reenvía.

Para un tratamiento unitario, lo único que se puede hacer de forma factible es acudir a la casuística y tratar de sistematizarla. Este planteamiento hace que sea necesario realizar desde el principio un exhaustivo y minucioso sondeo jurisprudencial. Es en este método en el que toman ventaja los autores del Common Law, en cuyos manuales parece ya obligada una específica referencia a los «*illegal contracts*». No obstante, esta pretensión de «sistematización» del Common law muestra claramente el carácter programático de la cuestión que preside todo su ordenamiento jurídico, pues como pone de manifiesto SIMPSON, de forma general, «el sentido común sugiere, que el Common Law es más un desorden que un sistema, y que sería difícil concebir un ordenamiento jurídico menos sistemático.» (SIMPSON, en *Legal Theory and Common Law*, Oxford, 1986, pp. 8-24) En realidad, los juristas del Common Law realizan diferentes ensayos en cuanto a formas de clasificación y en cuanto a los efectos que puede originar la ilegalidad. Ni en uno ni en otro aspecto consiguen llegar a acuerdos unánimes.

También entre los autores del Derecho codificado se ha tratado el problema de la ilegalidad contractual de forma específica. En la doctrina italiana podemos observar que se han realizado diversos ensayos monográficos sobre la ilegalidad en los contratos. Cabe destacar el temprano trabajo de FRANCESCO FERRARA con una monografía titulada *Teoria del negozio illecito nel diritto civile italiano*, cuya 1ª edición data de 1907. Los trabajos italianos más modernos sobre el tema han sido inducidos por la exégesis del artículo 1418 de su Código Civil que habla expresamente de la nulidad de los contratos contrarios a las normas imperativas. Por consiguiente, el análisis que se realiza parte de los efectos o consecuencias que pueden acarrear los imperativos legales en los contratos.

Es evidente que la conquista más importante de un estudio sobre la ilegalidad contractual es llegar a determinar sus concretos efectos y consecuencias, en cada caso. Sin embargo, este ha de ser el resultado al que ha de llegarse tras un detallado estudio de todos los factores que intervienen en su consecución. No puede partirse «*a priori*» de los efectos a los que conduce la ilegalidad en materia contractual para comenzar a realizar una sistematización, porque no se pueden generalizar efectos comunes a todos los contratos. Las consecuencias de un contrato ilegal, no sólo se reducen a las de la ineficacia, aunque estas serán las que se deriven normalmente. Dentro de la ineficacia contractual se van a poder apreciar distintas variantes y, además, habrá de tenerse presente la posibilidad de reclamar indemnización por daños a través de la responsablidad por *culpa in contrahendo*.

Muchas veces las normas jurídicas contienen especiales sanciones para su contravención que se encuentran fuera de la esfera civil (sanciones administrativas y penales). Estas sanciones en ocasiones sustituyen y en ocasiones sólo complementan la sanción civil, que suele traducirse en la ineficacia contractual. Hemos de tener presente la concepción del ordenamiento jurídico como un todo y la eficacia total sancionadora del derecho que tan firmemente mantuvo FEDERICO DE CASTRO. (*Derecho Civil de España*, Madrid, 1984, pag. 534). Cuando el juez civil tenga que decidir sobre la suerte que ha de correr el contrato deberá ponderar si el propósito o la finalidad de la norma quedan suficientemente garantizados con aquellas sanciones o si además requiere una supresión o readaptación de los intereses de los contratantes. Esta idea de acudir a la ineficacia contractual en último recurso y preferir salvar lo que sea posible del contrato es lo que la doctrina italiana ha denominado teoría del «*minimo mezzo*» (remedio mínimo) y que viene, en cierto modo, a traducirse en la regla consagrada por nuestro ordenamiento jurídico del *favor negotii*.

Existen cada vez más normas en las que se combinan disposiciones de estricto ámbito civil o privado con otras de carácter administrativo o incluso fiscal y penal. En algunas de estas normas jurídicas no sólo se contemplan especiales sanciones para los casos de que un contrato las contravenga; también pueden encontrarse previstos determinados órganos administrativos, o el propio Ministerio Fiscal, encargados de velar por su cumplimiento. En principio, la competencia en materia contractual es exclusivamente de la jurisdicción civil y a ella le compete, en su caso, declarar la ineficacia de los contratos. No obstante, existen determinados contratos, aquellos que se encuentran especialmente intervenidos, en los que se considera conveniente asignar una función de vigilancia amplia, a modo de control preventivo para detectar posibles irregularidades legales (vigilancia que se puede atribuir, en su caso, a órganos administrativos *ad hoc*, fedatarios públicos, registradores o Ministerio Fiscal).

En cualquier caso, no bastará cualquier norma jurídica para restringir la libertad contractual. Se han de repasar los supuestos más representativos para destacar las características que tienen que reunir las normas jurídicas para ser capaces de influir en las relaciones contractuales. Una vez se ha fijado bien el marco de referencia en el cual se desarrollará el núcleo de la cuestión se pueden analizar las formas posibles de controlar la legalidad de los contratos. Inmersos en el examen del control de la legalidad contractual, enseguida puede observarse que existen dos métodos para atajar la posible antijuridicidad del contrato: una primera forma de fiscalizar la legalidad contractual consistiría en un control estructural que se concreta en una instrumentalización de alguno de los elementos esenciales del contrato, mientras que el otro sistema se refiere a un control funcional.

El control funcional no se fija ya en que el vicio alcance a los elementos esenciales del contrato. Ahora se va a prestar mayor atención a la norma infringida para ponerla en relación con el contenido del contrato y composición de intereses que se puedan ver afectados por ella. Este sistema de control funcional parece adaptarse mejor a las necesidades y conveniencias que reclama el tráfico jurídico actual. Sobre todo, permite no quedar demasiado atado a las categorías dogmáticas, así como una completa permeabilidad a las nuevas corrientes de política legislativa intervencionista.

El que existan dos formas de controlar la legalidad contractual no significa que se tenga la necesidad de desterrar una de ellas. Ambos métodos y sus referentes deberán complementarse para cubrir cualquier resquicio por el que pueda infiltrarse algún matiz de ilicitud en la reglamentación dispuesta por la voluntad de los contratantes. Lo importante es tratar de destacar las ventajas y desventajas de cada uno de estos métodos y saber cuándo conviene acudir a uno o a otro.

El punto culminante de la obra se alcanza cuando se aborda el tema de las consecuencias o efectos que puede llevar aparejado un contrato ilegal. Nada más comenzar el estudio del tema de la ineficacia contractual parecía que sobrepasaba el proyecto inicial. Es evidente que resulta un punto clave e imprescindible en el desarrollo del estudio de la ilegalidad contractual, pero también cobraba sustantividad propia. Esta es la razón por la cual se sobredimensionó su tratamiento en el conjunto del trabajo. No solo había que enfrentarse a un tema amplio y complejo sino que se encontraba anclado en dogmatismos vetustos repletos de prejuicios. Por otro lado, las nuevas leyes especiales parecían requerir una adaptación de esta materia a las más recientes necesidades y exigencias del tráfico jurídico y económico. Por otro lado ésta era una necesidad puesta de relieve de antiguo (comenzando por la doctrina francesa: JAPIOT, R., *Des nullités en matière d´actes juridiques. (Essai d´une théorie nouvelle)*, París 1909, tesis, 1ª parte y PIÉDELIÈVRE, J., *Des effets produits par les actes nuls. Essai d´une théorie dénsemble*, tesis, Paris, 1911.).

Se comenzó a tratar la ineficacia, desde el principio, analizando la noción más clásica de nulidad aunque desde un punto de vista crítico. Se destacó su importancia y su evolución pero al mismo tiempo se trataba de desmitificarla. Aquellas características que tan rígidamente se predicaban del régimen jurídico de la nulidad (carácter automático o *ipso iure*, carácter absoluto, originario, insubsanable) iban dejando paso a otros modelos de ineficacia caracterizados por una absoluta flexibilidad. La nulidad clásica seguía teniendo la función de referente indispensable, pero en su esfera se desarrollaban algunas variantes.

En un primer momento, los nuevos modelos de ineficacia contractual podían adivinarse apuntados tímidamente en algunos trabajos doctrinales, sobre todo de autores franceses. En la actualidad, cada vez es más frecuente encontrar autores que hablan de nuevas fórmulas opcionales o tendentes a evitar la sanción de la nulidad radical.

La jurisprudencia, aunque lejos de reconocer esta nueva tendencial aplica sin recelos estas nuevas formas de ineficacia. En las sentencias se pueden apreciar sutiles, y no tan sutiles, aplicaciones de distintas variantes de la nulidad. Aparte de la ya ampliamente reconocida y aceptada nulidad parcial en todas sus vertientes. Estas variantes de la ineficacia no tendrían porqué ser excluyentes entre sí sino que podrían combinarse para la consecución de la finalidad de la norma jurídica infringida.

También resulta, en cierto modo, novedosa la aplicación de la responsabilidad por *culpa in contrahendo* a estos casos de ilegalidad. Pese que siempre ha cabido la posibilidad de exigir resarcimiento de daños y perjuicios al contratante por cuya culpa se produjo la ineficacia, no se ha prodigado mucho esta acción en nuestros tribunales.

Por último queda indicar que la delimitación del tema va a venir marcada por la relevancia de los supuestos a los que con más frecuencia se han tenido de enfrentar los operadores jurídicos. La observación de la jurisprudencia ha supuesto el mejor indicativo de los principales problemas y del *status quaestionis*. Por tanto, ha sido la práctica judicial la que, en mayor medida, ha servido para realizar una selección de aquellos preceptos legales y contratos entre los que se producen continuos choques o contradicciones, discriminando y optando a través de los supuestos ofrecidos.

Éste ha sido el método utilizado para realizar una selección de los supuestos o familias de supuestos que se muestran como más representativos. Además, era necesario seguir puntualmente la evolución jurisprudencial y la doctrinal puesto que se podía advertir que tanto estos supuestos como su representatividad se veían frecuentemente modificados por la coyuntura.

En esta práctica judicial se pueden descubrir distintas corrientes de doctrina legal. Con la afluencia de normas jurídicas especiales de carácter imperativo la variedad de supuestos litigiosos ha aumentado. Las diferencias no sólo se dan en las sentencias que recaen sobre distintos casos, sino que en un mismo caso a través del tiempo queda patente la evolución de los criterios empleados por la jurisprudencia. No es difícil encontrar diversos testimonios históricos que contengan supuestos concretos de contratos ilegales. El sondeo jurisprudencial se ha tenido que remontar a sentencias recogidas en la «Colección Legislativa» y en el «Diccionario de la Administración Española» de Martínez-Alcubillas, con sus apéndices y boletines. Incluso se puede apreciar como el Tribunal Supremo abandona y retoma una linea jurisprudencial sobre el mismo tema en un intervalo de tiempo relativamente

corto. Las decisiones jurisprudenciales tienen que evolucionar con la realidad
jurídica y con las nuevas exigencias de política legislativa.

Tras un detenido y pormenorizado examen de las ricas variedades de
contratos ilegales, se pueden extraer una serie de criterios o directrices que
pueden servir de guías para dar una solución adecuada a determinados
grupos de contratos que infringen normas jurídicas imperativas.

En definitiva, el cometido del trabajo se ha dirigido, en primer lugar, a
exponer las vías de control que se han utilizado para atajar la ilegalidad
contractual y señalar los resultados y soluciones a las que, en cada caso, ha
llegado la jurisprudencia. En segundo lugar, a aclarar algunos conceptos
clásicos (ilicitud, invalidez, inexistencia…) que aún guardaban cierta oscuridad y tratar de adaptarlos a las nuevas necesidades. Por último, se apuntan
algunos criterios que se pueden inducir de los supuestos paradigmáticos, que
puedan servir como elementos para interpretar las normas jurídicas más
propensas a resultar contravenidas por los contratos. Estos criterios marca-
rán las pautas para aplicar los efectos y consecuencias adecuadas a aquellos
contratos que han infringido una norma legal.

Capítulo I
CONTRATOS ILEGALES: CONCEPTO Y CONSIDERACIONES GENERALES

I. EL CONTRATO ILEGAL. CONCEPTO Y CARACTERÍSTICAS GENERALES

1. Precisiones terminológicas

1.1. Contrato ilegal y contrato ilícito

Para empezar deberemos advertir que los dos conceptos que tratamos de distinguir han venido a denominarse con términos que pueden parecer sinónimos y como tales se han utilizado en ocasiones. Los términos de contrato ilícito y contrato ilegal han sido indiferentemente usados para englobar un concepto más amplio que al que técnicamente se refieren. Este concepto amplio en el que encajarían indistintamente los términos de ilegalidad y de ilicitud, es el concepto más extenso, en el que se consideraría incluidos todos aquellos contratos en los cuales los contratantes se exceden de cualquiera de los tres limites a los que se debe someter la autonomía de la voluntad. Esta concepción no solo incluye el límite legal (normas jurídicas) como referente para la consideración de un contrato como ilegal, sino también los limites extrapositivos (reglas morales y de orden público). Es decir, estos términos en su sentido más genérico se pueden referir a aquellos contratos rechazados en todo o en parte por cualquier elemento del ordenamiento jurídico en general.

Ahora lo que procede es matizar los conceptos que tratamos de distinguir:

Contrato ilegal en *sentido estricto*. Con el término de contrato ilegal nos referimos, en principio, sólo a aquellos contratos rechazados en todo o en parte por el derecho positivo. En esta concepción el único referente para la consideración de un contrato como ilegal sería exclusivamente el límite legal o normativo. La ilegalidad requeriría un choque o contravención frontal del contrato mismo o su eficacia con el precepto legal.

Si utilizamos el término de contrato ilegal en el sentido estricto que acabamos de exponer, también podremos contraponerle un sentido estricto del contrato ilícito.

Contrato ilícito en *sentido estricto*. Sería contrato ilícito todo aquel que no se encuentre específicamente prohibido o censurado por las normas jurídicas positivas sino que se encuentra viciado por ir en contra de normas éticas, las buenas costumbres o principios generales de Orden Público.

Se va a tratar de analizar y configurar en este trabajo el concepto de contrato ilegal en sentido estricto. A este concepto, usado comúnmente con diversas acepciones, le trataremos de dotar de un sentido más técnico y preciso.

De esta forma, consideraríamos ilegal aquel contrato cuyo contenido es el que resulta rechazado en todo o en parte por una norma jurídica imperativa o prohibitiva. Pese a que no se ha acuñado, hasta ahora, un concepto claro de contrato ilegal en su sentido estricto es conveniente tener en cuenta esta precisión para entender un diferente tratamiento y un diferente régimen jurídico con respecto al contrato ilícito.

Obsérvese que, de esta forma, la reducción del campo de referencia es notable, como más adelante se podrá comprobar. Recogemos pues así la concepción de LACRUZ que dice que: «Son ilegales las estipulaciones directamente reprobadas por la Ley»[1].

Además, se puede advertir que para que se dé un contrato ilegal, en sentido estricto, no basta con que se encuentre cualquier irregularidad en el contrato. El calificativo de ilegal se genera en el momento en el que existe una norma jurídica que dispone la necesidad de que las relaciones contractuales se deban desarrollar conforme a unas pautas que resultan incompatibles con lo dispuesto por los contratantes. De tal forma que un contrato ilegal es un contrato que se halla dentro del ámbito y cumple los presupuestos en los que se desenvuelve, en general, la autonomía privada. Lo que ocurre es que existe dentro de esta autonomía un límite legal que mediante una prohibición o un mandato reprueban en un caso particular este contrato que, de otra forma, sería potencialmente eficaz[2].

Normalmente, lo que censura la norma jurídica se va a referir al contenido del contrato en sentido amplio, ya sea en cuanto a las obligaciones que comprende, en cuanto a su resultado o con relación a circunstancias particulares en que éste se celebra.

Pese a que esta clasificación propuesta parece tan sencilla, su distinción en la práctica es terriblemente complicada. El problema consiste en que existen dos formas de controlar la ilegalidad de los contratos: una estructural (a través de los elementos del mismo) y otra funcional (a través de la finalidad de la norma infringida). El control estructural se basa en identificar la incidencia de la ilegalidad bien sobre el objeto o bien sobre la causa del

---

[1]   LACRUZ BERDEJO, J.L., *Elementos de derecho civil* II, vol. 2º, 2ª edición, Barcelona, 1990, pág. 180 y 181. Una concepción amplia sería la que recoge SANTOS BRIZ para quien los negocios jurídicos ilegales son los que infringen las normas coactivas o los principios generales del derecho en que se funda la tutela del orden público. SANTOS BRIZ, J., *Derecho civil, Teoría y Práctica*, T. I., Madrid, 1978, pág. 610.

[2]   En este sentido caracteriza LARENZ el negocio prohibido, *Tratado de derecho alemán*, Jaén 1978, pág. 587. De forma similar aunque realizando la distinción sobre bases terminológicas entre el *posse* jurídico como idoneidad para la producción de los efectos a los que el acto se ha dirigido y el *licere* como no contrariedad a un deber jurídico, como licitud. MOSCHELLA, R. «*Il negozio contrario a norme imperative*», en *Legislazione economica* pág. 276-279. También distinguen entre ilícito e imposible jurídico, F., *Teoria del negozio illecito nel diritto civile italiano*, 2ª ed., 1914,, cit. pág. 11 y GIORGI, *Teoría de las obligaciones, cit.* Vol. IV, pág. 333.

contrato. Una vez que se encuentra identificada esta ilegalidad se habla de que estamos ante un contrato con causa ilícita o con objeto ilícito. Es indiferente que lo que constituya la ilicitud de ese elemento sea la ley, la moral o el orden público. Por esta razón se ha extendido el término de contrato ilícito también a algunos casos en los que se ha infringido una norma positiva y por tanto también podría merecer el calificativo de ilegal de forma indistinta.

En la práctica, tanto la ilicitud causal (artículo 1275 del Código Civil) como la del objeto (artículo 1271 del Código Civil) se suelen relacionar, más bien, a transgresiones de las buenas costumbres o principios generales del ordenamiento jurídico. Por esta razón, se puede afirmar que la tendencia a la denominación de ilicitud en estos casos está bastante justificada. En consecuencia, el concepto de contrato ilegal en sentido estricto se suele desvincular del control estructural para cobrar una significación más adecuada en el control funcional instrumentalizado a través del artículo 6.3 del Código Civil[3].

Concepción no muy diferente es la mantenida por BETTI y cierta corriente de la jurisprudencia italiana[4]. Los autores italianos, en general, tienen la

---

[3]   vid. infra epígrafe *Distinción del ámbito de aplicación de los artículos 1271, 1275 y 6.3 del Código Civil*.

[4]   BETTI lo expresa diciendo: «La apreciación de ilicitud no debe confundirse ni con la de ilegalidad ni con la de intrascendencia jurídica. La diferencia radica en la naturaleza de la apreciación, la cual en el caso de ilicitud es negativa (de reprobación), en el de ilegalidad es limitativa (de no conformidad); y suspensa, y por tanto, de abstención de una estimación normativa (posición de indiferencia) en el caso de intrascendencia. La diferencia también se apoya en las distintas consecuencias respectivas. Sólo el negocio ilícito provoca propiamente una sanción jurídica, mientras que el ilegal (cuando no concurra ilicitud, lo que no esta excluido) no tiene otro resultado que la invalidez del acto, y el intrascendente no produce, lógicamente, ningún género de consecuencia». La confusión lejos de aclararse se complica ya que añade «Además, en la figura del negocio ilícito se comprenden, tanto el negocio contrario a las normas imperativas de ley o al orden público como el que choque con las buenas costumbres en cuanto protegidas por el derecho; tanto el negocio contrario a la letra de una norma jurídica como el que viole su espíritu y configure un *agere in fraudem legis*, o un fraude en perjuicio de otros individuos. La sanción con que el derecho reacciona ante la práctica del negocio ilícito puede consistir en la nulidad o en la ineficacia; además en la obligación de reparaciones pecuniarias o en el negar la repetición de la prestación hecha.» BETTI, E., *Teoria general del negocio jurídico*, trad. A. Martínez Pérez, Madrid, pág. 94 y 95. MOSCHELLA nos explica la trascendencia que ha tenido esta diferenciación doctrinal en la jurisprudencia italiana, y nos indica que aunque ciertamente ha tenido influencia la distinción en algunas sentencias, acaba concluyendo que todavía la jurisprudencia no siempre declara la condivisión de este principio. MOSCHELLA, R., «*Il negozio contrario a norme imperative*», en *legislazione economica*, (Settembre 1978 - agosto 1979) pag 282. También ha hecho un esfuerzo por diferenciar la ilegalidad de la ilicitud, aunque de forma diferente, DE NOVA, G., para quien el contrato ilícito es aquel que tiene causa ilícita y contrato ilegal sería aquel que es contrario a una norma imperativa pero que cuya violación no comporta la ilicitud de la causa. «*Il contrato contrario a norme*

concepción de que el contrato ilegal es el que contraviene una norma imperativa, en principio, tal y como nosotros mantenemos. Sus diferencias se manifiestan al venir a considerar el contrato ilícito como aquel que tiene causa ilícita. Esta noción se va a mantener, precisamente, porque tienen que configurar como categorías diferentes contratos que van contra normas imperativas y contratos que tienen causa y objeto ilícito. A veces, se altera la calificación del contrato aunque la infracción producida pueda ser de las mismas normas, dependiendo si se considera que la norma afecta a la causa o no.

Este esfuerzo diferenciador, algo artificial, de la doctrina italiana parece que se exige por la propia disposición de su Derecho positivo. En realidad, la peculiar distinción les viene procurada por la nomenclatura y sistemática que utiliza su Código Civil en el art. 1418, donde, al enumerar las causas de nulidad en sus diferentes párrafos, se señala, por un lado, el contrato contrario a norma imperativa y, por otro lado, la ilicitud de la causa, de los motivos y del objeto del contrato.

De la exégesis de esta disposición se puede deducir, fácilmente, que se trata de categorías diferentes aún en el caso que la causa sea ilícita por contravenir una norma imperativa. Sin embargo, MESSINEO siguiendo la tradicional clasificación del contrato ilícito de FERRARA por la fuente de ilicitud[5], caracteriza el contrato ilegal de la misma forma que entre nuestra doctrina hace LACRUZ. Mantiene Messineo que contrato ilegal es el contrato contrario a normas imperativas (coactivas), especialmente prohibitivas (de derecho privado, de derecho público o de derecho penal): lo que se denomina *contra legem agere*[6].

La terminología es utilizada por nuestra doctrina y jurisprudencia de una forma indistinta[7] (contrato ilícito o ilegal) pero habitualmente se suele

---

imperative», en *Rivista Critica del Diritto Privato*, a. III, n. 3-4, dicembre, 1985, pág. 438. En cambio, se manifiesta en contra de la conveniencia de dicha distinción ROPPO, E., *«Il controllo sugli atti di autonomia privata»*, en *Rivista Critica del Diritto Privato*, a. III, 3-4, dicembre, 1985, pág. 491.

[5] FERRARA no habla de contrato ilegal, pero al exponer su teoría sobre el negocio ilícito lo clasifica dependiendo de la fuente del ilícito en negocio ilegal, negocio inmoral y negocios contrarios al orden público. op cit. pág. 3 y desarrollado en toda la obra.

[6] MESSINEO, *«Doctrina general del contrato*, cit., pág. 481.

[7] En derecho comparado se notan claramente preferencias terminológicas que luego tienen reflejo en la forma de su planteamiento. Mientras que la doctrina anglosajona tiene predilección por hablar de los contratos ilegales y en todas sus obras generales sobre derecho contractual, casi sin excepción, suelen dedicar un epígrafe o un capítulo cuyo rótulo suele ser del siguiente tenor: «Illegal contracts», «Illegal bargains», «Contracts illegal by statute or at common law», «Illegality and Public Policy», «Contracts contrary to law or morality», «Illegality and inmorality»... Tomando como referentes ATIYAH, *An introduction to the law* of contract, 5º edición, Oxford, 1995, TREITEL, *The law of contract*, 9º edición, London, 1995, CORBIN, *Corbin on contract*, Minnesota, 1952,

utilizar el término ilicitud cuando la infracción reviste un matiz más inmoral. La ilicitud implica un atentado contra el ordenamiento jurídico en sentido lato y parece indicar cierto atentado contra algún valor ético-jurídico. El ordenamiento jurídico así entendido abarca tanto la norma jurídica como los principios morales y de orden publico que lo integran.

En definitiva, al abordar el estudio de la ilegalidad contractual nosotros nos vamos a ocupar de ella en el sentido estricto y técnico expuesto. Considerando que nuestro derecho positivo sustantivo tiene suficiente relevancia y riqueza como para merecer un tratamiento exclusivo y pormenorizado el problema de su transgresión convencional. Incluso acotando y reduciendo el concepto de contrato ilegal a las normas jurídicas imperativas y prohibitivas, la gran cantidad y variedad de éstas parecen descubrir un tema inabarcable. Por esta razón se aborda su estudio de una forma selectiva sondeando los casos más significativos y problemáticos en la jurisprudencia y analizando las leyes que más se ven afectadas por las reglamentaciones contractuales.

1.2. Contrato ilegal, contrato inexistente y contrato imperfecto. Omisión de formalidades legales

Conviene distinguir estos tres tipos de contratos, para delimitar el objeto de estudio. Además, podremos apreciar que son diferentes en cuanto a sus efectos y que no conviene confundirlos para no mezclar sus consecuencias.

Partimos de la idea de que el hecho de que un contrato sea ilícito no significa que ese contrato sea inexistente o imperfecto. La declaración de voluntad en un contrato ilegal ha de ser, en principio, manifestada adecuadamente y el acuerdo ha de ser sustancialmente perfecto.

CHESHIRE FIFOOT & FURMSTON´S, *Law of contract*, 11° edición, 1986, CALAMARI-PERILLO. *Contracts*, 3° edición, Minnesota, 1987, PARRY, *The sanctity of contracts*, London, 1986.
En cambio, la doctrina italiana cambia la terminología; prefiere hablar de contratos contrarios a las leyes imperativas, en vez de utilizar el término ilegal, porque ellos le atribuyen otro significado mucho más concreto y reducido y, sin embargo, no tienen reparos en usar el término «illecito» para la mayoría de los casos y casi siempre referido al concepto más amplio de negocio jurídico, por una clara influencia de la doctrina alemana. Así dice FERRARA «Riassumendo il negozio illecito per contradizíone alla legge risulta dalla vilozacione de un lex prohibitiva perfecta.» Aquí recordemos el esfuerzo de la doctrina por diferenciar la ilicitud de la ilegalidad como ya hemos comprobado BETTI, op. cit. ibidem. También en la jurisprudencia italiana a diferencia de la española se trata de diferenciar conceptualmente ambos términos «Una assimliazione della figura della contrarietà alla legge (considerado como caso de ilicitud) a quella della semplice illegalità non può essere condivisa a causa dell`antitesi concettuale esistente fra le due figure». (Cass., 26 aprile 1969, n.1361, Foro it., 1969, Y, 1720.)

La ilicitud, como hemos expuesto, implica siempre una ofensa contra el ordenamiento jurídico en sentido lato. La ilegalidad abarcaría dentro de esta ilicitud el atentado a cualquier norma jurídica imperativa o prohibitiva a las que hace referencia nuestro artículo 6.3 CC.

Parece claro que para considerar un contrato como ilegal se parte de la premisa de la existencia del contrato al que se trata de descubrir un vicio de ilicitud. No se trata de calificar como ilegal al contrato que carezca de alguno de sus elementos esenciales. En este caso aunque, bien es verdad que, los elementos del contrato se encuentran recogidos en leyes que se consideran de derecho necesario[8]. La relevancia de estas leyes está unida al propio concepto de contrato y a su existencia y no a su calificación como ilícito o ilegal[9]. En consecuencia, la falta de uno de los presupuestos que establece el art. 1261 del Código Civil o los que se establezcan en particular para algún contrato especial, no dará lugar a la ilicitud que nos interesa sino a la inexistencia. Estamos ante un contrato inexistente[10] cuyos efectos serán la nulidad por causa de inexistencia[11].

---

[8]   DIEZ PICAZO, L., «*La autonomía privada y el derecho necesario en la LAU*» ...., en *A.D.C.*, 1953, pág. 1166. También estas normas son incluidas entre las normas imperativas y prohibitivas según GARCÍA AMIGO, quien las denomina **normas constituyentes** y las diferencia de las **normas de conducta** que serían las que regulan el contenido de las relaciones contractuales y prohiben determinadas conductas contractuales. GARCÍA AMIGO, M., «*Teoría General de las obligaciones*», Madrid, 1995, y «*La norma civil y sus fuentes*», en *A.C.*, Nº 1, diciembre 1996-enero 1997, pág. 6 Esta nomenclatura usada por GARCÍA AMIGO tiene cierta similitud a la usada por OERTMAN quien distingue entre *hechos constitutivos de derecho*, sin los cuales no hay negocio jurídico alguno y *hechos impedientes*, cuya concurrencia hace el negocio nulo. Esta autor no habla de normas sino de hechos porque le interesa diferenciar la nulidad de la inexistencia. OERTMAN, P., «*Invalidez e ineficacia de los negocios jurídicos*», en *R.D.P.*, 1929, pág. 69. Sin hilar tan fino como OERTMAN y GARCÍA AMIGO, MARTÍN RETORTILLO, C. habla de leyes constitutivas como sinónimo de leyes sustantivas que son las que producen la nulidad de los contratos por disconformidad con la Ley para distinguirlas de las leyes accesorias que no afectando a la sustantibilidad del acto no provocarán nunca su nulidad.

[9]   FERRARA en este sentido, distingue unas leyes «ordinativas» que vendrían a ser lo mismo que los otros autores que acabamos de mencionar llaman leyes constituyentes o constitutivas cuya infracción no conduciría a un contrato ilícito, en ningún caso, op. cit., pág. 14.

[10]   DE CASTRO, F. Nos hace una descripción de los contratos inexistentes, incluyendo en este grupo los contratos incompletos, los contratos defectuosos y los contratos aparentes. *El negocio Jurídico*, pág. 472.

[11]   Una de las causas de la nulidad es la inexistencia. Esta concepción de la inexistencia se aprecia muy bien en el art. 1418 del CC. Italiano en el que al establecer el elenco de las causas de nulidad se separan la falta de requisitos de la contrariedad a normas imperativas. Sobre la diferencia entre nulidad e inexistencia vid. Infra Epígrafe inexistencia, nulidad e ilicitud.

En nuestro ordenamiento jurídico no se incluye la forma dentro de estos elementos esenciales del contrato. La libertad formal se encuentra presente en el articulado de nuestro Código que, en principio, solo exige la concurrencia de voluntades para que se tenga por existente el contrato y empiece a desplegar sus efectos[12]. De esta forma, se convierte en excepcional la existencia de contratos cuya eficacia comporta la exigencia de algún tipo de formalidades, contratos con forma *ad solemnitatem* (en la práctica, en el Código se reducen al art. 633 CC que se refiere a los que crean obligaciones a título gratuito, el 1628 que lo hace al censo enfitéutico y las capitulaciones matrimoniales del art. 1326 CC.).

Sin embargo, últimamente se está experimentando un «renacimiento del formalismo» en materia contractual con el fin de proteger al contratante débil[13]. Estas recientes exigencias de forma se pueden apreciar tanto en cierto tipo de contratos (contrato de edición, contrato de compraventa a plazos de bienes muebles, contrato de aprovechamiento por turno de bienes inmuebles, crédito al consumo, contratación bancaria, etc.)[14]. Este nuevo carácter tuitivo del formalismo se aprecia de forma palpable en los contratos de viajes turísticos combinados en los que se considera el programa-oferta, que debe facilitarse por escrito, como vinculante (arts. 3 y 4 de la Ley 21/1995, de 6 de Julio, sobre Viajes Combinados).

En general podemos apreciar esta tendencia al formalismo tuitivo en los contratos celebrados con consumidores o mediante condiciones generales de contratación. Resulta muy interesante observar la Ley 7/1998, de 13 de abril, sobre Condiciones Generales de la Contratación puesto que recoge en su

---

[12] Arts. 1278 (como ya ha quedado bien sentado por la jurisprudencia este artículo no resulta modificado sino complementado por los artículos consecutivos arts. 1279 y 1280), 1254, y 1258 del Código Civil, así como la significativa ausencia de requisito formal en el art. 1261, al contrario de lo que ocurría en el proyecto de García Goyena de 1851.

[13] DÍEZ-PICAZO, L., *Fundamentos de Derecho Civil Patrimonial,* Vol. 1º, Madrid, 1993, pág. 252, GARCÍA RUBIO, M.P., «La forma en los contratos celebrados fuera de los establecimientos mercantiles. Una aproximación al formalismo como característica del Derecho de Consumo», en *A.C.,* 1994-2, pág. 278, LETE ACHIRICA, J., «La configuración de la multipropiedad en España. La Ley 42/1998, de 15 de diciembre, sobre derechos de aprovechamiento por turno de bienes inmuebles de uso turístico y normas tributarias», en *A.C.,* nº 5, 1999, pág. 148, SILLERO CROVETTO, B., y DE LA FUENTE NÚÑEZ DE CASTRO, M.S., *Multipropiedad y aprovechamiento por turno. Comentarios sistemáticos a la Ley sobre Derechos de aprovechamiento por turnos,* dir. por J.M. Ruíz-Rico Ruíz y A. Cañizares Laso, Madrid, 2000, pág. 294.

[14] Art. 60 del la Ley de Propiedad Intelectual, (Texto refundido mediante Real Decreto Legislativo de 12 de abril de 1996); art. 6 de la Ley 28/1998, de 13 de julio de venta a plazos de bienes muebles; art. 9 de la Ley 42/1998, de 15 de diciembre, sobre Derechos de aprovechamiento por turno de bienes inmuebles de uso turístico y normas tributarias; art. 6 de la Ley 7/1995, de 23 de marzo, de Crédito al Consumo; art. 48.2 de la Ley 26/1988, de 29 de julio, sobre disciplina e intervención de entidades de crédito.

articulado dos tipos de ineficacia. La ineficacia por no incorporación, que encuentra su origen en el hecho de que las cláusulas no reúnan los requisitos exigidos para que puedan considerarse incluidas en el contrato, y la nulidad de pleno derecho, como sanción más adecuada para los casos en que las cláusulas no se ajusten a las normas imperativas o prohibitivas, o resulten abusivas. Se distingue así entre un control de incorporación o de inclusión y un control de contenido.

En este control de incorporación, cuyas causas se recogen en el artículo 7º, consiste en la verificación de que concurren una serie de requisitos de índole formal que vienen a asegurar la autenticidad del consentimiento del adherente[15]. La propia jurisprudencia ha apreciado que son casos en los que no puede considerarse que exista una auténtica bilateralidad de la cláusula basada en una libre aceptación de la misma por el adherente, cuando no se dan los requisitos necesarios para considerar incorporada una condición general (firma preceptiva en todos los pliegos, sencillez, transparencia y claridad de redacción, no estar redactadas en una letra demasiado diminuta, no contener términos confusos, no reenviar a otros textos[16].) Aunque no cabe duda de que éste régimen de protección implica poner en relación la no incorporación con la regla de interpretación a favor del adherente[17].

No vamos a considerar como contratos ilegales en sentido estricto a aquellos contratos en los que se ignora alguna de estas formalidades. La ilegalidad contractual que se pretende analizar se refiere a las infracciones legales que se pueden provocar por en contenido del contrato y no se entrará a analizar las irregularidades formales.

Para matizar esta precisión puede resultar útil la distinción de los autores italianos de las denominadas normas «Ordinativas». Éstas serían las disposiciones que establecen los requisitos formales o materiales para que un contrato consiga el reconocimiento del ordenamiento jurídico[18]. Pero estas

---

[15] CLEMENTE MEORO, M., «El régimen de ineficacia de las cláusulas abusivas», en *Contratación y Consumo,* Valencia, 1998, pág. 298, BLANCO PÉREZ RUBIO, L., «El control de contenido en condiciones generales y en cláusulas contractuales predispuestas», *en RJ.N.,* 2000, nº 35, pág. 11.

[16] Ss. de 31 de octubre de 2000, 9 de julio de 1999, 13 de marzo de 1999, 13 de noviembre de 1998.

[17] CLAVERÍA GOSALBEZ, L.H., «Una nueva necesidad: la protección frente a los desatinos del legislador. (Comentario atemorizado sobre la Ley 7/1998, sobre Condiciones Generales de la Contratación)», en *A.D.C.,* 1998-3, pág. 1303 y 1310, SANZ VIOLA, A.M. «Consideraciones en torno a la Ley 7/1998, de 13 de abril, sobre Condiciones Generales de la Contratación» en *A.C., 1999,* n. 30, pág. 894, GONZÁLEZ PAGANOWSKA, I., «Comentario al art. 7º» en *Comentarios a la Ley de Condiciones Generales de la Contratación,* Pamplona, 1999, págs. 252 y ss.

[18] FERRARA, F., *Teoria del negozio illecito...* cit. pág. 3 y 19. SCOGNAMIGLIO, R., *Contributo...* cit. pág. 390-391, VILLA, G., *Contrato e violazione...* cit. págs. 27-28. MOSCHELLA, *Il negozio contrario...* cit. Pág. 180. Por otro lado LONARDO, L., *Ordine*

normas no van a provocar la ilegalidad del contrato en sentido estricto sino que pese a encontrarse en el ámbito de la antijuridicidad entran más bien dentro de una imposibilidad jurídica o «incompletezza della fattispecie» (Supuesto de hecho incompleto o defectuoso, inexistencia)[19]

Los contratos imperfectos serían aquellos que adolecen de algún vicio permanente e intrínseco que viene a coincidir con un fallo en lo que hemos denominado presupuestos de la libertad contractual. Sobre todo, en aquellos casos en los que no se cumplen las premisas de la capacidad y del consentimiento. En estos casos tampoco podemos hablar de ilicitud o de contratos ilegales salvo en aquellos caso en los que se vea amenazada la premisa de la igualdad de los contratantes. Esta premisa es la que más complicaciones y conflictos ha suscitado y a la que el ordenamiento jurídico ha tendido a restablecer en mayor número de ocasiones, sin escatimar esfuerzos para su consecución. Así, junto a la clásica utilización de la causa ilícita del contrato se han empleado multitud de normas que tratan el problema y tienden a subsanarlo con diferentes soluciones.

Todos estos tratamientos legales merecerían que tuviésemos que estudiar este tipo de problemas dentro de la ilegalidad y que los contratos que no obedezcan a tales indicaciones tengan la consideración de ilegales. Sin embargo, en el tema de las clasificaciones todo depende del criterio seleccionado para su concepción. En este caso se va a preferir atender a un concepto estricto de contrato ilegal para reducir la extensión de su análisis y pretendiendo ganar en su profundidad. Nos vamos a referir exclusivamente a la ilegalidad derivada del contenido de un contrato. Al referirnos al contenido contractual queda automáticamente fuera el concepto de contrato imperfecto y, con mayor motivo, el contrato que adolezca de defecto formal.

Por tanto, no compartimos totalmente la inclusión que hace DE CASTRO de los contratos con causa ilícita dentro de los contratos imperfectos, ya que obedecen con mayor nitidez al perfil de la ilicitud que al de la imperfección[20]. Los efectos que se derivarán de la imperfección del contrato será, por regla general, la anulabilidad del contrato o su nulidad relativa.

El contrato ilícito es, como regla, perfecto. Lo que ocurre es que el ordenamiento jurídico (la ley en caso del contrato ilegal) se opone a su particular contenido o a los efectos pretendidos por alguna o por ambas partes contratantes.

Publico e illecita...cit. págs. 108-140 y MESSINEO, Il contratto in generale... cit. pág. 239 cuestionan la conveniencia de la distinción entre norma imperativa y «norma ordinativa».

[19] vid infra epígrafe «*Diferencia entre nulidad, ilegalidad e inexistencia*».

[20] DE CASTRO Y BRAVO, F., *El negocio jurídico*, pág. 472.

1.3. Irregularidades internas e irregularidades externas del contrato

Cabe también una visión de los contratos ilegales desde otra perspectiva. Se puede tener en cuenta el tipo de irregularidad o de contravención que supone la ilegalidad. No es sencillo desvincular los problemas de ilegalidad externa de los de irregularidades internas del contrato. Consideramos como irregularidades internas aquellos casos en los que el consentimiento adolece de algún vicio que lo menoscaba, el objeto no se encuentra determinado o la causa no es verdadera. En cambio, un caso de irregularidad externa podría verse en aquellos contratos en los que no se ha cumplido una *conditio iuris*.

Este último caso de irregularidad podría identificarse con aquellos casos en los que la validez un determinado contrato se condiciona a la obtención de una autorización. En la mayor parte de estos supuestos al verificarse el cumplimiento de la condición se consolida el contrato que hasta entonces se encontraba en un estado que DE CASTRO califica como de convalescencia[21]. Es decir, el nuevo hecho de la autorización, al sumarse al supuesto que se podría haber considerado ineficaz o inacabado sin su concurrencia, le confiere eficacia convalidante, según la denominación de DÍEZ-PICAZO[22].

Las irregularidades internas del contrato se pueden considerar como requisitos esenciales del contrato y como tales las recoge el Código Civil, mientras que la ilegalidad se considera un fenómeno jurídico en puridad externo al contrato. Es decir, se considera el contrato únicamente como un acto que ignora o contraviene directamente la ley imperativa. Lo pactado por las partes vulnera preceptos que no pertenecen a la parcela del Derecho Civil que regula y ordena la teoría general de los contratos y que, en general, se encuentra encaminada a asegurar el buen desarrollo de la libertad contractual.

La ilegalidad contractual, fundamentalmente, se centra en la desobediencia por parte de los contratantes de las prohibiciones y mandatos imperativos al elaborar el contenido del contrato. Estos imperativos legales serán los particularmente señalados en preceptos especiales de toda índole, preceptos que no tienen porqué ubicarse o pertenecer a la esfera del Derecho Civil.

Sin embargo, la separación entre irregularidades internas y externas no está demasiado clara en la práctica. Las irregularidades del consentimiento quedan completamente fuera del ámbito de la ilegalidad, pero el problema aparece cuando se incluyen como irregularidades internas la ilicitud del objeto y de la causa. El objeto ilícito supone contratar bien con cosas que están fuera del comercio de los hombres (y serán las leyes las encargadas de excluir

---

[21]   DE CASTRO Y BRAVO, F., *El negocio jurídico, pág. 485.*
[22]   DÍEZ-PICAZO, L., Fundamentos de Derecho Civil Patrimonial, I, págs. 438 y 458.

estas cosas del comercio de los hombres) o bien servicios contrarios a las leyes o a las buenas costumbres (art. 1271). La causa ilícita es la que se opone a las leyes o a la moral (art. 1275). Por tanto, vemos que se superponen la ilegalidad y las irregularidades internas del contrato. Por consiguiente, no será tan sencillo el determinar qué preceptos generales se aplican a la ilegalidad del contrato. Es decir, no podemos aplicar, en todo caso, las reglas de la ilegalidad contenidas en los artículos 6.3 y 1255 del CC. Habrá que combinarlas, dependiendo del caso, con los artículos 1271 y 1275 CC., o establecer reglas de aplicación preferente.

2. Contratos ilegales. La dificultad de su clasificación y sistematización

La denominación de contratos ilegales no se ha prodigado ni extendido demasiado entre la doctrina jurídica de los países de nuestro entorno. Las razones son que la generalidad del término lo hace impreciso, el campo que comprende parece inabarcable para una sistematización, ya que la variedad de los casos que engloba es, aparte de numerosísima, muy heterogénea. Tengamos en cuenta que las áreas en las que las leyes intervienen reduciendo los contornos de la autonomía de la voluntad son de lo más variado y su desarrollo es cada vez más profuso y más de detalle.

La ilicitud contractual desemboca en una falta de regulación; la pretensión negocial de carácter ilícito tiene como respuesta una falta de tipificación en el Código Civil. La enorme variedad y heterogeneidad de posibles infracciones legales, mediando contratos, no ha permitido hasta ahora una previsión legal detallada y exhaustiva de cada uno de los casos, ni siquiera los más representativos, de ilegalidad contractual para agregarle una pormenorizada reglamentación sancionadora.

La búsqueda de un principio general y su uso por la jurisprudencia ha parecido, en estos casos, una vía más efectiva porque guarda la flexibilidad necesaria para adaptarse a la gran riqueza evolutiva de la práctica. Se piensa que, sea cual sea la forma de infracción y la legislación imperativa vulnerada, siempre se podrá recurrir a la fórmula general: «los actos contrarios a las normas imperativas y prohibitivas son nulos de pleno derecho, salvo que en ellas se establezca un efecto distinto.» La excesiva confianza en esta regla general ha tenido ciertas consecuencias negativas, en cuanto que el legislador ha ido haciendo dejación de sus funciones, de claridad y concreción en cuanto a las sanciones, encomendándoselas tácitamente a jueces y tribunales. El problema radica en que, en muchos de estos casos, la jurisprudencia se va a ver rebasada en su ordinaria labor interpretadora.

Hemos de ser conscientes que este no es el medio usual de solución que acepta nuestro espíritu positivista. De esta forma, no puede sorprendernos que únicamente el derecho del *Common Law*, cuyo definido carácter casuístico se muestra con mayor nitidez, se permita analizar de forma directa y expresa el fenómeno de la ilegalidad en los contratos[23].

El problema de la ilegalidad contractual es un elemento común de todos los ordenamientos jurídicos modernos. Pero la divergencia en sus leyes y en el tratamiento que estas dan a los contratos que se ven afectados por este vicio es notable. Estas diferencias se ponen de manifiesto cuando se aprecia que la cuestión del Derecho imperativo, tanto nacional como extranjero, tiene múltiples variantes derivadas de distintas políticas legislativas. En los contratos internacionales, sobre todo, es una cuestión muy complicada. Estas complicaciones se apreciaron en la Convención de Viena sobre Contratos de Compraventa Internacional de Mercaderías. Por la exclusión expresa del artículo 4 a)[24], de esta convención, sin la cual se hubiese rechazado por los Estados, se consigue que las normas imperativas de Derecho interno que hacen ilegal un contrato, ya sean las que afectan directamente al comercio internacional, ya sean las que afectan al orden público interno, queden salvaguardadas. Por tanto, «la validez de un contrato de venta queda, de esta forma, subordinada a una serie de disposiciones que no son homogéneas ni equivalentes de un país a otro»[25].

El análisis de la variedad de tratamientos que cabe aplicar sobre el problema de la ilegalidad resultará enriquecedor y en algún punto de obligada referencia. Por este motivo, en casos concretos o problemáticos de ilegalidad contractual, se van a ir comparando las soluciones creadas en nuestro marco jurídico con las creadas en el Derecho extranjero. Por la cercanía, similitudes e influencias recíprocas se irá haciendo alusión constante a los ordenamientos jurídicos de los países de nuestro entorno con una tradición jurídica común como los de Francia e Italia. Por compartir esta tradición se han analizado igualmente algunos códigos civiles latinoamericanos. Finalmente, también por cercanía e influencia, sobre todo doctrinal, se harán menciones puntuales al derecho alemán en el momento de observar nuestro régimen jurídico.

---

[23] VÁZQUEZ DE CASTRO, E., Los contratos ilegales en el Common Law, en A.D.C., nº 1, 2002.

[24] Convención de las Naciones Unidas sobre los contratos de compraventa internacional de mercaderías, hecha en Viena el 11 de abril de 1980 y cuyo Instrumento de adhesión española fue de 17 de julio de 1990. Art. 4º «La presente Convención regula exclusivamente la formación del contrato de compraventa y los derechos y obligaciones del vendedor y del comprador dimanantes de ese contrato. Salvo disposición expresa en contrario de la presente Convención, esta no concierne, en particular: a) A la validez del contrato ni a la de ninguna de sus estipulaciones, ni tampoco a la de ningún uso. b) A los efectos que el contrato pueda producir sobre la propiedad de las mercaderías vendidas.»

[25] ROJO AJURIA, L., «Validez del contrato y ámbito de aplicación sustantivo de la Convención de Viena sobre contratos de compraventa internacional de mercaderías», en Cuadernos de Derecho y Comercio, Nº 21, Diciembre de 1996, pág. 24.

Por otro lado, el método utilizado para analizar la ilegalidad de los contratos en los países del Common Law es acometer su examen directamente desde la norma que resulta infringida, sin acudir a la sistemática de los ordenamientos continentales, que siempre tratan de relacionar la ilegalidad con el objeto o la causa del contrato[26]. En algún caso, también este análisis casuístico se ha visto criticado. Se puede considerar que la clasificación de los contratos ilegales atendiendo a la naturaleza de la disposición jurídica infringida se apoya sobre la base de un criterio distintivo poco homogéneo y por ello parcial. El otro peligro que se corre con este tipo de clasificaciones es el tratar por parte de la jurisprudencia de generalizar y elevar a dogma los resultados obtenidos ocasionalmente ante la infracción de un concreto tipo de normas[27].

De esta forma, se prescinde de las demás circunstancias que modulan los efectos de un contrato ilegal y que pueden provocar que ante la infracción contractual de un mismo tipo de norma los resultados sean diferentes. El ejemplo más claro de este riesgo lo tenemos en las distintas máximas que se han ido creando por la jurisprudencia por las cuales las infracciones de normas penales mediante contrato llevará aparejada irremediablemente la nulidad radical, las infracciones de normas «meramente» administrativas no pueden influir en la validez de los contratos y, del mismo modo, las normas fiscales tampoco pueden incidir sobre la validez del contrato. Como veremos detenidamente más adelante, no pueden considerarse correctas ninguna de las afirmaciones.

Parece que la mentalidad del jurista continental europeo ante un caso de ilegalidad, siempre le va a llevar a preguntarse sobre qué elemento del contrato resulta afectado por la ilegalidad o qué parte del contrato ataca a la Ley.

Pero, en el fondo, la sistemática seguida por estos ordenamientos continentales, incluyendo por supuesto el nuestro, pese a ser aparentemente de mayor lógica y facilitar su tratamiento sistemático, en el fondo, nos va a conducir siempre a unas complejas construcciones abstractas de difícil definición (causa ilícita, buenas costumbres, orden público…). Estos conceptos jurídicos indeterminados cuya aplicación y concreción van a llevarnos a

---

[26] De esta forma podemos tomar una cita especialmente gráfica de la mentalidad continental al acometer el estudio de los contratos ilegales. La pregunta a la que se trata de dar respuesta es ¿Cuales son los contratos ilegales? «Respondería directamente a esta pregunta quien pudiera recordar todos los mandatos y todas las prohibiciones de la ley jurídica o moral, y todas las materialidades infinitas en que puede actuarse la violación positiva o negativa de estos mandatos y prohibiciones. Pero este método, no sólo sería larguísimo, sino que estaría lleno de peligros, de los cuales no sería el más pequeño el de resultar insuficiente o incompleto.» GIORGI, J., *Teoría de las obligaciones en el derecho moderno*, trad. española, Vol. III, Madrid, 1978. Pág. 327

[27] VILLA, G., *Contratto…* cit. pág. 44.

soluciones jurisprudenciales de tendencias subjetivas no se encuentran exentos de problemas e inconvenientes. Sin embargo, tampoco debemos menospreciar su utilidad porque detrás de las construcciones dogmáticas, como puede ser el concepto de causa ilícita, siempre queda una puerta entreabierta para incorporar valoraciones que flexibilicen las decisiones que se toman. Sobre esta base, resulta claro el ejemplo de la causa ilícita en la que se da entrada a valorar si la finalidad o las intenciones de las partes se ajustan o no a lo que establece la ley o la moral y el orden público. Esto quiere decir que se trata de adaptar los grandes conceptos al caso concreto mediante la decisión más o menos discrecional del juez.

En cambio, el derecho del «Common Law» busca fórmulas que pretenden consagrar de una forma objetiva, estrictamente económica y comercial la ilicitud del contrato. De esta forma, los criterios que utilizan para clasificar los contratos ilegales se refieren a la naturaleza de la norma o la ley en virtud de la cual se van a considerar ilícitos o ilegales. Sin embargo esta objetividad es más aparente que real puesto que finalmente se puede observar que no todos los criterios utilizados en las clasificaciones de los contratos ilegales guardan uniformidad por parte de la doctrina y de la jurisprudencia[28].

Observando las dificultades de encontrar tendencias y criterios homogéneos en el tratamiento de la ilegalidad contractual no resulta extraño que no se encuentren muchas tentativas de aglutinar todos estos casos[29]. Además, no se puede considerar útil acometer el análisis de la ilegalidad contractual si no acudimos a la casuística e intentamos encontrar relaciones entre la índole del contrato ilegal y las consecuencias o los efectos civiles que cabe atribuir a esa ilegalidad. Buscar esas relaciones es lo que da sentido al presente estudio y es únicamente al final del mismo donde se puede valorar el interés de utilizar esta categoría que ahora se perfila.

La categoría de los contratos ilegales no ha sido utilizada ni desarrollada en los tratamientos que nos ofrece la doctrina española. La razón puede hallarse en que se opina que la generalidad del término lo hace impreciso. El tratamiento que la doctrina viene dando al tema es siempre parcial y fragmentario. Se puede ver tratado, de forma indistinta, unas veces al estudiar los vicios de los elementos del contrato, sobre todo en la ilicitud de la causa, otras veces al estudiar el contenido del contrato y las estipulaciones concretas de las partes, y por último también es posible acometerlo desde el estudio de la ineficacia contractual, como una de las causas de esta.

---

[28]   VÁZQUEZ DE CASTRO, E., Los Contratos ilegales en el Common Law, en A.D.C., Nº 1, 2002.

[29]   Sin embargo, no faltan algunos trabajos cuyo objeto principal resulta desarrollar esta categoría, uno de los primeros y más serios lo encontramos en la doctrina italiana de manos de FRANCESCO FERRARA con su monografía titulada *Teoria del negozio illecito nel diritto civile italiano* cuya 1ª edición data de 1907, aunque la que se maneja para la elaboración de este trabajo es la segunda edición de 1914.

Esta última forma de acometer su estudio parece ser la más útil, al intentar concretar los distintos efectos que pueden resultar como consecuencia de la ilegalidad en un contrato. Aunque la dificultad de cualquier tratamiento del problema es denominador común, al abordarlo desde las consecuencias de la ilegalidad se agudiza. El análisis es complicado porque, a diferencia de lo que ocurre en el derecho penal, no existe en el Derecho Civil una clasificación que tipifique los ilícitos civiles según su mayor o menor gravedad. Por esta razón, la diferenciación, caracteres y efectos de los contratos ilícitos dependen de las normas jurídicas que infrinjan y de las relaciones jurídicas que contradigan[30].

---

[30] Esta diferencia de la típica sanción civil a la ilegalidad con las sanciones penales ha sido destacada por muy diferentes autores: CORBIN, A.L., *Corbin on contracts*, op. Cit. Pags. 1154-1155., MOSCHELLA, «*Il negozio contrario a norme imperative*», en *Legislazione economica*, (settembre 1978-Agosto) 1979, pág. 307, JAPIOT, *Des nullités en matiere d´actes juridiques, essai d´une théorie nouvelle*, thèse, Dijon-París, 1909, pags. 161.162, DURRY, M.G., *L´inexistence, la nullité et...*op. cit., pág. 630, LUTZESCO, G., *Teoría y práctica de las nulidades*, trad. M. Romero Sánchez y J. López, México, 1945, pág. 279.

Capítulo II
CONTROL ESTRUCTURAL DE LA LEGALIDAD CONTRACTUAL

I. EL CONTROL DE LA LEGALIDAD CONTRACTUAL

1. *Introducción*

La razón económica por la que el Derecho consagra el principio de libertad contractual y juridifica estas relaciones derivadas de la autonomía de la voluntad se encuentra, sobre todo, en su función dinámica. Esta función consiste en hacer posible una constante renovación, de facilitar la circulación de los bienes y cierta rotación en la utilización de los servicios y recursos conforme las necesidades vayan surgiendo en la vida social y en el tráfico económico.

El control de la libertad contractual consiste en analizar qué contratos, excepcionalmente, merecen la reprobación del Derecho. Esta reprobación supondrá la consideración de inidoneidad de un contrato para el cumplimiento específico de esa función dinámica del Derecho.

El ordenamiento jurídico una vez que ha otorgado su poder a un contrato, ha de controlar que ese poder obtenido por el contrato no se va a utilizar en contra de lo que el ordenamiento ha previsto o dispuesto. Es decir, en virtud del principio de la libertad contractual todo contrato va a gozar de las cualidades otorgadas por el ordenamiento jurídico siempre que éste se mantenga dentro de los límites marcados por él.

En efecto, el contrato contiene la enunciación de unas reglas creadas por las partes, y éstas, en principio, se encuentran protegidas bajo la cobertura del principio de libertad contractual legalmente sancionado. Será luego, en un segundo momento, cuando el ordenamiento jurídico valore, según las pautas que marque el «patrón» ley, las reglas que las partes han incluido en él y termine por adoptarlas o rechazarlas. En el caso que el ordenamiento jurídico acabe por adoptar las reglas contenidas en el contrato puede hacerlo sin reservas, asumiendo los efectos jurídicos previstos, o adoptarlo con las modificaciones y restricciones que estime oportunas[1].

Como explica ROPPO «El problema de las relaciones entre la autonomía privada y el ordenamiento jurídico es, esencialmente, el problema de los controles que el ordenamiento ejerce sobre los actos de autonomía.»[2]

---

[1] BETTI, op cit. pág. 50.
[2] ROPPO, E., *«Il controllo sugli atti di autonomia privata»*, en *Rivista Critica del Diritto Privato*, a. III, Nº 3-4, dicembre, 1985, pag 485.

Para poder abordar tanto el ejercicio como las consecuencias del control de legalidad de los contratos, debemos tener en cuenta de forma conjunta los dos elementos que intervienen en la cuestión. En primer lugar, tendremos que observar con detenimiento la naturaleza de la norma jurídica y el contenido y alcance concreto de los preceptos que comprende. Por otro lado, también deberemos prestar atención al propio contenido del contrato y al resultado al que se llega con su ejecución.

2. Distinción del ámbito de aplicación de los artículos 1271, 1275 y 6.3 del Código Civil

2.1. Referencia a la licitud e ilegalidad en las disposiciones del Código Civil

La licitud del contrato es considerada por nuestro Código Civil en diferentes partes de su articulado y sin diferenciación de la ilegalidad. El legislador establece la posibilidad de apreciar la ilicitud e ilegalidad del contrato con referencia al objeto (art. 1271), con referencia a la causa (art. 1275) y con el propio contenido concreto del mismo (arts. 1255 y 6.3). Esta pluralidad referencial a la licitud puede hacer pensar que existe una cierta redundancia innecesaria entre todas estas normas dirigidas a repeler los posibles ataques de ésta a los contratos[3]. En este sentido, resultaría indiferente y gratuito tratar de distinguir los distintos conceptos y supuestos a los que se refieren todas estas normas. Ante cualquier indicio o sospecha de ilicitud se podría acudir indistintamente a cualquiera de esos medios que proporciona el ordenamiento jurídico o se podrían alegar todos conjuntamente. Es posible encontrar una combinación de todos los preceptos enunciados en una casuística extraordinariamente rica, que requiere bastante flexibilidad en cuanto a soluciones. Aunque actualmente la jurisprudencia suele darle este tratamiento, no siempre ha sido así y se ha llegado en numerosos casos a decisiones que adolecen de una falta de equidad que no es acorde con el espíritu de las normas y conduce a resultados injustos.

De esta forma, GARCÍA MONGE al analizar el contenido del artículo 1275 del Código Civil indica que en el primer aspecto de causa ilícita por oposición a las leyes la nulidad del contrato ya resulta de los dispuesto en el artículo 4º de dicho Código (actual artículo 6.3). El segundo aspecto se referiría de forma indistinta a la oposición de la causa o del objeto del contrato a la moral[4].

En este contexto de aplicación indiscriminada de los preceptos relativos a los límites de la autonomía de la voluntad encontramos sentencias como la

---

[3]   DE ZUMALACÁRREGUI MARTÍN-CÓRDOVA, T., *Causa y abstracción causal en el derecho civil español*, Madrid, 1977, págs. 106-107, 110, 116-119.

[4]   GARCÍA MONGE Y MARTÍN, J., *«Contratos con causa ilícita»*, en *R.D.P.*, 1964, pág. 865.

de 26 de junio de 1993 realizando afirmaciones del siguiente tenor: «*acuerdos que por infringir cualquier otra Ley imperativa o prohibitiva que no tenga establecido un efecto distinto para el caso de contravención o por ser contrarios a la moral o al orden público o por implicar un fraude a la ley, hayan de ser conceptuados como nulos de pleno derecho, conforme el párrafo tercero del artículo 6° del C.C., y por tanto insubsanables por el transcurso del tiempo.*» Esta sentencia parece declarar que existe una aplicación indistinta del artículo 6.3 C.C. a los casos de ilegalidad de los contratos por tratarse de pactos contrarios a la ley, la moral y el orden público. Llegando a adquirir una equivalencia total con el ámbito de aplicación de los artículos 1275 y 1271 C.C. Aparte de la impropiedad con que se mete en el mismo saco al fraude de ley que posee una regulación específica propia en el inciso contiguo del mismo articulo 6° C.C.

En otro sentido, una interpretación coherente parece indicar que toda previsión es poca para la defensa del ordenamiento jurídico. Cada supuesto normativo sirve para atajar una concreta manifestación en el contrato de una determinada parcela de ilicitud. Solamente con el conjunto de estas previsiones pueden resultar abarcadas totalmente cualquiera de las múltiples manifestaciones en las que pueda mostrase la ilicitud. Por esta razón conviene tratar de distinguir, en la medida de lo posible, los casos que cada norma se va a encargar de prevenir.

Versus Generalis: a). Contrato ilegal donde no procede la aplicación de la causa ilícita*: «no puede hablarse de causa ilícita por la existencia de un pacto que se reputa ilícito y que solo significa una modalidad de la ejecución del contrato y nunca su causa.» (Sentencia de 8 de febrero de 1958).* b). Contrato con causa ilícita donde no procede la aplicación de la regla general para los contratos contrarios a la Ley*: «El concepto de causa ilícita, tal como lo desenvuelve y aplica con gran amplitud y flexibilidad la doctrina moderna, permite cobijar (...) múltiples convenciones que, no encerrando en sí ningún elemento de directa antijuridicidad, son ilícitas por el matiz inmoral que reviste la operación en su conjunto» (Sentencia de 2 de abril de 1941)*

Pese a esta distribución en la función de control de legalidad y licitud del contrato que se va a tratar de analizar, podemos adelantar que el control estructural a través del objeto y causa del contrato deberá subordinarse al control funcional. Como mantiene DE LOS MOZOS: «Causa y objeto son dos diversas valoraciones que se hacen del supuesto de hecho del negocio. No tiene nada que ver que en la práctica coincidan la ilicitud de la causa y del objeto, ambos son dos reactivos para apreciar la licitud o ilicitud del negocio, pero prescindiendo de algún caso aislado en el que sea preciso una indagación más a fondo, que incluiría también el examen sobre la causa, no es preciso llegar a ello para reconocer la ilicitud jurídica del negocio.»[5]

---

[5] DE LOS MOZOS, J. L., «*El objeto del negocio jurídico*», en *R.D.P.*, 1960, Pág. 390.

En principio, ambos métodos cumplen una misma función (facilitar la impugnación de un contrato ilegal). Hay que estudiar en qué casos se acude a un recurso o al otro y qué consecuencias tiene esta elección. Tampoco se puede descartar una posible combinación de ambas[6].

La cuestión a debatir se centra en saber si podemos hablar de tres formas de licitud, a saber, una licitud del objeto del contrato, una licitud de la causa y una contrariedad a la norma imperativa del contenido contractual. En principio las normas relativas a cada una de las instituciones legales pueden usarse para canalizar distintas formas de ilicitud, de hecho así sucede en numerosos casos. Siendo rigurosamente analíticos, podemos ver que tratamos dos tipos de preceptos diferentes (los referidos a los elementos del contrato y el referido a las normas imperativas), que no son excluyentes, y que se puede compatibilizar su aplicación perfectamente.

2.2. Ámbitos de aplicación de los artículos 1271 y 1275 del Código Civil

La primera cuestión a abordar sería distinguir o separar los supuestos de hecho a los que se refieren los dos preceptos que se ocupan del control de la licitud de los elementos del contrato. Uno de los mayores problemas que se plantean en esta materia surge cuando se trata de delimitar el objeto de la causa ilegales. Pese a que se puedan diferenciar de forma diáfana los conceptos de causa y objeto del contrato como elementos independientes, en la mayoría de las ocasiones, no resulta fácil distinguir entre la ilicitud del objeto y de la causa[7]. La confusión se debe fundamentalmente al hecho de que los autores no están aún de acuerdo sobre la naturaleza jurídica y amplitud de la causa. Para los anticausalistas todos los problemas de ilegalidad se reducirán normalmente al objeto o prestación y para los causalistas adquirirá una mayor relevancia la causa ilícita[8].

---

[6] Este es el planteamiento que se sostiene en la sentencia de 19 de febrero de 1986, donde se relaciona al art. 6.3 con el 1275, ambos del Código Civil.

[7] DE ZUMALACÁRREGUI MARTÍN-CÓRDOVA, T., *Causa y abstracción causal en el derecho civil español*, Madrid, 1977, pág. 92, D´ORS, A., *«Sobre la causa de los actos jurídicos»*, en *A.D.C.*, pág. 583, nota 29, MUCIUS SCAEVOLA, Q., *Código Civil*, T. XX, 2ª ed., 1958, pág. 827, MANRESA Y NAVARRO, J.M., *Comentarios al Código Civil español*, T. VIII, vol. 2°, 6ª ed. Madrid, 1967, pág. 648.

[8] Como a continuación observaremos el concepto de causa como elemento del contrato ha dado lugar a un gran debate doctrinal y a una prolija aplicación jurisprudencial que no siempre se compatibiliza con las concepciones dogmáticas. La diversidad de complejas teorías y aplicaciones de este elemento contractual han creado tal perplejidad que se llega a cuestionar la propia entidad de este elemento contractual. Aunque —como apunta DUALDE— «todos los autores que tratan del anticausalismo lo hacen brevemente. En el inconsciente se agita este consejo: déjalo estar» DUALDE, J., *Concepto de la causa de los contratos*. (La causa es la causa), Barcelona, 1949, pág. 111.

Podemos salir del paso si consideramos, como señala LACRUZ BERDEJO, que, en estos casos, resulta irrelevante identificar nítidamente cual resulta ser el elemento ilícito del contrato. «Lo importante es saber si la licitud tiene o no entidad suficiente para invalidarlo»[9].

Por otro lado, con independencia de que proceda la aplicación del precepto que se refiere a la ilegalidad del objeto (art. 1271 CC) o el que se refiere a la ilegalidad de la causa (art. 1275 CC) las consecuencias resultarán idénticas. En ambos casos procede la nulidad del contrato con sus efectos restitutorios típicos[10].

A pesar de que los conceptos de objeto y causa del contrato estén perfectamente definidos y sean nítidamente diferenciables e identificables, en lo que se refiere a su ilicitud, en muchos casos, es difícil distinguir a qué elemento va referida[11]. Por esta razón CLAVERÍA GOSÁLBEZ aconseja a cualquier letrado que se vea en la situación de realizar alegaciones para solicitar la declaración de nulidad invoque conjuntamente los artículos 1255, 1271 y 1275 del Código Civil[12].

Ciertamente, la concreta ubicación en alguno de los elementos del contrato de la proyección de la ilegalidad no aparece siempre de una forma diáfana. Buena muestra de ello la tenemos en que, al tratar de sistematizar y enumerar los supuestos de ilicitud, los autores no siempre coinciden en ubicar muchos supuestos dentro de la causa o del objeto ilícito. No hace falta acudir a los ejemplos extremos de los autores con posiciones doctrinales más desmedidas. En uno de estos extremos se encuentran las tesis mantenidas por los autores anticausalistas que consideran todos los casos de ilicitud incluidos en el objeto ilícito, mientras que los causalistas centran o reducen toda la ilicitud del contrato en la causa, como veremos seguidamente. En realidad, como acabamos de exponer, se trata de una cuestión que no tiene mas trascendencia que la meramente clasificadora. En cuanto a régimen jurídico, en principio, no se aprecian diferencias (nulidad de pleno derecho).

---

[9]   LACRUZ BERDEJO, J.L., *Elementos...* II, vol. 2º, pág. 181.

[10]   También se obtendrá idéntico resultado cuando sea por el objeto ilícito o por la causa ilícita el hecho constituye un delito o falta pero no procedería la aplicación del art. 1303 del Código civil y la consiguiente restitución recíproca de prestaciones sino la del artículo 1305 y el especial régimen que en él se detalla. En el caso de que consideremos que en vez de la ilegalidad es exclusivamente la inmoralidad la que recae sobre la causa tampoco se va a considerar que proceda la aplicación del art. 1303 sino el artículo 1306 y el especial régimen que en él se detalla. Más adelante expondremos que este peculiar régimen restitutorio se reserva únicamente para los casos en los que la causa sea torpe o inmoral.

[11]   DE LOS MOZOS, J.L., «*La causa del negocio jurídico*», en *R.D.N.*, 1961, Pág. 413 y 419, y «*El objeto del negocio jurídico*», en *R.D.P.*, 1960, Pags. 389-390.

[12]   CLAVERÍA GOSÁLBEZ, L.H., *La causa del contrato*, Zaragoza, 1998, pág. 115-116, 185, *Comentarios al Código Civil y Compilaciones forales* (comentario del art. 1275 C.C.), Tomo XVII, Vol. 1-B, Madrid, 1993, pág. 564.

En este contexto, un criterio distintivo general es considerar que estamos ante un contrato con objeto ilícito cuando la propia prestación, sea cosa o servicio, del contrato se encuentra directa e inmediatamente prohibida en sí misma.

Por otro lado, nos encontramos ante un supuesto de causa ilícita cuando las prestaciones en sí mismas, tomadas de forma aislada, no son ilícitas, sino que lo que resulta ilícito es su intercambio o las concretas circunstancias que rodean el mismo. Procede aclarar lo expuesto con el típico ejemplo del contrato por el que se ofrece una determinada contraprestación o dinero a una persona para que ésta realice algo a lo que ya está obligada por un determinado deber, como en el caso de pagar a funcionarios para que realicen su normal actividad.

Esta distinción lo único que hace es justificar una independencia de ambas nociones, puesto que lo único que establece es que la ilicitud de la causa no implica automáticamente una ilicitud del objeto. Aunque no se cumpla la regla inversa, porque no se pueda afirmar, en los contratos sinalagmáticos, que un contrato con objeto ilícito no tenga también la causa contagiada de ilicitud[13]. Sin embargo, la distinción es útil porque puede no haber ilicitud objetiva y entender que el contrato no es válido en virtud de la intención común de las partes cuando se encaminan a la consecución de una finalidad contraria a la ley[14]. No se trata de un criterio general de distinción de todos los supuestos sino que únicamente trata de evitar que se identifique la ilicitud del objeto con la de la causa haciendo inútil ésta (reacción ante las corrientes anticausalistas)[15].

En cambio, no parece predicable de una forma tan clara esta exclusión de los supuestos de causa ilícita cuando apreciamos ilicitud del objeto. Es decir, parece que de este criterio de distinción tan extendido se puede inferir que la ilicitud del objeto implica la de la causa pero no al revés. Esta conclusión no es del todo exacta y caben matizaciones. Cuando se aprecia la ilicitud del objeto nos encontramos ante prohibiciones de comerciabilidad muy claras y directas que no requieren que se necesite acudir al más complejo concepto de la causa. El objeto es ilícito porque se encuentra fuera del comercio de los hombres y lo está sea cual sea el pacto, las circunstancias o las intenciones de los contratantes. El verdadero problema estará en saber cuándo estamos ante un supuesto de contrato con objeto ilícito y cuando ante un contrato ilegal por contravenir una norma imperativa en general.

---

[13]   Esta es una idea clásica que encontramos ya en los comentaristas al Código francés como DEMOLOMBE. DEMOLOMBE, C, *Cours de Code Napoleon. Traité des contrats*, T. I, París, 1884, pág. 358 y 364.

[14]   ATTAD ALONSO, E., *La causa ilícita*, cit. Pág. 643.

[15]   CLAVERÍA GOSALBEZ, L.H., *La causa del contrato*, cit., pags 129-130 y 191-192.

2.3. Ámbitos de aplicación de los artículos 1271 y 6.3. del Código Civil

En general, se observa que la ilegalidad del objeto del contrato es menos frecuente de lo que a primera vista parece. Por esta razón, cuando no le roba protagonismo la causa ilícita se ve desplazado por las reglas generales de los actos contrarios a las leyes. LACRUZ ya advertía que la licitud es una cualidad que excede del objeto para propagarse al contrato entero[16]. En este mismo sentido DE LOS MOZOS afirma que «la licitud o ilicitud no ha de establecerse en relación con el objeto mismo, sino en relación con el negocio mismo»[17]. En la concepción tradicional no resultaba demasiado relevante realizar una distinción entre los contratos con objeto ilícito y contratos contrarios a las leyes. En todo caso las consecuencias eran coincidentes pues se llegaba siempre a la solución de la nulidad radical del contrato.

No ocurre lo mismo en la actualidad donde la tendencia es a diversificar las consecuencias de los contratos contrarios a las leyes, en muchos casos, tratando de salvar todos los efectos del contrato que sea posible. Ahora existe una gran diferencia entre considerar un contrato con objeto ilícito cuya consecuencias serían irremediablemente las de la nulidad o considerarlo como contrato ilegal cuya eficacia puede llegarse a salvar en todo o en parte. Por esta razón se ha ido relegando el uso del artículo 1271 únicamente a supuestos muy determinados reservándose el recurso al artículo 6.3 del Código Civil para la mayoría de los casos.

Al analizar el art. 1271 del Código vemos que se detalla la ilicitud en las dos formas que puede presentar el objeto del contrato: los casos en los que el objeto sean cosas y los casos en los que el objeto sean servicios. Cuando el objeto del contrato se refiere a cosas, únicamente estaremos ante supuestos de objeto ilícito cuando estas tengan la condición de inalienables. Dentro de esta categoría de bienes podemos encontrar fundamentalmente tres tipos: bienes de dominio público, cosas comunes a todos y bienes no incluidos en el patrimonio[18].

Es hartamente difícil distinguir si nos encontramos ante un contrato con objeto ilícito o un contrato contrario a la ley en general. El propio DEMOLOMBE mezcla los términos al explicar que la imposibilidad legal que hace que una cosa no pueda ser objeto de una convención puede resultar de dos causas diversas: 1ª de una prohibición especial de la Ley. 2ª De una prohibición

[16] LACRUZ BERDEJO, *Elementos...* cit. pág. 138.
[17] DE LOS MOZOS, J.L., «*El objeto del negocio jurídico*», en *R.D.P.*, 1960, Pág. 390.
[18] DÍEZ PICAZO, L., *Fundamentos...* cit. pág. 209, GETE-ALONSO, M.C., *Manual de Derecho Civil*, T. II, cit. Pág. 535 y «*Comentario al artículo 1271*», en *Comentario del Código Civil, Ministerio de Justicia*, T. II, Madrid, 1993, pág. 474, GARCÍA AMIGO, M., *Lecciones de derecho civil II*, cit. pág. 297, LASARTE ÁLVAREZ, C., *Principios de Derecho Civil*, T. 3°, cit. pág. 36.

general, por la cual la ley prohibe todas las convenciones que lesionen el orden público y a las buenas costumbres. En esta segunda causa apunta además el artículo 6º del Código francés (artículo equivalente a nuestro 6.3)[19].

Llegados a este punto, se podría afirmar que todo contrato con objeto ilícito por encontrarse prohibido por una norma imperativa es un contrato ilegal pero no lo contrario. Existen muchos supuestos en los que parece que nos encontramos ante un contrato con objeto ilícito porque los bienes que componen las prestaciones son de tráfico limitado o restringido. Sin embargo, en realidad estos son casos de contratos ilegales cuyo control se realizará a través del artículo 6.3 y no a través del 1271 del Código Civil. Únicamente los casos en los que el comercio del bien se encuentre absolutamente prohibido podremos aplicar el artículo 1271.

En este sentido podemos comprobar que el estrecho ámbito en el que se aplica la idea de extracomercialidad hace que represente un instrumento escasamente útil para realizar el control objetivo de la validez del contrato. El único valor que se le puede atribuir —como indica RAMS ALBESA— radica en servir como un primer control de legalidad, el de detectar la ilegalidad más evidente. Cuando nos encontramos ante un contrato en el que se comercia con bienes que se han venido incluyendo entre las cosas excluidas del tráfico se deberán extremar las precauciones ante la posibilidad de que nos encontremos con alguna irregularidad legal de cualquier tipo[20].

En el caso de que el objeto esté referido a servicios en lugar de a cosas, con la amplitud del enunciado del artículo 1271 (que se limita a afirmar que pueden ser objeto del contrato todos los servicios que no sean contrarios a las leyes o a las buenas costumbres), no se pueden aventurar reglas para distinguir el contrato con objeto ilícito del contrato ilegal. En el caso de los servicios como objeto contractual se puede decir que coincide la ilicitud del objeto con la del mismo contrato[21].

Sólo en lo que se refiere al contrato con objeto ilícito por resultar los servicios contrarios a las buenas costumbres entendemos que adquiere verdadera autonomía el precepto respecto al artículo 6.3 del Código Civil. Evidentemente no se contemplan en el artículo 6.3 mas que los casos de ilegalidad en sentido estricto, pero en el caso de vulneración de las buenas costumbres la confusión se producirá, sin duda, entre el objeto y la causa ilícita[22].

---

[19]   DEMOLOMBE, C, *Cours de Code Napoleon. Traité des contrats*, T. I, París, 1884, pág. 298.

[20]   RAMS ALBESA, J., «*Comentario al artículo 1271 del Código Civil*», en *Comentarios al Código Civil y compilaciones forales*, dir. M. Albaladejo, T. XII, vol. 1-B, Madrid, 1993, pág. 451.

[21]   RAMS ALBESA, J., *Comentarios al Código Civil y compilaciones forales...* cit., págs. 448 y 452.

[22]   RAMS ALBESA, J., *Comentarios... cit.,* pág. 452.

2.4. Ámbitos de aplicación de los artículos 1275 y 6.3 del Código Civil

En realidad la fórmula que encierra el artículo 1275 es enormemente comprensiva puesto que en ella tiene cabida no solamente lo que la ley prohibe expresamente, sino también a todo lo que resulte contrario al orden público o a las buenas costumbres. Si ponemos en relación el artículo 1255 y 1275 podemos afirmar que no hay en el Código Civil preceptos que contengan una prohibición tan amplia. Por lo tanto no es extraño que se haya considerado a estos artículos como verdaderos guardianes del interés general.

Precisamente, por la amplitud con la que puede ser interpretado y aplicado el artículo 1275 puede coincidir y tener ámbito común de aplicación con lo dispuesto en el artículo 6.3° que es el precepto específico para sancionar los actos o contratos contrarios a las leyes imperativas y prohibitivas. Algún autor anticausalista, como DABIN, llega más allá llegando a afirmar que la teoría de la causa ilícita, «aunque bajo distinta denominación, es la teoría misma de las convenciones ilícitas; por donde el círculo de aplicación de los artículos 1131-1133 (del Código francés) se confunde con el del artículo 6°.» Resultando, por tanto que los artículos 1108, 1131 y 1133 vienen a repetir el principio consagrado ya en el artículo 6° siendo por lo tanto inútiles[23]

Por esta razón es frecuente que al abordar el estudio de la causa ilícita se comience por tratar de distinguirla de la ilicitud misma del contrato o contrato *contra legem*. La pregunta a la que se trata de dar respuesta es si resultan necesarias dos vías legales para atajar las situaciones de ilegalidad contractual. Se tratan de buscar las concretas aportaciones de la causa al control de la legalidad para que no resulte cuestionada la necesidad del artículo 1275 CC. Justificación que no parece necesaria en lo que se refiere a la licitud (control del contenido del contrato en relación con la moral y buenas costumbres), pero sí en cuanto a la legalidad al contar con los preceptos generales encargados de proscribir la ilegalidad (arts. 1255 y 6.3 CC.)[24]

En realidad, la coincidencia de los campos de aplicación es tan solo aparente. Sin embargo, debido a esta aparente coincidencia se han producido no pocas confusiones tanto al tratar de sistematizar o enumerar los distintos casos de causa ilícita como al aplicarlos por la jurisprudencia. En la Sentencia de 3 de enero de 1991, en la que se alegan diferencialmente como distintos motivos la ilegalidad y la ilicitud de causa, el Tribunal Supremo se limita a desestimar ambos sin entrar en mayores disquisiciones afirmando llanamente: «*Lo que subliminalmente se propugna en el motivo es obtener la declaración*

---

[23] DABIN, J., *La teoría de la causa,* cit. Pág. 104-105, 178-180.

[24] DÍEZ PICAZO, L., *Fundamentos de Derecho Civil patrimonial*, T. I, Madrid, 1993, pág. 242, CLAVERÍA GOSÁLBEZ, L.H., *La causa del contrato*, cit., pag 115, *Comentarios al Código Civil y compilaciones forales*, cit. Pág. 564, AMORÓS GUARDIOLA, M., «*Comentario del Código Civil*», T. II, *Ministerio de justicia*, Madrid, 1993, pág. 488.

*de nulidad por cauce distinto del señalado en el primer motivo, cual es el de
la inexistencia de pleno derecho del contrato por contrario a una Ley prohibitiva y que ahora se reconduce por la nulidad por subyacer una causa ilícita en
dicho negocio jurídico, por lo que estando íntimamente relacionado con el
primer y segundo motivos, se reitera lo dicho anteriormente*»[25].

Como apunta TORRALBA SORIANO en este sentido, en los casos en los
que existiendo infracción de una norma legal el Tribunal Supremo utiliza el
mecanismo de la ilicitud causal lo hace como argumento a mayor abundamiento
y porque los abogados le obligan a ello, ya que éstos alegan la licitud causal
para dar mayor fuerza y consistencia a sus argumentaciones[26]. A lo que se
puede añadir que lo que se persigue con esta alegación de la causa ilícita es
asegurar una nulidad radical de pleno derecho que no queda completamente
asegurada con la previsión establecida en el artículo 6.3 *in fine* del Código
Civil. Incluso puede pretenderse, casi siempre en vano, que se puedan aplicar
los especiales efectos restitutorios establecidos en los artículos 1305 y 1306
del Código Civil (regla *nemo auditur...*).

Lo correcto sería afirmar con MORALES MORENO que la ilicitud de la
causa se superpone a la ilicitud del objeto y del contenido del negocio porque
operan en distintos planos. El control de la legalidad del contenido propiamente dicho o de los contratos *contra legem* o prohibidos sería el que puede ser
abordado de una forma más inmediata y concreta. El contrato en sí mismo
contraviene una disposición de una Ley. En cambio, el ámbito de control de
la licitud de la causa condensa y cristaliza casi todos los elementos de orden
psicológico que se encuentran en el contrato. Ciertamente, cualquiera que sea
la idea que se tenga de la causa está afectando a un fenómeno de orden
intelectual[27]. En este mismo sentido se pronuncia DÍEZ PICAZO para quien
algo bien diferente de la inmoralidad o de la licitud objetiva de un contrato
(contrato *contra legem*) es la inmoralidad o la licitud del propósito práctico de

---

[25]   En la sentencia de 3 de enero de 1991 se trata de anular un contrato de compraventa
de un inmueble por haberse vulnerado la legislación sobre control de cambios y sobre
inversión extranjera en España (vigente en el momento de la celebración) al no haberse
solicitado la autorización administrativa correspondiente. El primer motivo de la
demanda se basa en la infracción del antiguo artículo 4º del Código Civil (coincidente con
el actual 6.3). En el cuarto motivo se señala como vulnerado el artículo 1275 del Código
Civil porque no se ha tenido en cuenta la existencia de una causa ilícita, contraria a la
Ley, en el contrato de compraventa que se cuestiona. Ambos motivos son desestimados
porque se trata de un defecto administrativo coyuntural, ocasional y contingente
subsanado posteriormente y que no afecta a la esencia estructural del negocio civil,
aparte del retraso desleal que supone ejercitar esta acción tan tardíamente (más de
veinticinco años sin ejercitarse).

[26]   TORRALBA SORIANO, O.V., *Causa ilícita: exposición sistemática...* cit. págs. 687 y
691.

[27]   JOSSERAND, L., *Los móviles en los actos jurídicos de derecho privado* trad. E. Sánchez
Larios, y J.M. Cajica Jr., México, 1946, pág. 125-126.

las partes que trata de conseguirse a través de un negocio objetivamente moral y lícito (contrato con causa ilícita)[28].

En la práctica, para delimitar el ámbito de aplicación de ambos preceptos y determinar cuándo estamos ante un contrato con causa u objeto ilícitos y cuándo ante un contrato ilegal o contrario a la ley debemos acudir a las concretas aplicaciones jurisprudenciales y a criterios de orden funcional. Las Leyes imperativas y prohibitivas cuentan con la precisión y concreción suficientes para poder identificar las infracciones en los contratos sin necesidad de acudir a un elemento concreto del mismo. Concreción que exige la jurisprudencia de forma muy estricta habiendo establecido reiteradamente el Tribunal Supremo que la mera invocación del artículo 6.3 CC. (antiguo artículo 4) por la propia generalidad y extensión del precepto, es poco apto para servir de base a la casación, si la cita del mismo no se completa con la invocación precisa del precepto específico que preste concreta base a la nulidad pretendida[29].

En cambio, para que la jurisprudencia aprecie la nulidad por ilicitud de la causa basta con que la convención o previsión común de los contendientes envuelva una lesión de algún interés general de orden jurídico o moral[30]. Por esta razón la causa ilícita sirve para tachar de nulidad las convenciones que *sin violar ninguna prescripción determinada* son, sin embargo, inmorales o contrarias al orden público. Cuando la infracción legal que se aprecia en un determinado contrato no encuentra perfecta correlación con un concreto precepto de la Ley sino que atenta contra su espíritu, finalidad o contra los principios sobre los que se sustenta dicha norma, no cabe duda que habría que tratar de anular dicho contrato sobre la base de que se aprecia una causa ilícita[31].

Por otro lado, la riqueza y variedad de la realidad contractual hace que, en muchos casos, las leyes no puedan prever todas las posibles formas de vulneración y fórmulas de escape de su rigor imperativo pueden llegarse a producir en cualquier estipulación. Por esta razón nunca puede desdeñarse el recurso a la causa ilícita como forma fundamental de precaver y prevenir nuevas formas de infracción que el legislador no tuvo ocasión de proscribir expresamente.

En este sentido, el recurso a la ilicitud causal se presenta como un procedimiento técnico complementario que ofrece la Ley a los tribunales para asegurar el incondicionado respeto a la legalidad que persigue el artículo 6.3° del Código Civil, allí donde éste resulte técnicamente inaplicable.

---

[28] DÍEZ-PICAZO, L., «*El concepto de causa en el negocio jurídico*», en *A.D.C.*, XVI, 1°, 1963, Pág. 32, *Fundamentos...* cit. pág. 242.

[29] Sentencias de 5 de junio de 1945, 3 de julio de 1954, 24 de octubre de 1959, 31 de marzo de 1964, 18 de mayo de 1964, 20 de abril de 1967, 31 de marzo de 1967,

[30] Sentencia de 14 de diciembre de 1940, 29 de octubre de 1960, 10 de marzo de 1967.

[31] SANCHO REBULLIDA, F., «*Notas sobre la causa de la obligación en el Código Civil*», en *R.J.L.J.*, 1971, pág. 680.

II. EL CONTROL ESTRUCTURAL DEL CONTRATO

1. Introducción

El método tradicional y clásico del Derecho Civil continental europeo para abordar los problemas de ilegalidad de los contratos viene siendo de tipo estructural. Es decir, se parte de la concepción de que la ilegalidad o la ilicitud siempre va a afectar una parte o un elemento esencial del contrato. Principalmente va referida la ilicitud al objeto o a la causa del contrato. En este sentido, únicamente se manifiesta la ilegalidad cuando un elemento esencial del contrato se vea aquejado de alguna forma por una destemplanza legal. Por otra parte, desde esta óptica cuando se encuentre viciado de ilegalidad o ilicitud uno de estos elementos esenciales del contrato siempre se va a poder dotar de transcendencia suficiente a la infracción como para proceder a la nulidad del mismo.

No supondría ningún problema si lo que resulta afectado es simplemente una cláusula meramente accesoria y lateral a la obligación principal verdaderamente querida por las partes, ya que su desaparición no afectaría para nada a la obligación principal[32].

Esta concepción se deriva de la formulación que en los códigos civiles se realiza de la ilegalidad y de la ilicitud; en el quedan indisolublemente asociadas a cada uno de los elementos del contrato. En el articulado de los códigos se suele asociar la inexistencia o defecto de los presupuestos objetivos del contrato con la ilicitud de los mismos. Es importante por esta razón diferenciar entre requisito de existencia y presupuesto de su ejecución lícita, de su juridicidad. El requisito de existencia significa la concurrencia de todos los elementos esenciales y constitutivos del contrato y el presupuesto de juridicidad se refiere a la adecuación a la Ley o al Derecho de forma más genérica. Es en el concepto de causa donde más se mezclan las categorías[33].

Los Códigos parten de unas reglas demasiado generales de la ilegalidad, artículos 6.3 y 1255 de nuestro Código Civil, que requieren una más puntual concreción. De esta forma, tenemos también regulada la posibilidad de que podamos encontrar en el contrato un objeto ilícito (artículo 1271 CC.), una causa ilícita (1275 CC) o una condición ilícita (1116 CC) derivando siempre la sanción de nulidad.

Una de las fundamentales diferencias del análisis estructural de la ilegalidad con el análisis funcional es que, pese a que en ambos casos se trata de concretar los límites que para el principio de autonomía de la voluntad establece el ordenamiento jurídico, en el análisis funcional se analizan las normas imperativas concretas establecidas por el legislador y la finalidad que

---

[32] vid. infra epígrafe «nulidad parcial».
[33] GONZÁLEZ PALOMINO, «La adjudicación para pago de deudas», A.A.M.M., 1945, págs. 266 y 278

con ellas persigue, mientras que en el análisis estructural trata de valerse de unas normas generales de matiz imperativo que se encargan de recoger los imperativos éticos y evitar que el derecho contractual sea puesto al servicio de fines inmorales y antisociales.

Nuestro Tribunal Supremo, en este sentido, ha considerado a los artículos 1255, 1116, 1271 y 1275 del Código Civil como «*preceptos todos ellos que representan aplicaciones diversas de una idea matriz y fundamentalista: la de que ha de ser reputado ineficaz, por exigencias ineludibles de carácter social y moral del derecho, todo contrato que persiga un fin ilícito o inmoral, sea cualquiera el medio empleado por los contratantes para lograr esa finalidad no justificada por un interés digno de ser socialmente protegido*»[34]. Por otro lado, el análisis funcional a través del artículo 6.3 del Código Civil trataría de encauzar la aplicación de las normas imperativas y prohibitivas concretas que implicarían una eventual ineficacia del contrato por exigencias ineludibles de la voluntad del legislador, independientemente de cual sea la intención o los fines perseguidos por los contratantes.

Precisamente, la carencia que se patentiza en la formulación de los códigos de una elaborada teoría general sobre la ineficacia de los contratos va a ser la que complique sobremanera el problema de la ilegalidad contractual.

Aunque abordaremos más adelante el tema de los efectos de los contratos ilegales y el estudio de la ineficacia y la nulidad debemos aquí subrayar algo que ha sido también apreciado por nuestro Tribunal Supremo, quien dice expresamente: «La ausencia en el Código Civil de una teoría general sobre la nulidad de los actos jurídicos, ha tenido que suplirse tanto por la doctrina científica como por la jurisprudencia, apoyándose en preceptos dispersos del propio Código; *fijando el matiz absoluto o relativo que puede ofrecer tal nulidad, y relacionando su posibilidad con los diversos elementos que integran su relación jurídica*; y así: se ha puntualizado que, la nulidad absoluta se puede apreciar en orden al «sujeto» (cuando el realizador del acto carece de titularidad para llevarlo a cabo); al «objeto» (si el acto contiene materia ilícita, contraria al orden público o que resulte imposible, en el aspecto físico o repudiable en la moral); a la «causa» (si ésta no existe o es ilícita o totalmente falsa) y hasta a la «forma» en los casos excepcionales en que ésta es absolutamente necesaria para la validez del acto; fuera de todas estas hipótesis, el acto jurídico si advino con algún vicio, o produjo alguna lesión a un derecho protegido, será simplemente «anulable», dentro de los requisitos de tiempo y forma que la Ley, para cada caso establece, siendo la posibilidad de subsanación o confirmación la que, principalmente, señala la línea divisoria entre las dos especies de nulidad.» (Sentencia de 27 de mayo de 1968).

Este planteamiento se basa en partir de un esquema ideal del contrato trazado por la Ley. Partiendo de este esquema se examinan todos los

---

[34] Sentencia de 2 de abril de 1941.

elementos estructurales del contrato (fundamentalmente sujetos, objeto, causa y forma), deduciendo de ellos sus posibles quiebras y sus posibles consecuencias.

Por otro lado, las consecuencias que van a proceder en el caso en el que del análisis del objeto o de la causa del contrato se deduzca su ilegalidad van a ser drásticas e idénticas para todos los casos. Todas las soluciones a la ilegalidad reveladas por un objeto o una causa ilegal, en todo caso, se van a ver reducidas a la nulidad absoluta de todo el contrato. Por esta razón, este método estructural de control de legalidad contractual ha de verse completado y en ocasiones corregido por el análisis de la naturaleza y del sentido de la norma jurídica.

Si para controlar la ilegalidad de todo contrato y establecer las consecuencias que de ella se pueden derivar se utiliza, de forma exclusiva y excluyente, este análisis estructural del contrato, los resultados no son nada satisfactorios. Esta perspectiva analítica, por sí sola, es muy pobre y reduccionista. a). Tanto desde sus planteamientos que no explican satisfactoriamente los vicios afectantes a más de un elemento del contrato o los que no afectan a ningún elemento específico sino a algún aspecto o circunstancia de su celebración o a la propia dinámica que seguirá el contrato, b). Como desde sus consecuencias, pues al configurar la ilegalidad o licitud como un vicio patológico el resultado lógico será siempre la nulidad, sea cual sea el sentido y circunstancias de la norma vulnerada y de las conductas que trata de prevenir.

Dependiendo del elemento del contrato que resulte viciado se tratará el tema de la ilegalidad como un tema de causa ilícita, de objeto ilícito o de condición ilícita.

2. Contrato ilegal por objeto ilícito

2.1. Imposibilidad jurídica

El art. 1271 del Código Civil sólo nos dice lo que no puede ser objeto del contrato. Refiriéndose a los bienes que no se encuentren dentro del comercio de los hombres y los servicios contrarios a las leyes el precepto despacha la ilegalidad del objeto (*V. gr.* las herencias futuras, los órganos humanos en general, las drogas no terapéuticas, los bienes de dominio público, etc.).

En lo relativo a las cosas excluidas del comercio de los hombres (*res extra comercium)* podemos observar que ha sido desde antiguo tratada de forma sincrónica a la imposibilidad. Según el derecho romano la imposibilidad de la prestación puede ser física o jurídica. La imposibilidad jurídica estaba referida a aquellas cosas que, no obstante la existencia corporal a que se refería la prestación existiría *impossibilitas* por tratarse de una *res religiosa, res sacra, res divini iuris, res extracommercium, fundus hostium*, etc. La imposibilidad jurídica del objeto en cuanto al régimen jurídico aplicable parecía confundirse con la imposibilidad física. En ambos casos los efectos eran los mismos «*imposibilium nulla est obligatio*»[35] y en ambos casos la exigencia era que la imposibilidad fuese objetiva y universal. Impide este último requisito que se la pueda confundir con la mera imposibilidad relativa del deudor[36].

También la ilegalidad y la imposibilidad inicial del objeto del contrato fueron tratadas a la par en el derecho intermedio. Hugo Grocio estableció que por la ley natural los hombres no pueden obligarse a cosas que son imposibles o no están permitidas[37].

En realidad, podemos distinguir lo que se podría denominar imposibilidad jurídica de lo que entendemos como ilicitud del objeto. La imposibilidad jurídica implicaría la mayor rotundidad de la ilegalidad, de tal forma que se podría deducir que estamos ante este supuesto sólo cuando estemos ante una ley prohibitiva que aparte del comercio de los hombres determinados bienes. La consecuencia inevitable y lógica deberá ser siempre y en todo caso la nulidad.

Pero existen otros casos en los que, por ejemplo, las normas imperativas pueden establecer que se exija en ciertos objetos de contratación determinados requisitos de calidad (normativa a favor de los consumidores), cantidad (límites del precio o de mercancías, como el alcohol) o salubridad (normas de sanidad). Parece que no quedarían estrictamente dentro del concepto extremo de imposibilidad jurídica los contratos en los que no se completen estas exigencias. Pese a que no estamos en casos de imposibilidad jurídica sí que nos encontramos ante supuestos de ilegalidad, que es un concepto más amplio y que engloba también a la imposibilidad jurídica[38]. En este sentido explica MUCIUS SCAEVOLA que la categoría de *res extracomercium* sólo incluiría aquellos bienes que pudiesen configurarla como un concepto jurídico permanente; el resto serían cosas ilícitas por contrarias a la Ley[39].

En realidad, como explica DÍEZ PICAZO, existen bienes que están objetivamente fuera del comercio de los hombres y cuya extracomercialidad es absoluta y, por otro lado, existen prohibiciones legales que imponen una extracomercialidad en circunstancias determinadas. Esta última «extracomerciabilidad» relativa no da lugar a un defecto en los presupuestos

---

[35] D. 50, 17, 185.

[36] IGLESIAS J., *Derecho romano. Instituciones de derecho romano privado*, 6ª ed., Barcelona, 1972, pág. 185, BONFANTE, P., *Instituciones de Derecho Romano*, trad. L. Bacci y A. Larrosa, 5ª ed., Madrid, 1979, pág. 380.

[37] ZIMMERMANN, R., *The law of obligations. Roman foundations of the civilian tradition, South Africa*, 1992. Pág. 697.

[38] SAN JULIÁN PUIG, V., *El objeto del contrato*, Pamplona, 1996, pág. 268, LACRUZ BERDEJO, JL., *Elementos II*, pág. 87, PUIG PEÑA, *Compendio de Derecho Civil*, Tomo III, pág. 31.

[39] MUCIUS SCAEVOLA, Q., *Código Civil*, T. XX, 2ª ed., Madrid, 1958, pág. 736-737.

objetivos del contrato y deberá tratarse como una ilegalidad común (por vía del artículo 6.3 y 1255 del código civil)[40].

La consecuencia será la posibilidad, en este último caso, de esquivar la inevitable sanción de nulidad que lleva aparejado el considerar que nos encontramos ante un defecto en los presupuestos objetivos del contrato.

En alguna ocasión, se ha intentado distinguir la imposibilidad jurídica de la ilicitud del objeto. Esta distinción es puramente teórica en cuanto destaca que la ilicitud implica un juicio de reprobación por parte del ordenamiento jurídico, mientras que la imposibilidad jurídica indica simplemente la inidoneidad del acto para realizar el efecto jurídico programado en el contrato[41].

2.2. Bienes de dominio público y bienes religiosos o sagrados

Al analizar la denominada imposibilidad jurídica se acaba de exponer la equiparación que tradicionalmente se ha venido haciendo con la imposibilidad física. Para ello, se decía, en ambos casos se requiere que esta imposibilidad sea absoluta y objetiva. Los ejemplos típicos de la denominada imposibilidad jurídica responden perfectamente a esta característica. Sin embargo, de estos ejemplos típicos conviene establecer determinadas observaciones respecto a los bienes de dominio público y las cosas que se denominan como sagradas porque pueden ser objeto de contratos en determinadas circunstancias.

Los bienes de dominio público parece que son ineludiblemente bienes que están sujetos a una imposibilidad jurídica absoluta en cuanto a su transmisión hasta que no pierdan su condición mediante el proceso de desafección. Pero como indica RAMS ALBESA este proceso de desafección no sólo se produce mediante un acto administrativo formal sino que puede producirse por los actos de los particulares puesto que pueden proporcionar una posesión *ad usucapionem*. Esta última posibilidad de incorporación al tráfico privado, previa usucapión de los bienes, se dará cuando la afección o no se corresponde o ha perdido el destino real al uso o servicio público al que formalmente fueron adscritos[42]. Además, los bienes de dominio público, en algunos casos, pueden ser objeto lícito para una serie de «contratos» con distintos fines (generalmente con forma de concesiones) que tan sólo generen derechos limitados de goce durante determinados periodos de tiempo. No serán por este motivo objeto de contrato de compraventa puesto que no se trasmite el dominio sino objeto de trasmisión de un derecho de concesión administrativa[43].

---

[40]   DÍEZ PICAZO, L., *Fundamentos...* cit., pág. 209-210.
[41]   BIANCA, C.M., *Diritto civile*, 3. *Il contratto*, Milán, 1987, pág. 323, DE LOS MOZOS, J.L., *El objeto del negocio jurídico...*cit. pág. 372-373.
[42]   RAMS ALBESA, J., *Comentarios...*, op. cit. ant., pag 450.
[43]   Tema que trataremos más adelante vid. supra epígrafe « Contratos celebrados sin autorización o licencia administrativa cuando resulta preceptiva: trasmisión de concesiones».

Pero estas restricciones legales para la transmisión y cesión de bienes de titularidad pública no se reducen a los bienes de dominio público en sentido estricto. También los bienes patrimoniales o de dominio privado de la Administración se sujetan a reglas imperativas específicas. Este conjunto de reglas de Derecho administrativo componen el régimen jurídico básico de los bienes de la Administración y es de aplicación previa y preferente a las normas de Derecho civil o mercantil[44]. También de esta forma lo han entendido los tribunales civiles que no han dudado en declarar la nulidad de aquellos contratos que no resultaban escrupulosamente respetuosos con algún requisito sustancial de este régimen jurídico básico[45].

---

[44] PARADA VÁZQUEZ, R., *Derecho Administrativo*, III, cit., págs. 12 y 13 y 18-21.

[45] De paradigmática podemos calificar la Sentencia de 4 de octubre de 1969, en la que se declara la nulidad de una la venta de bienes propiedad del Ayuntamiento por falta de requisitos legales. En estos términos se pronuncia el Tribunal Supremo: «A) Si bien el art. 4ºCC., es una disposición de carácter genérico que para su aplicación necesita que exista un precepto específico, este ha de estimarse viable, al efecto no solo cuando imponga de modo expreso la nulidad, sino cuando revista el carácter de norma imperativa o prohibitiva, en materia que, por su importancia y trascendencia resulta de indeclinable cumplimiento, por razón de interés público, siendo, por tanto, misión de los Juzgados y Tribunales estudiar este punto, con especial cuidado y total independencia de las vicisitudes posteriores, que en el terreno privado concurran en el concreto caso de que se trate. B) En este caso, las disposiciones de los bienes propiedad de los ayuntamientos. (Art. 189, parr. 1º y 312 de la Ley de régimen Local de 1950, Rglto. de Contratación de las Corporaciones locales y Rglto de bienes de las Corporaciones Locales.), son de verdadero interés social, en cuanto las condicionan al cumplimiento de requisitos previos insoslayables, con la finalidad de evitar la merma indebida del patrimonio municipal por acción culpable o negligente de los encargados de administrarle; de aquí que la vulneración de los preceptos imperativos o prohibitivos que se establecen, con un fin de tutela, hayan de estimarse como normas específicas, dentro del precepto genérico del art. 4ºCC., a efectos de declarar su nulidad y ello con carácter absoluto, puesto que es la Ley misma la que, velando por su efectividad, interviene en la propia génesis del negocio jurídico, impidiendo que el mismo produzca ninguna clase de efectos, ni aún con posterioridad a tener por frustrada su perfección. C) Que la relación de los defectos y omisiones que, la propia sentencia recurrida da por probados, son de tal gravedad que, han de estimarse incursas en vicio de nulidad absoluta o radical, pues se llegó incluso a prescindir de consignar el tipo de subasta, lo que permitió su enajenación por una cantidad ínfima, con notorio perjuicio para el Ayuntamiento., dificultando la concurrencia de otros licitadores y dando apariencia legal a un acto que, para su validez, precisaba de la previa y superior autorización administrativa, sin que, a tales vicios esenciales, pueda servir de contrapeso —como entiende la Sala sentenciadora—, su desconocimiento total o parcial, por parte del adjudicatario. El art. 33 L.H., al establecer que la inscripción no convalida los actos o contratos que sean nulos con arreglo a las leyes, se ciñe a los negocios jurídicos, afectados de nulidad insubsanable o radical, bien por no haber nacido a la vida del Derecho al faltarles un elemento esencial, (inexistencia) o ya porque a su viabilidad jurídica, se opone la misma Ley, cuyos preceptos han sido vulnerados (nulidad absoluta)». A continuación la sentencia se refiere a los actos o contratos a los que se refiere el art. 35 de la misma Ley y dice que «no se refiere a los actos jurídicos inexistentes o incursos en nulidad radical»

Lo mismo ocurría antiguamente con los denominado bienes religiosos o sagrados. En este último caso, se ha flexibilizado bastante el carácter intransmisible e inenajenable. Aunque esta categoría de bienes ha sido tradicionalmente el prototipo de *res extracommercium* e incluso históricamente fueron las que dieron lugar a la creación de esta exigencia de licitud del objeto, hoy en día se admiten como cosas perfectamente aptas para su circulación en el tráfico y susceptibles de apropiación. Incluso para el Derecho Canónico moderno no existen demasiados inconvenientes en permitir el tráfico de cualquiera de estos objetos siempre que se mantenga un trato respetuoso[46].

Para ilustrar lo ahora expuesto es obligado hacer referencia a la sentencia de 28 de diciembre de 1959 que parece dejar muy claro el régimen jurídico que afecta a este tipo de bienes. En el caso enjuiciado se instaba la nulidad de la venta de una ermita y de todos los efectos de su pertenencia basándose en el artículo 1271 puesto en relación con los cánones 1497, 1154 y 1160 del Código Canónico. En definitiva, se pretendía la nulidad de pleno derecho de la compra venta por tratarse su objeto de cosas sagradas destinadas al culto y encontrarse, por tanto, fuera del comercio de los hombres. En este caso el Tribunal Supremo precisa que es necesario distinguir nítidamente entre que el culto que se practique en las ermitas y capillas pertenezca, indiscutiblemente, a la jurisdicción eclesiástica y que la propiedad y dominio de las mismas pertenezca a los particulares que las levantan y conservan en terreno propio y que tal propiedad puede ser objeto tanto de inscripción como de transmisión por parte de su titular[47].

2.3. Ilicitud de las cosas e ilicitud de los servicios

El ámbito de aplicación del objeto como instrumento para apreciar la ilicitud del contrato se encuentra extraordinariamente limitada tanto por el ámbito de aplicación de la causa ilícita como por el del artículo 6.3 del Código

---

[46] RAMS ALBESA, J., *Comentarios...* op. cit. ant., pág. 451.

[47] La sentencia de 28 de diciembre de 1959 dice expresamente que no procede la nulidad de pleno derecho de la venta de la ermita en cuestión ni de todos los efectos de su pertenencia porque: «respecto a ello precisa tener muy en cuenta y dejar perfectamente deslindado que una cosa es que semejantes ermitas o capillas por razón del culto que en ellas se practique, estén sujetas a la jurisdicción eclesiástica, y otra muy distinta, en absoluto, la propiedad territorial de aquéllas es decir del dominio sobre el suelo en que se edificaron y sobre el vuelo de las construcciones que las integran, por lo que, dejando al margen dicha jurisdicción, que queda siempre a salvo, nada se opone a que tal dominio y propiedad correspondan a los particulares que en terreno propio las levantaron y conservan, como de hecho ocurre y hay de ello numerosos ejemplos siendo perfectamente lícito y legal en tal supuesto la inscripción registral del dominio y propiedad de dichos edificios y la subsiguiente transmisión de los mismos por sus correspondientes titulares, caso en que se puede conceptuar incluida la ermita objeto de reivindicación»

Civil. Quizá por esta razón la doctrina suele prestar una menor atención al desarrollo de este requisito del contrato[48].

Evidentemente, las cosas en sí mismas no pueden ser ilícitas o lícitas; será el uso, el destino o su mero tráfico lo que puede resultar lícito o ilícito[49]. Por esta razón, el artículo 1271 del Código Civil hace una distinción en cuanto la posibilidad de licitud del objeto. Como hemos tenido ocasión de observar, si lo aplicamos a los bienes hemos de referirnos a su comerciabilidad y si lo aplicamos a los servicios tenemos que valorar su compatibilidad con lo establecido en las leyes y en la moral.

En lo referente a la licitud de las cosas, pueden constituir objeto del contrato todas aquellas que no se encuentren fuera del comercio de los hombres. Por consiguiente, es la nota de la extracomercialidad la que constituye el concepto de licitud del objeto en lo que se refiere a cosas. Esta extracomercialidad puede venir determinada bien por su propia naturaleza o en virtud de una disposición legal.

También se suele hacer cierta distinción en referencia a que su inalienabilidad sea absoluta o simplemente se trate de un tráfico restringido o limitado. Si nos encontramos en el supuesto en el que la enajenación de un determinado objeto se haya expresa y tajantemente prohibida sin remedio, estaremos ante el primer caso de inajenabilidad absoluta que coincide con lo que anteriormente denominamos imposibilidad jurídica. Es este supuesto de objeto ilícito al que se refiere nuestro artículo 1271 cuando establece el requisito de que el objeto se encuentre dentro del comercio de los hombres. Obviamente, su consecuencia será siempre la nulidad de cualquier contrato en el que se disponga de ese bien. En este supuesto nos encontramos cuando estamos, por ejemplo, ante bienes de dominio público (art. 339 CC), o bienes que no se consideran de carácter patrimonial como el estado civil de la persona, derechos de paternidad, filiación[50], etc. y derechos de la personalidad. Sólo la extracomerciabilidad absoluta de las cosas, ya sea por su naturaleza o por disposición legal son susceptibles de considerarse incluidas en el concepto de contrato ilícito y consecuentemente en esta base se procederá a la nulidad del contrato.

En otro plano tenemos que considerar que se encuentran aquellos bienes que son de tráfico limitado o restringido porque su comercio se encuentra prohibido o condicionado en determinadas circunstancias y coyuntura. Estos bienes son de tráfico limitado en virtud de particulares normas legales. En

---

[48] DE LOS MOZOS, J.L. *El objeto del negocio jurídico*, cit. pág. 411, *La causa del negocio jurídico...* cit. pág. 373.

[49] DÍEZ PICAZO, L., *Fundamentos...* cit., pág. 208.

[50] art. 10.1 Ley 35/1988, 22 de noviembre, sobre reproducción asistida humana: «Será nulo de pleno derecho el contrato por el que se convenga la gestación, con o sin precio, a cargo de una mujer que renuncia a la filiación materna en favor del contratante o de un tercero».

consecuencia, pertenecen no al ámbito de ilicitud del objeto sino al ámbito de ilegalidad contractual de los artículos 6.3 y 1255 del Código Civil. Son bienes que pueden tener una proyección patrimonial siempre y cuando se desarrolle dentro de los márgenes y con los requisitos que se establecen en las leyes[51]. Estas restricciones a veces pueden estar referidas no tanto al objeto o a sus cualidades en sí, sino a los sujetos que pueden negociar con ellos o encontrarse supeditadas a la obtención de una determinada autorización o licencia. Un contrato que contenga como objeto bienes sujetos a una de estas restricciones no tiene porqué llevar aparejado necesariamente la nulidad sino que podrá recibir, simplemente, sanciones administrativas o, en su caso, penales o incluso entender que constituye más bien una cuestión de causa ilícita.

Ciertamente, muchos de estos casos de transmisión de bienes prohibidos responden al tipo de una infracción penal (este es el caso del tráfico de armas, drogas…) o administrativa (normas de control de sanidad y seguridad de determinados productos) y los bienes objeto del contrato que constituye la infracción penal o administrativa van a verse decomisados o incautados. En este segundo supuesto habrá que estar especialmente atentos a la finalidad de la norma en la que se establece la restricción para saber qué suerte debe correr el contrato.

En el segundo supuesto de hecho que se nos plantea en el artículo 1271, cuando el objeto del contrato se refiere a la realización de determinados servicios, parece que se nos hace una remisión a las normas generales de contrariedad a la ley o a las buenas costumbres. Siendo fácilmente identificables en este apartado todo lo referente a los servicios que establecen vínculos por toda la vida (art. 1583 CC), las relaciones de concubinato, el corretaje matrimonial… Con respecto a los contratos cuyo objeto implica prestación de servicios contrarios a las buenas costumbres se puede notar fácilmente que no es sencillo (ni posible según creemos) diferenciarlos de los que consideramos contratos con causa ilícita[52].

Sí que puede suponer servicio ilegal o ilícito el prestado por determinada persona al que le esta vedado por necesitar habilitación especial o por no reunir los requisitos establecidos en la Ley. Estos son casos en los que, en realidad, la ilegalidad viene marcada por el sujeto más que por el objeto en sí. (*V. gr. la concesión de servicio público, por su carácter intuitus personae, no puede trasmitirse a tercero sin autorización previa de la Administración concedente (cfr. Dictámenes del Consejo de Estado de 9 de julio de 1954 y de 4 de febrero de 1965). En las concesiones de servicio la cualidad personal del concesionario es dato esencial para la adecuada y certera gestión del servicio*

---

[51] DÍEZ PICAZO, L., *Sistema…* vol. 2º, cit. Pág. 45, GETE ALONSO, M.C., *Manual de Derecho Civil*, II, cit. Pág. 535, y «*Comentarios al Código Civil*», *Ministerio de justicia.*. cit. pág. 473-474.

[52] Vid infra epígrafe «Causa ilícita versus objeto ilícito».

público por lo que resulta absolutamente necesaria la autorización ex ante de la administración competente no pudiendo servir, en principio, cualquier reconocimiento o autorización ex post.)

En todo caso, sea por el objeto o por el sujeto, al no responder a determinados requisitos impuestos mediante normas jurídicas concretas también se escapa este aspecto de la estricta licitud del objeto para formar parte de la ilegalidad contractual descrita en los artículos 1255 y 6.3 del Código Civil. Podemos trasladar a este lugar todo lo que se ha observado meticulosamente por la doctrina en materia de derecho de obligaciones sobre la imposibilidad relativa del objeto que afecta sólo a determinadas personas[53].

3. Contrato ilegal por causa ilícita

3.1. Concepto de Causa y Causa ilícita

No es este el lugar para esbozar un completo cuadro de las incertidumbres que sobre el concepto de causa se dan en el Derecho Civil, tanto desde la jurisprudencia[54] como desde la doctrina[55]. Ahora, se ha de reconocer que pese

---

[53] GETE-ALONSO, *Manual de derecho civil*, cit. Pág. 534.

[54] Resume alguna de estas incertidumbres la sentencia de 23 de noviembre de 1961 y las sentencias en ella citadas: «La doctrina de la causa es una de las más confusas del Derecho Civil, regulada con excesiva vaguedad en nuestro Código, pero éste la considera como uno de los elementos constitutivos del contrato necesarios para darle nacimiento, y, según está regulada en nuestro primer cuerpo legal, la causa tiene carácter objetivo, estando constituida por el fin que se persigue en cada especie contractual, no por los motivos que impulsan a cada parte a contratar, cual se desprende de la descripción —pues no puede calificarse de definición— que contiene el artículo 1274 (...). La doctrina científica moderna tiende a construir una teoría subjetiva de la causa, viendo en ésta, no sólo el fin abstracto y permanente del contrato (móvil específico), sino la finalidad concreta perseguida por las partes e incorporada al acto jurídico como elemento determinante de la declaración de voluntad (móvil impulsivo y determinante) doctrina acogida por nuestra jurisprudencia más reciente, la que tiende a dar relevancia jurídica y consideración de causa a los motivos cuando estos son ilícitos (...).»

[55] Nuestro Código Civil se aventuró, sin seguir el modelo de los Códigos francés o italiano, a realizar una definición de la causa del contrato en el artículo 1274. Definición que más bien parece referirse a la causa de la obligación y que ha sido fuertemente criticada por la doctrina.

Existen, por un lado, una multitud de teorías causalistas ya sean en sus facetas objetivas, subjetivas, pluralistas o neocausalistas, y por otro lado, encontramos las teorías anticausalistas que consideran inútil este elemento por poder englobarse sus supuestos bien en el objeto o bien en el consentimiento.

Además de todas estas teorías aparecen, como no podía resultar de otro modo, conceptos sincréticos de causa. Parece más conveniente partir de estos fundados conceptos sincréticos de causa que parecen ajustarse y compatibilizarse perfectamente al desarrollo que puede adquirir como herramienta de control de la legalidad. Una teoría sincrética o ecléctica de la causa es la que trata de armonizar las teorías objetivas y subjetivas tomando en cuenta tanto la función social del contrato, como el móvil concreto

a existir tanta perplejidad sobre la causa como elemento del contrato su análisis ha merecido gran atención por la doctrina y ha tenido un amplísimo grado de aplicación por la jurisprudencia. De todos los dilemas planteados a raíz del concepto y regulación de la causa del contrato únicamente debemos ocuparnos de lo concerniente a su ilicitud.

Podemos afirmar con DÍEZ PICAZO que «casi todos los problemas prácticos colocados bajo la idea de causa han quedado resueltos, salvo el relativo al negocio inmoral o ilícito y el relativo a la valoración, en determinadas circunstancias del intento práctico de las partes.»[56] La causa ilícita ha sido considerada tradicionalmente como el instrumento estrella para fiscalizar la libertad contractual y ha servido como cauce de los tres límites inherentes a la misma: ley, moral y orden público.

Podemos afirmar que lo que podíamos denominar como un apogeo de la causa ilícita ha sido en la actualidad superado. Va a ir remitiendo poco a poco el recurso a la causa ilícita como remedio de todos los males. Se puede afirmar que el recurso a la causa ilícita ha ido perdiendo ese protagonismo que tradicionalmente ostentaba y se ha ido sustituyendo por otros medios de control del contenido de los contratos. La tendencia tradicional, importada de

---

y atípico de los contratantes (STORCH DE GRACIA Y ASENSIO, J.G., «*Acerca de la causa impulsiva en la formación y cumplimiento de los contratos*», en La Ley, pág. 707. JORDANO BAREA, J.B., «*La causa en el sistema del Código Civil español*», en *Centenario del Código Civil* (1889-1989), cit. Pág. 1056.)

Otro concepto sincrético de causa del contrato ajustado a la práctica y más reciente es el que recoge CLAVERÍA GOSÁLBEZ. Este autor, tras hacer un minucioso análisis de las «abundantísimas» teorías sobre la causa tanto en derecho comparado como en España establece una interesante definición de la causa del contrato basada, fundamentalmente, en las ideas de DE CASTRO y LACRUZ BERDEJO. Según CLAVERÍA «La causa del contrato, en derecho español (y no solo en él) es la función práctico-social concreta querida por los contratantes al celebrar el negocio, es decir, aquello en lo que consienten, comprendiéndose en esta función el motivo determinante común a dichos contratantes o, al menos, admitido por uno de ellos al ser pretendido por el otro. (CLAVERÍA GOSÁLBEZ, L.H., *La Causa del Contrato*, Zaragoza, 1998, pág. 134 y anteriormente, en *Comentarios al Código Civil y compilaciones forales*, dir. M ALBALADEJO, *Comentario al artículo 1275 del Código civil*, pág. 576.)

Al referirse estas definiciones sincréticas a la «causa concreta» de cada negocio jurídico o contrato permiten perfectamente explicar la función que este elemento contractual ha asumido como medio de control profundo de la finalidad del contrato. Precisamente, debido que lo que nos interesa para analizar la causa ilícita del contrato es atender a la «causa concreta» de cada contrato es en la jurisprudencia donde veremos los puntos de vista más seguros. Como mantiene JOSSERAND: «Si algún día se llega a construir una teoría de la causa bien ordenada, lo será con ayuda de los materiales de la jurisprudencia y no mediante polémicas doctrinales (JOSSERAND, L., *Los móviles en los actos jurídicos de Derecho Privado*, trad. E. Sánchez Larios, y J.M. Cajiga jr., México, 1946, pág. 126.)

56 DÍEZ-PICAZO, L., «*El concepto de causa en el negocio jurídico*», en *A.D.C.*, XVI, 1º, 1963, Pág. 32.

Francia, ha sido que la jurisprudencia realice una interpretación extensiva de la causa ilícita; y en la jurisprudencia francesa se venía apreciando que las aplicaciones del artículo 6° eran poco frecuentes o ínfimas en comparación con las de los artículos 1131 y 1133 que eran muy numerosas[57].

Dice el artículo 1275 del Código Civil que cualquier contrato ilegal porque se aprecie que tenga una causa contraria a la ley (causa ilícita) no producirá efecto alguno. Luego, se apunta claramente a la nulidad radical como la única posibilidad de resultado. En el artículo 895 del Proyecto de García Goyena de 1851 se incluyó explícitamente la licitud de la causa entre los requisitos esenciales del contrato, siguiendo el modelo del art. 1108 del Código francés[58]. Pretendiendo quizás, como apunta el Tribunal Supremo, aportar mayor claridad en materia de nulidad y anulabilidad, aunque en la actual regulación resulta claro que no se refiere a la anulabilidad sino a la nulidad de pleno derecho[59].

En este sentido, podemos considerar que existe una coincidencia sustancial en cuanto a la sanción que merecen los contratos con objeto ilegal y los contratos con causa ilegal. No obstante, como hemos visto el resultado de la nulidad provocada por la ilicitud causal no siempre va a coincidir con el de la nulidad provocada por el objeto ilegal[60].

Pese a que pueda parecer conveniente, no se va a entrar a definir y explicar el concepto de causa del contrato. Este elemento contractual ha sido objeto de numerosísimos y variados estudios por la doctrina de todos los países que han adoptado el sistema que introdujo el Código de Napoleón (fundamentalmente la doctrina francesa, italiana y española)[61].

---

[57]   CAPITANT, H., op. cit. págs. 231 y 235
[58]   vid. infra nota n° 66.
[59]   *Sentencia de 12 de abril de 1946, de 23 de noviembre de 1961.*
[60]   vid infra epígrafe «Aplicación de los artículo 1275 y 6.3 del Código Civil».
[61]   Independientemente del concepto de causa que adoptemos para definir el elemento establecido como necesario para la existencia de nuestros contratos se debe observar su utilidad. Hemos tenido ocasión de analizar anteriormente cómo la causa ilícita era una herramienta que facilitaba nuestro ordenamiento jurídico para corregir situaciones antijurídicas. Este sistema era utilizado de igual manera por los ordenamientos jurídicos francés e italiano y, por el contrario, no se encontraba en los ordenamientos jurídicos en los que esta vigente el Common Law donde utilizan el concepto de «Public Policy». El concepto de «consideration» como elemento esencial del contrato no sirve en el Common Law para fiscalizar ningún tipo de ilegalidad o ilicitud. (vid. VÁZQUEZ DE CASTRO, E., Los contratos…, ADC, n° 1, pág. 81)
       Tampoco se va a recoger y utilizar este concepto de causa ilícita en el ordenamiento jurídico alemán donde la doctrina habla de contratos prohibidos refiriéndose siempre a aquellos cuyo «contenido» choca contra una prohibición legal. Todos los problemas de legalidad o licitud contractual que nosotros podríamos tratar como licitud de la causa o del objeto en Alemania son reconducidos a una genérica ilegalidad del contenido § 134 BGB.
       Pero incluso contemplando el concepto de causa que ha acabado dominando en Francia e Italia se acaba descubriendo que tampoco es totalmente coincidente. Resulta revela-

Recoger todas las opiniones doctrinales sobre la causa podría exceder la estructura de este estudio sobre la ilegalidad contractual. No resultaría sencillo superar el desconcierto que produce encontrarse con posturas tan numerosas y diferentes que casi podría decirse que se pueden personalizar las concepciones de la causa (encontramos un amplio espectro de posturas desde los «ultracausalistas» hasta los anticausalistas). Además, no siempre el análisis teórico y conceptual de la figura de la causa va a clarificar su función práctica y en este sentido incluso puede resultar contraproducente. De sobra conocida es la dificultad de la que podríamos calificar «teoría tradicional» de la causa para adaptarse con éxito a todos los problemas de causa ilícita[62].

Teniendo presente las dificultades teóricas, puede resultar más aconsejable un acercamiento directo a la práctica para no abordar su análisis con ciertos prejuicios que llevan a algunos autores a considerar «el concepto jurisprudencial de causa ilícita como el punto más polémico y más temido (¡?)»[63]. Por esta razón, vamos a limitarnos a estudiar estrictamente la función que se le ha venido otorgando como uno de los principales instrumentos de control de la legalidad del contrato y lo haremos, fundamentalmente, a través de un exhaustivo análisis jurisprudencial. Hasta los autores más típicamente causalistas no tienen mas remedio que desatender sus nociones de causa y acudir al tratamiento jurisprudencial cuando se refieren o tienen que explicar la causa ilícita[64].

En realidad, lo que nos interesa en particular es analizar con detalle una de las más importantes aplicaciones que en la práctica se va a asignar al concepto de causa: la causa ilícita. Al concepto de causa siempre se le ha intentado otorgar una gran amplitud y flexibilidad. No en vano este concepto tiene tres aplicaciones bien diferentes 1º) en cuanto a la existencia (simulación absoluta, Arts. 1261.3, 1275 C.C.) 2º) en cuanto a la licitud (acomodación a las leyes y a la moral Arts. 1275 C.C.) 3º) veracidad (no expresar causas falsas, simulación relativa, art. 1276 C.C.)[65]. Se va a prescindir de desarrollar las otras aplicaciones bien diferenciadas que se puede otorgar al concepto de causa en materia de simulación y de ausencia de causa.

---

dor que por ejemplo el concepto de causa que se ha acabado por adoptar mayoritariamente en Francia se refiere a los motivos impulsivos y determinantes del contrato, mientras que en Italia se considera como función económico-social del contrato diferenciada, incluso normativamente, de los motivos. (vid. VÁZQUEZ DE CASTRO, Los contratos ilegales..., A.D.C, nº 1, 2002 pág. 76).

62   DUALDE, J., *Concepto de la causa de los contratos...* cit., págs. 183 y 189.
63   DE ZUMALACÁRREGUI MARTÍN-CÓRDOVA, T., *Causa y abstracción causal en el derecho civil español*, Madrid, 1977, pág. 105.
64   CAPITANT, H., *De la causa de las obligaciones*, trad. E. Tarragato y Contreras, Madrid, 1922, pags 229-239
65   Funciones nítidamente diferenciadas en el fundamento jurídico 3º. 2 b) de la Sentencia de 19 de noviembre de 1990.

Tan importante es esta función de control de licitud de la causa que con bastante habilidad GONZÁLEZ PALOMINO ha acertado a decir que la causa del contrato es algo así como la licencia de uso de armas en una escopeta. No es propiamente elemento suyo, sino presupuesto de su utilización lícita, de su juridicidad[66]. De hecho, resulta expresivo que en los textos de los proyectos antecedentes a nuestro Código civil como los artículos 964 y concordantes del Proyecto de Código Civil de 1836, así como el 985 y concordantes del Proyecto de García Goyena de 1851 se incluyera explícitamente la licitud de la causa entre los requisitos esenciales del contrato, tal y como hace el art. 1108 del Código de Napoleón[67]. Además, en nuestro Código esta licitud causal se presume, tal y como refleja el propio artículo 1277[68]. Extremo en el que no guarda correspondencia con el artículo 1132 del Código francés, que tan sólo presume su existencia cuando la causa no se ha expresado en el contrato pero no su licitud.

3.2. La teoría de la causa ilícita

3.2.1. Consideraciones Generales

Se podría fácilmente, como nos parece que tradicionalmente se ha venido haciendo, sobredimensionar el papel que ejerce la causa del contrato en la tarea fiscalizadora de la legalidad. Basta con comparar, por ejemplo, la

---

[66] GONZÁLEZ PALOMINO, «*La adjudicación para pago de deudas*», *A.A.M.M.*, 1945, pág. 278.

[67] Art. 964 del Proyecto de Código Civil de 1836: «Para que un contrato sea válido se necesita:
1º. Capacidad legal para obligarse, según lo dispuesto en el artículo 871.
2º. El consentimiento de la parte que se obliga.
3º. Un objeto cierto y determinado que forma la materia del contrato.
4º. Causa lícita y honesta de la obligación.
Art. 985 del Proyecto de Código Civil de 1851: «Para la validez de los contratos son indispensables los requisitos siguientes:
1º. Capacidad de los contrayentes.
2º. Su consentimiento.
3º Objeto cierto que sirva de materia a la obligación.
4º. Causa lícita de la obligación.
5º. La forma o solemnidad requerida por la Ley.

[68] Ya en los debates parlamentarios, previos a la promulgación de nuestro Código Civil, se reprochaba por Don Gumersindo de Azcárate al texto objeto de aprobación que al no exigir expresión de causa y dejar el encargo de probar que la causa es ilícita al que la alega resultaba inútil su previsión. D. Germán Gamazo responde reconociendo que el problema es grave y no es nuevo porque «*Después del Ordenamiento de Alcalá, hubo quien creyó que todo era posible, que todo era lícito, y que la ley 1ª, tit. 1º,, libro 10 de la Novísima Recopilación, no exigía determinación de causa ni distinguía entre causas lícitas y causas torpes*» *Debates parlamentarios*, 1885-1889, II B 1, 9 de abril de 1889, nº 90, Madrid, 1989, pág. 2420, [1702].

extensión que ocupan generalmente las explicaciones relacionadas con el requisito de licitud del elemento causal del contrato con el que se dedica a analizar la licitud del objeto para darnos cuenta de la mayor transcendencia que se ha otorgado a la causa ilícita. Hemos visto que los anticausalistas reducen prácticamente todos los casos de ilicitud del contrato al objeto[69]. En cambio, los causalistas otorgan tal amplitud a la causa que consideran que en ella tienen cabida prácticamente todo tipo de ilicitudes. En este sentido, como expone CLAVERÍA, se ha considerado que «la causa es ilícita cuando lo ilícito es el objeto del negocio (recuérdese que la licitud del objeto implica la de la causa, pero no al revés), o el motivo impulsivo determinante, o el modo de interdependencia de las prestaciones, o la operación en su conjunto...»[70]

También ha influido en esta sobredimensión que ha ido adquiriendo el recurso a la causa ilícita la propia indeterminación del concepto de causa y la multitud de literatura jurídica que se ha dedicado a su estudio. Se ha de reconocer que es muy diferente el rol que parece adoptar la causa cuando se trata de dar respuesta a los casos de simulación, a la ausencia de causa y cuando se trata de causa ilícita.

No parece necesario ahondar demasiado en el concepto de causa para el cometido que nos hemos propuesto porque vamos a comprobar, como ya señalaba BAUDRY-LACANTINERIE, que el papel de ésta respecto a la ilegalidad va a venir edificado por la jurisprudencia[71]. Por esta razón, no es de extrañar que en los debates parlamentarios que condujeron a la promulgación del Código Civil un declarado anticausalista como Don Gumersindo de Azcárate preguntase reiteradamente a los autores del Código cuáles son las causas lícitas y cuáles las ilícitas y qué leyes son esas conforme a las que se ha de resolver la cuestión, citando varios casos que le parecían dudosos. No convenciéndole la contestación de Don Germán Gamazo que para

---

[69] En los propios debates parlamentarios que precedieron a la promulgación del Código Civil se planteó como uno de los pocos puntos conflictivos el tema de la causa del contrato. Don Gumersindo de Azcárate en su intervención y en su contestación a la defensa de la causa del contrato que realizó Don Germán Gamazo llega a afirmar: «*Y viene luego un capítulo, el relativo a la causa de los contratos, que, francamente, creo que no va a servir más que para dar lugar a que los comentaristas escriban un capítulo más en sus libros, y tengan los estudiantes un quebradero más de cabeza, porque es completamente inútil*» *(Debates Parlamentarios, 1885-1889,* Madrid, 8 de abril de 1989, nº 89, pág. 2393 [1679] IIB1) «*Pero el Sr. Gamazo se empeña en defender la realidad, exactitud y la eficacia de esto de la causa de los contratos, y yo insisto, y lo voy a demostrar con los textos, que eso que se llama causa de los contratos es, como no puede menos de ser, lo que en otra parte se ha denominado objeto de los contratos. (...) Y si la causa no se refiere al objeto, se refiere al consentimiento(...)*». *(Debates Parlamentarios, 1885-1889,* Madrid, 12 de abril de 1989, nº 93, págs. 2480-2481 [1730-1731] IIB1)

[70] CLAVERÍA GOSALBEZ, L.H., *La causa del contrato...* cit. pág. 134.

[71] BAUDRY-LACANTINERIE, G., *Traité théorique et pratique*, II, París, 1925, págs. 738 y 746-753.

encontrar la determinación de las causas lícitas e ilícitas se remitió a las leyes definidas en el artículo 4° del Código, reenviando la cuestión a esas «leyes que la voluntad de las partes no pueden alterar»[72].

Sea cual fuere el concepto doctrinal de la causa que se pretenda adoptar, incluso cuando lo que se propugne sea abandonar la «complicada e inútil teoría de la causa como elemento esencial para la formación del contrato», como en su momento hizo CASTÁN, siempre parece esencial y necesario «mantener la prohibición de la causa ilícita y las demás aplicaciones prácticas del concepto moderno de causa»[73]. No podrá ser de otro modo si se tiene en cuenta que el recurrir a la causa ilícita ha sido una valiosísima herramienta en manos de los jueces y tribunales para enjuiciar y anular contratos que eran repudiados por exigencias de ética y justicia y, sin embargo, no se encontraba una concreta norma jurídica que se pudiese ver directamente infringida. La causa ilícita operó siempre por necesidades prácticas, como asidero legal cuando la antijuridicidad de un determinado contrato no encontraba una réplica efectiva por carecer el ordenamiento de una reglamentación concreta o explícita que contemplase el supuesto.

3.2.2. Causa ilícita: contravención a la moral y al orden público

Pese a que causa ilícita es, según nos indica el artículo 1275 del Código Civil, la que va en contra de la Ley y la moral, deberemos matizar. Veremos que la aplicación que hace la jurisprudencia de la causa ilícita no va a tener una relación demasiado directa con la contravención directa de las leyes sino, más bien, con la contravención de los otros dos límites de la autonomía de la voluntad; moral y orden público. Por los propios matices de indeterminación que llevan aparejadas las normas de la moral o buenas costumbres y del orden público o principios generales del derecho, cualquier contrariedad de estas con contrato va a encontrar un mejor acomodo en la causa ilícita.

Un importante dato a tener en cuenta es que tanto el artículo 6.3 C.C. como los 1271 y 1275 C.C. complementan al artículo 1255 C.C. de carácter genérico y programático, que por sí solo no desplegaría efectos prácticos[74]. No olvide-

---

[72] La defensa por Don Germán Gamazo de la figura de la causa ilícita se traduce en considerar concretamente que: *«No serán válidos los contratos que tengan por causa un hecho ilícito o inmoral que motive la condenación del legislador en el Código, ó despierten la indignación de las personas honradas, ó ataquen á la moral en la esfera privada ó en la esfera pública. Cuando las causas generadoras del contrato sean de tal índole, éste no será válido».* (*Debates Parlamentarios, 1885-1889.* Madrid, 8 de abril de 1989, n° 89, pág. 2393 [1679] IIB1, 9 de abril de 1889, n° 90, págs. 2419-2420, [1701-1702], IIB1, y 12 de abril de 1989, n° 93, págs. 2480-2481 [1730-1731] IIB1)

[73] CASTÁN TOBEÑAS, J., *Hacia un nuevo derecho civil*, Madrid, 1933, pág. 112.

[74] En este sentido se pronuncia la Sentencia de 7 de junio 1974 « Considerando que suerte adversa merece el recurso acogido al número primero del repetido artículo 1.692, tanto porque el artículo 1255 del código civil, que se dice violado, al prohibir los pactos que sean

mos que este articulo se refiere a tres límites de la autonomía de la voluntad. Así el artículo 6.3 C.C. concretaría la sanción a los contratos contrarios a la ley, pero no soluciona lo referente a los contratos contrarios a la moral y al orden público que han de apoyarse directamente en los otros preceptos (causa y objeto ilícitos) para adquirir una virtualidad propia. Al control de estos otros límites parece que se ha ido especializando la causa en detrimento del control del límite legal. En consecuencia, se puede afirmar que la causa ha perdido protagonismo a medida que es el límite legal el que ha ido adquiriendo una mayor preeminencia con respecto a los otros límites hasta llegar a su actual esplendor.

Tanto en el Código Civil francés (art. 1133) como en el italiano (art. 1343) se incluye expresamente la contravención del orden público en la definición de la causa ilícita junto a la ley o normas imperativas y las buenas costumbres, a diferencia de nuestro Código. Aunque el orden público no se encuentra expresamente indicado como límite protegido mediante la causa ilícita en el artículo 1275 del Código Civil, es incuestionable que va a ser uno de los motivos fundamentales para considerar que la causa de un contrato es ilícita. Habida cuenta de que, como mantiene la doctrina italiana pese a su expresa inclusión, el orden público se encuentra formado por normas de carácter jurídico y lo que le da sustantividad propia es que la ilicitud se puede apreciar incluso cuando lo que se contravenga no sea una norma específica, sino un principio general que se deduzca de un sistema de normas imperativas o de la Constitución[75].

Nuestra jurisprudencia no ha dudado, en ningún caso, el calificar un contrato como con causa ilícita motivando abiertamente sobre la base de una vulneración del orden público. Encontramos ilustrativa la reciente sentencia

---

contrarios a las leyes, formula un principio jurídico de gran generalidad, que, para servir de base a un recurso de casación en el fondo, ha de apoyarse en la infracción de otro precepto específico que le sirve de complemento, cosa que se ha omitido en este motivo por el recurrente, al limitarse el mismo a citar la ley de 29 de noviembre de 1938.»

También la doctrina es consciente de este carácter un tanto deliciescente del precepto tratado. Así ATAZ LÓPEZ afirma del 1254, haciendo a renglón seguido, extensiva la afirmación para el art. 1255 «...utilizado como una especie de artículo comodín susceptible de ser citado en apoyo de las más variadas cuestiones, pero que por sí solo para poco parece servir.» Esta afirmación tiene reflejo en una antigua sentencia por él citada de 5 de febrero de 1914, en la que el propio tribunal reconoce al art. 1255 « un significado más que recto acomodaticio». ATAZ LÓPEZ, J., *Comentarios al código civil y compilaciones forales*, Tomo XVII, Vol. 1-B, comentario al art. 1254, pág. 95.

[75] LONARDO, L., *Ordine Publico e illicceità del contratto*, Nápoles, 1993, págs. 273-375, DE CUPIS, A., «*Leggi proibitive, norme imperative e ordine pubblico*», en *Teoria e Patica del diritto civile*, Milán, 1967, págs. 38 y ss., MESSINEO, «*Il contratto in genere*», in tratatto di diritto civile e commerciale, diretto de Cicu e Messineo, I, XXI, T. 2, Milano, 1973, pág. 241 y ss., SANTORO PASARELLI, F., *Doctrinas Generales del derecho civil*, trad. A. Luna Serrano, Madrid, 1964, pág. 220-221, STOLFI, G., *Teoría del Negocio Jurídico*, trad. J. Santos Briz, Madrid, 1959, págs. 262-264.

de 26 de octubre de 1998 en la cual nuestro Tribunal Supremo afirma: «*el contrato litigioso de 1 de agosto de 1989 no fue celebrado por plazo o tiempo indeterminado o indefinido (entendidos dichos términos sinónimos en el sentido anteriormente expresado), sino que se estipuló prácticamente la duración del mismo «a perpetuidad», la cual es opuesta a la naturaleza temporal de toda relación obligatoria, integrando una limitación de la libertad del deudor, contraria al orden público (véase el art. 1583 CC), teniendo declarado la antes citada sentencia de esta Sala de 16 Diciembre de 1985 que «la perpetuidad es, salvo casos excepcionales, entre los que no se encuentra el contemplado, opuesta a la naturaleza misma de la relación obligatoria, al constituir una limitación a la libertad que debe presidir la contratación, que merece ser calificada como atentatoria al orden jurídico». Como el presente supuesto litigioso tampoco se halla comprendido dentro de los casos excepcionales a los que se refiere la expresada sentencia, es evidente que, al haberse estipulado prácticamente para el contrato objeto de litis una duración «a perpetuidad», se ha conculcado el orden jurídico, que pertenece al ámbito del orden público, y, por tanto, se ha teñido de licitud la causa del referido contrato, con la consiguiente nulidad radical del mismo (art. 1275 CC, en relación con el 1255 del mismo)*».

Parece evidente que los principios que inspiran y que están latentes en todas las normas jurídicas, incluso las dispositivas, han de ser respetados por la autonomía de la voluntad y, en caso contrario, no se ha dudado en acudir a la teoría de la causa ilícita. En la mayoría de estos casos, para poder descubrir si se han vulnerado estos principios parece evidente que se ha de tener en cuenta no únicamente lo expresamente plasmado en el contrato sino las conductas, móviles e intenciones de ambas partes contratantes que hayan podido adquirir relevancia causal.

3.2.3. Causa ilícita y motivaciones impulsivas de los contratantes

Por la relación entre moral y orden público con las motivaciones de las partes que las impulsan a contratar, la jurisprudencia ha tenido que ir reconociendo que existen numerosos casos en los que para descubrir la ilicitud se ha de tener en cuenta la intención subjetiva de los contratantes. En ocasiones se ha admitido que alcanzan la categoría de causa contractual, los móviles o motivos perseguidos por las partes que puedan afectar a la eficacia del acto en cuanto actúan a modo de causa o finalidad impulsiva o determinante del mismo (causa funcional)[76].

Nuestro Tribunal Supremo no tiene inconveniente en identificar, en algunos casos y de forma excepcional, la causa del contrato con los móviles

---

[76]   TORRALBA SORIANO, O.V., «Causa ilícita; exposición sistemática de la jurisprudencia del Tribunal Supremo», en *A.D.C.*, XIX-3, 1966, pág. 666.

internos que impulsan a las partes a su celebración[77]. Casos en los que como el propio tribunal expone «no cabe discriminar con eficacia lo que es abstracto, permanente y específico y lo que es impulsivo y subjetivamente determinante de la declaración de voluntad, dificultad superada en eventos semejantes por la doctrina científica»[78].

No obstante, en otras sentencias se inclina por una nítida diferenciación estableciendo que la causa ilícita es «por sí misma inmoral o contraria a la ley y determina la ineficacia del contrato, y a su vez, el móvil o intención es una determinación subjetiva de la voluntad, secundaria respecto al consentimiento contractual, que si puede influir en la convención no ataca su existencia sino que la podría viciar en sus consecuencias.»[79] y exigen que estos móviles ilícitos han de verse incorporados al negocio para poderse tomar en cuenta. Es decir, para que las motivaciones impulsivas de alguno de los contratantes tengan trascendencia causal han de encontrarse plasmados en alguno de los pactos, cláusulas o condiciones del contrato o ser motivaciones ilícitas comunes a ambas partes contratantes[80]. En palabras del Tribunal Supremo se «causalizarían» estos motivos: «elevándose el móvil a la condición de verdadera causa al imprimir a la voluntad la dirección finalista y torpe del convenio, descansando a su vez la ilicitud de la causa en la finalidad negocial ilegal o inmoral que se pretende, común a todas las partes contratantes obligadas»[81].

El Código Civil italiano es uno de los que muestra un planteamiento exhaustivo del control de legalidad contractual montada sobre bases estructurales. En este sentido el artículo 1418 del Código italiano realiza una

---

[77] En este sentido, merece citarse como representativa la reciente sentencia de 31 de noviembre de 2000 en la que se concluye que «esa motivación interna, o móviles relevantes deben estructurar los citados por la jurisprudencia relatada presupuestos para delimitar el ámbito de la causa, habiendo de aplicar al efecto la idea motriz que priva en nuestro ordenamiento jurídico de reputar todo contrato que persiga un fin ilícito o inmoral, cualquiera sea el medio empleado por los contratantes para lograr esa finalidad apreciada en su conjunto, lo que equivale, secundando la tesis subjetiva, a elevar por excepción el móvil en verdadera causa por imprimir u orientar a la voluntad de la parte en un objetivo ilícito del negocio, (...) de lo que se deriva, en definitiva, que esa ilicitud provoca la nulidad del contrato, especie de ineficacia que, aunque proviene de una nulidad radical postulada, conlleva, también, a la resolución de lo así pactado con la retroacción de las prestaciones, «ex» art. 1303 CC.»

[78] Sentencias de 12 de abril de 1944, 26 de abril de 1962, 24 de marzo de 1950, 19 de noviembre de 1990.

[79] Sentencias de 6 de diciembre de 1947, 31 de octubre de 1955, 8 de julio de 1977 y las que en ella se mencionan.

[80] Sentencias de 29 de octubre de 1960, 23 de noviembre de 1961, 2 de octubre de 1972, 16 de noviembre de 1974, 16 de mayo de 1975 y 30 de diciembre de 1985, 8 de abril de 1992, entre otras.

[81] Sentencias de 3 de febrero de 1981, 2 y 22 de diciembre de 1981, 24 de julio de 1993, 13 de marzo y 14 de junio de 1997, 29 de abril de 1998, entre otras.

completa enumeración de las causas de nulidad del contrato diferenciando la derivada de la ilicitud de la causa (art. 1343) de la de los motivos (art. 1345). Sin embargo, pese a que parece diferenciar nítidamente y en preceptos distintos la causa de los motivos ambos se recogen dentro de la misma sección titulada de modo general «*De la causa del contrato*».

En la sentencia de 3 de febrero de 1981, una de las que recayó sobre el conocido «caso MATESA», el Tribunal Supremo dedica un largo considerando a matizar la relación entre causa y móviles de los contratos resumiendo muy bien la postura jurisprudencial. En concreto trata de distinguir entre «móvil meramente individual y oculto que abriga cualquiera de los otorgantes de lo que es propiamente el móvil incorporado a la causa y como tal integrado en el acuerdo bilateral. Para el caso de causa ilícita del artículo 1275 esta sentencia hace referencia expresa al texto del artículo 1345 del Código Italiano para adoptar su criterio (alusión que también se encuentra en otras sentencias como en la de 30 de diciembre de 1985). Mantiene expresamente: «la ilicitud de la causa descansa en una finalidad negocial contraria a la Ley o a la moral y común a todas las partes para dar virtualidad al contrato, lo que hace irrelevantes los deseos y expectativas que impulsan a una sola de ellas, por lo que es claro que la nulidad radical ordenada en dicho precepto (1275) requiere que el negocio persiga un fin ilícito o inmoral, pues el móvil se eleva a la categoría de verdadera causa al imprimir a la voluntad de los contratantes la dirección finalista y torpe del convenio (...)». Para ello se establece bien la exigencia de la comunidad de propósitos de ambos contratantes (motivo ilícito común), o bien que los móviles particulares se incorporen a la declaración de voluntad viniendo a constituir causa determinante o impulsiva que deberá ser conocida por ambos contratantes[82].

En este sentido, lo que aconseja la jurisprudencia es ser muy riguroso y estricto a la hora de causalizar los motivos de las partes. Se ha de tener en cuenta que la causa, configurada de esta forma, afecta más al cumplimiento que al nacimiento del contrato[83]. Hay que advertir que la causa, al funcionar como presupuesto del contrato, únicamente se va a ver afectada por la posible ilicitud que se de en el mismo momento del nacimiento del contrato y nunca en otro caso.

3.2.4. Momento de apreciar la ilicitud causal: la celebración del contrato

Sólo cuando se ha malogrado la finalidad o motivo impulsivo del contrato debido a una prohibición contenida en una norma jurídica que ya existía y se

---

[82]   En las otras sentencias sobre el «caso MATESA» también se vuelve a hacer alusión a esta relación motivos-causa (Ss. de 2 de diciembre de 1981 y 15 de febrero de 1982)

[83]   STORCH DE GRACIA Y ASENSIO, J. G., «*Acerca de la `Causa impulsiva´ en la formación y cumplimiento de los contratos. Comentario a la Sentencia de 30 de diciembre de 1985*», en *La Ley*, 1986, T. I, pág. 713-714.

encontraba vigente en el momento de celebrarse el contrato se puede hablar de causa ilícita. Para comprobar la licitud o ilicitud causal se debe establecer como referencia el momento de perfección del contrato como ocurre con el resto de los elementos esenciales del contrato. Si hecha una foto fija de ese momento no se aprecia ningún tipo de irregularidad causal, cualquier circunstancia sobrevenida que aparentemente tiña de ilicitud el contrato no ha de considerarse como un problema de causa.

En este sentido establecía expresamente en la Sentencia de 14 de diciembre de 1940 que no puede invocarse la inexistencia —y por extensión añadimos nosotros la ilicitud— de causa como sobrevenida con posterioridad, porque siendo la causa, en la concepción de nuestro Código Civil, uno de los elementos constitutivos del contrato, necesarios para darle nacimiento, hay que referir su existencia a ese momento creador del vínculo y la prolongación de esta teoría, más allá del momento de la formación del contrato supone invadir el terreno de otras figuras jurídicas mas o menos relacionadas con aquella, pero que la desplazan de sus términos legales estrictos. También, más recientemente, la sentencia de 4 de septiembre de 1992 ha establecido que de ningún modo pueden viciar la causa del negocio hechos sucedidos con posterioridad a la celebración de éste.

Por esta razón hay que considerar, como muy bien expresa GONZÁLEZ PALOMINO, que, en principio, el «que un contratante no logre la finalidad que se propuso no es base para pedir la nulidad del contrato, sino para que, apoyado sobre su contrato como sobre una pértiga, salte por encima de la mala voluntad de su deudor y llegue a su patrimonio para conseguir su finalidad o su equivalencia por otro camino. No sobre la base de la nulidad, sino generalmente basándose en la validez del contrato»[84].

Efectivamente, esta es la solución que ha apuntado recientemente la doctrina para los casos en los que se adquiere un solar para edificar, resultando posteriormente imposible este destino por un cambio en los Planes Urbanísticos. Estos casos que aparentemente podrían parecer de ilicitud sobrevenida de la causa no son mas que casos de resolubilidad del contrato. No siendo necesario acudir a una pretendida «continuadora influencia de la causa» más allá del momento de celebración del contrato[85]. No hace falta

---

[84]   GONZÁLEZ PALOMINO, «La adjudicación para pago de deudas», A.A.M.M., 1945, pág. 275-76

[85]   RUBIO TORRANO, E., «Comentario a la Sentencia del Tribunal Supremo de 11 de julio de 1984», C.C.J.C., 1984, Nº 6, 161, pág. 1949, DE VERDA BEAMONTE, J.R., «Compraventa de Bienes inmuebles sujetos a vínculos urbanísticos», en Revista de Derecho Patrimonial, Nº1, págs. 270-271, Remedios jurídicos con que cuenta el comprador de un inmueble…, cit., págs. 1223-1225, CLAVERIA GOSALBEZ, L.H., Comentarios al Código Civil y Compilaciones forales (comentario del artículo 1275 CC)» tomo XVII, vol. 1-B, Madrid, 1993, págs. 566-567, La causa del contrato, Zaragoza, 1998, págs. 116-117, 119-121 y 180-181, Comentario a la S.T.S. de 30 de diciembre de 1985, cit., pág. 393-3394.

acudir al artículo 1275 del Código Civil y procurar las consecuencias de nulidad que de él se derivan cuando lo más correcto es acudir a las soluciones que nos ofrece el artículo 1124 del mismo texto legal.

3.3. Distinción entre causa ilícita por contraria a la ley y causa ilícita por contraria a las buenas costumbres

El Código Civil emplea el término ilicitud al referirse a la causa del contrato en un sentido genérico al que nos hemos referido anteriormente. El artículo 1275 del Código Civil nos aclara que se considera ilícita la causa cuando resulta contraria a las leyes o a la moral. Tampoco existe inconveniente en añadir el Orden Público al lado de la ley y la moral como viene siendo admitido por la jurisprudencia.

Como acabamos de exponer, por la propia dinámica en la que se fue acuñando el concepto, en la misma noción de causa ilícita parece que está siempre implícita una connotación de valoración moral o ética del contrato[86]. La causa ilícita del contrato se declara por el matiz inmoral que reviste la operación en su conjunto, en la que se persigue lesionar un interés general de orden jurídico o moral. Por tanto, tiene sentido decir que en la mayor parte de las ocasiones los tribunales se van a referir a la causa ilícita en sentido estricto, es decir, cuando se opone a la moral o buenas costumbres, denominándola causa torpe.

La figura de la causa ilícita por vulnerar una norma imperativa o prohibitiva parece que resultaría en cierto modo innecesaria, puesto que su aplicación vendría a coincidir con la aplicación de lo previsto en el artículo 6.3 del Código Civil. Este apercibimiento de la coincidencia de aplicaciones se ha realizado ya por la doctrina que, en algunos casos, se ha afanado por establecer distinciones y, en otros casos, ha venido a reconocer que ciertamente pueden solaparse ambos medios de control de la legalidad[87].

---

[86] LALAGUNA DOMÍNGUEZ, E., *Sobre la causa en los contratos*, en La Ley, 1988-4, pág. 1027. LACRUZ, *Elementos*, II, vol 2°. cit. pág. 166

[87] Ni siquiera haría falta analizar a la variada doctrina si se tiene ocasión de acudir, una vez más, a los debates partamentarios precedentes a la aprobación del Código Civil. En estos debates se puede observar cómo los defensores del texto codificado explican la causa ilícita remitiéndose al precepto que en el título preliminar establece las consecuencias para todo acto contrario a las leyes prohibitivas. Mantiene expresamente Don Germán Gamazo ante la cuestión perspicazmente planteada por Don Gumersindo Azcárate: «¿qué causas son las ilícitas? ¿las contrarias a las leyes? ¿Y qué leyes son esas? ¡Ah, Sr. Azcárate! Las leyes definidas en el art. 4° del Código, el derecho que no se puede variar por las convenciones de los hombres, esas que se llamaban en otro tiempo prohibitivas, las que ahora se llaman derecho absoluto ó necesario, y siempre garantizan y defienden la moral y el órden público; esas son las leyes que la voluntad de las partes no puede alterar.» *(Debates Parlamentarios, 1885-1889,* Madrid, 9 de abril de 1889, n° 90, págs. 2420, [1702], IIB1)

Muchas veces la jurisprudencia, sobre todo la más antigua, ha argumentado sobre la ilegalidad de un determinado contrato estableciendo la nulidad del mismo por contar con una causa ilícita, añadiendo, que es una manifestación concreta de la ilegalidad que se encuentra dispuesta en el artículo 6.3 del Código Civil[88]. Es evidente que muchos casos de ilegalidad conllevan, al mismo tiempo, una pronunciada carga de inmoralidad en su operación. No obstante, se ha de ser consciente que los recursos para evitar y controlar la inmoralidad en el contenido y las operaciones contractuales como el de la causa ilícita o causa torpe, son recursos que establece el Derecho para cuando no existen otros medios para combatir esas operaciones. Si encontramos una norma jurídica expresa que previene y prohibe esas determinadas conductas que también envuelven una operación inmoral, basta con aplicar lo prevenido específicamente en la norma jurídica que concretamente se ocupa del supuesto.

En definitiva, la causa torpe es un remedio jurídico que pone el Derecho al alcance de los interesados y en manos de jueces y tribunales para evitar la consecución de los efectos programados en un contrato que, pese a que no están expresamente prohibidos por ningún precepto de una ley concreta, resultan rechazados por las buenas costumbres y los principios de orden público que también componen el propio ordenamiento jurídico.

Parece que las diferencias que pueden derivarse de una y otra aplicación se encuentran tanto en el supuesto de hecho como en la consecuencia jurídica:

A]. En el *supuesto de hecho*: como hemos dicho, para la aplicación del artículo 6.3 del Código Civil se exige que exista y se alegue una disposición concreta imperativa o prohibitiva que resulte infringida directamente por el contrato. Para la aplicación del artículo 1275 no hace falta alegar una disposición expresamente afectada. El artículo 1275 explica que es ilícita la causa cuando se opone a las leyes o a la moral. La alusión a las leyes es mucho más genérica que la que se recoge en el artículo del título preliminar. Parece que incluye en este concepto también aquellos preceptos derivados de principios generales y fundamentales de nuestro ordenamiento positivo, que no siempre están explicitados en normas expresamente formuladas. En muchas ocasiones también, por el propio carácter del concepto de causa, se mezclan de forma casi indisoluble la causa ilícita como contraria a la ley y como contraria a la moral. Estos casos y sus consecuencias serán estudiados más adelante.

B]. En cuanto al *momento* en el que puede verse afectado el contrato.

Es evidente que la causa como un elemento constitutivo del contrato que ha quedado establecido en el artículo 1261 sólo se puede considerar como viciada de ilicitud en el momento de la formación del contrato[89]. Evidente-

---

[88] Sentencia de 9 de abril de 1930, 9 de enero de 1933.
[89] Vid. infra epígrafe «La teoría de la causa ilícita»

mente, por el propio carácter estable de la moral y de las buenas costumbres no es probable que se produzcan cambios bruscos en ellos que puedan afectar la licitud de contratos ya en vigor. Cuando se celebra el contrato ya se puede afirmar si va a resultar durante toda su vigencia conforme o contrario a la moral o buenas costumbres de su tiempo. Sin embargo, sí que es perfectamente posible que un contrato se vea viciado de ilegalidad de una forma sobrevenida por la evolución legislativa y la constante promulgación de normas jurídicas. No se admiten ilicitudes sobrevenidas de la causa puesto que en estos casos estamos más bien ante casos que son motivos de resolución del contrato[90].

C]. En cuanto a las diferencias sobre *las repercusiones* que tiene calificar un contrato directamente como ilegal o calificarlo como con causa ilícita son bastante significativas.

a) *Consecuencias del contrato con causa ilícita*: como ya se expuso al hablar del objeto ilícito, cuando un contrato se acaba por considerar como con causa ilícita sólo cabe una consecuencia jurídica bien definida en el Código Civil: la nulidad de pleno derecho. Dentro de esta nulidad caben dos tipos de efectos cuando se considera que la causa es ilícita: 1°) la regla general que se encuentra recogida en el artículo 1303 del Código y que establece la recíproca restitución de las prestaciones para el caso en que se hubiese ejecutado ya el contrato o la retirada de la tutela jurídica a cualquiera de los contratantes para evitar la consumación de dicho contrato si aún no se hubiese ejecutado. 2°) La regla excepcional que se encuentra recogida en los artículos 1305 y 1306 del Código y que establecen el funcionamiento del aforismo extendido por los glosadores de «*nemo auditur propiam turpitudinem allegans*». En realidad, a lo que se refieren estos preceptos es más bien al adagio «*in pari causa turpitudinis cessat repetitio*» o la imposibilidad de pedir el cumplimiento ni la restitución por parte de aquel contratante que puede considerarse culpable la licitud.

Esta regla excepcional, sin embargo, se va a considerar circunscrita a los casos en los que la causa sea inmoral o contraria a las buenas costumbres. Es decir, se reserva exclusivamente a lo que se denomina en sentido estricto causa torpe y no a los contratos en los que se trata una infracción legal o de orden público[91].

Esta diferencia en las reglas a aplicar para la fijación de las consecuencias restitutorias de la nulidad derivada de la causa ilícita comenzó a realizarse en la primera jurisprudencia francesa que empezaba a interpretar el Código

---

[90] Sentencias de 14 de diciembre de 1940, 11 de julio de 1984, 21 de noviembre de 1988, 19 de enero de 1990, 17 de febrero de 1997, 23 de octubre de 1997 y las que en ella se citan. Vid. también infra epígrafe «La teoría de la causa ilícita» y supra epígrafe «Contratos que infringen normas urbanísticas».

[91] Vid supra epígrafe «Efecto restitutorio de la nulidad»

de Napoleón. La jurisprudencia francesa partía de la idea de rechazar la acción de repetición en todos los casos en los que se veía implicada la causa, aplicando la regla *Nemo auditur* que no se había plasmado de forma expresa en el Code. Sin embargo, enseguida va a cambiar de opinión en lo que se refiere a los casos de causa ilícita por ilegal (negocios relacionados con el trafico de influencias, sobornos y pagos a funcionarios...) y, por el contrario, va a mantener la misma postura del sistema antiguo para los contratos con causas puramente inmorales (supuestos derivados de negocios relacionados con casas de tolerancia, amancebamientos y concubinatos...)[92].

Cuando DEMOGUE observa esta postura de la jurisprudencia francesa indica que ésta parece considerar que la mejor manera de luchar contra las convenciones contrarias a la Ley es haciendo desaparecer todas las consecuencias. En cambio, para las convenciones contrarias a las buenas costumbres, la jurisprudencia en el fondo debe haber estado influenciada por esa idea de que no conviene otorgar una acción en justicia en un caso de semejante inmoralidad[93].

La excepción la encontramos en la previsión en nuestro Código Civil de la vulneración de leyes penales, puesto que el artículo 1305 se refiere a los casos en los que el contrato con causa u objeto ilícitos constituyen un hecho delictual. Pero hay que ser conscientes que en estos casos tanto en los delitos como en las faltas el Código Penal tras describir el tipo se suele dedicar a establecer una concreta aplicación o destino a las cosas o precio objeto del contrato (decomiso, destrucción, ...).

b) *Consecuencias del contrato ilegal*: A diferencia del contrato con causa ilícita que se encuentra irremediablemente abocado a la nulidad de pleno derecho, el contrato puramente ilegal puede correr otra suerte. El contrato ilegal no tiene porque llevar aparejada, en todo caso, la sanción de la nulidad de pleno derecho. Esta sanción aplicada den toda su extensión se reserva, únicamente para los casos más graves y que no pueda ser salvaguardada la finalidad de la norma de ninguna otra forma.

En otros casos se pueden encontrar aplicaciones parciales de la nulidad o determinadas modalidades de esta que consisten en dar mayor flexibilidad a las características de esta para no aplicarlas en todas sus consecuencias. Incluso la solución adecuada puede acabar siendo la propia validez del contrato, por contar con sanciones suficientemente efectivas en otro ámbitos del ordenamiento jurídico como el penal o el administrativo que satisfacen plenamente la finalidad de la norma.

---

[92] BEAUDANT, CH., *Cours de droit civil français*, T. VIII, París, 1936, págs. 206-207.
[93] DEMOGUE, R., *Traité des obligations en general* T. I, vol 2, *Sources des obligations*, París, 1923, págs. 809-810.

3.4. Casos tradicionalmente incluidos como contratos con causa ilícita

Parece una constante en la doctrina que trata de explicar el funcionamiento de la causa ilícita, tanto anterior como coetánea a nuestro Código Civil, el recurrir a las enumeraciones casuísticas de supuestos. No es extraño que se haya optado por este tipo de aproximación casuística para estudio de la causa ilícita, ya que está comprobado que es el único sistema que puede clarificar esta aplicación de la causa. Todos los autores antes de realizar sus enumeraciones de pactos reprobados por tener una causa ilícita siempre advierten que se trata tan sólo de una muestra, ni siquiera un resumen de los tantos que puede haber de esta clase y de los tantos que la malicia humana puede inventar.

No puede sorprendernos que tras estos acercamientos tan casuísticos al concepto de causa ilícita sea imposible dar una regla o definición precisa. La variedad y heterogeneidad de los supuestos hace que sea imposible abarcar todos los casos que la jurisprudencia considera que pueden incluirse dentro de la licitud causal con una sencilla descripción. Incluso es posible considerar que las enumeraciones se encuentran siempre sometidas a revisión puesto que la licitud evaluada por los tribunales se encuentra en constante evolución. No es difícil concebir que el contrato que en un momento puede ser considerado ilícito en su causa puede resultar plenamente aceptable con el transcurso del tiempo. En este sentido —destaca JORDANO BAREA— incluso alguno de los «ejemplos clásicos de escuela», a propósito de la causa ilícita del arrendamiento de una casa-habitación para prostíbulo o para juego de suerte envite o azar, tienen hoy por hoy poco valor[94].

Esta técnica de enumeraciones casuísticas comenzó a ser utilizada por la doctrina francesa de la época inmediatamente posterior al Código Civil, y ha seguido siendo utilizada. No obstante, podemos observar que, pese a que estas enumeraciones se suceden, van a ser constantemente revisadas y actualizadas por la doctrina posterior, reduciendo casi siempre de forma paulatina las primeras formas de ilicitud[95]. Para poder distinguir los casos en los que opera

---

[94] JORDANO BAREA, J.B., «*La causa en el sistema del Código Civil español*», en *Centenario del Código Civil* (1889-1989), l, Madrid, 1990, pág. 1049.

[95] DEMOLOMBE, G., *Cours de Code Napoléon, Traité des contrats*, T. I, París, 1884, págs. 358-364, BEUDANT, CH., *Cours de droit civil français*, 2ª ed., T. VIII, París, 1936, págs. 158-159, AUBRY, C., y RAU, C., *Cours de droit civil françois*, 4ª ed., T. IV, París, 1871, págs. 322-324, JOSSERAND, L., *Cours de droit civil*, T. II, París, 1930 pág. 63-64 quien ya advierte que estos casos están sujetos a controversia o a evolución. Posteriormente encontramos obras monográficas que abordan estos casos y su vigencia: CAPITANT, H., *De la causa de las obligaciones*, trad. E. Tarragato y Contreras, Madrid, págs. 234-235 y 236-239, DABIN, J., *La teoría de la causa*, trad. F. de Pelsmaeker, 2ª ed. Madrid, 1955, págs. 182-235. LUTZESCO, G., *Teoría y práctica de las nulidades...* cit. pág. 255-260. Para abundar en este análisis de las aportaciones de los autores franceses a la casuística

la causa ilícita por razón de que el contrato vulnera una ley o vulnera la moral podemos acudir a RIPERT que realiza un examen de las convenciones inmorales exclusivamente[96].

En España se adoptan algunos de los supuestos clasificados por la doctrina francesa como prototípicos contratos con causa ilícita[97]. Pero, por otro lado, muchos de los casos expuestos como susceptibles de ser considerados como constitutivos de causa ilícita no obedecen a un mimetismo con la doctrina gala, sino que son extraídos de algunas menciones que hacen las leyes de Castilla anteriores al Código Civil[98].

Para no resultar demasiado profuso en distintas citas y enumeraciones de casos que resultan en buena parte coincidentes y que tan sólo tratan de ser ilustrativos, basta con citar dos buenos exponentes de la doctrina anterior a nuestro código: por ejemplo, GUTIÉRREZ FERNÁNDEZ sintetiza en cinco los grupos de casos que se podrían considerar como pactos con causa ilícita[99]:

1º El pacto de renunciar al dolo futuro. En este grupo se incluye la promesa de que no se demandará a otro por engaños o hurtos y la renuncia a pedir que se deshaga la equivocación o engaño que haya podido mediar en unas cuentas.

2º El pacto de pagar lo que se ha perdido en juegos prohibidos, siendo nulos los pagos, vales, empeños y escrituras.

3º El pacto de *quota litis*

---

    de la causa ilícita vid. CLAVERÍA GOSÁLBEZ, L.H., *La causa del contrato*, op. Cit. págs. 171-175.

[96]   RIPERT, G., *La règle morale dans les obligations civiles*, París, 1949, págs. 42-58.

[97]   Llama la atención el trabajo de NUÑEZ LAGOS expone con gran exhaustividad la gama de casos de causa torpe que se han dado en Francia «para ilustrar la pobreza —afortunadamente— de la vida jurídica española»., (NUÑEZ LAGOS, R., «*Condictio ob turpem vel injustam causam*», en *R.D.N.*, abril-junio, 1961, págs. 7 y ss-). También MUCIUS SCAEVOLA, tras hacer una primera referencia a los casos prototípicos de causa ilícita en las antiguas leyes anteriores al Código Civil recogidas por los expositores, hace alusión a los casos recogidos por la jurisprudencia francesa como pactos ilícitos (MUCIUS SCAEVOLA, Q., *Código Civil*, T. XX, 2ª ed., Madrid, 1958, págs. 823, 826 y 738.)

[98]   Las leyes de Partida, sobre todo, catalogan algunos pactos prohibidos. Dicen estas leyes en general que «no vale la promisión si fuese hecha contra ley o contra buenas costumbres. Esto sería como si alguno prometiese so cierta pena de matar a algún hombre... o prometiese a otro dar cosa cierta porque matase a algún hombre» (Ley 38, titulo XI. Partida V. Otras leyes establecían de forma un tanto desordenada otras prohibiciones como en las leyes 29 y 30 de la misma partida sobre promesas de no demandar por robo o hurto y de renunciar a que se deshagan equivocaciones de cuentas, sobre el pacto comisorio en la misma Partida V, Titulo XIII, Leyes 41 y 42, el establecido en la Ley 14, titulo XI, Partida III, sobre el pacto de cuota litis, etc. También en la Novísima Recopilación se establecen prohibiciones de pactos, por ejemplo, declarando nulas las deudas de juego y todos los vales, escrituras y garantías de las mismas (Ley 15, Título XXIII, Capítulo VIII).

[99]   GUTIÉRREZ FERNÁNDEZ, B., *Derecho Civil español*, 4ª ed., T. IV, Madrid, 1884, pág. 48-49.

4º Los pactos comisorio y anticrético.

5º Los pactos sobre sucesiones futuras.

SÁNCHEZ ROMÁN resulta mas prolijo en su enumeración de las distintas clases de pactos que se podrían considerar como reprobados por derivarse de causa ilícita y cuenta hasta quince[100]:

1º El caso general de ser el pacto contra ley o moral, pese a que se haya incluido pena o juramento para garantizar su observancia. En realidad, le bastaba con la amplitud de este caso para acabar y dar pon completa su enumeración. Quizá a lo que se quería referir es que constituye realmente caso concreto de pacto ilícito la pena o juramento en sí mismo considerados.

2º La remisión del dolo futuro.

3º La aprobación de cuentas, y pacto de no pedir más en razón de ellas, en cuanto medió engaño u ocultación.

4º El pacto de *cuota litis*. Aceptando que el cliente dé parte de la cosa litigiosa al abogado.

5º El pacto de *cuota litis*. Garantizando la victoria por cierto premio o aceptando abogados y procuradores seguir el pleito a sus propias expensas, mediante una cantidad alzada.

6º La renuncia de la prescripción trienal de los honorarios de los abogados.

7º El pacto entre dos para heredar el sobreviviente al premoriente, salvo militares en peligro de muerte.

8º El pacto sobre sucesión futura. Pacto hecho por los que se creen objeto de alguna manda o institución en un testamento disponiendo de las cosas, en principio ordenadas a su favor, antes de llegar el momento de su aplicación.

9º El pacto de devolver el deudor al acreedor mayor cantidad que la recibida por aquél de éste, sin causa justa. Pero sí es válido el de restituir menos.

10º El pacto comisorio.

11º Los préstamos en mercaderías.

12º Los pactos simulados.

13º La obligación de pagar lo perdido en el juego.

14º Los pactos que resultan u obligaciones que se pretenden crear por las cantidades entregadas al fiado a los hijos constituidos en poder de los padres sin la venia de éstos.

15º Los pactos comprensivos de renuncias de ciertos privilegios otorgados por las leyes.

De un somero análisis que podemos realizar de estas antiguas enumeraciones de pactos ilícitos que se tratan de incardinar en la categoría de causa ilícita podemos observar que muchas de ellas han perdido esta identidad con la licitud causal. En unos casos se ha perdido esta identidad porque con la

---

[100] SÁNCHEZ ROMÁN, F., *Derecho Civil Español Común y Foral*, T. IV, 2º ed., Madrid, 1899, págs. 207-214.

regulación del Código Civil se trataron de resolver de forma específica con previsiones legales expresas y concretas, sin que fuese necesario acudir a la categoría tan genérica de la causa ilícita[101]. En otros casos porque se ha perdido con la evolución de la sociedad el matiz inmoral con el que se consideraba envuelta[102]. No obstante, podemos afirmar que la evolución en este sentido ha sido premiosa. La mayoría de los autores que se ocuparon de analizar la causa ilícita con posterioridad al Código siguieron basándose en estas clasificaciones tradicionales, encargándose de contrastarlas y actualizarlas con respecto a los casos tratados por nuestros tribunales.

Verdaderamente, para completar el análisis de esta evolución resulta obligado acudir a las resoluciones judiciales para ver de qué forma desarrollan la aplicación de la teoría de la causa ilícita.

3.5. Aplicación jurisprudencial de la teoría de la causa ilícita

3.5.1. Orientaciones generales

Antes de analizar los distintos supuestos abordados por nuestros tribunales a través de la figura de la causa ilícita del contrato se debe advertir que no es frecuente alegarlo de forma aislada. Suele invocarse, a la par del artículo 1275, el artículo 1255 del Código Civil como un refuerzo de la posibilidad de alegar la ilicitud moral. Por esta razón MUCIUS SCAEVOLA llega a afirmar que «el artículo 1275 es la última ordenación del principio ya consignado en el artículo 1255»[103]. Esto hace que no haya demasiados problemas en que esta ilicitud pueda predicarse de las circunstancias, de la intervención en el negocio de determinadas personas, de la aplicación que se haga de ciertos objetos e incluso de actuaciones y conductas donde se ponga en riesgo la propia vida, o se establezcan ciertas vinculaciones a perpetuidad, a menos que la costumbre lo autorice. Es este uno de los motivos que dificultan enormemente un claro deslinde de los casos de ilicitud causal de los casos de estricta ilegalidad[104].

En este contexto podemos afirmar que el recurso a la causa ilícita ha pasado a un segundo plano, cediendo terreno a favor del control general de legalidad establecido en el artículo 6.3 del Código Civil. Ciertamente, basta con un somero análisis estadístico de la aplicación jurisprudencial del artículo 1275 del Código Civil o de la doctrina de la causa ilícita para darse

---

[101]   MUCIUS SCAEVOLA, Q., *Código Civil*, T. XX, 2ª ed., Madrid, 1958, pág. 823.
[102]   JORDANO BAREA, J.B., «*La causa en el sistema del Código Civil español*», en *Centenario del Código Civil* (1889-1989), l, Madrid, 1990, pág. 1049.
[103]   MUCIUS SCAEVOLA, Q., *Código Civil*, T. XX... cit. pág. 823.
[104]   SANCHO REBULLIDA, «*Notas sobre la causa de la obligación en el Código Civil*», en *R.G.L.* y J, 1971, pág. 670. Vid también epígrafe «Ámbitos de aplicación de los artículos 1275 y 6.3 del Código civil».

cuenta de que va perdiendo protagonismo como medio de control de la legalidad del contrato. Se puede apreciar una paulatina disminución tanto en la alegación como en la apreciación por parte del Tribunal Supremo de la ilicitud causal. La proliferación de normas especiales y la cada vez más pronunciada vocación totalizadora del legislador que trata de agotar los supuestos hace menos útil la teoría de la causa ilícita. No hay obstáculos para que se pueda acudir directamente a alegar concretos preceptos legales infringidos por el contrato y no hagan falta valoraciones o interpretaciones discrecionales sobre la posible ilicitud de una operación contractual.

Entre 1956 y 1959 se da un promedio de entre diez y trece sentencias sobre causa ilícita por año, mientras que entre 1994 y 1997 la media está entre cuatro y cinco sentencias por año. En la mayoría de los casos en los que actualmente los tribunales entran a analizar la procedencia de la acción de nulidad por causa ilícita acaban por desestimarla[105]. Además, los casos que encontramos en las sentencias actuales no se refieren a la licitud en sentido estricto, y mucho menos a la ilegalidad de la causa, sino que son casos de simulación (causa falsa e inexistente) y de negocios fiduciarios[106].

La doctrina jurisprudencial sobre la causa reproducida de forma reiterada por las sentencias del Tribunal Supremo viene a identificarla de forma genérica con el fin ilícito o inmoral que se persiga con el contrato. De esta forma para el Tribunal Supremo: «El concepto de causa ilícita, tal como lo desenvuelve y aplica, con gran amplitud y flexibilidad, la doctrina moderna, permite cobijar no sólo las convenciones ilícitas por razón de su objeto o de su motivo (cuando este último pueda y deba ser tomado en consideración por estar integrado en el contenido del contrato), sino también múltiples convenciones que, no encerrando en sí ningún elemento de directa antijuridicidad, son ilícitas por el matiz inmoral o de fraude que reviste la operación en su conjunto, como sucede en aquellos casos en que se promete determinada retribución a una persona para que ésta cumpla aquello a que está tenida por una obligación anterior, jurídica o moral» (Sentencia de 1 de abril de 1982)[107].

Se ha venido adelantando que la causa ilícita viene siendo un «cajón de sastre» en el que podemos encontrar una aplicación de lo más variopinta que

---

[105] Sentencia de 4 de octubre de 1984, 24 de febrero de 1992, 4 de septiembre de 1992, 22 de marzo de 1993, 12 de febrero de 1997,15 de octubre de 1999.

[106] Sentencias de 5 de mayo de 1995, 14 de junio de 1997, 15 de junio y 30 de septiembre de 1999, 1 de abril, 27 de noviembre y 29 de diciembre de 2000, entre otras.

[107] Doctrina jurisprudencial destacada por JORDANO BAREA, J.B., en «La causa en el sistema del Código Civil español», en Centenario del Código civil (1889-1989), cit. Pág. 1050, CASTRILLO SANTOS, J., «Autonomía y heteronomía de la voluntad en los contratos», en A.D.C., 1949, Pág. 577. Estableciendo este último que en estos casos hay que atenerse al catálogo de decisiones que expresan el criterio del Tribunal en los distintos temas que se han sometido a su decisión, puesto que no hay norma segura ni protoconcepto fijo que permitan saber cuando la voluntad va a ser respetada y cuando va a quedar desplazada.

agrupa un sinfín de casos heterogéneos. Ciertamente, como apuntan ALBACAR y SANTOS BRIZ, «el campo de aplicación de la licitud de la causa o del objeto del contrato es prácticamente ilimitado; en cada caso, la contemplación del móvil perseguido, el conjunto de las estipulaciones, el provecho exclusivo o desproporcionado de uno de los contratantes(...) revelarán su contradicción con las normas de la moral y su secuela de la falta de efectos que establece el artículo 1275 del Código Civil»[108].

Ante este amplio concepto de la ilicitud causal que los tribunales tienen a su disposición se acrecientan enormemente los habituales márgenes de discrecionalidad en la apreciación de la licitud. En este sentido, no resulta fácil dar pautas objetivas de actuación al juzgador. Consciente del problema, nuestro Tribunal Supremo se esfuerza en apuntar ciertos criterios que dejan patente su pretensión de normalizar el concepto, aunque en la práctica no pasen de ser una mera formulación de intenciones. No es difícil encontrar indicaciones jurisprudenciales de cómo los tribunales, ante el extenso concepto de licitud causal «*deben integrar en cada caso con criterios objetivos extraídos del mismo ordenamiento jurídico y de concepciones todavía más altas, que lo inspiran en calidad de principios éticos comúnmente aceptados...*» (Sentencia de 5 de mayo de 1958). Se puede apreciar cómo la intención de aplicar criterios objetivos choca con la propia labor de deducción e inducción de esos principios éticos comúnmente aceptados.

3.5.2. Supuestos y evolución en la aplicación de la causa ilícita

No es posible una sencilla simplificación y abstracción de toda la doctrina jurisprudencial sobre la causa ilícita. Hay que tener muy en cuenta que en esta materia concreta es fundamental distinguir perfectamente entre el *obiter dictum* y la *ratio decidendi* de la resolución judicial. Hemos de ser conscientes de este dato, porque si se cae en la tentación de generalizar lo argumentado de forma incidental o «a mayor abundamiento» por el Tribunal Supremo muchas de las premisas establecidas en sus sentencias aparecerían pronunciadas en términos contradictorios[109].

Podemos establecer un elenco sistematizado de los casos tan diversos y heterogéneos en los que nuestro Tribunal Supremo ha considerado aplicable la teoría de la causa ilícita. Sirve aquí como base para establecer una pormenorizada y ordenada exposición de los casos el completo estudio que de esta jurisprudencia realizó en su día TORRALBA SORIANO. Incluso al tratar de sistematizar todos los supuestos de causa ilícita este autor tuvo que

---

[108] ALBACAR J.L., SANTOS BRIZ, J., *Código Civil*, T. IV, pág. 690.
[109] PUIG BRUTAU, J., *Fundamentos...* cit. T. II, vol I, pág. 164, ATTAD ALONSO, E., *La causa ilícita...* cit. pág. 649.

dedicar un apartado a «supuestos diversos» ante la enorme dificultad de aglutinarlos en una categoría homogénea[110].

Dejaremos a un lado los contratos con causa ilícita por resultar exclusivamente contrarios a la moral y las buenas costumbres y nos ajustaremos, en la medida de lo posible, a los casos en los que se refleja cualquier tipo de ilegalidad. La clasificación de estos supuestos, aún controvertidos en mayor o menor medida, es la siguiente:

1º) Casos de simulación cuando el contrato real subyacente es ilegal. En estos casos se da una doble aplicación del concepto de causa. En primer lugar encontramos una causa falsa de un contrato que en realidad esconde otro. La causa falsa, realmente, no anula los contratos si se demuestra que estaban fundados en otra verdadera lícita[111]. Si este contrato disimulado subyacente está prohibido o resulta ilícito es cuando se considera que la causa es ilícita. V. gr. es frecuente el caso en el que se pacta una compraventa que en realidad está encubriendo una donación. Si la donación no cumple los requisitos necesarios para su validez se considera que la causa ha resultado ilícita. No sólo por carecer de los requisitos de forma sino por el vicio sustancial de realizarse en perjuicio de la legítima.

2º) Contratos realizados para perjudicar a un tercero[112]. V. gr. uno de los ejemplos más significativos sería aquel caso de emulación en el que se realiza un traspaso de un inmueble o local de negocio mediante la venta de acciones de una sociedad para eludir los derechos de otros miembros de la sociedad, copropietarios o arrendatarios[113]. También es frecuente incluir aquí los casos de subarriendos ilegales[114].

3º) Contratos en fraude de los derechos legitimarios de herederos[115] y en fraude de acreedores[116]. Estos supuestos concretos y, en general, los contratos en perjuicio de tercero no se puede entender que se encuentren siempre

---

[110] TORRALBA SORIANO, O.V., *Causa ilícita: Exposición sistemática de la jurisprudencia del Tribunal Supremo,..* cit. Pág. 691.

[111] Sentencias de 23 de diciembre de 1935, 4 de febrero de 1955, 9 de diciembre de 1959, 27 de diciembre de 1966, 20 de marzo de 1998, entre otras muchas..

[112] Sentencias de 30 de septiembre de 1929, 12 de abril de 1946, 12 de marzo de 1952, 26 de noviembre de 1955, 5 de marzo de 1958, 19 de mayo de 1981, 2 de octubre de 1972 (en este último caso el perjudicado era el Estado español). (En general, para un análisis más profundo de este problema *vid. por todos* GULLÓN BALLESTEROS, A., «En torno a los llamados Contratos en daño a tercero», en *R.D.N.*, 1958, págs. 111 y ss)

[113] Sentencias de 6 de diciembre de 1947 y 31 de octubre de 1955.

[114] Sentencias de 14 de marzo de 1958, de 7 de mayo de 1958,.

[115] Sentencias de 24 de febrero de 1930, 12 de abril de 1944, 12 de abril de 1946, 24 de marzo de 1950, de 11 de diciembre de 1957, 4 de abril de 1961, 20 de octubre de 1961, 15 de noviembre de 1977, 20 de diciembre de 1985.

[116] Sentencia de 24 de enero de 1977, 7 de julio de 1978, 23 de diciembre de 1997, de 7 de julio de 1978. En este último caso, en realidad, la operación contractual eran una serie de donaciones de uno de los cónyuges a favor de sus hijos en fraude a la sociedad de gananciales.

correctamente incluidos como casos de ilicitud causal. Para la mayoría de la doctrina existen normas específicas en nuestro Código Civil que prevén una especial solución a estos problemas y merecen una aplicación preferente (reducción de donaciones inoficiosas, rescisión por lesión y rescisión por fraude)[117]. Ciertamente, encontramos acciones como las acciones colacionales, la acción que se recoge en el artículo 1001 del Código Civil de los acreedores contra el heredero que repudia la herencia en su perjuicio y, sobre todo, la acción rescisoria, que se ajustan mejor a estos casos que la causa ilícita. En concreto, sólo cuando exista simulación se aplicará el régimen de la causa pero si existe realmente disposición procederá más bien el régimen de la rescisión o los otros regímenes especialmente previstos[118].

La razón que induce a creer que nos encontramos en casos de causa ilícita es que, como en el punto anterior, se trata de contratos realizados de mala fe para perjudicar. Los problemas a los que dan lugar estos contratos pueden ser abordados y resueltos no sobre la base de la nulidad, sino generalmente basándose en la validez del contrato.

Por otro lado, es fácil comprobar cómo los casos que también hubiesen sido susceptibles de orientarse hacia una acción rescisoria en el momento de plantear la demanda hubiese sido inviable tal acción por haberse pasado el plazo cuadrienal de esta acción. No se corre este peligro con la acción de nulidad por causa ilícita ya que como sabemos, en principio, es imprescriptible. Aparte, las consideraciones que se podrían hacer sobre los mecanismos de impugnación y la posibilidad de declaración de oficio de la nulidad.

Otra diferencia sustancial radica en el carácter subsidiario y condicionado por un estado de insolvencia del deudor de la acción rescisoria. La acción de nulidad por causa ilícita no es subsidiaria y no puede paralizarse pagando a

[117] CLAVERÍA GOSÁLBEZ, L.H., *La causa del contrato...* cit., pág. 194, DE ZUMALACÁRREGUI MARTÍN-CÓRDOVA, T., *Causa y abstracción causal en el derecho civil español*, Madrid, 1977, pags 32, 111-112 y 117-118, TORRALBA SORIANO, O.V, *Causa ilícita: Exposición sistemática...* cit. pág. 679-680, MORALES MORENO, A.M., Voz causa en la *EJB*, Vol. I, Madrid, 1995, pág. 961. CASTRILLO SANTOS, J., *Autonomía y heteronomía de la voluntad en los contratos...* cit. págs. 580-582. Este último autor poner de relieve la dificultad de aplicar la causa ilícita y de su correspondiente sanción de nulidad a estos casos, ya que la idea de lesión a un patrimonio no es idea de nulidad radical.

[118] PEÑA Y BERNALDO DE QUIRÓS, J.M., «*Causa ilícita y fraude de acreedores*», (Sentencia de 26 de abril de 1962), en *A.D.C.*, IV, 1962, pág. 1090, TORRALBA SORIANO, O.V, *Causa ilícita: Exposición sistemática...* cit. pág. 675. También en este sentido, aunque llevado a un extremo que no compartimos JORDANO BAREA considera que las acciones para reducir las donaciones inoficiosas sólo son de aplicación cuando se traspasan inadvertidamente los límites impuestos a las donaciones intervivos pero si se intenta a propósito burlar o defraudar a quienes tienen derecho a la legítima debe prevalecer la aplicación de la causa ilícita. (JORDANO BAREA, J.B., «*La causa en el sistema del Código Civil español*», en *Centenario del Código Civil*, 1889-1989, cit. pág. 1049.

los acreedores. Además, otra de las ventajas de esta impropia aplicación de la causa ilícita sería que no haría falta probar que existió un *consilium fraudis* como cuando lo que se interpone es la acción pauliana[119].

4º) Contratos realizados con infracción de normas legales. Estos supuestos son los que más nos interesa y son muy diversos. Así podemos observar que se incluyen como casos importantes de licitud causal contratos de compraventa de inmueble cuando éste no reúne ni puede reunir legalmente los requisitos para el destino pactado (vivienda, local de negocio, edificación, etc.)[120]; se ha empleado también en un primer momento cuando se pactaban precios superiores a los de tasas; ha sido frecuente la inclusión de contratos en los que se detectaban prácticas usurarias (Ley de Azcárate de 23 de julio de 1908)[121],

---

[119] Aunque este requisito subjetivo es muy relativizado en la nueva orientación que se ha dado a la acción rescisoria por nuestra doctrina. En términos generales se aprecia una tendencia, en mayor o menor medida hacia una mayor objetivación y flexibilidad para admitir la acción rescisoria de cara a las exigencias de sus presupuestos y requisitos. Destaca ORDUÑA MORENO como precursor de esta corriente, con una concepción del Fraude en el que se da mayor protagonismo a la perspectiva objetiva del daño o perjuicio causado injustamente al acreedor. (ORDUÑA MORENO, F.J., *La acción rescisoria por fraude de acreedores en la jurisprudencia del Tribunal Supremo*, 2ª ed., Barcelona, 1992, págs. 136-141.) Completado con una definición conceptual del fenómeno de la insolvencia como calificación jurídica y no cuestión de hecho (ORDUÑA MORENO, F.J., *La insolvencia*, Valencia, 1994). Al hilo de estas aportaciones se ha ido delineando la doctrina reciente: MARTIN PÉREZ, J.A., *La rescisión del contrato*, Barcelona, 1995, CRISTOBAL MONTES, A., *La vía pauliana*, Madrid, 1997, FERNÁNDEZ CAMPOS, J.A., *El fraude de acreedores: la acción pauliana*, Bolonia, 1998, JERÉZ DELGADO, C., *Actos jurídicos objetivamente fraudulentos*, Madrid, 1999.

[120] Más adelante haremos un análisis de unos de los casos actualmente más representativos el del los contratos que vulneran la legislación urbanística Vid supra Contrato en los que se infringen normas de contenido urbanístico.

[121] En este sentido resulta reveladora la sentencia de 9 de enero de 1933 en la que se mantiene que el artículo 1º de la Ley de Azcárate de 23 de julio de 1908 al establecer la nulidad de los préstamos viciados por la usura «calificaba, según los términos expresivos y categóricos de dicha disposición, una sanciona un principio eterno de moral universal que trasciende específica y concretamente a la esfera jurídica, para limitar la libertad contractual a los pactos inicuos y reprobados por la conciencia colectiva implican ofensas contra «bonos mores», vulnerando el orden público o contravienen las ordenanzas de una ley prohibitiva, de tal modo, que cuando todos o alguno de estos factores móviles interfieren en un negocio aparentemente regular y formal, determinan un vicio radical de ilicitud en el contenido del mismo por flagrante violación de la moral y el derecho, cuyas normas rectoras de la conducta humana, dirigidas a la general convivencia tienden a realzar al alto sentido de la dignidad de la ley para que, mediante los preceptos de esta puedan evitarse y neutralizarse los efectos desastrosos de torpes especulaciones e infame comercio entre la necesidad y el egoísmo, al socaire del préstamo usurario. Esta especie contractual es de tipo patológico por ilicitud objetiva de la causa, toda vez que la transacción económica operada entre prestamista y mutuatario reconoce una génesis ilegal e inmoral, que no vincula los contrayentes a los efectos normales del

en los casos de *cuota litis* (Artículo 56.1 del Real Decreto 2090/1982, de 24 de julio, por el que se aprueba el Estatuto General de la Abogacía)[122], contratos de juego o apuesta ilegales y de préstamo para tales juegos[123], contratos de comercios clandestinos[124], etc.

5°) Contratos realizados con lesión de intereses generales. En realidad, este es un presupuesto general para la aplicación de la causa ilícita, al tener presente nuestro Tribunal Supremo que «lo que caracteriza fundamentalmente la causa ilícita es la lesión de un interés general de orden jurídico o moral»[125]. Pero ahora con este enunciado nos referimos a aquellos casos que se consideraban como contratos con causa ilícita por la especial gravedad y alarma social de la infracción. Por ejemplo la comercialización de determinados productos con riesgos para la salud, productos peligrosos sin autorizacio-

---

negocio jurídico intentado, porque este deviene fundamentalmente nulo, y por tanto, ineficaz e insubsistente, a estímulos de la declaración general inserta en el artículo cuarto (actual 6.3) del Código Civil, concretamente recogida por lo que afecta a los contratos, en el artículo 1275 del referido cuerpo legislativo, al establecer que ' los contratos sin causa o con causa ilícita no producen efecto alguno, y es ilícita la causa cuando se opone a las leyes o a la moral y es categóricamente impuesta la sanción de nulidad en la Ley Azcárate.»

[122] Antes de la proyección legislativa de esta prohibición sobre el pacto de *cuota litis* ya existía una tradicional concepción histórica de que se trataba de un pacto de carácter inmoral y esta concepción persiste en el *Civil Law* (vid. MARTOS CALABRÚS, M.A., «*El pacto de Cuota litis*», en *A.C.*, N° 33, 1999, págs. 1005-1014). La concepción continental europea de que «la abogacía es una ardua fatiga puesta al servicio de la justicia» (Decálogo del abogado del Dr. Couture) ha sido determinante para considerar que el abogado no puede involucrarse con los intereses particulares de su cliente. En los sistemas del *Common Law* no sólo se permite el pacto de *cuota litis* sino que es práctica habitual y estandarizada. Para los anglosajones es únicamente el Juez el que debe estar al servicio exclusivo de la justicia, el abogado está principalmente al servicio de su cliente. Nuestro Tribunal Supremo ha afirmado la ilicitud del pacto de *cuota litis* en las sentencias de 12 de noviembre de 1956, 27 de junio de 1960, 10 de febrero de 1962, 24 de noviembre de 1966, aunque en la mayoría de los casos no se apreció que concurriese dicho pacto. Esta ilicitud del pacto de *cuota litis* parece no ser cuestionable por nuestra jurisprudencia. En cambio, la reciente Resolución del Tribunal de Defensa de la Competencia (Expte. 528/01, Consejo General de la Abogacía) de 26 de septiembre de 2002, declara ilegal por ser contraria al art. 1 de la Ley de Defensa de la competencia la prohibición, en el Código Deontológico de la abogacía, del pacto de *cuota litis* en sentido estricto.

[123] Sentencia de 3 de febrero de 1961. En realidad, se trataba más bien de un negocio de reconocimiento de deuda de juego ilícito reclamada por el ganador. Frecuentemente se considerará como supuesto de causa ilícita el contrato de préstamo para el juego *Vid infra* Contratos de juego y apuesta ilícitos.

[124] Sentencia de 27 de mayo de 1959.

[125] Sentencias de 14 de diciembre de 1940, 29 de octubre de 1960 y 4 de octubre de 1966, 10 de marzo de 1967, 4 de octubre de 1984.

nes, intrusismo profesional[126], convenios matrimoniales en el que se incumplen las obligaciones inherentes al matrimonio por parte de los cónyuges[127], contratos que establecen vinculaciones perpetuas[128], etc.

6°) Contratos en los que se retribuye realizar servicios o actividades gratuitos jurídicamente obligatorios para los que los prestan por razón de su cargo[129]. También la retribución por cesar en actividades ilegales o inmorales. Estos son los típicos casos de la general interdicción de percepción de óbolos a los funcionarios por realizar sus funciones, y el corretaje matrimonial[130].

7°) Acuerdos y disposiciones para no acudir a los tribunales a denunciar ilegalidades o no denunciar delitos[131]. Queda fuera de toda duda el carácter de ilegalidad que suponen este tipo de convenios puesto que el Código Penal establece expresamente el deber de impedir delitos o de promover su persecución[132]. En ocasiones, también se pueden incluir como contratos con causa ilícita aquellos contratos que infringen leyes penales porque su celebración implica determinados hechos relacionados o constitutivos de delito o falta[133] (así se configuran en el artículo 1305 del Código Civil). Para la correcta

---

[126] Sentencia de 4 de octubre de 1984.

[127] Sentencia de 30 de septiembre de 1959.

[128] Sentencia de 26 de octubre de 1998.

[129] Sentencias de 6 de junio de 1916, 16 de febrero de 1935, 2 de abril de 1941.

[130] Sentencia de 17 de octubre de 1959

[131] En la sentencia de 18 de febrero de 1924 se mantiene que es ilícito pactar precio a favor del que fue injuriado y de terceros, para que se perdonara la pena impuesta por el delito de injurias. Establece el Tribunal Supremo que el perdón sólo resulta válido según el tipo penal cuando es absoluto e incondicional. Además como la pena era de destierro la sentencia invoca, además el artículo 1271 del Código Civil al considerar ilicitud del objeto el contratar sobre la libertad individual. En la sentencia de 17 de enero de 1927, se declara ilícita la causa de un contrato por el cual una madre se obligó a satisfacer una cantidad a un sujeto para que desistiera de ser parte en una causa criminal por culpa contra su hijo. Por último encontramos la sentencia de 20 de mayo de 1959. En este último caso se trata de una disposición testamentaria por la que se establecía que si alguno de los herederos promoviera cuestión judicial sobre la testamentaria o bienes vendidos perderá el tercio de mejora y libre disposición. Como último ejemplo cabe destacar la sentencia de 11 de diciembre de 1986 en cuyo caso la licitud se produce por la promesa de un silencio ante la Administración respecto de la existencia de una determinada contravención tributaria (Sentencia comentada por MORALES MORENO, A.M., Intimidación, ausencia de causa, causa ilícita y culpabilidad de los contratantes. Anotaciones a la STS 11-XII-1986, en ADC, 1988, T. XLI, Fascículo II, abril-junio, págs. 607 y ss.)

[132] El artículo 450 del Código Penal se tipifica la omisión de los deberes de impedir delitos o promover su persecución (antiguo artículo 338 bis del anterior Código Penal). Podemos afirmar para el ámbito civil que existe un deber general de poner en conocimiento de la autoridad la posible comisión de delitos y que cualquier acuerdo para silenciarlos constituye un claro supuesto de contrato con causa torpe.

[133] Sentencia de 31 de octubre de 1968, de 21 de octubre de 1976.

aplicación de la causa ilícita a estos últimos casos se debe analizar la verdadera trascendencia del delito o la condena penal sobre el contrato.

En muchas ocasiones será procedente la aplicación de las reglas de ineficacia correspondientes a los vicios del consentimiento puesto que en la comisión de un delito a través de un contrato será frecuente que podamos apreciar dolo al menos en una de las partes y se abre la posibilidad de acudir a la acción de anulabilidad por el otro contratante (víctima del dolo).

Del mismo modo, se ha considerado constitutivo de causa ilícita la transmisión gratuita de un inmueble por la promesa de un silencio ante la Administración respecto a la existencia de una determinada contravención tributaria[134].

8º) Contratos con causa ilícita por contravenir la normativa urbanística. Este es un caso que la jurisprudencia ha considerado en alguna ocasión como constitutivo de licitud en la causa del contrato[135]. No obstante, el tema es bastante más complejo de lo que inicialmente puede parecer puesto que la legislación urbanística establece su propia sanción y la jurisprudencia ha aplicado, dependiendo de las circunstancias, otras formas de ineficacia contractual. Por esta razón, todos estos supuestos merecen un análisis específico más pormenorizado[136].

9º) Contratos con causa ilícita por estar dirigidos a suprimir o restringir la competencia. Este sería un ejemplo de contrato con causa ilícita que tendría cabida en el artículo 1275 del Código Civil en el apartado atinente a la contravención legal por resultar contrarios al orden público económico[137]. Ciertamente, las normas de defensa de la competencia y las normas que tratan de evitar la competencia desleal pertenecen a ese grupo de normas que se incluyen en el comúnmente denominado orden público económico. También es cierto que dentro del artículo 1275 tienen cabida no únicamente los contratos que vulneran la ley y la moral. En relación con el artículo 1255, también pueden considerarse contratos con causa ilícita aquellos que van en contra del orden público y así ha sido, efectivamente, considerado por la doctrina.

Sin embargo, no parece que se pueda generalizar la idea de que todos aquellos contratos que tratan de suprimir o restringir la competencia puedan calificarse como contratos con causa ilícita. Bien es cierto que cualquier contrato que tenga como finalidad esta alteración de la libre competencia merece ser tildado de ilícito pero, en muchos de estos contratos, nos encontramos ante infracciones directas y frontales contra preceptos concretos tanto de la Ley 16/1989, de 17 de julio, de Defensa de la Competencia, como de la Ley

---

[134] Sentencia de 11 de diciembre de 1986.
[135] Sentencias de 5 de junio de 1945 y de 30 de diciembre de 1985.
[136] Vid infra epígrafe «*Contratos en los que se infringen las normas de derecho urbanístico*».
[137] CLAVERÍA GOSÁLBEZ, L.H., *La causa del contrato*, cit. Pág. 182.

3/1991, de 10 de enero, de Competencia Desleal. Esta circunstancia hace que nos encontremos ante contratos ilegales en sentido estricto y, en principio, esto hace que se tenga que acudir preferentemente y en primer lugar a las concretas sanciones que se establecen en las disposiciones que se han vulnerado a través del contrato[138].

4. Evolución desde el control estructural hacia el control funcional. De la ilicitud a la ilegalidad

4.1. Introducción

La tendencia hacia la plenitud del ordenamiento jurídico ha llevado a una hiper-regulación galopante. Ciertamente, la actividad de nuestro legislador, seguramente, parecería frenética a los ojos de cualquier cualificado observador del siglo pasado. Sobre cualquier sector y sobre cualquier materia que podamos imaginar existe, a buen seguro, una regulación más o menos exhaustiva o más o menos genérica de alguno de sus aspectos. Este fenómeno evolutivo, necesariamente, influye en el control de la legalidad o de la licitud de la autonomía de la voluntad y, más concretamente, de los contratos.

Esta evolución va siendo paulatina y progresiva, empezando en su primera fase con los casos que empiezan a incluirse entre el articulado del propio Código Civil. Muchos de los casos considerados por la jurisprudencia anterior al Código como más típicos de ilicitud de la causa pasaron a ser expresamente regulados por éste último tras su promulgación. En este sentido, al recibir tratamiento específico en diferentes artículos del Código se hacía innecesario ya acudir a la causa u objeto ilícitos. Se pierde la necesidad de analizar abstractamente o acudir a alguno de los concretos elementos esenciales del contrato para resolver la posible ilicitud.

Con posterioridad, esta concreción de determinados pactos prohibidos del Código Civil se fue completando con leyes especiales. Todos los casos que podemos considerar como contratos prohibidos tienen la característica de que, antes de encontrarse expresamente positivizados o tipificados, su ilicitud se ponía de manifiesto, en cada caso, a través del recurso al objeto o a la causa ilícitos.

Debemos hacer alusión de forma sucinta y no exhaustiva a algunos casos en los que se ha pasado de sospechar o presumir que nos encontrábamos ante contratos ilícitos a considerar que estamos ante típicos contratos prohibidos. Son contratos en sí mismos considerados como prohibidos por considerar que vulneran frontalmente el ordenamiento jurídico. Tanto su identificación como sus efectos no plantean ya mayores problemas.

---

[138] Vid infra epígrafe Contratos contrarios a la libre competencia.

4.2. Algunos contratos y pactos prohibidos en el Código Civil

La razón de la sencillez que plantean la mayoría de estos casos, la generalidad de ellos considerados tradicionalmente en su conjunto como casos de objeto ilícito, se encuentra en que la paradigmática ilicitud de estas convenciones privadas está positivizada expresamente en el Código Civil y leyes complementarias. Son, en su mayoría, objetos prohibidos en sede de contratos o negocios típicos concretos y la jurisprudencia no ha tenido mayores dificultades en apreciarlos y en aplicar las correspondientes sanciones de nulidad:

4.2.1. El pacto sobre sucesiones futuras. (art. 1271. 2 del Código Civil)

Por su ubicación este pacto se ha considerado siempre como un contrato con objeto ilícito. Pero su inequívoca alusión en el segundo párrafo del artículo 1271 del Código, junto con la prohibición genérica como objeto de los bienes fuera del comercio y los servicios contrarios a las leyes y a las buenas costumbres, lo hacen especial. Esta prohibición se ha reflejado en las más antiguas legislaciones por razones, al parecer, de pública moralidad o de orden público[139]. Ahora también podría tener una justificación en la protección de la legítima y del orden sucesorio. La prohibición se recoge en términos absolutos, tanto de la herencia propia como de la ajena, y se refiere a todo tipo de pactos: los pactos de disposición sobre herencias de terceros vivos, los pactos de institución hereditaria del propio causante fuera de la vía testamentaria y los pactos de renuncias a sucesiones no abiertas.

Sin embargo, nuestra jurisprudencia ha matizado que esta prohibición se refiere al pacto que tiene como objeto la universalidad del patrimonio hereditario pero no cuando el pacto se refiere a bienes conocidos y determinados, existentes al tiempo del otorgamiento en el dominio del causante[140]. Esta

---

[139] Digesto, Ley 2ª, título 6º, libro 28, Código de Justiniano ley 1ª, titulo 4º, libro 18 y ley 30, titulo 3º, libro 2º. Y en nuestras Leyes de Partida se establece en la Ley 13, título 5º, partida 5ª. También respecto a este tema *Dig. II, XV, 6 de Gayo, lib. sept. dec. ad edictum provinciale*; concretamente esta ley justifica el que se considerase nula o sin valor la transacción sobre derechos hereditarios hecha antes de la apertura testamentaria. Para evitar estos males se crean el fr. 6, D.h.t. Fr. 1, & 1, D., testamenta quemadmodum aperiantur 29,3, donde Gayo explica este texto por el que el edicto del pretor permite a toda persona tomar conocimiento de un testamento e incluso de copiarle (Neppi: A sufragarlo viene la ley 3 & 1 y la 12 D. eod. tit.);

[140] Sentencias de 22 de julio de 1997, de 25 de abril de 1951, 16 de mayo de 1940, 16 de noviembre de 1932, 2 de octubre de 1926. En la Sentencia de 30 de junio de 1930 se excluye la aplicación de esta norma a la región catalana al estar «en abierta contradicción con las donaciones universales y heredamiento que, según institución especial, singularísima e indígena de ese derecho foral son objeto de las capitulaciones matrimoniales en Cataluña y que constituyen en esencia un acabado y definido pacto respecto a la herencia futura...»

excepción a la prohibición del pacto sucesorio también era conocida de antiguo por el Derecho romano[141].

4.2.2. La prohibición del pacto comisorio

Nuestro Código Civil responde al criterio tradicional de prohibir el pacto comisorio. No se permite que el que recibe un bien en garantía de una obligación pueda hacerse pago con el mismo una vez que se incumpla ésta. Nuestro Código Civil no recoge la prohibición y la consiguiente nulidad del pacto de una forma tan expresa como lo hacen los Códigos francés o italiano[142], pero la encontramos de forma implícita en los artículos 1859 (en lo que se refiere a la prenda) y en el artículo 1884 (en lo que se refiere a la anticresis)[143].

Por otro lado, el pacto comisorio se ha tratado numerosas veces por parte de la jurisprudencia como un supuesto de causa ilícita. Sí que resulta, en cambio, admitido tanto por la generalidad de la doctrina como por la jurisprudencia el pacto marciano, consistente en que el acreedor podría quedarse con la propiedad del bien dado en garantía cuando a resultas de proceder a una tasación del valor del mismo (conforme las reglas del mercado) este resulta proporcional al de la deuda o en caso de resultar aquel de mayor valor que esta surgiría la obligación de pagarle al deudor la diferencia[144].

4.2.3. La compraventa de animales con enfermedades contagiosas (art. 1494. 1 CC)

Este caso ha sido usualmente tratado como otro supuesto de objeto ilícito. Los tribunales suelen establecer una suerte de relación indisoluble entre la

---

[141] El pacto de disposición de la herencia era licito o ilícito dependiendo si recaía sobre una *res certa o incerta*

[142] Art. 2078 del Código Civil francés, 2744 CC italiano.

[143] Curiosamente los antecedentes codificadores se muestran abiertamente divergentes en cuanto a la prohibición o admisión del pacto comisorio. Mientras que en el artículo 1775 del proyecto de García Goyena se establecía una prohibición expresa equiparable a la que se establecía en art. 2078 del Código Napoleónico o en el art. 1884 del Código Civil Italiano de 1865, el anteproyecto de 1882-1888 en su artículo 6 pasa a admitirse abiertamente este controvertido pacto en materia de prenda. Finalmente, en la redacción definitiva de nuestro Código Civil parece rechazarse el pacto comisorio aunque no establece expresamente su nulidad en materia de prenda e hipoteca, aunque sí en la anticresis:
Art. 1859 «El acreedor no puede apropiarse de las cosas dadas en prenda o hipoteca, ni disponer de ellas.
Art. 1884 «El acreedor no adquiere la propiedad del inmueble por falta de pago de la deuda dentro del plazo convenido.
Todo pacto en contrario será nulo. Pero el acreedor en este caso podrá pedir, en la forma que previene la Ley de Enjuiciamiento Civil, el pago de la deuda o la venta del inmueble.»

[144] FELIU REY, M.I., *La prohibición del pacto comisorio y la opción en garantía*, Madrid, 1995, págs. 88-96 y 160-161.

nulidad que establece el inciso tercero del párrafo 1º del artículo 1494, el párrafo 1º del artículo 1271 y los artículos 6.3 del Código Civil. Tratando de desmarcar esta acción de las correspondientes acciones edilicias, redhibitorias o de saneamiento.

Es frecuente leer en las sentencias que declarándose en el primer artículo (1494) «que no serán objeto de venta los ganados y animales que padezcan enfermedades contagiosas», el objeto del negocio jurídico discutido, se haya fuera del comercio de los hombres, conforme a lo que se previene en el párrafo 1º del artículo 1271 y la nulidad del mismo es radical y absoluta por contrario a la Ley, de acuerdo con lo prevenido en los artículos 6, número 3º y 1255 del Código Civil, sin que en su consecuencia produzca ningún efecto (Quod nullum est, nullum producit effectum), ni sea susceptible de convalidación por el transcurso del tiempo (*non firmatur tractu temporis quod de iure ab initio non subsistit*), de lo que se infiere la inaplicación de los plazos que para el ejercicio de las acciones redhibitorias o de saneamiento.» (S. de 13 de abril de 1978).

En realidad, lo problemático de estos casos no es determinar la sanción que merecen o el régimen jurídico al que se refieren sino determinar el momento del origen de la enfermedad. La jurisprudencia ha hecho hincapié reiteradamente sobre la necesidad de comprobar y demostrar que el origen de la enfermedad contagiosa existía antes de la transmisión de los animales porque si no queda suficientemente acreditado no cabe declarar la nulidad[145].

4.2.4. La prohibición de transacción sobre el estado civil, cuestiones matrimoniales y alimentos futuros (art. 1814 del Código Civil)

Podemos encontrar bastantes Resoluciones de la Dirección General de Registros y del Notariado en las cuales se utilizan en un mismo plano el artículo 6, el artículo 1271 y el artículo 1814 para destacar que «en virtud del consiguiente carácter de interés o de orden público que, en el plano jurídico tiene todo estado civil, las cuestiones relativas al mismo están, en principio, sustraídas a la autonomía de la voluntad; lo cual determina que no pueda darse relevancia a las decisiones de los interesados, fuera de los casos permitidos por la ley.»[146]. Matizando en lo que a alimentos futuros se refiere que la prohibición de transigir sobre ellos no afecta necesariamente a la pensión compensatoria que pueda acordarse entre cónyuges en un proceso de divorcio. Aunque la pensión compensatoria englobe, en ocasiones, el derecho

---

[145] Sentencias de 20 de junio de 1997, de 23 de junio de 1986, S. de 3 de febrero de 1989, 20 de marzo de 1990, 13 de abril de 1978, STSJ de Navarra de 23 de junio de 1992 A.C. 562/1992, Nº 1236, S. Ap de Girona de 20 de noviembre de 1992 A.C..380/1992, Nº 615.

[146] Resoluciones de la D.G.R. y N. de 14 de marzo de 1994, Act. Civ., R377/1994, 30 de abril de 1994, Act. Civ. R448/1994,

a alimentos, no por ello puede concebirse aquella como una derivación de éste incursa en la prohibición[147].

Ahora bien, el hecho de que no quepa transacción respecto a la obligación legal de alimentos no implica que el alimentista y el obligado no puedan ponerse de acuerdo sobre la cuantía de la prestación sin necesidad de acudir a la vía judicial. El propio Tribunal Supremo ha matizado que no se trataría de una transacción sino de fijar el contenido de una obligación reconocida[148]. Además, como indica RAGEL SÁNCHEZ, la propia expresión usada en el artículo 150 del Código induce a admitir que se puede llegar a prestar alimentos por cauces diversos («*aunque* los prestase en cumplimiento de una sentencia firme»)[149].

En realidad, también en la lectura de este artículo 1814 del Código Civil se ha de considerar la evolución que ha experimentado el Derecho de Familia en el que cada vez se da una mayor entrada a la autonomía de la voluntad[150].

4.3. Algunos contratos y pactos prohibidos en otras leyes

Con posterioridad al Código Civil se ha ido plasmando en determinadas leyes las proyecciones de ilicitud que sobre determinados contratos quedaban latentes en el ordenamiento jurídico. Hasta este momento de regulación positiva los tribunales solían analizar estos contratos bajo el prisma del objeto o de la causa ilícitos. Basten tres significativos ejemplos para ilustrar este tipo de contratos prohibidos.

4.3.1. Contratos Usurarios

A. Antecedentes a la legislación sobre la usura

En el Derecho romano estaban permitidos los intereses o usuras del préstamo simple o mutuo. Fue nuestra legislación posterior al Fuero Real y al Fuero de Navarra la que, sometiéndose al derecho canónico, declaró prohibida la usura. Cuando se legaliza la exigencia de intereses convencionales se hace siempre condicionándolos necesariamente a la fijación de un interés máximo exigible. Tasa máxima que señalará la Ley como era habitual desde el Derecho romano. Esta parecía la solución más lógica y tradicional. Remedio que ya se había contemplado en el Digesto[151].

---

[147] Resolución de la D.G.R. y N. de 10 de noviembre de 1995, Act. Civ., R2/1996.

[148] Ss. de 24 de febrero de 1989 y 24 de noviembre de 1997.

[149] RAGEL SÁNCHEZ, L.F., *Estudio legislativo y jurisprudencial de Derecho Civil: Familia,* Madrid, 2001, pág. 32.

[150] GIL RODRÍGUEZ, J., «Acotaciones para un concepto del Derecho Civil», en *A.D.C.,* 1989, págs. 347-348, MARTÍNEZ DE AGUIRRE Y ALDAZ, C., *El Derecho Civil a finales del Siglo XX,* Madrid, 1991, págs. 131-135, ARCE Y FLÓREZ VALDÉS, J., *Derecho Civil Constitucional,* Madrid, 1991, págs. 47-50.

[151] D. 22, 1, 29. «Se admite que si alguien hubiera estipulado intereses más allá de la medida "legalmente" establecida, o intereses de los intereses, lo añadido ilícitamente se tiene

Siguiendo esta concepción, aparecen en España multitud de disposiciones en las que se establecen medidas sobre la tasa máxima del interés. Destacado lugar ocupa el Código de Comercio de 1829 que disponía en sus artículos 397 y 398 que el rédito máximo no podría exceder de un 6% anual sobre el capital.

Al abordarse la codificación civil la concepción cambia, ya no se siguen las directrices de Sainz de Andino. En caso de no querer establecer estos topes legales, apuntaba GARCÍA GOYENA, en su lugar se puede «dejar a la ilustrada equidad de los jueces que lo moderen y reduzcan al común y corriente en la plaza, cuando parezca que se ha abusado de la necesidad o simplicidad del deudor»[152]. El art. 1650 del Proyecto de 1851 rezaba «El interés convencional no podrá exceder del doble del interés legal, y en lo que excediere, lo reducirán los tribunales a instancias del deudor». Este artículo no podía ser detractado, en ningún caso, por —según García Goyena— la enorme permisividad que suponía permitir como interés hasta el duplo del interés legal que sería el fijado por el gobierno al usual y corriente en la plaza. El exceso del duplo permitido, para este autor, no podría calificarse sino de escandaloso.

La propuesta de GARCÍA GOYENA necesitaba ser defendida con la rotundidad que comprobamos porque era muy otro el espíritu dominante entre los juristas y políticos de la época. Dominaba una corriente ultraliberal que reaccionaba contra cualquier medida de control de los intereses de los préstamos. Esta corriente tuvo reflejo en nuestro país con la ley de 7 de marzo de 1856 que declaraba abolida toda tasa sobre el interés del capital en numerario dado a préstamo, dejando total libertad en la contratación de préstamos. También se veía la conveniencia de que acabase un cierto detraimiento de los capitales que había provocado una legislación «de tasa» excesivamente rígida en la represión de la usura.

Esta tendencia extremadamente liberal persiste e influye en el momento de redactarse el Código de Comercio de 1885. En este caso, el legislador parece finalmente optar por la regulación más permisiva posible estableciendo en su artículo 315 «podrá pactarse el interés del préstamo, sin tasa ni limitación de ninguna especie»[153].

---

por no puesto y se pueden reclamar los intereses lícitos.» (Marcian. 14 instit.) D. 22.1.20 «Consta que los intereses ilícitos que se agregan al capital no se deben, pero no anulan la obligación respecto al capital» (Paul. 12 Sab.) y D. 22, 1, 17. En este último texto se habla de mandar rebajar la estipulación injusta o que excede de la medida a la medida que se puede exigir en justicia. Porque lo útil no se vicia por lo inútil, cuando pueden separarse.

[152] GARCÍA GOYENA, F., *Concordancias, motivos y comentarios....* cit, pág. 864.

[153] Precisamente, en virtud de lo dispuesto en este artículo del Código de Comercio durante el primer periodo de vigencia de la Ley de Usura se llegó a entender o plantear que la usura no afectaba a los préstamos mercantiles. (Vid. Supra epígrafe Normativa contra el cobro excesivo de intereses)

El Código Civil de 1889 no va a recoger la posibilidad de establecer unos topes fijos del pacto de intereses y la previsión de reducción del exceso por los tribunales que encontrábamos en el proyecto de García Goyena. De esta forma, se equiparaban en este punto a los préstamos mercantiles regulados en el art. 314 del Código de Comercio.

El Código Civil de 1889 para facilitar el control de los intereses se exige que sean pactados expresamente (art. 1755), pese a que ya no se exija que estén pactados por escrito, como en el Proyecto de 1851 (art. 1649) y como exige el Código de Comercio para los préstamos mercantiles en el art. 314. No olvidemos que nuestro Código Civil se basa en el principio de libertad de forma. Aún así, el art. 1755 CC al hacer recaer la carga de la prueba de que se pactaron intereses al acreedor va a forzar indirectamente al prestamista a fijar el pacto de intereses por escrito. El artículo 1756 CC. dice que el que ha pagado intereses no estipulados no puede repetirlos ni imputarlos al capital pero no tiene que seguirlos pagando. Articulo que se cita por algunos autores como aplicable supletoriamente dentro de la materia mercantil[154]. Parece que el legislador está considerándolos como una obligación con causa ilícita. Incluso, parece acercarse este precepto a lo dispuesto en el art. 1306 del Código Civil en cuanto a la regla «nemo auditur». Responde así la regulación de los intereses en los contratos de préstamo a la concepción tradicional según la cual este tipo de contratos con alto interés deben ser incluidos como contratos con causa ilícita[155].

Pero no parece que ahora sea una causa relacionada con la moral o ética la que inspire este artículo, habida cuenta que se refiere a cualquier tipo de interés y no únicamente a los excesivos. No obstante, resulta significativo aunque simplemente revele que los intereses han sido permitidos tras mucho tiempo de estar prohibidos y aún se les mira con algún recelo. Desde luego, lo que parece fuera de duda es que en la actualidad la regla general es la onerosidad de los préstamos y no parece adecuado a los tiempos la concepción del préstamo naturalmente gratuito.

Posteriormente, la Ley de Usura de 1908 se crea ya para reprimir concretamente los intereses exagerados y sus abusos. Esta ley parece que se crea sancionando, ahora sí, un principio eterno de moral universal, que trasciende específica y concretamente a la esfera jurídica para limitar la libertad contractual[156]. Sin embargo, esta ley tampoco va a establecer, como propugnaba García Goyena, la moderación y reducción de los Tribunales del interés usurario al interés legal o al interés común y corriente en la plaza

---

[154] MUÑÍZ CERVERA, M., «El interés y la usura», en Crédito y protección del consumidor, Madrid, 1996, pág. 619.
[155] vid supra epígrafe «Casos tradicionalmente incluidos como contratos con causa ilícita»
[156] DE HINOJOSA, J., «Sobre la imprescriptibilidad de la acción nacida de los préstamos usurarios», en R.D.P., 1934, pág. 243.

(nulidad parcial). En la ley creada específicamente para reprimir las prácticas usurarias se va a recoger una sanción de nulidad de difícil calificación y régimen jurídico, como veremos.

B. La Ley de Represión de la Usura de 1908 como presupuesto de ilegalidad

Entre la doctrina más liberal y la más restrictiva parece surgir una solución más genérica, considerada como correcta para estos casos, que posteriormente adoptaría nuestra Ley de Usura de 1908.

Una vez promulgado el Código Civil se tenía la conciencia de que resultaba contraproducente mantener la experiencia legislativa anterior que marcaba directa o indirectamente una tasa del interés del dinero[157]. En primer lugar, la impronta liberal que se extendía por Europa que hizo que fuesen muy contados los países que conservasen la tasa del interés del dinero. Esta imposición de límites cuantitativos de tasas de interés fue desacreditado por su ineficacia al verse sujeta a continuas fluctuaciones[158].

En este contexto se gesta la Ley de Represión de la Usura de 23 de julio de 1908, comúnmente conocida como Ley Azcárate por haber sido iniciativa de dicho político. Esta Ley, como veremos, ya desde su origen fue objeto de recelos y escepticismos[159].

La Ley de Usura de 1908 al tratar de reprimir los préstamos usurarios lo hace valiéndose de fórmulas abstractas y genéricas. Emplear estas fórmulas implica dejar a los tribunales la apreciación de su concurrencia en cada caso. De nada sirve para identificar lo que debe entenderse por un *interés notablemente superior al normal del dinero (artículo 1º y 4º.1 de la Ley)* todas las indicaciones y datos económicos y estadísticos que en su día facilitó ESTASÉN[160]. Tampoco resulta indicativo fijarse en los límites cuantitativos señalados por la jurisprudencia, pasados los cuales se consideraba el contrato usurario y nulo. Las divergencias comparativas de una a otra sentencia eran inevitables habida cuenta de que en la valoración de estos límites cuentan prevalentemente las circunstancias del caso con sus relativismos[161]. En realidad, se busca el equilibrio. Se trata de mantener el principio de la libertad del interés pero acabando con los abusos de la usura.

La sentencia de 27 de septiembre de 1989 nos da buena muestra de que, aún habiendo pasado ochenta años de la vigencia de la Ley de Usura, aún no

---

[157] ESTASÉN, P., *La ley sobre préstamos usurarios*, en *R.G.L.*J., 1909, Tomo 114, pág. 252. MUÑÍZ CERVERA, M., *El interés y la usura...* cit, pág. 604-607.
[158] ESTASÉN, P., «*La ley sobre préstamos usurarios*», *R.G.L.J.*, 1909, tomo 114, pág. 70, QUINTANO RIPOLLÉS, A., «*Usura civil y usura penal*», en *R.D.P.*, 1965, págs. 273-274.
[159] También recoge esta impresión SABATER BAYLE, I., *Préstamo con interés, usura y cláusulas de estabilización*, Pamplona, 1986, págs. 160 y ss. y 186 y ss.
[160] ESTASÉN, P., «*La ley sobre préstamos usurarios*», *R.G.L.J.*, 1910, T. 117, págs. 8-16.
[161] QUINTANO RIPOLLÉS, A., *Usura civil y usura penal...* cit., págs. 274-275.

se ha clarificado a qué se refiere el «interés normal» del dinero. Esta sentencia tiene que aclarar que no se puede confundir el interés básico del Banco de España o tipo de redescuento con el «interés normal» del dinero en el sentido que lo utiliza la Ley Azcárate de Represión de la Usura. Un préstamo no será usurario ni, en consecuencia, nulo por el mero hecho de que su interés supere el fijado por el Banco de España. Explica el Tribunal Supremo que la característica de «normalidad» del interés pactado habrá de referirse a la práctica y usos mercantiles y a la legalidad vigente que, por su parte, reconocía entonces la libertad de pactos para la fijación de intereses.

Ante esta inseguridad, se ha criticado la imprecisión de la Ley de Usura a la hora de definir el interés usurario. En realidad, se está trasladando a la discrecionalidad de los Jueces y Tribunales la responsabilidad de valorar la licitud del interés estipulado. En un principio se criticó la Ley porque los Tribunales, interpretándola al pie de la letra, declaraban nulos «a su antojo» todos los préstamos en los que les parece que el interés excede del normal y esto provocaba un gran retraimiento de los capitales[162]. Algo más de veinte años después de su vigencia se denuncia la patente ineficacia de la Ley puesto que, por efecto pendular, el juzgador se va a retraer de emplear su omnímodo poder anulando un préstamo tachado de usurario. Ahora se extrema la prudencia al valorar el carácter usurario del interés al exponerse a un error de perjudiciales consecuencias para ambas partes contratantes[163].

Quizá esta solución genérica que ha dotado de flexibilidad a la ley sea, pese a su dosis de incertidumbre, uno de los aspectos más positivos de la misma[164]. Se ha demostrado que esta formulación mantiene su vigor adaptándose a las variables circunstancias económicas y sociales que se han venido sucediendo desde su promulgación hasta nuestros días. Hasta ahora no ha sido derogada ni sustituida por otras leyes y tampoco parece que se pueda considerar afectada por una inconstitucionalidad sobrevenida (Disposición Derogatoria 3ª de la Constitución)[165].

---

[162] ESTASÉN, P., «La ley sobre préstamos usurarios», R.G.L.J., 1909, T. 114, pág. 74 y R.G.L.J., 1910, T. 117, pág. 25.

[163] BURGOS CRUZADO, A., «La usura y sus remedios», en R.G.L.J.., 1932, T. 160, págs. 318-319.

[164] CASTÁN, pese advertir que la amplitud y arbitrio judicial que supone cualquier fórmula legislativa contra la lesión y la usura tiene sus inconvenientes y peligros, emite un juicio favorable. Estima este autor que «en último término, en la colisión inevitable entre el principio de seguridad de la ley y el de moralidad del Derecho, no nos repugna que quede sacrificado el primero en aras del segundo». (CASTÁN, J., Hacia un nuevo Derecho Civil, Madrid, 1933, pág. 115.)

[165] La vigencia y constitucionalidad de la Ley de Usura ha sido frecuentemente tratada por la doctrina o planteada en los tribunales y por lo general, suele concluirse su plena vigencia y constitucionalidad interpretando sus preceptos conforme a la realidad social de nuestros días. (TAPIA HERMIDA, A., «La vigencia de la Ley de Usura como mecanismo de protección del consumidor a crédito», R.D.B.B., Nº 25, 1987, Pags. 147-

El anacronismo de la Ley de Usura podemos encontrarlo fundamental-mente en lo que se refiere a los efectos que dispone respecto de la nulidad de los prestamos usurarios. Efectos que son la cuestión fundamental en cuanto que su resultado marca las líneas del tráfico jurídico-económico.

También algún autor ha señalado como anacrónico el aspecto terminológico, abogando por una sustitución del vocablo «usura» por el de «interés abusivo» para evitar todas las connotaciones negativas del primero[166].

Lo que no podemos hacer es acusar de anticuada a la Ley por el simple hecho de optar por una determinada técnica de control, puesto que es una opción de política legislativa tan virtuosa o tan censurable como otras.

En este sentido, pueden parecer más adecuadas las fórmulas más concre-tas que definan el contrato usurario como hace el ordenamiento francés. La usura es regulada en Francia por la Ley Nº 66-1010 de 28 de diciembre de 1966 relativa a la usura y a los préstamos dinerarios, reformada por la Ley Nº 89-1010 de 31 de diciembre. En esta Ley se establece de forma concreta y directa lo que se entiende por un préstamo usurario. Se fija el carácter usurario del interés al establecer que lo serán los que excedan en mas de tres veces el tipo de interés medio efectivo que se define mediante orden ministerial.

Aunque con esta técnica parece solucionarse definitivamente el problema de la identificación del interés usurario, no obstante, tiene sus inconvenien-tes. Un criterio tan rígido de tasas máximas puede crear un margen de impunidad en aquellos casos en los que por las circunstancias concretas se da un aprovechamiento de las dificultades económicas o inexperiencia del prestatario. Es decir se dan condiciones usurarias pero se coloca el tipo de interés a un nivel inmediatamente inferior respecto al interés identificado como usurario. Además, en el fenómeno de la usura no suele darse una operación aislada sino que se trata de relaciones de financiación complejas en las que unas operaciones se podrían colocar dentro del límite legal y otras no. Tampoco se puede evitar burlar estos límites tan exactamente determinados estableciendo un interés dentro del límite y además exigiendo prestaciones de naturaleza diversa no inmediatamente apreciables con relación al rígido criterio del interés máximo.

Por esta razón algún autor italiano no cree que esta técnica sea más que aparentemente resolutiva del problema de la certeza del límite del ilícito y considera que es necesario dejar abierto un ámbito de discrecionalidad constituido por la apreciación de las «ventajas» usurarias[167]. Resultando preferible, en este sentido, la Ley española.

---

149 y 175, MUÑÍZ CERVERA, M., *El interés y la usura...* cit., págs. 626-634 y 679-680, GARCÍA CANTERO, G., *Préstamo, usura y protección a los consumidores...* cit., pág. 215-216)

[166] MUÑÍZ CERVERA, M., *El interés y la usura, en Crédito y protección del consumidor*, Madrid, 1996, pág. 680.

[167] CAPERNA A., Y LOTTI, L., *Il fenomeno dell'usura...* pág. 89.

En realidad, lo que se encuentra desfasado en nuestra Ley de Usura es el carácter punitivo de la sanción que propone, que, como veremos más adelante, no se adecúa a las exigencias del tráfico jurídico y económico actual[168].

Desde la prohibición de los intereses en los préstamos establecida en el Derecho canónico, hasta la represión de la usura en sus términos mas generales, sin necesidad de fijación de tasas máximas como instrumento de determinación, no cabe duda que la usura siempre se ha revestido de un matiz de inmoralidad[169]. De esta forma es expresamente considerado por el ordenamiento jurídico alemán al recoger el BGB la usura como un caso especial de negocio inmoral o contrario a las buenas costumbres en su parágrafo 138.2º[170].

Como bien apunta ALBALADEJO, no cabe duda que de no existir la Ley de Usura en nuestro ordenamiento jurídico el préstamo usurario sería un contrato con causa ilícita[171]. Si no existiese la Ley de Usura, para fiscalizar estos contratos se tendría que acudir al artículo 1275 y concordantes relativos a la causa ilícita y ahí hemos visto tradicionalmente incluido este supuesto[172]. Es decir, el préstamo usurario es un acto contra una Ley prohibitiva y hemos de acudir a lo previsto en el artículo 6.3 del Código Civil.

Precisamente, Ley de Usura hace que los contratos usurarios se dejen de considerar como meramente inmorales o torpes para pasar a ser contratos ilegales. La consecuencia inmediata es que no se va a aplicar en este tipo de contratos el especial régimen restitutorio que tiene la nulidad por causa torpe o inmoral. En este aspecto, la Ley de Usura establece unos efectos peculiares y especiales a la nulidad con que sanciona los contratos usurarios[173]. Es decir,

---

[168] Ya en 1933 CASTÁN apunta que habría que ampliar el concepto de rescisión por lesión como hacían los códigos más modernos de la época. Estos códigos hacen de la lesión una causa normal y general de rescisión de los contratos, con lo cual la teoría de la usura quedaba generalizada y refundida en la de la lesión. (CASTÁN, J., *Hacia un nuevo Derecho Civil,* Madrid, 1933, pág. 114.). Aunque tampoco ésta se muestre como la solución idónea actualmente, al menos, pone de manifiesto la consciencia de que la sanción contenida en la Ley de Usura no se consideraba como satisfactoria.

[169] En numerosas sentencias entre las que podemos destacar las de 11 de marzo de 1966, 17 de abril de 1972 y 24 de abril de 1991 se establece que la discreccionalidad concedida por la Ley a los tribunales para la calificación como usurario de un préstamo «no es obstáculo para que se declaren exentos del vicio de usura a los contratos concertados dentro de los límites de la Moral y el Derecho.»

[170] § 138.» Negocio inmoral: Usura. 1. Un negocio jurídico que atenta a las buenas costumbres, es nulo. 2. Especialmente es nulo un negocio jurídico por el que alguien bajo la explotación de la situación de necesidad, de inexperiencia, de la falta de discernimiento o de la considerable carencia de voluntad de otro, se hace conceder para sí o para un tercero, por una prestación, ventajas patrimoniales que se encuentren en una ostentosa desproporción respecto a la prestación»

[171] ALBALADEJO, M., «*La nulidad de los préstamos usurarios*», A.D.C., enero-marzo, 1995, pág. 36.

[172] Vid infra Supuestos tradicionalmente incluidos como contratos con causa ilícita.

[173] MUÑIZ CERVERA, M., *El interés y la usura, en Crédito y protección del consumidor,* Madrid, 1996, pág. 673.

aunque se podrían considerar contratos con causa ilícita no se van a aplicar las consecuencias previstas en el artículo 1305 CC. pese a que los hechos hubiesen sido constitutivos del delito contemplado en los arts 542 a 546 del Código penal anterior.

En el actual Código Penal ya no se tipifican estos delitos de la usura y de las casas de préstamo sobre prendas. Con lo cual sólo quedaría considerar la causa ilícita por el matiz de torpe o inmoral que conlleva el préstamo usurario y las consecuencias de la nulidad serían las previstas en el art. 1306 y no ya en el 1305 del Código Civil. Hemos de afirmar que el artículo 1306 CC. no es aplicable a aquellos contratos cuya ilicitud se funde en la oposición a un precepto legal imperativo o prohibitivo. Prevalece la condición de ilegalidad frente a los matices de inmoralidad que conducirían en otro caso a la ilicitud de la causa. Esta es la postura mayoritaria de la doctrina tanto española como francesa e italiana[174]. Por tanto, se puede afirmar que la violación de una norma jurídica imperativa o prohibitiva es absorbente respecto a la ofensa de las buenas costumbres. En consecuencia, procederá la aplicación de los efectos previstos o bien en la propia norma infringida o en su defecto en lo dispuesto en el artículo 1303 CC.

Sin embargo, la concepción de la nulidad que mantiene la Ley de Usura es muy diferente a la recogida en el art. 1303 para todos los casos de nulidad. El art. 3º de la ley establece las consecuencias de la declaración de nulidad del contrato usurario de una forma peculiar. No fue pacífica la doctrina coetánea a la promulgación de la norma en cuanto a la calificación de la ineficacia que establecía. Tampoco parece extraño que surgiesen dudas en cuanto a la calificación en aquel momento ya que cuando surgió la Ley no se había desarrollado aún una teoría de la nulidad y se confundían las figuras de nulidad y anulabilidad[175]. En cuanto la calificación que merece la ineficacia prevista en la Ley de Usura sigue sin ser aún unívocamente reconocida aunque la mayoría de los autores apuestan por considerarla como una ineficacia «sui generis»[176].

Abordaremos más adelante la calificación de la ineficacia prevista en la Ley. Lo que interesa destacar aquí es que por el hecho de venir recogida la sanción de ineficacia en una Ley no puede acudirse a la vía de la causa ilícita sino que, en principio, habrá que estarse a las consecuencias de la ilegalidad.

C. Efectos del contrato usurario. Peculiaridades

No cabe duda de que la Ley de Usura establece unos efectos propios para todos los préstamos que caen bajo su ámbito de aplicación. Sin embargo, esta

---

[174] LÓPEZ BELTRÁN DE HEREDIA, C., *La restitución en los contratos...* cit. págs. 335 y 337-339.

[175] Vid epígrafe «Desconcierto terminológico y su superación».

[176] Vid por todos MUÑÍZ CERVERA, M, op. cit. pág. 670-671.

especial previsión de efectos de la nulidad de la Ley de Usura ha quedado ciertamente obsoleta. En particular, no parece adecuado el sistema restitutorio que establece la Ley como consecuencia de la ineficacia del contrato usurario.

En principio, parece que parte de la idea de que el dinero prestado devenga normalmente intereses (el «interés normal» dinero dice su artículo 1º). Sin embargo, al aplicar los efectos de la nulidad parece que parte de la concepción ya anticuada de que el préstamo o mutuo son contratos naturalmente gratuitos, consagrada en nuestro Código Civil y participa de ciertos prejuicios históricos[177].

La Ley de Azcárate va a establecer unas consecuencias peculiares para el caso en el que se llegue a calificar un contrato como usurario. En principio, parece que estas consecuencias deberían ser las derivadas de la nulidad que deberíamos calificar, en principio, como radical o de pleno derecho[178]. Al encontrarnos ante un supuesto de ilegalidad contractual deberíamos acudir a la aplicación de los artículos 1255 y 6.3 del Código Civil y, en consecuencia, los efectos que se derivan de la proclamación de un contrato como usurario deberían ser los mismos establecidos en el art. 1303 C.C. Sería necesaria la restitución recíproca de las prestaciones recibidas para que se restablezca la situación inicial como si no hubiese existido el contrato nulo.

Pero la Ley de Usura al establecer los efectos del contrato usurario opta por disponer expresamente en su articulado las especiales consecuencias que acarreará exigir un interés usurario. Estos efectos derivados de la Ley de Usura son similares, aunque no exactamente los mismos, que los efectos de la nulidad radical. En consecuencia, en aplicación de lo dispuesto en el artículo 6.3 del Código Civil, en lugar de aplicar directamente la sanción general de nulidad, deberemos estar a lo que en la propia ley se dispone.

La ineficacia derivada de la calificación de un préstamo como usurario tiene ciertas características propias que parece que hacen que pueda ser considerada como una nulidad «*sui generis*» que presenta algunas especialidades[179]. En realidad, la técnica sancionadora utilizada en la Ley Azcárate ya

---

[177] Esta aparente contradicción es también destacada por SABATER BAYLE, I., *Préstamo....* cit., pág. 23 y ss.

[178] ALBALADEJO, M., «*La nulidad de los préstamos usurarios*», A.D.C.., Enero-marzo, 1995, pág. 33-34, BLASCO GASCO, F., *Derecho de obligaciones y contratos*, coord. R. Valpuesta, 2ª ed., Valencia, 1995, pág. 754, DIEZ-PICAZO Y GULLÓN, *Sistema* .....cit., pág. 463.

[179] MUÑÍZ CERVERA, M., *El interés y la usura...* cit., pág. 673, NAVARRO VILARROCHA, P., «*Los contratos usurarios en nuestro ordenamiento civil*», en *R.G.D.*, 1973, pág. 828-829, DE ANGEL YÁGÜEZ, R., *Comentario del Código Civil*, T. II, Madrid, 2ª ed., 1993, pág. 1631. En contra, de cualquier singularidad de esta ineficacia se han pronunciado algunos autores de los que ALBALADEJO es el que más vehementemente mantiene el carácter general de nulidad absoluta de los efectos dispuestos en la Ley de Usura

fue objeto de fuertes críticas al tiempo de su promulgación por introducir una nueva categoría de ineficacia de los contratos, sin esperar a las revisiones decenales del Código Civil[180].

Probablemente, de haber reconducido la ley la suerte de los contratos usurarios por ella descritos a la nulidad general establecida en el Código Civil se hubiese podido armonizar la sanción aplicable con las necesidades del tráfico. De esta forma, actualmente se habría interpretado que los efectos más oportunos serían los de la nulidad parcial sustitutiva.

El precepto a analizar es el artículo 3º de la Ley que dispone «Declarada con arreglo a esta ley la nulidad de un contrato, el prestatario estará obligado a entregar tan sólo la suma recibida; y si hubiera satisfecho parte de aquélla y los intereses vencidos, el prestamista devolverá al prestatario lo que, tomando en cuenta el total de lo percibido, exceda del capital prestado». Las peculiaridades de esta ineficacia establecida por la Ley de Usura han sido puestas de manifiesto por la jurisprudencia.

D. Efectos restitutorios

En primer lugar, acudamos a la jurisprudencia para analizar la interpretación que hacen de las disposiciones legales que establecen los efectos de los préstamos usurarios. La jurisprudencia realiza una interpretación muy original del precepto.

Según el Tribunal Supremo no estamos ante una nulidad radical sino una nulidad con unos efectos diferentes ya que queda subsistente la obligación de devolver el importe de la suma efectivamente recibida. «*La declaración de nulidad **no extingue la obligación de devolver lo percibido**, pero sin pago de intereses, ni legítimos ni usurarios*» y permite la condena a reintegrar al prestatario lo indebidamente satisfecho, conforme al artículo 3º de la Ley[181].

Es decir parece que subsiste el contrato de préstamo y lo que se anula es el interés como sanción al prestamista usurero. Como en la concepción romana, en que el interés era una obligación accesoria que no conllevaba la nulidad de la principal. De esta forma, declarada la nulidad el prestamista recibirá exclusivamente el capital prestado, sin intereses de ningún tipo. En el caso en el que hubiese percibido ya algún interés tendrá la obligación de devolverlo al prestatario.

El Tribunal Supremo considera que los efectos del contrato de préstamo no desaparecen en su integridad, sino que subsisten porque el contrato de

---

(ALBALADEJO, M., *La nulidad de los préstamos usurarios...* cit., en especial pág. 34-36.)

[180] GARCÍA CANTERO, G., «*Préstamo, usura y protección de los consumidores*», en *A.C.*, 1989-1, Nº 58, pág. 209.

[181] Sentencias de 6 de marzo de 1961, 14 de junio de 1984, 24 de abril de 1991, 8 de noviembre de 1991

préstamo es un contrato unilateral y las obligaciones de las partes se reducen precisamente a la restitución por parte del prestatario de las sumas recibidas a préstamo. La sanción que la ley establece para el caso de encontrar el préstamo usurario sería, para el Tribunal Supremo, la de mantener el esquema legal del contrato de préstamo que está configurado en el Código como todos sabemos de forma naturalmente gratuita. Se mantendría pues la eficacia normal del contrato de préstamo.

La única consecuencia que difiere del desarrollo normal del contrato es que se pierde el plazo en virtud de la ineficacia sobrevenida y el prestatario tiene que devolver el importe recibido inmediatamente. Esta consecuencia, desde luego, es bastante grave puesto que normalmente redundará en perjuicio del prestatario. Efectivamente, no se comprende muy bien cómo esta consecuencia puede favorecer al prestatario que deberá afrontar el pago inmediato de aquellas cantidades prestadas que necesita tan perentoriamente. Precisamente, podemos presumir que es una acuciante necesidad la que le empujó a contratar en tales circunstancias que se vio obligado a aceptar el préstamo en condiciones usurarias. Probablemente el prestatario no esté en condiciones de restituir, de golpe, las cantidades prestadas puesto que las habrá aplicado a las necesidades que le llevaron a solicitarlo.

Debemos analizar, en cualquier caso, las razones que llevan al Tribunal Supremo a realizar esta aplicación de los efectos de los préstamos usurarios. Esta interpretación ha servido al Alto Tribunal, sobre todo, para evitar que se extinga la fianza y quede exonerado totalmente el fiador. Haciendo que subsista la fianza reduciendo su extensión a la de la cantidad que el deudor principal debe restituir en virtud de la regla establecida en el art. 3º de la Ley[182]. Nuestro Tribunal Supremo no ha tenido ningún reparo en aplicar reiteradamente la interpretación ya expuesta declarando la nulidad pero diciendo que «los efectos de aquel contrato no desaparecen en su integridad y por ende el contrato de fianza accesoria subsiste».

En realidad, esta interpretación es una forma de eludir la calificación que en realidad se hace de la ineficacia que verdaderamente se aplica. Si la nulidad no hace que desaparezcan todos los efectos del contrato merece, obviamente, la calificación de nulidad parcial[183].

La configuración de la nulidad absoluta del préstamo usurario ha sido criticada por quedar obsoleta e ignorar la realidad de estos contratos. La sanción establecida en la Ley de 1908 se trataba de una nulidad pero agravada. No olvidemos que las consecuencias de la nulidad radical, como hemos adelantado al principio, son la restitución recíproca de prestaciones

---

[182] Sentencias de 6 de marzo de 1961, 14 de junio de 1984 y de 8 de noviembre de 1991.

[183] De nulidad parcial es precisamente calificada por CASTÁN por dejar a salvo la obligación de devolver la suma recibida por el prestatario. (CASTÁN, J., *Derecho Civil Común y Foral*, T. I, vol 2º, pág. 945.

con sus frutos o intereses. Esto es lo que dispone el art. 1303 C.C. refiriéndose a la nulidad de toda obligación contractual. El hecho de que la restitución derivada de la nulidad de la Ley de Usura no permita reembolsar ningún tipo de interés al prestamista conlleva la implícita imposición de una pena.

La peculiaridad del art. 3 de la Ley de Represión de la Usura es que al referirse al préstamo, como contrato unilateral sólo se debe restituir por parte del prestatario con lo que los efectos de la nulidad vienen a coincidir con los normales de la tipicidad del contrato, parece que la ineficacia de este contrato no se diferencia de la eficacia. Con lo que lo único que se anula realmente es la obligación accesoria de los intereses. Por ello la sanción que establece la nulidad radical sería la pérdida del plazo y la pérdida de los intereses, no solo en la proporción en que son considerados usurarios, sino la pérdida de todos los intereses incluso los legales, además de la pérdida de las garantías accesorias incluyendo el contrato de fianza, sanción muy dura para los contratantes (ambos) y perjudicial para el tráfico[184].

Pero podemos entender que el Tribunal Supremo considere que el legislador de la Ley de 1908 pensase con la misma mentalidad que el legislador del código de 1889 y que redujese la obligación de restituir al montante recibido sin que quepa consideración alguna de intereses. Esta claro que la Ley nunca piensa en una mera reducción de los intereses no ya a los «normales» de los que nos habla el art. 4º de la ley para los contratos con fecha anterior a los de la promulgación de la Ley, sino que ni siquiera admite los legales. Intereses legales que sí que hubiesen cabido de aplicar los efectos de la nulidad contenidos en el art. 1303 C.C. que habla de restituir la cosa con sus frutos y el precio con los intereses.

En este sentido, se pronunció terminantemente el Tribunal Supremo en la sentencia de 15 de enero de 1949 en la que se mantenía que «*Tratándose de la aplicación de la Ley de Usura que representa la intervención de la conciencia colectiva en la conciencia judicial para su represión, estimado el carácter usurario de un préstamo, no es posible conceder al acreedor más de lo que la misma le da y así tiene declarado este Tribunal en la S. de 24 de octubre de 1912 que aunque el deudor se muestre conforme con abonar el interés legal no puede la sentencia otorgárselo al acreedor sin que por ello incida en incongruencia*».

Esta interpretación del Tribunal Supremo. nos lleva a pensar que trata de aplicar una nulidad (no se puede negar la rotundidad de la letra de la ley) pero una nulidad parcial simple o eliminatoria en cuanto parece que quedan anulados únicamente los intereses. No se refiere en ningún momento a una disminución de la cantidad a restituir (nulidad parcial sustitutiva) sino a la

---

[184]   Como señala ROJO AJURIA, L., «*Sentido y aplicación de la Ley de Usura de 23 de julio de 1908 en los momentos actuales*», en *Economist & Jurist*, año III, Nº 11, julio-septiembre 1994, pág. 46.

completa anulación de cualquier interés[185]. Parece necesario todo este equilibrismo conceptual para llegar al objetivo fijado de antemano por el juzgador de salvar la validez de la fianza a toda costa. El Tribunal Supremo nunca ha tratado de utilizar tantos artificios interpretativos para mantener una reducción de los intereses a los legales o razonables[186]. No obstante, esta nulidad parcial sustitutiva, que hubiese sido deseable que estableciese la Ley de Usura, ya se ha impuesto en las leyes mas modernas[187].

Se plantea también el problema de si la nulidad del préstamo usurario se refiere sólo a las cantidades y se mantienen los plazos o si también en virtud de esta nulidad se pierden los plazos pactados. Si no se mantienen los plazos y se exige que la restitución sea inmediata a la declaración de la nulidad se estaría perjudicando al prestatario que necesita el dinero tomado a préstamo y que no podrá devolver sin soportar un gran sacrificio. Por otro lado, el mantener el plazo pactado del contrato de préstamo para la devolución de las cantidades nos llevaría al préstamo gratuito con el consiguiente sacrificio del prestamista. Esta última interpretación es la que parece más acorde con la originaria concepción del préstamo como contrato gratuito y de la Ley de Usura como norma penal para enmendar al usurero. Pero esto es también extraño para el trafico económico actual.

Ya que el Tribunal Supremo mantiene una interpretación, ciertamente, osada en cuanto a este particular problema de la fianza no debería hallar tampoco mayores inconvenientes en tratar de actualizar el obsoleto tenor literal de la ley. Sería deseable que la jurisprudencia se pronunciase abiertamente declarando la nulidad parcial de este tipo de contratos, aplicando todos los efectos de este tipo de ineficacia. De esta forma podría superar la literalidad del art. 3º de la ley para establecer la reducción del tipo de interés del préstamo hasta acabar con el carácter usurario del mismo. Quizás entonces los tribunales acudiesen a esta Ley con más frecuencia.

Acercándose a esta concepción, el Tribunal Supremo ha aplicado en dos ocasiones el enriquecimiento injusto para que se paguen intereses por haber transcurrido un intervalo muy grande de tiempo desde el préstamo hasta la nulidad del mismo (acción imprescriptible). Esto es resultado de una visión más realista del préstamo, considerándolo si no como un contrato esencialmente oneroso, al menos considerando que el capital es un bien que puede

---

[185] Como señala DE CASTRO, F., *El negocio jurídico*, pag 495.

[186] Únicamente encontramos en la sentencia de 14 de junio de 1984 una interpretación en este sentido que no ha tenido continuidad. En esta sentencia se trataba de un crédito hipotecario. Asiste al prestamista un crédito para obtener la devolución de la suma recibida, y por ello no se desnaturaliza en carácter accesorio de la hipoteca, cuya extensión y la de la correspondiente garantía pactada por los contratantes se reduce en justa proporción por la Sala en atención a la nulidad operada. Establece el Tribunal Supremo que por obra misma de su accesoriedad habrá de subsistir la hipoteca en tanto el pago del crédito no provoque su extinción.

[187] Vid. infra «Vigencia de la Ley de Usura en el cobro excesivo de intereses».

depreciarse o devaluarse con el tiempo y que para el poseedor es productivo de frutos que no son otra cosa que los intereses. Nuestro Tribunal Supremo ha aplicado, al menos en dos ocasiones, el principio de enriquecimiento indebido considerando deuda de valor esa obligación de restitución con lo que parece derogar jurisprudencialmente el art. 3º de la Ley de Usura[188]. ROJO AJURIA considera, acertadamente, a la vista de los argumentos del Tribunal Supremo en estos casos, que este criterio podría ser absolutamente generalizable[189].

En realidad, la Ley de Usura establece que la nulidad radical del préstamo hace desaparecer la obligación accesoria del interés y surge la obligación de restituir derivada de la declaración de nulidad y no del propio contrato de préstamo. Utiliza la superada concepción del préstamo que se forjó en Derecho Romano en la que el mutuo era un contrato gratuito y los intereses o usuras eran una obligación accesoria que no existen si la obligación principal es nula y desaparecen si esta llega a extinguirse[190].

E. Plazo de prescripción

En principio, como bien sabemos, la sanción general de nulidad de pleno derecho que llevaría aparejado todo contrato contrario a las normas imperativas y prohibitivas que no establezcan otro efecto distinto es imprescriptible. Es decir, la acción de nulidad de pleno derecho tendría como característica su posibilidad de ser interpuesta por los legitimados en cualquier momento sin estar sujeta a plazos de prescripción[191].

No obstante, desde un principio, se ha planteado como discutible la cuestión de la prescriptibilidad de la acción de nulidad derivada de los

---

[188] En la sentencia de 8 de noviembre de 1991 se trataba de un préstamo pedido para amortizar un otro préstamo previo que tenía el prestatario con una Caja de Ahorros y el Tribunal considera que sólo se deben pagar los intereses pactados con respecto a la cantidad amortizada y en la de 7 de febrero de 1989 se trataba de una venta con pacto de retro de un inmueble cuya nulidad se solicita varios años después con lo que el prestatario recibe el inmueble revalorizado y sólo tiene que devolver la cantidad depreciada del dinero que en su día recibió.

[189] ROJO AJURIA, L., *Sentido y aplicación...* cit., pág. 46.

[190] BONFANTE, op. cit., pág. . 441.

[191] JUAN DE HINOJOSA al plantearse cuál es el término de prescripción de la acción que la ley concede al prestatario víctima del abuso para obtener la declaración de nulidad descarta los plazos de la anulabilidad y del fijado para las acciones personales que no tienen señalado plazo de prescripción y mantiene la imprescriptibilidad de la misma, solución adoptada por la sentencia que comenta. DE HINOJOSA, J., «*Sobre la imprescriptibilidad de la acción nacida de los préstamos usurarios*», *R.D.P.*, 1934, págs. 242-247. Es posible encontrar alguna otra sentencia de nuestro Tribunal Supremo en la que parte de la base de que la nulidad en estos casos se puede pedir en cualquier momento como la Sentencia de 8 de noviembre de 1991.

préstamos usurarios y es un aspecto aún analizado y discutido por la doctrina[192].

El Tribunal Supremo ha mantenido, en bastantes ocasiones, que la nulidad derivada de la contravención de la Ley de Usura tendrá un plazo de prescripción de 15 años. Llega el Tribunal a esta conclusión al entender que esta es una nulidad singular que es objeto de regulación en las disposiciones especiales de la Ley que ofrecen unos efectos distintos. Al establecer unos efectos distintos a los generales de la nulidad, entiende esta jurisprudencia que se le ha de señalar un plazo de prescripción. A falta de disposición expresa sobre el particular será la prescripción de las acciones personales no sujetas a término propio. El plazo establecido para estas acciones en el artículo 1964 del Código Civil es de 15 años[193].

F. Legitimación y declaración de oficio de la nulidad

Aunque esta es una cuestión que se ha vinculado estrechamente a la naturaleza de la nulidad que establece el artículo 3º de la Ley de Usura aquí se va a analizar al margen de esta cuestión[194]. Y ello por considerar que estamos ante una nulidad singular en cuanto a algunos de sus efectos y, en consecuencia, no tiene por qué coincidir plenamente su régimen jurídico con el de la considerada como nulidad general de los contratos. Ciertamente, podemos considerar que estamos ante una nulidad aunque con importantes peculiaridades.

Partiendo de esta base, no nos vemos condicionados a priori a entender que la legitimación puede corresponder a cualquier interesado y que, ante su carácter manifiesto, puede ser declarada de oficio, tal y como ocurriría de

---

[192] DE HINOJOSA, J., Sobre la imprescriptibilidad de la acción... cit., pág. 242, QUINTANO RIPOLLÉS, A., «Usura civil y usura penal», en R.D.P., 1965, pág. 276, TAPIA HERMIDA, A., «Ley de Usura y protección del consumidor a crédito», R.D.B.B., Nº 25, 1987, pág. 170, ALBALADEJO, M., La nulidad de los préstamos usurarios... cit., pág. 45, MUÑIZ CERVERA, M., El interés y la usura... cit., pág. 672, SABATER BAYLE, I., Préstamo... cit., pág. 197, MARÍN PÉREZ, P., Comentarios al Código Civil y compilaciones forales, dir. M. Albaladejo, T. XXII, vol. 1º, Madrid, 1982, págs. 136-137 y 138, NAVARRO VILARROCHA, P., «Los contratos usurarios en nuestro ordenamiento civil», en R.G.D., 1973, pág. 828, DE ANGEL YÁGÜEZ, R., Comentario del Código Civil, T. II, Madrid, 2ª ed., 1993, pág. 1631, DÍEZ-PICAZO, L., y GULLÓN BALLESTEROS, A., Sistema de Derecho Civil, vol. 2º, 8ª ed., Madrid, 1999, pág. 403, BLASCO GASCÓ, F., Derecho de Obligaciones y Contratos, Coord. R. Valpuesta, 3ª ed., Valencia, 1999, pág. 754.

[193] Sentencias de 29 de diciembre de 1942, 18 de junio de 1945, 14 de diciembre de 1949, 4 de junio y 26 de febrero de 1957, 27 de octubre de 1960.

[194] Evidentemente, si se parte de que nos encontramos ante concreta categoría de nulidad (radical o anulabilidad) la respuesta viene dada automáticamente siguiendo el régimen jurídico de cada una de ellas. Nosotros partimos de una concepción más flexible de ineficacia para tratar la ilegalidad y analizamos la conveniencia de cada aplicación. (Vid. Infra Nuevas perspectivas de la ineficacia contractual)

considerar que nos encontramos ante una nulidad radical o de pleno derecho.

Vamos a tratar de hacer una interpretación conforme a la realidad actual de los préstamos. Tal y como dispone la Ley de Usura los efectos de la nulidad de los préstamos parece que tratan de contener al prestamista usurero. Pero, y pese a que pueda parecer lo contrario, tampoco sus consecuencias convienen o benefician al prestatario puesto que se le despoja del beneficio del plazo. Por esta razón, resulta lógico mantener una legitimación restringida a favor del contratante perjudicado víctima de la usura. De esta forma lo han entendido gran parte de la doctrina[195] y buena parte de la jurisprudencia[196]. Aparte de este argumento lógico, la armonización de la Ley de Usura con la Legislación posterior, sobre todo, relativa a la defensa de consumidores también conduciría a limitar la legitimación a la parte contratante más débil.

En lo relativo a la declaración de oficio de la nulidad derivada de los préstamos usurarios hemos de ser realistas. Los Tribunales sólo hacen uso de esta facultad excepcional en los casos en los que la nulidad es manifiesta y se presenta en su forma más grosera. No parece que en los casos de préstamos con alto interés se pueda apreciar con absoluta nitidez su carácter usurario. Sobre todo, si tenemos en cuenta las extraordinarias facultades discrecionales que los conceptos indeterminados empleados por la Ley conceden a los mismos órganos jurisdiccionales[197].

Además, hay que ser consciente de que la mayoría de los préstamos que encontramos en la actualidad son realizados por entidades de crédito. Desde luego, no parece probable que ningún Tribunal intervenga de oficio para anular un préstamo de éste tipo.

Por otro lado, es evidente que si mantenemos que la legitimación activa le corresponde exclusivamente al prestatario, que es el que sufre la usura, la intervención de los Tribunales deberá ser solicitada por éste. En otro caso,

---

[195] CASTÁN TOBEÑAS, J., *Derecho Civil Español Común y Foral*, T. 4, 12ª ed., Madrid, 1984, pág. 460, PUIG BRUTAU, J., *Fundamentos de derecho civil*, II, 2º, 2ª ed., Barcelona, 1982, pág. 392, MUÑIZ CERVERA, M., *El interés y la usura...* cit., págs. 671-672, NAVARRO VILARROCHA, P., *Los contratos usurarios en nuestro ordenamiento civil...* cit., pág. 834, TUR FAUNDEZ, M. N., *Condiciones generales en contratos celebrados con consumidores y usura. Cuenta corriente bancaria en descubierto.* (*Comentario a la sentencia de la Audiencia Provincial de Palma de Mallorca de 17 de octubre de 1994*), en *R.G.D.*, 608, mayo, 1995, pág. 4884, MONTÓN REDONDO, A., Voz «*Proceso en materia de préstamos usurarios*», en *E.J.B.*, Madrid, 1995, pág. 5223. En contra se manifiesta ALBALADEJO coherente con su postura de considerar la ineficacia establecida en la Ley de Usura como una nulidad radical de pleno derecho. De todos modos, este autor apreciando el peligro de que sea el propio prestamista quien pida la nulidad apunta el límite del abuso de derecho (ALBALADEJO, M., *La nulidad de los préstamos...* cit., págs. 47 y 48.

[196] Sentencias de 23 de mayo de 1929, 11 de octubre de 1958, 14 de febrero de 1964, 15 de febrero de 1965 y 24 de mayo de 1969.

[197] SABATER BAYLE, I., *Préstamos...* cit., págs. 206-207.

estaríamos propugnando un régimen jurídico paternalista de la nulidad. Los tribunales aplicarían de oficio la nulidad cuando apreciasen la existencia de intereses usurarios aunque no la solicite el legitimado porque los Tribunales saben mejor que éste lo que le conviene. Sin pasar por alto, por último, el probable efecto de la pérdida del plazo para restituir las cantidades prestadas a consecuencia de la declaración de nulidad.

La sentencia de 29 de septiembre de 1992 podría parecer que admite la declaración de oficio de la nulidad derivada del artículo 3º de la Ley de 1908. Sin embargo, como dice la sentencia, la nulidad no se pidió entre las alegaciones o pretensiones de las partes pero sí que se entendía implícito en lo pedido al ser consecuencia *ex lege*. Es más, en lugar de alegar la posibilidad de la declaración de oficio de la nulidad radical se limita a justificar que no puede tacharse de incongruente la declaración puesto que es consecuencia necesaria de un determinado pronunciamiento complementario.

G. Coexistencia de la Ley de Usura con otras normas relativas al cobro excesivo de intereses

No cabe ninguna duda de que el carácter genérico y abstracto de los preceptos de la Ley de Usura, pese a la inseguridad que acarrean, han permitido a los Tribunales ir adaptando la Ley a las circunstancias económicas de cada momento y coyuntura. Es esta flexibilidad en la apreciación de la usura y en la aplicación de los preceptos de la Ley la que ha logrado que se mantenga su vigencia por tan dilatado periodo de tiempo. El criterio para la calificación de usura puede fluctuar tanto como lo haga la inflación en cada coyuntura económica.

Como algo quimérico suena en nuestros tiempos los casos que fueron considerados como procedimientos usurarios en el tiempo de promulgación de la Ley de Usura. Valga como ejemplo aquel que describe PALOMO en el que «*ciertos usureros en las tertulias de café se ofrecen como amigos a los que solicitan 1000 pts., entregando esta cantidad con pagaré para cobrar de interés 100 anticipadas cada mes y además cada día un café y un cigarro de 15 céntimos, que el prestatario tiene que pagar en el café o cervecería designados por semanas adelantadas.*»[198].

En la actualidad, usualmente, los préstamos han dejado de estar en manos de prestamistas particulares para recaer en el principal objeto social de las grandes entidades financieras. Evidentemente, ahora nadie niega que la Ley de Usura sea plenamente aplicable a todos los préstamos incluidos, desde luego, los mercantiles. Se sigue manteniendo la posible aplicación de la Ley de Usura, a pesar de la existencia de un abundantísimo elenco de disposiciones de toda índole (Ordenes Ministeriales y Circulares del Banco de

---

[198] PALOMO, L., *Ley contra la Usura*, Madrid, 1908, págs. 18, 21, 78, 79, 226, 227, a 231.

España, sobre todo) que parten de la libertad de pactos en los tipos de interés de las operaciones activas y pasivas[199]. En realidad, estas normas no pueden cuestionar la aplicabilidad de la Ley de Usura puesto que su cometido es, únicamente, tratar de controlar la transparencia y corrección en la aplicación de los tipos de interés.

Lejos quedaron aquellos tempranos recelos a la aplicación de la Ley de Usura a este tipo de préstamos por considerar que el artículo 315 del Código de Comercio acababa con cualquier limite en el establecimiento de los intereses[200]. Se considera, efectivamente, que se debe otorgar una mayor libertad en el ámbito crediticio mercantil. Esto se traduce en que para considerar un préstamo mercantil como usurario, en principio, el porcentaje exigido como interés habrá de ser bastante superior al considerado como tal en un préstamo civil. En palabras de nuestro Tribunal Supremo: «Aun admitiendo mayor libertad de cauce en el tráfico mercantil, tal característica no debe extremarse hasta el punto de autorizar operaciones netamente usurarias que pueden y deben declararse ilícitas cuando circunstancias muy cualificadas así lo requieran»[201].

A pesar de que ya nadie discute la aplicabilidad de la Ley de Usura a los intereses de los créditos mercantiles, ésta no se ha prodigado demasiado. Una de las razones principales es que en los periodos inflacionistas cuando se establecían unos intereses bastante altos para evitar los negativos efectos de la depreciación monetaria la práctica judicial «disimuló» la vigencia de la Ley. Se imponían los intereses a modo de cláusulas de estabilización[202]. La jurisprudencia, en muchos casos, se disculpa sosteniendo que no es aplicable la Ley de Usura porque sólo resulta aplicable a los préstamos pero no a otros contratos en los que las relaciones pueden ser más complejas[203].

Con la promulgación de las normas relativas a la defensa general de consumidores y a la defensa en sectores como el crediticio cabe preguntarse si en las «condiciones abusivas de crédito» por ellas previstas no irían

---

[199] REYES LÓPEZ, M.J., *Intereses usurarios y cláusulas abusivas. Comentario a la sentencia del T.S. de 7 de marzo de 1998*, TAPIA HERMIDA, A., *Ley de Usura y protección del consumidor a crédito...* cit., pág. 159-160 y 177.

[200] Se mantenía que el legislador ha de consentir en que la Banca y el Comercio tengan la más absoluta libertad para pactar premios, retribuciones, comisiones e intereses sin limitación de ninguna especie. De otra forma, sería imposible la vida mercantil, o tendrán los negocios una vida raquítica (ESTASÉN, P., «*La Ley sobre préstamos usurarios*», *R.G.L.J.*, 1909, T. 114, pág. 81). La primera jurisprudencia declaró que el ámbito de aplicación de la Ley eran los préstamos civiles (Sentencias de 8 de junio de 1927 y 29 de marzo de 1930).

[201] Sentencias de 13 de febrero de 1941, 9 de mayo de 1944, 31 de mayo de 1945, 28 de enero y 2 de diciembre de 1957 y 26 de noviembre de 1959)

[202] SABATER BAYLE, I., *Préstamos...* cit., pág. 334 y ss.

[203] TUR FAUNDEZ, M. N., *Condiciones Generales en contratos...* cit., pág. 4877.

implícitos los supuestos de usura[204]. Evidentemente, el ámbito de aplicación de la normativa sobre usura y la de defensa de consumidores es parcialmente coincidente. Toda la doctrina está conforme en admitir la compatibilidad y coexistencia de la normativa sobre usura y la normativa sobre consumidores. No coinciden, sin embargo, en la interpretación más adecuada en cuanto a cuál de los efectos aplicar a los intereses excesivos y usurarios. Aplicar la normativa de consumidores significa aplicar la nulidad parcial (entendemos que sustitutiva)[205], mientras que ya conocemos los efectos previstos por el artículo 3º de la Ley de Usura. Unos autores opinan que el consumidor podrá elegir la que le resulte más favorable[206]. Otros autores, por su parte, consideran que se aplicará la normativa sobre consumidores si las cláusulas abusivas no llegan al grado de gravedad que implica la usura o no se refieren al tipo de interés[207]. Por último, encontramos autores que no consideran que la solución prevista en la Ley de Usura sea adecuada para evitar los abusos cometidos contra los consumidores reservándose para el resto de los supuestos[208].

Por estas razones, no se encuentran demasiadas sentencias en las que el Tribunal Supremo acabe aplicando la Ley de Usura a pesar de que en la contratación crediticia es el elemento que con mayor frecuencia accede a los tribunales. Ciertamente, el más denunciado por su carácter eventualmente

---

[204] GARCÍA CANTERO, G., *Préstamo, usura...* cit., pág. 4877, TUR FAUNDEZ, M.N., *Condiciones...* cit., pág. 4885, PASQUAU LIAÑO, M., *«Propuestas para una protección jurídica de los consumidores en materia de créditos de consumo: medidas de prevención y de solución a los problemas derivados del sobreendeudamiento»*, en *Estudios sobre consumo*, Nº 18, 1990, pág. 18, TAPIA HERMIDA, A., *Ley de Usura y protección del consumidor a crédito...* cit. pág. 163-164, MUÑIZ CERVERA, M., *El interés y la usura...* cit., págs. 631-634, REYES LÓPEZ, M.J., *Intereses Usurarios y Cláusulas abusivas.* (*«Comentario a la Sentencia del Tribunal Supremo de 7 de marzo de 1982»*), en *Revista de Derecho Patrimonial*, Nº1, págs. 246-247.

[205] Art. 10 bis) 2 de la Ley 2/1984, de 19 de julio, General para la defensa de los Consumidores y Usuarios y art. 3 de la Ley 7/1995, de 23 de marzo, de crédito al consumo.

[206] MUÑIZ CERVERA, M., *El interés y la usura...* cit., pág. 634, GARCÍA CANTERO, G., *Préstamo, usura...* cit., pág. 216.

[207] PASQUAU LIAÑO, M., *Propuestas...* cit., pág. 18, AZORÍN RONCERO, *«La ley General de Protección de los Derechos de Usuarios y Consumidores. Operaciones Bancarias»*, en *R.G.D.*, 1985, pág. 2.138. Este último autor incluso considera excluidos los préstamos usurarios del propio concepto de cláusulas abusivas. REGLERO CAMPOS parece participar, en cierto modo, de esta idea al considerar que el interés nominal de los préstamos al ser un precio del servicio financiero no tendría carácter abusivo salvo que caiga dentro de la aplicación de la Ley de Usura. (REGLERO CAMPOS, L.F., *«Régimen de ineficacia de las condiciones generales de la contratación»*, en *Aranzadi Civil*, Nº 3, mayo, 1999, págs. 34-35.)

[208] DÍAZ ALABART, S., *Comentarios a la Ley General para la Defensa de los Consumidores y Usuarios* (coord. R. Bercovitz), Madrid, 1992, págs. 274-275. TUR FAUNDEZ, M.N., *Condiciones generales...* cit., pág. 4886.

abusivo, es el del interés aplicado por la entidad financiera, sea el nominal, sea el moratorio o el que afecta al descubierto de cuentas corrientes[209].

Uno de los problemas que más ha hecho resurgir la invocación de la vieja Ley son los excesos que se han ido practicando por parte de las entidades financieras en los saldos negativos o descubiertos de las cuentas corrientes. Uno de los principales factores de la escasa aplicación de la Ley de Usura a los elevados intereses que imponen los Bancos a los descubiertos se debe — como apunta BERCOVITZ— a la falta de sensibilidad de la jurisprudencia en relación con la materia. Pese a las amplias facultades de que dispone para apreciar el carácter usurario de estos préstamos, se ha venido considerando como aceptable el tipo de interés cuando se encontraba dentro de los practicados habitualmente por la generalidad de las entidades financieras[210].

Precisamente, el Tribunal de Defensa de la Competencia tuvo ocasión de pronunciarse, en su resolución de 5 de julio de 1996, sobre la presunta comisión por parte de 32 entidades bancarias de prácticas restrictivas de la competencia contrarias al artículo 1 de la Ley 16/1989. La práctica denunciada por la Unión de Consumidores de España se basaba en la absoluta identidad de los tipos de interés aplicables para los descubiertos en cuenta corriente (29%) y en los excedidos en cuenta de crédito, hecho objetivamente acreditado. El Tribunal de Defensa de la Competencia desestima la denuncia al considerar que, pese a que la conducta conscientemente paralela es inequívoca, no puede considerarse como una práctica restrictiva de la competencia porque su comportamiento puede explicarse por reacciones normales de los operadores económicos del mercado. Es decir, existe una interdependencia informativa en el sector incentivada incluso por el intervencionismo administrativo y la publicidad que éste exige y la función de «precio de referencia» que desempeñaba en este caso el umbral del 30% de interés a los efectos de la aplicación de la normativa sobre usura.

Ante esta situación, tuvo que ser el propio legislador el que reaccionara estableciendo para el caso concreto una solución expresa. De esta forma, en el artículo 19.4 de la Ley 7/1995, de 23 de marzo, de Crédito al Consumo se establece en lo relativo a los anticipos en descubiertos que «*en ningún caso se podrá aplicar a los créditos que se concedan en forma de descubiertos en cuentas corrientes a los que se refiere este artículo, un tipo de interés que dé lugar a una tasa anual equivalente superior a 2,5 veces el interés legal del dinero*». En la Disposición Adicional primera de la Ley 2/1984, de 19 de julio, General para la Defensa de los Consumidores y Usuarios, dice en su apartado V. 29 que tendrán carácter de cláusulas abusivas «La imposición de condicio-

---

[209] REGLERO CAMPOS, L.F., «*Régimen de ineficacia de las condiciones generales de la contratación*», *Aranzadi Civil*, Mayo, 1999, Nº 3, pág. 34.

[210] BERCOVITZ RODRÍGUEZ-CANO, R., «*Números Rojos*», portada de *Aranzadi Civil*, Nº 11, octubre, 1997, pags 7-8.

nes de crédito que para los descubiertos en cuenta corriente superen los límites que se contienen en el artículo 19.4 de la Ley 7/ 1995, de 23 de marzo, de Crédito al Consumo». Estos supuestos regulados se refieren en concreto y exclusivamente a los descubiertos en cuentas corrientes, pero como afirma REGLERO CAMPOS, se trata de hipótesis que deberían ser aplicables por analogía a los intereses moratorios de otras operaciones crediticias[211].

4.3.2. Contratos de juego y apuesta

A. Introducción

Históricamente se ha otorgado al juego un carácter pernicioso para la sociedad. Esta connotación negativa ha venido fundamentándose en consideraciones morales difíciles de sostener y justificar en la realidad actual[212]. Esto hizo que,, tradicionalmente por la concepción que se tenía de este tipo de contratos aleatorios se pudiesen considerar, al menos, próximos a los contratos con causa ilícita[213]. Se ha tratado desde antiguo de erradicar su práctica prohibiéndolo y reprimiéndolo, incluso considerándolo como tipo delictual en la legislación penal[214]. Esta represión provocó una clandestinidad aún menos deseable. No es de extrañar que, con estos precedentes, antes de que nuestro

---

[211] REGLERO CAMPOS, L.F., *«Régimen de ineficacia de las condiciones generales de la contratación»*, en *Aranzadi Civil*, Nº 3, mayo, 1999, pág. 38.

[212] Para un seguimiento de la evolución histórica del tratamiento jurídico que se ha dado al juego vid. MANRESA Y NAVARRO, J.M., *Comentarios al Código Civil español*, T. XII, 1973, págs. 50 y ss.

[213] La mayoría de la doctrina sigue considerando que en la base del fundamento del régimen jurídico de los contratos de juego y apuesta se encuentra la causa torpe. (ALBALADEJO, M., *Derecho Civil II*, PÉREZ GONZÁLEZ, B. y ALGUER, J., en las anotaciones al Derecho de Obligaciones de ENNECERUS, 3ª ed., T. II. Vol. 2º, Barcelona, 1966, pág. 792-793, MUCIUS SCAEVOLA, Q., *Código Civil*, T. XXVIII, Madrid, 1953, pág. 164, CASTÁN TOBEÑAS, J., *Derecho Civil Español Civil y Foral*, T. IV, 12ª ed. Madrid, 1985, pags 750-751, DÍEZ PICAZO, L., *El juego y la apuesta en el derecho civil*, págs. 728 y 729, LLOBET AGUADO, J., *El contrato de juego y apuesta...* cit. págs. 782-784, GITRAMA GONZÁLEZ, M., *Comentario del Código Civil, Ministerio de Justicia, Comentario al art. 1798*, T. II, 2ª ed., Madrid, 1993, pág. 1745-1748, LACRUZ hace la matización de que el legislador no hace ni aplicación de la causa ilícita ni de la obligación natural, sino que «se limita a establecer, por consideraciones de política jurídica, un caso singular de contrato desprovisto de eficacia vinculante en cuanto fuente de obligaciones, aunque causa suficiente de la atribución del que paga: solo con estas reservas es aplicable, por analogía el apartado primero del art. 1306, y no el segundo». (RAMS ALBESA, J., *en Elementos de derecho civil, II*, vol. 2º, 3ª ed., dir. por LACRUZ, Barcelona, 1995, págs. 319-320)

[214] En nuestro derecho positivo la despenalización del juego como tipo delictual se ha realizado no hace aún demasiado tiempo. Fue en virtud de la Ley Orgánica 8/1983, de 25 de junio, de Reforma Urgente y Parcial del Código Penal. El Código Penal actualmente vigente ha mantenido esta postura despenalizadora del juego.

Código Civil pasase a regular los efectos del juego y la apuesta, y distinguiese entre juegos lícitos e ilícitos, se considerasen como contratos con causa ilícita[215]. Una vez contemplado el fenómeno del juego y la apuesta en el Código Civil esta concepción negativa va a cambiar. Va a remitir, paulatinamente, la reacción represiva para establecer una exhaustiva regulación parcial y tasada de cada tipo y forma de juego en una legislación cada vez más permisiva.

Ahora, en el contrato de juego y apuesta se nos plantean ciertos problemas jurídicos que no van a venir resueltos por su nueva regulación. El problema se reduce a determinar cómo influye en la consideración de la acción civil la despenalización y la nueva reglamentación administrativa. Realmente, son numerosísimas las disposiciones que se han ido dictando para regular distintos aspectos de los juegos y apuestas (decretos, órdenes, reglamentos, circulares...). Esta frondosa normativa se compone tanto de normas jurídicas estatales como autonómicas y se ocupan de todo tipo de juegos (desde las máquinas recreativas y de azar, hasta los juegos mediante boletos)[216]

En realidad, como dice DÍEZ PICAZO, «lo que la ley valora al hablar de juego no es el juego en sí mismo considerado, sino el juego en cuanto es ocasión de una ganancia o de una pérdida, es decir de un incremento (o disminución) patrimonial»[217]. En concreto, analizaremos particularmente las posibles acciones respecto la prohibición de préstamo de cantidades para el juego en establecimientos legalmente autorizados. La solución no puede ser otra que la nulidad del préstamo, a la que se puede llegar tanto por la vía de la causa ilícita como por la vía del contrato ilegal (frente lo mantenido por la jurisprudencia).

B. Sentido de la distinción entre juegos lícitos e ilícitos

El contrato de juego y apuesta es uno de los contratos que primero se nos ocurre como tipo de contrato ilegal porque el mismo Código Civil hace la distinción entre juegos y apuestas prohibidos y los no prohibidos[218]. El caso

---

[215] En el Código Civil, el juego y la apuesta se regulan dentro del Libro IV (De las obligaciones y contratos), dedicándoles todo un capítulo (Capitulo III, Del Juego y la apuesta) del Título XII (dedicado a los contratos aleatorios o de suerte). Son pues los artículos 1798 a 1801. También se refieren al juego los artículos 1351, 1371 y 1372, en relación con el régimen matrimonial de sociedad de gananciales.

[216] GUTIÉRREZ TERÁN, E., «El juego y su normativa», en R.G.D., enero-febrero, 1985, pags 16-22.

[217] DÍEZ-PICAZO, L., «El juego y la apuesta en el Derecho Civil», en R.D.I., 1967, pág. 723.

[218] Esta distinción del Código Civil es tomada de la Novísima Recopilación que estableció la distinción entre los juegos lícitos y los prohibidos, basando la diferencia en la intervención de la destreza y/o el azar. Así, incluía dentro de los juegos no lícitos los exclusivamente de azar. Por otro lado, dentro de los permitidos o lícitos, se limitaba las cantidades que se podían jugar. La diferencia más relevante entre esta regulación y la

es que tras las últimas regulaciones sobre el juego, su despenalización y, sobre todo, a raíz de la última corriente jurisprudencial, se ha producido una incertidumbre sobre los juegos que se deben considerar como ilícitos. Incluso se plantean dudas sobre si puede mantenerse la distinción licitud e ilicitud de este tipo de contratos y sobre si se sigue conservando la misma regulación civil recogida en los arts. 1798 al 1801 de nuestro Código Civil.

Antes, esta distinción entre juegos lícitos y prohibidos, que servía para disponer los efectos de estos juegos, se ponía en relación con respecto las normas penales que nos aclaraban la diferencia. No obstante, esta distinción penal era meramente indicativa y, desde luego, no determinante para los efectos civiles. El concepto penal de ilicitud del juego era bastante más restringido que el civil[219].

Lo primero que se debe hacer ante tales incógnitas es aclarar si basta con una reinterpretación modificativa de los preceptos del Código Civil para procurar armonizarlos con la nueva normativa. Esta reinterpretación puede hacerse en dos sentidos: siendo ahora la normativa administrativa la que nos va a decir cuáles son los juegos prohibidos y cuáles los permitidos; o bien si hay que entender que han quedado derogados o sin sentido ciertos preceptos por haber sido superado tanto por la realidad social como por la nueva regulación el concepto de juego ilícito.

Tras la despenalización, parece que sólo nos interesarán los contratos prohibidos que infrinjan las normas administrativas, por ello no entraremos más que en los aspectos que éstas establecen sin analizar otros aspectos de la regulación.

Los elementos de infracciones administrativas se nos presentan en el contrato de juego y apuesta con la aparición del Real Decreto-Ley de 25 de febrero de 1977 y disposiciones que lo complementan[220], que se refieren a aspectos penales administrativos y fiscales de los juegos en cuestión.

---

que asume el Código Civil se encuentra en que en la Novísima Recopilación se recogía el derecho a repetición de lo pagado voluntariamente; algo que cambió de sentido en el Código Civil (art. 1798).

[219] GUILARTE ZAPATERO, V., «*Proyección de la sentencia de 23 de febrero de 1988 del Tribunal Supremo en el régimen de los juegos de azar sancionado en el Código Civil: ¿Una interpretación derogatoria de su artículo 1798?*», en *Centenario del Código Civil*, (1889-1989), T. I, Madrid, 1990, pág. 1009, ALBALADEJO, M., *Derecho Civil II*, vol. 2º... Cit. pág. 368.

[220] Sobre todo el Real Decreto 444/1977, de 11 de marzo que lo desarrolla. En el artículo 2º del citado Real Decreto remite a regulación por Orden del Ministerio del Interior, a propuesta de la Comisión Nacional de Juego y previo informe del Ministerio de Hacienda, un Catálogo de Juegos, confeccionado con ciertos criterios que recoge el mismo artículo, en el cual aparecerían los juegos sobre los cuales podría concederse autorización administrativa para su ejercicio en locales destinados al efecto. Este Catálogo de Juegos se aprobó por Orden de 9 de octubre de 1979 de forma definitiva, conteniendo: Ruleta, Ruleta americana, «Black Jack» o veintiuno, «Boule» o bola, treinta

Se produce en la jurisprudencia una curiosa interpretación de los preceptos del código, en parte utilizando la nueva normativa aludida[221]. Parece que
la interpretación más correcta tanto de los artículos 1798 y ss. del Código Civil
como de las normas que reglamentan cada uno de los distintos juegos y
apuestas, una vez que se legalizan los juegos, sería la interpretación *pro
jugador*. Esto quiere decir que las cautelas administrativas actualmente
están dirigidas a controlar la explotación profesional del juego y proteger al
jugador, ofreciéndole una serie de garantías de corrección y seriedad en el
funcionamiento de los juegos. Quedando la regulación del Código Civil
aplicable de la misma manera a como se venía haciendo para todos los demás
casos requerirá alguna explicación.

En este sentido, en el propio preámbulo del Real Decreto Ley de 11 de
marzo se expone hay actividades que al Derecho no le gustan pero lo admite,
dentro de cierto orden, como mal menor para obtener un mayor control del
problema. Pese a la despenalización del juego puede seguir considerándose
que el legislador lo sigue mirando con recelo. Si se tiende a frenar la
prodigalidad no se puede fomentar el juego a crédito. El empresario que se
dedica a la explotación del juego dispondrá de un gran poder económico y el
jugador no siempre contará con un fuerte respaldo patrimonial que cubra el
riesgo de cualquier pérdida. Puede encontrarse al jugador con una débil
economía que busca conseguir mediante el juego una rápida y milagrosa
solución a sus problemas o el ludópata que no puede remediar su tendencia
compulsiva al juego y no duda en jugarse hasta los ingresos que pueden ser
los medios de su subsistencia y de su familia[222]. Normalmente serán estos
últimos tipos de jugadores los que requieran crédito para jugar.

---

y cuarenta, dados, punto y banca, «Baccara», «Chemin de fer» o ferrocarril, «Baccara»
a dos paños, y Bingo. Sobre la autorización administrativa, en Casinos de Juego y en
buques de pasaje de bandera nacional que cubran líneas regulares de pasaje y sean
explotadas por empresas navieras españolas se podrá autorizar la organización de toda
clase de juegos incluidos en el Catálogo (arts. 3.1 y 4.4 del R.D. de 11 de marzo de 1977).
Por el contrario, en las Salas de Bingo y en las Sociedades o Círculos de recreo y
establecimientos turísticos sólo se podrán autorizar los de suerte, envite o azar (art. 4.1).
Existen, además, facultades de inspección por parte de la Administración para controlar
el cumplimiento de las obligaciones que impone el Real Decreto (art. 8). La infracción
de la autorización concedida, contraviniendo cualquiera de las condiciones con que fue
otorgada, conlleva la retirada temporal o definitiva de la autorización, además de
posibles sanciones y multas (art. 10).

[221] Sentencias de 30 enero 1995 y 23 febrero 1988

[222] En este sentido, en el caso enjuiciado por la sentencia de 19 de noviembre de 1986 se
trataba de un jugador que había puesto en grave peligro la economía y subsistencia
familiar por las cuantiosas pérdidas sufridas mediante apuestas en un frontón de pelota
vasca. En este tipo de apuestas la ley requiere preceptivamente la intervención de un
corredor de apuestas que es el que reclama las cantidades. El Tribunal aplicó la facultad
que le otorga el segundo inciso del artículo 1801 y no estimó la demanda al considerar
que la cantidad que se cruzó en el juego fue excesiva habida cuenta de los medios

Parece que los juegos de suerte, envite o azar practicados y desarrollados en el marco de una actividad mercantil legalizada y controlada administrativamente van a perder la condición de juegos prohibidos. Se va a tener acciones civiles para reclamar lo ganado en este tipo de juegos al pasar a regularse por lo dispuesto en el artículo 1801 del Código Civil. Entrando a formar parte del su régimen jurídico las facultades excepcionales de la autoridad judicial de no estimar la demanda cuando la cantidad que se cruzó en el juego sea excesiva, o reducir las pérdidas en lo que excediere de los usos de un buen padre de familia.

Evidentemente, este último inciso del artículo 1801 contiene una norma moderadora de la obligación del jugador no del que organiza el juego. No resultará tan descabellado el que se exima de pagar al jugador si ha perdido una gran cantidad de dinero que no posee porque se le ha permitido jugar a crédito. Éste es el único caso conflictivo y en él se centrará el análisis, puesto que si se ha jugado al contado en ningún caso procederá la repetición de lo perdido y pagado ya sea juego lícito o ilícito.

En realidad, se ha registrado un cambio en el objeto de la prohibición o de la ilicitud. Ahora el análisis de la licitud va a centrarse no el en juego en sí mismo sino en el juego a crédito o a fiado realizado en las casas de juego. Por este motivo se prohibe expresamente en el Real decreto 444/77 de 11 de marzo el que se preste dinero para el juego y se sanciona administrativamente. El que el mismo Decreto utilice la expresión «Quedan prohibidos» es bastante significativo. Puede entenderse que se está considerando que el contrato de préstamo para el juego es ilegal y creemos que radicalmente nulo. Aunque el contrato de préstamo sea distinto del contrato de juego o apuesta y este último sea perfectamente lícito. Pero hay que ser conscientes de que el contrato de préstamo es un contrato tan estrechamente vinculado al de juego y apuesta que si el prestamista es uno de los jugadores es bastante difícil distinguir un contrato del otro.

Analicemos el caso no ya de un juego, en el que se puede exigir que se juegue al contado y no al fiado, sino en una apuesta en la que no se requiere el desembolso de la cantidad hasta una vez se ha verificado el hecho al que se

---

económicos del jugador. Poniendo este precepto del Código Civil en relación con la reglamentación específica de las apuestas en frontones que al efecto establecían: artículo 28, párrafo 1.º y 32 del Reglamento de Frontones Industriales, interesado por el Tribunal sentenciador en diligencia para mejor proveer, en los cuales se dispone que «Queda prohibido terminantemente admitir y casar apuestas con toda persona en la que se advierta ostensiblemente que ha perdido el control de su inteligencia o de su voluntad» (artículo 28.1), y que «... la responsabilidad del pago de la traviesa vencedora, en caso de insolvencia del perdedor, recaerá precisamente sobre el corredor que haya registrado y formalizado la apuesta». «Para obviar esta contingencia, el corredor tiene derecho a exigir el pago del importe de la apuesta comprometida por cada apostante en el momento de entregarle el correspondiente boleto. Si concede crédito al apostante es como atención personal y bajo su exclusiva responsabilidad»

ha supeditado. En este caso, salvo que se haya depositado el dinero no habrá más remedio que la reclamación. Esta interpretación llevaría a compatibilizar la regulación de los efectos del juego dispuestos en el Código Civil con las disposiciones administrativas que lo legalizan y regulan.

Pues bien, por si esto fuera poco, el reglamento de Casinos de juego aprobado por la Orden de 9 de enero de 1979 (RJ.213) en su art. 40[223], al igual que el reglamento del Bingo, aprobado por la Orden de. 9 enero de 1979 (rj.221) en su art. 33.5[224] hacen que sea ilegal la reclamación de lo que no ha sido pagado, teniendo que liquidarse en el acto cada jugada. Se establece que «los juegos se practicarán sólo con dinero en efectivo. Quedan prohibidas y carecen de todo valor las apuestas bajo palabra» De esta forma, se mantendría la vigencia del artículo 1798 del Código Civil relativo a juegos prohibidos considerando que adquieren tal carácter cuando se incumplan las normas administrativas[225].

Sin embargo, la jurisprudencia ha descartado que el hecho de que se esté jugando con dinero prestado al efecto vicie de ilicitud el contrato de juego o apuesta desarrollado en lugares autorizados. No debiendo aplicarse, en estos casos, el art. 1798 a los contratos de juego a crédito o bajo palabra sino el 1801 y, por lo tanto, el que gana tiene derecho y acción para reclamar lo ganado. Parece fundamentarse la distinción juego lícito-ilícito no en la índole del juego en sí, sino en la circunstancia de que se trate de juego autorizado o no realizado en casa de juego autorizada o no[226].

En consecuencia, según esta aplicación jurisprudencial el contrato de juego o apuesta que haya quedado convenientemente regulado ha sido normalizado y ha de considerarse como juego lícito, pese a que no sean practicados completamente de acuerdo con las prescripciones establecidas en la propia Ley que las regula[227]. No se aplicaría —en contra de lo que mantiene

---

[223] «**1.** Los juegos pueden practicarse solamente con dinero efectivo, quedan prohibidas y carecerán de todo valor las apuestas bajo palabra, así como toda forma de asociación de dos o más jugadores con el ánimo de sobrepasar los límites máximos en cada tipo de apuestas establecidos en las distintas mesas de juego.

2. Las sumas constitutivas de las apuestas estarán representadas por billetes y monedas metálica de curso legal en España, o bien por fichas o placas facilitadas por el casino a su riesgo y ventura.»

[224] «Los cartones debes ser pagados por los jugadores en dinero efectivo, quedando prohibida su entrega a cuenta o su abono mediante cheque o cualquier otro medio de pago, así como la práctica de operaciones de crédito a los jugadores.» No solo por parte de la empresa de servicios y entidades tutelares de autorización sino por los mismos empleados o personal de las mismas. art. 29.1 del reglamento del Bingo y 27.1.d) del reglamento de Casinos.

[225] LLOBET AGUADO, J., «*El contrato de juego y apuesta*», en *La ley*, 1993-3, pág. 768.

[226] CASTÁN TOBEÑAS, J., *Derecho civil español...* cit. T. IV, 12ª ed. (Puesta al día por J. Ferrandis Vilella,) pág. 752.

[227] Ni el préstamo para el juego, ni el exceso de lo cruzado en él produce o genera ilicitud según se desprende de las sentencias de 19 noviembre 1986, sentencia 23 febrero 1988, sentencia 30 enero 1995. En ellas se aplica siempre el artículo 1801 del Código Civil.

GITRAMA— el artículo 1798 a los «contratos ilegales» que pese a que están autorizados son desarrollados o explotados fuera de los parámetros que la ley marca[228]. Sería al resto de los juegos de suerte envite o azar que no han sido objeto de regulación y que tampoco se encuentren entre aquellos que son recogidos por el vetusto artículo 1800 como lícitos a los que hay que aplicar lo dispuesto en los artículos 1798 y 1799 sobre juego y apuestas ilícitos. Es decir, se predicará esta irrepetibilidad de la deuda cuando el juego o la apuesta se practique entre particulares, incluso aunque se practique entre amigos y arriesgando cantidades módicas. Es aquí donde ha de concederse toda la razón a aquellos autores que en lugar de hablar de contratos prohibidos o ilícitos hablan, más propiamente, de juegos o apuestas desprotegidos[229].

Los efectos de la aplicación jurisprudencial del artículo 1801 a todos los contratos de juego y apuesta que se puedan enmarcar dentro de los que han recibido una reglamentación administrativa no han resultado del todo uniformes. En las reclamaciones de las obligaciones o deudas contraídas por los jugadores los tribunales casi siempre han optado por aplicar la facultad excepcional del segundo párrafo de este artículo. Unas veces para desestimar la demanda porque la cantidad que se cruzó en el juego o en la apuesta fue excesiva en consideración a la economía familiar del jugador[230]. Otras veces para reducir la obligación del jugador en lo que se excede «de los usos de un buen padre de familia»[231]. Por último, tampoco ha tenido inconvenientes la autoridad judicial para considerar plenamente exigible la integridad de la deuda de juego cuando considera que la situación y los medios económicos del jugador no justifican la adopción de las medidas excepcionales de este párrafo segundo del artículo 1801[232]. Obviamente, el resultado de esta interpretación

---

[228] GITRAMA GONZÁLEZ, M., *Comentario del Código Civil, Ministerio de Justicia, Comentario al art. 1798*, T. II, 2ª ed., Madrid, 1993, pág. 1743

[229] RAMS ALBESA, J., en *Elementos* .....cit., II, vol. 2º, 3ª ed., Barcelona, 1995, pág. 319-320, ALBALADEJO, M, *Derecho Civil, II*, 2º, 8ª ed., Barcelona, 1989, pág. 422, LLOBET AGUADO, J., «*El contrato de juego y apuesta*», La ley, 1993-3, pág. 765.

[230] Sentencia de 19 de noviembre de 1986.

[231] En la sentencia de 30 enero de 1995 el casino reclamaba una deuda cuyo importe ascendía a ocho millones de pesetas. El juzgado de primera instancia redujo la cantidad exigible a cuatro millones de pesetas y, en segunda instancia, la Audiencia Provincial fijó el monto exigible por el casino en seis millones de pesetas. En la sentencia de 23 febrero de 1988 la cuantía de la obligación originalmente reclamada era de cinco millones de pesetas. El juzgado de primera instancia redujo la cantidad a cuatro millones, mientras que la Audiencia Provincial, finalmente, la estableció en dos millones y medio. En ambos casos el Tribunal Supremo desestimó los recursos.

[232] En la Sentencia de la Audiencia Provincial de Cantabria de 28 mayo 1998 (A.C./ 1998, 1689) se afirmó que «Sentado como está que el art. 1798 CC no es de aplicación a los juegos de suerte, envite o azar legalizados y autorizados y que, en consecuencia, el ganador puede reclamar del casino en que juega lo ganado, y este puede reclamarle lo perdido, ha de considerarse que, por más que el precepto que nos ocupa tenga su campo

es una inseguridad relativa a la integridad del pago de este tipo de obligaciones.

En definitiva, de esta forma se deja prácticamente inaplicable el artículo 1798 CC. con lo que se consigue llegar, de hecho, a una cierta interpretación derogatoria del Código Civil[233]. En contra, aunque de una forma confusa ECHEVARRÍA DE RADA afirma que los juegos autorizados de azar se regirían también por el artículo 1798 aunque la forma de desarrollarse el juego lo deja prácticamente sin efectos[234].

En este contexto, parece posible establecer una cierta relación de paralelismo entre la pérdida del protagonismo normativo del artículo 1798 con la sufrida con la causa ilícita. Esto es innegable, con independencia de que se entienda o no que la *soluti retentio* que establece el artículo 1798 para los contratos prohibidos se base en la concurrencia de causa torpe[235].

---

de aplicación propio, por definición, en los juegos que obligan civilmente, el uso de las facultades de desestimación de la demanda o reducción de la deuda debe ser excepcional, y más aún en el ámbito de los juegos que, como el que nos ocupa, son desarrollados en el marco de una actividad mercantil legalizada y controlada administrativamente, excepcionalidad que ya ha sido defendida por el Tribunal Supremo en las sentencias antes citadas. En todo caso, la posible moderación judicial de la deuda, ha de hacerse teniendo en cuenta las posibilidades económicas del perdedor obligado y su propia conducta, refiriendo en todo caso el patrón legal de «los usos de un buen padre de familia» al caso concreto. En este que nos ocupa, la prueba practicada permite afirmar que el demandado era cliente habitual en el casino demandante desde el año 1979, al que acudía varias veces al mes, jugando cantidades importantes de dinero, hasta el punto de haber reconocido perder en conjunto y a lo largo de los años cuarenta millones de pesetas aproximadamente. Siendo esto así, no puede considerarse que la suma aquí reclamada de 5.500.000 ptas. sea excesiva para el propio demandado, y no se encuentra razón ni motivo alguno que permita considerar justa y equitativa una reducción de la deuda.»

[233] Interpretación contundentemente criticada por GUILARTE ZAPATERO, V., «*Proyección de la sentencia de 23 de febrero de 1988 del Tribunal Supremo en el régimen de los juegos de azar sancionado en el Código Civil: ¿Una interpretación derogatoria de su artículo 1798?*», en *Centenario del Código Civil*, (1889-1989), T. I, Madrid, 1990, págs. 1006-1008 y 1024-1025.

[234] ECHEVARRÍA DE RADA, T., *Los contratos de juego y apuesta*, Barcelona, 1996, pags 155 y 145.

[235] Precisamente GUILARTE ZAPATERO considera que no puede considerarse que el artículo 1798 se refiera a la causa ilícita porque no se haya prohibición concreta en ningún texto salvo en las normas administrativas y acudir a la idea de su inmoralidad parece en la actualidad poco serio puesto que el propio Estado, no solo se encarga de liberalizar los juegos antes prohibidos sino que explota y gestiona directamente alguno de esta naturaleza y, en general, mediante la tributación los hace a todos ellos fuentes de importantes ingresos. Sin embargo, este último argumento puede demostrar únicamente que la base de licitud sobre la que tradicionalmente se sostenía esta soluti retentio ha dejado de tener sentido (GUILARTE ZAPATERO, V., *Comentarios al Código Civil y Compilaciones forales*, T. XXII, Vol. 1°, Madrid, 1982, pág. 356). ECHEVARRÍA DE RADA tampoco considera que se pueda afirmar que el fundamento último de la

C. La normativa sobre el juego y el Código Civil

Acabamos de apreciar cómo en la práctica se ha ido realizando una cierta interpretación derogatoria del artículo 1798, en virtud de la aparición de una numerosa y exhaustiva regulación sobre el juego que ha liberalizado su práctica. La clásica afirmación de que una Ley o norma que está dictada para regular los aspectos penales, administrativos y fiscales no puede derogar la regulación o el régimen establecido por el Código Civil es correcta. Para obtener tal resultado se requeriría un derogación legal expresa (al margen de las reglas para la resolución de antinomias).

Pero no es cierto que por el mero hecho de ser una Ley o norma que esté dirigida a regular estos aspectos no pueda afectar a los efectos civiles o régimen civil del contrato de juego y apuesta. Además, una cosa es que no se deroguen las soluciones contenidas en el Código Civil y otra muy distinta que no quepa una interpretación modificativa de su aplicación[236]. LLOBET AGUADO matiza muy acertadamente que debe distinguirse entre los contratos con causa ilícita por ser contraria a las leyes (causa ilegal) y los que la tienen por ser contraria a la moral (causa inmoral). Sin embargo, no podemos compartir la afirmación conclusiva que este autor hace a continuación de que «la ilicitud por oponerse a la Ley se entiende referida a las normas imperativas, de carácter sustantivo, y no a las de alcance meramente administrativo gremial o fiscal» apoyando esta afirmación en la jurisprudencia anteriormente criticada[237].

Pero la afirmación puede ser correcta si matizamos que, pese a que no es corriente, puede haber normas administrativas o fiscales de carácter sustantivo que tienen un alcance que trasciende de sus ámbitos y que afecta a las relaciones civiles. De esta forma se entiende que, a renglón seguido, este autor se muestre favorable a la tesis que mantiene que «no resulta adecuado calificar la causa de las apuestas como ilícitas por ilegales, porque aunque el código las llama «prohibidas», propiamente no lo están en ningún texto cuando no vulneran el Código Penal o las normas administrativas.»

Lo que sí que vulnera estas normas y resulta por tanto ilegal es el contrato de préstamo y la apuesta bajo palabra. ¿se les debe entonces dar el mismo tratamiento? ¿es aplicable a ambos el art. 1798, o es aplicable al préstamo el

---

solución que adopta nuestro Código para los contratos de juego y apuesta ilícitos descanse en la causa ilícita sino en una original «inhibición del legislador» que acepta los hechos consumados. (ECHEVARRÍA DE RADA, T., *Los contratos de juego y apuesta...* cit. pags 187-188)

[236] Esta imposibilidad de realizar una interpretación modificativa es la que en principio parece mantener ECHEVARRÍA DE RADA, *Los contratos de juego...* cit., pág. 145. Sin embargo, esta autora acaba, sorpresivamente, por mantener que la normativa sobre casas de juego hace que se tenga que considerar como ilegal el contrato de préstamo en ellas efectuado y se le deba aplicar el artículo 6.3 del Código Civil (ibidem., pág. 232-233)

[237] LLOBET AGUADO, J., *El contrato de juego y apuesta...* cit. pág. 783-784.

1305? ¿Deberemos acudir al artículo 6.3? La respuesta, a efectos prácticos, nos es indiferente porque nos deben llevar ambas soluciones al mismo resultado: irrepetibilidad de lo ganado y falta de acción de reclamación de lo debido.

¿A qué supuestos se refiere entonces el art. 1801? No puede referirse sino a los juegos autorizados en los que se permita la apuesta bajo palabra o en los que pese a que se jugó con dinero en efectivo no se llegó a perfeccionar el pago. El Tribunal Supremo lo aplica en el caso en el que se jugó con fichas en un casino pero esas fichas fueron adquiridas a préstamo o mediante cheque. El mismo Tribunal reconoce que no se puede diferenciar el contrato de juego del de préstamo[238]. No considera, en cambio, que la ilicitud del préstamo afecte al juego que por el mero hecho de encontrarse administrativamente regulado está autorizado en general y esto es lo que cuenta para aplicar el 1801 CC. Por lo tanto, como ya hemos tenido ocasión de comprobar, para el Tribunal Supremo todo juego desarrollado en un casino o bingo se encuentra dentro del supuesto de hecho contemplado en el art. 1801 CC. Es decir, todo juego o apuesta celebrado en establecimiento autorizado es lícito, con independencia de las posibles irregularidades con las que éste se practique que solamente dará lugar a las infracciones administrativas.

Siguiendo este razonamiento, en todo caso, cuando la cantidad sea considerada excesiva por el juez se podrá atemperar la deuda o incluso no estimarla, siendo de esta suerte convertida en prohibida en cuanto a sus efectos. Podría pensarse que la creación, en la reglamentación administrativa en materia de casinos y juegos, de limitaciones sobre apuestas máximas para cada tipo de jugadores y cada modalidad de juego sirve como parámetro legal para aplicar la facultad moderadora del juez. Claro que tan sólo puede ser orientativo porque el control de que se respetan los máximos legales en cada juego es función de los funcionarios correspondientes.

Además, éstas cantidades máximas son las que corresponden a cada tipo de jugadores y a cada modalidad de juego en cada jugada, envite o traviesa o en una sola jugada pero nada impide que se supere mediante distintos juegos o mediante múltiples jugadas del mismo con cantidades moderadas. En estos casos no se vulneraría la normativa mencionada pero la deuda global por el juego puede ser considerada como excesiva por el juez que puede utilizar la facultad conferida por el art. 1801. Pero el Tribunal Supremo aunque reconoce la compatibilidad dispone que las normas administrativas y civiles responden a fines distintos[239].

---

[238] En la Sentencia de 30 de enero de 1995 se afirma que diferenciar el contrato de juego del de la adquisición de las fichas para su práctica en el Casino no es más que una «artificiosa separación conceptual, entre los momentos y las secuencias integrantes de la actividad del juego, contradice la unidad de propósitos y fines, presentes en la realidad del contrato de juego»

[239] Al argumentar con la reglamentación administrativa en materia casinos y juegos y con las limitaciones sobre apuestas máximas para cada tipo de jugadores y cada modalidad

En todo caso, la jurisprudencia realiza la afirmación, aplicable en general a toda la reglamentación administrativa de que, desde luego, tal reglamentación no puede alterar, sustituir o disminuir los poderes de la autoridad judicial conferidos por el Código. No cabe menoscabar la facultad del tribunal como órgano directamente concernido por la Ley para no estimar la demanda cuando la cantidad fuese excesiva o reducir la obligación en lo que excede de los usos de un buen padre de familia. Estos límites podrán ser orientativos y podrán ilustrar a los jueces de lo que puede considerarse cantidad excesiva para cruzarse en el juego pero no puede desplazarse a la Administración el ejercicio de la moderación de las pérdidas cuando es una tarea asignada a los tribunales. También parece que supone una usurpación de funciones jurisdiccionales por parte de la Administración.

No obstante, este tipo de usurpaciones parece que vienen siendo bastante habituales por parte de la Administración. En muchos casos son, además, contempladas con la anuencia de los tribunales civiles que consideraran que es la Administración y no los Tribunales civiles la encargada de aplicar las normas «meramente administrativas»

Es posible que los Tribunales civiles en parte hagan esta dejación de funciones ante la consideración de que en la mayor parte de las ocasiones las normas administrativas serán precisamente «meramente administrativas». Es decir, que no tendrán otro alcance fuera del estrictamente administrativo como por lo general suele ocurrir. Pero no conviene generalizar porque es obligación de los tribunales aplicar todas las normas del ordenamiento jurídico que se ajusten al caso, independientemente de la disciplina jurídica en la que se pueda catalogar su pertenencia. El ordenamiento jurídico es un todo y si estas normas de carácter administrativo pueden afectar a la vida de los contratos tendrán que ser aplicadas o tenidas en cuenta, al menos, por los tribunales civiles[240].

---

de juego, llega a la conclusión de que es la propia Administración la que se encarga de la moderación de las pérdidas en la regulación del juego, conclusión que contradice frontalmente lo dispuesto por el artículo cuya infracción se invoca, en tanto en cuanto este precepto confía sin equívocos, ni ambigüedades de clase alguna a la «autoridad judicial» el ejercicio de la moderación que admite en cada caso concreto, lo que no obsta a la aplicación, también, de la normativa reglamentaria bajo el control de los funcionarios correspondientes. Esto es, no hay incompatibilidad entre las normas administrativas y las civiles que responden a fines distintos ni, desde luego, tal reglamentación altera, sustituye o disminuye los poderes de la autoridad judicial como órgano directamente concernido por la Ley, para no estimar la demanda cuando la cantidad que se cruzó en el juego o en la apuesta sea excesiva o reducir la obligación en lo que excede de los usos de un buen padre de familia.

[240] Vid infra epígrafe *La normativa sobre viviendas de protección oficial. Posturas jurisprudenciales*

Parece correcto que se preocupe la administración de controlar que se cumplan las obligaciones impuestas a los que otorgan autorizaciones para explotar el juego y que para ello se encargue a los funcionarios correspondientes. También parece adecuado que se establezcan sanciones a las infracciones como pérdida de las autorizaciones y multas. Pero cuando se establecen prohibiciones de contratar parece que con independencia de lo pueda hacer la administración dentro de su competencia como prevenir y sancionar administrativamente los Tribunales civiles deberán concebir dicho contrato como ilegal con las consecuencias que concretamente se le tengan que atribuir conforme a la norma que se deba aplicar. El art. 11.4 de la Ley de 20 de marzo de 1984 de la Generalidad de Cataluña que regula los juegos de suerte, envite o azar en Cataluña (RJ 1201, BOE 4 de mayo de 1984 Nº 107) Tras exponer las infracciones y sus sanciones en los anteriores apartados del artículo dice en el inciso 4º «La sanción llevará implícita la devolución de los beneficios ilícitamente obtenidos a la Administración o a los perjudicados que sean identificados». Así como el decomiso de los materiales conque se haya cometido la infracción, su destrucción en su caso o el precintado. Cabe preguntarse si las medidas implícitas en la sanción están siendo encomendadas a la Administración o si simplemente se dispone que estas medidas deberán ser tomadas sin hacer atribución de competencia a la administración sino a quien la tenga.

De cualquier modo, parece que el espíritu de la ley requiere que los Tribunales intervengan en la efectiva reprobación de los préstamos realizados para el juego por los propios jugadores. No cabe duda de que tanto la declaración de nulidad de estos préstamos como la aplicación del artículo 1798 acabaría por erradicar definitivamente la práctica prohibida del préstamo en las Salas de Juego autorizadas, con independencia de otras medidas sancionatorias administrativas complementarias[241].

Como hemos visto no es esta la interpretación que realiza nuestro Tribunal Supremo. Por el contrario entiende que lo correcto es considerar que ahora el préstamo realizado al jugador de un juego lícito debe considerarse perfectamente válido y para su realización se debe seguir lo dispuesto en el artículo 1801 de Código Civil. Precisamente, otro de los puntos oscuros en la regulación del juego es la aplicación de la facultad discrecional que el art. 1801 CC. otorga al juez. La discrecionalidad es tan amplia que se faculta al juez tanto para no estimar la demanda cuando la cantidad que se cruzó en el juego sea excesiva como para moderar la obligación en lo que exceda de los usos de un buen padre de familia. Se trata de un punto oscuro que como ya hemos dicho supone cierta inseguridad en cuanto a la integridad de la obligación porque los tribunales acostumbran a hacer uso de esta facultad, en principio, excepcional[242]. Con estas medidas, aunque menos eficazmente que con la

[241] ECHEVARRÍA DE RODA, T., *Los contratos de juego y apuesta...* cit., pág. 232-233.
[242] Vid infra notas 186, 187 y 188.

declaración de nulidad del préstamo, también contribuyen los tribunales a desincentivar el préstamo para el juego ante la incertidumbre del prestamista sobre la cantidad que finalmente acabará obteniendo.

El verdadero sentido de esta norma es que el legislador quiere evitar que el Derecho sancione o colabore en la ruina o gran menoscabo económico del jugador que ha perdido una gran cantidad de dinero aunque haya sido en un juego no prohibido. Se establecen límites en manos del prudente arbitrio del juzgador para atemperar o negar las obligaciones excesivas derivadas del juego legal. ¿Cómo se interpreta esto con arreglo a la legislación administrativa reguladora del juego legal?

El antecedente inmediato de este precepto lo encontramos en el art. 1701 del proyecto de García Goyena que decía »El que pierde en un juego lícito queda civilmente obligado, en cuanto no exceda de la cantidad fijada por los reglamentos: y en caso de no estar fijada podrán reducir los tribunales esta obligación, en lo que excediere de los usos de un buen padre de familia». Como observa García Goyena se reconocía la competencia la autoridad superior administrativa o de policía para hacer los reglamentos en esta materia y creía que lo mismo debería entenderse aunque el Código no lo expresase. De esta forma, el juego lícito por su naturaleza puede que tuviese que ser reprobado aún por relación a sus consecuencias. «En este caso —añade GARCÍA GOYENA— los tribunales podrán tratarlos como prohibidos, pues que en ellos, igualmente que en los de suerte, había habido exposición a pérdidas ruinosas.»[243]

D. Los préstamos para el juego

Existen poderosos motivos para abordar en este estudio el análisis de los préstamos para el juego de una forma detallada. Hemos visto cómo en las enumeraciones tradicionales de contratos que se consideran típicos exponentes de ilicitud causal se incluía no sólo el contrato de juego y apuesta, sino que también se encontraba ejemplificado el de préstamo realizado para el juego[244]. El propio CAPITANT al exponer la anulación de los contratos sinalagmáticos cuando los contratantes han tenido a la vista un fin ilícito o inmoral agrupa los supuestos en cuatro clases principales: a) contratos relativos a la explotación de las casas de tolerancia, b) arrendamiento de un inmueble para instalación de una casa de juego, c) corrupción electoral, d) préstamo hecho para el juego.

Obviamente el supuesto del arriendo de un inmueble para la explotación de una casa de juego ha perdido cualquier sentido de ilicitud causal desde que el juego está autorizado. En el caso del préstamo hecho para el juego aún cabe

---

[243] GARCÍA GOYENA, F., *Concordancias, motivos y comentarios del Código Civil español*, págs. 887-888.

[244] vid. Infra «Casos tradicionalmente incluidos como contratos con causa ilícita»

plantearse la ilicitud, no tanto como inmoralidad sino como ilegalidad. CAPITANT explica que la jurisprudencia francesa sólo anula el préstamo hecho a un jugador en el curso de una partida para continuarla. Matiza este autor que no es que se anule el préstamo por la sola razón de que el prestamista conociese el destino del dinero. Únicamente se declara la nulidad si el prestatario ha participado por sí mismo en el juego o se ha interesado en él de alguna manera[245].

Se trata de una cuestión distinta, aunque relacionada, la inclusión entre los contratos lícitos de todos los juegos y apuestas que se realizan en establecimientos autorizados. ¿Cómo debemos considerar los préstamos destinados a estos juegos? La existencia en las normas sectoriales de regulación administrativa de una concreta prohibición del préstamo para el juego, al menos por parte del establecimiento, hace que tengamos que realizar una distinción entre el propio contrato de juego y el contrato de préstamo. Parece que se han vinculado de tal forma ambos contratos que se les hace seguir la misma suerte. Si el juego es lícito, entonces el préstamo también lo es y se podrá reclamar la cantidad prestada. Sin embargo, no creemos que pueda considerarse siempre una indisolubilidad de ambos contratos. Habida cuenta que actualmente, en muchos casos, el juego está autorizado y, sin embargo, el préstamo destinado a éste se encuentra prohibido.

Ciertamente es muy complicado distinguir ambas figuras contractuales cuando el prestamista es uno de los jugadores. La reclamación del ganador no será únicamente de las ganancias producidas por el juego sino que dentro de estas se incluirán necesariamente las cantidades prestadas puesto que, en definitiva, todas fueron arriesgadas en el juego. No cabe realizar la distinción entre el que reclama lo prometido por haber aceptado una apuesta «bajo palabra» y no haber depositado la cantidad arriesgada y el que haya entregado la cantidad arriesgada gracias a un contrato de préstamo o mutuo facilitado por el otro jugador o, en su caso, el establecimiento autorizado para propiciar el juego en sus salas. La distinción es más fácil si lo concretamos en los casos en los que el que realiza el préstamo es un tercero.

La concepción de ilicitud del préstamo realizado para el juego es tan antigua como la concepción de ilicitud del juego mismo. En definitiva, el que se trate de evitar el préstamo para el juego significa que en las mesas de juego ha de jugarse al contado y no jugar a crédito porque así se fomentan los pleitos, cosa que no quiere el legislador.

No siempre se ha considerado el contrato de préstamo para el juego como indisoluble del propio contrato de juego. La postura en la doctrina respecto al contrato de préstamo para el juego antes del Real Decreto 444/1977 era variada. El propio GARCÍA GOYENA al preguntarse si lo prestado en el juego y para jugar puede repetirse contesta que, al no llevar el Código la severa

245 CAPITANT, H., *De la causa de las obligaciones...* cit., págs. 236 y 238-239.

prohibición contra el juego a este caso concreto y tampoco haber referencia alguna al caso en el título sobre el préstamo, se entiende que sí que podrá repetirse en estos casos.[246] Además este autor mantenía la opinión de que los empeños, vales ó escrituras posteriores a la pérdida eran obligatorios al considerarlos una novación de la obligación, aunque reconoce que la Comisión no le siguió en este punto.

RIERA, por su parte, realizaba una distinción entre los préstamos para continuar la partida, y los préstamos para satisfacer la deuda proveniente del juego. Aquellos no serían válidos, mientras que estos sí. La razón alegada por este autor para justificar la validez de los préstamos una vez acabado el juego reside en la opinión de DE PAGE de que el préstamo una vez acabado el juego para pago de deuda no tiene por causa ni el juego ni su explotación, quedando la liquidación de la deuda a la libre determinación de los jugadores. En este mismo sentido se pronuncia buena parte de la doctrina actual[247].

Por otro lado, como acabamos de comprobar, la jurisprudencia parece que ha decidido vincular necesariamente la suerte de ambos contratos y extiende automáticamente al préstamo las consideraciones de licitud o ilicitud del juego. Si el juego es lícito parece que también el préstamo realizado para su desarrollo lo es también. Esta concepción tiene sentido si consideramos que estamos hablando de la licitud causal de los contratos. Es evidente que el esquema tradicional al que responde un contrato de préstamo para el juego es el de un contrato con causa ilícita. Ante un juego ilícito en el que ha mediado un préstamo existiría una transmisión de la ilicitud. El contrato de préstamo sería lícito en sí mismo, pero destinado a la finalidad del juego o la apuesta ilícitos, la ilicitud se contagiaría a través de la causa del contrato de préstamo. Si el juego hubiese sido lícito no se plantearía ningún problema de licitud en la causa y resultaría perfectamente válido el préstamo.

Sin embargo, no es este el tratamiento que merece el contrato de préstamo para el juego si atendemos estrictamente a la actual legislación. Efectivamente, es correcto considerar que no hay que acudir a analizar la causa del contrato en estos casos puesto que su ilicitud puede haber perdido sentido. No es necesario, sin embargo, acudir a la causa ilícita, pues si analizamos detenidamente las normas reguladoras de los juegos autorizados nos encontramos ante supuestos de clara y expresa ilegalidad de los préstamos otorgados por los organizadores del mismo para facilitarlo.

No sólo deberemos distinguir el contrato de juego y el de préstamo sino que deberemos distinguir a qué tipo de juego nos estamos refiriendo. Veamos los casos analizados de préstamos para juegos en establecimientos autorizados.

---

[246] GARCÍA GOYENA, *Concordancias motivos y comentarios del Código Civil*, pág. 887.
[247] GUILARTE ZAPATERO, V., *Comentarios al Código Civil...* cit., pág. 364, ECHEVARRÍA DE RADA, T., *Los contratos...* cit. pág. 234, LLOBET AGUADO, J., *El contrato de juego y apuesta...* cit., pags 785.

Lo que está claro en estos casos es que lo que resulta ilícito o ilegal no es el contrato de juego o apuesta en sí mismo sino, precisamente, el contrato de préstamo para juego. Esta consideración parece que conduciría a la nulidad del préstamo que supondría que este nunca habría existido y por ende y como fruto de la relación de causalidad directa este vicio afectaría a la validez del contrato de juego y apuesta. La relación de causalidad afectaría al juego al haberse realizado mediante una cantidad obtenida de un contrato nulo y necesario para la realización del contrato principal de juego y apuesta. Podemos distinguir, como hace la doctrina:

- **el préstamo hecho por uno de los jugadores al otro para que pueda seguir jugando en juegos «desregularizados».** En este caso la doctrina coincide en considerar que en el caso de que se trate de juegos desprotegidos es imposible de distinguir el contrato de préstamo y de juego y a ambos se les debe dar el mismo tratamiento. Es decir, privar de acciones para reclamar ninguna cantidad[248].

Sin embargo, no parece adecuado no hacer distinciones de los contratos en lo que a juegos regulados se refiere. No resulta adecuada la conclusión que se obtiene de pensar que no se planteará ningún problema y que el préstamo será siempre válido cuando surja con ocasión de un juego autorizado. Ciertamente, lo será siempre que la norma que autoriza dicho juego no establezca ninguna prohibición o cautela al respecto. Por ejemplo, parece claro que quedan fuera de cualquier prohibición préstamos hechos para los juegos como la lotería nacional, los sorteos realizados por la O.N.C.E., el patronato de apuestas mutuas deportivas benéficas y las demás apuestas deportivas a las que no afecta el Real Decreto-Ley 16/77 de 25 de febrero, Art. 1.3. Por lo cual el préstamo realizado para participar en cualquiera de estos juegos sí que es perfectamente válido y cuenta con acción civil para su reclamación.

- **Préstamos hechos en los establecimientos autorizados organizadores del juego.** En estos casos, aunque el juego esté legalmente contemplado y tolerado y el local este debidamente autorizado, se prohibe expresamente el préstamo para el juego. Una prohibición legal tan tajante no puede ventilarse únicamente diciendo que el préstamo realizado con infracción de la prohibición no es nulo porque se trata de normas administrativas.

Tampoco serviría alegar como excusa que los actos contrarios a las normas imperativas y a las prohibitivas solamente serán nulos cuando en ellas no se establezca un efecto distinto para el caso de contravención. En este caso se consideraría que la normativa especial establece determinadas sanciones administrativas que sustituyen la acción de nulidad. Es decir, cuenta con una

---

[248] LLOBET AGUADO, J., *El contrato de juego y apuesta...* cit.. Pags. 784-785, TRAVIE-SAS MIGUEL, M., *«El juego y la apuesta»*, en *R.D.P.*, 1917, pág. 281. GUILARTE ZAPATERO, V., *Comentarios al Código Civil...* cit. pág. 363, ECHEVARRÍA DE RADA, T., *Los contratos de juego y apuesta...* cit. pág. 226.

sanción específica por ser considerada la conducta como infracción grave y como tal genéricamente se le «podrán imponer» multas y la retirada temporal o definitiva de la licencia[249].

A pesar de su poca consistencia parece que estos son los argumentos que, en definitiva, subyacen y que nos suenan por haber sido ya utilizados por nuestra jurisprudencia en otros ámbitos de la ilegalidad contractual[250].

La duda también puede venir en cuanto a establecer por qué motivo se considera que se carece de acción civil para reclamar el pago de las cantidades prestadas. La aplicación de la nulidad por causa ilícita del préstamo ilegal (art. 1275 CC) o en la posible aplicación por analogía del art. 1798 CC relativo a lo ganado en el juego prohibido. En realidad, lo que correspondería aplicar según la actual regulación relativa a los juegos desarrollados en establecimientos autorizados sería directamente la aplicación de la nulidad establecida al final del art. 6.3 CC.

Lo cierto es que, utilicemos la vía que utilicemos, la solución adecuada al supuesto es el despojar de acción para reclamar la cantidad prestada ilegalmente y cualquiera de las vías expuestas conducirían a este resultado con mayor o menor corrección. No se entiende cómo un contrato prohibido por la Ley pueda ser válido civilmente y generar una acción que va a ser instintivamente objeto de moderación por los tribunales. Por último, evidentemente, también parece claro que si consideramos prohibido el contrato de préstamo en los juegos autorizados con mayor motivo debemos considerarlo en los no autorizados.

– **El préstamo hecho por un tercero para propiciar el juego**. No todo préstamo hecho genéricamente con ocasión del juego consideramos que se encuentra prohibido por la ley. Si el préstamo no se vincula a la continuación del juego sino que sirve para satisfacer simplemente las deudas o se hace sin conocimiento por parte del prestamista del destino que se le va a dar, no creemos que esté vinculado al juego y no sería ilegal. Sólo trataremos el préstamo hecho por terceros con conocimiento del destino y por lo tanto para propiciar el juego. Es en este punto donde la doctrina no se pone de acuerdo en cuanto a la licitud o ilicitud de estos contratos[251].

---

[249] art. 10 Real decreto 444/77 de 11 de marzo.

[250] Vid supra epígrafe «normas con rango reglamentario» y «normas de carácter administrativo»

[251] Los autores más clásicos fieles a la tradición de considerar el préstamos para el juego como prototípico de la causa ilícita niegan la acción al tercero que prestó dinero conociendo que el destino del mismo era arriesgarlo en el juego (PÉREZ GONZÁLEZ, B. y ALGUER, J., en las anotaciones al Derecho de Obligaciones de ENNECERUS, 3ª ed., T. II. Vol. 2º, Barcelona, 1966, pág. 793, MUCIUS SCAEVOLA, Q., *Código Civil*, T. XXVIII, Madrid, 1953, pág. 164. Los autores modernos que consideran que no hay motivo para negar acción a los terceros que prestan dinero para el juego independientemente que conozcan ese destino restando entidad a la ilicitud causal (TRAVIESAS

¿Qué ocurre en los contratos de préstamo de dinero para el juego de terceras personas que propician de igual forma a los jugadores a arriesgar lo que no tienen? Pues, pese a que pueda parecer que sí, no están expresamente incluidos en la prohibición legal[252]. Por un lado, parece lógico que no se le pueda negar al tercero que presta dinero para el juego acción puesto que, en principio, no es parte inmediatamente interesada en el juego. Otra cosa supondría el que el tercero que realiza el préstamo lo haga obteniendo, además, un porcentaje del producto de ese juego. Siendo estos prestamistas apoyados por las casas de juego para burlar la prohibición que les impone su normativa.

En todo caso, habría que analizar la licitud del interés al que se ha prestado el dinero para ver si resulta abusivo o usurario. No cabe duda de que si no se tratan de evitar estos préstamos pueden propiciar la aparición de los prestamistas profesionales para el juego. Además, el efecto negativo de tales préstamos puede alcanzar el mismo resultado que los hechos por las propias casas de juego. Pero este tipo de préstamos parece que no deben ser considerados directamente como ilegales. Tampoco cabe aplicar el art. 1798 CC. que se refiere sólo al dinero perdido o ganado por el contrato de juego y apuesta y que, por tanto, únicamente están legitimados para excepcionar las partes contratantes involucrados en el juego frente a sus contrapartes. Pero no se incluye a terceras personas cuya única relación con los jugadores es el contrato de préstamo pero no intervienen en el de juego y apuesta.

El único camino para evitar la proliferación de este tipo de préstamos es considerar que tales préstamos se hacen en fraude de Ley o que no son válidos al encontrarse viciados por tener causa ilícita o simplemente por ser contratos ilegales. Analicemos la Ley de 20 de marzo de 1984 de la Generalidad de Cataluña. sobre la regulación de los juegos de suerte envite o azar. Tras establecer las sanciones a las infracciones, en el art. 11.4 se dice «la sanción llevará implícita la devolución de los beneficios ilícitamente obtenidos a la administración o a los perjudicados que sean identificados». Quizá podrían caber aquí los beneficios del prestamista involucrado en el juego.

MIGUEL, M., *El juego y la apuesta...* cit., pág. 281, LLOBET AGUADO, J., *El contrato de juego y apuesta...* cit. pág. 785, GUILARTE ZAPATERO, V., *Comentarios...* cit., pág. 363)

[252] Ya hemos visto que lo que ocurre con los préstamos de los empleados de la casa de juego es lo mismo que lo que ocurre con lo prestado por la propia entidad o empresa: está terminante y expresamente prohibido, pero es que el Decreto de 11 de marzo de 1977 Nº 444/77 dice en su art. 10 d) que queda prohibido «otorgar préstamos a los jugadores o apostantes en los lugares en que tenga lugar los juegos» con lo que parece que la prohibición se extiende a toda persona incluso terceros que preste dinero en el lugar donde se práctica el juego. La prohibición no es respecto de la persona sino respecto del lugar donde se realiza y lo que es más lógico para la finalidad a la que se destina el dinero prestado que es el juego. Por tanto, la prohibición afecta a cualquier tercero que preste dinero en la sala de juego y que tenga como fin el mismo.

E. Reconocimiento de deuda, libramiento de cheque, pagarés, talón o letra de cambio

Para acabar con los efectos jurídicos de los contratos de juego vamos a agotar los supuestos en cuanto a la validez de los posibles medios de extinción de la deuda. Según GAYA SICILIA la postura que mantiene actualmente el Tribunal Supremo, por la que considera que la normativa incidente en el juego conlleva la exclusión de causa torpe o ilícita en el juego legalizado, invalida la postura mantenida por la doctrina con relación a la oponibilidad de la excepción de juego cualquiera que fuere el medio de extinción de la deuda[253]. En especial, parece que esta postura del Tribunal Supremo viene a romper la concepción tradicional de que pese a la entrega de pagarés a la orden u otro tipo de documento potencialmente extintivo de la obligación, entre los mismos jugadores, el ganador carece de acción para reclamar el pago. En estos casos también se consideraba que esta excepción al cobro no se extiende a terceros que no tuvieron nada que ver con el juego puesto que serán siempre acreedores por causa distinta[254].

Conforme al párrafo segundo del artículo 1170 del Código Civil: *«la entrega de pagarés a la orden, o letras de cambio u otros documentos mercantiles, sólo producirá los efectos del pago cuando hubiesen sido realizados, o cuando por culpa del acreedor se hubiesen perjudicado».* En el caso de que una deuda de juego sea pagada mediante uno de estos documentos, los efectos del pago se producirán únicamente cuando los mismos hubiesen sido realizados. Por lo tanto, si el juego era ilícito, el cheque, talón o letra de cambio librada tendrían una causa ilícita, y no podrían servir de base a la reclamación por el ganador. Esto es, se declaraba la ineficacia de los pagarés y documentos y el jugador que los había librado podría posteriormente excepcionar la ilicitud de los mismos para evitar su efectiva realización. El perdedor podía impedir el pago del cheque o talón ante su presentación al cobro, puesto que hasta entonces no ha habido propiamente pago voluntario[255]. A pesar de esta

---

[253]　GAYA SICILIA, R., »*Comentario a la STS de 23 de febrero de 1988»*, C.C.J.C.; Nº 16, 419, pág. 141.

[254]　TRAVIESAS MIGUEL, M., *El juego y la apuesta...* cit., pág. 282, GUILARTE ZAPATE-RO, V., *Comentarios...* cit., págs. 361-362, ECHEVARRÍA DE RADA, T., *Los contratos de juego y apuesta...* cit., pág. 205, GITRAMA GONZÁLEZ, M., *Comentario del Código Civil...* cit., pág. 1744, PUIG BRUTAU, J., *Fundamentos de Derecho Civil*, T. II, vol. 2º, 2ª ed., Barcelona, 1982, pág. 558 en especial nota 19, RAMS ALBESA, J., *en Elementos de Derecho Civil II*, vol. 2º... Cit. pág. 320.

[255]　La exigencia que hace el artículo 1798 para considerar irrepetible el pago efectuado por el perdedor es que dicho pago ha de ser voluntario. Nuestro Código no define que se entiende por pago voluntario. RIERA lo define como «determinación consciente del perdedor encaminada a cumplir la obligación que libremente contrajo» (RIERA AISA, L., voz «Juego», en *Nueva Enciclopedia Jurídica*, de Seix, vol. XIII, 1968, págs. 845 y ss). En el Código Italiano (art. 1933.2) se establece como pago voluntario aquel en el que

predicada ilicitud parece lógico que si el que pretendía el pago del documento mercantil era un tercero que lo adquirió de buena fe, el perdedor deberá, en todo caso, afrontar ese pago.

Incluso, en estos términos se pronunció el Tribunal Supremo en la sentencia de 3 de febrero de 1961, en la que se rechazó la pretensión de un ganador en juego ilícito para cobrar una deuda de juego, más los intereses, reconocida en pagaré o documento. No cabe burlar la prohibición —dice el Tribunal Supremo— con esa sustitución por otra obligación que se pretende nueva y absolutamente distinta. La obligación tiene un móvil o causa ilícita, y según el artículo 1275 del Código Civil es nula. Como mantiene Díez-Picazo al hilo de esta sentencia, el Tribunal identifica aquí móvil y causa, en una valoración subjetivista del concepto de causa, de tal manera que se posibilita su inclusión en el artículo 1275[256].

Parece que esta sentencia pierde su sentido cuando de lo que se está hablando es de pérdidas en juegos lícitos. Sobre todo, cuando se reconoce a los casinos la facultad de aceptar cheques.

Otra forma de extinción de la obligación muy relacionada con las anteriores —fuera de la concepción estricta de pago— es el reconocimiento de deuda. El reconocimiento de deuda es un negocio jurídico unilateral con naturaleza contractual por el cual se asume y fija una deuda que trae causa de relaciones obligatorias preexistentes[257]. En el contrato existe causa, aunque no fuese expresa, y por tanto es válido y eficaz y obliga a las partes y a sus herederos. El reconocimiento sin expresión causal se rige por el artículo 1277 del Código Civil que produce la inversión de la carga de la prueba y corresponde a la parte deudora demostrar, por cualquier medio de prueba, que la causa que subyace es ilícita o no existe acreditando el verdadero origen de la obligación. El hecho de que en el acto recognoscitivo no se precise la causa o la misma se ignore se traduce en una abstracción meramente procesal y no material de la causa. Esta abstracción procesal de la causa significa que el reconocimiento de deuda es vinculante para quien la hace con efecto probatorio, al quedar cubierto el contrato con la presunción *iuris tantum* de existencia y licitud del artículo del artículo 1277 del Código Civil[258].

Precisamente, el reconocimiento de deuda hecho por un jugador por las pérdidas sufridas en el juego se encontraría viciado de ilicitud causal si logra

---

concurren dos notas: -la espontaneidad en el pago y que el pago se verifique después de la partida.

[256] DÍEZ-PICAZO, L., «*El juego y la apuesta en el Derecho Civil*», en *R.C.D.I.*, 1967, págs. 719 y ss.

[257] Sentencias de 15 de junio de 1987, 22 de julio de 1996, 13 de febrero de 1998, 23 de febrero y 29 de abril de 1998...

[258] Sentencias de 10 de abril de 1986, 30 de septiembre de 1987, 14 de marzo de 1989, 20 de noviembre de 1992, 11 de marzo y 30 de septiembre de 1993, 21 de julio y 10 de octubre de 1994, 7 de abril y 23 de diciembre de 1997, 29 de abril, 5 de mayo y 26 de junio de 1998.

demostrar el origen de la deuda. La ilicitud radica no en el que la deuda procede de un juego ilícito, sino de que mediante esta novación de la obligación se está tratando de burlar la prohibición de realizar préstamos. En definitiva, el reconocimiento de deuda tendrá causa ilícita si existe una prohibición legal que impide al acreedor ser prestamista o realizar préstamos para el juego. Probablemente, se puede considerar que, más que ilicitud causal en sentido estricto, en estos casos se debería hablar de una simulación o causa falsa que esconde una ilegalidad.

En el BGB se hace alusión expresa al reconocimiento de deuda hecho con la finalidad del cumplimiento de una deuda de juego o apuesta (§ 762.2) para indicar que se extienden a aquél los efectos dispuestos para esta[259].

4.3.3. Contratos sobre órganos y cuerpo humano

Otro claro exponente de contrato que ha sido tradicionalmente conceptuado como contrato con causa u objeto ilícito es el que se refiere al tráfico de órganos y los actos de disposición sobre el cuerpo humano. Es evidente que nos encontramos ante un tema que afecta al orden público y a la moral pero también se ha regulado legalmente de forma muy prolija este difícil tema.

Debemos tratar sucintamente la compleja cuestión de la disponibilidad sobre el cuerpo humano que por su propia entidad podría desbordar el estudio que desarrollamos. Es ésta una cuestión compleja porque cabe plantearse no solamente si una persona puede disponer de su propio cuerpo y de su integridad, sino también de la posibilidad de disposición de los órganos de esa persona cuando deja de serlo y se convierte en un cadáver y de la posibilidad de disponer de células, tejidos u órganos humanos manipulados o creados en laboratorios biomédicos.

Por otro lado, se han adoptado multitud de posturas sobre la disponibilidad o indisponibilidad del cuerpo humano: a) cuestionar la frecuente inclusión del cuerpo humano como *res extra comercium* por no poderse reducir a la condición de cosa ni el cuerpo ni sus partes integrantes sin resentir los valores supremos de personalidad y de dignidad de la persona[260]. b) Entender que nos

---

[259] Esta referencia expresa hace que en el ordenamiento jurídico alemán se considere como una excepción a su independencia como contrato de naturaleza abstracta. Por su carácter excepcional no cabe extenderlas automáticamente a promesas abstractas que tengan otras causas reprobadas por el derecho, salvo que este carácter se refleje en el propio documento de reconocimiento. (ENNECERUS, L., KIPP, T., WOLF, M., *Derecho de obligaciones*, trad. B. Pérez González y J. Alguer, T. II, 2°, Barcelona. 1966, págs. 881-882, HEDEMANN, J.W., *Tratado de derecho civil*, vol. III, trad. J. Santos Briz, Madrid, 1958, págs. 374-375, MEDICUS, D., *Tratado de las relaciones obligatorias*, I, trad. A. Martínez Sarrión, Barcelona, 1995, pág. 608)

[260] GORDILLO CAÑAS, A., *Transplante de órganos «pietas» familiar y solidaridad humana*, Madrid, 1987, pág. 22, SAN JULIÁN PUIG, V, *El objeto del contrato*, cit, pág. 274.

encontramos ante supuestos de causa ilícita por el carácter inmoral de la operación comercial misma puesto que no es el objeto en sí mismo inmoral sino que es la onerosidad la que marca la ilicitud[261]. c) Entender que la prohibición de toda compensación al donante de órganos, por la posibilidad de cometer excesos, atenta frontalmente a la libertad de la persona, pilar básico de su dignidad[262].

Podemos precisar que modernamente la doctrina ha distinguido entre elementos constitutivos del ser de la persona y elementos accesorios. Permitiendo la disponibilidad de estos últimos que son los elementos perfectamente renovables y susceptibles de separación sencilla. Se permite, de esta forma, disponer del cabello ya sea de forma onerosa o gratuita y de la leche materna —en el caso de las nodrizas— o de la sangre de forma necesariamente gratuita. Esta es una forma de entender que el cuerpo, pese a encontrarse fuera de toda transacción, no lo está con carácter absoluto[263].

Nosotros, ciñéndonos a lo dispuesto por nuestro ordenamiento jurídico, vamos a considerar la naturaleza del cuerpo humano como absolutamente excluida de comercio o de tráfico al rechazarse de forma tajante su convertibilidad pecuniaria. Por esta razón, lo que debemos considerar es que, en realidad, lo que se está excluyendo no es realmente la disponibilidad sobre el cuerpo humano sino su reconducción al régimen jurídico general de las cosas y por consiguiente su patrimonialidad. Se está evitando que se utilice el propio cuerpo y sus órganos como objeto de derecho patrimonial. Es decir, no se puede admitir en nuestro ordenamiento jurídico que figure ningún elemento anatómico como mera contraprestación de un precio[264]. Podemos plantearnos si lo que resulta ilegal, más que la propia transmisión de órganos o disposición del cuerpo humano, no es más bien el precio o la prestación recíproca o el conjunto de la operación.

Parece que no existiendo «compensación» alguna, para el donante o para aquellas personas que hayan influido o pudieran influir en la decisión de la extracción, la donación es perfectamente legal. A esto nos referimos al mantener que la indisponibilidad no es, ciertamente, absoluta. Incluso, podemos observar que el requisito del consentimiento del donante no es un elemento tan indispensable como la gratuidad. Buena muestra de ello es el

---

[261] CLAVERÍA GOSÁLBEZ, L.H., *La causa del contrato...* cit., pág. 191-192.
[262] ANGOITIA GOROSTIAGA, V., *Extracción y trasplante de órganos y tejidos humanos*, Madrid, 1996, pág. 188.
[263] SAN JULIÁN PUIG, V, *El objeto del contrato*, cit, pág. 274.
[264] Evidentemente, a nadie se le ocurre pensar que la posible nulidad de un contrato en el que se proporcione un determinado órgano mediante precio va a llevar aparejadas las consecuencias del artículo 1303 de nuestro Código Civil. Precisamente porque no cabe considerar el cuerpo humano como contraprestación de ningún tipo no puede considerarse ninguna restitución recíproca de prestaciones. Lo más lógico y eficaz en estos casos es administrar sanciones administrativas y, en su caso, penales.

hecho de que se permita no sólo una disposición del propio cuerpo mortis causa, sino que existe la posibilidad de disposición del cuerpo de un fallecido para la extracción de órganos con fines terapéuticos o científicos de forma automática si no se ha dejado constancia expresa de oposición (Artículo 5. Apartados 2 y 3 de la Ley 30/1979, de 27 de octubre, sobre extracción y transplante de órganos.)

Por consiguiente, lo que nuestra legislación parece dejar definitivamente claro es la exigencia de absoluta gratuidad de este tipo de operaciones que debe excluir no sólo el precio —así reconocido— sino toda forma de compensación[265]. Este marcado requisito de gratuidad en la disposición del cuerpo humano se recoge en distintos textos legales, cabe destacar entre ellos el art. 2 de la Ley 30/1979, de 27 de octubre, sobre extracción y transplante de órganos y arts. 2 c) y 5 del Real Decreto de 22 de febrero de 1980 por el que se desarrolla, así como el R.D. 2070/1999, 30 de diciembre, por el que se regulan las actividades de obtención y utilización clínica de órganos humanos y la coordinación territorial en materia de donación y trasplante de órganos y tejidos y el R.D. 411/1996, 1 de marzo, por el que se regulan las actividades relativas a la utilización de tejidos humanos, art. 5.1 y 20.2 B) e) de la Ley 35/1988, de 22 de noviembre, sobre reproducción asistida humana y art. 2. d) de la Ley 42/1988, de 28 de diciembre, sobre donación y utilización de embriones y fetos humanos o de sus células, tejidos u órganos.

Donde no parece ser tan severo este requisito de la gratuidad es en los ensayos y experimentación clínica con medicamentos sobre personas sanas o enfermas. El artículo 11. 5 y 6 del Decreto 561/1993, de 16 de abril, sobre requisitos médico legales para la realización de ensayos clínicos con medicamentos, permite al sujeto de la experimentación pactar una compensación con el promotor del experimento[266].

---

[265] GORDILLO CAÑAS, A., *Transplante de órganos «pietas» familiar y solidaridad humana,* Madrid, 1987, pág. 63.

[266] Desarrollando el artículo 8 de la Ley 25/1990, del medicamento, el Decreto 561/1993, de 16 de abril, sobre requisitos médico legales para la realización de ensayos clínicos con medicamentos, establece en su artículo 11 apartados 5 y 6:
«**5**. Los sujetos participantes en ensayos sin interés terapéutico particular recibirán del promotor la compensación pactada por las molestias sufridas. La cuantía de la compensación económica estará en relación con las características del ensayo, pero en ningún caso será tan elevada como para inducir a un sujeto a participar por motivos distintos del interés por el avance científico. En los casos extraordinarios de investigaciones sin fines terapéuticos en menores e incapaces o personas con la competencia o autonomía disminuidas, se tomarán las medidas necesarias para evitar la posible explotación de estos sujetos.
6. La contraprestación que se hubiere pactado por el sometimiento voluntario a la experiencia se percibirá en todo caso, si bien se reducirá equitativamente según la participación del sujeto en la experimentación, en el supuesto que desista.»

5. Inconvenientes de las técnicas de control estructural

5.1. Consideraciones generales

De lo expuesto hasta ahora se pueden poner de manifiesto determinadas insuficiencias que pueden ser objeto de crítica respecto al tradicional tratamiento de la ilicitud del contrato a través del análisis de la causa y del objeto. Con estas críticas se va a tratar de concluir que, en la práctica, poco importa el determinar cómo se llama el elemento del contrato viciado sino que lo importante es saber si la ilicitud tiene entidad suficiente como para afectar su normal desenvolvimiento.

Hay que ser conscientes que con una exclusiva aplicación de las tradicionales técnicas de control estructural del contrato habría supuestos de directa antijuridicidad que quedarían un tanto huérfanos, tanto de cauce para su concreta impugnación, como de adecuación de sus consecuencias a la finalidad perseguida por el ordenamiento jurídico. Es necesario, en consecuencia, completar estas técnicas de control estructural con una visión funcional de las infracciones legales. De esta forma, queda también cubierto el control de aquellos casos en los que alguno de los extremos contenidos en el contrato no se ajusta a la legalidad vigente pero no se acierta a ubicar, estrictamente, la infracción ni en el objeto ni en la causa del contrato. Además, otra ventaja de esta combinación es que se procura una mayor amplitud y variedad en las consecuencias que puede acarrear la ilegalidad, al aportarse grandes dosis de flexibilidad al servicio de la finalidad de la norma infringida.

Las objeciones, que se observarán con más detalle a continuación, ponen de manifiesto que este sistema comporta una visión parcial y artificial del problema. Parcial, porque sólo tiene en cuenta el elemento del contrato que resulta viciado sin fijarse debidamente en la norma infringida y su finalidad. Artificial, porque no se puede reducir la ilicitud siempre a uno de los elementos del contrato. Verdaderamente, lo que se hace es imputar o proyectar la ilegalidad a un elemento concebido en abstracto con fines doctrinales.

En realidad, todas las observaciones críticas que se van a hacer a continuación tienen sentido si se toma este control estructural de la legalidad de los contratos como método principal y excluyente. No se encuentran tantas objeciones en el caso de que se considere como un método complementario del control funcional que se analizará posteriormente.

5.2. Discrecionalidad en la apreciación de la ilegalidad

Es evidente que empleando como instrumento de control conceptos indeterminados se va a producir un proceso de apreciación valorativa de la ilegalidad. Bien es cierto que en el empleo del artículo 6.3 del Código Civil también puede parecer que existen grandes dosis de discrecionalidad y es frecuente encontrar afirmaciones jurisprudenciales como que en su aplicación «el juzgador ha de extremar su prudencia, en uso de una facultad, hasta cierto punto, discrecional...», frase que nuestro Tribunal Supremo no se cansa de repetir[267].

Sin embargo, la discrecionalidad a la que se refiere la jurisprudencia en este precepto es muy distinta de la que nosotros ponemos de manifiesto con respecto a la apreciación de causa ilícita. La discrecionalidad predicada por el Supremo con respecto al artículo 6.3 se refiere no a la calificación de la ilegalidad sino al establecimiento de las particulares consecuencias de esa ilegalidad cuando el precepto infringido no formule declaración expresa. En realidad, más que discreccionalidad deberemos referirnos en este caso a flexibilidad de las consecuencias de la ilegalidad en consideración a la conducta de los contratantes, a los términos del mandato o prohibición y a la gravedad de la infracción.

Por el contrario, en algunas de estas mismas sentencias se pone de manifiesto que la discrecionalidad está presente en la estimación misma de la existencia de causa ilícita, puesto que añaden que el tribunal en estos casos puede «concluir declarando válido el acto pese a la infracción legal, si la levedad del caso así lo permite o aconseja y sancionándole con la nulidad si median trascendentes razones que patenticen al acto como gravemente contrario al respeto debido a la Ley, la moral y el orden público, encontrándose inficionado de lo que el Código llama causa torpe.»

Ciertamente, las alegaciones necesarias para que prospere la pretensión de nulidad por causa u objeto ilícitos pueden ser más vagas en cuanto a identificar la norma jurídica concretamente infringida. La antijuridicidad que implica la causa y objeto ilícitos va siempre revestida de ciertos matices de inmoralidad o de contrariedad a principios de orden público. En este sentido también se da cabida a una mayor discrecionalidad de los jueces y tribunales en su apreciación. Más aún si tenemos en cuenta que el criterio jurisprudencial mantenido desde siempre por el Tribunal Supremo supone que «es facultad peculiar de los tribunales de instancia la apreciación de los elementos de hecho sobre los cuales deducen y declaran respecto a la falsedad, inexistencia o ilicitud de las causas en los contratos»[268].

En sentencias más recientes referidas a contratos simulados se hace referencia a esta libertad de apreciación fáctica de jueces y tribunales pero se alude a la existencia o inexistencia y a la falsedad de la causa. En cambio, ya no se incluye a su par la apreciación de la ilicitud: «La apreciación de la existencia o inexistencia de causa en los contratos o la concurrencia de causa falsa está atribuida al tribunal «a quo» por ser de naturaleza fáctica»[269].

---

[267] Sentencias de 27 de febrero de 1964, 10 de noviembre de 1964, 17 de octubre de 1987, 29 de octubre de 1990

[268] Sentencias de 24 de febrero de 1930, 26 de diciembre de 1930, 12 de mayo de 1959,

[269] Sentencias de 2 de abril de 1998, 4 de marzo de 1993, 24 de febrero de 1992, 26 de febrero de 1991, 19 de noviembre de 1990, 11 de octubre de 1985, 11 de mayo de 1970 y 20 de octubre de 1966, entre otras.

5.3. Rigidez en las consecuencias derivadas de la ilegalidad

Uno de los principales inconvenientes del control estructural se encuentra en el encorsetamiento de las soluciones que ofrece a los casos de ilegalidad. La cuestión más importante en la función de control de la ilegalidad de los contratos es determinar los efectos que deben establecerse como consecuencia de la infracción legal detectada.

De esta forma, la sanción que merecen los contratos que se considera y caen dentro de los supuestos de causa u objeto ilícitos es siempre y en todo caso la nulidad de pleno derecho. Las disposiciones del Código Civil abocan inequívocamente a la nulidad sin que quepa ninguna válvula de salvamento para los contratos calificados como contratos con causa u objeto ilícitos. Esta sanción ha sido tradicionalmente aplicada a cualquier caso de ilegalidad en general y, en principio, puede parecer la solución ideal. Este es el defecto de partida del sistema clásico en el tratamiento de la ineficacia. Se parte de una concepción de la nulidad como un estado orgánico cuando, en realidad, ha de concebirse como una sanción destinada a asegurar el respeto a la Ley[270].

Se ha de tratar de que los efectos de la ilegalidad sean los más adecuados y justos posibles y habrá que armonizarlos, tanto con relación a la finalidad o espíritu de la norma infringida, como a los concretos intereses y conductas de las partes en el caso concreto. En este sentido, se puede afirmar que la sanción de nulidad tan rígidamente establecida para estos casos no va a resultar demasiado ventajosa para conseguir el suficiente grado de adaptación de la libertad contractual a la política legislativa. Ni en el artículo 1271 ni en el 1275 del Código Civil se establecen reglas que permitan al intérprete excluir la consecuencia de la nulidad en algún caso. En este punto es donde se cifra la mayor diferencia con el control funcional de legalidad establecido en el artículo 6.3, en el que se establece que el contrato ilegal será nulo como regla general pero no siempre, al permitir la entrada de cualquier otro tipo de sanción que la propia ley infringida establezca.

Efectivamente, como consecuencia de esta doble concepción el propio MUCIUS SCAEVOLA llegó a diferenciar ambos tipos de contratos por la nulidad que implicaban. Dentro de los contratos nulos encontraríamos unos contratos esencialmente nulos (nulos *per se...*). entre los que se encontrarían, junto a aquellos que carecen enteramente de algún requisito esencial, aquellos que contienen vicios en los requisitos que producen la nulidad de los mismos (incluidos los contrarios al orden público). Por otro lado, encontraríamos otro tipo de contratos que serían accidentalmente nulos (nulos *per accidens...*) entre los que estarían los celebrados contra preceptos de la Ley no establecidos con sanción expresa de nulidad[271].

---

[270]   JAPIOT, R., *Des nullites...* cit. págs. 272-273.
[271]   MUCIUS SCAEVOLA, Q., Código Civil, cit. Pág. 996.

La doctrina italiana siempre ha destacado esta particular diferencia en los posibles efectos de la ilicitud debido a que en su Código Civil todas las causas de nulidad de los contratos se encuentran determinadas en el mismo artículo (art. 1418). Por esta razón se afanan en diferenciar nítidamente el párrafo primero, en el que se establece que el contrato es nulo cuando es contrario a las normas imperativas salvo que la ley disponga otra cosa, del párrafo segundo que establece que producen la nulidad del contrato la falta de uno de sus requisitos, la ilicitud de la causa, del objeto y de los motivos[272].

La política legislativa de un Estado moderno requiere para su efectividad una gran flexibilidad a la hora de establecer los efectos de los contratos que se vean afectados por sus mandatos y prohibiciones. Ante esta realidad la jurisprudencia ha tratado de demostrar, de forma proporcionada, que la nulidad no opera con la rigidez que pudiera suponerse de aplicarse con la rotundidad que predica la teoría clásica.

En Francia, en materia de ilicitud de objeto y de causa se ha tratado de dar prueba anticipada de que los efectos de la nulidad pueden hacerse frecuentemente a un lado cediendo ante distintas consideraciones: en materia de objeto ilícito la jurisprudencia ha resuelto reducir la extensión de la nulidad sólo a algunos efectos, si se trata de una obligación divisible. En materia de causa ilícita se ha tratado de obtener un régimen de nulidad más flexible y más de acuerdo con la justicia distinguiendo entre actos a título oneroso y a título gratuito. Se tiene claro que se requiere un régimen de ineficacia que establezca la armonía entre la rigidez de la Ley y las realidades derivadas de la experiencia diaria de los negocios[273].

Por esta razón, en nuestro ordenamiento jurídico se ha visto sustituido paulatinamente el control estructural de la legalidad contractual por un control funcional de mayores posibilidades y con mayores márgenes de maniobra para que el juzgador pueda ajustar las soluciones dogmáticas a los parámetros de justicia material. La fórmula adoptada por el artículo 6.3 del Código Civil establece una regla lo suficientemente elástica como para graduar las consecuencias de la ineficacia de acuerdo con la *ratio* de la norma violada e incluso permite al intérprete excluir la nulidad.

Del análisis de la jurisprudencia podemos descubrir que se ha adoptado un criterio mediante el que no sólo se predica la máxima flexibilidad, sino que llega incluso a afirmar que se concede la concreción de los efectos de la infracción a la discrecionalidad de los tribunales. Nuestro Tribunal Supremo ha reiterado insistentemente sobre el artículo 6.3 del Código Civil (antiguo artículo 4) que «*se limita a formular un principio jurídico de gran generalidad*

---

[272] VILLA, G., *Contrato e violazione di norma imperativa...* cit. pág. 28, LONARDO, L., *Ordine publico e illeceità del contratto...* cit. pág. 82, DE NOVA, G., *Il contratto contrario a norme imperative...* cit. pág. 439-440,

[273] LUTZESCO, G., *Teoría y práctica de las nulidades...* cit., págs. 290-297.

que no ha de ser interpretado con criterio rígido sino, como sugiere la doctrina científica, con criterio flexible y teniendo en cuenta que no es preciso que la validez de los actos contrarios a la Ley sea ordenada de modo expreso y textual, sin que quepa pensar que toda disconformidad con una ley cualquiera o toda omisión de formalidades legales, que pueden ser meramente accidentales con relación al acto de que se trate haya siempre de llevar consigo la sanción extrema de la nulidad, máxime cuando existe una legislación especial que regula la materia.»[274]

En alguna sentencia se añade, al ya mantenido carácter discrecional, que la aplicación de este precepto entraña apreciar las circunstancias que lo modulan, ya que «*debe el juzgador extremar su prudencia, en uso de una facultad, en cierto punto discrecional analizando para ello la índole y finalidad del precepto legal contrariado y la naturaleza, móviles, circunstancias y efectos previsibles de los actos realizados, para concluir declarando válido el acto, pese a la infracción legal, si la levedad del caso así lo permite o aconseja y sancionándolo con la nulidad si median trascendentes razones que patenticen al acto como gravemente contrario al respeto debido a la ley, la moral o al orden público.*»[275]

5.4. Dificultad para encajar todos los casos de ilegalidad en algún elemento concreto del contrato

Otra objeción importante para este método de control es que la variedad de los contratos ilegales es extraordinariamente rica y no se puede reducir su control a analizar el elemento concreto del contrato que pueda resultar viciado. En la mayoría de los supuestos, la ilegalidad vendrá motivada por otras circunstancias como una determinada cualidad de las partes, algún aspecto concreto del contenido, alguna modalidad de formación o de ejecución, y en otras serán varios elementos o el contrato entero sin poder establecer en qué aspecto el contrato resulta ilegal[276].

La tipicidad de los contratos generalmente considerados como ilícitos se ha ido formando a través de las enumeraciones, siempre ejemplificadoras, con las que ha venido ilustrando la doctrina clásica su exposición del problema.

En general, podemos aventurarnos a afirmar que la mayor parte de la doctrina va a otorgar un mayor relieve y protagonismo a la categoría de la causa ilícita, que tiene un mayor componente de indeterminación y puede amparar mayor número de situaciones, reservando al objeto ilícito una labor

---

[274] Sentencias de 19 de octubre de 1944, 28 de enero de 1958, 8 de abril de 1958, 8 de octubre de 1963, 8 de marzo de 1966, 19 de enero y 20 de abril de 1967, 31 de mayo y 28 de octubre de 1968, 25 de febrero de 1969, 30 de junio de 1978, 8 de junio de 1979.

[275] Sentencia de 27 de febrero de 1974, 7 de febrero de 1984, 28 de julio de 1986, 29 de octubre de 1990

[276] MOSCHELLA, R., op. cit. pág. 271, SACCO, *Il contratto*, Torino, 1975, pág. 510

más residual. Se puede acudir a cualquier estudio moderno sobre contratación para comprobar el enorme relieve que se otorga al tratamiento de la causa ilícita en comparación con el que se le da al objeto ilícito. Por no hablar de la cantidad de esmero doctrinal que se ha empleado para llegar a crear lo que se ha llegado a denominar «teoría de la causa ilícita».

En muchos casos, cuando no está claro el componente del contrato que resulta afectado por la ilegalidad se acude a la causa ilícita, verdadero comodín o «cajón de sastre» de este planteamiento. Evidentemente, no es ésta una buena técnica jurídica. Cuando un supuesto no encuentra su encaje en la ilegalidad del objeto o de la causa se distorsionará el concepto de causa para que tenga cabida en él cualquier ilegalidad por defecto y esto acarreará mayor confusión e inseguridad.

De esta forma, podemos observar que habrá unos autores que incluyen una serie de casos como paradigmas de prestaciones u objetos ilícitos mientras que para otros, los mismos casos, deben pertenecer a la categoría de la causa ilícita. Para darnos cuenta de estas grandes diferencias de planteamiento en la doctrina basta con acudir a los autores que se adhieren a la corriente anticausalista para darnos cuenta que al clasificar las prestaciones ilícitas (objeto ilícito) establecen un extensísimo elenco de casos que parecen inagotables[277].

En definitiva, el problema de este tratamiento tradicional se encuentra precisamente en la complejidad y artificiosidad que entraña el concepto de causa. Clara muestra de ello es la cantidad de tinta que se ha vertido e invertido por parte de innumerables autores para tratar aclarar la imprecisión y oscuridad que este elemento del contrato ha venido ocasionando entre los operadores jurídicos. Quizá la propia polivalencia con la que es utilizado este concepto lo hace difícil de configurar y definir pero fácil de utilizar.

Se tiene que tener claro que la teoría de la causa ilícita no es más que una herramienta de control de irregularidades contractuales en manos de la jurisprudencia y se ha hecho un uso indiscriminado de ella. Nos basta con echar un vistazo a la jurisprudencia sobre la causa ilícita para comprobar la facilidad con la que se alega y, sin embargo, también es cierto que últimamente no resulta apreciada con tanta facilidad por los tribunales. Problemas tan heterogéneos como los supuestos de lesión de derechos legitimarios en derecho de sucesiones, supuestos de pactos sobre cuestiones penales y supuestos de corretaje matrimonial o de relaciones amorosas ilícitas, eran solucionados mediante la misma argumentación legal (trayendo siempre a colación el art. 1275 C.C.).

En Francia se observa que el artículo 1133 del Código Civil (equivalente a nuestro artículo 1275) tendrá un alcance mayor que el artículo 6º porque la

---

[277]　PLANIOL Y RIPERT, *Tratado práctico de derecho civil francés*, T. 6º Nº 235 y ss., GIORGI, J., *Teoría de las obligaciones*, T. III, págs. 325 y ss.

jurisprudencia ha hecho de él la interpretación más amplia de la que es susceptible[278].

La doctrina italiana habla siempre de que el fundamento último de la disciplina de la ilicitud se encuentra en impedir que pueda desarrollarse la finalidad ilícita a la que se dirige la voluntad de las partes. Se realiza esta afirmación para, a continuación, conectarlo inmediatamente con el tema de la causa de los contratos que van a presentar como el elemento fundamental para fiscalizar la ilicitud[279].

No es de extrañar por consiguiente la perplejidad de los juristas más dogmáticos que tratan de buscar un concepto perfecto e irrefutable de una causa tan polivalente[280]. Surgen teorías de todo tipo y para todos los gustos.

Por un lado, las tesis anticausalistas que niegan relevancia a la categoría como elemento del contrato. Para los autores anticausalistas la causa no tiene identidad propia al resultar siempre comprendida en cualquiera de los demás requisitos del contrato, puesto que podría identificarse perfectamente con el objeto, con el consentimiento o con la condición[281].

Por otro lado, las tesis causalistas son diversas y heterogéneas. Dentro de las mismas encontramos tesis objetivas que la conciben como elemento contractual neutro tal y como la define nuestro art. 1274 CC. Las tesis que la consideran como causa subjetiva, incluyendo las motivaciones y finalidades impulsivas de los contratantes. Por último, también encontramos las tesis pluralistas que encuentran varios tipos de causa distintos y las sincréticas que tratan de armonizar y sintetizar las teorías objetivas con las subjetivas.

Aunque los instrumentos que tradicionalmente se han utilizado para fiscalizar este contenido han sido los artículos referentes a los vicios de ilicitud del objeto y de la causa del contrato (arts. 1271 y 1275 CC.), no es este el único medio de control de la ilegalidad de las cláusulas contractuales. La causa ilícita, ha resultado sin duda el medio más utilizado en nuestro ordenamiento jurídico para controlar la ilicitud del contrato, porque es opinión dominante que el problema de la ilicitud radica siempre en una

---

[278] LUTZESCO, G., *Teoría y práctica de las nulidades...* cit. pág. 255.

[279] Esta es la idea que se puede extraer de la mayor parte de las obras italianas y que recoge bastante sintéticamente DA NUZZO, *Negozio illecito, en Enc. Giur. Treccani*, XX, Roma, 1989, pág. 1.
Esta es también la posición de parte de la doctrina española como CLAVERÍA GOSÁLBEZ, L.H., *Comentarios al Código Civil y compilaciones forales*, dir. ALBALADEJO, comentario al art. 1275 C.C. pág. 563.

[280] Mucho mayor resulta esta perplejidad, por razones obvias, entre los autores anglosajones, y alemanes, éstos en menor medida, que siguen en sus planteamientos un método de análisis tópico y procesal o, al menos, no estructural y desconocen la categoría conceptual de la causa. ZWEIGERT, K., *An introduction to comparative law.* 1994.

[281] DUALDE, J., *Concepto de la causa de los contratos.* (La causa es la causa), Barcelona, 1949, pág. 111.

desviación de la finalidad para la que es concebido el contrato por el ordenamiento jurídico. De tal suerte que lo que realmente se tiende a conseguir con un contrato ilícito es obtener un resultado que no permiten las normas imperativas. Por esta razón encontramos tanta riqueza de supuestos y matices englobados en la aplicación de la ilicitud causal.

Capítulo III
CONTROL FUNCIONAL DE LA LEGALIDAD CONTRACTUAL

I. CONTROL FUNCIONAL DE LA LEGALIDAD CONTRACTUAL

1. *Introducción*

Ante la evolución legislativa y el incremento del límite legal de la autonomía de la voluntad, el control estructural va a revelarse como insuficiente, habida cuenta de los defectos que le aquejan. Deberemos acudir para salvar estos defectos a la vía del control funcional de la legalidad contractual. Desde luego, no es malo el que se hayan articulado diferentes sistemas para controlar la licitud de los contratos. En realidad, se puede afirmar que cuantos más medios de control se articulen habrá mayores garantías de que el ordenamiento jurídico queda protegido de posibles vulneraciones. El principal problema va a venir dado por el tradicional predominio del control estructural sobre el funcional y la especial rigidez de las sanciones que este control estructural hace repercutir sobre los contratos viciados de ilicitud.

El protagonismo que se ha otorgado a los elementos contractuales como catalizadores de cualquier vicio o defecto que se presente en el contrato se va a perder en lo que se refiere a la ilegalidad. A la hora de pronunciarse sobre cualquier caso de ilegalidad contractual y darle una solución, en primer lugar, se acude a analizar la función que cumple la norma imperativa y la legitimidad de las pretensiones contractuales.

El fenómeno de la ilegalidad contractual abordado con una orientación funcional requiere una observación desde dos planos diferentes, analizándose de forma conjunta y complementaria: 1) desde un plano externo, que consiste en una visión desde la perspectiva de los límites de la libertad contractual (en este caso desde la perspectiva de la norma infringida). y 2º) desde un plano interno, que consiste en una visión desde la perspectiva del propio contrato afectado por la ilegalidad (intereses de los contratantes).

Por consiguiente, para el tratamiento más apropiado de los supuestos más frecuentes de ilegalidad contractual, se debe considerar en cada hipótesis este doble ámbito: 1º El de la normativa infringida donde, tras considerar el tipo de norma y la infracción de que se trata, se determinará la sanción que merece la conducta antijurídica para restablecer la legalidad. 2ª El del contrato y las relaciones entre las partes contratantes, su posición negociadora, sus intereses patrimoniales, así como su participación y situación ante la infracción[1].

---

[1]   Las dos formas analíticas de estudiar el contrato ilícito son desde el punto de vista del contenido o desde el punto de vista de la disciplina positiva. CARRESI, F, «*Il negozio illecito per contrarietà al buon costume*», in *Riv. trim. dir.e proc. civ.*, 1949, pág. 32.

La observación desde el plano funcional debe partir desde la finalidad de la normativa infringida sin desconocer los intereses en juego en el contrato. El análisis de la norma imperativa que se infringe es lo primero que se debe hacer cuando nos hallamos ante un contrato ilegal. La norma va a marcar los pasos a seguir para restaurar la legalidad, sólo en un segundo momento nos detendremos a estudiar las vicisitudes de las obligaciones contraídas por las partes ante la posible ineficacia o integración del contrato.

La ley desarrolla una función reguladora de las relaciones sociales. Trata de conciliar, sobre todo en la materia contractual, las necesidades e intereses de los particulares con el interés general de la sociedad. Esto quiere decir que será, realmente, la encargada de corregir aquellas voluntades de los contratantes que se manifiestan perjudiciales para las conveniencias generales, ya sean de carácter económico o de carácter social. Es decir, se aherrojan todos los contratos que se reputen dañosos para las necesidades e intereses del tráfico comercial. Sin embargo, en la medida de lo posible, se tratará de conciliar los intereses de los contratantes con la finalidad de la norma. La ley se utiliza, de este modo, como una restricción a la libertad contractual en aras a conseguir un bien común. Asimismo, resulta un instrumento eficiente en manos del poder estatal para controlar y modular, en la línea de su política económica, las actuaciones y conductas de los agentes del mercado[2].

Como consecuencia de lo expuesto aparece la ley como principal protagonista del análisis del control funcional de la legalidad de los contratos. Evidentemente, la gran riqueza en variedad y cantidad de las normas jurídicas hace que su análisis sea conveniente realizarlo aludiendo a leyes o grupos de leyes de la forma más individualizada posible. Por consiguiente, será conveniente ilustrar debidamente con supuestos concretos la exposición de las diferentes formas de operar que tiene este límite legal.

2. El ejercicio del control por la ley

Es distinto hablar de los mecanismos de control articulados por la ley que hablar del efecto sancionador previsto en las mismas. Al considerar el efecto sancionador todas las consideraciones giran en torno a la posible nulidad del contrato ilegal, como pena o sanción general del Derecho Civil. Sin embargo, las leyes modernas guardan una mayor complejidad en sus disposiciones y se requiere un análisis más intenso de los intereses perseguidos por la norma.

En la concepción tradicional la violación de la norma prohibitiva e imperativa a través del contrato tenía siempre un valor objetivo y absoluto. El contrato es ilegal porque nunca debió haberse pactado, porque los efectos proyectados en él perjudican o no obedecen a la finalidad de la norma, porque es en sí mismo un mal a erradicar. En una concepción moderna del contrato

---

[2]   Limitaciones impuestas por la dirección estatal de la economía y por la orientación social de las políticas

ilegal no se piensa únicamente en aplicar una sanción o una pena, ya sea al contrato en su conjunto o a los contratantes merecedores de la misma. Actualmente, se buscan otros instrumentos objetivos de tutela y control de los intereses protegidos en la norma, sin necesidad de emplear soluciones tan drásticas que podrían colapsar el tráfico jurídico.

Puede que, en algunos casos, estos intereses protegidos por la norma jurídica (ratio legis) resulten absolutamente irreconciliables con los de ambas partes contratantes. Otras veces, puede que simplemente no coincidan los intereses perseguidos por la norma con los de ninguna de las partes contratantes. Por último, en otros supuestos los intereses protegidos coinciden solamente con los de una de las partes contratantes como categoría o grupo especialmente protegido por el ordenamiento jurídico. En todo caso, lo que procede es realizar una labor de ajuste del contrato a la finalidad o intereses perseguidos por la norma.

En principio, los mecanismos de control vienen establecidos por las propias leyes. Estos mecanismos de control se pueden encontrar tanto en normas de carácter general como en normas especiales. En primer lugar, podemos mencionar las normas generales de control de la legalidad del Código Civil que ya se han analizado (Normas del control estructural artículos 1255, 1271, 1275, 1116, y la sanción general de nulidad del primer inciso del artículo 6.3).

Además, podemos incluir dentro de estas normas generales codificadas, junto con las del Código Civil, al artículo 53 del Código de Comercio que se refiere a las convenciones ilícitas en los negocios mercantiles. En realidad, el artículo 53 nada aporta en materia de ilicitud a lo establecido en el Código Civil, aunque llame algo la atención en su redacción:

Art. 53 Código de Comercio: «*Las convenciones ilícitas no producen acción ni obligación aunque recaigan sobre operaciones de comercio.*»

Evidentemente, se está refiriendo a la nulidad de dichas convenciones ilícitas. La propia existencia de esta previsión debe su existencia a la ausencia, en el momento de la promulgación del Código de Comercio, de un Código Civil que estableciese una teoría general de la norma y un derecho general de obligaciones y contratos[3]. De hecho, tanto la doctrina como la jurisprudencia han interpretado que este artículo 53 del C. de C. se refiere tanto a la ilicitud de la causa y objeto del contrato (artículos 1271 y 1275),

---

[3] Además hay que tener en cuenta que este precepto cuenta con precedentes en nuestro ordenamiento jurídico. Es tomado casi literalmente del Código de Comercio de Sáinz de Andino de 1929 en cuyo artículo 246 se disponía: «Aunque recaigan sobre operaciones de comercio, las convenciones ilícitas no producen obligación ni acción.» Sin embargo, no existe precepto paralelo en el Código de Comercio francés, precisamente porque no se dan las mismas circunstancias, ya que el Código Civil francés (1804) es anterior al Código de Comercio (1807).

como a la formulación general que limita la autonomía de la voluntad de los contratantes en el artículos 1255 y 6.3 del Código Civil[4].

De la redacción de este precepto llama la atención el uso de la conjunción concesiva «aunque». El texto parece establecer la regla general de nulidad de cualquier convención ilícita (lo que no haría falta de haber contado por aquel entonces con el apoyo del Código Civil), añadiendo que esta regla se aplicará incluso cuando éstas recaigan sobre operaciones mercantiles. Parece señalar el Código de Comercio que la naturaleza de los contratos mercantiles va a tender siempre a resistirse a una sanción tan rotunda como la nulidad. Las razones más evidentes son el grave entorpecimiento que sus efectos restitutorios y retroactivos provocan en la celeridad, certidumbre y seguridad necesarias en todas las operaciones del tráfico comercial.

BATLLE SALES trata de realizar una interpretación de la norma contenida en el artículo 53 del Código de Comercio según la realidad actual en la que debe ser aplicada. Toma de la palabra convención sus dos significados en el sentido de contrato y en el sentido de cada una de las cláusulas que lo integran. Tomada en este último sentido, serviría para desarrollar y aplicar el concepto de nulidad parcial del contrato mercantil, consagrado ya posteriormente en la Ley General de Consumidores y Usuarios, en la Ley de Crédito al Consumo y en la Ley de Condiciones Generales de la contratación[5].

Precisamente, también se establece este control de la legalidad contractual a través de estas otras leyes generales relativas a la protección del consumidor y al control específico de las condiciones generales de contratación. Realmente, es en estas leyes donde se puede apreciar mejor el cambio de concepción de los efectos sancionadores de la ley ante el contrato ilegal a los efectos de control de esa ilegalidad. Ahora el legislador no se limita a establecer o apuntar la ineficacia del contrato ilegal sino que otorga facultades de discrecionalidad a los jueces y tribunales para apreciarla y aplicarla. Además, establece paralelamente sistemas y procedimientos administrativos de control.

El legislador va a regular dentro de estas medidas de control de la contratación en masa, en cada normativa específica y teniendo en cuenta las especiales connotaciones que la misma adquiere en diversos sectores, unos deberes de información con los que se trata de proteger al consumidor. Así, aparte de los deberes generales de información establecidos a través de la Ley General de Consumidores y Usuarios y en la Ley sobre Condiciones Generales

---

4   BATLLE SALES, G., «Las convenciones ilícitas en los negocios mercantiles. Reflexiones en torno al artículo 53 del Código de Comercio», en R.D.M., Nº 205, (julio-septiembre), 1992, págs. 457-460, BELTRÁN SÁNCHEZ, E., «La unificación del Derecho Privado», Colegios notariales de España, Madrid, 1995, págs. 88-91, VICENT CHULIÁ, F., «La unificación del derecho de obligaciones», en Revista de Derecho Patrimonial, Nº 2, pág. 36.
5   BATLLE SALES, G., Las convenciones ilícitas... cit., págs. 460 y 467-468.

de la Contratación, se duplica esta cautela en sectores como el crédito[6], en compra-venta de terrenos o solares[7], etc.

Por último, siguiendo esta misma línea, encontramos también referencias concretas al control de la legalidad contractual a través de ciertas disposiciones de las normas especiales que regulan determinados tipos de contrato. Incluso, es posible encontrar restricciones e intervención en la libertad contractual a través de las más variopintas normas imperativas que disciplinan aquellos sectores en los que podemos encontrar una mayor interdependencia con la libertad contractual. Estas medidas que contienen las normas especiales se verán con detalle al analizar los casos concretos en la jurisprudencia.

3. Las previsiones legislativas ante la infracción

3.1. Previsiones legales en la tradición civilista del Derecho Romano

Podemos afirmar que en el Derecho Romano la ilegalidad no siempre convertía un contrato o convención en nulos. Este remedio general y drástico aparecerá con mucha posterioridad y la dogmática lo convertirá en regla. En realidad, faltan en el Derecho Romano normas fijas y seguras acerca de la ineficacia de los negocios y tenemos que inducirlas de casos concretos. Pero además, aumenta la complejidad si tenemos en cuenta la diversidad de tratamiento que encontramos en el *ius civile* y en el *ius honorarium*. Podemos encontrar soluciones incluso contrapuestas en una y otra zona del Derecho romano[8].

Pese a estas dificultades se puede afirmar que la eficacia contractual dependía, en primer lugar, de la previsión sancionadora de la prohibición legal. Curiosamente, una cláusula formal solía figurar en la propia ley y en ella se establecían, entre otras cosas, las consecuencias de cualquier infracción determinada. Normalmente, el texto de la *lex publica o rogata* constaba

---

[6] CASADO CERVIÑO, A., «*El crédito al consumo y la protección de los consumidores*», en *R.D.B.B.*, N° 11, Julio-septiembre, 1983, SÁNCHEZ MIGUEL, M., «*Modificación de las normas sobre condiciones de crédito y defensa del cliente en el Derecho español*», *R.D.B.B.*, N° 34, Abril-junio, 1989, ILLESCAS, R., «*Los contratos bancarios: reglas de información, documentación y ejecución*», *R.D.B.B.*, N° 34, Abril-junio, 1989, GARCÍA-CRUCES GONZÁLEZ, J.A., «*La protección de la clientela en el ordenamiento sectorial de la banca*», *R.D.B.B.*, N° 46, Abril-junio, 1992, ANDREU MARTI, M.M., «*La reciente normativa sobre protección del prestatario hipotecario*», *R.D.B.B.*, N° 57, Enero-marzo, 1995.

[7] vid. infra epígrafe: «Contratos en los que se infringen las normas de derecho urbanístico».

[8] IGLESIAS, J., *Derecho Romano. Instituciones de Derecho Romano Privado*, 6ª ed., Barcelona, 1972, pág. 185, ARIAS RAMOS, J., y ARIAS BONET, J. A., *Derecho Romano*, I, 16ª ed., Madrid, 1981, pág. 140.

de tres partes bien diferenciadas: *praescriptio, rogatio y la sanctio*. Precisamente, la *sanctio* era la parte de la *lex* que fijaba los términos precisos para asegurar su eficacia. Tres eran las clases de leyes que se podían distinguir respecto a este último extremo según la celebérrima clasificación de ULPIANO[9]:

3.1.1. Leges minus quam perfectae

En el Derecho romano antiguo la validez y eficacia de las convenciones tan solo parecía que se podía juzgar respecto de la realización y acatamiento de todas las formas solemnes requeridas. Si se habían celebrado los contratos con todas las solemnidades exigidas eran incuestionablemente válidos y eficaces. Por el contrario, si no se había guardado alguna de las formalidades la convención era, irremediable e incuestionablemente, inválida e ineficaz. Así se respetaba y se utilizaba el principio de autonomía tal y como se encontraba recogido y reconocido en la Ley de las XII tablas.

Será posteriormente, aproximadamente a mediados del S. II, cuando el legislador romano vio la necesidad de emplear técnicas más enérgicas para conseguir una mayor efectividad de sus leyes[10]. La técnica empleada por los romanos en un primer momento, sin embargo, no fue la que hoy nos parecería mas natural de sancionar el contrato infractor con pena de nulidad. En su lugar, mantuvieron la validez íntegra del negocio jurídico pero castigaron con la imposición de una pena al que intentaba realizarlo. Esto significaba que el Pretor concedía, sin problema alguno, una acción procedente del negocio jurídico infractor, pero esta victoria costaba cara al demandante, porque lo que obtenía de tal acción debía devolverse cuadruplicado al demandado (se tendía a la pena del cuádruplo para los contratos ilegales y al duplo para los cometidos en fraude de ley). La experiencia vino a confirmar que el medio empleado era de los más eficaces.

La primera prohibición legal que apareció con la necesidad de aplicar esta nueva técnica en forma de *Lex minus quam perfectae*, dominante durante todo este periodo, fue la *Lex Furia Testamentaria (S. II a. C)* que prohibía que los legados y otras *mortis causa capiones* superasen el *maximum* de 1000 ases.

---

[9]   El famoso texto de ULPIANO no exento de lagunas rezaba: «*Leges aut perfectae sun aut imperfectae aut minus quam perfectae. Perfecta lex est... Imperfecta lex est, quae fieri aliquid vetat, nec tamen, si factum sit, rescindit; qualis est lex Cincia, quae plus quam... donare prohibet, exceptis quibusdam cognatis, et si plus donatum sit, non rescindit. Minus quam perfecta lex est quae vetat aliquid fieri, et si factum sit, non rescindit, sed poenam iniungit ei qui contra legem fecit: qualis est lex Furia testamentaria, quae plus quam mille assium legatum mortisve causa prohibet capere, praeter exceptas personas, et adversus eum qui plus acceperit quadrupli poenam constituit.*» (*Liber singularis regularum*, § 1 y 2)

[10]   ZIMMERMANN, R., *The law of obligations. Roman foundations of the civilian traditions*, South Africa, 1992, pág. 698.

Quedaban exentos de este límite los parientes hasta el séptimo grado en línea colateral. Por este medio se tiende a alcanzar el fin de la ley y, al tiempo, respetar la última voluntad del testador tratando de asustar a los legatarios con la amenaza de una pena muy gravosa si aceptaban el legado. Parece claro que la necesidad de esta ley venía requerida por los abusos que se habían cometido utilizando la figura del legado. Era forma de actuar habitual en aquella época el instituir como heredero a quien menos se quería favorecer y disponer de todo el activo de la masa hereditaria en forma de legados a favor de quienes se pretendía favorecer. El heredero debía cargar con todo el pasivo de la masa hereditaria y si se había repartido el activo en legados este heredero debería afrontar la ira de los posibles acreedores insatisfechos y defraudados.

Con fines análogos a los que se crea esta ley se promulgaron posteriormente otras leyes con diversas técnicas. La *Lex Voconia* (169 a C.) que prohibe a un legatario adquirir bienes por mas valor del que corresponda a un heredero y la *Lex Falcidia* (40 a.C). En esta última ya se cambia la técnica ordenando que se reserve al heredero al menos la cuarta parte de la herencia (*Quadrans*), procediendo a reducir a tal fin proporcionalmente la cuantía de los legados. Nos encontramos ya ante una *lex perfecta*[11].

Otras leyes *minus quam perfectae* de las que nos quedan constancia serían: la *Lex Furia de sponsu*, La ley relativa a la prohibición de ciertos juegos de azar, *La lex Marcia de usuris reddendis* y la ley *Praetoria* en favor de los menores. Todas estas leyes con sus previsiones y funcionamiento son expuestas con detalle por IHERING[12].

3.1.2. Leges imperfectae

Las leyes denominadas imperfectas son aquellas cuya infracción no llevaba aparejada como consecuencia ni una pena para los infractores ni la invalidez del acto o negocio jurídico. Este tipo de leyes eran absolutamente excepcionales incluso en el Derecho romano antiguo en el que lo general era encontrar leyes minus quam perfectas. Como ya hemos visto la validez de los contratos a pesar de las infracciones legales se encontraba como la regla en ésta época.

Sólo en consideración a circunstancias excepcionales se aplicaba una política especial consistente en no imponer tampoco pena alguna.

La existencia de leyes imperfectas puede sorprender pero no dejan de existir en Roma durante la época antigua. La explicación a este tipo de leyes está en la cierta timidez del legislador que si bien se ve capaz de formular un

---

[11] BONFANTE, P., *Instituciones de derecho romano*, trad. L. Bacci y A. Larrosa, 5ª ed., Madrid, 1979, pág. 666.
[12] VON IHERING, R., *El espíritu del derecho romano en las diversas fases de su desarrollo*, trad. E. Príncipe y Satorres, T. I, Granada, 1998, págs. 873

principio no se reconoce con autoridad para sancionar. Esto confirma el modesto papel que se atribuyó a las leyes en la época republicana[13].

La Lex Cincia de donis et muneribus (204 a.C.) es el mejor ejemplo de esta peculiar clase de previsión legal[14]. Con esta ley se prohibían las donaciones que excediesen de una determinada cantidad (a excepción de las realizadas entre parientes) y su finalidad era evitar que ricos e influyentes patricios obtuviesen excesivas y no siempre voluntarias dádivas de sus clientes y gobernados (entre otros). Pero por otro lado, sin embargo, no se quería afrentar a los círculos de poder de la sociedad sometiéndoles a procedimientos judiciales y su correspondiente publicidad. Por esta razón esta ley no se aplicó al régimen de donaciones entre cónyuges y se excluye y considera nula toda liberalidad que pueda ser perjudicial para marido o mujer[15].

Por tanto, los actos infractores de esta ley requerían otras consecuencias jurídicas. El legislador estableció el precepto «*Quieta non movere*» lo que significaba que la donación que excedía del límite no era inválida y no se permitían reclamaciones de enriquecimiento contra el donatario. No obstante, en el caso en el que el donante tan sólo hubiera realizado la mera promesa formal de hacer la donación prohibida no podía tampoco ser obligado por ella. Un pretor que hubiese permitido una acción bajo estas circunstancias hubiera sido culpable de violar un mandato legal. Denegar la acción era la decisión apropiada que el pretor debía tomar. Por esta razón los actos contra la *Lex Cincia* sólo disfrutaban de una limitada clase de validez y las leyes imperfectas no se encontraban totalmente desprovistas de consecuencias. Posteriormente, este tipo de leyes dieron lugar a excepciones que era la manera de conseguir de forma más satisfactoria estos resultados que pretendían evitar que se frustrara una determinada política del legislador. En el caso de las *Lex Cincia* la estipulación podía quedar sin efecto mediante la *exceptio legis Cinciae*. Posteriormente Justiniano concederá acción para exigir el cumplimiento de este tipo de promesas de donación por haber caído en desuso la *Lex Cincia* en su última época[16].

[13]   GAUDEMENT, J., *Institutions de l´antiquité*, París, 1967, pág. 392.
[14]   ZIMMERMANN, R., *The law of obligations. Roman foundations of the civilian traditions*, South Africa, 1992, pág. 699, VOLTERRA, E., *Instituciones de Derecho Privado Romano*, trad. J. Daza Martínez, Madrid, 1988, pág. 803, PETIT, E., *Derecho Romano*, trad. J. Fernández González, 8ª ed., México, 1991, págs. 432-433.
[15]   GARCÍA GARRIDO, M.J., *Derecho Privado Romano. Acciones, casos, instituciones*, 4ª ed., Madrid, 1988, págs. 752-753, D´ORS, J.A., *Derecho Privado Romano*, 9ª ed., Pamplona, 1997, pág. 397-98.
[16]   BONFANTE, P., *Instituciones de derecho romano*, trad. L. Bacci y A. Larrosa, 5ª ed., Madrid, 1979, págs. 520 y 543, D´ORS, J.A., *Derecho Privado Romano*, 9ª ed., Pamplona, 1997, pág. 397.

3.1.3. Leges perfectae

Las Leges perfectae son las que contemplan la sanción de nulidad del acto realizado contra ellas. Este tipo de leyes que son las que pueden resultar más familiares a los iusprivatistas actuales fueron las últimas que aparecieron en el Derecho romano. La *Lex perfecta* más antigua de la que nos queda cierta constancia data del año 169 a. C. y durante los últimos tiempos de la República las *Leges perfectae* habían comenzado a ser consideradas como los instrumentos más modernos y eficaces para instaurar la voluntad del legislador[17]. Las mejores muestras de leges perfetae son la *lex Falcidia* que hemos visto que viene a suceder a la *Lex Furia Testamentaria*. La *lex Falcidia* establece una suerte de nulidad parcial de los legados cuando no se respetaba la reserva de la cuarta parte (*Quadrans*) de la herencia a favor del heredero. Este *Quadrans* se calculaba sobre el valor que tenía la herencia en el momento de la muerte del testador una vez deducidas las deudas hereditarias. La eficiente medida para salvaguardar este derecho del heredero consistía en una reducción proporcional de los legados. Posteriormente, se extenderá esta reducción a los fideicomisos y donaciones mortis causa. En el derecho justinianeo se aplica esta ley de forma ya muy restringida y ampliando la libertad del testador[18].

Otros buenos exponentes de este tipo de leges perfectae son la *Lex Fufia canina* y la *Lex Aelia Sentia*, también en materia testamentaria. La *Lex Fufia Canina* (año 2 a.C.) limita la libertad de manumitir por testamento en un número proporcional al de esclavos del testador y nunca más de cien. La *Lex Aelia Sentia* (año 4 a. C.) prohibe la manumisión a los testadores insolventes salvo para instruir un *heres necessarius*[19].

En la época post-clasica casi todas las prohibiciones legales llevaban aparejada la sanción de nulidad. Por esta razón, la distinción entre estas tres tradicionales categorías de leyes cayó en desuso. Sin duda alguna, el punto de inflexión para los autores que buscan el origen de la sanción general a la ilegalidad contractual viene marcado por la aparición de la *Lex Non dubium*[20].

---

[17] ZIMMERMANN, R., *The law of obligations. Roman foundations of the civilian traditions, South Africa*, 1992, pág. 698 y 700.

[18] GARCÍA GARRIDO, M.J., *Derecho Privado Romano*, cit., pág. 879, BONFANTE, P., *Instituciones de derecho romano*, cit. Pag. 667.. D´ORS, J.A., Derecho Privado Romano, 9ª ed., Pamplona, 1997, pág. 381, n.7.

[19] GARCÍA GARRIDO, M.J., *Derecho Privado Romano*, cit., pág. 880. D´ORS, J.A., *Derecho Privado Romano*, 9ª ed., Pamplona, 1997, pág. 381-182.

[20] En España: CARRASCO PERERA: nos indica este antecedente como crucial para la evolución de todas las leyes prohibitivas (CARRASCO PERERA, A., *Comentarios al Código Civil y Compilaciones forales*, dir. M. Albaladejo, T. 1, 2ª ed., 1992, págs. 770-771, D´ORS también apunta esta novella como significativo cambio de técnica legislativa (D´ORS, J.A., *Derecho Privado Romano, 9ª ed., Pamplona, 1997, pág. 68, nota 1 del §35.).* En Italia, Tanto MOSCHELLA. como VILLA también dotan de principal relevan-

Podemos señalar que la *Lex non dubium* (439 d.C.), que se encuentra contenida en la Constitución de TEODOSIO II, también denominada, la *Novella Theodosiana*, supone un cierto cambio en su formulación respecto a las leyes anteriores. Hasta ahora las leyes perfectas, como hemos dicho, establecían la nulidad en la sanctio para el caso específico al que concretamente se referían. La *lex non dubium* establece de forma general que todas las prohibiciones legales desde entonces tendrían consideración de *lex perfecta*, contengan o no disposición expresa declarando la invalidez del pacto. Este texto dispone: «*Ningún efecto debe concederse ni a los pactos ni a los convenios, ni a los contratos, cuando su objeto haya sido prohibido por la Ley... porque lo que se hace contra la Ley es, no solamente inútil, sino radicalmente nulo aunque el legislador no haya previsto casos en particular*»[21], y añade la constitución «*serán igualmente nulas las consecuencias, las ejecuciones de los pactos, de los convenios y de los contratos hechos contra las leyes*»[22].

El poder imperial, con su vocación totalizadora, buscaba crear una doctrina que le fuese útil para conseguir la eficiencia de todos sus mandatos y pronunciamientos legales. Todas las constituciones desde Constantino el Grande tienen valor de «*lex generalis*». También la ambición codificadora de Teodosio II pudo tener algo que ver con una formulación tan general del precepto[23]. Esta *Novella Theodosiana* o *Lex Non dubium* parece establecer, por primera vez, el principio de la nulidad virtual para todo pacto, convención o contrato que contradijese una ley prohibitiva.

Lo cierto es que la doctrina romanista moderna no parece proclive a reconocer una particular importancia a la Constitución de Teodosio, que será sólo al recibir una orientación común de la práctica jurisprudencial cuando realmente adquiera trascendencia[24]. Por otro lado, esta práctica jurisprudencial tiene que buscar multitud de criterios para conciliar la rigidez de la *Lex Non dubium*. No resultaba satisfactoria la aplicación de esta

---

cia este antecedente (MOSCHELLA, R» *Il negozio contrario a norme imperative*» en *Legislazione economica*, (Septiembre 1978-Agosto 1979), pág. 252-254 ss. y VILLA, G., «*contratto e violazione di norme imperative*» págs. *6-8*

[21]   «*Nullum enim pactum, nullam conventionem, nullum contractum inter eos videri volumus subsecutum qui contrahunt, lege contrahere prohibet: Quod ad omnes etiam legum interpretationes tam veteres quam novellas trahi generaliter imperamus, ut legis latori, quod fieri non vult tantum prohibuisse sufficiat, cetera quasi expressa ex legis liceat voluntate colligere: hoc est ea quae lege fieri prohibentur, si fuerint facta, non solum inutilia, sed pro infectis etiam habeantur, licet legis lator fieri prohibuerit tantum nec specialiter dixerit inutile esse debere quod factum est*» (C. I, 14, 5, 1)

[22]   «*Sed, et si quod fuerit subsecutum ex eo, vel obad, quod interdicente lege factum est, illud quoque cassum at que inutile praecipimus*» (C. I, 14 ed., tit. 5)

[23]   FALCHI, G.L., *Sulla codificazione del diritto Romano nel V e VI secolo*, Roma, 1989, págs. 23-23, GAUDEMENT, J., *Institutions de l´antiquité*, París, 1967, págs. 737-739.

[24]   MOSCHELLA, R «*Il negozio contrario a norme imperative*» en *Legislazione economica*, (Septiembre 1978-Agosto 1979), pág. 252.

ley que establecía, en todo caso la nulidad: Ni siquiera la confirmación del pacto prohibido cambiaba esta situación. No parecía esta regla compatible con los numerosos casos en los que no se consideraba conveniente tal rotundidad[25].

3.2. Cuestiones de técnica legislativa.

Trataremos de analizar a continuación los métodos que utiliza el legislador para prevenir las infracciones legales cometidas a través de los contratos y para controlar los efectos que pueden derivarse de tales contratos ilegales.

En principio, se ha de buscar en las propias normas jurídicas infringidas los métodos de fiscalización que los operadores jurídicos deben tener en cuenta para saber las consecuencias que, en cada caso, se deben derivar de tal infracción. Las posibilidades de técnica legislativa que se pueden utilizar para regular los casos en los que puede haber colisión entre las normas jurídicas y los contratos son diversas:

1º. Establecer mediante una sucesión de reglas y de forma casuística e inmediata los supuestos que se deben considerar prohibidos y articular las consecuencias procedentes. En principio, las normas prohibitivas han de tener vocación de exhaustividad realizando una completa previsión de todos los casos de ilegalidad. Esto supone una tipificación que requeriría la elaboración de un elenco de todos aquellos contratos y conductas contractuales que merecen la consideración de ilegales. Además, se deberían establecer categóricamente las sanciones o consecuencias jurídicas negativas que merecen los contratos que incurren en este tipo de infracciones legales (sanciones civiles expresas).

La sanción típica que suele recogerse en estas normas es tradicionalmente la nulidad de pleno derecho, total o parcial. Por la vocación totalizadora de este tipo de regulación, única y exclusivamente en los casos en los que se cumpla el supuesto de hecho descrito se puede dar la nulidad del negocio jurídico. Estamos ante el presupuesto característico de la *Nulidad Textual*[26].

En principio, el ordenamiento que adopta esta técnica tendrá que tratar de regular con plenitud todos los supuestos. El ordenamiento se presume pleno y todo lo que no está expresamente prohibido está permitido. En el caso en el que no se indique explícitamente la prohibición con sus tajantes e inequívocos términos y no se exprese la suerte que debe correr el contrato, se deberá presumir su validez en virtud del principio de libertad contractual. Las prohibiciones adquieren el carácter de normas excepcionales. Al tratar de recogerse expresamente todas y cada una de las sanciones correspondientes

---

[25] ZIMMERMANN, R., *The law of obligations*, cit., pág. .701, MOSCHELLA, R» *Il negozio contrario a norme imperative*, cit., pág. 253.

[26] Vid *infra* epígrafe «Nulidad textual»

a cada infracción legal, no cabrán interpretaciones extensivas ni, por supuesto, analógicas (art. 4.2 CC.).

2º. Establecer instituciones jurídicas generales de carácter imperativo aplicables a cualquier posible infracción. Para el caso de que una norma jurídica omita los efectos aplicables, habiendo expresado explícita y terminantemente una prohibición, se establece una sanción general como cláusula de cierre que suele ser la nulidad. Por tanto, no se requiere establecer normas de formulación terminante en sus consecuencias. Se establece una regla general que contiene de forma abstracta la sanción para todo tipo de ilegalidad. Basta que exista un conflicto entre un contrato y una norma cogente o imperativa en sentido amplio para que quepa la sanción[27].

No se reduce la ilegalidad a la contravención de normas prohibitivas en sentido estricto. Se amplía el fenómeno de la ilegalidad a la contravención de toda norma imperativa en sentido amplio (incluyendo también las que contienen algún mandato o preceptivas). Normas imperativas en sentido estricto son aquellas en las cuales se establecen mandatos u obligaciones positivas concretas a las que se deben someter los contratantes y el contrato obligatoriamente. Puede aparecer expresamente la sanción que merecerá el contrato que no cumpla la Ley o puede no decir nada. Pero si no dice nada no hay que entender que supone, necesariamente, la validez del contrato. Por el contrario, la tendencia será considerar que se están prohibiendo, aunque ahora indirectamente, los contratos que no se ajusten a estas normas generales. Ahora estamos ante el presupuesto característico de la *Nulidad Virtual*[28].

3º. Lo más corriente en cualquier ordenamiento jurídico es la combinación de ambas técnicas. Ciertamente, suele contenerse una cláusula general de cierre con la sanción general de nulidad que respaldaría todas aquellas normas imperativas o prohibitivas que se viesen repentinamente vulneradas por algún contrato sin haberse previsto tal situación. Esta sanción general se establece porque la necesaria vocación de plenitud del ordenamiento jurídico sólo se alcanza estableciendo reglas generales y abstractas. No obstante, se puede decir que, en la práctica actual, la sanción de nulidad absoluta sería algo así como el último recurso para solucionar el problema de la ilegalidad[29].

El hecho de que exista esta sanción general de nulidad no hace que las leyes renuncien a recoger en sus disposiciones ésta y otras formas de

---

[27] El término normas cogentes es el utilizado por PENA LÓPEZ, J. M., *«Sobre el fundamento legal de la necesidad del carácter cogente en la norma contravenida para los supuestos de nulidad de pleno derecho del artículo 6.3 del Código Civil.»* En *A.C.*, 1990, Nº 19, pág. 241.

[28] Vid. supra epígrafe «Nulidad virtual».

[29] GULLÓN BALLESTEROS, A., *«Comentario al art. 6º del Código Civil»*, en *Comentario al Código Civil, Ministerio de Justicia*, Madrid, 1993, pág. 36. GIL RODRÍGUEZ, J., *Manual de derecho civil*, I, Madrid, 1997, pág. 87

ineficacia. No se trata de reiteraciones innecesarias en el caso en el que se contemple en la norma especialmente vulnerada una sanción de nulidad radical. Hemos de tomar la sanción general de nulidad como una cláusula de cierre subsidiaria y de respaldo ante situaciones imprevistas[30].

Incluso, puede resultar factor decisivo a la hora de decidir si se debe aplicar o no la nulidad en un caso concreto la frecuencia con la que se hace mención expresa de ella en la propia ley o en otras análogas. De esta forma, podría establecerse un *criterio sistemático* para apreciar la nulidad respecto a concretos textos legales. Este criterio indicaría que el legislador no pretende la nulidad del contrato cuando no la establece de forma expresa en un caso concreto si encontramos cerca otros casos diferentes donde se la recoge exahustivamente[31]. Por lo que el juez habrá de atender en cada caso a la Ley que establece la sanción. Además deberá poner mayor cuidado en la interpretación de la finalidad de las normas en las que no se especifica de forma explícita qué suerte deben correr sus efectos.

Pero el problema es mucho más complicado por la profusión de normas en todos los ámbitos. Un legislador tan prolífico hace que numerosos contratos o cláusulas contractuales caigan dentro del supuesto de una norma imperativa que les considere actos punibles y les asocie una pena sin pronunciarse, en cambio, sobre su eficacia o ineficacia. Éste es el supuesto más difícil. Hemos de decidir si la conminación de una sanción o pena contra determinados contratos implica la nulidad de éstos o, por el contrario, el establecer una pena implica admitir la validez del contrato y la pena impuesta excluye y sustituye la nulidad.

3.3. El efecto sancionador de las normas jurídicas

Para poder realizar una delimitación genérica de todos los supuestos podemos partir de la clásica distinción funcional (atendiendo al efecto sancionador de las normas) que de las leyes imperativas realizaba Ulpiano. Esta clasificación de las normas en perfectas, imperfectas y minus cuam perfectas, que ya hemos tenido ocasión de exponer, ha sido comúnmente adoptada por la doctrina y su terminología es frecuentemente utilizada[32].

---

[30]   GIL RODRÍGUEZ, J., Manual de Derecho Civil, I, Introducción y Derecho de la persona, Madrid, 1997, pág. 85, PÉREZ ÁLVAREZ, M.A., *Curso de Derecho Civil I. Derecho privado. Derecho de la persona*, Madrid, 1998, pág. 173.

[31]   CARRASCO PERERA, A., *Comentario al artículo 6.3 del Código Civil, en Comentarios al Código Civil y Compilaciones forales*, dir. M. Albaladejo, 2ª ed., Madrid, 1992, págs. 828-829.

[32]   MANRESA Y NAVARRO, J.M., *Comentarios al Código Civil Español*, T. I, 7ª Ed., Madrid, 1956, pag 169. DE CASTRO Y BRAVO, F., *Derecho civil de España*, cit., pág. 533.

Recordemos que la clásica distinción de Ulpiano[33] se realiza teniendo en cuenta la sanción que lleva aparejada la violación de la norma, de esta forma, se denomina *lex perfectae* a aquella que dispone la nulidad de todo acto que la contravenga, *lex minusquamperfecta* cuando se limita a imponer una pena pero sin declarar la nulidad del acto infractor y por último la *lex imperfecta* que es la que no establece sanción especial.

Si ahora acudimos a la realidad de nuestras normas jurídicas vemos que se pueden seguir encuadrando, por regla general, en esas categorías clásicas[34]. Valiéndose de esta clasificación romana clásica, la doctrina ha añadido una nueva categoría de normas que completan la variedad de las leyes prohibitivas e imperativas en la actualidad. Se ha generalizado el uso de una cuarta modalidad de leyes que completan la conocida clasificación ulpinianea: las leyes *plusquamperfectas*[35]. Estas leyes serían aquellas en las que para su infracción, además de llevar aparejada una sanción de nulidad, se establece una pena complementaria de cualquier otra índole.

Una vez conocidos todos los posibles efectos sancionadores de las normas jurídicas parecería sencillo establecer las consecuencias que merecen aquellos contratos que las vulneran. Bastaría identificar el tipo de norma jurídica ante la que nos hallásemos y aplicar en su caso la nulidad (total o parcial), una pena alternativa, la nulidad (total o parcial) junto con una pena complementaria o, en último término, la validez íntegra del contrato. Sin embargo, hay que ser consciente de que, normalmente, estas categorías de normas jurídicas no vamos a encontrarlas de una forma propia y claramente definida. Más bien, será una cuidadosa interpretación de dicha norma la que nos va a llevar a la consideración ulterior de la sanción que puede llevar aparejada para ese contrato.

---

[33]   «*Leges aut perfectae sunt aut imperfectae aut minus quam perfectae. Perfecta lex est… Imperfecta lex est, quae fieri aliquid vetat, nec tamen, si factum sit, rescindit; qualis est lex Cintia, quae plus quam… donare prohibet, exceptis quibusdam cognatis, et si plus donatum sit, non rescindit. Minus quam perfecta lex est quae vetat aliquid fieri, et si factum sit, non rescindit, sed poenam iniugit ei qui contra legem facit: qualis est lex Furia testamentaria, quae plus quam mille assium legatum mortisve causa prohibet capere, praeter exceptas personas, et adversus eum qui plus acceperit quadrupli poenam constituit»* ULPIANO, *Liber Singularis Regularum,* parágrafos 1 y 2.

[34]   FLUME, W., *El negocio jurídico,* trad. J.M. Miquel y E. Gómez Calle, Madrid, 1998, pág. 409.

[35]   MANRESA Y NAVARRO, J. M., *Comentarios al Código Civil español,* T. I, cit., pág. 169, DE CASTRO Y BRAVO, F., *Derecho Civil de España… cit.,* pág. 533, ESPÍN CÁNOVAS, D., *Manual de Derecho Civil español,* Vol. III, 6ª ed., 1983, pág. 454, LEHMANN, H., *Tratado de Derecho Civil,* trad. J.M. Navas, Madrid, 1956, pág. 283, MESSINEO, *Doctrina general del contrato,* T. I, Trad. R.O. Fontanarrosa, S. Sentis Melendo, M. Volterra, Buenos Aires, 1952, pág. 483, BATISTA PETTI, G., «*La vinculazione e l´invalidità del contratto,* en *Comentario al Codice Civile,* Roma, 1984, págs. 149 y 135.

La finalidad de las normas jurídicas modernas es, a menudo, compleja y no va a reflejarse de forma expresa. Desde que se adoptó como regla general aplicable la nulidad virtual, una de las tareas más complicadas es determinar los efectos de las leyes imperfectas y distinguir si nos encontramos ante una «*ley plusquamperfecta*» o, por el contrario, estamos ante una «*ley minusquamperfecta*». Es decir, se trata de saber si la norma que prevé una sanción distinta a la nulidad quiere que todas las consecuencias se limiten exclusivamente a esa sanción o si además está contando con que se aplique la nulidad.

En primer lugar, con la primitiva redacción del artículo 4º de nuestro Código Civil (actual artículo 6.3) parece que pierde sentido la categoría de leyes imperfectas. Establecía el antiguo artículo 4º «Son nulos los actos ejecutados contra lo dispuesto en la ley, salvo los casos en que la misma ley ordene su validez». En consecuencia, este artículo se encargaba de considerar, como regla general, todas las leyes como perfectas al atribuirles una implícita sanción de nulidad (nulidad virtual), salvo que ordenen expresamente la validez del contrato. Aunque una norma no exprese, de forma explícita, una especial sanción para el contrato que la infringe (ley imperfecta) le correspondería la sanción general de nulidad (ley perfecta).

Por otro lado, el hecho de que la norma imperativa exprese una sanción o pena concreta que merecen determinados contratantes no implica que ésta sea suficiente, puede que para la consecución de la finalidad de la norma se requiera además determinado tipo de ineficacia contractual. Por consiguiente, reconocer la existencia de normas *plusquamperfectas* significa que la previsión de sanciones administrativas o penales para el caso de infracción de un precepto no exime de realizar una labor de interpretación de la finalidad de la norma, puesto que su resultado puede llevarnos a concluir que debemos deducir una ineficacia contractual como complemento a la pena.

Como expresa AMORÓS GUARDIOLA con otras palabras: «el acto realizado en contra de la ley imperativa o prohibitiva puede tener, así, una eficacia negativa compleja (nulidad más otro tipo de sanción concurrente: multa, indemnización, pena, etc.), o simple (o nulidad, que es la regla general, o la que específicamente establezca la norma violada: por ejemplo el artículo 50 del Código Civil)»[36].

Por otro lado, con esta concepción se puede cuestionar el que la nulidad tenga carácter de regla general absoluta para los contratos ilegales. Como la casuística demuestra, la pretensión de regla general de la nulidad, tal y como se encuentra recogida en el enunciado del artículo 6.3 del Código Civil, se desvirtúa al chocar con el espíritu y finalidad de las leyes especiales. No es posible mantener que la ilegalidad del contrato se tiene que reducir necesa-

---

[36]   AMORÓS GUARDIOLA, «*La reforma del Título Preliminar*», en *Comentarios a las reformas del Código Civil*, Vol. I, Madrid, 1977, pág. 332.

riamente a supuestos de nulidad. Esta parece ser la errónea conclusión de quienes, en un principio, utilizaban esta terminología clásica como FERRARA o MESSINEO[37]. Esta doctrina identifica erróneamente ilicitud con nulidad cuando, en realidad, cualquier ley imperativa puede trastocar la legalidad de un contrato tenga o no capacidad para producir su nulidad radical. En este sentido, ha habido autores que utilizando la terminología clásica han tratado de evitar la referencia a la nulidad y prefieren hablar de ley perfecta como la que contiene sanción e imperfecta la que carece de ella, o bien prefieren considerar que al hablar de nulidad debemos entender ineficacia en el sentido más amplio posible[38].

3.4. La teoría del remedio mínimo

De lo hasta aquí expuesto se puede deducir que las mayores dificultades para el intérprete ante los casos de ilegalidad se centran en dos supuestos: a) descubrir si en aquellos casos en los que la norma jurídica prohibitiva o imperativa no expresa ningún tipo de sanción corresponde aplicar la sanción general de nulidad o corresponde mantener la validez del contrato afectado y b) descubrir si en aquellos casos en los que la norma jurídica expresa una sanción o pena específica distinta de la nulidad debe entenderse que se establece como alternativa a ésta o, por el contrario, que debe concurrir con la sanción civil de la nulidad que es la regla general.

En definitiva, nos encontramos ante la difícil tesitura de tener que interpretar, en cada caso, el espíritu y finalidad de la norma jurídica para saber si en el primer supuesto nos encontramos ante una norma *imperfecta*

---

[37] Para FERRARA el contrato ilegal, en sentido técnico, solo puede resultar de la «ofensa» a una *Lex Perfectae*. Aún realizando esta afirmación la matiza diciendo que solo la infracción grave de una norma de interés público puede producir la nulidad y no cualquier lesión leve de cualquier norma jurídica lleva aparejada la nulidad. (FERRARA, *Teoria del negozio illecito*... cit., págs. 20-25.). También MESSINEO cae en parte en esta confusión aunque de forma menos grave porque mantiene que no sólo las *leges perfectaes* y *plus quam perfectaes* producen la invalidez que debe llevar aparejado el contrato ilegal sino que las leyes *minusquamperfectas* son también susceptibles de provocar la nulidad del contrato en virtud de la nulidad virtual, aunque la norma no esté expuesta expresamente. No entendemos por qué no sigue este último razonamiento para las normas imperfectas a las que incluso no considera como verdaderas normas jurídicas a pesar de que se presenten con apariencia imperativa. (MESSINEO, *Doctrina General del contrato*, Tomo I, trad. R.O. Fontanarrosa, S. Sentis Melendo, M. Volterra, Buenos Aires, 1952, págs. 483-484)

[38] En este sentido, el propio MESSINEO, más adelante, parece diferenciar normas perfectas e imperfectas atendiendo no al concepto de nulidad sino al concepto de la previsión o falta de sanción en la propia norma, (MESSINEO, *Manuale di diritto civile e comerciale*, I, Milán, 1957. pág. 12.) También en este sentido: ROUBIER, *Théorie generale du droit*, 1946, Pags. 30-31, TRABUCHI, A., *Istituzioni di Diritto Civile*, 32ª ed., Padova, 1991, pág. 31.

o *perfecta* (con nulidad virtual en este último caso), y en el segundo supuesto descubrir si estamos ante una norma *minusquamperfecta* o *plusquamperfecta*.

En este contexto se ha acudido a multitud de criterios decisorios que van desde la difícil conceptualización del objeto o interés protegido por la norma (interés público o interés privado), hasta la apreciación de la levedad del caso y de la accidentalidad de las circunstancias. En realidad, se podrían ver reflejados todos estos criterios en la constante labor interpretativa de la jurisprudencia que, como CARRASCO PERERA apunta, recoge las reglas elaboradas por la doctrina del derecho común[39].

No obstante, todos los criterios generales que apunta la jurisprudencia no dejan de ser meramente orientativos. En definitiva, tendremos que concluir que será la casuística la única que nos indique finalmente el criterio a tener en cuenta.

La doctrina italiana ha extraído un principio general muy extendido para considerar si conviene o no aplicar la nulidad cuando existen o pueden existir otras sanciones. Esta teoría es denominada como la teoría del «*minimo mezzo*»[40]. La nulidad debe ser excluida, si el resultado perseguido por el legislador con la norma prohibitiva o imperativa puede ser completamente realizado con la aplicación de la específica sanción (penal, administrativa o civil)

Salvo en la denominación la pretendidamente innovadora teoría italiana tampoco aporta demasiadas novedades en cuanto criterio de decisión. Es una forma conclusiva de sintetizar los criterios de efectividad, finalidad de la norma y justicia contractual[41]. Esta teoría se construye sobre la base de que toda sanción está encaminada a obtener la mayor efectividad de la norma jurídica a cuya salvaguarda se dedica.

Toda sanción consiste en aplicar un mal necesario cuando se desobedecen o no se observan los mandatos y prohibiciones legales. Como mal que es debe aplicarse en la medida que resulte estrictamente necesaria para lograr el objetivo propuesto por la norma infringida. Es decir, se trata de asegurar que la medida sancionadora sea la suficiente para conseguir la finalidad de la norma imperativa infringida pero, a ser posible, sin desbaratar toda la actividad negocial. Éste es un principio que hace que las normas que

---

[39] CARRASCO PERERA, A., *Comentarios al Código Civil y Compilaciones forales...* cit., pág. 775 y 796-804.

[40] DE NOVA, G. «*Il contrato contrario a norme imperative*», en *Rivista Critica del Diritto Privato*, a. III, N°. 3-4, diciembre, 1985, pág. 446, VILLA, G., *Contratto e violazione di norme...* cit., pág. 131, LONARDO, L., *Ordine pubblico e illecità del contratto...* Cit., pág. 107, GALGANO, F., Diritto Civile e Commerciale, vol. 2°, T. I, 2ª ed., Padova, 1993, pág. 276.

[41] Criterios ya apuntados por nuestra doctrina y jurisprudencia y sistematizados por CARRASCO PERERA (CARRASCO PERERA, A., *Comentarios al Código Civil y Compilaciones forales...* cit., págs. 821-829.)

restringen la autonomía de la voluntad han de ser, siempre, interpretadas restrictivamente (principio *favor negotii*).

En este sentido, es evidente que se preferirá siempre el mal menor que representa la nulidad parcial frente al mal mayor que representa la nulidad total[42]. Además, ha de plantearse también la posibilidad de concurso de la nulidad con las distintas sanciones características de los distintos campos del ordenamiento jurídico. En estos casos, ha de calibrarse la efectividad de cada sanción aplicada individualmente; ante su insuficiencia se podrá concluir su complementariedad. Del mismo modo, puede considerarse que supondrá siempre un mal menor la aplicación de las sanciones administrativas, independientemente de su envergadura, (multas, retirada temporal o definitiva de autorizaciones o licencias, ...) si contemplamos la posibilidad de una nulidad radical del contrato. La nulidad afecta a la seguridad del tráfico y a la confianza que la apariencia negocial suscita a los terceros.

Por esta razón, también esta teoría del remedio mínimo implica que la propia nulidad total lleve aparejada un diferente grado de gravedad dependiendo del momento contractual en el que se aplique. La nulidad producirá un mal menor en el caso en el que afecte a un contrato que aún no ha sido ejecutado por ninguna de las partes. En cambio, el mal será mayor en el caso que afecte a un contrato en el que una de las partes ya haya cumplido su prestación o el contrato se haya ejecutado completamente[43].

El problema se reduce a establecer una correcta graduación tanto en la medida como en la variedad de la sanción aplicable a cada contrato ilegal. Esta graduación implica, por un lado, descartar la posibilidad de emplear una regla general para resolver todos los supuestos de ilegalidad contractual *a priori* y, por otro lado, considerar nuevas perspectivas en la ineficacia contractual[44].

4. El ejercicio del control por la Jurisprudencia

Realmente, los verdaderos artífices del control son los jueces y tribunales, quienes tienen encomendada la tarea de defensa de la legalidad y el deber de vigilancia y sanción de cualquier acto o contrato que atente contra el ordenamiento jurídico. Pero los jueces dependen en su actuación de dos datos:

1°. De las técnicas utilizadas por el legislador para articular los límites. Es decir, de lo que el propio ordenamiento jurídico disponga o prevea para repeler los ataques de los que sea objeto.

---

[42] Esta idea de que la nulidad es la sanción más grave de la cual se puede disponer y que representa siempre un mal en la vida jurídica y una causa de perturbación de las relaciones económicas se encontraba ya en FERRARA, F., *Teoría del negozio illecito nel diritto civile italiano*, cit., pág. 20.

[43] CARRASCO PERERA, A, op. ult. cit., pág. 804.

[44] Vid. infra epígrafe «*Nuevas perspectivas en la ineficacia contractual*».

2º. De la iniciativa o interés de las partes afectadas por la ilegalidad. Hemos de recordar que la jurisdicción civil tiene el carácter de ser una jurisdicción rogada en la que impera el principio dispositivo. Salvo en muy concretos casos en los que por su flagrante gravedad observe y declare el juzgador de oficio la nulidad del contrato, la iniciativa judicial que se aleje de las pretensiones de las partes tendrá la consideración de incongruente.

En principio, la mayoría de los contratos que se someten a juicio de legalidad van a tener una apariencia jurídica correcta con lo que merecen el debido respeto, mientras no sean impugnados en forma o modo eficaz. Este sistema tiene sentido para dar siempre oportunidad a todas las personas implicadas para su defensa en atención a las posibles consecuencias de la acción[45].

El ejercicio de los controles de legalidad que de una forma directa e inmediata van a realizar los jueces se deben regir siempre por unas pautas. Unas veces, las pautas de control van a ser ofrecidas con bastante exhaustividad por la ley. Esto significa que el legislador va a influir directamente en el ejercicio de este control, dejando a los jueces una mera labor de ejecución de tal control. No obstante, hemos de observar que en otros casos, según la técnica legislativa que se utilice, habrá un mayor o menor margen de discrecionalidad:

1º. Si se procede a indicar en artículos o normas concretas y determinadas los supuestos de hecho constitutivos de los contratos que no se quieren permitir y se añade la sanción civil y efectos que merecen, se dejará el control en menor medida a la discrecionalidad del juez.

2º. Si la técnica utilizada es la de formular un precepto general prohibiendo todos los contratos que se concluyan en contra de una norma sin hacer alusión a la suerte que debe correr el contrato, se dejará el control en mayor medida en manos del juzgador. En este segundo supuesto, se puede hacer alusión a sanciones o penas de naturaleza penal o administrativa sin referirse a los efectos que se debe atribuir al contrato o puede no hacerse alusión a ninguna de las consecuencias que deba acarrear la infracción. Cuando no se hace ninguna mención a los efectos que deben derivarse de la infracción se hace más problemática la aplicación de sanciones al contrato infractor y es donde el juez debe hacer mayores esfuerzos de interpretación y de integración.

La labor judicial se complica a medida que menudean las regulaciones sectoriales que interfieren en la libertad contractual y que silencian tal eventualidad. La tarea de determinar el carácter imperativo o prohibitivo de la norma jurídica analizando el enunciado de la misma no va a ser exclusivamente el determinante de las consecuencias jurídicas. No siempre la calificación del contrato como contrario a una norma imperativa va a llevar apare-

---

[45] Vid infra epígrafe «*Actuación de los tribunales de oficio*».

jada su nulidad. Aunque ésta sigue siendo la regla general, la jurisprudencia elabora una doctrina mucho más sofisticada basada en criterios de flexibilidad al interpretar el artículo 6.3 del Código Civil[46].

Estos criterios de decisión jurisprudencial han sido sintetizados por CARRASCO PERERA[47]. Si nos fijamos en los tres primeros descubrimos que el Tribunal Supremos los utiliza para zafarse de la sanción de nulidad:

1) No procederá la nulidad del contrato por el hecho de que se detecte algún defecto subsanable como la carencia de algún requisito de autorización administrativa que pueda rellenarse a posteriori[48].

2) Tampoco procederá la nulidad del contrato cuando únicamente se vea afectado por prohibiciones circunstanciales o coyunturales[49].

Es en estos dos primeros supuestos donde se encuadraría la doctrina de nuestro Tribunal Supremo que considera que las normas meramente administrativas no tendrían virtualidad para afectar a la validez de los contratos.

3) Se tratará de evitar que prospere la acción de nulidad del contrato invocada por la parte contractual a la que precisamente la norma jurídica infringida no trata de proteger. (Bastaría con restringir la legitimación activa).

---

[46] Este carácter flexible y, hasta cierto punto, discrecional del Tribunal Supremo en la aplicación e interpretación del artículo 6.3 del Código Civil ha venido siendo incansablemente reiterada en las propias sentencias del Tribunal como ya pudimos observar (vid. supra. Epígrafe «*Flexibilidad en la apreciación de la ilegalidad*» y «*Rigidez en las consecuencias derivadas de la ilegalidad*». CARRASCO PERERA apunta, con razón, una serie cumulativa de modelos de decisión en las sentencias que acabará progresivamente recogiendo todos y cada uno de los razonamientos que va añadiendo a medida que resuelve nuevos casos. (CARRASCO PERERA, A., *Comentarios ...* T. I., cit., págs. 788-793)

[47] CARRASCO PERERA, A., *Comentarios ...* T. I., cit., págs. 796-804.

[48] Aquí podríamos incluir, entre otros, los casos en los que se realizan contratos sobre oficinas de farmacia teniendo en cuenta que la propiedad de estas, según la normativa aplicable, corresponde al titular autorizado a cuyo nombre se extiende dicha autorización (Sentencias de 17 de octubre de 1987, 8 de marzo de 1995) o los contratos sobre estancos o establecimientos de venta de lotería (sentencias de 26 de abril de 1995, 22 de julio de 1997). También, en otros ámbitos se ha considerado la falta de autorización como irrelevante para provocar la nulidad del contrato (Sentencias de 10 de febrero de 1966, 18 de junio de 1968). Uno de estos ámbitos, puede destacarse por la evolución normativa que ha experimentado. Nos referimos a las autorizaciones que imponen las legislaciones sobre el control de cambios o inversiones extranjeras en España (Sentencia de 23 de marzo de 1988, 12 de enero y 10 de mayo de 1989, 3 de enero de 1991, 11 de octubre de 1991). En este último caso, se trata de legislación excepcional y coyuntural que no afecta a negocios o contratos con todos los requisitos del Código Civil y que acaban obteniendo la autorización de la Dirección General de Transacciones Exteriores.

[49] Serían prohibiciones circunstanciales aquellas que más que a la esencialidad del contrato en cuanto a su perfección afectarían más a su formalización *ad solemnitatem* (Sentencias de 8 de febrero de 1958 y de 13 de octubre de 1959) o a su ejecución (Sentencia de 8 de febrero de 1958).

4) Se realizará un uso instrumental de la regla *in pari turpitudine* para evitar que el que actuó de mala fe y después alega la nulidad, pueda beneficiarse de sus efectos. (Bastaría, en algunos casos, con aplicar la nulidad parcial y en otros denegar directamente la acción ante la conducta de mala fe).

Si nos fijamos en los dos últimos criterios nos damos cuenta que, en realidad, son utilizados por el Tribunal Supremo para evitar la clásica sanción de nulidad radical, pero que no resultarían incompatibles con una aplicación matizada de algún otro tipo de ineficacia[50].

En general, en estas decisiones queda claro que no se trata de aplicar de forma automática la nulidad a toda ilegalidad sino que pueden existir otros muchos matices dentro de la ineficacia. Todos estos matices serán los que habrá que deducir de la finalidad de la norma para graduar sus efectos. Además, el propio análisis de la finalidad de la norma imperativa puede llevar al resultado de mantener la validez del contrato, puesto que no es preciso que ésta venga ordenada de modo expreso y textual. Desde luego, tras descubrir el espíritu y finalidad de la norma se deberá también interpretar la dirección del contrato infractor. Sólo así se determinará si ha habido una vulneración frontal de la norma jurídica afectada, pese a que esto signifique renunciar a consagrar la aplicación de reglas generales.

En este sentido, las modernas leyes sobre condiciones generales y sobre consumo van a establecer extraordinarias facultades a jueces y tribunales para que procedan a la integración de aquellas partes del contrato afectadas por la nulidad[51]. Por esta razón, ante la ilegalidad de un contrato la jurisprudencia se encarga de analizar no únicamente la finalidad de la norma infringida sino también los intereses que se componen en el contrato.

Este es un fenómeno tendencial en el Derecho moderno que en su día fue apuntado por Max Weber. La tendencia en el ámbito del derecho material es una creciente sublimación teleológica del desarrollo interno del pensamiento jurídico. Esto significa —como apunta WEBER— «la sustitución de la sujeción a características sensibles puramente externas por una creciente interpretación lógica del sentido, tanto en el caso de las normas jurídicas

---

[50]   vid infra epígrafe «*Nuevas perspectivas de la ineficacia contractual.*»

[51]   Art. 10 bis) 2º de la Ley 26/1984, de 19 de julio General para la Defensa de los Consumidores y Usuarios: «... La parte del contrato afectada por la nulidad se integrará con arreglo a lo dispuesto por el artículo 1258 del Código Civil. A estos efectos el juez que declara la nulidad de dichas cláusulas integrará el contrato y dispondrá de facultades moderadoras respecto de los derechos y obligaciones de las partes, cuando subsista el contrato, y de las consecuencias de su ineficacia en caso de perjuicio apreciable para el consumidor... »
Art. 10.2 de la Ley 7/1998, de 13 de abril, sobre Condiciones generales de la contratación: «La parte del contrato afectada por la no incorporación o por la nulidad se integrará con arreglo a lo dispuesto por el artículo 1258 del Código Civil y disposiciones en materia de interpretación contenidas en el mismo».

mismas como especialmente tratándose de la interpretación de los negocios jurídicos»[52].

Teniendo en cuenta lo anterior, vamos a considerar que también va a resultar una ayuda en esta labor judicial de control el art. 1258 C.C. Este precepto, si bien no establece límites a la autonomía de la voluntad, bien podemos considerar que como norma que se ocupa de la integración del contrato o que establece sus fuentes de reglamentación nos va a ofrecer pautas o normas de conducta que le son exigibles a las partes contratantes.

Según establece el art. 1258, independientemente de cuál sea la voluntad de los contratantes «se obligan no sólo al cumplimiento de lo expresamente pactado, sino también a todas las consecuencias que, según su naturaleza, sean conformes a la buena fe, al uso y a la ley.» En consecuencia, podemos en el fondo considerar a la buena fe, a la costumbre y al conjunto de normas dispositivas de las que se puede extraer un principio (en el que se inspiran o del que participan), como un instrumento más de control de la libertad de contratación.

Son también criterios que se le otorgan al juez para controlar mediante la interpretación de los contratos la autonomía de la voluntad y saber si un contrato contradice o no uno de los límites y, sobre todo, en qué medida. Son instrumentos que permiten al juez decidir sobre la suerte que ha de correr el contrato que ha infringido el límite legal. En su momento los caracterizamos como limitación interna porque son las consecuencias que se derivan de la propia voluntad, expresada por los contratantes, no son imposiciones heterónomas como el resto de los límites[53].

Podemos apreciar que la función de los tribunales en el control de la legalidad de los contratos va a ser muy relevante. Va a ser imprescindible analizar la jurisprudencia para poder determinar, en cada caso, si el contenido de un determinado contrato realmente constituye una vulneración de una norma imperativa y, sobre todo, qué consecuencias se derivan de la misma.

Esta función de control judicial adquiere un cariz diferente cuando lo que se aplica como parámetro son los limites de la moral o buenas costumbres y del orden público. Hemos visto el progresivo aumento del margen de discrecionalidad y decisión que se otorga a los jueces en las propias leyes para definir los efectos derivados de su infracción. Sin embargo, esta discrecionalidad aún no va a ser tan amplia como cuando lo que se trata de apreciar es una contravención del límite moral o del orden público. En estos últimos casos el control tiene exactamente la misma operatividad (control directo e inmediato), pero la discreccionalidad del juez es mucho mayor al no encontrar los

---

[52]   WEBER, M., *Economía y Derecho.* pág. 651.
[53]   VÁZQUEZ DE CASTO, E., *Determinación del contenido del contrato: presupuestos y límites de la libertad contractual,* Valencia, 2002, págs. 129-135.

parámetros a seguir en normas jurídicas concretas y tendrá que hacer un mayor esfuerzo tanto de interpretación como de argumentación. Aquí es donde puede caber la consideración como límite del conjunto de normas declarativas que se encargan de regular un tipo de contrato y que establecen o dibujan en su conjunto unos principio o líneas de conducta estandarizadas.

5. El ejercicio del control por la Administración

Hemos expuesto cómo el fenómeno del intervencionismo ha traído como consecuencia no sólo una nueva concepción de la libertad contractual sino una nueva técnica legislativa dirigida a su control. Expusimos cómo era frecuente encontrar en un texto legal de una ley especial unas normas jurídicas de carácter civil junto con otras de carácter administrativo. Estas normas de carácter administrativo que se incorporan a los textos junto con normas civiles no se establecen de una forma meramente ocasional.

Puede ocurrir que, a veces, tan sólo se trate aprovechar que se aborda la regulación de una determinada materia para intentar agotar ésta mediante la incorporación de normas de todo tipo que se encuentren relacionadas. Pero por lo general, a los efectos que nos interesan, las normas administrativas van a servir de complemento y de posible corrección de las normas civiles. En estas normas administrativas además de establecerse medidas de información, de inspección y de régimen de autorizaciones se prevén medidas sancionadoras para las eventuales infracciones. Sin embargo, las novedades que se introducen por este tipo de normas no consisten en la previsión de estas medidas sancionadoras sino a la previsión de órganos administrativos que se van a dedicar a supervisar y velar por el cumplimiento de las mismas.

Se ha destacado, por parte de la doctrina, que una función de control administrativo en materia de condiciones generales de la contratación se hace necesaria como complemento del control judicial. Las ventajas del control administrativo vienen marcadas, tanto por el costo elevado de las actuaciones judiciales, como por el carácter aislado de este remedio en relación con la masa de contratos en los que puede aplicarse. Además, es evidente que la corrección judicial actuará siempre *a posteriori*, mientras que la corrección administrativa puede funcionar tanto *a priori* como *a posteriori*[54].

Este control extrajudicial ha sido previsto en numerosos ordenamientos jurídicos con mayor o menor éxito. Se han llevado a cabo fórmulas de fiscalización del contenido de las cláusulas a través de órganos administrativos y mixtos

---

[54] SÁNCHEZ CALERO, F., *Instituciones de Derecho Mercantil,* II, 18ª ed., Madrid, 1995, pág. 154, PAGADOR LÓPEZ, J., *La directiva comunitaria sobre cláusulas contractuales abusivas*, Madrid, 1998, pág. 121, POLO, E., *La protección del contratante débil y condiciones generales de los contratos*, Madrid, 1990, pág. 67, O'CALLAGHAN MUÑOZ, X., Condiciones Generales de Contratación: conceptos generales y requisitos», en *Contratos de adhesión y derechos de los consumidores*, C.G.P.J., Madrid, 1993.

en países como Francia, Israel, Inglaterra y países escandinavos[55]. En cambio, en nuestro ordenamiento jurídico se ha optado por un control judicial complementado por un registro de condiciones generales de contratación. Consideración especial merecen los sistemas de control de las pólizas de seguros a los que dedicamos atención más adelante (*vid.* epígrafe «La experiencia de la Ley de Contrato de Seguro y su responsabilidad por la Ley de Condiciones Generales»).

5.1. Cuestiones sobre la competencia administrativa en materia contractual

Ante la concurrencia de los controles jurisdiccionales y administrativos en cuanto al contenido de la actividad contractual se ha planteado el problema referente a los ámbitos de competencia, no ya jurisdiccional (entre la jurisdicción civil y contencioso-administrativa), sino, entre competencia administrativa y jurisdiccional. La cuestión es ¿Hasta donde llega cada cual para conocer de las consecuencias derivadas de la infracción de estas normas que contienen disposiciones de índole y alcance mixto: civil y administrativo?

En el fondo de esta cuestión subyace un hecho que no se puede escapar a ninguno de los planteamientos que se hagan sobre ella. Una vez constatada la marcada restricción de la autonomía de la voluntad, reducida por un complejo sistema de normas imperativas de obligado cumplimiento, se constata también que la administración queda encargada de asumir, de forma explícita, la vigilancia y el control del cumplimiento de todo ese conjunto de normas imperativas. Como dice Sebastián MARTÍN RETORTILLO, «con carácter primario y previo a cualquier intervención judicial a la que pudiera dar lugar su inobservancia, la Administración queda situada como el primer garante de su cumplimiento»[56]. ¿Hasta donde llega esta función de garantía? ¿Qué consecuencias derivadas de la ilegalidad podría llegar a hacer valer la Administración a los contratantes?

Sería ilusorio pensar que faltando programas coercitivos, dirigidos a obligar a los particulares contratantes a adoptar los términos del contrato conforme al programa legislativo, éste pueda cumplirse. Faltándoles a la autoridad judicial y administrativa el poder de tomar la iniciativa concreta para poder imponer coactivamente, contra la voluntad de ambas partes interesadas, las previsiones normativas, estas quedarán inoperantes.

No se piensa que estos instrumentos puedan ser sustituidos por la iniciativa procesal privada. Aunque tampoco se pretende fomentar una alegre falta de escrúpulos en el pronunciamiento —a instancia de éste o aquel contratante incumplidor y por eso arrepentido, de cualquier tercero directa o

---

[55]   SÁNCHEZ ANDRÉS, A., «*El control de las condiciones generales en derecho comparado: panorama legislativo*» en *R.D.M.*, 1980, págs. 400-407.

[56]   MARTÍN RETORTILLO, S., «*Derecho Administrativo económico*», T. I, Madrid, 1991, pág. 179.

indirectamente interesado o incluso de oficio— de cualquier episódica nulidad del contrato. Precisamente, es en materia de ineficacia contractual donde aparece más problemática la función y competencia de la Administración.

La declaración judicial de nulidad como sanción general de la ilegalidad requiere, principalmente, de una iniciativa procesal particular. Aunque, en determinados casos, cabe la declaración de oficio por parte de los tribunales, para que llegue a su conocimiento es indudable que se requiere una mínima iniciativa privada. Esta iniciativa, pese a contar con la legitimación más amplia de las que se pueden otorgar, no convierte a la acción de nulidad en una acción pública. Si bien los privados no pueden disponer de la acción de nulidad, en el sentido de poder dejar válido el negocio inválido o de renunciar eficazmente a hacer valer la nulidad del negocio, nada les obliga a interponerla cuando conozcan su existencia o posibilidad. Por esta razón, se considera más eficiente un control directo de la actividad contractual por parte de la administración que un posible control judicial.

El problema comienza cuando se formalizan las técnicas de intervención administrativa no con las apropiadas medidas de policía administrativa sino con medidas como la nulidad, que no le competen por estar fuera de su propio ámbito de actuación. Se complica aún más la situación cuando esta nulidad es cuestionada en los dos ámbitos, administrativo y civil, con distintos resultados.

El desconcierto se produce por cuatro circunstancias:

1) *Por la previsión en las propias normas administrativas* de la posibilidad de que la Administración misma resuelva sobre esta materia. En algunas normas administrativas se contempla que sea la Administración la que decida sobre la conveniencia de mantener determinadas cláusulas o extremos del contrato.

Existen numerosos ejemplos entre los que merecen destacada mención los siguientes: tanto en materia de juego y apuesta como en materia de viviendas de protección oficial se puede observar la atribución de un papel mediador a la Administración encargada de reintegrar el exceso del pago ilegalmente obtenido al patrimonio del contratante perjudicado[57]. En materia de seguros

---

[57]　El art. 11.4 de la Ley de 20 de marzo de 1984 de la Generalidad de Cataluña que regula los juegos de suerte envite o azar en Cataluña (RJ 1201, BOE 4 de mayo de 1984 Nº 107) Tras exponer las infracciones y sus sanciones en los anteriores apartados del artículo dice en el inciso 4º «La sanción llevará implícita la devolución de los beneficios ilícitamente obtenidos a la Administración o a los perjudicados que sean identificados». En cuanto al Reglamento de las Viviendas de Protección Oficial, sus sanciones cuentan con la cobertura legal del Real Decreto-Ley 31/1978, de 31 de octubre, sobre política de Viviendas de Protección Oficial. El Real Decreto-Ley en su artículo 8.3 se remiten en cuanto a la imposición de sanciones complementarias al artículo 57.3 del Real Decreto 3148/1978 que lo desarrolla. Pero este artículo, a su vez, se remite finalmente en cuanto a estas sanciones complementarias a lo dispuesto en el artículo 155 del, parcialmente vigente, Reglamento al que nos referimos aprobado por el Decreto 2114/1968, de 24 de julio. Este artículo 155 establece como sanción administrativa complementaria en su

se faculta a la Administración para prohibir la utilización de pólizas y tarifas que no cumplan o se ajusten a lo dispuesto en la Ley[58]. En materia de defensa de la competencia dentro de las sanciones se contemplan que el Tribunal de Defensa de la Competencia puede requerir y obligar a quienes realicen actos o acuerdos prohibidos para la cesación de los mismos y la remoción de sus efectos[59]. Esta previsión se articula como sanción. Esta «sanción» como tal acto administrativo es recurrible ante la jurisdicción contenciosa, tanto cuando se «imponga» (acto administrativo) como cuando no se «imponga» (inactividad de la Administración).

2) Por lo que dicen el art. 1.1 de la Ley Reguladora de la Jurisdicción Contencioso-Administrativa y el 9.4 de la Ley Orgánica del Poder **Judicial** *«Los Tribunales y Juzgados del orden contencioso administrativo conocerán de las pretensiones que se deduzcan en relación* con los actos de administración pública sujetos al Derecho Administrativo y *con las disposiciones reglamentarias».* (con las disposiciones de categoría inferior

---

apartado d) «Sin perjuicio de aplicar las sanciones procedentes en las resoluciones de los expedientes sancionadores podrá imponerse, en su caso, a los infractores la obligación de reintegrar a los adquirentes, arrendatarios o beneficiarios de las viviendas las cantidades indebidamente percibidas (…)».

En relación con los arrendamientos de fincas urbanas construidas bajo el régimen de Viviendas de Protección Oficial fue durante mente criticado el procedimiento regulado en los artículos 138 al 144 del Decreto 2114/1968, de 24 de julio. En especial, fue objeto de crítica lo dispuesto en el artículo 142 de este decreto, que contemplaba el desahucio administrativo para las Viviendas de Protección Oficial de Promoción Pública. La crítica se centraba en que la autoridad administrativa no debe, en ningún caso, tener facultades para resolver problemas de derecho civil puro. (Sobre estas críticas vid. REBOLLEDO VARELA, A., *La nueva ley de arrendamientos urbanos*, obra colectiva dirigida por V. Guilarte Gutiérrez, Valladolid, 1994, pág. 577-578.)

[58] Artículo 24.4 de La Ley 30/1995, de 8 de noviembre de ordenación y supervisión de los seguros privados. Vid. Infra epígrafe «la experiencia de la Ley de Contrato de Seguro y su superación por la Ley de Condiciones Generales».

[59] En el artículo 9 de la Ley 16/1989, de 17 de julio, de Defensa de la Competencia, dentro de la sección segunda dedicada a las sanciones, se establece: «Intimaciones del Tribunal.- Quienes realicen actos de los descritos en los artículos 1, 6 y 7 podrán ser requeridos por el Tribunal de Defensa de la competencia para que cesen en los mismos y, en su caso, obligados a la remoción de sus efectos». Dentro de las conductas descritas se encuentran los acuerdos prohibidos en el artículo 1 que son, asimismo, considerados como nulos de pleno derecho: art. 1.2 «Son nulos de pleno derecho los acuerdos decisiones y recomendaciones que estando prohibidos en virtud de lo dispuesto en Nº1, no estén amparados por las exenciones previstas en la presente ley».

Además el artículo 13 también en sede de sanciones aunque expresamente se refiere a otras responsabilidades y resarcimiento de daños y perjuicios establece en su apartado 2º: «La acción de resarcimiento de daños y perjuicios, fundada en la ilicitud de los actos prohibidos por esta Ley, podrá ejercitarse por los que se consideren perjudicados, una vez firme la declaración en vía administrativa y, en su caso, jurisdiccional. El régimen sustantivo y procesal de la acción de resarcimiento de daños y perjuicios es el previsto en las leyes civiles.»

a la Ley). La posible confusión a la que podrían inducir estos preceptos es fácilmente superable. Evidentemente, no se refieren a la competencia para la aplicación de estas disposiciones sino a la competencia para conocer de las posibles impugnaciones sobre la legalidad o regularidad de los reglamentos mismos.

3) Asimismo, por un lado, encontramos numerosas *reticencias* y prejuicios por parte *de los Jueces y tribunales civiles de aplicar normas administrativas*. Por otro lado, el **temor por parte de la Administración y de la Jurisdicción contenciosa de que no se cumpla y observe la legalidad administrativa** y su tendencia en aras al principio de economía procesal de resolver en el mismo procedimiento todas las cuestiones incidentales.

– Numerosos exponentes de los primeros de estos síntomas se puede apreciar en multitud de sentencias civiles en las que la denominación de las normas administrativas denota un cierto menosprecio[60]:

Además, podemos apreciar que estas reticencias, carentes de sentido, provocan cierta inseguridad puesto que para solucionar casos análogos en unas sentencias se tienen en cuenta las normas administrativas y en otras no. *V. gr.*: La sentencia de 14 de noviembre de 1980 en la que se reclamaba por el recurrente unas cantidades pagadas en exceso por un contrato de suministro en líneas o redes de distribución de energía eléctrica. Se pretendía que se aplicasen las tarifas aprobadas y fijadas en un Decreto y se alegaba una nulidad parcial sustitutiva basándose en el artículo 6.3 *in fine* del C.C. El Tribunal Supremo establece que «el fundamento básico de la desestimación de la demanda lo constituye el hecho de ser el contrato llevado a efecto entre las partes (de naturaleza civil) con todos los requisitos del artículo 1261 del Código sustantivo, al que no afecta el Decreto de 17 de marzo de 1959, de claro carácter administrativo, siendo el razonamiento que la sentencia recurrida hace, en orden al artículo sexto, número tres del Código Civil, uno más a mayor abundamiento, como susceptible de llegar a igual pronunciamiento desestimatorio de la demanda (...), lo que en definitiva viene a alegarse como infracción en estos dos motivos es la no aplicación y errónea interpretación de un precepto legal de naturaleza administrativa que, como ha quedado expuesto en el anterior considerando, no puede servir de base a un recurso de casación por infracción de ley».

En cambio, en la sentencia de 11 de mayo de 1990 que se enjuiciaba un caso parecido se mantiene la nulidad parcial del contrato de suministro de cemento por ser contrario a la norma legal que había fijado el precio oficialmente autorizado para el cemento. También condena a restituir las cantidades percibidas en exceso. Se entiende infringido el artículo 6.3 del

---

[60] Esta actitud de la jurisprudencia civil ante la normativa de carácter administrativo se puede apreciar incluso en la forma de denominarla como «meramente administrativa», «puramente administrativa», «mas o menos administrativa»... Vid. Infra epígrafe: «Normas jurídicas de carácter administrativo»

Código sin que quepa admitir que el respeto a la fuerza vinculante de los contratos suscritos, pueda dejar sin efecto una norma de derecho necesario como es la que fija con carácter obligatorio el precio máximo y oficialmente autorizado de una determinada mercancía, norma esta de ineludible acatamiento por los que comercian con la misma.

– Como exponente del celo tanto de la Administración como de la jurisdicción contencioso-administrativa para garantizar el cumplimiento de esta normativa podemos observar tanto la Sentencia de 2 de diciembre de 1985 como la de 15 de octubre de 1994. Ambas sentencias se refieren a materia de viviendas de protección oficial: la primera de las sentencias rechaza la remisión que la Administración hace a la jurisdicción ordinaria en materia de restitución del precio cobrado en exceso de la tasa permitida. Establece la sala 4º que, incluso aunque concurriese la competencia de la jurisdicción civil ordinaria debería ventilarse la cuestión por la Administración en el expediente sancionador y como actuación administrativa podría ser impugnada separadamente y revisada con plenitud de conocimiento en el recurso contencioso-administrativo. Las razones argüidas son de economía procesal y congruencia. Se trataría de evitar que se tenga necesidad de acudir, de nuevo, a otro litigio para dilucidar la procedencia de esta restitución reparadora[61].

4) *Dualidad de jurisdicciones*. La tendencia que se produce con las nuevas leyes y normas especiales es a regular aspectos variados de un mismo tema utilizando una técnica multidisciplinar[62]. Debido a estas nuevas técnicas se acaba por hacer cumplir a la jurisdicción contencioso-administrativa fines y garantías idénticos a la civil. Por esta razón, resulta un modelo de claridad la Ley 7/1995, 23 de marzo, de Crédito al Consumo. En esta Ley también se prevé en el artículo 3º, al definir el carácter de sus normas, una nulidad parcial de los pactos cláusulas y condiciones que la contradigan. Pues bien, en el artículo 5º *in fine,* al abordar el tema de las sanciones administrativas dispone expresamente: «*En el expediente sancionador no podrán examinarse las cuestiones civiles o mercantiles que suscite el incumplimiento de las disposiciones de esta Ley*».

Descubramos, en otros casos, dónde radica la confusión y de quién es realmente la competencia para que después, en cada caso, podamos determinar cuál es la sanción civil, si procede, más adecuada al caso concreto.

Este problema se ha planteado fundamentalmente en materia de viviendas de protección oficial. Sobre esta materia la jurisdicción contencioso-administrativa suele admitir y aplicar sin reparos la denominada sanción del

---

[61]   VÁZQUEZ DE CASTRO, E., Precio y renta en las viviendas de protección oficial, Pamplona, 1999, págs. 81-85.

[62]   Lo podemos comprobar al estudiar la Legislación en materia de Defensa de la Competencia, en materia de Seguros Privados, Las normativas sobre juego y apuesta, La Legislación sobre Consumidores y Usuarios y la Ley sobre Condiciones Generales de Contratación, etc.

«reintegro de cantidades indebidamente percibidas» fruto de un precio o renta superior al que se fija en la ley para las ventas y arrendamientos. En todo caso, la mayoría de estas sentencias que declaran procedente la devolución de las cantidades indebidamente percibidas como sanción administrativa lo hacen «sin perjuicio de que se conserven acciones civiles»[63].

Podemos observar que, en general, las opiniones doctrinales de los administrativistas, que se han ocupado del estudio de este particular problema, coinciden en atribuir la competencia sobre la restitución del sobreprecio percibido por el vendedor a la jurisdicción civil ordinaria. Con independencia de que se considere que ésta sea o no la solución más adecuada[64].

Se ha planteado igualmente la posibilidad de considerar que, ante la poca claridad de los efectos civiles de estas normas administrativas e incluso de la misma legalidad de éstas, se recurra a la necesidad de que la Administración se pronuncie sobre la existencia de la infracción antes de que los tribunales civiles puedan declarar la ineficacia del contrato[65]. Incluso el Tribunal Supremo refiriéndose a las repercusiones de la ley de tasas llegó a afirmar que es requisito previo que la administración haya declarado la existencia de tal vulneración[66].

Sin embargo, mantener tal requisito de procedibilidad no tiene fundamento jurídico alguno. La Administración no puede mas que aplicar las sanciones previstas en la Ley, y en todo caso, hacer derivar del hecho de la infracción consecuencias en su propio campo, distinto —obviamente— del de sus consecuencias civiles que, evidentemente, corresponde determinar a los tribunales civiles.

Por otro lado, como manifiesta GORDILLO CAÑAS[67], establecer como requisito previo que la Administración haya declarado la existencia de la vulneración de las leyes de tasas para que en la contratación civil tenga repercusión la infracción de Ley no tiene ningún sentido, porque esta declaración no puede afectar ni cambiar la naturaleza de la invalidez derivada de la infracción.

Sin embargo, este autor admite que se mantenga la conveniencia de que la Administración se pronuncie sobre el caso porque se puede entender que sea ella la que mejor conozca sus propias normas. En realidad, esta declaración de la Administración se limita a constatar un hecho, una circunstancia fáctica posible desencadenante de la ineficacia contractual. Pero como tiene

---

[63] VÁZQUEZ DE CASTRO, E., *Precio y renta en las Viviendas de Protección Oficial. Doctrina y Jurisprudencia*, Pamplona, 1999, págs. 80-84

[64] VÁZQUEZ DE CASTRO, E., *Precio y renta...* cit., págs. 34-35.

[65] SANTOS BRIZ, J., *La contratación privada*. Madrid, 1964, pág. 245. RODRÍGUEZ TAPIA, J.M., *Comentarios a la Ley de Arrendamientos Urbanos*, Coordinados por Carlos Lasarte, pág. 1044-1045. Madrid, 1996.

[66] Sentencia de 21 de junio de 1963.

[67] GORDILLO CAÑAS, A., *La nulidad parcial del contrato con precio ilegal*, pág. 146-147.

establecido claramente la jurisprudencia, las circunstancias fácticas son de libre apreciación por los tribunales civiles. Por tanto la declaración administrativa no determinaría el sentido del fallo de los tribunales civiles.

También se puede mantener que al ser la nulidad parcial un tipo de nulidad absoluta, en definitiva, también se produce *ipso iure* y puede ser reconocida siempre sin necesidad de pronunciamiento de los tribunales. Esta concepción se une y corresponde con la que considera que existe un deber general de no cooperar al nacimiento o subsistencia de una situación antijurídica[68]. Ambas ideas pueden llevarnos a considerar que se puede hacer valer esta nulidad ante cualquier instancia (jurisdiccional o administrativa). Sin embargo, en realidad se ha de relativizar esta característica de la nulidad que es más especulativa que práctica[69]. Pues bien, este carácter de la nulidad absoluta o radical hizo al Tribunal Supremo afirmar en su primera época que el contrato nulo por contrario a una prohibición legal cuenta con una nulidad absoluta que debe ser apreciada, aún de oficio, por todas las jurisdicciones en sus respectivos órdenes[70].

En principio, quien tiene competencia para decidir sobre la suerte que han de seguir las estipulaciones de las partes en un contrato son los tribunales civiles ordinarios. No se puede extraer otra consecuencia a la vista de lo establecido en las diversas normas de nuestro ordenamiento jurídico:

Los preceptos a contemplar serán:

El artículo 2 de la Ley Orgánica del Poder Judicial. »El ejercicio de la potestad jurisdiccional, juzgando y haciendo ejecutar lo juzgado, corresponde exclusivamente a los Juzgados y Tribunales determinados en las leyes y en los tratados internacionales.

Los Juzgados y Tribunales no ejercerán más funciones que las señaladas en el párrafo anterior, las de Registro Civil y las demás que expresamente les sean atribuidas por ley en garantía de cualquier derecho.»

El artículo 9 de la Ley Orgánica del Poder Judicial. «Los Tribunales y juzgados del Orden Civil conocerán, además de las materias que les son propias, de todas aquellas que no estén atribuidas a otro orden jurisdiccional».

La antigua Ley de Enjuiciamiento Civil de 1881 contenía preceptos bastante reveladores sobre la competencia en materia de contratos: Artículo 51 de la Ley de Enjuiciamiento Civil de 1881. «La jurisdicción ordinaria será

---

[68]   DE CASTRO Y BRAVO, F., *Derecho Civil de España...* cit, pág. 533
[69]   MANRESA Y NAVARRO, JM., *Comentarios al Código Civil español*, T.VIII; vol. II, Madrid, 1967, pág. 830. LÓPEZ FERNÁNDEZ, L.M., «*Reflexión en torno a algunos problemas...* », en *A.D.C.*, pág. 1378. Podemos hacernos eco de las palabras de este último autor que dice que de esta característica «tan general no se pueden extraer consecuencias tan concretas que se puedan afirmar categóricamente desatendiendo el derecho procesal y otros principios».
[70]   GORDILLO CAÑAS, *La nulidad parcial ...* , cit, pág. 131-132.

la única competente para conocer de los negocios civiles que se susciten en territorio español... ». Artículo 55 Ley de Enjuiciamiento Civil de 1881 «Los Jueces y Tribunales que tengan competencia para conocer de un pleito la tendrán también ... para todas sus incidencias... »

La nueva Ley de Enjuiciamiento Civil, Ley 1/2000, de 7 de enero, que entró en vigor en enero de 2001 (Disposición Final vigésimoprimera) deroga la Ley de Enjuiciamiento Civil de 1881 (Disposición Derogatoria Única. 1). Se puede observar que en la nueva Ley procesal no se encuentran preceptos equivalentes a los artículos 51 y 55 de la Ley precedente. Sin embargo, nada hace indicar que se haya pretendido alterar esta competencia exclusiva en materia contractual. Lo único que ocurre es que en el Titulo II de la nueva Ley donde se regula la jurisdicción y la competencia no se ha tratado de descender a materias concretas sino que solo se ocupa de dar reglas o pautas genéricas sobre la extensión y límites de la jurisdicción. En este sentido responde más fielmente a la concepción de norma adjetiva característica de las leyes procesales dejando que sean otras leyes las que marquen o definan las materias concretas objeto de competencia. Tan sólo se ocupa de regular lo que ocurre cuando se produce una falta de jurisdicción (Capitulo I, Sección 1ª) y se limita a recoger lacónicamente el principio de predeterminación legal de la competencia. Artículo 44. «Para que los tribunales civiles tengan competencia en cada caso se requiere que el conocimiento del pleito les esté atribuido por normas con rango de Ley... »

El artículo 3 a) de la reciente Ley Reguladora de la Jurisdicción Contencioso-Administrativa de 13 de julio de 1998: « No corresponden al orden jurisdiccional contencioso-administrativo: a) Las cuestiones expresamente atribuidas a los órdenes jurisdiccionales civil, penal y social, aunque estén relacionadas con la actividad de la Administración pública.»

Además, el Decreto de la Presidencia del Gobierno, de 25 de abril de 1963 (Repertorio de Jurisprudencia Aranzadi 1963/ 3067) resolviendo una cuestión de competencia entre la jurisdicción ordinaria y la Administración mantiene que las cuestiones relativas a las relaciones entre las partes ligadas por un contrato normalmente le corresponde a la jurisdicción ordinaria por Ley. De este modo, considera que para salvar este obstáculo y poder sustraer este conocimiento de la jurisdicción ordinaria hace falta la existencia de un precepto legal expreso que inequívocamente atribuya a la administración la competencia sobre la cuestión que se trata. Del mismo modo el Decreto 1616/ 1974 de 16 de mayo (vid. Domper Ferrando, Repertorio, Madrid 1978, pág. 799.).

Otra paradoja que se puede producir si se mantiene la competencia de la Administración es la que conlleva el desconcierto entre los plazos de prescripción de las acciones. Este desconcierto resulta de los diferentes plazos que, con seguridad, se dispondrán para ejercitar las acciones civiles y las administrativas. Pese a que en materia de plazos predomina el casuísmo de las regulaciones sectoriales concretas, podemos apreciar significativamente que los plazos generales establecidos con carácter supletorio distan mucho de coincidir.

Los plazos de las sanciones e infracciones administrativas dependerán de la consideración que la ley tenga de la falta. En general, una infracción y sanción por falta muy grave tendrán un plazo de prescripción de tres años, si la falta es grave serán dos años y en caso de ser falta leve la sanción prescribirá al año y la infracción a los seis meses (Art. 132 de la Ley 30/1992 de Régimen Jurídico de las Administraciones Públicas y del Procedimiento administrativo Común). Mientras que para ejercitar la acción de nulidad, en principio, no habrá plazo de prescripción por el carácter imprescriptible que le caracteriza. Por otro lado, si contemplamos contratos con obligaciones pendientes de ejecución los contratantes siempre cuentan con el plazo general de quince años del art. 1964 CC, previsto para las acciones personales que no tengan señalado término especial, para exigir el cumplimiento íntegro o la resolución.

5.2. La experiencia de la Ley del Contrato de Seguro y su superación por la Ley de Condiciones Generales

El artículo 3º de la Ley 50/1980, de 8 de octubre, de Contrato de Seguro establecía ya un mecanismo mixto de control de las condiciones generales del contrato de seguro: art. 3.2 « Las condiciones generales del contrato estarán sometidas a la vigilancia de la Administración pública en los términos previstos por la Ley.» Esta implicación genérica de la Administración Pública en el control del contrato de seguro se concreta más en el apartado siguiente del precepto: art. 3.3 « Declaradas por el Tribunal Supremo la nulidad de alguna de las cláusulas de las condiciones generales de un contrato, la Administración Pública competente obligará a los aseguradores a modificar las cláusulas idénticas contenidas en sus pólizas».

No resulta extraño que tradicionalmente exista en el sector seguros una previsión intensa de intervención y control administrativo de la contratación, habida cuenta de la fortísima presencia del Derecho público en el sector[71]. La intervención pública empieza por las especiales exigencias de constitución y organización de las compañías aseguradoras y continúa con las exigencias del control de su actividad que están siempre destinadas hacia una tutela y protección del asegurado[72]. Sin embargo, esta tradicional función de control

---

[71] MARTÍ SÁNCHEZ, N., «*Actividad aseguradora y contrato de seguro*», en Derecho de Seguros II, *Cuadernos de Derecho Judicial*, Madrid, 1997, págs. 30-32, LINDE PANIAGUA, E., *Derecho Público del seguro*, Madrid, 1977, págs. 30-35, ALONSO SOTO, R., voz «Seguro», en *E.J.B.*, T. IV, Madrid, 1995, pág. 6137.

[72] MENÉNDEZ MENÉNDEZ, A., «*Preliminar. Artículos 1 a 4*», en Comentarios a la Ley de contrato de seguro, dir. E. Verdera Tuels, vol. I, Madrid, 1982, pág. 115 y 127, LINDE PANIAGUA, E., «*La administración en la Ley 50/1980, de 8 de octubre, de contrato de*

de la Administración en este ámbito ha ido disminuyendo paulatinamente y perdiendo importancia práctica debido a la liberalización que ha operado la legislación de la Unión Europea en el sector[73].

Al establecerse un sistema de vigilancia administrativa, a la que se refiere el artículo 3.2 de la Ley del Contrato de Seguro, debemos precisar en qué términos se realiza esta vigilancia. Los términos vienen establecidos y definidos tanto en la propia Ley del Contrato de Seguro como en la Ley de Ordenación y Supervisión de los Seguros Privados. La vigilancia y poder sancionador de la Administración va a superar el ámbito de la Ley de Contrato de Seguro que tendrá que coordinarse con la normativa de control general de la actividad aseguradora[74].

La labor de vigilancia administrativa ha ido evolucionando. En un principio, con la Ley de Ordenación del Seguro Privado de 16 de diciembre de 1954 y su reglamento, se condicionaba la inscripción de la compañía a la presentación de los modelos y las pólizas y a que éstas cumpliesen las condiciones y requisitos legales. Al estar las pólizas sometidas a un control previo de aprobación o autorización discrecional por parte de la Administración[75], se encontraban revestidas de cierto carácter oficial[76].

Pronto la Administración se vió desbordada y colapsada por esta función que había asumido y se sustituye el sistema de aprobación previa de los modelos de póliza por un sistema de mera comunicación a la Administración (R. D. de 10 de junio de 1979). Se reduce el ámbito de actuación de la Administración pasando de un sistema de autorización a otro de mera vigilancia general y permanente de las condiciones generales[77]. Se mantiene, no obstante, en los casos en los que se trataba de obtener autorización para las nuevas entidades o cuando se pretendía extender su actuación a un nuevo ramo. En estos casos, la Dirección General podía prohibir las condiciones para nuevos contratos, tras el oportuno expediente administrativo o como medida cautelar de forma inmediata. Para los contratos en vigor cabía modificación

---

seguro», en *Comentarios a la Ley de Contrato de Seguro*, dir. E. Verdera Tuells, vol. I, Madrid, 1982, pág. 243, PÉREZ-SERRABONA GONZÁLEZ, J.L., *El contrato de seguro. Interpretación de las Condiciones Generales*, Granada, 1993, VICENT CHULIÁ, F., *Concepto y caracteres del contrato de seguro*, págs. 150-152.

[73] SÁNCHEZ CALERO, F., «Comentario al artículo 3», en *Ley de Contrato de Seguro. Comentarios a la Ley 50/1980, de 8 de octubre, y a sus modificaciones*, 2ª ed., Pamplona, 2001, págs. 106-107, EMBID IRUJO, J.M., «Comentario al artículo 3», en *Comentarios a la Ley de Contrato de Seguro*, Valencia, 2002, pág. 75.

[74] SÁNCHEZ CALERO, F., «*Comentario al artículo 3*», en *Comentarios al Código de Comercio y Legislación Mercantil Especial. Ley del Contrato de Seguro*, T. XXIV, vol. 1º, Madrid, 1984, pág. 78.

[75] SÁNCHEZ CALERO, F., «*Comentario al artículo 3*», en *Comentarios.. op. ult.. cit.*, pág. 79.

[76] PÉREZ-SERRABONA GONZÁLEZ, J.L., *El contrato de seguro...* cit., pág. 94.

[77] MENÉNDEZ, A., «*Preliminar...* cit., pág. 129-129.

de estas condiciones, aunque no era automática sino que deberían solicitarlo los asegurados interesados y se transmitía la oportuna notificación al asegurador[78].

Es ya con la Ley de 2 de agosto de 1984, anterior a la vigente, cuando la Dirección General de Seguros asume una auténtica función de control de estas Condiciones Generales. Ahora el control se realizará mediante el sistema de requerir a través de una mera comunicación o notificación, a las compañías de seguros, la eliminación de algunas de las cláusulas que no se considere adecuadas a derecho.

En general, en cuanto al funcionamiento, se observa que la Sección de Consultas y Reclamaciones de la Dirección General de Seguros suele resolver a favor del asegurado cuando se trata de la anulación de pólizas. Estas decisiones de la Sección no son vinculantes pero —indica PÉREZ-SERRABONA— la Memoria Anual de este Departamento suponía una medida de presión ante las entidades aseguradoras. De esta forma, suponía un útil instrumento en manos de la Administración. Aunque la solución más correcta sería que resultase declarada la nulidad de las cláusulas afectadas por una sentencia del Tribunal Supremo. En virtud de esta sentencia la Dirección General de Seguros ya podría obligar a los aseguradores a modificar las cláusulas de sus pólizas en virtud del artículo 3.3 de la Ley de contrato de Seguro[79].

Con la Ley 30/1995, de 8 de noviembre, de Ordenación y Supervisión de los Seguros Privados, el panorama no cambia sustancialmente aunque detalla más el sistema de control. Podemos comenzar indicando que se establece en el artículo 24.2 que el contenido de las pólizas deberá ajustarse a la propia Ley y también a la Ley de Contrato de Seguro. Sin embargo, los modelos de pólizas no están sujetos a autorización administrativa ni deberán ser objeto de remisión sistemática a la Dirección General de Seguros (artículo 24. 5º). Incluso, se suprime el deber de comunicación previa a la Administración. No obstante, la Dirección podrá requerir su presentación siempre que lo estime pertinente para controlar si respetan las disposiciones sobre el contrato de seguro. (Art. 24. 5º c). En definitiva, Se prescinde del rígido sistema de autorización previa y del sistema de comunicación preceptiva, pero continúa asignándosele a la Administración una labor de mera vigilancia preventiva sobre las condiciones generales[80].

Cuando la Dirección General de Seguros detecte que el contenido de las pólizas no se ajusta a la Ley podrá prohibir su utilización. Para ello se

---

[78]   SÁNCHEZ CALERO, F., «*Comentario al artículo 3*», en *Comentarios...* cit., págs. 81-82.
[79]   PÉREZ-SERRABONA GONZÁLEZ, J.L., *El contrato de seguro...* cit., págs. 107-108.
[80]   SÁNCHEZ CALERO, F., «Comentario al artículo 3», en *Ley de Contrato de Seguro. Comentarios a la Ley 50/1980, de 8 de octubre, y a sus modificaciones,* 2ªed., Pamplona, 2001, págs. 106-107.

instruirá el correspondiente procedimiento administrativo en el que, como medida provisional, se puede acordar la suspensión de su uso. Antes de iniciar el procedimiento de prohibición podrá requerir a la aseguradora afectada para que modifique las condiciones y las ajuste a la legalidad (art. 24.4).

Precisamente, debido a la cantidad de modelos de pólizas que podemos encontrar en el tráfico jurídico no será frecuente que la Administración realice este control de oficio. Para que la Administración pueda realizar un control más puntual y certero la Ley articula un sistema de reclamación de las personas directamente interesadas. Cualquier afectado podría recabar la protección administrativa frente a las entidades aseguradoras que realicen prácticas abusivas o lesionen los derechos derivados del contrato de seguro (art. 62.2)[81].

Por esta vía puede llegarse a dos resultados dispuestos facultativamente al criterio de la Dirección General: 1º/. Por un lado, puede llegarse al mismo resultado de prohibición contemplado en el artículo 24.4 y su desatención por parte de la aseguradora tendrá el carácter de infracción grave (art, 40. 4 g). Entendemos que si esta desatención es reiterada estaríamos ante una infracción muy grave (art. 40.3 k). 2º/. Por otro lado, la Administración puede calibrar discrecionalmente la conducta de la aseguradora y en los casos menos graves puede facultativamente considerar que, en vez acudir a la prohibición del artículo 24.4, entender que estamos ante una infracción leve recogida en el artículo 40.5 b) «Tendrán la consideración de infracciones leves: el incumplimiento de la entidad aseguradora de las normas imperativas contenidas en los artículos 3, (…), de la Ley de Contrato de Seguro, si no atendieren en el plazo de un mes el requerimiento que al efecto formule la Dirección General de Seguros en cuanto entendiere fundada la reclamación regulada en el número 2 del artículo 62 de esta ley.» Si el incumplimiento de estos requerimientos por parte de la entidad aseguradora tuviera carácter repetitivo se considerará ya como infracción grave (art. 40. 4 h).

Las consecuencias de estas infracciones administrativas llevan aparejadas, aparte de las correspondientes multas pecuniarias, en las sanciones graves la suspensión temporal (hasta 5 años) de la autorización administrativa para operar en uno o varios ramos en los que esté autorizada la entidad aseguradora y dar publicidad a la conducta constitutiva de la infracción. En las sanciones muy graves se puede llegar a la revocación de la autorización o a la suspensión temporal (desde 5 hasta 10 años y dar publicidad a la conducta constitutiva de la infracción. (Art. 41)

Por último, existiría otra consecuencia añadida en los casos en los que a la entidad aseguradora le sea revocada la autorización o siga operando en los ramos en los que se le haya suspendido la misma: el artículo 5.2 de la Ley

---

[81]   SÁNCHEZ CALERO, F., «Comentario al artículo 3», en *Ley de Contrato de Seguro, op ult. cit.,* págs. 109-110.

establece un especial régimen de nulidad de pleno derecho de los contratos de seguro realizados por ésta[82].

Para la doctrina, la experiencia de este control administrativo centrado en la contratación ha resultado bastante decepcionante, revelándose como ineficaz y poco efectivo[83]. Los motivos de la inoperancia práctica de este sistema de control mixto son diversos. Por lo general, en todos se demuestra que se ha visto con muchas reservas esta intervención administrativa en la esfera de la contratación privada[84]. Una de las razones que se encontró para explicar esta escasa efectividad estaba en una falta de relación del artículo 3 de la Ley del Contrato de Seguro con cualquier otra Ley. Sobre todo, se acusó una ausencia de correspondencia extraña y poco explicable entre este artículo 3º de la Ley del Contrato de Seguro y el artículo 10 de la Ley 26/1984, de 19 de julio, General para la Defensa de los Consumidores y Usurarios (actualmente art. 10 bis)[85].

Otro de los aspectos que parece haber truncado la operatividad de este control administrativo de las cláusulas generales del contrato de seguro se puede encontrar en la fundada sospecha de ciertas conductas un tanto fraudulentas de las Compañías de Seguros. Está claro que no le interesará a ninguna Compañía que una supuesta cláusula abusiva sea declarada como tal por el Tribunal Supremo. Evitarán, siempre que les sea posible, los recursos conformándose ante las sentencias de instancia y eludiendo así el posible control administrativo[86]. Parece que esto es lo que en la práctica ha ocurrido de forma espontánea sin llegar a la sospecha, insinuada por CLAVERÍA, de confabulación de este tipo de compañías para disuadir a

---

[82]   Vid. infra epígrafe «*Régimen jurídico analizado al estudiar los efectos de la ilegalidad contractual.*

[83]   EMBID IRUJO, J.M., «Comentario al artículo 3», en *Comentarios a la Ley de Contrato de Seguro, cit.,* pág. 84, GARCÍA CANTERO, G., «*Venturas y desventuras del artículo 10 de la Ley General para la defensa de consumidores y usuarios*», en *A.C.,* 1991-2, pág. 295, CLAVERÍA GOSÁLVEZ, L.H., «*El control de las condiciones generales de los contratos*», en *La Ley,* 1989-2, pág. 1014, LÓPEZ SÁNCHEZ, «*Las condiciones generales de los contratos en el derecho español*», en *R.G.L.J.,* 1987, 11, págs. 623-624.

[84]   No obstante, somos conscientes que no son pocos los autores que, tras poner de manifiesto las limitaciones del control judicial para extender a todos los contratos los efectos de la sentencia que declara nulas o abusivas determinadas condiciones generales, manifiestan la posibilidad de complemento y compatibilidad con en control *a priori o a posteriori* de la Administración. (POLO, E, *Defensa de los consumidores...* cit., pág. 69, SÁNCHEZ CALERO, F., *Comentario....* cit., págs. 75-88).

[85]   GARCÍA CANTERO, G., *Venturas y desventuras...* cit., págs. 294-295.

[86]   Por esta razón se explican las escasísimas sentencias dictadas por el Tribunal Supremo en esta materia que hacen que fracase todo el sistema como pone de relieve toda la doctrina PAGADOR LÓPEZ, J., *Condiciones generales...* cit., pág. 354, nota 30, EMBÍZ IRUJO, «*Aspectos institucionales y contractuales de la tutela del asegurado*», *R.E.S.,* Nº 91, 1997, pág. 31, AVILÉS GARCÍA, J., «*Cláusulas abusivas, buena fe y reformas del derecho de la contratación en España*», en *R.C.D.I.,* Nº 648, 1998, pág. 1584.

cualquiera de ellas de llegar a interponer recurso de casación frente a la sentencia de instancia que repute abusiva una cláusula[87].

Una razón más técnica la podemos encontrar en la deficiente coordinación de las sanciones civiles y de las sanciones administrativas. Ciertamente, las sanciones administrativas pueden llegar a ser muy efectivas y disuasorias para las entidades aseguradoras. El problema está en adecuarlas a la sanción civil. Resulta llamativo que en el artículo 3.3 de la Ley de Contrato de Seguro se requiera pronunciamiento firme del mismísimo Tribunal Supremo para que pueda comenzar a actuar la Administración. Es decir, se requiere resolución judicial casacional para obligar a los aseguradores a modificar las cláusulas idénticas contenidas en sus pólizas.

Incluso contando con el pronunciamiento del Tribunal Supremo las facultades de la Administración son muy limitadas. Ante el incumplimiento puntual de los requerimientos que al efecto le haga la Administración tan sólo cabría considerar que estamos ante una infracción leve. La escasa transcendencia de este tipo de infracción se traduce en que se solventaría con la satisfacción de la correspondiente multa pecuniaria (nunca superior a 5 millones de pesetas).

Sólo en el caso de que se considere la conducta de la aseguradora como de carácter repetitivo tendrá la consideración de infracción grave. Ante estos casos sí que se puede disuadir a la entidad aseguradora puesto que tanto por las cuantías de las multas como, sobre todo, por la publicidad y la suspensión de la autorización la aseguradora tomará muy en serio la legalización de todas las cláusulas y condiciones de sus pólizas. Sin embargo, es difícil llegar a la aplicación de tales medidas puesto que se requiere una declaración de nulidad de la cláusula por el Tribunal Supremo y un reiterado requerimiento infructuoso de la Administración. De esta forma, resulta incluso una tutela más efectiva para el asegurado acudir directamente al servicio de reclamaciones de la Dirección General de Seguros para tratar de conseguir la prohibición del artículo 24.4 de la Ley de Ordenación y Supervisión de los Seguros Privados y sus consecuencias.

Con la Ley de Condiciones Generales de la Contratación esta situación de descoordinación puede desaparecer[88]. Hemos de tener en cuenta que esta Ley establece un sistema de control judicial que además cuenta con un reconocimiento complementario basado en la publicidad registral y encomendado a cualificados operadores jurídicos. En el Registro de Condiciones Generales de la Contratación establecido en la nueva Ley serán objeto de anotación

---

[87]   CLAVERÍA GOSÁLBEZ, L.H., *El control de las condiciones...* cit., pág. 1015.

[88]   Parece que en este sentido la nueva ley sobre Condiciones Generales de la contratación va a lograr las expectativas que había creado el desairado control administrativo proyectado por la Ley del Contrato de Seguro y desarrollado por la Ley de Ordenación y Supervisión del Seguro Privado. (Esta parecía ser la esperanza de PÉREZ-SERRABONA, J.L., *El contrato de seguro...*cit., págs. 288-289).

preventiva la interposición de las demandas ordinarias de nulidad o de declaración de no incorporación, y demás acciones previstas en el capítulo IV de la misma, así como las resoluciones judiciales que acuerden la suspensión cautelar de la eficacia de una condición general. Evidentemente, también serán objeto de inscripción las ejecutorias en que se recojan sentencias firmes estimatorias de cualquiera de estas acciones y la eventual persistencia acreditada en la utilización de cláusulas declaradas judicialmente nulas (Artículo 11.3 y 4 de la Ley de Condiciones Generales)

En este mismo sentido, se establece en el artículo 22 de la Ley de Condiciones Generales en cuanto a la inscripción en el Registro de Condiciones Generales de las sentencias que «en todo caso en que hubiere prosperado una acción colectiva o una acción individual de nulidad o no incorporación relativa a condiciones generales, el juez dictará mandamiento al titular del Registro de Condiciones generales de la Contratación para la inscripción de la sentencia en el mismo».

Podría plantearse la posible derogación tácita del control administrativo sobre las cláusulas de las pólizas, por falta de operatividad, ante el nuevo sistema de control judicial articulado en la Ley de Condiciones Generales de la Contratación[89]. Sin embargo, también podemos entender que estas disposiciones vienen a facilitar enormemente el control de las condiciones generales de la contratación en las pólizas de seguros y coordinan perfectamente las tareas jurisdiccionales y administrativas. Para empezar, parece que queda superado el requisito de que deba pronunciarse el Tribunal Supremo sobre la nulidad de la cláusula o condición para que pueda intervenir la Administración, *conditio iuris* que establece el artículo 3.3 de la Ley de Contrato de Seguro. No tiene ya sentido la objeción que esgrimió la Administración sobre la dificultad para el conocimiento de todas las sentencias firmes de los tribunales con la que consiguió que se alterase el texto del Anteproyecto al que definitivamente resultó aprobado[90]. Con el funcionamiento del Registro de

---

[89]   ALFARO es partidario de esta interpretación con dos argumentos: las reglas para la resolución de antinomias y la posible discriminación de las aseguradoras respecto a otros empresarios predisponentes que no están sometidos a control administrativo. En cambio MIQUEL, en la misma obra, considera subsistente la diferencia entendiendo que la concepción ultraliberal de la Ley sobre Condiciones Generales mantiene y confirma la desigualdad en el control de los contratos de seguro.
(ALFARO AGUILA-REAL, J., en *Comentarios a la Ley sobre Condiciones Generales de la Contratación*, coordinado por: A. Menéndez y L. Díez Picazo, Madrid, 2002, págs. 140-141, MIQUEL, J. M., en la misma obra, pág. 436). En cualquier caso, esta Ley se destina a proteger a los adherentes y no a los empresarios. No cabe interpretarla para favorecer a las aseguradoras sino a los asegurados y, si la diferencia de régimen jurídico estaba ya legalmente definida, debe mantenerse si no se deroga expresamente por el legislador.

[90]   El texto del Anteproyecto, realizado por la Comisión General de Codificación, iba más lejos estableciendo: «La declaración judicial de nulidad de una cláusula de las condiciones generales obligará a la Administración pública a revisar todas las cláusulas que hayan sido autorizadas.»

Condiciones Generales de Contratación el conocimiento por parte de la Administración tanto de las demandas como de las Sentencias sería una sencilla cuestión de diligencia[91].

Dentro de las facultades de la Dirección General de Seguros se encuentra la de incoar un procedimiento administrativo conducente a la prohibición de utilizar las pólizas que no cumplan o no se ajusten a la ley, cuando crea pertinente (art. 24.5 c y 24.4 de la Ley de ordenación y supervisión de los seguros privados). Parece razonable pensar que esta posibilidad de abrir el procedimiento administrativo de oficio será pertinente siempre que le conste a la Administración la oportuna inscripción en el registro de una sentencia en la que haya prosperado una acción de nulidad que afecte a cualquier condición general de una póliza de seguros. Simplemente, como apunta SÁNCHEZ CALERO, se pasa de articular un poder discrecional de la Administración para eliminar las cláusulas que estime ilegales en un poder reglado que opera por inducción de la actividad de la autoridad judicial, no sólo del Tribunal Supremo[92]. Esta interpretación es la única que posibilita sostener la operatividad del sistema[93].

Sin embargo, no creemos que esto signifique que la mera inscripción en el Registro de cualquier sentencia firme declarativa de la nulidad implique la declaración automática por otro juez respecto de las condiciones generales idénticas que utilice el mismo predisponente u otros dentro del mismo sector profesional[94]. En realidad, únicamente las sentencias del Tribunal Supremo que lleguen a constituir doctrina legal surtirían este tipo de efectos (artículo 20.4 de la Ley de Condiciones Generales). Lo que no se puede negar es que la nulidad de la cláusula declarada por cualquier juez o tribunal supone un indicio fundado, más que suficiente, para que intervenga el control de la Administración. En ningún caso supondrá indefensión por parte de la aseguradora que seguirá siempre teniendo abierta todas las las vías de recursos judiciales posibles hasta llegar a la casación para defender la validez de sus contratos.

---

[91]   En este sentido ya, anteriormente, SÁNCHEZ CALERO adelantó como se hubiera visto solventada la objeción organizando un registro de demandas y sentencias que afectasen a esta materia. (SÁNCHEZ CALERO, F., *Comentarios...* cit., pág. 92, nota 46.

[92]   SÁNCHEZ CALERO, F., *Comentarios...* cit., pág. 87 y 93-94.

[93]   POLO, E., *Protección...* cit., pág. 88-89, «*La extensión de la eficacia del control judicial sobre las condiciones generales del contrato de seguro*», en *VV.AA..*, bajo la dirección de E. Verdera Tuels, *Comentarios a la Ley de Contrato de seguro*, Vol. 1°, Madrid, 1982, págs. 230-238, MENÉNDEZ, A., *Preliminar...* cit., pág. 132, SÁNCHEZ CALERO, F., *Comentarios...* cit., pág. 87. Advierten de los peligros de las posibles interpretaciones a las que podría inducir el texto de este artículo 3.3 de la Ley: MOTOS GUIRAO, M., «*La administración pública, la jurisprudencia del Tribunal Supremo y las condiciones generales del contrato de seguro*», en *VV.AA.*, bajo la dirección de E. Verdera Tuells, *Comentarios a la Ley de Contrato de seguro*, Vol. 1°, Madrid, 1982, págs. 218-219, LINDE PANIAGUA, E., «*La administración en la Ley 50/1980, de 8 de octubre, de contrato de seguro*»... cit, págs. 256-257.

[94]   Esto es lo que parece sugerir como efectos jurídicos del Registro de Condiciones Generales de Contratación GÓMEZ GÁLLIGO, J.L.,... Op. cit., pág. 1603.

5.3. Contratos contra la libre competencia y el Tribunal de Defensa de la competencia

Uno de los límites de la libertad contractual que podemos considerar como límite intrínseco, conforme a su propia naturaleza jurídica es la defensa de la competencia[95]. El movimiento legislativo en defensa de la competencia tiene sus orígenes en los países de tendencias económicas más marcadamente liberales. Es decir, los países anglosajones y Alemania. De hecho, se basa este nuevo derecho especial en la doctrina de las escuelas «neoliberales» como la Escuela de Chicago en EEUU o de Friburgo en Alemania y otros países europeos, que empiezan a pensar que es necesario corregir los excesos de la ilimitada autonomía de la voluntad. En un primer momento se reacciona mediante una legislación antimonopolios cuyo primer exponente es la Ley Sherman anti-trust de 1890 en los EEUU[96]. Después se va a intentar dictar normas más generales para evitar las prácticas restrictivas de la competencia y de este modo se pretende erradicar los pactos y acuerdos contrarios a la libertad real de la contratación.

La legislación relativa a la defensa de la competencia y sobre la competencia desleal se va a ocupar de definir las prácticas restrictivas de la competencia. Nuestra Ley de Defensa de la Competencia 16/1989 establece un elenco de acuerdos y prácticas prohibidas y autorizadas. Dentro de estas prácticas nos vamos a referir a los acuerdos restrictivos de la competencia. Estos acuerdos a los que se refiere la Ley de Defensa de la Competencia se corresponde con el concepto de convenios, que era como se denominaban en la Ley de 1963. La nueva Ley recoge la nomenclatura del artículo 85 del Tratado de Roma constitutivo de la Comunidad Europea (BOE 1 de enero de 1986). En definitiva, tanto el término acuerdos como convenios se pueden considerar equivalentes puesto que caben dentro de la noción amplia de contratos[97].

Ante estos acuerdos, se revela como sanción más eficiente la de la nulidad puesto que, en muchos casos, estos acuerdos tienen carácter secreto entre empresas y puede que sólo se manifiesten en el momento de exigir su

---

[95]   En este sentido se encuentra la exposición del profesor DE CASTRO en sus *Notas sobre las limitaciones intrínsecas de la autonomía de la voluntad*, pág. 989-990.

[96]   Los monopolios han sido contemplados por las leyes históricamente desde muy antiguo, el profesor DE CASTRO, op. cit. pág. 1009-1014 recoge numerosas notas históricas sobre los orígenes más remotos y evolución de la legislación sobre monopolios en la historia. Según este autor, podemos remontarnos incluso hasta el derecho romano para encontrar el origen de condenas y prohibiciones de actividades monopolísticas en numerosas Leyes. Sin embargo, con la revolución que supuso el triunfo del liberalismo a finales del siglo XVIII desaparece sus referencias de leyes y tratados y será solo con la Ley Sherman con la que podamos hablar de ley antimonopolista en sentido estricto.

[97]   GALÁN CORONA, E., *Acuerdos restrictivos de la competencia*, Madrid, 1977, págs. 205-207.

cumplimiento. La sanción de nulidad anima al incumplimiento de los acuerdos nocivos y hace aventurada una acción al cumplimiento[98].

Una vez determinados los supuestos en los que se considera que los actos restrictivos de la competencia se hallan prohibidos, la ley encarga a un Tribunal especial, no jurisdiccional sino de carácter administrativo (Tribunal de Defensa de la Competencia) que imponga sanciones. Las sanciones que puede imponer este tribunal son de lo más variado.

Pueden consistir en multas pecuniarias u otra medidas que corrijan la distorsión provocada en el mercado, así como declaraciones de responsabilidades pecuniarias y resarcimientos de daños y perjuicios.

Además, estas conductas prohibidas llevarán aparejadas otras sanciones en otros ámbitos, como pueden ser las penas previstas en el Código Penal (art. 284). No obstante, se puede entender que en estos casos de acuerdos contra la libre concurrencia o de competencia desleal opera el principio de *non bis in idem* y que no procede añadir a las penas las sanciones administrativas[99].

Por último, el sistema de sanciones se completa estableciendo en el plano civil la nulidad de pleno derecho de aquellos acuerdos prohibidos por la Ley (art. 1.2 de la Ley de Defensa de la Competencia) y la acción de resarcimiento de daños y perjuicios, fundada en la ilicitud de los actos prohibidos por esta Ley (art. 13.2). La nulidad se revela como complemento necesario de las sanciones pecuniarias, habida cuenta de que las enormes y voluminosas operaciones en juego hacen a veces inoperantes las sanciones pecuniarias[100].

El sistema de control adoptado por la Ley es complejo, lo que justifica la existencia del Tribunal de Defensa de la Competencia como organismo fiscalizador especializado. El Tribunal de Defensa de la Competencia como órgano especializado en la materia está también previsto en otros ordenamientos jurídicos. Lo peculiar de nuestro sistema es el carácter administrativo de este Tribunal al que parece encargársele tareas jurisdiccionales. Parece que la inspiración surge del modelo británico pero no responde a los mismos principios, puesto que el Tribunal inglés tiene carácter judicial y su composición es, al menos parcialmente, de jueces ordinarios.

---

[98] GARRIGUES, J., *La defensa de la competencia mercantil*, Madrid, 1964, págs. 96-97.

[99] TRONCOSO Y REIGADA, M., «*Marco normativo de los ilícitos desleales de relevancia antitrust. (Reflexiones en torno al art. 7 LDC)*», en *Estudios Jurídicos en Honor a Aurelio Menéndez*, T. I., Madrid, 1996.

[100] Resulta interesante la reciente Resolución del Tribunal de Defensa de la Competencia de 26 de noviembre de 2002 (Expte. 528/01, Consejo General de la Abogacía) en la que se considera como decisión colectiva prohibida en el art. 1 de la Ley de Defensa de la Competencia el que el Consejo General de la Abogacía incluya la interdicción del pacto de *cuota litis* en sentido estricto, al limitar la autonomía de los abogados para establecer sus honorarios. La sanción se traduce en 1º. intimar para modificar la decisión. 2º. Publicar la Resolución. 3º. Imponer multa sancionadora de 180.000 euros. 4º. Imponer multas coercitivas de 600 euros/día por retraso en el cumplimiento de las obligaciones que se le han impuesto.

La tarea a realizar encierra bastante complejidad. En primer lugar, habrá de comprobarse que nos encontramos ante un acuerdo entre empresas cuyo contenido es colusorio y se encuentra prohibido. No resulta sencillo determinar si el objeto de dicho acuerdo está encaminado a impedir, restringir o falsear la competencia. Una vez que se comprueba que el acuerdo incurre en una práctica colusoria prohibida se debe comprobar si se puede acoger a alguna exención por categoría de las establecidas en los reglamentos dictados al efecto. En caso de que se ajuste a las condiciones de algún supuesto de las exenciones en bloque fijadas por los reglamentos el acuerdo escapará de la prohibición y consiguiente nulidad y será válido pese a su carácter anticompetitivo. Pero, aunque no pueda acogerse a los reglamentos de exención, todavía cabe la posibilidad de salvar el acuerdo acudiendo a la vía de la autorización individual previa notificación (artículos 3 y 4 de la Ley). Sólo en el caso que no se obtenga la autorización o no se haya siquiera procedido a la notificación será cuando proceda aplicar la sanción de nulidad. El acuerdo será impugnable por cualquier interesado, en cualquier momento y además puede dar lugar a la acción indemnizatoria por daños y perjuicios prevista en el artículo 13[101].

No deja la Ley lugar a dudas respecto a la sanción para los acuerdos prohibidos al hablar de la nulidad de pleno derecho (art. 1.2). Esta sanción era la misma que propugnaba la Ley anterior sobre la represión de las Prácticas restrictivas de la Competencia de 20 de julio de 1963. Solo que en ésta, en su artículo 1º, se expresaba además sobre qué fundamento se venía a considerar nulo el acuerdo, pues decía «Son nulos, **como contrarias a la Ley y al orden público**, los convenios entre empresas, así como los acuerdos y decisiones de todo género de uniones, asociaciones o agrupaciones que originen prácticas que tengan por objeto o produzcan el efecto de impedir falsear o limitar la competencia en todo o parte del mercado nacional».

El problema surge en cuanto la Ley encarga a ese órgano especial denominado precisamente Tribunal de Defensa de la Competencia la tarea, como función privativa, de realizar las declaraciones e intimaciones previstas en ella, entre estas parece encontrarse la declaración de nulidad. El problema se plantea en cuanto parece que se sustrae de las competencias de la jurisdicción ordinaria civil la de la declaración de la nulidad de los contratos. Competencia que se le pasa a atribuir a un órgano administrativo y con carácter privativo (art. 3º del Reglamento del Tribunal de defensa de la Competencia reformado por el Real Decreto de 24 de septiembre de 1982.) ¿Significa ésto que no van a resultar competentes los juzgados y tribunales del orden jurisdiccional civil para conocer de la declaración de nulidad de determinados contratos, por ser esta competencia privativa de la Administración del Estado y dentro de ésta del Tribunal de Defensa de la Competencia?

---

[101] SAGRERA RULL, J., «*Los acuerdos entre empresas y la nueva ley española de Defensa de la Competencia*», en *Derecho de los Negocios*, Nº 0, septiembre de 1990, pág. 27.

La duda surge con la legislación anterior puesto que en el artículo 13.2 de la derogada Ley sobre Represión de las Prácticas Restrictivas de la Competencia se establecía: «corresponde también exclusivamente al Tribunal de Defensa de la Competencia la declaración de nulidad de los acuerdos, convenios o decisiones...» Ante esta disposición GARRIGUES condiciona los efectos de este principio de monopolio[102] del Tribunal de Defensa de la competencia al carácter o naturaleza que se le atribuya a esa nulidad. Considera este autor que si consideramos que estamos ante una nulidad absoluta las consecuencias serán menos graves puesto que el fallo del Tribunal de Defensa de la Competencia es meramente declarativo.

En cambio, si es nulidad relativa no puede invocarse hasta que no lo declare el Tribunal de Defensa de la Competencia puesto que sería su declaración constitutiva. De tal forma que podría darse la paradoja de que ante una acción civil de incumplimiento tampoco se podría excepcionar la nulidad porque la declaración de nulidad está reservado por la ley al Tribunal de Defensa de la Competencia y el juez civil tendría que promover una cuestión prejudicial[103]. Además, el artículo 6º de la Ley establecía que una vez declarada la nulidad los perjudicados podrían reclamar por medio de una acción de daños y perjuicios ante la jurisdicción civil ordinaria. Con lo que toda actuación de ésta se veía absolutamente condicionada por el previo pronunciamiento del Tribunal de Defensa de la Competencia[104].

También esto podría interpretarse en la actualidad de forma errónea si consideramos que el art. 117.4 de la Constitución no permite extender la jurisdicción de los juzgados y tribunales a asuntos o materias de la competencia exclusiva o privativa de la Administración. En este caso, únicamente cabría la revisión de estas resoluciones del Tribunal de Defensa de la Competencia como actos administrativos interponiendo un recurso contencioso administrativo tal y como establece el art. 124. 2 del Reglamento del propio Tribunal de Defensa de la Competencia.

No obstante, esto puede llevarnos a consecuencias muy paradójicas incluso «escandalosas» que nos apunta DE CASTRO como puede suponer que mientras y en tanto que el Tribunal de Defensa de la Competencia no declare la nulidad del convenio que establece las prácticas colusivas, los Tribunales ordinarios deberán abstenerse de decretar o tener en cuenta la nulidad, incluso deberán obligar al cumplimiento del contrato o convenio contrario a la Ley, en el supuesto en que uno de los contratantes lo demande[105].

---

[102] Monopolio puesto que ni siquiera resulta recurrible ante la jurisdicción ordinaria sino que contra las Resoluciones del Tribunal de Defensa de la Competencia sólo se admite recurso contencioso-administrativo. (GARRIGUES, J., *La defensa de la competencia mercantil*, Madrid, 1964, págs. 111, 117 y 118)

[103] GARRIGUES, J., op. cit., pág. 98.

[104] GARRIGUES, J., op. cit., pág. 115.

[105] DE CASTRO, op. ult. cit., pág. 1004.

La postura más correcta es considerar que los Tribunales ordinarios civiles van a tener siempre competencia en materia de nulidad de convenios. Se llega a esta conclusión si se advierte que el Tribunal de Defensa de la Competencia no puede más que declarar la existencia de prácticas abusivas, intimar a la cesación de esas prácticas y, en los casos manifiestos, apuntar la más que probable nulidad de los convenios. Será, no obstante, su declaración labor encomendada a los Tribunales civiles, puesto que es a los que les compete establecer las consecuencias de los contratos que se encuentran inmersos en esas prácticas declaradas ilícitas por el Tribunal de Defensa de la Competencia. Es decir, la declaración o pronunciamiento del Tribunal de Defensa de la Competencia no supondría siquiera un requisito de procedibilidad para el ejercicio de las acciones civiles[106].

Lo único que supone la declaración del Tribunal de Defensa de la Competencia es el establecimiento inequívoco de los hechos que pueden o deben producir como consecuencia la nulidad del contrato que se va a enjuiciar por la jurisdicción civil. Las resoluciones del Tribunal de Defensa de la Competencia únicamente tendrían que determinar cualificadamente los hechos constitutivos de la prohibición, gozando en esta materia de la presunción de certeza. Con relación a esa declaración con valor de hecho probado con cierto rigor, ya que al ser un pronunciamiento de un organismo técnico no hay lugar a dudas, los tribunales civiles podrán considerar qué consecuencias se van a derivar para el contrato a raíz de este hecho. Esto beneficia a los jueces civiles ya que les evita tener que entrar a enjuiciar y conocer materias sumamente técnicas y les ayuda a conocer y decidir qué parte del contrato o convenio resulta contrario a la Ley y en qué medida.

Una vez se conozca el resultado del enjuiciamiento del Tribunal de Defensa de la Competencia se contará con mejores criterios para de esta forma poder establecer si la sanción más adecuada es la nulidad radical de pleno derecho o, en su caso, la nulidad parcial, o si bien no merece tal sanción. En todo caso, la calificación del Tribunal de Defensa de la Competencia de un acuerdo como prohibido no va a resultar vinculante para la decisión de los tribunales civiles sobre la nulidad del acuerdo, aunque si se aporta la determinará en buena medida.

El propio Tribunal de Defensa de la Competencia ha señalado la independencia de las decisiones adoptadas por la jurisdicción civil en la materia y las tomadas por él mismo. En realidad, este tribunal se ha pronunciado sobre su no vinculación con respecto a las decisiones de los tribunales civiles, pero el argumento se puede utilizar y con mayor motivo, también a la inversa:

---

[106] Aunque la complejidad de la materia hace que los tribunales prefieran actuar sobre el pronunciamiento previo del Tribunal de Defensa de la Competencia como cualificado experto para la calificación de los hechos. Este parece ser el criterio mantenido por nuestro Tribunal Supremo en las sentencias de 18 de mayo de 1985 y de 30 de diciembre de 1993.

RESOLUCION del Tribunal de Defensa de la Competencia de 5 de febrero de 1999. (Expte. 425/98. PELETEROS UTRERA) «Finalmente, la apreciación hecha por la sentencia del Juzgado nº 2 de Ronda de 17 de junio de 1997 en torno a la existencia de un acuerdo de exclusiva entre la empresa Francisco Borrego e Hijos, S.L. y la Sra. González para la venta de pieles al que, por otra parte, califica de desleal por ser contrario a la buena fe objetiva, no debe ser considerada definitiva por dos razones: en primer lugar, porque dicha sentencia no es todavía firme; y, en segundo lugar, porque, según la jurisprudencia del Tribunal Constitucional, se admite como ajustada a derecho la distinta percepción de unos mismos hechos o conductas en el orden civil y en el administrativo (Vid. la Sentencia de 20 de abril de 1989).»

En cuanto al resarcimiento de los posibles daños y perjuicios y su determinación, pese a que se contemple la acción en el artículo 13 de la Ley junto con las sanciones aplicadas por el Tribunal de Defensa de la Competencia, hay que señalar que se trata también de una competencia que corresponde a la jurisdicción ordinaria y así hay que interpretar el artículo 13.1 «*Las sanciones a que se refiere la presente Ley se entenderán sin perjuicio de otras responsabilidades que en cada caso procedan.*» El segundo párrafo de este artículo se presenta como inoportuno e innecesario puesto que únicamente establece la necesidad de que la reclamación se realice una vez firme declaración de la existencia de los actos prohibidos y no aporta nada más.

Podemos presumir que este requisito también viene impuesto para una adecuada cuantificación de los posibles perjuicios. Artículo 13.2 «*La acción de resarcimiento de daños y perjuicios, fundada en la ilicitud de los actos prohibidos por esta Ley, podrá ejercitarse por los que se consideren perjudicados, una vez firme la declaración en vía administrativa y, en su caso, jurisdiccional. El régimen sustantivo y procesal de la acción de resarcimiento de daños y perjuicios es el previsto en las leyes civiles*». En este sentido, resultaba más correcta la redacción del artículo 6º de la Ley de 1963 que rezaba: «*Los perjudicados por las prácticas restrictivas declaradas prohibidas podrán ejercitar la acción de resarcimiento de daños y perjuicios ante la jurisdicción civil ordinaria*».

También en este sentido podemos fijarnos en el modelo de la regulación de la Unión Europea, puesto que para el ordenamiento comunitario la declaración de la nulidad ha de realizarse a través de los Tribunales nacionales y no es competencia de la Comisión que únicamente constata la existencia de la infracción. De la misma forma, en la reparación de daños el derecho comunitario de la competencia no contiene normas relativas al eventual resarcimiento de perjuicios puesto que es competencia exclusiva de las jurisdicciones nacionales[107].

---

[107] FERNÁNDEZ-LERGA GARRALDA, C., *Derecho de la competencia. Comunidad Europea y España*, Pamplona, 1994, págs. 158-160.

El panorama se viene a complicar más con la Ley 3/1991 de Competencia Desleal. Esta ley primero define con una cláusula general en sus primeros artículos lo que se entiende por competencia desleal. Según el art. 5º «se reputa desleal todo comportamiento que resulte objetivamente contrario a las exigencias de la buena fe.» Con esta definición se acerca a la Ley Suiza que hace la misma alusión y a su vez —entiende VICENT CHULIÁ— no quiere decir otra cosa que a lo que los alemanes aluden en este ámbito como buenas costumbres[108] y nosotros denominaríamos orden público.

Parece pues que la sanción de la nulidad es la que como tónica general se les debe aplicar preferentemente a los contratos, convenios y acuerdos que limitan la libertad de empresa. Pero el que se tenga una regla general de nulidad no implica que, en todo caso, se tenga que declarar esta nulidad y tampoco excluye el que la nulidad sea parcial como en la Sentencia del Tribunal Supremo de 31 de diciembre de 1979, caso en el que se enjuiciaba un acuerdo de la asociación de agentes mayoristas de Vizcaya para la venta de aceites minerales y otros productos petrolíferos[109].

Las soluciones en el derecho comparado son todas similares: Los contratos que tienden a restringir la libertad del mercado son una de las más importantes categorías de «void contracts» en el Common law[110]. El término más moderno es el de prácticas restrictivas que es más amplio pero los problemas económicos y legales son los mismos. Generalmente estos son acuerdos mediante los cuales una o ambas partes limitan sus libertades de trabajo o conducen su profesión o negocio en un determinado sentido como por ejemplo acordando no competir entre ellos en ciertos lugares. Tales acuerdos pueden ser atacados porque van contra el interés público, y porque restringen de forma grave e injustificada la libertad personal.

Hoy parece ser el interés público y la honestidad y equidad entre las partes el factor más importante en los acuerdos que implican «restraints of trade». En la realidad socioeconómica actual entran a valorarse, por quedar implicados, los intereses de los consumidores y el enfrentamiento de los intereses de las grandes empresas nacionales y multinacionales. Los contratos en contra de la libre concurrencia son únicamente un aspecto de un problema muy amplio y complejo con importantes implicaciones sociales y económicas. Desde el punto de vista legal está entre The law of contract, tort y crime, y es ahora materia de abundante regulación de derecho público, así como de

---

[108] VICENT CHULIÁ, F., Compendio crítico de derecho mercantil, T. I, vol. 2º, 3ª ed., pág. 1062.
[109] SAINZ MORENO, El principio de libre competencia y el orden público económico, en REDA, Nº 24, págs. 134-138. Y Orden público económico y restriciones de la competencia, RAP, Nº 84, sept.-dic., págs. 597-643.
[110] ATIYAH, An introduction to the law of contract, 5º edición, Oxford, 1995, pág. 323, CHESHIRE FIFOOT & FURMSTON´S, Law of contract, 11º edición, Londres, 1986, págs. 380-400, PRENTICE, D.D., Chitty on Contracts. General principles, 26ª de., Londres, 1989, págs. 1190-1236.

legislación de la Unión Europea (artículo 85 del Tratado de Roma Constitutivo de la CEE).

En Alemania, encontramos que al no conocer la categoría del orden público incluyen estos acuerdos colusorios como contratos contrarios a las buenas costumbres. Noción que aparece en las leyes contra la competencia desleal alemana (última redacción, de 22 de octubre de 1987) y austriaca (última redacción de 6 de marzo de 1980). Es este el motivo por el que los contratos contrarios a la libre competencia en Alemania corren la suerte que el parágrafo 138 del B.G.B. establece para los contratos contrarios a las buenas costumbres que no es otro que el de la nulidad. Por tanto, es la misma sanción que tanto los anglosajones como nosotros mismos le damos, sólo que a través de otra vía.

6. Esquema sobre el control funcional del contenido del contrato

El control respecto al límite legal se va a realizar, fundamentalmente respecto al contenido del contrato, en sentido lato.

Para señalar las pautas seguidas para el control legal de los contratos seguiremos el esquema propuesto por VILLA[111]. Este mismo esquema es el que se puede deducir de los términos en los que plantea la cuestión en nuestro país DIEZ-PICAZO[112]. En este punto, hemos de advertir que nos encontramos con dos normas; una norma legal y la otra negocial o contractual, también denominadas normas privadas y normas públicas[113]. La norma contractual es ley entre las partes y obliga a realizar lo contenido o establecido en ella. Al mismo tiempo, existe una norma legal de carácter imperativo que, por supuesto, también tiene fuerza de obligación para las partes. El control de legalidad consiste en verificar la compatibilidad de una y otra regla obligatorias para las partes y en caso de producirse incompatibilidad evaluarla.

Contrato = regla vinculante dirigida a obtener efectos jurídicos para las partes.

Norma legal {
 − imperativa = regla obligatoria dirigida a obtener efectos jurídicos. (Para todos)
 − prohibitiva = regla obligatoria dirigida a prohibir efectos jurídicos. (Para todos)

---

[111] VILLA, G., *Contratto e violazione di norma imperativa,* Milano, 1993, pág. 133 y ss.

[112] DIEZ-PICAZO, L., *La autonomía privada... ,* cit. pág. 1119 y *Fundamentos,* cit, pág. 295. donde encontramos la cuestión en los siguientes términos: el contrato y la ley establecen normas de conducta que obligan a las partes contractuales en sus términos. El supuesto de hecho regulado por el contrato y por la ley es el mismo, pero se le asignan efectos diferentes e incompatibles por tanto estamos ante un caso de contrato contrario a la ley. En este caso por lo tanto debe ceder la regulación voluntaria en favor de la regulación legal.

[113] GARCIA AMIGO, M., *«La norma civil y sus fuentes»,* en *A.C.,* Nº 1, diciembre 1996-enero 1997, págs., 4-5

Incompatibilidad entre las reglas contractuales y las legales.

El problema se origina cuando el contrato establece unas reglas obligatorias para las partes que se encuentran en contradicción con las reglas generales establecidas por la norma legal imperativa.

En estos casos habrá que seguir las siguientes pautas de control:

1º. Si la norma legal ha previsto el supuesto y ha establecido para el caso una solución se ha de seguir fielmente sus indicaciones.

– Puede establecer la nulidad radical o absoluta.

– Puede establecer la nulidad parcial.

– Puede establecer sanciones de diverso tipo: penales, administrativas... manteniendo la eficacia civil o añadiéndolas a algún tipo de ineficacia civil.

2º. Cuando la norma legal nada ha previsto para el evento se ha de buscar siempre la ratio de la norma:

a) Si ambas reglas contractual y legal son totalmente incompatibles:

– En el caso de que la norma legal sea prohibitiva la solución será la nulidad. La norma «x» prohibe «y»; considerando que la norma tutela el interés público todo contrato con el que se realiza «y» debería ser nulo.

– En el caso de que la norma legal sea imperativa la solución, en principio, será idéntica. La norma «x» ordena «y» o prohibe todo lo que no sea «y»; considerando que la norma tutela el interés público todo contrato con el que no se realiza «y» debería ser nulo.

Pero si de la ratio de la norma se puede deducir que el que la norma «x» ordene «y» significa que todo contrato determinado por «x» debe ser «y» siempre y en todo caso, también en virtud del interés público tutelado, todo contrato que quepa en el supuesto de «x» que no realice «y», deberá ser anulado en la parte que no realiza «y» hasta conseguir que realice «y» (nulidad parcial sustitutiva). En realidad esta nulidad parcial de tipo legal se da siempre en casos en los que el contrato no realiza exactamente el mandato legal quedando fuera de él bien por exceso o bien por defecto.

De aquí que en muchas ocasiones se denomine reconducción del contrato a la norma legal. En estos casos la norma es extremadamente detallada refiriéndose a un tipo de contratos muy concretos y definidos en la propia norma y marcando muy claramente el extremo que tratan de imponer.

b) Si ambas reglas contractual y legal son parcialmente incompatibles:

– En el caso de que la norma legal sea prohibitiva la solución podría ser la nulidad parcial. La norma «x» prohibe «y»; considerando que la norma tutela el interés público, todo contrato con el que se realiza «y» pero también «z» debería anularse para que no se realizara «y» pero podría mantenerse en cuanto se refiere a realizar «z». (nulidad parcial)

– En el caso de que la norma legal sea imperativa la solución podría ser, de igual modo, la nulidad parcial. La norma «x» ordena que todo contrato debe resultar «y» o prohibe todo lo que no sea «y»; considerando que la norma tutela el interés público todo contrato con el que se realiza «y» pero también se realiza «z» debería anularse para que no se realizara «z» pero podría mantenerse en cuanto se refiere a realizar «y».

II. DELIMITACIÓN DE LAS LEYES QUE PUEDEN OPERAR COMO LÍMITE DE LA AUTONOMÍA DE LA VOLUNTAD

1. Consideraciones generales

El fenómeno de la ilegalidad contractual requiere una observación desde dos planos diferentes: 1º) desde un plano externo, que consiste en una visión desde la perspectiva de los límites (en este caso desde la perspectiva de la norma infringida). y 2º) desde un plano interno, que consiste en una visión desde la perspectiva del propio contrato afectado por la ilegalidad (elemento que resulta viciado). Por consiguiente, para el tratamiento más apropiado de los supuestos más frecuentes de ilegalidad contractual, se debe considerar en cada hipótesis un doble ámbito: 1º El de la normativa infringida, donde tras considerar el tipo de norma y la infracción de que se trata, se determinará la sanción que merece la conducta antijurídica para restablecer la legalidad. 2ª El del contrato y las relaciones entre las partes contratantes, sus intereses patrimoniales, su participación en la infracción y su situación ante la infracción[114].

Ahora nos vamos a encargar de observar desde el plano externo las características de la normativa infringida. El análisis de la norma imperativa que se infringe es lo primero que se debe hacer cuando nos hallamos ante un contrato ilegal. La norma va a marcar los pasos a seguir para restaurar la legalidad; sólo en un segundo momento nos detendremos a estudiar las vicisitudes de las prestaciones de las partes y la ineficacia o integración del contrato.

Vamos a analizar detalladamente el primero de los límites entre los que se puede desarrollar esta autonomía. La Ley es, como hemos tenido ocasión de comprobar, el límite que significativamente aparece en el primer lugar de la enumeración que hace el art. 1255 Cc. Efectivamente, es la transgresión del límite legal la que nos conduce a la figura del contrato ilegal tal y como lo hemos configurado. Sin embargo, debemos delimitar el concepto «Ley», que genéricamente se identifica con norma jurídica, para detectar cuándo y cómo se considera apta para intervenir e interferir en la autonomía de la voluntad. Analicemos ahora qué características específicas se exige que reúna esta Ley para que pueda restringir la libertad contractual.

La Ley desarrolla una función reguladora de las relaciones sociales. Trata de conciliar en la materia contractual las necesidades e intereses de los particulares con el interés de la sociedad. Esto quiere decir que será, realmente, la encargada de corregir aquellas voluntades de los contratantes que se manifiestan perjudiciales para la convivencia social o que se reputan

---

[114] En la doctrina italiana se observa esta dualidad de perspectivas. Las dos formas analíticas de estudiar el contrato ilícito son desde el punto de vista del contenido o desde el punto de vista de la disciplina positiva. CARRESI, F., «Il negozio illecito per contrarietà al buon costume», in Riv. trim. dir. e proc. civ., 1949, pág. 32.

dañosas para las necesidades e intereses del tráfico comercial. La ley se utiliza de este modo como una restricción a la libertad contractual en aras a conseguir el bien común. Asimismo, resulta un instrumento eficiente en manos del poder estatal para controlar y modular en la línea de su política económica las actuaciones y conductas de los agentes del mercado[115].

Como consecuencia de lo expuesto aparece la Ley como principal protagonista del análisis. Obviamente la gran riqueza en variedad y cantidad de las normas jurídicas hace que este análisis sea conveniente realizarlo aludiendo a leyes o grupos de leyes de la forma más individualizada posible. Sólo tras haber analizado los casos más frecuentes de conflictividad entre la libertad contractual y las leyes se puede tratar de sistematizar los casos, ilustrando con los supuestos más relevantes las conclusiones a las que se llega. En definitiva, procederemos a realizar una delimitación de la categoría de ilegalidad contractual en función del concepto de **norma jurídica imperativa**.

2. Derecho necesario

En principio, podríamos considerar como contrato ilegal todo contrato que choque contra el ordenamiento jurídico en general. Ahora bien, nos detenemos exclusivamente en el análisis de los preceptos positivos al referirnos al contrato ilegal en sentido estricto y técnico[116]. La cuestión a resolver es: ¿Puede cualquier norma jurídica (del rango que sea y de la materia que trate) ser capaz de interferir en el principio de la autonomía contractual?

Deberemos ir haciendo un análisis pormenorizado para ir cribando el concepto de «Ley». Advertimos que el concepto de Ley que a nosotros nos interesa y que trataremos de ir definiendo es el necesario para considerar que lo dispuesto en un contrato es *contra legem*. Para que se pueda considerar que un contrato va contra la Ley se tiene que estar ante una norma de carácter no dispositivo o, lo que es lo mismo, al menos debe revestir un cierto carácter imperativo.

Esta afirmación requiere ciertas matizaciones ya que no son pocos los autores que consideran que pueden darse contratos contrarios a leyes dispositivas y, en parte, no les falta razón[117]. Con ello quieren decir que el

---

[115] Limitaciones impuestas por la dirección estatal de la economía y por la orientación social de las políticas

[116] Vid. upra epígrafe «*Contrato ilegal. Concepto y características generales*».

[117] DE CASTRO Y BRAVO, *Derecho civil de España*, I, pág. 534, AMORÓS, M., *Comentarios a las reformas del Código Civil*, Vol 1º, pág. 330, DIEZ-PICAZO, *La autonomía de la voluntad y el derecho necesario...* , págs. 1163-1164, GIL RODRÍGUEZ, J., Manual de Derecho Civil, I, Introducción y Derecho de la persona, Madrid, 1997, pág. 86. En contra de esta posibilidad: ALBALADEJO, *Derecho Civil*, t. I, vol. 1..cit, págs. 183-185, LACRUZ BERDEJO, J.L., *Elementos...* Nueva edición, cit., págs. 188-189. Incluso, hay autores que van más allá al considerar que sólo las normas prohibitivas son las que producen la ilegalidad: CAPILLA RONCERO, F., Derecho Civil. Parte general. 2ª ed.,

derecho dispositivo es también derecho sustantivo y objetivo. El derecho dispositivo, como todo derecho, se crea no sólo con finalidad meramente supletoria sino como modelos a seguir por los privados a quienes no se les impone, pero tampoco se reconoce que se pueda desvirtuar completamente el modelo por ellas previsto sin cierta justificación.

Esta aplicación es la que se ha utilizado en muchos casos para controlar las condiciones generales de la contratación[118]. Sobre todo, supuso un instrumento útil de control en manos de jueces y tribunales ante un primer vacío legal en esta materia. Este primer vacío legal se ha ido cubriendo paulatinamente con leyes especiales como la Ley de Contrato de Seguro en 1980, pionera en el control de estas condiciones generales, la Ley General para la Protección de Consumidores y Usuarios en 1984 completada por la Ley de Crédito al Consumo en 1995 y que culmina con la Ley sobre Condiciones Generales de la Contratación en 1998.

No incluimos la norma dispositiva como norma jurídica susceptible de contaminar de ilegalidad un contrato puesto que no cabe en el concepto estricto

---

Valencia, 1995, pág. 223, CARRASCO PERERA, A., «*Comentario al apartado 3º del artículo 6 del Código Civil*», en *Comentarios al Código Civil y compilaciones forales*, Dir. M. Albaladejo, T-I. Vol. 1º, 2ª ed., Madrid, 1992, págs. 805-808, PÉREZ ÁLVAREZ, M.A., *Curso de Derecho Civil, I*, Madrid, 1998, pág. 173. GIL RODRÍGUEZ pese a considerar que no se encuentran demasiadas razones para no aplicar el artículo 6.3 a las normas dispositivas, considera junto con estos últimos autores que es difícil de imaginar un acto que choque frontalmente con un imperativo y que no tiene sentido declarar la nulidad de una omisión. Es evidente que en los contratos la omisión, como no inclusión o como desatención, de algún extremo establecido como obligatorio puede llevar aparejada la nulidad del contrato como acto positivo. *V. gr*. La omisión de formalidades legales *ad substantiam* en algunas leyes especiales en las que se exige forma escrita: art. 5 de la Ley 50/ 1980, de 8 de octubre, de Contrato de Seguro, los artículos, el art. 9 de la Ley 42/ 1998, de 15 de diciembre, sobre Derecho de Aprovechamiento por turno de Bienes inmuebles, arts. 3 y 4 de la Ley 26/1991, de 21 de noviembre, sobre Protección de los Consumidores en el caso de contratos celebrados fuera de los establecimientos mercantiles, art. de la Ley 28/1998, de 13 de julio, la compraventa de bienes muebles a plazos según la doctrina mayoritaria.

[118] DE CASTRO, F., «*Condiciones generales ... » A.D.C.* (1961) págs. 295-341. ALFARO AGUILA-REAL, J., *Las condiciones generales de la contratación*, quien dice que puede resultar perturbador su aplicación en las estipulaciones individuales pág. 361-363. Entre la doctrina alemana el estudio de la relación entre las condiciones generales y el derecho dispositivo constituye cuestión de obligado tratamiento en todos los escritos sobre la temática que comienza con Raiser en 1935. En Italia también se ha mostrado la doctrina favorable a esta aplicación del derecho dispositivo a las condiciones generales DI MAJO, A., «*Condizioni generali di contratto in tutela del contraente debole*». en *Atti della Tavola rotonda tenuta presso l'instituto di diritto privato dell'Università di Catania*, 17-18 maggio, 1969, publicada en Milán en 1970, pág. 65 y ss. En contra FERRI, G.B., cit., págs. 232-233. Esta instrumentalización del derecho dispositivo para controlar las condiciones generales y su evolución en Derecho comparado es descrita por SÁNCHEZ ANDRÉS, A., «*El control de las condiciones generales en derecho comparado: panorama legislativo*» en *R.D.M.*, 1980, Págs. 389-391.

de contrato ilegal. En este sentido PÉREZ ÁLVAREZ considera, a la vista de la Ley de Bases para la modificación del Título Preliminar del Código Civil, que el régimen jurídico de los actos jurídicos realizados en contra de las normas dispositivas no resultará de la aplicación del artículo 6.3 del Código Civil sino que será el que resulte de aplicar los preceptos que, en su caso, correspondan [119].

En realidad, no es la norma dispositiva en sí la que puede ser contradicha por la autonomía de la voluntad, ya que el carácter dispositivo indica que se prefiere la regulación voluntaria a la legal. Lo que puede verse contradicho por la voluntad de los particulares son los principio generales que inspiran los diferentes grupos de normas dispositivas. Además, para estos casos siempre ha servido de apoyo el artículo 1258 del Código Civil, puesto que para la integración de los contratos podemos entender que también las leyes dispositivas son aptas para imponer deberes accesorios.

De todos modos, estos principios generales se pueden también englobar dentro del contenido del orden público. Recordemos que el orden público también actúa como límite de la autonomía de la voluntad como se expuso en su momento. Por otro lado, es absolutamente correcto usar estos Principios Generales como límites a la libertad contractual ante una laguna legal como la que encontrábamos en materia de condiciones generales. Se evidencia en esta materia el doble carácter de los Principios Generales del Derecho tanto como fuentes, en defecto de ley o costumbre, como informadores del ordenamiento jurídico (art. 1.4 del Código Civil).

En principio, tampoco el artículo 1255 del Código Civil establece diferencias en cuanto al tipo de leyes que operan como límite a la libertad contractual. Sin embargo, parece claro que será sólo el *derecho necesario* (normas imperativas y prohibitivas) el que puede corregir y alterar la voluntad de los particulares. Aquí hemos de entender la Ley como norma jurídica imperativa y prohibitiva. Esto es lo que se señala claramente en la regla general establecida por el artículo 6.3 del Código para los actos ilegales. En este punto el artículo 6.3 funciona como necesario complemento del artículo 1255.

En otros ordenamientos jurídicos existe una norma jurídica que se refiere expresamente a los contratos contrarios a las normas jurídicas imperativas [120]. En nuestro Código, en cambio, tenemos un original artículo 1255 que recoge el

---

[119] PÉREZ ÁLVAREZ, M.A., *Curso de Derecho Civil, I, (Derecho privado. Derecho de la persona),* Madrid, 1998, pág. 173.

[120] El equivalente italiano se refiere exclusivamente a los contratos, y lo hace de la forma siguiente; Art. 1418 «el contrato es nulo cuando es contrario a norma imperativa, salvo que la ley disponga otra cosa». Lo mismo ocurre con el B.G.B. alemán que hace referencia al negocio jurídico en su parágrafo 134 «Un negocio jurídico que vaya contra una prohibición legal es nulo, si otra cosa no se deduce de la ley.» En la misma línea, aunque en este caso la literalidad del precepto no sea coincidente, encontramos el art. 6º del código francés que alude a convenios o convenciones «No se puede derogar, por convenciones particulares, a las leyes que se refieren al orden público y las buenas costumbres.»

principio de libertad contractual y sus límites de forma general y un artículo que contempla como supuesto los actos contrarios a las normas jurídicas imperativas (artículo 6.3). Ambos preceptos, por consiguiente, serán complemento necesario en materia de ilegalidad contractual. De esta forma se ha entendido siempre por la doctrina y ha sido utilizado por la jurisprudencia[121].

Es obligado distinguir el «*ius cogens*» del «*ius voluntarium*» en relación con el alcance que van a tener las normas pertenecientes al primero respecto la validez de los contratos. También será importante distinguir el tipo de imperatividad que puede revestir una norma jurídica.

No siempre resultará fácil, ante el texto de una determinada norma jurídica, decidir sobre el carácter imperativo o dispositivo. *V. gr.* Respecto a los preceptos de la Ley de Venta a Plazos de Bienes Muebles, la mayoría de los autores opinan que son de inequívoca imperatividad[122]. La Ley 28/1998, de 13 de julio, establece en su artículo 14, relativo a las cláusulas ineficaces, «Se tendrán por no puestos los pactos, cláusulas y condiciones de los contratos regulados en la presente ley que fueren contrarios a sus preceptos o se dirijan a eludir su cumplimiento.» En este punto se mantiene, como se indica en la exposición de motivos, la ineficacia que ya establecía la Ley 50/1965, de 17 de julio. En cambio, BERCOVITZ mantiene abiertamente la naturaleza meramente dispositiva de esta Ley[123]. El término «normas imperativas» puede ser usado en dos sentidos diferentes: uno con carácter genérico como derecho necesario o *ius cogens* contraponiéndolo a normas dispositivas o de carácter disponible por la autonomía de los particulares. En este sentido, se incluyen tanto las normas imperativas en sentido estricto como las normas prohibitivas que serían un subtipo o subespecie de esa noción amplia[124].

2.1. Normas imperativas y normas prohibitivas

En principio, parece que la diferencia entre normas imperativas en sentido estricto y normas prohibitivas no tienen ningún sentido práctico sino de

---

[121] Así encontramos las sentencias del Tribunal Supremo de 14 de diciembre de 1971, 20 de marzo de 1972, 16 de mayo de 1974, 28 de noviembre de 1975, 6 de julio de 1976, 21 de octubre de 1976, 7 de mayo y 4 de junio de 1977, 17 de abril de 1978, 30 de junio de 1978, 30 de diciembre de 1978, 22 de noviembre de 1979, de 28 de junio de 1974...

[122] BLANDINO GARRIDO, M.A., «*Régimen jurídico de la ineficacia de los actos sometidos a la Ley 28/1998, de 13 de julio, de venta a plazos de bienes muebles*», en *R.G.D.*, Nº 661-662, octubre-noviembre, 1999, págs. 12424-12427, MARTÍNEZ DE AGUIRRE, C., *La venta a plazos de bienes muebles*, Madrid, 1988, págs. 27-45, TORRES LANA, J.A., «*Notas críticas a la Ley de Venta a Plazos, en R.D.P.*, Julio-agosto, 1975, págs. 607-612

[123] BERCOVITZ RODRÍGUEZ-CANO, R., *Comentarios a la Ley de venta a plazos de bienes muebles,* Madrid, 1997, págs. 77 y ss. Según este autor, los que contratos que no se ajusten a lo dispuesto en la no implica la nulidad del contrato, sino que, simplemente, implica que el contrato no se somete a dicha ley. En este último caso, serían contratos eficaces pero quedarían excluidos del ámbito de la ley y de los beneficios que ésta otorga

[124] AMORÓS, M., *Comentarios a las reformas del Código Civil*, Vol. 1º pág. 328.

apariencia. Lo que diferencia una y otra clase de normas es la diferente formulación que se le da al precepto[125]. Bien es cierto que la redacción de las normas prohibitivas es más rotunda y categórica y parece que deja menos dudas en cuanto a su significado y aplicación, simplificando la labor del intérprete. No obstante, si atendemos estrictamente a su regulación no parece que convengan diferenciarse ya que se equiparan sus efectos legales en el artículo 6.3 de nuestro Código Civil y no tenemos por qué porfiar del texto legal[126].

La contravención, ya sea de norma imperativa o de norma prohibitiva, tiene el mismo tratamiento general: la nulidad, salvo que en la propia norma infringida se establezca un efecto distinto para el caso de su contravención. Ambos tipos de normas jurídicas ya sean imperativas o prohibitivas serían, por tanto, potencialmente capaces de provocar la nulidad de un contrato que se opusiese a ellas. De este modo, del texto legal no se puede deducir, de una forma genérica, diferente solución para el caso en que la contravención sea de norma imperativa o de norma prohibitiva.

Sin embargo, la diferencia estará en los casos en los que haya que acudir a interpretar la finalidad de la norma porque no se haya previsto solución expresa alguna. Ciertamente, en estos casos es en los que se revela que la infracción de la norma imperativa en sentido estricto es la que parece más propensa a la nulidad parcial u otra modalidad de ineficacia[127]. Mientras que cuando la infracción se refiere a norma prohibitiva parece, en cambio, más propensa a la nulidad absoluta, radical o de pleno derecho. Quizá en este sentido debemos entender la crítica que algunos autores hacen al texto del artículo 6.3, cuando equipara las normas imperativas a las prohibitivas, reprochando un exceso de celo por parte del legislador por considerar que las normas imperativas puedan tener la cualidad de provocar la nulidad de pleno derecho del acto o contrato[128].

---

[125] Vid. VÁZQUEZ DE CASTRO, E., *Determinación del contenido del contrato: presupuestos y límites de la libertad contractual,* Valencia, 2002, págs. 100-103.

[126] Tras la reforma del titulo preliminar de 1974 la norma contenida en el artículo 4.1 del Código civil se mudó de disposición legal para pasar a establecerse en el artículo 6.3 con nueva redacción. Donde antes no se hablaba más que de ley, ahora se hace referencia a normas imperativas y prohibitivas. Pero la jurisprudencia ya, antes de operarse la reforma, venía entendiendo que se refería a las normas imperativas en sentido lato (St. 1 de abril de 1931, 14 de diciembre de 1971). También los comentaristas del Código venían entendiendo que el término ley de este artículo se refería a las leyes prohibitivas y preceptivas (MANRESA Y NAVARRO, J.M., Comentarios... T.I, cit., pág. 169, MUCIUS SCAEVOLA, Q., Código Civil, T.I, cit., pág. 249)

[127] Uno de los mejores ejemplos puede ser el caso de los arrendamientos de viviendas de protección oficial en los que se pacta una renta superior a la que establece imperativamente como máxima permitida la normativa correspondiente. Para estos casos parece que la solución idónea es la nulidad parcial sustitutiva y así vino a establecerla definitivamente la Ley de Arrendamientos Urbanos. (Vid. Infra epígrafe «Normativa sobre viviendas de protección oficial. Posturas jurisprudenciales»)

[128] CAPILLA RONCERO, F., Derecho Civil. Parte General, cit., pág. 223, CARRASCO PERERA, A., «Comentario... cit, págs. 805-808, PÉREZ ÁLVAREZ, M.A., *Curso de*

También es cierto que la técnica de emplear normas imperativas da un mayor margen de maniobra al legislador que puede intentar proyectar su política social o económica haciendo que sea asumida en el contenido de los contratos. Por esta razón el legislador moderno se vale en mayor medida de las normas imperativas y no cuenta con técnicas represivas sino correctoras de la infracción, manteniendo, en la medida de lo posible, los efectos del contrato. De esta forma, podríamos justificar perfectamente el desglose que hace el legislador en el artículo 6.3º al incluir de forma diferenciada las normas imperativas y prohibitivas. Las normas imperativas pueden llevar aparejada cualquier modalidad específica de sanción que se incluya dentro de los efectos distintos a la nulidad, probabilidad que se contempla en el último inciso de este apartado. Además, el establecimiento de este efecto distinto en caso de contravención no es necesario que se haga de forma expresa por la norma infringida[129].

El análisis e interpretación de las normas jurídicas para verificar su carácter imperativo o prohibitivo resultará siempre imprescindible y, en algunos casos, nada sencillo. El carácter imperativo o prohibitivo de la norma no aparece siempre de una forma clara e indubitada. Entonces, lo que hay que hacer es revisar cuál ha sido la intención legislativa (*ratio legis*).

El verdadero problema se centra en descubrir en qué supuestos nos encontramos ante una norma de derecho necesario que puede ser acreedora de una sanción de nulidad por parte del contrato que la desatiende. Para este cometido tendremos que atender a ciertos criterios que nos orientan sobre la imperatividad de los preceptos:

1º El sistema inmediato para descubrir la imperatividad de una norma jurídica es su análisis o interpretación gramatical. Lo que primero delata la imperatividad de una norma es la previsión de su carácter por el propio legislador. Muchas expresiones legales nos permiten saber si nos encontramos ante una norma dispositiva o imperativa. Es corriente encontrar la expresión «salvo pacto en contrario» u otras similares que nos muestran la disponibilidad del precepto por los particulares en uso de su autonomía. En cambio, no es fácil encontrar expresiones que apunten directamente la imperatividad de la norma. Cualquier expresión que indique que no cabe desplazamiento de la norma por la autonomía de la voluntad indicaría la imperatividad del precepto, aunque son menos frecuentes.

2º Si en el contenido de la misma viene dispuesto de forma categórica y terminante la observancia de cierto comportamiento o la abstención de determinada acción también se puede deducir su imperatividad. En estos casos la interpretación de la norma y de la intención presunta del legislador

---

Derecho Civil, cit.., pág. 173, GIL RODRÍGUEZ, J., Manual de Derecho Civil, I, cit., pág. 86.

[129] Vid. infra epígrafe: «virtualidad de las nuevas sanciones de ineficacia».

son las que se tienen en cuenta. El problema surge cuando la interpretación del sentido no resulta clara. En estos casos se acudirá a las reglas hermenéuticas para determinar su verdadero sentido, espíritu y finalidad, acudiendo por ejemplo a los antecedentes históricos[130]. Esta es la más problemática de las interpretaciones y desde luego nada fácil de hacer.

3º También es usual deducir la naturaleza imperativa de la norma sobre el plano de las consecuencias derivadas de la inobservancia de la disposición. Si nos encontramos ante una norma de cuya inobservancia se deriva cualquier tipo de sanción o consecuencia negativa para el contrato o las partes contratantes, establecidos expresamente por la misma o por otra disposición, estamos en presencia de una norma imperativa.

No obstante, este último método no es completo porque, cuando expresamente no se deriva consecuencia alguna para el contrato o las partes, tampoco podemos asegurar que estemos ante norma dispositiva. Hemos adelantado que hay muchas normas imperativas que no establecen sanción de forma expresa y sin embargo tienen la consideración de imperativas o prohibitivas. De otro modo, además, no tendría sentido la fórmula de cierre que establece el artículo 6.3 del Código Civil en su último inciso.

Este último método de distinción ha conducido a confusiones que, aún hoy, perjudican el estudio de la ilegalidad. La confusión a la que aludimos es la tendencia generalizada a considerar que todo contrato que contravenga una norma imperativa es radicalmente nulo. De hecho, una de las consecuencias más importantes que se puede extraer del artículo 6.3 *in fine* del Código Civil es que acaba claramente con la inevitable asociación de la nulidad a la ilicitud.

La aludida confusión podemos apreciarla en la interpretación que algunos autores han hecho de la tradicional clasificación de las leyes acudiendo al tipo de sanción que establece la norma. Recordemos que, precisamente, en este criterio se basaba la famosa clasificación ulpinianea[131].

La dificultad grave surge cuando, en presencia de una norma concreta, es preciso dilucidar si tiene carácter imperativo en el caso de que la norma no establezca sanción y su tenor literal resulte equívoco. Como dice FERRARA, no es un criterio decisivo y seguro la forma más o menos imperativa en la cual se exprese el precepto, porque, aunque se puede tomar como un indicio, no despeja toda duda sobre el carácter de la sanción[132].

DIEZ-PICAZO propone para averiguar el carácter imperativo de las normas el investigar el contenido peculiar de las mismas poniéndolo, sobre todo, en conexión con el momento funcional del contrato o de la relación que trate de regular. La relación jurídica será el presupuesto de hecho de la norma

---

[130] LACRUZ BERDEJO, J.L., Elementos de Derecho Civil, I, vol.1º, Nueva edición revisada y puesta al día por J. Delgado Echeverría, Madrid, 1998, pág. 112.
[131] vid supra epígrafe «Eficacia sancionadora de las leyes»
[132] FERRARA, F., *Teoria del negozio illecito...* cit., pág. 22.

pero la norma podrá regularla desde diversos puntos de vista: ordenando los requisitos o presupuestos; estableciendo su peculiar contenido; determinando sus efectos, etc. Resultará necesario entonces interpretar las normas analizando lógica y sistemáticamente el precepto; y por último será decisivo buscar la ratio de la norma y observar la finalidad que persigue, para establecer su alcance[133]. Como última regla, y ante cualquier duda, deberá acudirse a una presunción de derecho dispositivo[134].

La diferencia entre las normas imperativas y las normas prohibitivas viene determinado no por un diferente grado de obligatoriedad sino en virtud de la diferente forma de articular el precepto o norma que contienen. En las normas jurídicas imperativas se dispone la obligatoriedad de una conducta (mandato) y en la prohibitiva la obligatoriedad de una abstención (prohibición). Como bien subraya ALBALADEJO «se trata de que la norma prohibitiva es "imperativa" en el prohibir»[135].

Los autores italianos también distinguen dentro de estas normas imperativas las denominadas normas «*Ordinativas*» refiriéndose a aquellas que establecen los requisitos formales o materiales para que un contrato consiga el reconocimiento del ordenamiento jurídico[136]. Pero estas normas no van a provocar la ilegalidad del contrato en sentido estricto sino que, pese a encontrarse en el ámbito de la antijuridicidad, entran más bien dentro de una imposibilidad jurídica o «*incompletezza della fattispecie*» (Supuesto de hecho incompleto o defectuoso, inexistencia)[137].

Otras distinciones diversas de las leyes contemplando la norma en sus relaciones con la autonomía privada podemos encontrarlas en numerosos autores pero resultan la mayoría de escasa trascendencia práctica[138], al ser todas variaciones de nuestra convencional división en normas imperativas y prohibitivas, por un lado, y normas dispositivas por otro. Distinción, esta

---

[133] DÍEZ-PICAZO, L., «*La autonomía privada y el derecho necesario en la Ley de Arrendamientos Urbanos*», en *A.D.C.*, IX-3, 1956, págs. 1165-1170

[134] DÍEZ-PICAZO, L., «*La autonomía privada y el derecho necesario... cit.,* págs. 1159-1160, LACRUZ BERDEJO, J.L., *Elementos de Derecho Civil*, I, vol.1º, Nueva edición revisada y puesta al día por J. Delgado Echeverría, Madrid, 1998, pág. 112.

[135] ALBALADEJO, M., Derecho Civil, I, vol. 1º... cit., págs. 181-182.

[136] FERRARA, F., *Teoria del negozio illecito...* cit. pág. 3 y 19. SCOGNAMIGLIO, R., *Contributo...* cit. pág. 390-391, VILLA, G., *Contrato e violazione...* cit. págs. 27-28. MOSCHELLA, *Il negozio contrario...* cit. Pág. 180. Por otro lado LONARDO, L., *Ordine Publico e illecita...* cit. págs. 108-140 y MESSINEO, Il contratto in generale... cit. pág. 239 cuestionan la conveniencia de la distinción entre norma imperativa y «norma ordinativa».

[137] vid infra epígrafe «*Diferencia entre nulidad, ilegalidad e inexistencia*».

[138] Algunas de estas clasificaciones son recogidas por SILVA MELERO «*Contribución al estudio del negocio jurídico ilícito en Derecho civil*» en *R.G.L.J.*, 1931, pág. 21 quien a su vez las toma de la obra de F. FERRARA *Teoria del negozio illecito nel diritto civile italiano* pág. 15.

última, consagrada por nuestra doctrina y jurisprudencia y que no cabe duda que siempre ha servido de base a nuestro legislador[139].

En nuestro Código Civil antes de la reforma del Titulo Preliminar únicamente se hablaba de actos ejecutados contra lo dispuesto en la Ley, sin más distinciones. La doctrina y jurisprudencia fueron definiendo el sentido que se debía de dar al término Ley. Con la reforma ya se aclaró a qué leyes se refería el precepto ya que se cambio el término Ley por el de normas imperativas y prohibitivas[140].

Este término amplio de norma imperativa es utilizado también por el Código civil italiano de 1942 en su art. 1418 CC[141]. Sin embargo, en el B.G.B., parágrafo 134 se habla simplemente de «prohibición legal» que literalmente parece ser un término más restringido.

En ambos casos, prohibiciones y mandatos, en lo que se refiere al derecho contractual tienen carácter excepcional. En primer lugar, en cuanto a que la regla es la autonomía de la voluntad y cualquier medida legal que se adopte restringiendo la libertad contractual ha de considerarse excepcional e interpretarse restrictivamente[142]. Parece que incluso podría considerarse como un aforismo: «No cabe establecerse por mera inducción la existencia de una disposición prohibitiva»[143]. Además, en cuanto que el artículo 1090 CC. establece, aunque con carácter general, que las obligaciones derivadas de la Ley no se presumen[144]. Este precepto guarda cierto paralelismo con el art. 6.3 CC ya que establece que las obligaciones derivadas de la Ley se regirán por los preceptos de la propia Ley especial que las hubiere establecido y en lo que ésta no hubiere previsto por las disposiciones del Libro 4º[145].

La jurisprudencia en numerosas sentencias mantiene, de forma general, que las normas legales y reglamentarias suponen una limitación a los principios de autonomía de la voluntad y libertad de contratación consagrados en el art. 1255 CC. Por esta razón viene afirmándose que tienen carácter excepcional y no pueden ser interpretadas en sentido extensivo ni analógico,

---

[139] DIEZ PICAZO *Derecho necesario...* pág. 1163.
[140] MANRESA, *Comentarios ...* I, págs. 169-170, MUCIUS SCAEVOLA, *Código Civil, comentado y concordado...* , T. I págs. 246-249.
[141] Como nos explica FEDELE, A., en el Proyecto Ministerial se hablaba de norma imperativa o prohibitiva como en el nuestro. Pero se redujo en el texto definitivo a la alusión a normas imperativas en sentido opuesto a dispositivas por entender inútil más especificaciones porque la norma prohibitiva es siempre cogente. Aún así este autor critica la ambigüedad de la expresión imperativa por haberse opuesto en numerosas ocasiones a prohibitiva y ve más correcta la alusión a norma cogente. *L 'inefficacia del contratto*, Torino, 1983, pág. 65.
[142] Sentencia de 28 de noviembre de 1989 y 13 de junio de 1986.
[143] Sentencia de 10 de marzo de 1903.
[144] MANRESA Y NAVARRO, J.M., *Comentarios al Código Civil español...* , T. VIII, vol. 1º, 6ª ed., Madrid, 1967, págs. 63-64.
[145] ALBALADEJO, *Derecho civil II*, vol.1º, 8ª ed., 1989, pág. 391.

sino normalmente con criterio restrictivo de acuerdo con el apotegma jurídico «Exceptio est atrictisimae interpretationis»[146].

No consideramos útil realizar más disertación sobre el diverso sentido que se puede dar a los adjetivos imperativo y prohibitivo. La evidencia del resultado interpretativo al que unánimemente se ha llegado por la doctrina, en el sentido de que se refiere a la exigencia del carácter cogente de la norma, es suficiente[147].

Por si fuera poco, este sentido interpretativo no solo resulta de la «*voluntas legis*» sino también de un análisis de la «*voluntas legislatoris*» según el análisis que de los antecedentes, documentos y testimonios relativos a los trabajos de preparación de la reforma del titulo preliminar realiza PENA LÓPEZ[148]. Si bien, a efectos de precisión en el lenguaje, podemos decir que se puede utilizar el término imperativo como genéricamente sinónimo de derecho necesario o *ius cogens*, como aparece en el art. 1418.1º del Código italiano, o en sentido mas concreto, como aparece en el art. 6.3 de nuestro Código, como forma de enunciación de una norma de derecho necesario. En este último sentido, podemos afirmar, como hemos ya expuesto, que una misma norma jurídica de derecho necesario puede ser formulada tanto de forma imperativa como de forma prohibitiva caracterizándose en ambos casos por el sentido de límite negativo a la libertad contractual[149].

2.2. Normas de orden público económico

Analizada la distinción de las nuevas normas por su imperatividad, a continuación vamos a analizarlas por su contenido social o económico. Ésta es la misma distinción que viene realizando la doctrina francesa desde que realizando una exégesis del artículo 6 de su Código acuñan el concepto de Orden Público Económico[150]. Entre los autores que asumen el concepto acudimos a la meritoria exposición sistemática que hace CARBONNIER (quien a su vez recoge la idea de Ripert) al decir que «El derecho civil del S. XX concibe el orden público (refiriéndose al orden público económico) bajo signo diverso, a saber, el del intervencionismo, aunque la intervención se

---

[146] Sentencias de 11 de marzo de 1911, 13 de noviembre de 1953, Ar. 3126 y 3 de noviembre de 1967.

[147] vid. por todos PENA LÓPEZ J.M., «*Sobre el fundamento legal de la necesidad del carácter cogente en la norma contravenida para los supuestos de nulidad de pleno derecho del artículo 6.3 del Código Civil*», en *Actualidad Civil*, Nº 19, 1990, pág. 241, nota 1ª.

[148] PENA LÓPEZ, J.M., Ibidem, pág. 255.

[149] Vid infra epígrafe «*Límites negativos a la libertad contractual*».

[150] Recordemos que el artículo 6º del Código Civil francés establece la inderogabilidad de las leyes que afectan **al orden público** y a las buenas costumbres por los contratos particulares. Vid por todos FARJAT, G., *L'ordre public économique,* Paris, 1963 y del mismo autor *Droit économique,* 2ª ed., Paris, 1982, págs. 49-57 y 707 y ss

EDUARDO VÁZQUEZ DE CASTRO

haya producido en diversos sentidos, determinando, en consecuencia, la distinción de dos fases sucesivas:

El *orden público de protección* (teñido de matices individualistas), se limita a tutelar, en determinados contratos, a la parte más débil económicamente (...)

El *orden público de dirección* trata de imprimir cierto designio a la economía nacional, eliminando de aquella todo lo que pueda contravenirla (...) Semejante orden público ligado al dirigismo económico, aparece vinculado en el Derecho moderno, a la legislación sobre precios (...) La variabilidad de los objetivos perseguidos por la economía dirigida, así como de los medios para su consecución, explican la mutabilidad esencial de este concepto. También el *orden público monetario* debe reputarse emancipado a la dirección económica del sistema»[151].

En España muchos autores asumen el concepto como fenómeno notorio[152]. Lo que ocurre es que ese tipo de normas generalmente tienen un carácter tuitivo y ya no van a responder tan nítidamente a esa distinción entre normas imperativas y dispositivas. Como mantiene DIEZ PICAZO para estos casos: «la norma tiene un carácter mixto (semi-imperativo, semi-dispositivo) es decir, imperativa, en cuanto es preferente a la disposición privada menos beneficiosa que la contradiga o desconozca, cuya nulidad importa; y dispositiva en cuanto cede paso a la disposición de autonomía más beneficiosa que la propia norma legal»[153]. Por tanto esta distinción al no poderse percibir *a priori*, en la mayoría de los casos, la despoja de bastante utilidad práctica.

Esta nueva clase de normas que tienen un carácter tuitivo respecto de una categoría de personas que resultan parte contratante en el contrato regulado por las mismas han surgido en el Estado democrático y social de Derecho: Leyes de Arrendamientos a favor del arrendatario, Ley de Contrato de Seguro a favor del asegurado, Ley General para la Protección de Consumidores y Usuarios y ley de crédito al consumo, entre otras, a favor del consumidor, Ley de Condiciones Generales de la contratación a favor del adherente...

Junto a estas normas de fuerte contenido social han aparecido otras que tienen una función de control de la política económica y que condicionan, en determinadas circunstancias, la contratación privada. En general, este nuevo tipo de normas que se crean, de forma coyuntural, en un estado

---

[151] Se recoge aquí textualmente la versión traducida de la obra de CARBONIER, J., *Derecho civil*, Tomo II, volumen II, Trad. M.Mª. Zorrilla Ruíz, Barcelona, 1971, págs. 271-274.

[152] Entre otros, DIEZ PICAZO, L., *Fundamentos de derecho civil patrimonial*, I, 4ª edición, Madrid, 1993, págs. 42-54, DE CASTRO Y BRAVO, F., *«Notas sobre las limitaciones intrínsecas de la autonomía de la voluntad»*, en *A.D.C.*, XXXV-4 (1982) pág. 1046-1050, LÓPEZ Y LÓPEZ, A.M., «Constitución, Código y Leyes especiales. En torno a la llamada descodificación». En *Academia Sevillana del Notariado,* IV, pag 459

[153] DIEZ PICAZO *Derecho necesario...* pág. 1179.

intervencionista contemporáneo han sido denominadas normas de orden público económico de dirección.

La figura del orden público económico de origen doctrinal francés resulta normativamente acogida en nuestro país por primera vez en la exposición de motivos de la Ley sobre Represión de las prácticas Restrictivas de la Competencia de 20 de julio de 1963. No se trata de una simple importación terminológica sino que esta Ley va a reflejar todo un fenómeno de política legislativa del que su articulado sólo resultara una mínima muestra.

Ante esta nueva perspectiva DIEZ PICAZO afirma que el concepto de orden público económico es mucho más amplio que las normas imperativas que resultan de la intervención del Estado en la economía. Lejos de reducirse a una parte del límite legal es considerado como «una aplicación de la idea genérica de orden público al caso concreto del quehacer económico». Por eso se encuentra configurado, además de por las normas jurídicas que encauzan el intervencionismo estatal, por una serie de reglas y principios básicos y generales que constituyen las directrices por las que se va a organizar la estructura y el sistema económico de la sociedad. (Esto incluye fundamentalmente lo que se ha dado en llamar la Constitución económica)[154].

Por su parte, DE CASTRO hace hincapié en diferenciar nítidamente los conceptos de *orden público jurídico* que sería una de las limitaciones intrínsecas de las contempladas en el art. 1255 CC, que se basa en normas extrapositivas no expresadas en textos legales, mientras el *orden público económico*« se exterioriza en mandatos legales imperativos, cuya ejecución y exigencia está encomendada a la Administración. El orden público económico formaría, de este modo, parte del límite legal del art. 1255 CC. Tras realizar dicha distinción nos avisa de la conveniencia de reservar el término de orden público para referirnos al orden público jurídico para evitar posibles confusiones.

En cuanto a las consecuencias —prosigue DE CASTRO— también serian diferentes. La transgresión del orden público jurídico nos llevaría a la declaración de nulidad de los convenios por encontrar siempre en ellos un propósito o un objeto o una causa ilícitos. Por su parte, la contravención de normas integrantes del orden público económico puede dar lugar a la nulidad

---

[154] DIEZ PICAZO, L., *Fundamentos de derecho civil patrimonial*, I, 4ª edición, Madrid, 1993, págs. 42-54. Para este autor el concepto de orden público económico es mucho más amplio que las normas imperativas que resultan de la intervención del Estado en la economía. Lejos de reducirse a una parte del límite legal es considerado como «una aplicación de la idea genérica de orden público al caso concreto del quehacer económico». Por eso se encuentra configurado, además de por las normas jurídicas que encauzan el intervencionismo estatal, por una serie de reglas y principios básicos y generales que constituyen las directrices por las que se va a organizar la estructura y el sistema económico de la sociedad. (Esto incluye fundamentalmente lo que se ha llamado la Constitución económica).

total de los convenios, pero también puede producir simplemente la nulidad relativa o parcial, o bien su reforma o acomodación; pudiendo dar lugar a sanciones penales y multas administrativas»[155].

También destaca DE CASTRO otras diferencias respecto a la posición judicial de cara al enjuiciamiento de los casos. Si se hace dicho enjuiciamiento en razón del orden público jurídico se rompe el principio dispositivo que rige el derecho privado y se admite que los tribunales declaren abiertamente la nulidad de oficio y además se le permite al juez una mayor libertad o discrecionalidad al interpretar cuando un contrato resulta manifiesta y notoriamente ilícito. Mientras que «respecto al llamado orden público económico **el juez habrá de limitarse a cumplir lo mandado expresamente por el legislador o por el funcionario en quien aquél delegue** (interpretación estricta)»[156].

En definitiva, una de las consecuencias más importantes que se derivan de esta concepción sería el distinto concepto legal por el que se tengan que encauzar las demandas. En el caso de que nos encontremos ante la violación del orden público tradicional, el cauce más adecuado es a través de la causa ilícita o inmoral y la sanción indiscutible que le correspondería seria la nulidad absoluta. En cambio, en lo que se refiere al cauce que debe darse a la demanda basada en el orden público económico será a través de los actos contra la ley (arts 6.3.CC.) que permite cualquier tipo de sanción dependiendo de las circunstancias[157].

Lo cierto es que semejantes disposiciones que interfieren en el derecho contractual van a recogerse siempre en los preceptos especiales fuera de nuestro Código. Precisamente porque el Código sólo se va a ocupar de las relaciones privadas entre las partes contratantes y de establecer las bases para el correcto desenvolvimiento de la autonomía privada. Es decir, sólo establece los límites generales entre los que se debe desarrollar la libertad contractual[158].

Esta idea de que el Código Civil sólo establece las reglas que sirven de base al régimen de la libertad contractual se puede obtener de un análisis a las normas que la componen. Un buen análisis objetivo de las normas que componen el régimen de la libertad contractual lo encontramos hecho por un jurista estadounidense KENNEDY[159]. Es muy interesante descubrir cómo

---

[155] DE CASTRO Y BRAVO, F., «*Notas sobre las limitaciones intrínsecas de la autonomía de la voluntad*», en *A.D.C.*, XXXV-4 (1982) pág. 1046-1050.

[156] DE CASTRO, ob cit. pag 1049 y 1050, también la misma idea *en Las condiciones generales de los contratos y la eficacia de las leyes*, en A.D.C., xiv-1 (1961), págs.

[157] Vid. epígrafe «*Apertura a nuevas concepciones la ineficacia*».

[158] Vid supra «Presupuestos de la libertad contractual».

[159] KENNEDY basa el régimen de la libertad contractual en un conjunto de reglas sobre acuerdos con el dominio de derechos preexistentes de propiedad. Estas reglas son: (i) leyes penales y de responsabilidad dirigidas a prevenir el uso de fuerza, engaño o fraude

las normas que este autor encuadra en el régimen de libertad contractual coincide con las que se articulan en nuestro Código Civil y las normas que él denomina o clasifica como normas distributivas, paternalistas y de eficiencia serían las que nosotros articulamos en las leyes especiales.

En consecuencia, la primera clasificación entre normas imperativas, prohibitivas y dispositivas nos va a servir de punto de partida pero no acabará aquí la interpretación. Aunque al fin logremos verificar que nos hallamos, sin lugar a dudas, ante una norma imperativa deberemos analizar las consecuencias o efectos que de ella se derivan. No se puede desconocer que estas nuevas leyes especiales llevan implícitas unas soluciones que no se pueden encasillar *a priori* por la sanción que establecen debido a la diversidad de soluciones que proponen (Ley de Consumidores y usuarios, art. 10.4, Ley sobre condiciones generales de la contratación, arts. 7, 8, 9 y 10, etc...) en caso de contravención; soluciones que pasan, además de las ya contempladas, por la propia validez del contrato y por la nulidad parcial (ya sea en interés del contrato o en interés de la ley y en este ultimo caso ya implique sustitución del contenido contractual o no).

2.3. Relación entre la imperatividad de la norma y la ineficacia contractual

Para que se produzca la ilegalidad de un contrato siempre tiene que intervenir una norma especial imperativa o prohibitiva aunque no lleve aparejada la nulidad. El Código Civil se ocupa del régimen general que se aplica a todos los supuestos posibles de contratación, con independencia de que exista alguna Ley especial sobre la materia. Por consiguiente, las normas cuya imperatividad hemos de analizar serán las normas especiales. Por este motivo la jurisprudencia ha desestimado en numerosas ocasiones demandas en las que no se alegaba la norma imperativa concreta o el artículo de dicha norma infringidos. Añadiendo que no es suficiente con que se aluda de forma genérica a los artículos del Código 6.3, 1255 e incluso el 1275[160].

---

que impidan la libertad del acuerdo. (ii) las normas contractuales que reducen a la nulidad (o hacen anulables) acuerdos que solo aparentemente han sido concluidos libremente. (iii) normas que especifican la conducta necesaria para crear acuerdos obligatorios —para conseguir que los jueces consideren el acuerdo «*enforceable*». (iiii) Las reglas sobre qué constituye un incumplimiento en la relación obligatoria y que consecuencias tiene el incumplimiento. KENNEDY, D., *Distributive and paternalist motives in contract and tort law, with special reference to compulsory terms and unequal bargaining power*, 41, *Md. L. Rev.*, págs. 568-569, (1982).

[160] La jurisprudencia ha insistido en que para apreciar la ilegalidad se ha de invocar junto con estos artículos generales los preceptos específicos de forma concreta de las normas que se consideran vulneradas y en las que se funde la pretensión de nulidad. Unas veces se condiciona a la cita concreta del precepto vulnerado el acceso a la casación y en otras sólo se condiciona la apreciación de la nulidad: Sentencias de 5 de junio de 1945, 3 de

En materia de ilegalidad contractual podemos prescindir del análisis de aquellas normas imperativas que enuncian y establecen los requisitos o presupuestos mínimos, necesarios para que pueda producirse algún efecto jurídico. Aquí incluiríamos tanto las normas que establecen requisitos de capacidad de los sujetos, como las que establecen requisitos de ausencia de vicios en la voluntad, y existencia de objeto y causa, así como las que establecen requisitos puramente formales. Partimos ya del cumplimiento de estas normas puesto que son las que establecen los presupuestos para el ejercicio de la libertad contractual[161].

Las normas imperativas relevantes para considerar un contrato como ilegal son aquellas que afectan al contenido de este contrato y determinan los efectos del mismo[162]. En realidad, el contenido del contrato se halla recogido entre el objeto y la causa porque son los elementos sustantivos del contrato. Los vicios de estos elementos serán vicios de ilegalidad o ilicitud. Nunca lo podrán ser los vicios del consentimiento porque los vicios del consentimiento en sí mismos ya tienen virtualidad material propia con un régimen jurídico específico recogido en el Código Civil. Aunque aparentemente algún caso de ilegalidad afecte al consentimiento de las partes será por su íntima conexión al resto de los elementos del contrato y, en estos casos, la ilicitud siempre suele ir referida al objeto y a la causa, como destacan LALAGUNA y HERNÁNDEZ GIL[163]. V. gr. Los contratos de compra-venta de fincas para edificar cuando no se informa al comprador de las limitaciones urbanísticas (vid. infra epígrafe «Contratos que infringen la legislación urbanística»)

Una vez que se descubre, fruto de la necesaria interpretación previa de las normas, una norma especial con carácter imperativo se tienen que analizar

---

julio de 1954, 20 de noviembre de 1959, 31 de marzo de 1964, 18 de mayo de 1964, 25 de febrero, 20 de abril y 31 de marzo de 1967, de 31 de mayo y 18 de diciembre de 1968, 13 de diciembre de 1974, 13 y 21 de octubre de 1976 (en esta última sentencia se llega a decir que es preciso citar en el recurso cuál es el párrafo del artículo invocado el que se estime vulnerado para el éxito de estos vicios «in iudicando»), 30 de diciembre de 1978, 22 de noviembre de 1979, 8 de mayo de 1989,

[161] Con el control de estos presupuestos solo se trata de que se den las condiciones de libertad imprescindibles para que se pueda desarrollar correctamente la autonomía de la voluntad de los contratantes. Vid supra epígrafe: «Contrato ilegal, contrato inexistente y contrato imperfecto. Omisión de formalidades legales».

[162] DÍEZ-PICAZO define este contenido contractual como la formulación del conjunto de derechos, facultades, deberes, obligaciones de que las partes van a ser titulares en la relación jurídica que establecen. DÍEZ-PICAZO, L., «La autonomía privada y el derecho necesario en la ley de arrendamientos urbanos», en A.D.C., IX-3, 1956, pág. 1149.

[163] Como destaca LALAGUNA en todo artículo del código donde se alude a la proyección del consentimiento se ve la necesaria referencia a los otros elementos del contrato (objeto y causa) arts. 1254, 1262, 1258 y 1278. LALAGUNA, op. cit. págs. 27-30. Más concretamente HERNÁNDEZ GIL mantiene que la ilicitud penetra en la obligación a través del objeto y de la causa HERNÁNDEZ GIL, A., *Derecho de obligaciones*, Madrid, 1983, pág. 104.

las consecuencias que su infracción produce en el contrato. La interpretación y análisis de estas consecuencias ya no se realiza de una forma rígida por la jurisprudencia porque, dejándose influenciar por la doctrina, ya no se siente obligada a optar irremediablemente entre la nulidad textual (*pas de nulité sans texte*) o la nulidad virtual (*Quae contra ius fiunt, debent utique pro infectis haberi o contra legis nitutur voluntatem*)[164].

Actualmente, nuestra jurisprudencia no se cansa de repetir que «Los tribunales para decidir han de extremar su prudencia en el uso de una facultad hasta cierto punto discrecional, analizando para ello la índole y finalidad del precepto legal contrariado y la naturaleza, móviles, circunstancias y efectos previsibles de los actos realizados, para concluir declarando válido el acto pese a la infracción legal, si la levedad del caso así lo permite o aconseja, y sancionándole con la nulidad si median trascendentes razones que patenticen al acto como gravemente contrario al respeto debido a la Ley» [165].

Claro que la ilicitud o ilegalidad de un contrato puede ser una causa de nulidad y, de hecho, esta es la consecuencia que como regla general parece darnos el ordenamiento jurídico (art. 6.3 C.C.) Sin embargo, ahora se destaca que ésta no es la única solución que cabe, sino que numerosas leyes (tantas que nos hacen dudar de que la regla general sea tan general como pretende) establecen otro tipo de sanción bien expresa o bien tácitamente, deduciéndolo de la *ratio* de la norma. Incluso, hemos de advertir que esta sanción puede implicar otro tipo de ineficacia contractual como puede ser la nulidad parcial, una nulidad con legitimación restringida, sometida a plazo o bien puede implicar exclusivamente una sanción penal o administrativa que mantiene intacta la validez civil del contrato.

Hemos de aclarar, no obstante, que esta última solución tampoco puede, en ningún caso, elevarse a rango de principio en un ordenamiento jurídico moderno. Bien es cierto que esta solución parece basarse en una regla de derecho romano por la cual la pena especial deroga a la general. Es decir, significaría que la ley que sanciona su infracción con una pena específica, sea del carácter que sea, ya debería quedar saldada con esta misma y se considera

---

[164] «El fundamento último de la disciplina de la ilicitud se encuentra en impedir que pueda desarrollarse la finalidad ilícita a la que se dirige la voluntad de las partes, ya sea en el caso en el que el resultado de tal ilicitud se encuentre expresamente prohibido por una norma que, tras establecer el precepto establece para el caso de violación la sanción de nulidad (nulidad textual), sea en el caso en el que el precepto sea fijado por una norma que no prevé expresamente la sanción la cual es todavía deducible de sistema en razón de la naturaleza del interés protegido (c.d. nulidad virtual)» DA NUZZO, «*Negozio illecito*», in *Enc. Giur. Treccani*, XX, Roma, 1989, voz «Negozio giuridico», pág. 1. Vid. también epígrafe: Búsqueda de una regla general. De la unidad textual a la nulidad virtual.

[165] Sentencia de 29 de octubre de 1990, en el mismo sentido Sentencias de 1 de marzo de 1934, 19 de octubre de 1944, 28 de enero de 1958, 27 de febrero de 1964, 28 de julio de 1986.

que con su previsión el legislador habría implícitamente renunciado a cualquier otro efecto más grave[166].

En nuestro ordenamiento está claro que este principio no puede estimarse totalmente generalizable. No obstante la jurisprudencia ha utilizado, basándose en esta idea, el criterio de que no resulta nulo el contrato cuando la sanción impuesta por la norma infringida presuponga la validez del contrato[167]. La debilidad del argumento se encuentra en que la apreciación del criterio obedece a parámetros bastante arbitrarios.

Encontramos normas generales que prevén sanciones civiles de nulidad para supuestos en los que se hayan vulnerado leyes penales, independientemente de las penas que les correspondan: el art. 1305 C.C. establece un tipo especial de ineficacia para aquellos contratos que tengan causa y objeto ilícitos y además el hecho constituye un delito o falta. La previsión existe con independencia de que se considere conveniente su aplicación por la injusticia que puede comportar el especial efecto restitutorio del precepto o que no proceda por el correspondiente decomiso de efectos[168]. Esto pone de relieve el acierto de la opinión de FERRARA de que la pena concretamente prevista no excluye siempre la nulidad del contrato aún cuando el contrato constituya una violación de un precepto penal y haya de recibir una sanción punitiva[169].

En principio, hemos de tener presente que la pena impuesta fuera del ámbito civil es accesoria y externa respecto de la naturaleza del contrato. Incluso podríamos llegar a afirmar que, en la mayoría de los casos, las sanciones punitivas se complementan a la perfección con las sanciones resarcitorias o reparadoras del Derecho privado, incluyendo cualquier forma de «sanción neutralizante»[170]. La pena impuesta fuera del ámbito civil resulta ajena a la estructura del contrato, aquella puede acumularse a la sanción de la ineficacia contractual si la infracción merece tal reacción (se agravan las consecuencias como medio de protección o de represión), o puede permanecer eficaz no obstante la existencia y deber de cumplimiento de la pena (El ámbito de reacción de la norma infringida no alcanza los efectos civiles del contrato y la pena establecida no tiene influencia alguna sobre el contrato). *V. gr..* ejemplo de acumulación de pena con ineficacia la tenemos en delitos de estafa o falsedad documental. Delitos que pueden concurrir con una eventual ineficacia contractual proveniente de un vicio del consentimiento (anulabilidad), pero no siempre procederá[171].

---

[166] «*Interpretatione legum poenae molliendae sunt potius quam asperandae*» (Hermogeniano: 1.42, D., de poenis, 48, 19.)
[167] CARRASCO PERERA, A., Comentarios... cit., págs. 827-828.
[168] Vid. Infra epígrafe «Contratos con causa torpe o cuando es constitutivo de delito o falta».
[169] FERRARA, op. ult. cit. pág. . 24
[170] CAPILLA RONCERO, F., Derecho Civil. Parte General, cit., págs. 221-223.
[171] Para la doctrina italiana el contrato utilizado como instrumento de estafa, tal y como está descrita el tipo en el Código Penal, se corresponde perfectamente con el dolo civil

Una de las circunstancias que habrá de ser tenida en cuenta para determinar si la imperatividad de la norma va a afectar o influir sobre la eficacia del contrato es el modo de contradicción que se produzca entre ambos. Sólo cuando la contradicción sea frontal, en el sentido de confrontación clara, se procederá a aplicar la nulidad. Normalmente estas circunstancias se han intentado ligar, por parte de la jurisprudencia, al carácter administrativo o civil de las normas imperativas infringidas.

Parece considerarse, de modo general, que las normas administrativas no van a afectar normalmente la eficacia del contrato. Algunas veces, el Tribunal Supremo en sus disquisiciones a mayor abundamiento y *obiter dicta* asocia la suerte de las normas «puramente» administrativas a las de carácter fiscal para negar su capacidad de interferencia en la contratación privada[172].

Quizá resulte más evidente esta afirmación cuando se refiere a las **normas de carácter fiscal**. Por la finalidad recaudatoria que persiguen las normas tributarias parece probable que no vayan a provocar la nulidad del contrato infractor. Además, las fuertes sanciones pecuniarias previstas en este tipo de normas bastan para conseguir su efectividad. Asimismo, parece que ante las infracciones tributarias la forma de transgresión no consiste en una vulneración frontal de la ley sino en distintas formas de eludirla con argucia. En definitiva, lo que se persigue es el fraude tributario que se manifiesta mediante contratos simulados o en fraude de ley. Estas infracciones no se atajan mediante el artículo 6.3 sino, en su caso, mediante el artículo 6.4 o 1276 del Código Civil.

Pese a todo lo expuesto, tampoco cabría desechar *a priori* la eventual aplicación del artículo 6.3 en los casos mas graves aunque, normalmente, por su gravedad también tienen la consideración de delitos[173]:

V. gr. En la sentencia de 31 de octubre de 1968, refiriéndose a la antigua Ley de Contrabando y Defraudación, se afirmaba: «en este caso la nulidad es radical, sin que el acto produzca ningún valor ni efecto, y está así proclamada en un precepto cuyo rango legal no ha sido discutido, sin que tampoco pueda

---

como vicio del consentimiento del contrato (GALGANO, F., Diritto Civile e Commerciale, vol. 2º, T. I, 2ª ed., Padova, 1993, pág. 280). Vid. epígrafes: «Normas jurídicas de carácter penal (Remisión)» y «Excepciones a la regla general de la recíproca restitución».

[172] Establece la sentencia de 8 de abril de 1998: «los principios rectores de la contratación privada, corolarios de la autonomía de la voluntad, no afectados por las normas puramente administrativas, cuyo incumplimiento, al igual que ocurre con las de carácter fiscal, no deben primar o interferir en los efectos jurídicos del contrato privado querido por las partes y menos aún propiciar que una de ellas trate, con su apoyo, de beneficiarse en perjuicio de la otra, que es lo pretendido, aunque de modo equivocado, por la ahora recurrente, tan infractora de aquellas normas administrativas como los demás intervinientes en las relaciones jurídico privadas, que son las únicas que pueden traerse a la casación civil, según doctrina jurisprudencial reiterada y constante»

[173] MARTÍN RETORTILLO, C., «*Interferencias de las leyes fiscales en los negocios jurídicos privados*», en *A.D.C.*, IX-2, 1956. Vid. epígrafe: «Normas jurídicas de carácter penal».

negarse el carácter sancionador y punitivo en el orden fiscal de la aludida Ley sobre contrabando y defraudación, con su natural reflejo en el campo contractual civil a tales efectos anulatorios; pero además la inhibición para enajenar tiene un origen legal y surge de la propia Ley, superponiéndose a la voluntad particular, con una finalidad del carácter fiscal y de utilidad pública, sin que por estar impuesta por la Ley, tanto la prohibición como su sanción, necesiten para su eficacia una inscripción especial»[174].

Por último, conviene desde ahora desmentir que por el carácter administrativo de una norma jurídica ya se pueda afirmar que no va a tener influencia en los efectos del contrato que la infrinja. Las normas administrativas persiguen fines del más variado género al utilizarse en innumerables ámbitos y sectores. Por esta razón, se deberá analizar, en concreto, el objeto, espíritu y finalidad de la norma y el fin al que se ha dirigido el contrato para aventurar si se provoca la ineficacia de éste[175].

Resulta, de este modo, indiferente el ámbito o disciplina jurídica en la que se pueda incluir la norma jurídica imperativa que resulta vulnerada por el contrato. Lo que tiene realmente relevancia y habrá que analizar es si la imperatividad de la misma afecta a la esencia del contrato.

De hecho, en el momento de gestación del Código parece que se pensó en normas civiles como supuestos de la excepción contenida en el antiguo artículo 4.1 del Código Civil (actual 6.3) a la nulidad del acto *contra legem*, («excepción que la ciencia autoriza y la razón aconseja»). Consideraban los primeros comentaristas que resultaba, en este punto, supuesto paradigmático el de la norma que prohibía el matrimonio de la viuda antes de los 301 días del fallecimiento de su marido. Extrayendo como conclusión que el legislador considera, en determinadas ocasiones, que pueden ser mayores los males ocasionados por la nulidad que por la validez de los actos ejecutados en contra de sus prescripciones. De esta forma, aún a riesgo de que la ley quede infringida se opta por la validez, procurando de la mejor manera posible, que la infracción no quede impune[176].

Los efectos derivados de la ilegalidad contractual serán analizados con más detalle en el último capítulo del estudio[177].

---

[174] En el mismo sentido la sentencia de 21 de octubre de 1976 que ya utilizó para aplicar la nulidad radical y absoluta por ilicitud del acto, lo prevenido en el artículo sexto, número tercero del CC en la redacción que le dio la Ley de Bases de 17 de marzo de 1973 y Decreto de 31 de mayo de 1974.

[175] Vid. Infra epígrafe «Normas jurídicas de carácter administrativo».

[176] ALONSO MARTÍNEZ, M., Código Civil español, resumen crítico de M. Pedregal y Cañedo, Madrid, 1889, págs. 26-27, ROBLES POZO, J., Código Civil, Madrid, 1896, T. I, pág. 94.

[177] Vid. infra capítulo IV «Efectos del Contrato ilegal».

3. Derecho Público-Derecho Privado

3.1. Consideraciones Generales

Muchos son los autores que han tratado de hallar un criterio general para encuadrar las normas en el campo del Derecho publico o en el campo del Derecho privado[178]. Este esfuerzo de clarificar la distinción es loable en cuanto se trata de una dicotomía que cuenta con una larga tradición histórica. Bastaría como justificación a la conservación de la distinción su carácter histórico y su utilidad didáctica e instructiva. Además, LUNA SERRANO aporta tres líneas de argumentación que permiten mantener la distinción: 1ª) La dialéctica autoridad-libertad; 2ª) la existencia de principios y de instituciones bien diferenciadas dentro del ordenamiento jurídico; 3ª) la diversidad de instancias jurisdiccionales[179].

Sin embargo, es cierto que se van a ir relativizando los límites de esta clasificación por las constantes relaciones de interdependencia entre los elementos integrantes de los mismos dentro de un Estado liberal intervencionista. En realidad, estas constantes interferencias entre lo tradicionalmente considerado como público y privado tendrían que tender a fortalecer, cada vez más, la idea de unidad sustancial del ordenamiento jurídico[180].

Se puede comprobar un movimiento progresivo de las normas jurídicas fuera de sus ámbitos tradicionales de aplicación. De esta forma se puede entender lo que se ha denominado crisis del Derecho administrativo por la huida por parte de la Administración hacia el Derecho privado[181]. Pero no sólo se están produciendo constantes interferencias del Derecho privado en el ámbito del Derecho administrativo sino que también se produce el fenómeno

---

[178] LUNA SERRANO realiza una ajustada síntesis de la evolución histórica y del estado de la cuestión (LUNA SERRANO, A., en Elementos… , I, cit., págs. 19-39.) En cuanto la distinción puede afectar a la libertad contractual vid. por todos: DE LA CRUZ LAGUNERO, J.M. Y CUENCA ANAYA, F., «Influencia del Derecho Público sobre el derecho de contratación», en R.D.N., 1988, págs. 81-89.

[179] LUNA SERRANO, A., Elementos… , I, cit., págs. 39-40.

[180] En todo caso, actualmente, la distinción de las normas conforme a este tipo de naturaleza no resulta sencillo, ni en la mayoría de los casos se puede realizar con nitidez. Las nuevas normas de orden público económico son las que resultarán de más difícil clasificación porque en la misma ley establecen las consecuencias civiles derivadas de su infracción y las sanciones administrativas correspondientes. Ej. arts 10.4 y 32 y ss. de la ley 26/ 1984, de 19 de julio, Ley General para la Defensa de los Consumidores y Usuarios.

[181] DEL SAZ CORDERO, S., «La huida del Derecho Administrativo: últimas manifestaciones. Aplausos y críticas», en R.A.P., 133, enero-abril, 1994, págs. 57-98. DEL SAZ CORDERO, S., Desarrollo y crisis del Derecho Administrativo. Su reserva constitucional, en Nuevas Perspectivas del Derecho Administrativo. Tres estudios, Madrid, 1992, págs. 139-155 y 174-186.

inverso. No sólo cabe hablar de una «privatización del Derecho administrativo, sino que también se puede hablar de una progresiva «publificación» o «administrativización» del Derecho privado. En especial, como ya hemos señalado, donde se siente de forma más acusada esta influencia del Derecho administrativo es en materia de autonomía de la voluntad[182].

Este fenómeno ha llegado a producir cierta alarma entre la doctrina civilista que cree atisbar una paulatina y progresiva invasión del Derecho Público que va minando las bases del Derecho Civil. Se habla de «publificación» del Derecho Civil como síntoma de crisis[183]. También se ha aludido mucho por la doctrina moderna y aún se sigue acudiendo de forma recurrente e interesada en nuestros días a la denominada «crisis de la autonomía de la voluntad»[184].

En realidad lo que se está produciendo es simplemente una acentuación de la imperatividad de las normas que afectan a los contratos donde antes dominaba la disponibilidad[185]. Ciertamente, existen nuevas normas de todo tipo que afectan de forma necesaria a los contratos pero no todas esas normas son de Derecho Público en sentido estricto y aunque se tratase mayoritariamente de normas de tal carácter no perdería la materia sobre la que recáen su carácter de Derecho Civil. Hemos de acostumbrarnos al concepto de unidad de todas las normas del Ordenamiento Jurídico y a la tendencia socializadora que se aprecia en todas ellas en su conjunto[186].

Tampoco pasa inadvertido que, como señala acertadamente la doctrina, al hablar de infracciones normativas nos estamos refiriendo al art. 6.3, que como el resto de las disposiciones del título preliminar del Código Civil, se ha de referir necesariamente a **todo tipo de leyes**, ya pertenezcan por su natura-

---

[182] No cabe duda que la regulación sectorial administrativa tiene cada vez una mayor influencia en el campo contractual como lo demuestra el amplio elenco normativo de este ámbito que analizan DE LA CRUZ LAGUNERO y CUENCA ANAYA. (DE LA CRUZ LAGUNERO, J.M. Y CUENCA ANAYA, F., «*Influencia del Derecho Público sobre el derecho de contratación*», en *R.D.N.*, 1988, págs. 115-169.)

[183] PASCUAL QUINTANA, J.M., «La encrucijada del Derecho Civil» *en Estudios en Honor del Profesor Castán Tobeñas*, I, Pamplona, 1969, págs. 426 y ss., JORDANO BAREA, J.B., «Concepto y valor del Derecho Civil», en *R.D.P.*, 1962, pág. 735, GUASP, J., «El individuo y la persona», en *R.D.P.*, 1959, pág. 3-4.

[184] Ya en 1960 en el que fue discurso de ingreso de Federico DE CASTRO a la Real Academia de Jurisprudencia y Legislación (Publicado como monografía en 1975, de donde se toma el texto) este autor se hace eco de la reiterada coincidencia de la doctrina al utilizar las expresiones de «crisis del contrato» y de «crisis de la autonomía de la voluntad». DE CASTRO, F., *Las condiciones generales de los contratos... cit.*, pág. 77 vid. notas.

[185] DE COSSIO, A., *Instituciones de Derecho Civil... cit., pág. 51.*

[186] HERNÁNDEZ GIL, A., *Derecho de obligaciones*, 2ª ed., Madrid, 1960, pág. 233, CASTÁN TOBEÑAS, J.M., *La socialización del Derecho y su actual panorámica, Madrid, 1965, págs. 6, y 55*, GIL RODRÍGUEZ, J., «Acotaciones para un concepto del Derecho Civil», en *A.D.C.*, 1989, pág. 344, ARCE Y FLÓREZ VALDÉS, *El Derecho Civil constitucional... cit.*, pág. 56. VÁZQUEZ DE CASTRO, E., *Determinación del contenido..., cit.*, págs. 45-49.

leza, al **derecho público o** al **privado**[187]. PUIG PEÑA, tras afirmar la fuerza anuladora tanto de las leyes del Derecho público como de las leyes del Derecho privado, va mucho más allá incluyendo dentro del concepto «Ley» no solamente a la Ley en sentido estricto sino también lo dispuesto en la costumbre o los principios generales del derecho. Aún así, viene a reconocer, a renglón seguido, que no suelen hallarse disposiciones imperativas en estas fuentes subsidiarias[188].

El interés público se encuentra protegido por todo el ordenamiento jurídico, como acabamos de mantener, y, por supuesto, esto incluye tanto las normas de Derecho público como las de Derecho privado. Por otro lado, el Estado tutela también intereses privados en las más variadas normas, por lo cual no se puede distinguir el Derecho privado del público en función de los intereses protegidos. *V. gr.*, La normativa sobre viviendas de protección oficial, que podríamos encuadrar como normas de Derecho público, se encarga de tutelar un interés público en cuanto modula el sector inmobiliario y unos intereses privados de los potenciales adquirentes de este tipo de viviendas.

La heteronomía invade constantemente el campo de la autonomía privada o potestad de autorregulación. Esta invasión proviene tanto de parte del Derecho público como de parte del Derecho privado[189]. Será necesario, consecuentemente, sondear un destacado grupo de normas tanto de Derecho público como de Derecho privado, (buscando las más representativas) e intentar sistematizar los tipos injerencias que estas provocan en la libertad de actuación de los contratantes.

El que las normas de Derecho público son capaces de cercenar la autonomía de la voluntad es un hecho indiscutible y esta idea goza de antigua tradición. Es de sobra conocido el apotegma jurídico de que el Derecho público no puede ser alterado por virtud de pactos particulares recogido por PAPINIANO: *«ius publicum privatorum pactis, mutari non potest»*[190].

3.2. Normas jurídicas de carácter administrativo

Parece, por tanto, generalizada la aceptación de que el Derecho público influya y limite la libertad contractual. Según esta premisa no supondría ningún problema admitir que las leyes administrativas como pertenecientes al Derecho público comparten esta facultad. En cambio, parece que la

---

[187] DÍEZ-PICAZO, L. y GULLÓN, A., *Sistema de Derecho Civil*, vol. 1º,... cit., pág. 204, DE CASTRO, F., *Derecho Civil de España...* cit., pág. 534-535, SANTOS BRIZ, J., *Los contratos civiles. Nuevas perspectivas*, Granada, 1992, pág. 42.

[188] PUIG PEÑA, F., *Compendio de derecho civil*, T. I, Barcelona, 1966, pág. 125.

[189] Aquí podemos comprender lo que una parte de la doctrina llama Derecho de la economía que parece superar la distinción entre derecho público y privado. LACRUZ BERDEJO, J.L., *Elementos de derecho civil, I, Parte general del derecho civil*, vol. 1º, pág. 28.

[190] PAPINIANO, I, 38, D. *de pactis*, 2, 14.

incursión de las normas de Derecho administrativo en la autonomía privada es un fenómeno reciente provocado por las exigencias del Estado Social y de la economía moderna que aún no ha sido asumido del todo.

Por otro lado, cabe destacar que, aunque es cierto que estas injerencias en el terreno de la libertad individual se han ido acentuando últimamente, el fenómeno no es tan nuevo como parece. El mismo PORTALIS tuvo ocasión de acusarlo: «Todas las leyes del orden que sean, guardan entre ellas relaciones necesarias. No hay cuestión privada en la que no entre alguna mira de la administración pública; como tampoco existe ningún objeto público que no afecte más o menos a los principios de esa justicia distributiva que regula los intereses privados»[191].

Lo que suscita ciertos problemas es el considerar cuándo estas injerencias del Derecho público pueden tener trascendencia en el contrato o, mejor dicho, en la eficacia civil del contrato. La jurisprudencia y la doctrina no coinciden completamente en este punto. La mayor parte de la doctrina entiende que las normas de Derecho público al igual que las de Derecho privado tienen virtualidad en potencia para influir sobre la eficacia o las relaciones privadas que se derivan del contrato[192]. Lo fundamental para que esto ocurra no es la disciplina jurídica en la que quepa encuadrar la norma sino la naturaleza imperativa y prohibitiva de dicha norma.

El fundamental argumento que cabe utilizar para defender esta concepción es lo que DE CASTRO llamó eficacia total sancionadora del Derecho, que implica considerar la estrecha conexión que tienen entre sí todas las normas del ordenamiento jurídico[193]. Esto significa que no solo cabe relacionar las normas de Derecho Civil entre sí, sino que también habrá que relacionar éstas con las disposiciones administrativas y las de Derecho penal. De hecho, esto resulta evidente si nos fijamos en que algunas normas del derecho contractual prevén ya determinados efectos para el caso en que se infrinjan normas extrañas a la disciplina civil como. *V. gr.* el art. 1305 CC. y la D.A. 1ª nº 5. de la L.A.U. de 24 de noviembre de 1994.

---

[191] PORTALIS, J.E.M., *Discurso preliminar al Código Civil francés*, trad. I. Cremades y L. Gutierrez-Masson, Madrid, 1997, pág. 47.

[192] DIEZ-PICAZO, L., Y GULLÓN, A., afirman que «la sanción de nulidad deriva de toda clase de normas, tanto si pertenecen al derecho público como si pertenecen al derecho privado.» Sistema de derecho civil, vol. I, 8ª ed., Madrid, 1995, pág. 204. También en este sentido AMORÓS, *Comentarios a la reforma* pág. 327. BERNAL-QUIRÓS, «*Consideraciones sobre el nuevo título preliminar*», en *R.C.D.I..*, 1976, pág. 577. Esta es también la postura mayoritaria en la doctrina italiana: MESSINEO, *Doctrina general del contrato*, T. I, Buenos Aires, 1952, trad. Fontanarrosa, R.O., Sentís Melendo, S., Volterra, M., pág. 481 y 487, GIORGI, J., *Teoría de las obligaciones*, trad. Española, Madrid, 1978, pág. 329. MARICONDA, V., *Commentario al Codice civile, Dei contratti in generale*, art. 1418. *Cause di nullità del contratto*, Milán, 1984.

[193] DE CASTRO Y BRAVO, F., *Derecho Civil de España*, Madrid, 1984, pág. 534.

El interés público que sirve de fundamento a la imperatividad de las normas que lo protegen se puede encontrar tanto en las normas de Derecho público como las de Derecho privado y este interés es el único criterio que se establece para limitar la libertad contractual.

El problema surge porque la jurisprudencia ha considerado en numerosas sentencias que las normas que califica de «meramente», «simplemente», «puramente» o «mas o menos» administrativas no pueden influir en un contrato[194]. Con estas afirmaciones parece que el Tribunal Supremo está sentando una especie de incomunicación entre el Derecho público y el Derecho privado. Los argumentos que se emplean son, en general, poco convincentes y se utilizan siempre a mayor abundamiento:

1º) Uno de estos argumentos consiste en decir que estos preceptos no son invocables para basar en ellos la casación civil por infracción de Ley en el fondo, porque este recurso debe referirse a su materia propia, que son las normas de Derecho privado en aras a la salvaguardia del principio de unidad de doctrina. Este no deja de ser un argumento a mayor abundamiento entre otros de mayor peso en todos los casos que se utiliza. En realidad, es obvio que el recurso formulado siempre se va a referir a una materia propia del Derecho Civil como es el derecho contractual, puesto que hablamos de los efectos producidos en los contratos por las normas jurídicas.

Un último argumento de carácter sistemático que podemos encontrar es que, en realidad, el art. 6.3 CC. se refiere a la ilegalidad de todos los actos del ordenamiento jurídico, tiene carácter general al hallarse en el Título Preliminar del Código Civil. Por tanto, hemos de entenderlo referido a normas jurídicas de todo tipo de ámbitos de nuestro ordenamiento jurídico. Encontramos, como complemento de este precepto, en sede contractual el art. 1255 C.C que hace referencia al mismo supuesto y cuyo concepto de ley, junto con la moral y el orden público, también hay que interpretarlo en sentido amplio. La única excepción razonable que parece haber establecido la jurisprudencia es respecto a las normas estrictamente procesales. Sin embargo, las normas administrativas no son normas adjetivas o procesales, que tiene sentido que no sean aptas para fundar un recurso de casación sobre el fondo. Tampoco las normas procesales son aplicables a través del art. 6.3 CC.[195]. Según el Tribunal Supremo, este artículo está previsto para supuestos en los que la validez o nulidad de los actos (incluidos los procesales) resulta de la aplicación

---

[194] Sentencia de 7 de mayo de 1934, 1 de julio de 1950, 8 de junio de 1958, 23 de febrero, 24 de marzo, 29 de abril de 1965 y 2 de noviembre de 1965, 26 de abril de 1967, S. de 2 de febrero de 1968, 3 de enero de 1991, 8 de marzo de 1995, 22 de julio de 1997..

[195] En caso de admitirse la nulidad de actuaciones no obstante la invocación del art. 6.3 CC. (At. 4º anterior). El Alto Tribunal declara (Sentencia de 3 de noviembre de 1916, 30 de mayo de 1955 y 18 de mayo de 1964, 11 de mayo de 1970, entre otras) que las supuestas infracciones sólo podrían apoyar recursos de casación por la forma y no por el fondo, es decir amparándose en el Nº 3 del art. 1692 de la anterior LEC. y no en el Nº 4º del mismo precepto.

o inaplicación de normas pertenecientes al cuerpo de derecho material del que él mismo forma parte[196].

Pero las normas administrativas son normas sustantivas y sí que pueden dar lugar a un recurso de casación en el fondo. Tampoco faltan exponentes jurisprudenciales en los que se aplican normas para anular contratos de las que en otros casos eran calificadas como «meramente» administrativas[197].

2º Quizá el argumento de más peso en las decisiones del Tribunal Supremo se base en que las normas jurídicas de carácter administrativo son disposiciones dictadas con carácter circunstancial o coyuntural y de aplicación marcadamente temporal. Considera el tribunal que la prohibición, durante el periodo de tiempo establecido en la norma, no tiene en modo alguno como sanción expresa de su quebrantamiento la nulidad sino otro tipo de medidas y sanciones. En estos casos, por consiguiente, resulta únicamente posible por parte de los contratantes acudir a la jurisdicción civil para exigirse entre sí responsabilidades derivadas del contrato, imputables al que de ellos fuere el culpable de la transgresión sancionada[198].

Se puede añadir a este argumento para hacerlo más convincente que la norma administrativa no suele afectar a la esencialidad del contrato sino que tan sólo le afecta de forma muy accesoria y circunstancial[199]. Además, se puede comprobar la levedad en cuanto a las consecuencias contractuales si la norma infringida establece, para esta eventualidad, una concreta sanción como consecuencia esencial y no puramente accesoria o anecdótica. En estos casos se entenderá que no procede la nulidad del artículo 6.3 del Código Civil[200]. En la mayoría de estos supuestos, la infracción no supone una vulneración tan frontal que pueda considerarse propiamente contradicción e implicar una nulidad del contrato. *V. gr.* Cuando lo que afecta a la infracción

[196] El Tribunal Supremo ha establecido en numerosas ocasiones que el art. 6.3 CC. (Antiguo art. 4º) no es aplicable a las normas extrañas al cuerpo del derecho material del que aquel forma parte. Sentencias de 24 de octubre de 1932, 23 de diciembre de 1939, 9 de febrero de 1954, 28 de diciembre de 1955, 29 de noviembre de 1962, 14 de noviembre de 1969, 13 de diciembre de 1974.

[197] Sentencia de 4 de octubre de 1969. Sentencia en la que se anula una venta de bienes propiedad de un Ayuntamiento por faltar los requisitos legales establecidos en la L.R.L., Rglto. de contratación de las Corporaciones locales y Reglamento de bienes de las Corporaciones locales. Por el contrario, en otra Sentencia se niega la aptitud para servir de base a la casación a la L.P.A. por contener preceptos de carácter gubernativo. En realidad la verdadera razón para desestimar el recurso es que los requisitos exigidos por la Ley desdeñada no se precisan ni tienen trascendencia para decidir sobre la validez o invalidez del contrato. La Ley referida es de procedimiento y los requisitos que se exigían eran meramente formales.

[198] Sentencia de 8 de junio de 1957.

[199] CARRASCO PERERA, A., *Comentario al artículo 6.3º del Código Civil*, en *Comentarios al Código Civil y Compilaciones forales...* cit., págs. 798-799.

[200] LACRUZ BERDEJO, J.L., Elementos de Derecho Civil, I, vol.1º, nueva edición revisada por J. Delgado Echeverría,... cit., pág. 190.

no es el contenido del contrato en sí sino tan sólo una modalidad de la ejecución del mismo[201].

No obstante, hemos de ser conscientes de que, en cualquiera de estos casos, no es directamente el carácter administrativo de la norma el que impide que se pueda tener en cuenta su infracción para aplicar la ineficacia. Lo que, de verdad, la hace impropia para afectar al adecuado desarrollo de los mecanismos sancionadores de la ineficacia es la levedad de la incidencia de la prohibición o el mandato que estas encierran sobre los efectos contractuales.

Lo que no puede negarse es que, normalmente, habrá que sospechar que las normas de carácter administrativo, al regular los sectores de la más variada índole, descienden y profundizan en la regulación con el más concreto detalle. Pormenores que no supondrán extremo esencial del contrato. Desde luego, podremos concluir que la mayoría de estos detalles carecen de entidad o relevancia suficiente para afectar a la validez contractual. Es decir, su incumplimiento no puede tener la trascendencia de erradicar los efectos de un contrato y de poner en peligro la seguridad jurídica del tráfico económico. Es evidente que tampoco tiene que verse sometida y condicionada la libertad de contratación a extremos más allá de lo razonable.

En definitiva, debemos reconocer que en muchas ocasiones las disposiciones administrativas afectan a lo que GORDILLO llama *accidentalia negotii*[202]. En estos casos, no entrañará su infracción la ineficacia del contrato. Mientras que, en otras ocasiones, estas mismas disposiciones pueden afectar a elementos esenciales del negocio cuya infracción no se tolera por el ordenamiento jurídico e implicará siempre alguna clase de nulidad y aunque, finalmente, no se considere conveniente declarar la nulidad se deberá razonar la solución alternativa como excepción. En particular, podemos adelantar que aquellas normas administrativas que se refieren a los precios tocan a uno de sus *essentialia*. En consecuencia los actos y negocios infractores serán en el primer caso, negocios ilegales irregulares, mientras que el segundo deben considerarse negocios ineficaces.

Recordemos también ahora lo que en el *Common Law* llamaban «Ilegalidad por causa remota» y el caso que aportaba la jurisprudencia del *Common Law* como ejemplificador: Se consideraba que si la ley prohibe que la carga sobre un navío no puede transportarse en condiciones tales que la línea de flotación quede sumergida y esté sancionado este hecho con multas, no puede ésto llevarnos a pensar que el contrato es ilegal por haberse cometido una infracción a la ley y que por este motivo ya no se tenga que pagar el flete. No tienen en cuenta para llegar a esta conclusión el carácter administrativo o civil de la norma prohibitiva[203].

---

[201] Sentencia de 8 de febrero de 1958.
[202] GORDILLO CAÑAS, *La nulidad parcial... cit.*, pág. 169.
[203] Vid. supra epígrafe «*Ilegalidad por causa remota - contratos colaterales*»

3º Otro argumento que se suele utilizar en los considerandos es el mantener que las infracciones a las normas, dependiendo del ámbito a que pertenezcan, merecen sanciones de tipo diverso aplicables y exigibles cada cual en su jurisdicción correspondiente. No parece que pueda admitirse el que las normas del ordenamiento jurídico deban mantenerse en compartimentos estancos. Resultarían, de esta forma independientes, al ser de naturaleza diversa, tanto en cuanto a las relaciones jurídicas a las que puedan afectar como respecto de las consecuencias que de ellas se puedan derivar. Este argumento es inadmisible partiendo de la concepción del ordenamiento como un todo y de la eficacia total sancionadora del Derecho[204].

En realidad, la jurisprudencia, en lugar de separar los ámbitos de eficacia de las normas reservando solamente a las leyes civiles la facultad de subordinar los efectos del contrato a su observancia, debería tratar de relacionar las normas infringidas (ya sean civiles, penales, fiscales o administrativas) y sus finalidades con todas las soluciones de que dispone el ordenamiento jurídico. De esta forma, se debería evaluar, en cada caso, la suficiencia o insuficiencia de las sanciones en los otros ámbitos (de haberlas) para considerar si necesitan o no ser reforzadas por algún tipo de ineficacia contractual y decidir cuál. Esto nos conduce a ciertos dilemas interpretativos. Estos dilemas consisten en analizar y decidir:

a) En el caso que la norma administrativa no prevea sanción alguna, si su infracción merece sanción civil. Dilema común a toda norma que no expresa consecuencia alguna a la contingencia de una eventual contravención.

b) En el caso que se establezca sanción extracivil determinar si la simple aplicación de la sanción especial impuesta es suficiente como reacción del ordenamiento a la infracción en que ha incurrido el contrato. Es decir, decidir si la sanción extracivil excluiría la civil o si, por el contrario, se considera insuficiente la sanción administrativa, lo que indica que además procede aplicar los remedios ofrecidos por el Derecho Civil.

La única conclusión inequívoca que podemos extraer es la de la propia necesidad de analizar cada caso. Este análisis es necesario para poder decidir, por tanto, debe concluirse que, en principio, no se puede afirmar categóricamente que toda norma administrativa no afecta a la validez civil del contrato. Por esta razón resulta peligroso que la reiterada afirmación, aunque normalmente hecha *obiter dicta* o a mayor abundamiento, por parte del Tribunal Supremo de que las normas administrativas no son potencialmente aptas para influir en la contratación privada llegue a sentar jurisprudencia, como de hecho ha ocurrido.

Por otro lado, por el mero hecho de que se contemplen otro tipo de sanciones tampoco se puede afirmar que la norma al establecer sus propias

---

[204] DE CASTRO Y BRAVO, F., *Derecho Civil de España...* cit., pág.

penas está excluyendo, automáticamente, cualquier otra trascendencia en otros ámbitos[205]. Al contrario, como mantiene LACRUZ, el que la norma contemple ya un régimen sancionador específico no excluye, salvo que la propia norma lo diga, la posibilidad de una sanción civil de nulidad[206]. Para comprobar si la infracción puede tener otros efectos para los contratantes en el ámbito civil habrá que examinar, en cada caso, la *ratio* de la ilicitud, analizando e interpretando el espíritu y finalidad de la norma infringida. De esta forma se trata de observar hasta qué punto la ineficacia o nulidad del contrato viene exigida por los principios generales del derecho[207].

La regla podría formularse del siguiente modo: ante la ausencia de una expresa prohibición habrá que observar si la norma tiene por objeto proteger al ciudadano o si la norma persigue otros propósitos administrativos (organización u ordenación, fomento, estadísticos, renta, ingresos o beneficios, fines recaudatorios...) y no prohibir el contrato en cuestión.

Analicemos, a modo ejemplificativo, algún grupo de supuestos en los que la jurisprudencia tiene en cuenta el carácter administrativo de las normas jurídicas que afectan la libertad contractual para decidir las consecuencias de la ilegalidad:

3.2.1. Contratos en los que se infringen las normas de derecho urbanístico

Existen numerosos supuestos en los que un contrato de compraventa o permuta de solares o terrenos es realizada con la exclusiva finalidad de edificar en ellos. En estas circunstancias resulta evidente que estos contratos de compraventa se ven afectados por la normativa urbanística. Cuando la normativa urbanística desarrollada por los concretos Planes prohibe o limita la construcción reduciendo las expectativas de los compradores, reflejadas en el contrato, se está ante una grave irregularidad contractual.

El problema puede ser abordado desde distintos puntos de vista:

En primer lugar, para estos casos se establece en la propia Ley 6/1998, de 13 de abril, sobre Régimen de Suelo y Valoraciones un especial deber del vendedor de hacer constar expresamente la situación urbanística del terreno en el correspondiente contrato (artículo 21. 2º). El incumplimiento de este especial deber impuesto al vendedor se traduce en un particular derecho de rescisión y un derecho de indemnización por daños a favor del adquirente.

Planteado en estos términos, parece que nos encontramos ante un supuesto de ilegalidad, puesto que en el contrato en el que el vendedor no hace

---

[205] LACRUZ BERDEJO, JL., *Elementos de derecho civil,* II, vol.2º, 2ª ed, Barcelona, 1990, pág. 349. GORDILLO CAÑAS, *Precio ilegal ¿Un salto atrás en la jurisprudencia... ?,* pág. 903-906.

[206] LACRUZ BERDEJO, J.L., *Elementos... ,* II, vol 2º, 2ª ed., Barcelona, 1990, pág. 349.

[207] DÍEZ-PICAZO, L., *Estudios sobre la jurisprudencia civil,* vol. II, 3ª ed., Madrid, 1981, pág. 33.

expresa mención del régimen urbanístico de las fincas se está infringiendo directamente la previsión normativa. La sanción expresamente prevista por la propia Ley de Suelo para este supuesto es el de una específica rescisión y un correspondiente derecho indemnizatorio. La facultad del adquirente para rescindir el contrato se tendrá que ejercer en el plazo de un año a contar desde la fecha de otorgamiento y podrá exigir indemnización por los daños y perjuicios (art. 21.3º).

Esta peculiar acción ya se contemplaba de idéntica forma en el artículo 45.4º del Real Decreto Legislativo 1/1992, de 26 de junio, Texto refundido de la Ley sobre el Régimen del Suelo y Ordenación Urbana y tiene su precedente en una acción de similares características que descubríamos en el artículo 62 del anterior Texto Refundido de la Ley sobre Régimen de Suelo y Ordenación Urbana RD 1346/1976, donde se denominaba como acción de resolución.

Ciertamente, la escasa aplicación que la jurisprudencia ha venido dando a la norma que contiene esta especial sanción de «rescisión» ha venido a relegarla a una situación residual. El Tribunal Supremo ha venido desestimando repetidamente las pretensiones de los compradores ocasionalmente fundadas en esta acción de rescisión que ahora se encuentra en el artículo 21.3º de la vigente Ley del Suelo: *en las sentencias de 28 de febrero de 1990 y 15 de diciembre de 1992 se desestima porque aunque la limitación urbanística no constaba en el contrato la conocía efectivamente el adquirente. En la sentencia de 7 de julio de 1994 se desestima porque no se expresó en el contrato que se pretendiese un destino distinto al agrario que era el que hasta entonces se le daba y si en el fuero interno del adquirente estaba la intención de edificar fue negligencia suya no informarse. Por último, en la sentencia de 10 de septiembre de 1996 no se considera aplicable el precepto al caso puesto que pese a que el solar no era inmediatamente edificable por encontrarse en un plan de reparcelación, si que lo era en un plazo futuro relativamente corto. Tampoco entiende aplicable el precepto nuestro Alto Tribunal a las adquisiciones mediante subastas públicas como pone de manifiesto en la Sentencia de 24 de marzo de 1993.*

Lo que evidencia esta tendencia jurisprudencial es la consideración de irrelevancia civil a determinadas normas administrativas sectoriales. Como pone de manifiesto CARRASCO PERERA, el tratamiento que la jurisprudencia civil ha dado a las normas de disciplina urbanística es el propio de las cuestiones de hecho, y no el de las infracciones al ordenamiento jurídico. De esta forma, « (i) para la Sala de lo Civil del Tribunal Supremo la Ley de Suelo no merece el rango de ley especial frente al Código Civil, con funciones derogatorias o con aplicación preferente frente a este último; (ii) los remedios contractuales previstos en la Ley de Suelo son absorbidos por la aplicación de la regulación general del Código Civil relativa a vicios del consentimiento o incumplimiento contractual; (iii) las prescripciones de los planes que afectan al *ius aedificandi* de las parcelas tienen a efectos contractuales el valor de un hecho, no de una norma; (iv) la contravención a las normas urbanísticas imperativas es tratada como un riesgo de eventual reacción sancionadora, no como una infracción de ley susceptible de anular o hacer ineficaces los efectos pretendidos por el acuerdo privado»[208].

En estos casos, para resolver la situación también se podría indicar que no nos encontramos ante un sencillo caso de ilegalidad contractual. En realidad, la compraventa de los terrenos es perfectamente lícita y posible, lo que ocurre es que la finalidad fundamental de edificación que motiva la compra y que se proyecta en el contrato resulta incompatible con los planes urbanísticos. Es decir, estamos en uno de esos casos tan insistentemente dibujados por la jurisprudencia en los que «asumen la categoría de causa contractual, los móviles o motivos perseguidos por las partes que puedan afectar a la eficacia del acto en cuanto actúan a modo de causa o finalidad impulsiva o determinante del mismo»[209].

Hemos visto como prototipo de ilicitud causal los contratos de compraventa de inmueble cuando éste no reúne ni puede reunir legalmente los requisitos para el destino pactado. Caso similar al típico de los contratos de arrendamiento de inmuebles para la explotación de local comercial o vivienda cuando la ley, la comunidad de propietarios o las ordenanzas municipales no permiten destinar el inmueble a ese negocio o no reúne requisitos de habitabilidad (Sentencia de 7 de mayo de 1958.) El arrendamiento del inmueble, en sí mismo, es perfectamente legal y sólo la finalidad a la que se destina lo contamina de ilicitud. Es decir, la contrariedad a las normas urbanísticas imperativas alcanzaría el rango de ilicitud causal del artículo 1275 del Código Civil[210].

Lo correcto sería considerar que nos encontramos ante un contrato con causa ilícita —y por ello nulo— cuando en el momento de la celebración del

---

[208] CARRASCO PERERA, A., *Relaciones civiles con contenido urbanístico*, Pamplona, 1999, pág. 76. *El Derecho Civil con función urbanística, en Aspectos civiles e hipotecarios de la Ley de Suelo*, Valencia, 1999, pág. 71.

[209] Vid infra epígrafe *«Teoría de la causa ilícita»*.

[210] CLAVERÍA GOSALBEZ, L.H., *La causa del contrato*, op. Cit. Pags. 117-120 y 180-181, *Comentarios al Código Civil y Compilaciones forales*, T. XVII, Vol. 1-B, págs. 568, STORCH DE GRACIA y ASENSIO, G-. *«Acerca de la «causa impulsiva» en la formación y cumplimiento de los contratos»*, en *La Ley*, T. 1986-1, pág. 718. En contra CARRASCO PERERA para quien las infracciones urbanísticas al considerarse por algunas sentencias a efectos contractuales con valor de hechos y no de normas no tendrían aptitud para alcanzar el rango de ilicitud causal (CARRASCO PERERA, A., *Relaciones civiles con contenido urbanístico*, Pamplona, 1999, págs. 75. *El Derecho Civil con función urbanística, en Aspectos civiles e hipotecarios de la Ley de Suelo*, Valencia, 1999, págs. 69-70.). Sin embargo, una cosa es que para el Tribunal Supremo la Ley de suelo no se aplique de forma preferente a la regulación general del Código Civil y otra que tampoco al aplicar esta regulación general se pueda tener en cuenta la infracción de cualquier norma jurídica imperativa o principios de orden público contenidos en la misma como puede ser la adecuada ordenación urbana y la adecuación al medio ambiente de construcciones y edificaciones.

EDUARDO VÁZQUEZ DE CASTRO

contrato ya estaba prohibida la edificación pretendida por el adquirente. En cambio, no nos encontraríamos ante una ilicitud causal del contrato, sino ante un hipotético caso de contrato resoluble por imposibilidad de cumplimiento, si el planeamiento urbanístico que no permite la edificación que se pretendía por el comprador no existiese en el momento de la perfección del contrato y hubiese sido aprobado con posterioridad (recalificaciones de terrenos). En estos casos estamos ante lo que DE CASTRO denominó «continuadora influencia de la causa» lo que, aparentemente, implicaría que su ilicitud pueda extenderse más allá del momento de la constitución del contrato. Sin embargo, parte de la doctrina considera que esta «continuadora influencia de la causa» en realidad, no llevaría aparejada sino una acción resolutoria puesto que en la práctica nos encontramos en el ámbito del artículo 1124 del Código Civil[211].

En definitiva, el recurso a la ilicitud causal únicamente se podrá realizar cuando las vinculaciones urbanísticas ya existiesen en el momento de celebrarse el contrato. Cuando aparecen limitaciones urbanísticas sobrevenidas hemos de acudir a la resolución ordinaria.

En efecto, ha entendido recientemente el Tribunal Supremo que la acción resolutoria también resulta aplicable a alguno de estos supuestos[212]. No obstante, apunta DE VERDA Y BEAMONTE que en el contrato sobre cosa específica, como los inmuebles, las cualidades presupuestas por las partes sólo afectan al modo de ser de la cosa vendida pero no a la esencia de la cosa que seguirá siendo la misma. Por esta razón, —concluye este autor— si se alteran las características urbanísticas de la finca no existirá variación inherente al objeto y no se podrán ejercitar las acciones generales de incumplimiento[213].

Será necesario salvar esta falta de inherencia o sustancialidad de las características urbanísticas en los inmuebles supeditando el cumplimiento

---

RUBIO TORRANO, E., *«Comentario a la Sentencia del Tribunal Supremo de 11 de julio de 1984»*, *C.C.J.C.*, 1984, N° 6, 161, pág. 1949, DE VERDA BEAMONTE, J.R., *«Compraventa de Bienes inmuebles sujetos a vínculos urbanísticos»*, en *Revista de Derecho Patrimonial*, N°1, págs. 270-271, *Remedios jurídicos con que cuenta el comprador de un inmueble...*, cit., págs. 1223-1225, CLAVERIA GOSALBEZ, L.H., *Comentarios al Código Civil y Compilaciones forales* (comentario del artículo 1275 CC)» tomo XVII, vol. 1-B, Madrid, 1993, págs. 566-567, *La causa del contrato*, Zaragoza, 1998, págs. 116-117, 119-121 y 181, *Comentario a la S.T.S. de 30 de diciembre de 1985*, cit., pág. 3.393-3394.

Sentencias de 19 de enero de 1990 y 23 de octubre de 1997, (esta última sentencia comentada por DE VERDA Y BEAMONTE, J.R., en Revista de derecho patrimonial, N° 1, pág. 270-271, vid. también el mismo autor, *«Remedios jurídicos con que cuenta el comprador de un inmueble afectado por limitaciones urbanísticas»*, en *A.C.*, N° 38, 1999, LX, págs. 1223-1225.)

DE VERDA Y BEAMONTE, J.R, *Remedios jurídicos con que cuenta el comprador de un inmueble...* cit., pág. 1224.

mediante una condición resolutoria casual. De esta forma, bastará con plasmar en el contrato la edificación programada por el comprador para asegurarse ante una sobrevenida recalificación urbanística. El problema está en que aunque no es necesario que se indique expresamente en el contrato la palabra condición, según la doctrina jurisprudencial, únicamente cabe, en caso de no mencionarse, «si del contenido contractual se deduce de forma totalmente clara y contundente la intención de los contratantes de hacer depender el negocio concertado de un acontecimiento futuro o incierto, lo que exige una labor interpretadora de los tribunales, pues en todo caso la existencia de condición en las obligaciones no se presume al presentarse la obligación condicional como excepción»[214].

En algunos casos, los contratantes no sólo estipulan expresamente en el contrato el destino que determina la adquisición sino que someten la compra a la condición de obtener las autorizaciones y licencias de edificación en el tiempo pactado[215]. Si la condición se confirma como imposible deberíamos aplicar el artículo 1116 del Código Civil que nos conduciría al mismo resultado de ineficacia[216].

Por último, estos casos de compra de inmuebles para realizar edificaciones prohibidas por los planes de urbanismo podían también enfocarse desde el punto de vista de existir un vicio en el consentimiento, error excusable en el comprador o de dolo del vendedor, aplicando las reglas de la anulabilidad[217]. No obstante, TORRALBA SORIANO ha marcado bien la diferencia para considerar cuándo un contrato tiene causa ilícita y no un vicio del consentimiento. Mientras que la causa es el propósito común del resultado empírico y ha de ser elevada por ambas partes a la categoría de presupuesto básico de su negocio; sin embargo, los vicios del consentimiento que influyen en el contrato a través del acuerdo de ambas partes no radican en el propósito común como en la causa, sino que implican una formación viciosa o deformada del consentimiento de uno de los contratantes[218]. No faltan sentencias en las que la jurisprudencia ha calificado como dolosa la conducta desleal del vendedor que silencia las limitaciones urbanísticas del inmueble vendido y en

---

[214] Sentencias de 21 de abril de 1987 y 20 de junio de 1996, entre otras.

[215] MORALES MORENO, A.M., «*Comentario a la Sentencia de 21 de octubre de 1988*», en *C.C.J.C.*, Nº 18, págs. 924-930.

[216] CAPILLA RONCERO, F., «*Comentario a la Sentencia de 18 de diciembre de 1985*», en *C.C.J.C.*, Nº 10, pág. 3336,

[217] DE VERDA BEAMONTE, J.R., «*Compraventa de Bienes inmuebles sujetos a vínculos urbanísticos*», en *Revista de Derecho Patrimonial*, Nº1, págs. 272-277, «*Remedios jurídicos con que cuenta el comprador de un inmueble...*, cit., págs. 1214-1219, FENOY PICÓN, N., «*Comentario a la Sentencia de 4 de octubre de 1989*», en *C.C.J.C.*, Nº 21, págs. 899-900, CLAVERÍA GOSALBEZ, L.H., *Comentarios al código civil...* cit., págs. 568-570.

[218] TORRALBA SORIANO, O. V., *Causa ilícita; exposición sistemática...* cit., pág. 695.

las que se anulan contratos basados en el error del comprador que contrata bajo el presupuesto de la inexistencia de impedimentos urbanísticos[219].

Por otro lado, en estos casos es muy difícil considerar que se ha producido un error excusable en el comprador puesto que las condiciones y características urbanísticas de las fincas son públicas al resultar calificadas por los correspondientes Planes Urbanísticos que son accesibles al conocimiento de cualquier particular. Para la jurisprudencia resulta inexcusable el error en atención a dos circunstancias: 1º La información sobre los planes de urbanismo y la situación jurídica de la parcela está siempre a disposición de quien tenga interés en enterarse mediante una simple consulta urbanística (art. 6.2º de la Ley 6/1998, de 13 de abril sobre el Régimen del Suelo y Valoraciones: «Todo administrado tendrá derecho a que la administración competente le informe por escrito, del régimen y condiciones urbanísticas aplicables a una finca o ámbito determinado»). 2º Normalmente, el Tribunal Supremo tiene en cuenta el carácter profesional o particular de los contratantes. Recalcando la negligencia inexcusable del comprador cuando éste es un profesional de la construcción[220].

En definitiva, parecen comprensibles las reticencias de los compradores a alegar la acción especial de rescisión contemplada en la Ley de Suelo debido a la tendencia a desestimar esta acción por los tribunales. Pero también puede explicarse la proclividad a utilizar de forma residual esta acción con respecto a las otras mencionadas por el escaso plazo que se deja para su interposición: un año desde la fecha del otorgamiento del contrato. Mientras que la acción de anulabilidad por vicio del consentimiento tiene una duración de cuatro años, la de nulidad por causa ilícita es imprescriptible y la acción de resolución por incumplimiento tiene un plazo de quince años.

3.2.2. La prohibición de venta de bienes declarados de interés histórico artístico

Para demostrar que en lo referente a normas de carácter administrativo, que afecten a la contratación privada, no podemos generalizar soluciones vamos a observar un caso en el que la solución es diametralmente opuesta a la que acabamos de ver. La Ley 16/1985, de 25 de junio, de Patrimonio Histórico Español y su reglamento (RD. 111/1986, de 10 de enero sobre el patrimonio histórico español) van a establecer un rígido límite en determinados contratos en los que se persiga la transmisión de determinados bienes.

---

[219] VERDA BEAMONTE, J.R., «Compraventa de bienes inmuebles sujetos a vínculos urbanísticos», en Revista de Derecho Patrimonial, Nº1, págs. 272-277.

[220] ROJO AJURIA, L., El dolo en los contratos, Madrid, 1994, DELGADO ECHEVERRÍA, «Comentario a la Sentencia de 27 de marzo de 1989», en C.C.J.C., Nº 20, 1989, pág. 474, VÁZQUEZ DE CASTRO, E., «Comentario a la sentencia del T.S. de 20 de junio de 1996», en Revista de Derecho Patrimonial, Nº 1, pág. 225.

Este caso lo podríamos calificar, según lo que hemos expuesto anteriormente, como típicos contratos sobre objetos de tráfico restringido o limitado. Lo que la legislación trata de evitar es la transmisión descontrolada de este tipo de bienes, que se burlen los derechos de adquisición preferente de la administración y, en último caso, su dispersión y salida de nuestras fronteras[221].

Nuestro país cuenta con innumerables y amplísimas colecciones de objetos de interés histórico o artístico que, en numerosas ocasiones, han sido objetivo de expolios y del contrabando internacional. Para combatir este tipo de peligro se han empleado por el legislador todo tipo de sanciones sin desdeñar la sanción civil de nulidad del contrato. Incluso se ha habilitado al Ministerio Fiscal para que inste la nulidad de cualquier contrato por el que se transmitan estos bienes sin la correspondiente autorización y requisitos administrativos.

También vamos a observar un específico límite o restricción legal en cuanto al régimen de circulación de los bienes muebles que estén en manos de instituciones eclesiásticas. Este límite al que nos referimos se refiere a la nulidad de cualquier contrato por el que se pueda realizar una transmisión no autorizada de aquellos bienes eclesiásticos que son de interés histórico-artístico. En particular, nos referimos a lo dispuesto en el artículo 28.1° y la disposición transitoria 5ª de la L.P.H.E. y de la específica sanción de nulidad prevista en el artículo 44 del R.P.H.E., con independencia de las posibles sanciones administrativas que correspondan[222].

Esta especial previsión normativa viene a trastocar, en cierto modo, nuestro sistema de ineficacia contractual al procurar que, en este caso, se convierta en una acción semi-pública[223]. Mayor efecto disuasorio y justificación a la intervención del Ministerio Fiscal se hubiese conseguido si esta legislación tan resuelta no hubiese limitado únicamente este régimen especial de nulidad e intervención para la circulación de los bienes de titularidad eclesiástica y pública (casos previstos en el artículo 28 de la misma ley).

Llama poderosamente la atención que la norma que examinamos se refiera únicamente a la nulidad de las enajenaciones en las que el trasmitente de los objetos en cuestión es o representa a una institución eclesiástica. Tampoco se escapa que la razón fundamental se encuentra en que quizá el mas rico patrimonio histórico-artístico de nuestro país se encuentra en manos de la Iglesia. La Iglesia tenía conferido conforme el derecho anterior al Acuerdo de España con la Santa Sede de 3 de enero de 1979, sobre Asuntos Jurídicos, una especial competencia en cuanto a la vigilancia de la enajenación y exportación de objetos de valor y mérito histórico-artístico que se

---

[221] Vid. LÓPEZ-CARCELLER MARTÍNEZ, P., *La reivindicación de los bienes culturales muebles ilegalmente exportados,* Valencia, 2001 y CARRANCHO HERRERO, M. T., *La circulación de bienes culturales muebles,* Madrid, 2001, págs. 154-170.

[222] Esta específica y peculiar sanción de nulidad va a ser objeto de análisis mas adelante. Vid infra «acción pública de nulidad»

[223] Vid infra «*Nulidad como acción pública*»

encontrasen en su poder. De tal forma que antes de cada operación se requería preceptivamente un informe previo de una Comisión Diocesana que no podía ser suplido siquiera por la propia Administración[224].

Se puede afirmar que, en realidad, se ha dado un paso adelante para lograr una mayor efectividad de la norma con respecto a la legislación anterior. En aquella las limitaciones de enajenación a favor del Patrimonio Artístico Nacional se reducían a un deber de dar cuenta de la misma a la Junta Superior del Tesoro Artístico para que pudiese, en su caso, ejercitar un derecho de tanteo (art. 41 de la Ley 13 de mayo de 1933). Por esta razón en la sentencia de 15 de octubre de 1959 el Tribunal Supremo tiene que mantener, ante la venta de un importantísimo cuadro que estaba en manos de una congregación religiosa, que «Al no existir precepto alguno que prohíba la enajenación de objetos artístico, no ha habido violación de los mismos, ni se ha realizado acto alguno contra lo dispuesto en la Ley, que hiciese entrar en juego la nulidad que establece el alegado art. 4º CC.; sin perjuicio, claro está, de la posible acción administrativa para corregir la omisión de información y para poder ejercitar el derecho de tanteo, cuando tenga conocimiento de la transmisión efectuada.» Eso sí, el eventual ejercicio del derecho de tanteo por la Administración conlleva reintegro al vendedor de la cantidad satisfecha por derechos reales.

También hubiese resultado más efectiva esta legislación si, dando un paso más, hubiese establecido como especiales efectos sancionadores aparte de esa nulidad, no la normal restitución recíproca de prestaciones, si es que efectivamente hubo ejecución del contrato, sino directamente el decomiso de los bienes.

3.2.3. Contratos celebrados sin autorización o licencia administrativa cuando resulta preceptiva: trasmisión de concesiones

Son cada vez más corrientes los casos en los que para celebrar un determinado contrato se exige que los particulares recaben determinadas autorizaciones o licencias de la Administración. El intervencionismo estatal se justifica en cada supuesto de las más variadas formas; por motivos de

---

[224] En estos términos se pronunciaba la Sentencia de 21 de febrero de 1964 (Sala de lo Contencioso-administrativo) al tratar un caso de exportación de obra de arte propiedad de la Iglesia: «El art. XXI del Concordato celebrado entre la Santa Sede y el Estado Español el 27 de agosto de 1953, establece que en cada Diócesis se establecerá una Comisión con la especial misión de vigilar el cumplimiento de las condiciones establecidas por las leyes civiles y canónicas sobre enajenación y exportación de objetos de mérito histórico o relevante valor artístico que sean propiedad de la Iglesia o a ella le estén confiadas en usufructo o depósito, es indudable que este Concordato es Ley que obliga a ambas partes contratantes, defendiendo por igual los intereses de la Iglesia y del Estado y de ello lógicamente se desprende la necesidad del informe previo de las Comisiones Diocesanas, cuya omisión no puede ser subsanada por la Administración para convalidar el acuerdo, y el Consejo de Estado lo pone de manifiesto.»

control sanitario, seguridad, abastecimiento... Uno de estos supuestos donde mejor puede analizarse la trascendencia que una concreta omisión de autorizaciones administrativas puede alcanzar con respecto a la actividad contractual la encontramos en los contratos de trasmisión de concesiones.

La concesión es un acto administrativo negocial o negocio jurídico de Derecho Público, por lo que los efectos jurídicos que directamente ha de producir son los que de modo expreso señala el contenido de su propia declaración negocial. Si bien finalmente resulta ser una resolución de la Administración por la que ésta unilateral y discreccionalmente, otorga a una empresa individual o colectiva la explotación de una propiedad de su pertenencia o de un servicio público de sus propios fines[225].

Una vez que se otorga una concesión ésta misma se considera como un objeto más del tráfico jurídico. Por consiguiente, toda concesión es susceptible de enajenación o gravamen por parte del concesionario que, según los casos, deberá recabar la pertinente autorización previa de la Administración titular o simplemente bastará con que se informe o notifique adecuadamente a la misma de la operación realizada por el concesionario.

Para resultar claros en la exposición debemos distinguir dos tipos de concesiones diferentes: las concesiones de dominio público y las concesiones de servicio público. Las diferencias se cifran en que, en primer lugar, mientras que la concesión demanial se puede trasmitir y gravar por el concesionario mediante una notificación *ex post* a la Administración, la concesión de servicio, por su carácter *intuitus personae*, no puede trasmitirse a tercero sin autorización previa de la Administración concedente[226]. En segundo lugar, a diferencia de la concesión de servicio, en la que el la cualidad personal del concesionario es dato esencial para la adecuada y certera gestión del servicio público, la demanial se caracteriza por otorgar a su titular un derecho real de carácter administrativo[227].

Existe un fenómeno general innegable en las concesiones administrativas que consiste en una *vis atractiva* que ejerce la regulación de la concesión de servicio sobre la propia de dominio. La apreciable consecuencia de esta tendencia no es otra que la obtención de un incremento de las potestades interventoras de la Administración en el régimen de la concesión. Por esta razón hay que tener bien en cuenta que muchos tipos de concesiones han perdido su vieja y tradicional condición demanial y hoy son auténticas concesiones de servicio (*V. gr.* las concesiones de aguas según el Dictamen del Consejo de Estado de 9 de octubre de 1975).

---

[225] VILLAR PALASÍ, J.L., voz «Concesiones administrativas», en *N.E.J.S.,* IV, pág. 703.
[226] Dictámenes del Consejo de Estado de 9 de julio de 1954 y de 4 de febrero de 1965.
[227] SÁNCHEZ ISAAC, J., *Teoría y práctica de las concesiones de dominio público local,* Barcelona, 1994, págs. 139 y 140, PAREJO GAMIR, R., y RODRÍGUEZ OLIVER, J.M., *Lecciones de dominio público,* Madrid, 1976, pág. 58, PAREJO GAMIR, R., «Trasmisión y gravamen de concesiones administrativas», en *R.A.P.,* N° 107, 1985, pág. 13

Las concesiones tenemos que considerar que se encuentran dentro aquellos bienes de tráfico limitado o restringido porque su comercio se encuentra prohibido o condicionado en determinadas circunstancias y coyuntura. Estos bienes son de tráfico limitado en virtud de particulares normas legales. En consecuencia, no pertenecen al ámbito de ilicitud del objeto (art. 1271 del Código Civil), sino al ámbito de ilegalidad contractual de los artículos 6.3 y 1255 del Código Civil. Son bienes que pueden tener una proyección patrimonial siempre y cuando se desarrolle dentro de los márgenes y con los requisitos que se establecen en las leyes[228]. Estas restricciones a veces pueden estar referidas no tanto al objeto o a sus cualidades en sí, sino a los sujetos que pueden negociar con ellos o encontrarse supeditadas a la obtención de una determinada autorización o licencia.

Como suele ocurrir cuando estamos ante la contravención de normas administrativas, la legislación sectorial no hace referencia alguna a los efectos civiles y situación jurídica de las partes del contrato civil celebrado sin autorización. Por lo general, estas mismas normas contienen ciertas previsiones para la contingencia de una eventual infracción, pero se suelen referir únicamente a medidas punitivas que debe adoptar la Administración en cada caso. Habrá de procurar discernir si, aparte de las sanciones correspondientes en su caso en el ámbito puramente administrativo, se producen consecuencias en el ámbito civil que pueden afectar a la eficacia del contrato.

Existe una fuerte tendencia en la jurisprudencia civil a considerar que cualquiera que sea la irregularidad administrativa de que adolezca el contrato debe mantenerse la validez íntegra del mismo puesto que será únicamente merecedor del reproche sancionador administrativo[229] (normalmente traducido en multas, inhabilitaciones o, en este caso, caducidad de la concesión[230]).

---

[228] DÍEZ PICAZO, L., *Sistema...* vol. 2°, cit. Pág. 45, GETE ALONSO, M.C., *Manual de Derecho Civil*, II, cit. Pag. 535, y «*Comentarios al Código Civil*», *Ministerio de justicia..* cit. pág. 473-474.

[229] Ss. de 3 de junio de 1949 (concesión de transporte por carretera), 12 de diciembre de 1962 (concesión de trasporte por carretera), 11 de marzo de 1963 (concesión de transporte), 26 de mayo de 1964 (concesión de radioemisora), 27 de octubre de 1966 (concesión de transporte), 19 de enero y 26 de abril de 1967 (concesión de transporte de viajeros), 5 de marzo de 1976 (en ésta se llega a afirmar que la autorización es un requisito complementario que no afecta a la perfección sino a la consumación del contrato), 15 de octubre de 1999 (en este caso se solicitó y se obtuvo autorización para el arrendamiento de una concesión de estación de servicio pero no se remitió el *addendum* donde figuraba un copartícipe de tal concesión).

[230] VILLAR PALASÍ, J.L., voz «Concesiones administrativas», en *N.E.J.S.*, IV, pág. 734. Es frecuente que las sentencias que acabamos de citar en la nota anterior, a pesar de negar interferencia legal posible entre «el contrato administrativo origen de la concesión» y el civil en el que el concesionario trasmite a un tercero sus derechos total o parcialmente, apuntan que a la Administración le basta su facultad de «resolver el contrato suscrito por ella frente al concesionario». Afirman la mayoría de esas sentencias que tales

Se tiene la concepción de que cualquier tipo de anomalía administrativa será susceptible de subsanación o convalidación puesto que ha de prevalecer la voluntad contractual. Tampoco faltan en estas sentencias los argumentos recurrentes *obiter dicta* o a mayor abundamiento sobre que la violación de normas de carácter administrativo no constituye apoyo legal para fundamentar un recurso de casación. Sin embargo, al resultar un argumento tan manido y reiterado finalmente encontramos alguna sentencia que lo utiliza directamente como *ratio decidendi* para desestimar el recurso[231].

Estamos ante contratos que adolecen de lo que se ha considerado como irregularidades externas. Irregularidades que, como regla general, hacen que el contrato se encuentre en un estado de «convalescencia» hasta que la autorización le conceda eficacia convalidante[232]. En general, si se requiere para realizar un determinado contrato la aprobación de una autoridad y se omite recabar la misma o se intenta conseguir *a posteriori* por el contratante obligado podría considerarse el contrato ineficaz. No obstante, sería una ineficacia en estado de pendencia hasta que la autoridad adopte una decisión[233].

Sin embargo, para decidir sobre estos contratos el Tribunal Civil debe conocer los requisitos concesionales fijados por la Ley y por la propia Administración al ser determinante del elemento objetivo del contrato privado. Efectivamente, cabrá siempre convalidación o subsanación posterior de defectos administrativos en las concesiones de dominio público o demaniales pero no será así en las concesiones de servicio público.

En el concreto caso de las concesiones de servicio la autorización aparece como requisito *sine qua non* o *conditio iuris* de trasmisibilidad. Al estar ante una concesión de servicio público hemos de advertir que resulta absolutamente necesaria la autorización *ex ante* no pudiendo servir, en principio, cualquier

---

infracciones no provocan la nulidad del contrato civil, sino que «producen los efectos que el propio reglamente determina, consistentes desde una sanción económica hasta la pérdida de la concesión.» Es decir, siempre le cabe a la Administración utilizar la cesión inconsentida como causa de caducidad de la concesión.

[231] La sentencia de 2 de febrero de 1968 se pretendía dilucidar la validez de la aportación de una concesión de transporte de viajeros por carretera por uno de los socios a una sociedad irregular. El Tribunal Supremo desestima el recurso en el que se solicitaba la nulidad afirmando que «tales preceptos tienen carácter administrativo que no pueden dar lugar a un recurso de casación en el fondo como tiene declarado esta sala, y, como consecuencia no son aplicables los artículos 1 y 4 del Código Civil aducidos y no concurren pactos contrarios a la Ley al concurrir los elementos necesarios para su validez y efecto a objeto lícito y sobre el que se puede contratar.» Con posterioridad encontramos cantidad de sentencias que reproducen el mismo razonamiento Ss. de 15 de octubre de 1999, de 4 Feb. 1992, 11 Mar. 1991, 6 Oct. 1990 y 2 Oct. 1987, entre otras.

[232] Vid. supra epígrafe «Irregularidades internas e irregularidades externas del contrato».

[233] ENNECERUS - NIPPERDEY - WOLFF, *Tratado de Derecho Civil,* T. I, II, 2ª parte, cit. pág. 612.

reconocimiento o autorización *ex post*. Por consiguiente, la sanción correspondiente a los contratos en los que se pretende dicha trasmisión sin recabar previamente la correspondiente autorización administrativa no parece ser otra que la ineficacia[234].

Ahora deberemos plantearnos si se puede desvincular la transmisión como acto válido en el orden civil e ineficaz en el orden administrativo. En todo caso, no parece que quepa hablar aquí de validez entre partes y no respecto a la Administración, ya que el objeto del negocio jurídico trasmisivo es justamente una concesión, y de la relación concesional la Administración es parte, no tercero. En consecuencia, tampoco podremos acudir directamente al recurso fácil de considerar que se pueden mantener los efectos civiles del contrato cualquiera que sean las posibles consecuencias que se puedan producir en el ámbito administrativo. El objeto de contrato es la concesión y las vicisitudes de ésta repercutirán en la consideración de los efectos civiles del mismo.

Recordemos que la concesión de servicios supone un conjunto de derechos y obligaciones recíprocos entre concesionario y Administración Pública. Está claro que frente a la Administración el concesionario seguiría siendo a todas luces el trasmitente. La pregunta es si esta situación se puede desvincular respecto de las relaciones frente a los usuarios para que se pueda dar entrada al adquirente. *V. gr.* ¿Quién está legitimado para contratar? ¿Quién responde subsidiariamente por el anormal funcionamiento del servicio? ¿A quién es exigible responsabilidad por daños? ¿Quién puede pretender el beneficio de la expropiación? A todos estos interrogantes hay que seguir respondiendo lo mismo: siempre el trasmitente, y sin que parezca que puede admitirse alguna posible repercusión de éste sobre el adquirente de tales efectos en base al contrato privado entre ambos celebrado sin autorización.

En estos casos la intervención de la Administración, a pesar de ser algo en principio extraño al contrato civil, se superpone como un plus de exigencia para la trasmisión del objeto. Para que este tipo de concesiones puedan ser objeto de circulación en el tráfico jurídico se precisa autorización. Por tanto, es indefendible la calificación de válido en el orden civil en lo respectivo al negocio jurídico privado celebrado sin autorización cuando, al mismo tiempo, se afirma su invalidez administrativa y ello lleva a proclamarlo ineficaz.

En estos caso, además, podríamos plantearnos si no existiría posibilidad alguna de una convalidación posterior. Parece que la jurisprudencia del Tribunal Supremo (sala de lo civil) se inclina por apreciar efectos convalidatorios de una autorización que recae con posterioridad[235]. En cierto modo, quizá la intempestividad se pueda atribuir a los retrasos propios de la

---

[234] PAREJO GAMIR, R., «Trasmisión y gravamen de concesiones administrativas», en *R.A.P.*, N° 107, 1985, pág. 31.

[235] vid nota n° 223.

tramitación burocrática administrativa. En realidad, para la validez de estos contratos se debería formular expresamente una cláusula condicional suspensiva hasta verificar que se ha obtenido tal autorización. No en vano es perfectamente posible y lícito pactarse un denominado «contrato de gestión con éxito» cuyo objeto principal es la obtención de una concesión administrativa, incluyendo para ello una condición suspensiva de este tipo[236].

Por el contrario, entiende PAREJO GAMIR que para la trasmisión de este tipo de concesiones de servicio no habría posibilidad alguna de que la Administración concediese dicha autorización *a posteriori*[237]. En este sentido puede traerse a colación la sentencia de 6 de noviembre de 1961 en la que el Tribunal Supremo declara la nulidad de la compraventa de una finca adjudicada por el Instituto Nacional de Colonización porque el concesionario demandado vendió antes de que la Administración le concediese en título de propiedad. En concreto, mantiene la sentencia que al vender al año o antes de la concesión sin obtener autorización del Centro correspondiente, «realizó el concesionario un acto nulo, al no constar que tuviera cumplidas todas sus obligaciones, y sobre todo si con ello se defraudan, según así parece, los fines de la institución.»

En todo caso, si finalmente se obtiene, lo que resultaría hartamente discutible es si tal autorización intempestiva despliega efectos retroactivos convalidantes. Teniendo en cuenta el papel decisivo y peculiar de la autorización administrativa parece que no es posible la retroacción de sus efectos. Lo que significa —acaba por argüir este mismo autor— que el estadio anterior al consentimiento de la cesión privada, por parte de la Administración titular del servicio público, carecería de relevancia. Sólo desde la sobrevenida autorización puede decirse que hay trasmisión de la concesión[238].

Ahora bien, lo que a renglón seguido debe hacerse es tratar de encajar esta posible ineficacia de todas o determinadas cláusulas del contrato de trasmisión de una concesión en alguna de las categorías que pone a nuestra disposición la teoría general del contrato.

Tampoco en este caso se debe desdeñar la conducta que hayan desarrollado los contratantes (trasmitente y adquirente). Lo que se discutiría en este caso es la trascendencia de la conducta negocial de los privados que en sus relaciones han desatendido la política de concesiones a la que se hallaba sometida la operación contractual que les vincula[239]. Por ejemplo, no es lo

---

[236] S. de 4 de abril de 1990.

[237] PAREJO GAMIR, R., «Trasmisión y gravamen de concesiones administrativas», en *R.A.P.,* N° 107, 1985, pág. 37-38

[238] PAREJO GAMIR, R., ibidem, pág. 40.

[239] En este sentido, puede servir de ejemplo la sentencia de 10 de febrero de 1966, en una primitiva concesión para la construcción de viviendas para alquiler y no para venta la empresa constructora no y concesionaria no acaba el edificio y se encarga a otra la parte que faltaba. Ésta última finaliza las obras y procede a la venta de pisos. El Tribunal

mismo que se adquiera inicialmente la concesión de una forma excepcional a raíz de una ejecución hipotecaria o que se adquiera mediante contrato de cesión onerosa similar a la compraventa. Como apunta la sentencia de 26 de abril de 1967, respecto a este último caso, al concesionario «no le será lícito accionar o excepcionar la nulidad respecto al contrato civil, en gracia a una omisión que sólo a él le es imputable».

3.3. Normas jurídicas de carácter penal. (Remisión)[240]

Existen numerosos supuestos en los que los contratos ilegales constituyen conductas punibles y tipificadas por el Código Penal. Bien es verdad que tradicionalmente estos casos en los que se daba o se había dado esta circunstancia se han considerado como supuestos de causa ilícita: estuvo tipificado el contrato de juego y apuesta, la usura y las casas de préstamo sobre prendas.

También es posible encontrar ahora en la tipificación de determinados delitos la posibilidad de que un contrato sirva como instrumento de comisión del mismo. Normalmente los delitos que afectarán la legalidad contractual serán los delitos contra el patrimonio y contra el orden socioeconómico (estafa, alzamiento de bienes, apropiación indebida, extorsión, receptación...) Pueden resultar aquejados de ilicitud al ir contra el tráfico comercial y los consumidores muchos contratos. *V. gr.* los que se deriven de convenios que restrinjan la libre competencia o provoquen desabastecimientos, los que puedan dar lugar a alzamiento de bienes en insolvencias punibles e incluso se llegó a considerar (en el Código Penal anterior) que las ventas de viviendas de protección oficial a precios superiores a los máximos permitidos constituían delito de maquinaciones para alterar el precio de las cosas[241].

Pese a que este tipo de delitos socio-económicos serán los que normalmente puedan afectar la legalidad de los contratos, tampoco se puede descartar el que cualquier contrato incidentalmente pueda utilizarse como instrumento o resultado de cualquier otro delito como los de falsedades, delitos contra la salud pública, amenazas, coacciones, tráfico de influencias, soborno, asociación de malhechores, intrusismo...

Supremo mantiene que no concurre ninguna causa de nulidad porque la consturctora-vendedora no queda afectada por el primitivo contrato y consiguiente destino arrendaticio. Añade el tribunal «no concurre la causa de nulidad alegada, máxime si se tiene en cuenta que aunque así no fuera y subsistiera la falta de autorización para enajenar, la venta no acarrearía la nulidad, sino simplemente la pérdida de beneficios, la multa y demás sanciones... ».

[240] Esta cuestión está necesariamente relacionada con la cuestión de la ineficacia contractual y en concreto con el tema tratado posteriormente con el epígrafe « Excepciones a la regla general de la recíproca restitución. Contrato constitutivo de delito o falta».

[241] VÁZQUEZ DE CASTRO, E., *Precio y renta en las viviendas de protección oficial...,* 2ª ed., Pamplona, 2001, págs. 139-141.

No obstante, hemos de recordar que no basta cualquier episódica o circunstancial relación del contrato con la infracción penal para considerar que queda contaminado con la ilicitud. Para que exista contrato ilegal es necesario que la prohibición contenida en la Ley se dirija directamente contra el contrato mismo, o sea, contra su eficacia. La ilegalidad requería un choque o contravención frontal del contrato con el precepto legal[242]. Ciertamente, si la Ley penal, que es la que cuenta con mayor respaldo coercitivo, amenaza con una pena cierto acto jurídico se puede entender implicita la reprobación o prohibición del mismo. Si el acto jurídico consiste en la conclusión de un contrato debería deducirse su ineficacia para evitar cualquier tipo de resultado antijurídico.

Éste razonamiento que asocia necesariamente la nulidad al contrato que se encuentra involucrado en la comisión de cualquier tipo de delito o falta es el que ha determinado que se incluya entre los casos de causa ilícita. Sin embargo, desde un análisis más funcional hemos de considerar que aquí lo decisivo es atender a la finalidad que la ley penal persigue al amenazar con una pena. Puede que el bien jurídico protegido por la legalidad penal no requiera necesariamente que se determine la invalidez del contrato. No cabe duda que cuando la salvaguarda del bien jurídico protegido requiera que se comunique la pena al ámbito de los efectos jurídicos privados se aplicará dicha nulidad incluso de oficio en la propia jurisdicción penal.

Cuando proceda claramente la nulidad sus consecuencias, según el criterio del Código Civil, serán que el hecho justiciable ante la ley penal no pueda ser fundamento de ninguna acción civil en beneficio del responsable de aquel. En cambio, si hubiese algún contratante no culpable podrá recuperar todo lo que hubiese entregado en virtud del contrato (art. 1305 del Código Civil).

Sin embargo y a pesar de la tendencia tradicional, no hemos de acudir siempre a un análisis estructural para considerar la causa contaminada de ilicitud desde el momento en el que aparece vulnerada una norma penal. Si es exactamente la concreta estipulación del contrato la que integra el delito parece que el mismo no merece tutela civil y su reprobación implicaría la ineficacia. En cambio, si la sanción penal está prevista para el comportamiento adoptado por una de las partes y el contenido del contrato no contraviene la ley penal la solución es más compleja. Acudiremos al criterio funcional para considerar si el contrato que aparentemente se encuentra implicado en la comisión o el resultado del delito merece o no la nulidad. Además, no siempre será conveniente aplicar la solución prevista expresamente en el artículo 1305 del Código Civil que, en no pocas ocasiones, podría conducir a los mismos efectos que si fuera válido el contrato declarado nulo si se han cumplido ya las prestaciones por ambas partes[243].

---

[242] Vid. epígrafe «*Contrato ilegal y contrato ilícito*»
[243] Vid. epígrafe «*Excepciones a la regla general de la recíproca restitución*»

La situación anterior tropieza, en cierto modo, con la previsión del propio Código Penal que en el artículo 110.1º precisa que se consideraría las restituciones comprendidas dentro de la responsabilidad civil derivada del delito o falta[244]. En consecuencia, quien ejercite la acción penal puede decidir ejercitar junto a ella la pretensión civil y obtener tal restitución en dicha jurisdicción, funcionando el principio de economía procesal[245]. (arts. 111 y 112 de la Ley de Enjuiciamiento Criminal y 109 y 110 del Código Penal). Esta jurisdicción penal reiteradamente se ha declarado competente para conocer de la pretensión de nulidad del contrato[246]. Incluso, aunque más improbable, el propio Ministerio Fiscal podría, utilizando la acción pública de la tutela penal en protección de la víctima, hacer uso de su legitimación y ejercitar tal acción *motu propio*[247]. (arts. 101, 105, 270 y 783 de la Ley de Enjuiciamiento Criminal). En todo caso, para efectuar dicha declaración de nulidad la jurisdicción penal cuenta con dos límites: la irreivindicabilidad de las adquisiciones de terceros de buena fe (art. 111 del Código Penal) y habrán de ser oídas en el proceso penal las personas que se puedan ver afectadas por tal declaración[248]. (Ss. de 9 de diciembre de 1978,

---

[244] Acciones de restitución que, para el caso que nos ocupa, necesariamente deben ponerse en relación con las categorías civiles de ineficacia contractual descartando de plano que podamos estar ente un régimen propio y específico de acción restitutoria. (NADAL GÓMEZ, I, *El ejercicio de acciones civiles en el proceso penal,* Valencia, 2002, págs. 130-131 y 158, LÓPEZ BELTRÁN DE HEREDIA, *Efectos civiles del delito... cit., págs. 127 y ss.).*

[245] YZQUIERDO TOLSADA, M., «Alcance real de la competencia del juez penal para conocer de cuestiones civiles: responsabilidad civil y más cosas. En particular, la tutela civil del crédito en el proceso penal», en *Perfiles de la Responsabilidad Civil en el Nuevo Milenio,* Madrid, 2000, pág. 611.

[246] Aprecia la doctrina el comienzo de este claro pronunciamiento a raíz de la sentencia de 5 de febrero de 1980 (NADAL GÓMEZ, I, *El ejercicio... cit.,* pág. 131 y 151, YZQUIERDO TOLSADA, M., *Aspectos civiles del nuevo Código Penal: (responsabilidad civil, tutela del derecho de crédito, aspectos de derecho de familia y otros extremos),* Madrid, 1997, pág. 414 y en «Alcance real de la competencia del juez penal...», cit. pág. 610.

[247] En este sentido, por ejemplo, MORENO VERDEJO considera que en el delito de alzamiento de bienes los Tribunales de lo Penal pueden y *deben* declarar la nulidad de los negocios con el fin de restablecer el orden jurídico ilícitamente alterado. (MORENO VERDEJO, J., *Código Penal de 1995. (Comentarios y jurisprudencia), VV.AA.,* Granada, 1998, pág. 1279. Para NADAL GÓMEZ el Ministerio Fiscal estaría legitimado para alegar como parte interesada en su escrito de calificación provisional cualquier acción civil. En cambio, no podría haber pronunciamiento de oficio de los Tribunales sobre la posible nulidad de un contrato sin o se le ha presentado expresamente como objeto del proceso. (NADAL GÓMEZ, I, *El ejercicio... cit.,* pág. 159-164) En el mismo sentido, YZQUIERDO TOLSADA que cita la sentencia de 12 de abril de 1991 para indicar la necesidad de que se produzca el *petitum* de las partes acusadoras (YZQUIERDO TOLSADA, M., en «Alcance real de la competencia del juez penal...», cit. pág. 610.

[248] Sobre este requisito de litisconsorcio pasivo necesario cuando se ejercita la acción de restitución acumulada a la acción penal vid. NADAL GÓMEZ, I, *El ejercicio... cit.,* pág. 159-165-178).

de 4 de noviembre de 1981, 27 de junio de 1990, 8 de julio de 1992, 15 de febrero de 1995, 21 de octubre de 1998 y el Auto del Tribunal Supremo de 21 de octubre de 1991).

No obstante, se debe indicar que la restitución no será posible como regla general puesto que el propio Código Penal impone como pena accesoria a todo delito o falta dolosos el decomiso y consiguiente «pérdida de los efectos que de ellos provengan y de los instrumentos con que se haya ejecutado, así como las ganancias resultantes del delito, cualesquiera que sean las transformaciones que hubieren podido experimentar» (Art. 127 del Código penal). Sólo tiene sentido tal restitución y, en consecuencia, la nulidad tal y como se entiende en el ámbito contractual en el supuesto en el que no proceda el decomiso o sólo proceda parcialmente porque su valor no guarde proporción con la naturaleza o gravedad de la infracción penal[249]. (art. 128 del Código Penal) Además, existe una cierta tendencia de los tribunales penales a reservar de oficio la acción para ser ejercitada en la jurisdicción civil cuando la cuestión resulta demasiado compleja. Sin embargo, esta es una solución criticable y el juez penal en estos casos lo que deberá hacer es conocer el Derecho civil y aplicarlo rigurosamente[250].

En definitiva, hemos de analizar las circunstancias especiales de cada delito y de cada contrato para averiguar si procede la comunicación de la pena al ámbito civil o si merece el caso el resultado de la ineficacia o de la restitución de prestaciones. Esta concepción que distingue en atención a las circunstancias es la que describen ENNECERUS y NIPPERDEY. Estos autores diferencian por ejemplo entre los negocios celebrados entre un ladrón y su encubridor que serían nulos (al caer directamente en el supuesto de hecho de la receptación) y los celebrados entre un estafador o chantagista y su víctima que no merecerían siempre tal ineficacia[251].

También en Italia se ha planteado la doctrina y la jurisprudencia este problema pero en casos en los que el delito no lo constituye el contrato en sí, ni el resultado del mismo, sino que son las circunstancias que le rodean las que provocan el hecho delictivo. En Italia no existe para estos casos una previsión

---

[249] A juzgar por la jurisprudencia destacada por la doctrina que se ha pronunciado sobre estos aspectos parece que, sobre todo, será en los delitos de estafa y alzamiento de bienes donde se decide la ineficacia contractual y consiguientes efectos restitutorios (NADAL GÓMEZ, I, *El ejercicio... cit.*, pág. 131-135, YZQUIERDO TOLSADA, M., *Aspectos civiles del nuevo Código Penal: (responsabilidad civil, tutela del derecho de crédito, aspectos de derecho de familia y otros extremos)*, Madrid, 1997, pág. 414 y en «Alcance real de la competencia del juez penal...», cit. pág. 621-626.

[250] NADAL GÓMEZ, I, *El ejercicio... cit.*, pág. 163-164, YZQUIERDO TOLSADA en «Alcance real de la competencia del juez penal...», cit. pág. 615-616.

[251] ENNECERUS-NIPPERDEY, *Tratado de Derecho Civil*, T. I, II, 2ª parte, cit., pág. 612, nota 28.

normativa expresa en el Código Civil equivalente a nuestro artículo 1305. Por esta razón se han planteado su inclusión entre los contratos contrarios a las normas imperativas (art. 1418 del Código Civil italiano). Sin embargo, se tiene en consideración también otro diverso orden de razones para establecer un orden de consecuencias diverso al de la nulidad. Los delitos que comúnmente han sido analizados han sido el de engaño abusando de sujetos incapaces, estafa, extorsión y usura.

En este tipo de delitos se produce evidentemente un vicio en el consentimiento de uno de los contratantes (derivado de incapacidad, error, dolo, intimidación) y consecuentemente también se plantea la posibilidad de aplicar el régimen de la anulabilidad. En el caso del delito de usura se plantea el régimen de la rescisión. Considerando que puede existir una identidad sustancial de los intereses tutelados (el de la víctima del delito y el de la víctima del vicio en el consentimiento) en las dos normas imperativas la penal y la civil[252]. La jurisprudencia italiana también ha aplicado la anulabilidad a estos supuestos en los casos de engaño a incapaces (anulabilidad por incapacidad) y de estafa (por dolo). Pero tampoco es totalmente uniforme la jurisprudencia y en algún caso se disntingue entre los grados de comisión del delito (tentativa, frustración y comisión) considerando que el delito consumado, sobre todo en la estafa, merece la sanción de nulidad[253].

En cualquier caso, la anulabilidad otorgaría acción al contratante víctima del delito en exclusiva que es la misma razón que parece subyacer en la aplicación del artículo 1305 de nuestro Código Civil. Además, para la tutela de los incapaces siempre podrá intervenir el Ministerio Fiscal de oficio. La diferencia se cifraría estrictamente a los plazos de ejercicio (cuatro años en la anulabilidad) y a la iniciativa de la acción que en la anulabilidad quedaría a instancia de parte y sería disponible por ésta. En estos casos PRATS ALBENTOSA también considera, en referencia a los delitos de amenazas y coacciones, que nuestro Código Penal permitiría proponer la distinción entre delitos y faltas. En los primeros la acción se ejercitaría necesariamente de oficio por el tribunal y solicitado por el Ministerio Fiscal, al resultar su ejercicio indisponible por el ofendido. En cambio, en el caso de las faltas la acción no es pública lo que determinaría la reducción de la legitimación activa, aunque este autor considera que la dimensión penal también implicaría la nulidad en el plano civil[254].

---

[252] BESSONE, M., *Casi e questioni di diritto privato.* V, Milán 1993, págs. 137-145, BIANCA, C.M., *Diritto Civile,* 3, Milán, 1987, págs. 583-584,

[253] Sentencias de la Corte de Casación de 8 de mayo de 1969, nº 1570 (no procede la nulidad del contrato por el delito de estafa), 20 de septiembre de 1979, nº 4824 (nulidad por el delito de engaño o abuso del incapaz), 10 de diciembre de 1986, nº 7322 (procede la anulabilidad por dolo del contrato por el delito de estafa).

[254] PRATS ALBENTOSA, L., *Vicios de la voluntad en el negocio representativo,* Valencia, 2002, págs. 107 y ss. (en prensa).

No resulta, en cambio, tema sencillo el considerar en cada caso el alcance de la sentencia penal que contenga declaraciones de ineficacia de contratos y en particular si tal pronunciamiento constituye o no efectos de cosa juzgada. En cualquier caso habrá que atender a si el pronunciamiento forma parte del fallo de la sentencia o si tan sólo forma parte de la motivación de la misma, limitándose los efectos de cosa juzgada al primer supuesto[255].

Por último, en cuanto a la necesidad del pronunciamiento de un tribunal penal de forma previa a la calificación y aplicación de la nulidad en estos casos también es un tema discutible. Parece que el hecho de que el artículo 1305 hable de delito o falta impone la necesaria calificación del supuesto de hecho como tales y eso tan sólo se podrá hacer si existe dicha calificación en una sentencia penal (podría plantearse una cuestión prejudicial). Por esta razón DELGADO ECHEVERRÍA entiende que hay que presuponer la condena en juicio criminal[256]. En cambio, en este punto DÍEZ-PICAZO entiende que la aplicación del art. 1305 puede ser llevada a cabo perfectamente por los tribunales civiles aún a falta de actuaciones penales[257]. En esta última línea parece moverse la jurisprudencia civil más reciente que tampoco considera determinantes sino orientativas las consideraciones del tribunal penal para la calificación del contrato como válido o inválido y establecer sus consecuencias[258]. En todo caso lo que está claro es que la condena penal es evidentemente necesaria para decretar el decomiso, que ciertamente no puede imponerse por un tribunal civil[259].

---

[255] NADAL GÓMEZ, I, *El ejercicio... cit.*, pág. 216, YZQUIERDO TOLSADA, *Aspectos civiles del nuevo Código Penal... cit*, págs. 67 y 421-424 y en «Alcance real de la competencia del juez penal...», cit. pág. 617.

[256] DELGADO ECHEVERRÍA, J., *Comentarios al Código Civil y compilaciones forales*, Dirigidos por M. Albaladejo, T. XVII, vol. 2ª, 2ª ed., Madrid, 1995, pág. 304-305, *Elementos de Derecho Civil*, coordinados por J.L. LACRUZ, II, vol. 2º, 2ªed., Barcelona, 1990, pág.

[257] DÍEZ-PICAZO, L., *Fundamentos de Derecho Civil Patrimonial,* vol. I, cit., pág. 452.

[258] Sentencia de 30 de diciembre de 1978, de 22 de noviembre de 1979, 3 de febrero y 2 de diciembre de 1981, 15 de febrero de 1982. Vid. infra epígrafe «Excepciones a la regla general de la recíproca restitución».

[259] En la sentencia de 26 de noviembre de 1955 el Tribunal Supremo se pronuncia sobre este supuesto en los siguientes términos «El deber de discernir si la ilicitud de la causa o del objeto del contrato, a que se refiere este artículo implica también la posible existencia del delito o falta, corresponde a los Jueces o Tribunales de lo criminal, accesibles a la parte perjudicada mediante denuncia o querella, incumbiendo solamente a los Tribunales de lo civil la facultad discrecional —no susceptible de casación— de apreciar si los hechos enjuiciados en la esfera civil pudieran a la vez ser constitutivos de delito o falta a efectos únicamente de ponerlos en conocimiento del órgano jurisdiccional competente.»

4. El rango de la norma jurídica aplicable

La estructura del control de la ilegalidad, como hemos visto, se basa en dos factores: la norma legal y la contractual. Todas estas normas se hallan sujetas a una jerarquización en la que toda norma para mantener su validez necesita un ajuste con las normas de rango superior y toda norma contractual o todo contrato es válido en cuanto es conforme con el conjunto del ordenamiento jurídico. En definitiva, estamos ante una pirámide normativa en la que la validez del contrato esta sujeto a la conformidad con las normas jurídicas y, a su vez, la validez de cada una de estas normas jurídicas está sujeta a la conformidad con las de rango superior[260].

4.1. Aplicación directa de las normas constitucionales

En nuestro ordenamiento jurídico la Constitución tiene carácter normativo y no meramente programático. La Constitución española de 1978 es la norma fundante básica del resto del ordenamiento jurídico. Como norma jurídica, la Constitución se tratará de aplicar a todos los casos en los que sus preceptos sean dotados de una inmediata intervención en las relaciones jurídicas (Art. 9.1 C.E. «*Los ciudadanos* y los poderes públicos *están sujetos a la constitución y al resto del ordenamiento jurídico,*» en consonancia con los artículos 53.1 C.E. y 5 de la L.O.P.J.*)*[261].

Respecto al análisis que nos ocupa relativo a las relaciones contractuales cabe plantearse si los derechos fundamentales contenidos en el articulado de nuestra Carta Magna pueden encontrar directa aplicación en la esfera privada. No será tan frecuente que se den este tipo de supuestos ya que, en su origen, estos derechos han surgido con la finalidad de proteger a los ciudadanos frente a las intromisiones del Estado. La mayoría de los mandatos constitucionales van dirigidos a los poderes públicos y más concretamente al legislador y no a las relaciones privadas entre ciudadanos.

Se podría, no obstante, considerar directamente aplicables determinados derechos fundamentales frente a la libertad de contratación. No son tantos los derechos fundamentales de la personalidad que pueden verse cuestionados en las relaciones contractuales. Se pueden reducir a dos los derechos recogidos constitucionalmente como de aplicación directa que podrían quedar vulnerados por los particulares: en aquellos casos en que se encuentren

---

[260] KELSEN, H., *Teoría general...* ., cit., Pags 46 y ss.
[261] vid. sobre el tema: GARCÍA DE ENTERRÍA, E., *La Constitución como norma y el Tribunal Constitucional,* 3ª ed., Madrid, 1985 y «La Constitución como norma jurídica», en A.D.C., 1979, págs. 291 y ss., ARCE Y FLÓREZ VALDÉS, J., *Derecho Civil Constitucional,* Madrid, 1986, págs. 87 y ss. Entre las Sentencias del Tribunal Constitucional pueden consultarse, entre otras, por ser las pioneras en reflejar textualmente esta condición normativa de aplicación directa, las de 2 de febrero y 31 de marzo, ambas de 1981.

gravemente perjudicados los derechos de igualdad o de dignidad de la persona.

Por supuesto, siempre cabe invocar, además de las normas constitucionales, para su aplicación a las relaciones entre particulares las Leyes Orgánicas y ordinarias que desarrollen los derechos fundamentales en cada ámbito. Incluso, cabría, en este sentido, asumir un programa de «relectura» del Código Civil en clave de legalidad Constitucional donde los preceptos de ésta encontrarían una aplicación mediata a través de aquel (en muchos casos bajo la forma de Orden Público). De esta forma, puede efectuarse un control dirigido a fiscalizar la licitud de los contratos en relación a las normas constitucionales coordinando la singular disposición de la ley ordinaria con la *ratio legis* que la inspira, actuando en esta *ratio* los principios y valores constitucionales[262].

Bien es cierto que la influencia de los valores constitucionales va a tener un papel diferente según los sectores a que afecte. Ciertamente, la Constitución española no alude ni se refiere directamente a la libertad de contratación y cuando ARCE Y FLÓREZ-VALDÉS repasa las materias civiles que «toman cuerpo y presencia en la Norma Fundamental» significativamente omite los contratos[263]. Esto significa que en el sector contractual va a resultar complicada una caracterización directa de los principios constitucionales.

Por esta razón, se puede considerar uno de los temas más problemáticos el de la aplicación directa e inmediata de los preceptos constitucionales como normas que limiten la libertad contractual. En principio, el concepto de contrato ilegal ha de venir referido siempre con relación a una norma jurídica infringida. Así, en sentido estricto, contrato ilegal es aquel que vulnera una Ley (norma jurídica). Resulta indiferente para la inclusión en esta categoría de un concreto contrato si lo que vulnera la norma es el contrato en su conjunto o sólo alguna de sus cláusulas, la prestación o prestaciones de las partes, la finalidad perseguida o pretensiones de las partes, etc.

Por esta razón, aparte de la habilitación que la Constitución contiene en orden a que los poderes públicos intervengan para mediatizar en las relacio-

---

[262] Es en Italia donde con más frecuencia encontramos alusiones a los fundamentos constitucionales como base de las ingerencias estatales en las parcelas de la autonomía privada de los particulares (en los arts. 41 y 42 de la Constitución italiana): PERLINGIERI, P., *Il diritto civile nella legalità costituzionale,* Nápoles, 1991, págs. 141-146 y 162-163, FERRI, G.B., *Ordine Publico, buon costume e la teoria del contrato*, Milán, 1970, pág. 163, PETTI, G.B., «*La vinculazione e la invalidità del contratto*», en Comentario al Codice Civile, Roma, 1984, págs. 136-137, BARCELLONA, P., «*Sui controlli della libertá contrattuale*», en *Rivista di Diritto Civile*, pág. 581 ROPPO, E., *Il Contratto*, pág. 126,127, 128, OPPO, G., «*Diritto privato e interessi pubblici*» in *Riv. di Dir. Civ*, Padova, 1994, pag25 y ss. En España también se es consciente de esta influencia constitucional en las relacones privadas. (DÍEZ-PICAZO, L., *Experiencias jurídicas y teoría del Derecho,* Barcelona, 1975, págs. 309-321.)

[263] ARCE Y FLÓREZ-VALDÉS, J., *El Derecho Civil Constitucional,* cit. pág. 37-38 y 76..

nes contractuales, también se nos plantea la posibilidad de la aplicación directa e inmediata de los límites constitucionales referentes a los derechos fundamentales en las relaciones entre particulares derivadas de la autonomía de la voluntad (lo que se ha denominado por la doctrina alemana como Drittwirkung). Verdaderamente, no es frecuente que los justiciables acudan a la jurisdicción ordinaria invocando directamente los preceptos constitucionales sino que se suelen valer de ellos de forma mediata. Lo más frecuente será tratar de implicar normas generales del Código que contemplen conceptos indeterminados y encajar en ellos los preceptos constitucionales. Esta sería la forma de forzar un pronunciamiento sobre la posible vulneración del derecho fundamental.

Tras conseguir una resolución judicial, si ésta resulta desestimatoria ya podría alegarse directamente una posible vulneración de los derechos reconocidos en la Constitución. Se podría considerar que existe vulneración de un derecho constitucional, no ya por un privado sino por un poder público que sería el órgano judicial. Ahora, el derecho constitucional vulnerado podría considerarse que es el derecho a una tutela judicial efectiva recogido en el artículo 24.

Pese a lo expuesto anteriormente, la posibilidad de la aplicación y eficacia directa de los derechos constitucionales entre los particulares ha sido planteada. La cuestión radica en decidir si los principios constitucionales, sobre todo el de igualdad (recogido en el art. 14 de nuestra Constitución) y el de respeto a la dignidad humana (recogido en el art. 10), se pueden aplicar y hacerse de obligada observancia, incluso de forma coercitiva, entre los contratantes particulares en el ejercicio de su libertad de contratación. El problema se presenta, sobre todo, en la influencia de estos derechos fundamentales en la denominada libertad de decisión (libertad de contratar o abstenerse de hacerlo y de la libertad en la elección de la persona en la que ha de recaer la condición de contraparte en el contrato)[264].

En Italia se puede constatar que la Corte Suprema ha considerado su deber declarar la nulidad de cláusulas contractuales en cuanto resultaban contrarias a algunos preceptos constitucionales. Normalmente el artículo de la Constitución se pone en relación con el artículo 1418 del Código Civil de este país puesto que se entiende que como violación de norma imperativa se comprende también aquellas normas constitucionales[265].

---

[264] ALFARO AGUILA-REAL. J., Voz «*Igualdad*» en *Enciclopedia Jurídica Básica*, Vol. II, Madrid, 1995, págs. 3361-3365. ALFARO AGUILA-REAL, J., *«Autonomía privada y derechos fundamentales»*, *A.D.C.*, 1993-I, págs. 57-122. GARCÍA TORRES, J./JIMÉMEZ-BLANCO, A., *Derechos fundamentales y relaciones entre particulares*, Madrid, 1986. QUADRA-SALCEDO, T., *El recurso de amparo y los derechos fundamentales en las relaciones entre particulares*, Madrid, 1981. RODRÍGUEZ-PIÑEIRO, M./FERNÁNDEZ LÓPEZ, M.F., *Igualdad y discriminación*, Madrid, 1986.

[265] PETTI, G.B., «*La vinculazione e la invalidità... cit, págs. 146-158,* NUZZO, *Utilità sociale e autonomia privata*, Milan, 1975, pág. 58, VILLA, G., *Contratto e violazione...* cit, págs. 95-97.

En España, como expone ALFARO AGUILA-REAL, la jurisprudencia constitucional ha negado expresamente la eficacia directa de los derechos fundamentales en las relaciones entre particulares. Aunque esto no significa, como se apresura a matizar el Tribunal Constitucional, que la «vigencia social» de los derechos fundamentales no implique la existencia de un deber positivo de dar efectividad a tales derechos a cargo de los poderes públicos: legislativo, ejecutivo y a los jueces y tribunales en el ámbito de sus funciones respectivas[266].

Estos supuestos se escapan un poco del concepto estricto que tratamos de establecer sobre la ilegalidad contractual. No se trata de controlar o fiscalizar la licitud del contenido del contrato en sentido estricto. En realidad, en los casos en los que se cuestiona la libertad para contratar cuando puede afectar a un derecho fundamental, se plantea un problema de límites a la renunciabilidad de los derechos del contrato: supuesto para el cual entrarían en juego los artículos 6.2 y 1255 del Código Civil que sólo la considerarían válida «cuando no contraríen el interés público ni perjudiquen a terceros»[267]. En cualquier caso, la titularidad de los derechos fundamentales está fuera del comercio.

Cuando el aspecto de la libertad contractual cuestionada es la elección de la persona del otro contratante (libertad para contratar o no hacerlo) estamos ante un problema de ejercicio abusivo de un derecho y entra en juego, como posible medio para limitar la libertad de contratación, el art. 7.2 del Código Civil: «La Ley no ampara el abuso de derecho o el ejercicio antisocial del mismo». Cuando la negativa a contratar implica un trato vejatorio también podría acudirse a la figura del ejercicio abusivo del derecho aunque no cabe duda que estaríamos también ante una vulneración de la moral o el orden público como consecuencia del mandato de protección de la dignidad humana establecido en el artículo 10 de la Constitución española[268].

---

[266] ALFARO AGUILA-REAL, J., «Autonomía privada y derechos fundamentales», A.D.C., 1993-I, pág. 69.

[267] Si bien se puede considerar constitucionalmente admisible limitar los derechos propios, por el contrario, habrá que ver si el contratante disponía o no de alternativas razonables disponibles para contratar en condiciones similares. V.gr. En este sentido la Sentencia del Tribunal Constitucional de 13 de febrero de 1981, que trataba de un contrato laboral en la que el profesor se comprometía a renunciar de antemano a ejercer en un sentido determinado cualquier derecho o libertad fundamental en atención al ideario del centro, parte de la base de que los derechos y libertades fundamentales comprendidos en la Constitución son indisponibles e irrenunciables. Dice expresamente: «Los derechos y libertades fundamentales son elementos del ordenamiento, están contenidos en normas jurídicas objetivas que forman parte de un sistema axiológico positivizado por la Constitución y que constituyen los fundamentos materiales del ordenamiento jurídico entero (véanse artículos 1.1, 9.2, 10.1 y 53 de la Constitución).»

[268] Efectivamente, en casos de este tipo (como establecimientos públicos, asociaciones o clubes en los que se reserva el derecho de admisión) no se dará trascendencia a los tratos

Parece que en esta línea también se pronuncia ALFARO que es bastante crítico con la fundamentación dogmática de la Drittwirkung. Este autor defiende la necesidad de que la vigencia social de los derechos fundamentales debe ser producto de la mediación estatal y rechaza la afirmación de la eficacia *inter privatos* de los derechos fundamentales al carecer de apoyo normativo y alterar las competencias del legislador y del poder judicial[269].

4.2. Las normas jurídicas con rango de Ley. Leyes estatales y autonómicas

No se advierte, en principio, ningún obstáculo formal para que las Leyes autonómicas puedan interferir en la libertad contractual. Sin embargo, su incidencia en este ámbito será poco relevante por razón del régimen de competencias. Recordemos que no pueden legislar directamente en materia civil todas las Comunidades Autónomas, sino solo las forales, que habrán de respetar, en todo caso, las bases de las obligaciones contractuales configuradas por la legislación estatal (Art. 149. 1. 8° C.E. y S.T.C. 71/1982, 30 de noviembre). Esta afirmación parece sustraer cualquiera de las incidencias contractuales privadas del elenco de materias de competencia autonómica, al estar reservada a la ley estatal.

Pese a todo, parece que la propia ley estatal encargada de configurar las bases de las obligaciones contractuales (Código Civil) va a permitir la entrada de las leyes autonómicas. Una de estas bases se puede entender que se encuentra dispuesta en el artículo 6.3 del Código Civil, que permite decidir a cualquier ley vulnerada por un contrato (incluida la autonómica) la suerte que debe correr ese contrato. Basta que la ley autonómica discipline cuestiones de forma imperativa dentro de su ámbito de competencia y sea materia que afecte o interfiera en cualquier tipo de contratación. En este caso, si existen contratos que se opongan a alguno de los preceptos imperativos de la ley autonómica se tendrá que acudir en primer lugar a las especiales previsiones que en su caso existan en la propia norma. En ultima instancia, se acudirá a los criterios generales para decidir si esta infracción legal puede acarrear la ineficacia.

No cabe duda que al tener toda Comunidad Autónoma competencia sobre un amplio elenco de materias, cualquiera de ellas puede incidir directa o indirectamente en la contratación privada. Hay que tener en cuenta que existen sectores inevitablemente vinculados con importantes ámbitos de contratación: ordenación del territorio, urbanismo y vivienda (Art. 148.1.3°

---

desiguales que pueden provocarse en la contratación sino que tan sólo se dará relevancia cuando de este ejercicio de libertad de elección se pueda derivar o implique un trato vejatorio. Lo que tiende a protegerse es el derecho de dignidad humana establecido en el artículo 10 de la Constitución española.

[269]   ALFARO AGUILA-REAL, J., *«Autonomía privada...* , cit., págs. 121-122.

C.E.), la agricultura y ganadería, de acuerdo con la ordenación general de la economía (Art. 148.1.7º C.E.), el fomento del desarrollo económico de la Comunidad Autónoma dentro de los objetivos marcados por la política económica nacional, (Art. 148.1.13º) etc.. Por esta razón, tampoco cabe duda que de ser asumidas estas competencias por la Comunidad Autónoma la regulación de estas materias tendrán alguna incidencia en la contratación privada. *V. gr.* La Ley de 20 de marzo de 1984, de la Generalidad de Cataluña que regula los juegos de suerte, envite o azar en Cataluña[270].

No siempre el derecho autonómico y, sobre todo, el foral van a restringir más aún que el estatal la libertad contractual. El artículo 6.3 del Código Civil, que establece la nulidad de todos los actos contrarios a las normas imperativas y prohibitivas, salvo que en estas se disponga otra cosa distinta, es de aplicación también en los territorios forales, según establece el art. 13.1 del mismo Código. Pero como dice CARRASCO PERERA, no se puede entender ni mantener que el artículo 6.3 del Código Civil imponga una interpretación que contraríe el sentido y finalidad de la ley foral imperativa o prohibitiva[271]. Es decir, que no puede entenderse que siempre proceda una interpretación favorable a la nulidad radical en virtud del art. 6.3 del Código Civil cuando la sanción por la contravención del contrato a una Ley no pueda interpretarse de otro modo según el ordenamiento foral. En algunos casos, en las modificaciones que estén a su alcance, el derecho foral o autonómico puede aumentar la libertad contractual respecto al derecho común y, en otros casos, su restricción se realiza, simplemente, de forma diferente. En general, los derechos forales son bastante permisivos con la libertad contractual: *V. Gr.* El *Standum est Chartae* en Derecho foral aragonés o el *Paramiento Fuero Vience* del Derecho foral navarro[272].

En la sentencia de 20 de junio de 1949 se puede apreciar cómo la diferente regulación del derecho común y foral, en aspectos puntuales, puede influir en la contratación. V. gr. la estipulación para el ejercicio del derecho a retraer no puede hacerse por un plazo superior al de diez años, fijado como máximo a tal fin por el art. 1507 C.C. dentro del ámbito del derecho común. Sin embargo, no cabe apreciar siempre la nulidad por mayor duración del contrato discutido a tenor de lo preceptuado en los arts. 6.3º y 1255 CC., porque en Cataluña y entre catalanes es lícito por aplicación del «*Usatge ommes causa*» siendo aquí prescriptible este derecho a los treinta años.

En la sentencia de 10 de octubre de 1977 se anularon unos contratos realizados por una comisaria foral porque ya había caducado el poder testario que se le había concedido. En realidad, se trata de un caso de contrato celebrado

---

[270] Vid supra epígrafe: «*La normativa sobre el juego y el Código Civil*».
[271] CARRASCO PERERA, A., *Comentarios al Código Civil y compilaciones Forales*, cit. Pag. 776.
[272] Vid. VÁZQUEZ DE CASTRO, E., *Determinación del contenido del contrato...*, cit., pág. 40.

a nombre de otro por quien no tiene su autorización o representación legal (art. 1259 CC.). Sin embargo, en la sentencia se argumenta, además de la nulidad por faltar autorización, la nulidad «por ser actos prohibidos por la citada ley III, titulo XXI, del Fuero de Vizcaya, con la consecuencia de nulidad radical, absoluta, perpetua e insubsanable, equivalente a la inexistencia, en ortodoxa aplicación del brocardo jurídico de que *"quod ab initio vitiosum est non potest tractu tempore convalescere"*, y mayormente porque siendo el fundamento del testamento por comisario en Vizcaya, en tendencia al robustecimiento de la familia, base espiritual de la casería para regir esta... ».

4.3. Las normas jurídicas de carácter reglamentario

4.3.1. Los reglamentos como límite a la libertad contractual

Íntimamente unido a la cuestión de la idoneidad para influir sobre un contrato de la norma imperativa que regula materia diferente de la civil está la cuestión de si se admiten como idóneas las normas jurídicas con rango reglamentario. Existen normas administrativas con rango legal y con rango reglamentario puesto que aquel carácter parece que se predica según la materia que regulan. De otro lado, es evidente que las normas reglamentarias al provenir de órganos administrativo suelen tener este carácter. Ésta es la razón por la cual la jurisprudencia viene ligando el carácter del rango y de la materia objeto de regulación manteniendo en sus últimas corrientes que las norma de carácter reglamentario, que añaden, son de carácter «meramente» administrativo ya no tienen trascendencia para convertir un contrato en ilegal[273].

De tal forma que no es posible distinguir si los tribunales consideran inidóneas tales normas en función a su carácter de administrativas o en función a su carácter de reglamentarias. Según se desprende de los razonamientos jurisprudenciales parece que ambos son decisivos, de igual manera, para la *ratio decidendi*. Descartado el carácter administrativo o de Derecho Público de la norma como argumento de exclusión para afectar a la eficacia contractual[274], habrá que analizar el carácter reglamentario.

Recordamos aquí que nos estamos refiriendo siempre a la jurisprudencia civil que será siempre la competente para decidir en materia contractual, aunque para enjuiciar su legalidad tenga necesidad de examinar preceptos contenidos en disposiciones reglamentarias[275].

---

[273] Vid supra epígrafe «*Normas de carácter administrativo*».

[274] A estas alturas en las que las interferencias recíprocas Derecho Público-Derecho Privado son tan numerosas e intensas es evidente que los tribunales civiles deben aplicar el Derecho Público que, normalmente, realiza su aparición en el ejercicio contractual de los particulares porque intenta proteger relaciones privadas merecedoras de especial tutela o atención.

[275] Vid supra epígrafe «*Competencia administrativa en materia contractual*».

Por nuestra parte, podemos adelantar que tan solo coincidimos con el Alto Tribunal en la íntima, aunque no necesaria, relación de estas dos circunstancias que hace que se puedan tratar y analizar conjuntamente este tipo de normas jurídicas. En cambio, no compartimos las conclusiones a las que actualmente llega la jurisprudencia como resultado de este análisis ni en el carácter administrativo ni en el carácter reglamentario de las mismas.

A. Los reglamentos como normas jurídicas imperativas en la jurisprudencia civil

La mayoría de la doctrina se muestra partidaria de considerar que las normas de carácter reglamentario son potencialmente suficientes para afectar a la legalidad de los contratos a través de los artículos 6.3 y 1255 del Código Civil[276].

En contra de la admisión de las normas de rango reglamentario para operar como límite legal de la libertad contractual se encuentra cierta corriente de la jurisprudencia civil, últimamente muy extendida. Valga como muestra la reciente sentencia de 15 de octubre de 1999 en la que se mantiene que «en el supuesto de que haya habido una infracción de carácter administrativo para la obtención del permiso del arrendamiento, tal supuesto no se puede entender comprendido entre los pactos contrarios a la ley como se pretende por la parte recurrente (art. 6.3 CC), que produzca la nulidad radical del contrato celebrado por las partes, tales infracciones producen los efectos que el propio reglamento determina (…)».

Nuestro Tribunal Supremo de idéntica forma que, en algunas ocasiones, niega a las normas de carácter administrativo virtualidad para servir de base a la casación, también lo niega por razón de su carácter reglamentario. Así la sentencia de 11 de febrero de 1991 afirma que no se admite presentar a examen en casación un tema de aplicabilidad de preceptos sin rango de ley puesto que, de esta forma, se está contraviniendo la uniforme doctrina jurisprudencial expresiva de que el recurso de casación se concede por infracción de normas sustantivas del Ordenamiento Jurídico con el contenido

---

[276]   PUIG PEÑA, F., *Compendio de derecho civil español*, T. I, Barcelona, 1966, pág. 125, nota 9, DE LA CRUZ LAGUNERO y CUENCA ANAYA, págs. 180-181. DE CASTRO. *Derecho civil de España…* op. cit., pág. 349. GORDILLO, La nulidad parcial… , op. cit., pág. 168, CARRASCO PERERA, *Comentario al Código Civil y Compilaciones Forales*, pág. 776. También en la doctrina extranjera es apreciable esta opinión: HEMARD: «*L´Economie dirigé et les contrats commerciaux*», en *Le droit privé français au milieu du Xxe siècle*, T. II, pag 55 y 343, RIPERT, G., «*L´ordre économique et la liberté contractuelle*», Nº 8, Ètudes Gény, T. 2, pág. 353, MESSINEO, F., «*contratto in genere*»… cit., pág. . 942, CRISCUOLI, *La nullità parziale… cit.*, págs. 96-97. GIORGI, J., *Teoría de las obligaciones…* op. cit., pág. 329.

del n.º 1 del artículo 1 del Código Civil[277]. Desde luego, aisladamente este argumento es de suma debilidad ya que son numerosos los casos en los que se han aplicado por el mismo Tribunal normas reglamentarias creadas expresamente para modificar contratos[278]. No debe confundirse el carácter sustantivo o adjetivo de la norma con su rango jerárquico.

Ante estas tendencias jurisprudenciales contradictorias, no podemos por menos que volver a estar en desacuerdo con la posición jurisprudencial que parece ser la dominante en estos momentos. Pero nos interesa destacar que la doctrina legal criticada no siempre ha sido seguida por el Tribunal Supremo, quien ha mantenido expresamente que «según doctrina de la jurisprudencia bajo la denominación general de Leyes se comprenden, además de éstas, los Reglamentos, Decretos, Instrucciones, Circulares y Órdenes dictadas de conformidad con las mismas (Leyes) por el Gobierno en virtud de sus atribuciones»[279].

Incluso, podemos encontrar en nuestro ordenamiento jurídico ejemplos de normas reglamentarias que disponen expresamente la nulidad de los contratos celebrados en contravención a sus disposiciones como el singular Art. 44 del RD. 111/1986, de 10 de enero sobre el patrimonio histórico español. Esto indica que, técnicamente, no existe ningún inconveniente en que estas normas jurídicas de rango inferior puedan influir o determinar las consecuencias que acarreen el incumplimiento de sus disposiciones en el plano de las relaciones jurídico-privadas.

B. Imposibilidad del acceso a la casación vía infracción de Ley

Podemos esgrimir como argumento contra la tendencia del Tribunal Supremo a negar la capacidad a las normas de rango reglamentario para

---

[277] En este mismo sentido, mantienen que las disposiciones de carácter administrativo por carecer de rango de ley, no pueden ser invocadas para fundamentar la casación: Sentencia 12 de junio de 1959, 26 de mayo de 1964, 26 de abril de 1967, 3 y 8 de julio y 16 de diciembre de 1986, 2 de octubre de 1987, 27 octubre de 1988, 6 de octubre de 1990, 11 de marzo de 1991, 4 de febrero de 1992 y 15 de octubre de 1999, entre otras.

[278] En estos casos la jurisprudencia no ha tenido ningún reparo en aplicarlos en casación sin encontrar inconveniente alguno en el rango ostentado por la norma como en materia de arrendamientos urbanos Sentencia de 24 de febrero de 1951, 13 de noviembre de 1952, 25 de enero de 1955. En materia de extranjería S. 18 de octubre de 1960, S. 6 de noviembre de 1961, 3 de noviembre de 1967, 16 de noviembre de 1974, etc. En materia de tasas es donde de forma más clara se aprecia la falta de unidad de la doctrina legal. Vid. infra epígrafe «*la legislación sobre tasas*»

[279] En las sentencias de 14 de junio de 1959 (Ar. 4203) y 19 de diciembre de 1958 (Ar. 3355) se declaran nulas sendas compraventas de alcohol por contrarias a la Ley. En este caso se aprecia ilegalidad subjetiva por no reunir uno de los contratantes las condiciones exigidas para estipular el susodicho contrato (requisito de ser industrial vitivinícola, único que podía adquirir legalmente el alcohol). Eso sí, en la sentencia de 18 de junio de 1913 establece que si las Reales Ordenes están en contradicción con preceptos consignados en las leyes, «los actos ejecutados contra las mismas no pueden calificarse de nulos».

servir de base a la casación y, por lo demás a incidir sobre los efectos del contrato, sus propios fallos en sentido contrario. Es decir, no es límite insalvable puesto que, en algunas ocasiones, el propio Tribunal Supremo no ha tenido inconvenientes en asumir la aplicación de normas reglamentarias para impedir que un determinado contrato desplegase sus efectos, como hemos expuesto en el epígrafe anterior.

De hecho, pese a lo que se pretende, el art. 1692.4° de la anterior LEC. no restringía expresamente el acceso a la casación a las normas con rango legal: «El recurso de casación habrá de fundarse en alguno o algunos de los siguientes motivos: 4° Infracción de las normas del ordenamiento jurídico o la jurisprudencia que fueren aplicables para resolver las cuestiones objeto de debate». Tampoco el art. 477 de la vigente Ley de Enjuiciamiento Civil establece requisito de rango en la infracción de normas aplicables en las que debe fundarse el recurso de casación.

Por último, se evidencia la debilidad del razonamiento puesto que podemos observar cómo se utiliza por nuestro Tribunal Supremo como argumento *a mayor abundamiento,* al haber ya entrado a enjuiciar en el fondo el caso y desestimar ya el recurso sobre otros argumentos.

Un argumento práctico para la admisión de las normas de rango reglamentario como complemento de los artículos 6.3 y 1255 del Código Civil para considerar la ilegalidad de un contrato se encuentra en la propia generalidad de estos preceptos del Código. Según reiterada doctrina jurisprudencial tampoco es apto para servir de base a la casación la sola invocación del art. 6.3 CC. (antiguo art. 4) en este caso, por su misma generalidad y extensión. Por lo cual la cita del mismo ha de completarse con la del precepto específico que preste concreta base a la nulidad[280]. Para ello parece que resulta buen complemento cualquier otra disposición imperativa que concrete la previsión genérica del 6.3 CC. Quedan superadas estas carencias para acceder a la casación con la alegación conjunta tanto de los preceptos reglamentarios que se complementan con la Ley habilitante que les sirve de cobertura y con el art. 6.3 del Código Civil que también tiene rango de Ley. Es decir, la generalidad de este último artículo queda subsanada con la concreción de las normas reglamentarias, especificando cual o cuales sean el precepto o los preceptos de los mismos que se estiman infringidos[281]. Todas las objeciones quedan así superadas.

El propio MANRESA relativiza la importancia del artículo 4° equivalente al actual 6.3 puesto que la generalidad del precepto hace que siempre resuelva cuestiones que se solventan más directamente con otro precepto especial[282]. Por lo tanto, parece que el propio precepto general contenido en el artículo 6.3

[280] Sentencias de 25 de febrero de 1967, 20 de abril de 1967, 28 de julio de 1986.
[281] Sentencias de 1 de junio de 1944, 7 de noviembre de 1947, 29 de abril de 1965.
[282] MANRESA Y NAVARRO, Comentarios… cit., T. I, págs. 170-171.

debería servir como catalizador que fortalezca las disposiciones contenidas en los reglamentos. Aunque la jurisprudencia, últimamente, sigue poniendo reparos en aceptar las normas reglamentarias de carácter administrativo como base de la casación por su índole o calidad[283].

C. Cambio de la Expresión «Ley» por «Norma jurídica» en la reforma del Título Preliminar

En la actual redacción del art. 6,3 CC. se habla de normas imperativas y prohibitivas. Se modifica en este punto la primitiva redacción del art. 4 CC. donde solamente se habla de Ley[284]. Ahora, no se puede negar que con la nueva redacción se abre la puerta a las normas reglamentarias. Es evidente que disfrutan del idéntico carácter de norma jurídica una Ley y un reglamento.

En realidad, el cambio de términos obedece a la interpretación amplia que de hecho se venia dando en la práctica tanto por la jurisprudencia como por la doctrina. El alcance que correspondía al término «leyes» se venía entendiendo, tanto desde la doctrina como desde la jurisprudencia con la lejana sentencia de 22 de junio de 1910, que se correspondía no sólo con aquellas en sentido estrictamente formal, sino también los Reales Decretos, Instrucciones, Circulares, y Reales Órdenes dictadas por el Gobierno, de conformidad con las mismas en uso de su potestad[285]. Además, ésta era la interpretación «lógica» deducida expresamente por DE CASTRO antes de la reforma del Título Preliminar.

En general, la doctrina que se ha ocupado del tema no duda en dar por supuesto que las normas reglamentarias tienen virtualidad para incidir en la eficacia de los contratos[286].

---

[283]   Continuando la doctrina de las Sentencias de 31 de marzo de 1964, 26 de mayo de 1964, 29 de abril de 1965.

[284]   En algunas sentencias del Tribunal Supremo se había ya depurado el concepto de Ley en este sentido. La sentencia de 11 de febrero de 1957, en la sala de lo social, al tratar los arrendamientos rústicos señala refiriéndose al art. 4º CC «estando incluidas en la generalidad del vocablo «Ley» todas las disposiciones legales de preceptiva observancia.». También en este mismo sentido encontramos ya en la jurisdicción civil la Sentencia de 19 de diciembre de 1958 en la que se anula por contrario a la ley un contrato que infringía unas órdenes ministeriales. Daba por sentado el tribunal en esta ocasión que «según doctrina de la Jurisprudencia bajo la denominación general de Leyes, se comprenden, además de estas, los Reglamentos, Decretos, Instrucciones, Circulares y Órdenes dictadas de conformidad con las mismas por el Gobierno en virtud de sus atribuciones».

[285]   DE LA CRUZ LAGUNERO, J.M., y CUENCA ANAYA, F., «Influencia del derecho público..., cit., págs. 180-181.

[286]   DE CASTRO Y BRAVO, F., Derecho civil de España... op. cit., pág. 349 y 536, MORENO MOCHOLÍ, M., «La legislación de tasas y el contrato de compraventa», en R.G.L.J., Octubre, 1946, «Las irregularidades en el negocio jurídico», en R.D.P., 1946, págs. 28-29 BONET CORREA, J., «Los actos contrarios a las normas y sus sanciones», en A.D.C. XXIX-2, 1976, págs. 311-313.

Por si fuera poco, encontramos apoyo también en un antecedente legislativo de nuestro Código Civil pues en el Texto articulado del Proyecto de Código Civil español de 1821, en su art. 3° se dice: *«Las prohibiciones o mandatos que expiden el Poder ejecutivo o alguno de sus agentes, las Diputaciones Provinciales o los Ayuntamientos de los pueblos por medio de reglamentos, órdenes, bandos u otra forma pública para la debida ejecución de las Leyes o de los Decretos de Cortes, o en uso de las facultades que les están confiadas por la Ley, se consideran como emanación de la Ley o del Decreto, sin perjuicio de las reclamaciones a que diere lugar el abuso de su respectiva autoridad*[287]*».*

El principio *iura novit curia* incluye también el conocimiento de los reglamentos, que desarrollan las leyes, por parte de los tribunales (artículo 1.7 del Código Civil). Los jueces y tribunales civiles deberán superar aquellas reticencias y prejuicios a la hora de aplicar normas administrativas de rango reglamentario[288]. También, será conveniente que se disipen ciertas perezas a la hora de analizar en profundidad tanto el contenido de esta normativa administrativa de rango reglamentario como su vigencia.

D. Reserva de Ley. El rango legal de la libertad contractual y su limitación, modificación o «derogación» por normas de rango inferior

A la hora de plantear si una norma reglamentaria es o no potencialmente apta para interferir o limitar la libertad contractual se ha de comprobar previamente que no exista reserva de Ley alguna en esa materia. La libertad contractual no se encuentra expresamente recogida entre el articulado de nuestro texto constitucional. Parece, en consecuencia, que no habría una reserva legal en sentido estricto respecto de esta materia puesto que sólo existirían las reservas de ley expresamente señaladas por la Constitución[289].

Incluso, la afirmación inicial resulta sostenible si mantenemos que, además de las reservas de ley expresas y concretas, se puede observar una reserva general de ley a favor de la libertad considerando la proclamación de los artículos 1.1 y 10.1 de la Constitución. En consecuencia tendrá la Ley que regular sustancialmente esta materia[290]. Así la Sentencia del Tribunal

---

[287] LASSO GAITE, J.F., *Crónica de la codificación española, 4, Codificación civil,* Vol. II, Madrid, 1970, pág. 28.

[288] Vid. supra epígrafe *«Normas jurídicas de carácter administrativo».*

[289] OTTO, I., *Derecho Constitucional, Sistema de fuentes,* Barcelona, 1987, págs. 155-157, VILLACORTA MANCEBO, L., *Reserva de Ley y Constitución,* Madrid, 1994, págs. 74-75.

[290] GARCÍA DE ENTERRÍA, E. y FERNÁNDEZ RODRÍGUEZ, T.R., *Curso de Derecho Administrativo,* vol. 1, Madrid, 1989, pág. 166, GARCÍA DE ENTERRÍA, E., *Hacia una nueva justicia administrativa,* Madrid, 1989, págs. 49 a 51, SANTAMARÍA PASTOR, J.A., *Fundamentos de Derecho Administrativo,* I, Madrid, 1998, pag 781, BAÑO LEÓN, J.M., *Los límites constitucionales de la potestad reglamentaria,* Madrid, 1991, págs. 199-

Constitucional 83/1984, de 24 de julio, se establece que «Este principio de reserva de ley entraña, en efecto, una garantía esencial de nuestro Estado de Derecho, y como tal ha de ser preservado. Su significado último es el de asegurar que la regulación de los ámbitos de libertad que corresponden a los ciudadanos depende exclusivamente de la voluntad de sus representantes, por lo que tales ámbitos han de quedar exentos de la actuación del Ejecutivo, y, en consecuencia, de sus productos normativos propios, que son los reglamentos.»

Pero, en realidad, estaríamos ante una reserva de ley blanda, relativa[291], o como entiende ARAGÓN simplemente jugaría el principio de legalidad[292]. Esto significa que se exige que una ley formal delimite el ámbito de la institución y el contenido del derecho regulado. No obstante, es perfectamente posible en el ámbito de la administración económica que para el desarrollo posterior de la ordenación de aquella Ley pueda habilitarse expresa y concretamente a la Administración para que lo complemente y detalle convenientemente por vía reglamentaria[293]. La misma sentencia, antes citada, del Tribunal Constitucional continúa manifestando que «El principio no excluye ciertamente la posibilidad de que las leyes contengan remisiones a normas reglamentarias, pero sí que tales remisiones hagan posible una regulación independiente y no claramente subordinada a la ley (…)».

Es precisamente en el ámbito de la administración económica donde el propio Tribunal Constitucional ha calificado de indispensable la normativa reglamentaria (S.T.C. 2/1987, de 21 de enero; 42/1987, de 7 de abril). Por esta razón, en el caso perfectamente posible de entender incluida la libertad contractual dentro de la libertad de empresa, recogida constitucionalmente en el artículo 38 y por lo tanto objeto de reserva de ley, cabría hablar de reserva de ley relativa y admitir el desarrollo reglamentario que detallara una habilitación legal previa.

De otro lado, por el hecho de limitar la libertad contractual la hipotética ineficacia que provocaría el reglamento no se incluiría dentro del ejercicio por

---

203, GARCÍA MACHO, R., *Reserva de Ley y potestad reglamentaria,* Barcelona, 1988, pág. 146.

[291] A pesar de que no todos los autores están de acuerdo en admitir este concepto de reserva de Ley relativa, sobre todo aquellos que consideran que la reserva de Ley debe aplicarse estrictamente a los casos expresamente recogidos en la Constitución. Vid por todos VILLACORTA MANCEBO, L., *Reserva de Ley y Constitución,* Madrid, 1994, págs. 36-47.

[292] ARAGÓN, M., «Las fuentes. En particular el problema de los Estatutos de los Bancos y de las Circulares del Banco de España, en *Contratos Bancarios,* Madrid, 1992 págs. 40-41.

[293] SANTAMARÍA PASTOR, J.A., *Fundamentos de Derecho Administrativo,* vol. I, Madrid, 1988, págs. 783 y ss., BAÑO LEÓN, J.M., *Los límites constitucionales de la potestad reglamentaria,* Madrid, 1991, págs. 86-102, GARCÍA MACHO, R., *Reserva de Ley y potestad reglamentaria,* Barcelona, 1988, pág. 118.

la Administración de su potestad sancionadora, en cuyo caso la exigencia de la covertura legal se derivaría directamente del artículo 25.1 de la Constitución. Resultando discutible que la nulidad contractual pueda considerarse incluida en una interpretación extensiva de este artículo 25.1 en atención a su posible carácter sancionador, como sanción civil (D. T. 3ª del Código Civil)[294].

Como indica CAPILLA RONCERO se puede generalizar que en el ámbito del Derecho privado no está vigente el principio de tipicidad puesto que las sanciones habituales en él no son penas en sentido estricto[295]. En todo caso, la ineficacia seguiría siendo consecuencia civil de la infracción apreciable por los tribunales ordinarios al aplicar la previsión del artículo 6.3 del Código Civil. El problema podría plantearse si la norma reglamentaria pretende establecer un tipo de ineficacia que se aparte de algún modo del régimen jurídico común de la nulidad a los que se refiere el último inciso del propio articulo 6.3[296].

Por otro lado, pese a que nuestra Constitución no hace reserva de Ley alguna en materia privatística, hemos de matizar que el principio de libertad contractual se encuentra recogido en una norma con rango de Ley como es el Código Civil (art. 1255 del Código Civil). Por tanto, este principio recogido legalmente no puede ser limitado ni cercenado por una norma de rango inferior, porque ésta no puede modificar normas de rango superior (principio de jerarquía).

---

[294] En todo caso, llevaría aparejada tal consideración punitiva la nulidad pero no cualquier consecuencia que establezca la Ley aparejada a un posible incumplimiento contractual, tal y como expone la sentencia de 19 de junio de 1996, en la que se cuestionaba la legalidad de una supuesta sanción como era la pérdida del derecho de indemnización de un seguro agrario combinado si no se hubiese realizado peritación antes de la recolección o no se hubiesen dejado muestras-testigos en la cuantía que se exprese la póliza. Se cuestionaba infracción del principio de reserva de ley y de legalidad al encontrarse la pretendida sanción en una norma de carácter reglamentario (vulneración del art. 25.1 y 9.3 de la Constitución). El Tribunal Supremo mantiene que en ningún caso estamos ante una sanción fruto de una infracción administrativa: «nos hallamos ante un precepto que regula la valoración de los daños, en caso de siniestro, dentro del ámbito del Seguro Agrario Combinado, sin que, en modo alguno, la Administración tenga intervención en dicha valoración ni mucho menos actúe imponiendo una sanción previa imputación a unos administrados de cualquier conducta ilegal, por lo que no se está en el caso del art. 25 CE invocado». No dejar muestras lleva consigo, por incumplimiento del contrato, la pérdida del derecho a la indemnización. Esto no es sanción administrativa que exija ley previa, ni cláusula penal. Al insistir sobre este carácter de sanción administrativa no queda claro que la peculiaridad de la nulidad civil como sanción pueda entenderse incluida, pero parece que la resolución, como ineficacia quedaría fuera.

[295] CAPILLA RONCERO, F., *Derecho civil. Parte general*, dir. A. López y V. Montés, Valencia, 1995, pág. 218.

[296] Vid. supra. Epígrafe «*La nueva corriente legal*» e infra. «Imposibilidad del acceso a la casación vía infracción de Ley».

Sin embargo, para salvar esta objeción de índole formal, basta que el reglamento o norma de rango inferior al legal venga a desarrollar una norma de rango legal, que le preste su cobertura, para poder limitar esa libertad contractual respetando la jerarquía normativa. En general esto será lo que ocurra salvo que nos encontremos ante un reglamento independiente, que será en muy escasas ocasiones.

El reglamento siempre se encuentra desarrollando una norma de cobertura con rango de Ley que se remite a él. Por esta razón, las normas reglamentarias pueden influir en la eficacia de los contratos siempre que, como dice PUIG PEÑA, «esté bien ensamblada con otra de rango superior»[297]. Consiguientemente, será aconsejable que se fundamente el recurso citando también la vulneración de la norma de rango legal que el reglamento desarrolle, para evitar la desestimación por causa de la doctrina jurisprudencial reticente a acoger recursos basados en normas administrativas contenidas en Ordenes Ministeriales o Reales Decretos. El desarrollo de una ley en un sentido determinado por el reglamento habilitado para ello será formalmente lo que produzca la ilegalidad del contrato. Guardando esta lógica formal creemos que se pueden salvar los obstáculos que existen para que un asunto acceda a la casación por basarse exclusivamente en normas de rango reglamentario.

Una de las sentencias más explícitas en este sentido es la de 16 de septiembre de 1986. En esta sentencia se trataba de aplicar una nulidad parcial sustitutiva para reducir el tipo de interés de un préstamo bancario por existir una serie de disposiciones que establecían un préstamo privilegiado al que los prestatarios tenían derecho a acogerse. La entidad bancaria motivó su recurso, entre otros argumentos legales, en un quebrantamiento de lo dispuesto en el artículo 1.2º del Código Civil: «Carecerán de validez las disposiciones que contradigan otras de rango superior». Teniendo en cuenta que las disposiciones legales que regían el préstamo eran de rango reglamentario, concretamente el Decreto 794/1974, de 28 de marzo y la Orden Ministerial de 5 de abril de 1974, y la libertad contractual se recoge en el Código Civil que ostenta rango legal[298].

---

[297] PUIG PEÑA, F., *Compendio de derecho civil español*, T. I, Barcelona, 1966, pág. 125, nota 9.

[298] El Tribunal Supremo mantuvo en esta ocasión que « Debe afirmarse que el contrato que liga a las partes, es un contrato normado que surge de una cadena regular de disposiciones que no quebrantan lo dispuesto en el artículo 1.2º del Código Civil, como pretende el recurrente en su motivo sexto, basado en el artículo 1692, 1, de la Ley de Enjuiciamiento Civil, pues la Ley de Crédito Oficial 13/1971, de 19 de junio, permite al Gobierno la fijación de los tipos de interés, sin perjuicio de la concesión de créditos en condiciones excepcionales y, en definitiva, la sumisión del Instituto de Crédito Oficial al propio Gobierno a través del Ministerio de Hacienda, en la época (Art. 10) y, como consecuencia de tal potestad, el Gobierno produce el Decreto 794/74, de 28 de marzo, de

Tras la justificación formal podemos encontrar una justificación funcional. La autoridad administrativa se encuentra llamada, en numerosos casos, a disciplinar determinadas materias donde si el sistema tuviera que esperar la sanción, formal y expresa, de una Ley ordinaria no podría reaccionar ante las rápidas mutaciones del mercado (materia de precios, rentas, intereses,...). En todo caso, basta que esta necesaria intervención administrativa se encuentre legitimada por una Ley General, que reenvíe a las disposiciones reglamentarias la determinación del propio contenido, para salvar el inconveniente. La única condición que deben cumplir es que no se produzca ninguna extralimitación por parte de la administración en la materia que la Ley le ha habilitado a regular[299]. Cosa distinta será que por el concreto carácter coyuntural, temporal y de movilidad de la materia económica que trata un específico reglamento no llegue a afectar a determinado contrato, pero ésto no será consecuencia directa del rango normativo reglamentario de la norma infringida.

Por lo tanto, habrá que concluir que se impone una interpretación contraria a la que el Tribunal Supremo ha venido manteniendo recientemente, en numerosos casos. Esto es, consideramos que así como dijimos que las normas administrativas tienen virtualidad o entidad suficiente como para influir en la eficacia de un contrato, lo mismo se puede afirmar de las normas de tipo reglamentario.

En definitiva, no son argumentos sólidos los que utiliza la jurisprudencia para argumentar que las infracciones reglamentarias administrativas no son idóneas para servir de base al recurso de casación por infracción de Ley o que no pueden afectar a la autonomía de la voluntad. Por desgracia, lo que empezó como un argumento *obiter dicta* y a mayor abundamiento de cierta corriente jurisprudencial ya se está convirtiendo en una cláusula de estilo en todas las sentencias sobre la materia. La reiterada insistencia en este argumento, aunque sea parte incidental en la sentencia, parece que ya ha sentado base en el criterio de buena parte de la jurisprudencia.

4.3.2. Las circulares del Banco de España

Las circulares del Banco de España pueden tener el contenido más variado. Uno de los ámbitos materiales a los que pueden referirse alcanza a

---

cuyo artículo 7º nace la delegación al Ministerio de Hacienda para que produzca a su vez la Orden de 5 de abril de 1974, que fija el tipo de interés en el 5,5 por 100 para repatriados de Marruecos, sin que se acuse la existencia de norma alguna que impida la delegación en la materia de la que se trata, por lo que se rechaza en motivo sexto que se ha expuesto»

[299] En este sentido GIORGI afirmaba: «Poco importa que la disposición esté escrita en el Código penal, en la ley de seguridad pública, en las leyes financieras, militares, de sanidad pública, en los reglamentos municipales, etc.,; basta que exista legitimidad en el mandato o en la prohibición, para que la omisión o la prestación contraria constituya un acto ilícito. GIORGI, J., *Teoría de las Obligaciones*, trad. Española, pág. 329.

la contratación bancaria a la que logra afectar en muchos extremos. El carácter normativo y el valor jurídico de las circulares emitidas por el Banco de España ha sido cuestión arduamente discutida durante mucho tiempo entre los mas insignes administrativistas[300]. Tras la entrada en vigor de la Ley de Disciplina e Intervención de las Entidades de Crédito y la Ley de Autonomía del Banco de España parece que ha quedado zanjada semejante disputa pues ha sido conferida dicha potestad al Banco Emisor[301] de forma expresa.

Sin embargo, aunque se haya aclarado la cuestión sobre la potestad reglamentaria, aún se suscitan dudas acerca de las consecuencias del incumplimiento de estas normas, es decir, si ello produciría otros efectos distintos a la mera sanción administrativa. El planteamiento nos interesa pues lo que se pretende averiguar es si estas circulares proyectan consecuencias en el plano de las relaciones jurídico-privadas, o sea, en la relación que une al banco con sus clientes. Es evidente que la sanción administrativa vendría dada por la relación entre el Banco de España y la concreta entidad financiera que desatienda sus directrices.

En este punto, la doctrina mayoritaria sostiene que difícilmente se podrían originar efectos en las relaciones juridico-privadas en relación con el incumplimiento que un concreto banco haga de las circulares que contengan determinadas directrices sobre el contenido de las cláusulas de los contratos

---

[300] PARADA VÁZQUEZ, J.R., «Valor jurídico de la Circular», en *R.D.B.B.*, Abril-junio 1981, FERNÁNDEZ RODRÍGUEZ, T.R., «*Los poderes normativos del Banco de España*», en *R.D.B.B.*, Nº 13, enero-marzo 1984, MARTÍN RETORTILLO, S., *Derecho Administrativo económico*, T. II, Madrid, 1991, págs. 117-122, ARAGÓN, M., «Las fuentes. En particular el problema de los Estatutos de los Bancos y de las Circulares del Banco de España», en *Contratos Bancarios*, Madrid, 1992, págs. 21 y ss.

[301] La Ley 26/88 de 29 de julio sobre Disciplina, Intervención de las Entidades de Crédito (parcialmente derogada), establece en su artículo 48.1 la delegación en materia de regulación contractual bancaria facultando al Ministerio de Economía y Hacienda para que pueda dictar normas precisas para el establecimiento de modelos así como para imponer un control administrativo de estos y regular la publicidad de las operaciones activas y pasivas de las entidades de crédito. Asi mismo, la Disposición Adicional octava de la ley faculta al Banco de España para dictar las Disposiciones necesarias para el desarrollo y ejecución de la regulación contenida en las normas generales aprobadas por el Gobierno o por el Ministerio de Economía y Hacienda, siempre que dichas normas le habiliten para ello.
La Ley 13/1994, de 1 de junio, de Autonomía del Banco de España en su artículo 3º (En la nueva redacción que le ha dado la Ley 12/1998, de 28 de abril) establece las disposiciones que pueden ser dictadas por el Banco de España para el adecuado ejercicio de sus competencias. Disposiciones que se denominan «Circulares monetarias» y «Circulares» estableciendo que ambas deben ser publicadas en el B.O.E. y entrarán en vigor conforme a lo previsto en el apartado primero del artículo 2º del Código Civil. Se establece además que las disposiciones dictadas por el Bando de España serán susceptibles de impugnación directa ante la Sala de lo Contencioso-Administrativo de la Audiencia Nacional.»

tipo que utilice[302]. En todo caso, se predicará la nulidad de la específica cláusula que violentase el mandato de dicha circular, siempre y cuando sea ventilada convenientemente la cuestión ante la jurisdicción ordinaria[303]. El problema surge de la mala técnica legislativa que emplea la Ley 26/1988, de 29 de julio, sobre disciplina e intervención de entidades de crédito, en su artículo 48.2 en el que se habilita al Ministro de Economía y Hacienda para dictar determinadas normas que protejan los legítimos intereses de la clientela de las entidades de crédito, pero «sin perjuicio de la libertad de contratación que, en sus aspectos sustantivos y con las limitaciones que pudieran emanar de otras disposiciones legales».

Es decir parece que la propia Ley limita su propia eficacia habilitante, por un lado, sólo se puede desarrollar mediante Orden Ministerial (no alcanzando la habilitación a las Circulares del Banco de España) y, por otro lado, sólo se impondría un régimen disciplinario a la entidad infractora (efecto administrativo) y no se afectaría la eficacia de los pactos (libertad) con los clientes. De esta forma se rompe la habilitación legal de las circulares del Banco de España para afectar a cualquier materia contractual resultando incompetente. Como apunta ARAGÓN, no es correcta la subdelegación reglamentaria del Ministerio de Economía y Hacienda (Orden del Ministerio de Economía y Hacienda de 12 de diciembre de 1989) para desarrollar las materias del artículo 48.2 mediante Circular del Banco de España[304]. Entendemos, en cambio, que sí cabría en caso de que existiese la correspondiente habilitación legal expresa y directa. Es decir, una vez reconocido el carácter reglamentario de estas disposiciones funcionarán y tendrán los efectos jurídicos de cualquier otro reglamento siempre que no se extralimiten de la habilitación legal.

En todo caso, como finalmente destaca CUÑAT EDO al referirse este tipo de intervención administrativa, para proteger los legítimos intereses de la clientela activa y pasiva de las entidades de crédito podría perfectamente acudirse a distintas vías para su aplicación en la jurisdicción privada. En

---

[302] CUÑAT EDO, V., «Las fuentes reguladoras de la actividad contractual bancaria», en *Estudios de derecho bancario y bursatil, Homenaje a Evelio Verdera y Tuells,* T. I, pág. 620 y 622, ARAGÓN, M., «Las fuentes. En particular el problema de los Estatutos de los Bancos y de las Circulares del Banco de España», en *Contratos Bancarios,* Madrid, 1992, págs. 34-35, SALINAS ADELANTADO, C., «La nueva normativa sobre la trasparencia de las condiciones financieras de los préstamos hipotecarios», en *R.G.D.,* 1994, pág. 10748.

[303] ILLESCAS, R., *«Los contratos bancarios: reglas de información, documentación y ejecución»,* en *R.D.B.B.,* N° 34, Abril-junio, 1989, págs. 261-263, GARCÍA-CRUCES GONZÁLEZ, J.A., «La protección de la clientela en el ordenamiento sectorial de la banca», en *R.D.B.B.,* N° 46, Abril-junio, 1992, págs. 415-420, VILLAR EZCURRA, J.L., Voz «Circular», en *Enciclopedia Jurídica Básica,* Madrid, 1995, pág. 1041.

[304] ARAGÓN, M., «Las fuentes. En particular el problema de los Estatutos de los Bancos y de las Circulares del Banco de España», en *Contratos Bancarios,* Madrid, 1992, págs. 43-45.

primer lugar, podría recurrirse a la aplicación de este régimen disciplinario a través de la Ley General de Defensa de los Consumidores y Usuarios y de la Ley de Condiciones Generales de la Contratación que podrían extender este régimen a la dimensión contractual[305]. Entendiendo, como mantiene ARAGÓN, que los clientes no están vinculados por las normas contenidas en la circular[306], pero siendo conscientes de que éstos sí podrían aprovechar las mismas en lo que les resultase útil o favorecedor como consumidores o adherentes a un pliego de condiciones.

Otra vía, menos factible, sería considerar que no existe reserva de ley y entender que el término «ley» del 1255 del Código Civil tiene un sentido amplio incluyendo cualquier tipo de reglamento, o bien pudiendo integrar estas normas disciplinarias del Banco de España dentro del concepto de «orden público»[307].

4.3.3. La legislación de tasas

A. Contratos con precio superior al de tasa

La legislación de tasas tiene como fundamento último que ante la escasez de determinado bien no se produzcan especulaciones que eleven excesivamente su precio. Se trata de evitar que el poseedor de los bienes escasos se aproveche de esta situación para enriquecerse colapsando el mercado. Para la consecución de este fin los poderes públicos intervienen fijando o limitando los precios máximos de venta hasta poder garantizar un abastecimiento y distribución suficiente.

Es incuestionable que estas normas de intervención responden a unas necesidades coyunturales. No obstante, para que las medidas sean eficaces el precio impuesto legalmente tiene que contar con un alcance directo e inmediato en la formación de los contratos de compra y arrendamiento de bienes. Esta necesidad de incidencia directa hace que no quepa concebir sino como ilegales aquellos contratos que infringen el precio de venta o renta fijado imperativamente por estas normas jurídicas[308].

El verdadero problema surge —como apunta FLUME— en época posterior al momento de fijación de las tasas, cuando en el mercado basado en la libertad contractual cambien los precios, mientras los precios fijados autoritariamente no se actualicen[309]. Podemos adelantar que, precisamente, de este problema se deriva la sucesiva variación de criterios jurisprudenciales

---

[305]   CUÑAT EDO, V., «Las fuentes reguladoras de la actividad contractual bancaria», cit., págs. 614-620.

[306]   ARAGÓN, M., op. ult. cit., pág. 45.

[307]   CUÑAT EDO, V., op. ult. cit., págs. 621-622.

[308]   LACRUZ BERDEJO, J.L., *Elementos de Derecho Civil, II*, vol. 2º, 2ª ed., 1990, pág. 182.

[309]   FLUME, W., *El negocio jurídico*, trad. J.M. Miquel González y E. Gómez Calle, Madrid, 1998, pág. 35.

que han dado lugar a corrientes jurisprudenciales muy distintas en un intervalo de tiempo relativamente corto.

En cierta manera, el precio puede considerarse como parte del objeto del contrato. El precio suele establecerse, normalmente en dinero, por lo que podemos en general referirnos a las obligaciones pecuniarias que siempre pueden ser objeto de cualquier contrato. Nos encontramos de nuevo con el problema de fondo de que el dinero en sí mismo nunca puede ser ilícito y su comerciabilidad esta fuera de toda duda al ser precisamente su destino natural. El problema está en que el precio se establece siempre como contraprestación o con relación a la prestación de una cosa o un servicio. En estos casos parece que la ilicitud del objeto, en principio, solo podrá referirse a la prestación no dineraria.

El precio solamente puede resultar ilegal en orden a la cuantía fijada en un contrato cuando no se corresponda, o no se ajuste en la medida o tasa correspondiente, con la establecida legalmente para determinados productos o en determinadas circunstancias.

En otro orden de cosas, el establecer precios demasiado bajos o el realizar ventas a pérdida puede vulnerar tanto la Ley de Defensa de la Competencia como la Ley de Competencia Desleal[310]. Por último, también puede considerarse como un caso muy especial de precio ilegal el de préstamo usurario cuando el precio del dinero se ha establecido imponiendo un interés excesivo o extraordinariamente gravoso para las circunstancias[311].

Si, en estos casos, por objeto consideramos cada una de las prestaciones a las que se obligan las partes vemos que ambas en sí son objetivamente lícitas pero es el conjunto de la operación o determinadas relaciones o proporción entre ambas prestaciones lo que resulta ilícito. En realidad, parece que lo que estamos describiendo es la relación causal y podría parecer que pertenece, más bien, a un problema de causa ilícita o de contrato prohibido o ilegal en su conjunto.

El propio GARCÍA GOYENA al comentar el art. 998 del Proyecto de 1851 establece un paralelismo con el artículo 1133 del Código Civil francés. Siguiendo a Rogrón, este autor, pone como ejemplo de causa ilícita el caso de un panadero que vendió pan a precio mayor al de la tasa o tarifa oficial señalada legalmente. Pues bien, mientras que el Tribunal de Policía absuelve al panadero por mediar sobre este extremo pacto con el comprador, el Tribunal de Casación francés declara nulo el contrato por contrario al Orden Público. El Tribunal de Casación llega, incluso, a afirmar que el Tribunal de policía ha violado expresamente la

---

[310] Vid supra «*Contratos contrarios a la libre competencia*». Como curiosidad, el Tribunal de Defensa de la Competencia, en su reciente resolución de 26 de septiembre de 2002 (Expte. 528/01, Consejo General de la Abogacía), considera que el pacto de *cuota litis* en sentido estricto es perfectamente válido por no afectar negativa sino positivamente a la competencia. Lo que entiende como conducta prohibida por el art. 1 L.D.C. es precisamente su prohibición por el Código Deontológico de la Abogacía.

[311] Vid supra «*Interés usurario*».

Ley. Además, en este caso GARCÍA GOYENA considera la decisión del Tribunal de Casación francés declarando nulo el contrato como «exactamente ajustada a los principios generales del derecho»[312].

También la jurisprudencia ha estimado en algunos momentos que, efectivamente, nos encontramos en casos de precio ilegal ante contratos con causa ilícita pero adelantamos que esta solución tampoco es demasiado concluyente y ya ha quedado superada[313].

En realidad, no podemos encuadrar estos casos de ilegalidad ni dentro del objeto ni dentro de la causa del contrato porque estamos hablando del contenido obligacional del contrato en su conjunto. Todos estos casos en los que podemos considerar un precio como ilegal tienen sustantividad propia y por lo tanto no conviene encasillarlos ni en el elemento causal ni en el objeto. El único análisis que permite obtener resultados razonables es un análisis funcional y no estructural de su eventual ilegalidad.

B. La normativa sobre viviendas de protección oficial. Posturas jurisprudenciales

Actualmente, dentro de los supuestos de normas de tasas es la legislación vigente sobre viviendas de protección oficial la que mayor número de problemas plantea y pleitos origina. La dificultad que entraña su análisis radica tanto en cuanto a la evolución normativa y la técnica legislativa en ella empleada como en la voluble evolución jurisprudencial que ha originado.

El principal problema que se plantea radica en que, por el carácter coyuntural de estas medidas y la agilidad y detalle que requieren, su regulación se suele remitir a una normativa de carácter administrativo con un prolijo desarrollo reglamentario. Esta normativa, quizá por la condición administrativa del legislador que la concibe, no va a pronunciarse sobre la suerte que deben correr los contratos transgresores en el ámbito civil. Es decir, estas normas no van a declarar expresamente si para conseguir el éxito de la política que con ellas se trata de implantar se van a tener que derivar, necesariamente, consecuencias en los contratos hostiles que quebranten sus disposiciones y, en su caso, qué tipo de consecuencias se provocarán en este ámbito contractual.

Naturalmente, estas normas imperativas encargadas de fijar los precios contemplan, muchas veces, sanciones pecuniarias para los infractores pero, como hemos dicho, silencian cuáles son los efectos que para la eficacia del

---

[312] GARCÍA GOYENA, F., *Concordancias, motivos y comentarios del Código Civil español reimpresión de la edición de 1852*, Zaragoza, 1974, pag 533.
[313] Sentencia de 27 de mayo de 1949, 27 de octubre de 1956 (en esta sentencia se desestima), 9 de enero de 1958, 27 de mayo de 1959, 23 de febrero de 1963 (Sobre esta fase jurisprudencial vid. GORDILLO CAÑAS, A., «La nulidad parcial del contrato con precio ilegal», en A.D.C., XXVIII-1, 1975, págs. 128-132.)

contrato va a tener tal infracción. Ante esta situación, se observa la perfecta compatibilidad de las sanciones administrativas con cualquier forma de ineficacia contractual. Será la jurisprudencia la que se encargue de decidir, interpretando la normativa en cada caso, la trascendencia civil que para la vida del contrato va a tener la vulneración de los precios taxativamente impuestos.

Los tribunales civiles deberán comprobar, en todo caso, si las medidas administrativas son suficientes para restablecer la legalidad o requieren el complemento de la sanción civil. La independencia de la previsión de sanciones administrativas con las posibles consecuencias de la ineficacia contractual resulta lógica, habida cuenta de que el Derecho Civil no sólo vela por el interés público sino que también tutela los intereses privados afectados merecedores de protección[314].

La jurisprudencia civil ha desarrollado muy diversas líneas en torno a las consecuencias que se deben derivar de los contratos de venta y arrendamiento de viviendas de protección oficial con precio y renta superiores al legal. Podemos apreciar hasta cinco fases jurisprudenciales sucediéndose en un, relativamente corto, intervalo de tiempo: en una *primera fase* se mantiene la nulidad absoluta del contrato, en una *segunda fase* pese a que se sigue considerando el contrato como nulo se considera que existe causa torpe y se aplica el artículo 1306 del Código Civil para evitar las pretensiones restitutorias de las partes, en una *tercera fase* se excluye la nulidad y se declara válido el contrato restringiendo la sanción al ámbito administrativo, posteriormente en una *cuarta fase* se aplica la nulidad parcial reduciendo el precio en cuanto al exceso ilegal y por último, en la actualidad podemos considerar que nos hallamos en una *quinta fase* en la que la corriente jurisprudencial dominante vuelve a considerar estos contratos válidos en su integridad y mantiene que la infracción de estas normas sólo puede acarrear como consecuencia la imposición de las correspondientes sanciones administrativas[315].

De forma general, podemos afirmar, coincidiendo con la doctrina mayoritaria, que la solución idónea para todos estos casos de contratos de compraventa y arrendamiento de pisos en los que se fija un precio o renta superior al legalmente permitido es la nulidad parcial sustitutiva[316]. De esta forma,

---

[314] En este sentido LÓPEZ FERNÁNDEZ, L.M., Reflexión en torno a algunos problemas planteados por la venta con sobreprecio de viviendas de protección oficial, en ADC, 1993, III, pág. 1376. GORDILLO CAÑAS, A., Precio ilegal ¿Un salto atrás en la jurisprudencia del TS? págs. 905-906.

[315] VÁZQUEZ DE CASTRO, E., Precio y renta... cit., págs. 85-88.

[316] DÍEZ-PICAZO, L., *Fundamentos de derecho civil patrimonial*, I, pág. 457. GORDILLO CAÑAS, «*La nulidad parcial...*»cit, págs. 203-204, «*Precio ilegal ¿un salto atrás...*» cit. pág. 894, ALFARO AGUILA-REAL, J., *Las Condiciones Generales de la Contratación*, Pag. 407-410. GÓMEZ DE LA ESCALERA, *La nulidad parcial...* cit., pág. 109. DE CASTRO Y BRAVO, F., *Derecho Civil de España...* cit, pág. 538, JOCHEN ALBIEZ DOHRMANN, K., «*La repercusión de la nulidad «dentro y fuera» del contrato*», en *Cuadernos de Derecho Judicial*, Madrid, 1994, pág. 82. Una postura curiosa es la que

nos adherimos a las criticas doctrinales que se hace a la corriente jurisprudencial que ha acabado por imponerse y que mantiene la validez del contrato pese a la infracción, por prevalecer el principio de la autonomía de la voluntad en todo caso[317].

No obstante, se puede matizar que lo que es criticable como regla puede tener justificación en determinados casos concretos. Por esta razón, si analizamos mediante la vía tópica las circunstancias por las cuales el Tribunal Supremo ha llegado a mantener la validez íntegra de estos contratos, podemos percibir que se ha procedido a denegar la acción de nulidad en base a una determinada conducta de los contratantes[318]. Estas circunstancias podrían dar lugar a una especial modulación en los efectos de la nulidad y dar lugar a una variación en las formas de ineficacia que consistiría en denegar la acción de nulidad a aquella parte cuyo interés no es legítimo (vid. Infra epígrafe *«El rechazo de la acción de nulidad a la parte cuyo interés no es legítimo.»*)

Por último, conviene destacar que dentro de estos supuestos de contratos que tienen por objeto viviendas protegidas se deben distinguir los contratos de arrendamientos de los de compraventa. Por un lado, hay que destacar que la diferente tipicidad de ambos contratos ha de tenerse en cuenta para no dejarse llevar por un mimetismo que tienda a extender y generalizar la misma solución a ambos tipos de contratos. El contrato de arrendamiento es un contrato de tracto sucesivo y mantener la validez del contrato, en el que se pactan rentas superiores a las máximas autorizadas, supone mantener una ilegalidad e irla consumando periódicamente durante la vida del contrato. Por esta razón, parece que la nulidad parcial es la única solución factible para

---

mantiene MORENO MOCHOLÍ quien está de acuerdo con esta reducción del precio al limite tasado si la obligación no ha sido satisfecha y cumplida voluntariamente, en cambio opina que «si el contrato quedo consumado, el pago implicaría posterior conformidad del comprador que demostró con sus actos cómo el negocio por él terminado no perjudicaba sus intereses el valor dado a la mercancía, aunque no por ello quede libre el vendedor de la sanción gubernativa». MORENO MOCHOLÍ, M., *«Las irregularidades en el negocio jurídico»*, *R.D.P.*, 1946, págs. 28-29.

[317]   GORDILLO CAÑAS, A., *«Precio ilegal: ¿Un salto atrás en la jurisprudencia del T.S...* » cit., págs. 906-912. LETE DEL RIO, JM., *«Comentario a la sentencia de 4 de junio de 1993»* en *C.C.J.C.*, N° 32, 863, Pág. 688. CARRASCO PERERA, A., *«Comentario a la sentencia de 3 de septiembre de 1992»*, en *C.C.J.C.*, N° 30, págs. 869-873. MARTÍN PÉREZ, J.A., *«Comentario a la sentencia de 3 de diciembre de 1993»*, en *C.C.J.C.*; N°. 907, págs. 183-187. Por el contrario, aplauden este nuevo criterio LÓPEZ BELTRÁN DE HEREDIA, C., *«Venta de viviendas de protección oficial a precio superior o inferior al máximo autorizado. Última doctrina jurisprudencial: validez y eficacia civil en los términos convenidos por las partes (sentencias 3 de septiembre y 15 de octubre de 1992 y 14 de julio de 1993)»*, en *R.G.D.*, N° 594, marzo, 1994, pág. 1796. LOSCERTALES FUERTES, D., *«La compraventa con precio superior al fijado en viviendas de protección oficial»*, en *Tapia*, diciembre de 1992, págs. 6-7.

[318]   VÁZQUEZ DE CASTRO, E., *Precio y renta...* cit., págs. 74-80.

estos arrendamientos con rentas que exceden de la legal. Así parece haberlo entendido la Ley 29/1994, de 24 de noviembre, sobre Arrendamientos Urbanos en cuya Disposición Adicional 1ª, apartado 5º, se establece definitivamente la nulidad parcial sustitutiva, sin perjuicio de las sanciones administrativas que procedan[319].

5. *Efectos de los cambios en la Ley. Legalidad e ilegalidad sobrevenidas*

Otro problema que debemos atender es el de los efectos que producen los cambios en la Ley sobre la reglamentación contractual. Este problema es bastante frecuente cuando el cumplimiento del contrato queda aplazado o diferido en el tiempo (en ocasiones por largo periodo), queda condicionado bajo condición suspensiva, o se trata de contratos de larga duración o de tracto sucesivo. Esta contingencia nos lleva a plantear diversos problemas, como son la ilegalidad y la legalidad sobrevenida. La cuestión de fondo sobre la que gravita el problema radica en plantearse el momento que ha de tenerse en cuenta para determinar la ilegalidad, si puede surgir en cualquier momento y si una vez que surge es posible que desaparezca con posterioridad.

Se ha afirmado que un contrato «originariamente válido puede convertirse en nulo a partir de un determinado momento, por ejemplo, a causa de una prohibición legal»[320]. Sin embargo, hemos de añadir que no será ésta la regla general a seguir puesto que choca con las teorías denominadas de los derechos adquiridos y de los hechos consumados[321].

Desde el planteamiento tradicional que estudia la ilegalidad, es decir, desde el control estructural de la ilegalidad se mantiene que el momento de referencia para considerar la ilegalidad es el de la perfección del mismo. Resultaba evidente esta conclusión si tenemos en cuenta que si para apreciar la ilegalidad se tiene en cuenta un elemento del contrato que resulta viciado (objeto o causa) éste vicio resultará reflejado en el momento de constitución. Hemos de tomar como referencia para realizar la observación de la licitud del elemento del contrato el momento de la perfección del mismo. Momento en el que se forma la voluntad común. Esto no significa que la licitud no se pueda analizar en cualquier momento sino que la referencia de análisis ha de situarse en el momento de formación de la voluntad.

Junto a los elementos contractuales parece añadirse el presupuesto de su utilización lícita, de su juridicidad inicial como proyección de la voluntad de las partes, teniendo en cuenta que todo contrato tiende a su ejecución y esta

---

[319] Respecto a la desigual acogida de esta disposición en las sentencias de las Audiencias Provinciales vid. VÁZQUEZ DE CASTRO, E., *Precio y renta...* cit., págs. 107-110

[320] ENNECERUS, L., NIPPERDEY, KIPP, T., WOLF, M., *Tratado de Derecho Civil,* trad. B. Pérez González y J. Alguer, T. I, II, 2ª, 3ª ed., Barcelona, 1981, pág. 727.

[321] ALBALADEJO, M., *Derecho Civil,* I, vol.1º, 12ª ed., Barcelona, 1991, pág. 202-205.

ejecución es esencial al contrato[322]. De este modo, si se pretende apreciar que en un contrato se da causa u objeto ilícito, la ilicitud ha de ser comprobada desde el momento inicial[323]. Es en ese momento cuando ha de comprobarse y verificarse el cumplimiento o perfecta observancia de los hechos a la legalidad vigente[324]. Para cualquier modificación o cambio en la legalidad que pretenda afectar a los contratos ya vigentes se tendrían que articular fórmulas expresas de retroactividad o disposiciones transitorias. En general, esta solución es bastante conveniente, sobre todo, por razones de seguridad jurídica.

En consecuencia, tomando como referencia el momento de perfección del contrato, normalmente el contrato legal en el momento de su formación se va a seguir considerando válido por la jurisprudencia, aunque después se produzca un cambio en la legislación y ese tipo de pactos pasen a considerarse como ilícitos. Además, puede apuntarse como cierto argumento de trasfondo para reforzar esta postura el adventicio carácter sancionador, de sanción civil *sui generis,* que se le puede atribuir a la nulidad derivada de la ilegalidad.

El principio constitucional de irretroactividad, recogido en el artículo 9.3 de la Constitución, se refiere a las «disposiciones sancionadoras no favorables o restrictivas de derechos individuales» y tanto por restringir la libertad contractual como por considerar la nulidad como sanción podría aplicarse tal irretroactividad. Si bien es cierto que este artículo 9.3 ha de relacionarse con el artículo 25 del mismo cuerpo legal que únicamente alude la sanciones penales o administrativas vigentes en el momento de la infracción[325]. Pero,

---

[322] Recordemos que en el artículo 895 del Proyecto de García Goyena de 1851 se incluyó explícitamente la licitud de la causa entre los requisitos esenciales del contrato.

[323] GONZÁLEZ PALOMINO, op. cit., pág. 274, ATTAD LÓPEZ, op. cit., pág. 645 y 655-657 para este último autor sólo podrá ser ilícita por acontecimientos supervinientes, cuando el contrato sea de tracto sucesivo y esté prevista en la primitiva motivación inicial de la convención, CLAVERÍA GOSÁLBEZ, *La causa del contrato*, cit. Pag. 116 y *Comentarios al Código Civil y Compilaciones forales*, cit. Pag. 566.

[324] Resultan, por consiguiente, criticables aquellas sentencias que atienden al cumplimiento actual de la legalidad, aunque sea para ratificar tal ilicitud. V. gr. En la sentencia de 26 de junio de 1997, tras las accidentadas vicisitudes de la promulgación de la Ley valenciana de arrendamientos históricos, en virtud de su articulado se niega el derecho de acceso a la propiedad de la finca rústica a la actora por haber carecido de la condición de profesional de la agricultura y continuar con tal carencia (¿!): «la situación de no ser «cooperadora», «profesional», ni «cultivadora directa», pervive según la Audiencia aun en el momento de ejercitarse la reconvención, de manera que la nulidad in radice es permanente y no sanable, lo que se desprende del art. 14.1: «sólo pueden ser arrendatarios... de fincas rústicas los profesionales de la agricultura»).

[325] El artículo 25.1 de la Constitución reza: «Nadie puede ser condenado o sancionado por acciones u omisiones que en el momento de producirse no constituyan delito, falta o infracción administrativa, según la legislación vigente en aquel momento».

pese a resultar discutible, tampoco habría demasiados inconvenientes para no entender igualmente incluidas las sanciones de carácter civil[326].

El mismo o parecido problema se plantea con la legalidad sobrevenida. Es decir, se plantea la necesidad de mantener una suerte de foto fija de la situación creada respecto de un contrato que en el momento de crearse resulta ilegal. En este caso, aunque surgiese una nueva ley que derogase la que afectaba al contrato no quedaría liberado de la posible ineficacia contractual que resultase de la ilegalidad originaria. La doctrina tradicional sigue el mismo razonamiento. Si la causa es ilícita desde un primer momento el contrato es ineficaz y no puede convertirse posteriormente en eficaz, por mucho que la legislación cambie.

Es decir, en términos generales, el cambio legislativo no afectará ni influirá en los efectos de los contratos ya concluidos, salvo que se prevea expresamente el carácter retroactivo de la norma o se fije un régimen transitorio en la nueva Ley. Resulta esta solución acorde con el carácter irretroactivo de las leyes establecido con carácter general en el artículo 2 apartado 3º del Código Civil. De esta forma lo ha entendido la jurisprudencia, en unos casos, para considerar que no afecta a un contrato válidamente constituido la posible legislación posterior (se observa, como curiosidad, que en las sentencias que así se pronuncian todas las normas que resultan alteradas resultan ser de carácter reglamentario[327]) si no se consigna en la propia norma que tenga efectos retroactivos[328].

---

[326] Llevaría aparejada tal consideración punitiva la nulidad pero no cualquier consecuencia que establezca la Ley aparejada a un posible incumplimiento contractual, tal y como expone la sentencia de 19 de junio de 1996, en la que se cuestionaba la legalidad de una supuesta sanción como era la pérdida del derecho de indemnización de un seguro agrario combinado si no se hubiese realizado peritación antes de la recolección o no se hubiesen dejado muestras-testigos en la cuantía que se exprese la póliza. Se cuestionaba infracción del principio de reserva de ley y de legalidad al encontrarse la pretendida sanción en una norma de carácter reglamentario (vulneración del art. 25.1 y 9.3 de la Constitución. El Tribunal Supremo mantiene que en ningún caso estamos ante una sanción fruto de una infracción administrativa: «nos hallamos ante un precepto que regula la valoración de los daños, en caso de siniestro, dentro del ámbito del Seguro Agrario Combinado, sin que, en modo alguno, la Administración tenga intervención en dicha valoración ni mucho menos actúe imponiendo una sanción previa imputación a unos administrados de cualquier conducta ilegal, por lo que no se está en el caso del art. 25 CE invocado». No dejar muestras lleva consigo, por incumplimiento del contrato, la pérdida del derecho a la indemnización. Esto no es sanción administrativa que exija ley previa, ni cláusula penal. No se trata de resolución del contrato de seguro sino de regulación de los efectos del incumplimiento.

[327] Alguna de las más recientes Ss. de 7 de febrero de 1993 (en caso de no obtención de licencias debido a prohibición municipal de construcción se produce imposibilidad legal de cumplimiento que da lugar a resolución no a ilegalidad), la de 21 de noviembre de 2000 (en la que se aducía vulneración de la normativa sobre la titularidad de una

La misma postura se ha mantenido cuando el contrato, o alguna de sus cláusulas, infringía la legislación vigente cuando se estipuló y esa legislación desaparece. Una vez que se han derogado las normas limitativas se requeriría un acto de revocación, renuncia o modificación realizado con posterioridad a la nueva ley para darle nueva eficacia al contrato[329]. Como explican DÍEZ-PICAZO y GULLÓN, esta última posibilidad no supone ninguna alteración de la máxima *tempus regit factum* seguida por el Tribunal Supremo sino que se trataría de actos realizados bajo la nueva legislación y es a ésta a la que se tienen que someter (Disposición Transitoria 4ª del Código Civil)[330].

La sentencia de 10 de diciembre de 1990 viene a resumir, perfectamente, esta doctrina legal estableciendo: «*El vicio o defecto determinante de la nulidad de pleno derecho ha de concurrir en el momento de la celebración del contrato*, no procediendo por causas sobrevenidas a ésta, y, en consecuencia, ha de tenerse en cuenta la legislación vigente en ese momento para concluir si concurre o no esa infracción de normas imperativas o prohibitivas origen

---

farmacia) y de 5 de febrero de 2001 (en la que finalmente no se obtiene una licencia para instalar un negocio en la finca arrendada).

[328] S. de 9 de noviembre de 1931: «los contratos son lícitos porque no van contra la moral ni el orden público y además dichos convenios y las obligaciones en ellos contraídas nacieron con bastante antelación a la publicación de la Real Orden de 22 de abril de 1926, que no comenzó a regir hasta 1º de julio del mismo año, sin que en tal disposición se consigne expresamente que tenga efectos de retroactividad.»

[329] Dos sentencias se van a pronunciar sobre contratos de arrendamientos urbanos en los que se produce una legalidad sobrevenida. Se trata, en ambos casos, de contratos anteriores a la Ley de arrendamientos de 1946 en la que no se prevén normas transitorias especiales. En la primera sentencia, de 24 de febrero de 1951, «en una de las cláusulas del contrato se renuncia por el arrendatario al derecho de traspaso… cláusulas que por haberse estipulado en contra de lo dispuesto en la Ley (art. 9º, apartado a) del Decreto de 21 de enero de 1936) fueron nulas "*ab initio*" y jurídicamente inexistentes… La derogación de todas las legislaciones especiales anteriores sobre la materia en modo alguno puede producir el efecto ni de privar de validez a los actos que fueron realizados de conformidad con tales disposiciones ni puede otorgar eficacia a aquellos otros que se realizaron oponiéndose a preceptos de las mismas y consecuentemente inicial y radicalmente nulos. Después de la vigencia de dicha Ley nada se opondría a que el arrendatario renunciase al derecho de traspaso que le otorga el art. 44 de la misma.»

En la segunda sentencia, de 13 de noviembre de 1952, se mantiene: «Según las leyes vigentes sobre la materia en el momento del contrato (Decreto de 29 de diciembre de 1931 y 21 de enero de 1936, arts 4º y 6º) no se podrán admitir otros aumentos de renta que los expresamente determinados en la Ley, derecho del inquilino a la renta legal que por razones de interés social es totalmente irrenunciable conforme al art. 11 de las dos citadas disposiciones. Siendo la mencionada cláusula nula de derecho conforme a la legislación vigente cuando se estipuló, sería preciso para darle nueva eficacia un acto de renuncia verificado por el arrendatario con posterioridad a la nueva Ley en cuyo art. 11 los derechos de los arrendatarios son renunciables salvo el de prorroga. A partir de la Ley de reforma Tributaria de 16 de diciembre de 1940 se viene haciendo coincidir la renta legal con la catastral (art. 133 L.A.U. de 1946).»

[330] DÍEZ-PICAZO, L. y GULLÓN, A., *Sistema de Derecho Civil,* Vol. 1, cit., págs. 123-124.

de la nulidad, sin que pueda fundarse esta forma de ineficacia contractual en normas legales inexistentes al tiempo de concluirse el contrato; así resulta de la Disposición Transitoria 2ª del Código Civil a cuyo tenor «los actos y contratos celebrados bajo el régimen de la legislación anterior, y que sean válidos con arreglo a ella, surtirán todos sus efectos según la misma, con las limitaciones establecidas en estas reglas», al tiempo que la Disposición Transitoria 3ª dispone que «las disposiciones del Código que sancionan con penalidad civil o privación de derechos, actos u omisiones que carecían de sanción en las leyes anteriores, no son aplicables al que, cuando éstos se hallaban vigentes, hubiesen incurrido o en la omisión o ejecutado el acto prohibido por el Código».

Sin embargo, en algún caso excepcional se ha intentado extender la ineficacia derivada de la ilegalidad sobrevenida a estos supuestos. Para conseguir este cometido se ha utilizado lo que se ha denominado «la continuada influencia de la causa». Aunque, como se ha tenido ocasión de observar puntualmente, son casos en los que se podría apreciar, más bien, una causa de resolución por imposibilidad legal sobrevenida en la prestación[331].

En estos casos, quizá se ahorrarían muchos esfuerzos interpretativos si se considera que la solución, en lugar de venirnos dada por la teoría de la causa, nos viene dada simplemente por el defecto de la ilegalidad. Defecto que puede aparecer en cualquier fase de la vida del contrato, incluso en su ejecución. Lo que no significa que se tenga que alterar la eficacia o ineficacia del contrato, ya que por motivos de seguridad jurídica se mantendrán los efectos que correspondan inicialmente, como regla general, salvo que la norma contemple expresamente la retroactividad o disposiciones transitorias.

Si acudimos a las disposiciones transitorias del Código Civil, cuyo papel principal en la actualidad es el de orientar en estas cuestiones los problemas planteados por las nuevas leyes, apreciamos que el concepto de irretroactividad es aceptado pero no se adopta en especial y de forma excluyente ninguna teoría rígida sobre la irretroactividad. Esta postura es la que conduce a ALBALADEJO, guiado de diferentes resoluciones jurisprudenciales, a distinguir hasta tres diversos grados de retroactividad: mínimo, medio y máximo. En caso de duda debe optarse siempre por el grado inferior[332].

Precisamente, en el supuesto en el que un contrato sea ilegal en su formación y con un cambio en la legalidad vigente se pueda considerar legal parece que habría cabida para una interpretación abierta a la retroactividad. En principio, parece que la jurisprudencia va a considerar que el simple cambio en la Ley no dará validez al contrato y que lo viciado *ab initio* no puede convertirse luego en válido. Se puede cuestionar que sea conveniente aplicar

---

[331] Vid supra epígrafe: «Contratos en los que se infringen las normas de derecho urbanístico»

[332] ALBALADEJO, M., *Derecho Civil,* I, vol. 1º, 12ª ed., Barcelona, 1991, pág. 204-208.

este planteamiento en todo caso. Pensamos que deberían considerarse algunas excepciones cuando tanto las circunstancias concretas, las coyunturales, así como las propias reglas de la nueva Ley ponen en duda la conveniencia de la nulidad e invitan a la interpretación en clave del principio *favor negotii*. También como apuntan DÍEZ-PICAZO y GULLÓN «a esta solución nos podría llevar la consideración de la nulidad de un negocio jurídico como una sanción o penalidad civil, y en consecuencia a la aplicación de la ley más benigna con arreglo a la D.T. 3ª *in fine* del Código Civil»[333]. Esta Disposición Transitoria 3ª reza: «*Las disposiciones del Código que sancionan con penalidad civil o privación de derechos actos u omisiones que carecían de sanción en las leyes anteriores, no son aplicables al que, cuando éstas se hallaban vigentes, hubiese incurrido en la omisión o ejecutado el acto prohibido por el Código.*

Cuando la falta esté también penada por la legislación anterior, se aplicará la disposición más benigna»

Además, para reforzar esta última postura podríamos utilizar la sentencia de 3 de enero de 1991 relativa a un contrato de compraventa que en el momento de celebrarse era considerado como delito al infringir la legislación sobre el control de cambios y sobre inversión extranjera en España. El Tribunal Supremo desestima la pretensión de nulidad con base en el régimen de permisividad que sobre la materia rige en la actualidad y la generosidad administrativa en las autorizaciones de este tipo de pagos que, en ningún caso, puede afectar a la licitud de la causa del negocio. Además, se tiene en cuenta que el contrato ha estado cumpliéndose voluntariamente por las partes (o sus herederos) durante más de veinte años. También parece romperse así el rígido criterio basado en el brocardo: «*quod ab initio vitiosum est non potest tractu tempore convalescere*»[334].

---

[333] DIEZ-PICAZO, L. y GULLÓN, A., Sistema de Derecho Civil, vol. I, cit., pág. 124.

[334] Por el interés de las apreciaciones del Tribunal reproducimos aquí algunos de sus considerandos más gráficos: «El motivo no puede prosperar porque, habida cuenta de que los preceptos civiles sustantivos invocados (antiguo art. 4 CC) hacen la salvedad de que en esas mismas leyes se establezca un efecto distinto y ordene la validez y de que el artículo 3 del mismo texto legal ordena que la interpretación de las normas se verificará según el sentido propio de sus palabras en relación con el contexto y realidad social del tiempo de su aplicación atendiendo fundamentalmente al espíritu y finalidad de aquéllas, no puede en estricta justicia más que reconocerse que la legislación sobre control de cambios y sobre inversión extranjera en España es singular y excepcional en función de circunstancias político-sociales y económicas de carácter específicamente coyuntural y que sus dictados proyectan sobre los negocios puramente civiles la necesidad de cumplir unos requisitos meramente contingentes cuando estos negocios jurídicos cumplen el requisito sustantivo prevenido en el Código Civil, en sus artículos 1261, 1255 y 1274 (...), tampoco puede desconocerse que como se estima por el mayoritario sector de la doctrina científica, el problema de inversiones foráneas en España ha basculado desde la Ley de Delitos Monetarios citada, estrictamente prohi-

En este punto de análisis de la legalidad o ilegalidad sobrevenida, también podríamos plantearnos qué ocurre en aquellos casos en los cuales se opera en el tráfico económico mediante una serie de contratos y se establecen una serie de relaciones contractuales basadas en una concreta ley. Con posterioridad esa Ley es declarada inconstitucional por el Tribunal Constitucional ¿Que efectos tiene esta declaración en todos los actos y contratos a los que ha dado lugar y los que aún han quedado pendientes de realización. (Arts. 38, 39 y 40 de la Ley Orgánica del Tribunal Constitucional.). Sobre el particular apuntaremos únicamente que, en todo caso, deberán ponderarse el principio de seguridad jurídica y el de la misma justicia lógica de la nulidad o ineficacia en general.

---

bitiva de aquéllas, a un régimen de permisividad circunstanciada (autorizaciones administrativas generales o específicas) según la Ley 40/79 de 10 de diciembre y Decreto de su desarrollo de 10 de octubre de 1980, pasando por la Ley de Inversiones Extranjeras aprobada en su Texto Refundido por Decreto 3021/74 de 31 de octubre y su desarrollo por Decreto 3022/74 de la misma fecha, que cuando se trata de bienes inmuebles urbanos no afectos a la defensa nacional ni a actividades empresariales gozan de una generosidad administrativa en la autorización del pago en pesetas interiores que no puede incidir negativamente en la estructura causal del negocio jurídico que aquí se analiza, como lo demuestra la concesión que se hizo a la postre en 31 de julio de 1984 por la Dirección General de Transacciones Exteriores (folio 122), respecto del contrato de compraventa aquí cuestionado (…).»También, —añade la sentencia— en orden a la invocación que en el mismo se hace de la integración de España en el Fondo Monetario Internacional, que la autorización administrativa de 1984 a que se hizo alusión anteriormente purga los defectos iniciales, sin que, aún en su ausencia, pudiera afectar un incumplimiento meramente administrativo, coyuntural y contingente —repetimos—, a la bondad y eficacia de un contrato, que estando sustancialmente destinado a transmitir la propiedad, ha adquirido plena vinculación entre las partes por venir sancionado por una tradición de más de veinte años con plena conciencia y paciencia de las partes interesadas o sus herederos (artículo 1356 y 1257 del Código Civil), ya que de otra suerte se vulneraría el principio generalmente aceptado de la doctrina de la conservación contractual, en cuanto que esta conservación viene a evitar posibles fraudes y cumple el esencial cometido de ajustarse a la voluntad de las partes contratantes exteriorizada para satisfacer las necesidades de la economía negocial que aquí está más que acreditada con el transcurso de más de veinticinco años sin que se ejercitara por la parte vendedora o herederos ninguna acción invalidatoria o resolutoria hasta que ha sido a su vez demandada por el comprador.(…). Finaliza la resolución afirmando que «se parte de un presupuesto inexacto cual es de la falta de autorización administrativa, porque si bien esta autorización fue concedida posterior y no coetáneamente, esta concesión ha subsanado un defecto que por su índole administrativa, ocasional y contingente a la esencia estructural del negocio civil, no podía trascender a la propia causa onerosa del contrato, prevista en el artículo 1274 Civil, hasta tanto no se ejercitaran las acciones legales de invalidación o anulabilidad del mismo, máxime cuando la tradición verificada y plenamente consentida por el vendedor a lo largo de más de veinticinco años, venía a dar respaldo en el orden civil en que se enmarca el negocio de compraventa, a la transmisión dominical que el mismo auspiciaba.»

6. Ilegalidad por virtud de la persona del contratante

Podemos comprobar que existen limitaciones y restricciones a la libertad de contratación que no se refieren a determinados bienes, ni a la prestación de determinados servicios. Es decir, la norma imperativa y prohibitiva se establecen no en consideración al bien o al servicio en sí, ni en relación con la causa del contrato, sino en virtud de la persona que los realiza. Esta idea parece que es la que apunta GARCÍA AMIGO, al establecer que el contrato ilegal o prohibido puede serlo en general o puede serlo sólo entre determinadas personas[335].

En realidad, estos casos no se deberían encuadrar estrictamente en lo referente al objeto ni a la causa del contrato porque se refiere, más bien, a la improcedencia del sujeto o los sujetos intervinientes en la contratación. Podríamos Incluir aquí estos casos porque, en una sistemática clásica, es donde mejor ubicación pueden obtener. Pero, curiosamente, esta sistemática clásica obcecada con el objeto y la causa del contrato ha obviado el elemento personal o subjetivo del mismo. No obstante, no dejamos de apuntar que ésta es una de las múltiples incoherencias que se producen en el tradicional esquema estructural de la ilegalidad puesto que en él no encontrarían cabida estos supuestos.

Los casos que podemos subrayar en este tipo de «ilegalidad en relación a los sujetos», tal y como la denomina la doctrina italiana, son múltiples[336]. La doctrina y jurisprudencia italiana han resaltado la falta de este tipo de requisitos legales como fuente de posibles ineficacias contractuales de quienes contratan en estas condiciones[337].

Las normas que establecen este tipo de limitaciones son de lo más variopinto y es difícil encontrar conexiones entre ellas (irían, desde la exigencia de la condición de cultivador personal que se exige para los arrendatarios en la Ley de Arrendamientos Rústicos, hasta la prohibición de comprar bienes litigiosos por parte de los que por su profesión puedan influir en el litigio del art. 1459 C.C.).

Veamos algunos de los casos más importantes que han merecido la atención de los tribunales:

---

[335] GARCÍA AMIGO, M., Teoria General de las obligaciones y contratos, Madrid, 1995, pág. 320.,

[336] SANTORO PASARELLI, F., Doctrinas generales del derecho civil, trad. A. Luna Serrano, Madrid, 1964, pág. 222, PETTI, G.B., «La vinculazione e la invalidità del contratto», en Comentario al Codice Civile, Roma, 1984, págs. 167-172. Incluso FERRI ha considerado que los sujetos son de la misma forma que el objeto un requisito o elemento esencial del contrato, el elemento subjetivo. (FERRI, L., Lezioni sul contratto. Corso di diritto civile, 2ª ed., Bolonia, 1987, págs. 165-166.)

[337] VILLA, G., Contratto e violazione… , cit., págs. 55-58, MOSCHELLA, R., Il negozio contrario a norme imperative… cit., págs. 306-309, PETTI, G.B., «La vinculazione e la invalidità … , cit, pág. 197.

1). Los casos más representativos se refieren a la *infracción de normas corporativas* en la prestación de servicios profesionales: con la falta de determinados requisitos o cualificaciones que deben reunir las personas que pretendan prestar algún servicio especial o adquirir y transmitir bienes con determinadas características. Podemos incluir como pertenecientes a este grupo de casos de ilegalidad los servicios que deben prestar determinados profesionales necesariamente cualificados y autorizados. En el caso de prestarse estos determinados servicios por personal no cualificado se producirían supuestos de intrusismo profesional. Muchas veces se requieren titulaciones, colegiaciones, licencias e inscripciones registrales para poder desarrollar legalmente una determinada actividad económica y realizar todos los contratos que ésta conlleva[338].

El Tribunal Supremo, respecto a las exigencias corporativas, tuvo ocasión de pronunciarse en las sentencias de 31 de enero y de 29 de octubre de 1990. La primera sentencia decidió sobre un caso en el que el Colegio Oficial de Agentes de la Propiedad Inmobiliaria se mostraba interesado en que se declarase como contraría a la ley la realización de actividad mediadora en el campo inmobiliario por un no colegiado. En esta sentencia se mantuvo que los requisitos de colegiación obligatoria defienden puros intereses corporativos incapaces de fundamentar pretensiones de Derecho Civil.

En la segunda sentencia se pretende la nulidad de un contrato con base en la alegación de ser contrario a la Ley, y concretamente al artículo 20 del Estatuto Orgánico de la profesión de Gestor Administrativo, según el cual la profesión de Gestor Administrativo será ejercida personalmente, sin interposición de persona alguna, aprobado por Decreto 4041/1963, de 1 de marzo. También en este segundo caso el Tribunal Supremo desestima el recurso.

Por esta razón CARRASCO PERERA trata de realizar una distinción respecto a estas exigencias, aunque como advierte, de forma intuitiva y casuística para determinar en qué casos la contravención de estas normas pueden influir o no en el contrato. Establece que la exigencia de determinada titulación para ejercitar una profesión será esencial para la validez del contrato si existen fundadas razones para entender que sin ella no se prestará correctamente la prestación. Pone como ejemplos profesiones como la de médico, arquitecto, abogado y similares. Mientras que no será precisa para la validez del contrato la titulación específica en otras actividades gremiales porque no afectan los intereses privados. Aparte de la titulación, la carencia de otras exigencias como inscripciones en registros, autorizaciones administrativas e incluso la propia colegiación no influirían en la validez del contrato.

---

[338] LACRUZ BERDEJO, J.L., *Elementos... II, vol. 2º*, cit. págs. 43-44, REVERTE NAVARRO, A., en *Comentarios al Código Civil y Compilaciones forales*, dir. Por M. Albaladejo, comentario al art. 1255, pág. 261.

En todo caso, podrían tener posibles repercusiones como posibles factores de incumplimiento contractual[339].

En realidad, una vez que el contrato ha sido cumplido, lo que importa es el resultado. Si el resultado es el correcto, suficiente para satisfacer los intereses del acreedor de los servicios profesionales, no cabría alegar las carencias corporativas para, mediante la eventual nulidad, tratar de zafarse de satisfacer la contraprestación. En este sentido encontramos algunas sentencias del Tribunal Supremo:

En la sentencia de 17 de noviembre de 1960 se trata de anular una declaración de derechos y evitar el pago de honorarios profesionales por valoraciones de fincas que había realizado un arquitecto. El Tribunal Supremo no entra en el fondo de la cuestión pues considera que no se han probado las alegaciones, pero considera que debe pagarse la minuta. Una de las alegaciones desestimadas es la falta de aplicación, relacionados unos con otros, de los arts. 4º, 1300, 1271.2, 1275 y 1306 del C.C., partiendo de la base de que el arquitecto, dada su profesión, no podía valorar dos de las fincas que se expresan en su minuta, relativas a una rústica y otra de explotación de una cantera para fabricar ladrillos, a las dos únicas que limita su impugnación. Se pretendía entender que el título de arquitecto no faculta para hacer estas valoraciones, citando al efecto varias disposiciones administrativas. Lo que no se ha probado es que los dos inmuebles a que se refieren las dos partidas de la minuta de honorarios, que se niegan sean debidas, tengan la condición de rústica y minera.

En la sentencia de 6 de octubre de 1984 se trataba de anular un convenio entre una persona y una sociedad, relativo a la gestión por aquél, mediante el pago de un porcentaje sobre el precio, de encontrar persona o entidad a la que arrendar o vender un establecimiento hotelero de la propiedad de ésta. La sociedad esgrime la nulidad argumentando la prohibición de realizar tal cometido de intermediación por quien, como el demandante, no ostenta la condición de agente de la Propiedad Inmobiliaria tal como resulta del artículo 1.º del Decreto de 4 de diciembre de 1969.

La argumentación esgrimida por el recurrente se desarrolla trayendo a juego una norma que, como la del artículo 5.º del mismo Decreto, está destinada a regular la realización en situación profesional o de habitualidad de las actividades a que se refiere. Pero este supuesto entiende el tribunal que no es el presente en que, ocasionalmente, se pactó por la demandada la entrega de una retribución al demandante para el caso de que, con su intervención, se llevase a feliz término una concreta operación de venta o arriendo. Operación para cuyo cometido, el designado era particularmente idóneo toda vez que acerca de él ya se habían hecho gestiones, en el sentido que convenía a la entidad comitente por un grupo financiero según reza el

---

[339] CARRASCO PERERA, A., Comentarios... cit., págs. 837-839.

apartado II de la parte expositiva del contrato suscrito aquel 18 de octubre de 1975.

2) También se ha pronunciado nuestro Tribunal Supremo en otro tipo de casos, al margen de las normas de tipo corporativo, en los que existían *normas prohibitivas en razón de la persona*. No existe forma de sistematizar todos estos casos que resultan *de lo más heterogéneo*. Observemos algunos de los supuestos más representativos:

En la circulación de bienes determinadas relaciones o cualidades de las personas pueden llevar a considerar que un determinado grupo tiene vedada la realización de determinados contratos con base en la protección de un interés público. El ejemplo más representativo se establece en las reglas 3ª, 4ª y 5ª del artículo 1459 del Código Civil. En todos estos casos se podría provocar la nulidad del negocio jurídico concertado con arreglo a lo dispuesto en el artículo 6.3 y 1255. En la sentencia de 29 de octubre de 1964 se afirma refiriéndose al apartado 5º del artículo 1459 que se producirá la nulidad del contrato siempre que las cosas y derechos sobre los que recaigan «fueren objeto de un litigio» en el que el comprador «intervenga *por razón de su profesión*» y esta relación se dé en el momento de celebrar el contrato y no en otro posterior.

Otros casos, en los que la jurisprudencia se ha hecho eco de esta particular forma de ilegalidad en relación con la persona de alguno de los contratantes, los podemos apreciar en las sentencias de 19 de diciembre de 1958 y 14 de junio de 1959. En la primera sentencia se declaró la nulidad de un contrato de compraventa de alcohol por contrario a la ley al no ser el contratante *vitivinicultor*. En la sentencia de 24 de octubre de 1959 se volvió a alegar este vicio de ilegalidad en un contrato de compraventa de un camión en el que se pactó el precio en madera. En este caso no se estimó finalmente la nulidad porque se determinó que la Órden de 3 de julio de 1948 que se esgrimía, se limitaba a establecer y regular el certificado profesional de *maderero*, condición que en su categoría A disfrutaba el recurrente.

Por último, otros casos que se podrían incluir en esta ilegalidad por la condición de alguna de las personas que contrata se refieren a la compra de determinados bienes por un *comprador extranjero*. En este sentido, la sentencia de 18 de octubre de 1960 declaró la nulidad de la compraventa de una emisora por ser necesaria la condición de español para conseguir la concesión de emisoras. En esta sentencia se establecía por el Tribunal Supremo: ««Si conforme a lo terminantemente ordenado por el art. 4º CC. son nulos los actos ejecutados contra lo dispuesto en la Ley, y, si el principio de libertad en la contratación que establece el art. 1255 queda limitado por la prohibición de pactar lo que a ella sea contrario. Ya que al exigirse imperativamente por el art. 1º del Decreto de 8 de diciembre de 1932, ratificado por las posteriores disposiciones referentes a la materia, por potísimas razones, ser necesaria la condición de español para conseguir la concesión de emisoras; la carencia de esta ineludible cualidad en el adquirente al contravenir la Ley, es determinante de la nulidad de pleno derecho de los actos que pretenden lograrlo, que por serlo en su esencia, son incapaces de producir efecto jurídico alguno, que presuponga una viabilidad, incompatible con su ilegal origen». Actualmente, las inversiones extranjeras se encuentran permitidas también cuando se hacen en inmuebles que no afectan a la defensa nacional[340].

En nuestro país, las incidencias tanto doctrinales como jurisprudenciales en lo que se refiere estas circunstancias como motivo de ineficacia contractual son mas bien escasas. No obstante, podemos encontrar manifestaciones expresas del Tribunal Supremo en las que relacionando la nulidad con los diversos elementos del contrato puntualizan que además de apreciarse en orden al objeto o a la causa y hasta a la forma se puede apreciar en orden al sujeto. Sin embargo, parece estar refiriéndose el Tribunal Supremo a otro tipo de problemas que se alejan de la ilegalidad y que nada tienen que ver con la nulidad. Lo que trata de incluir en los casos de nulidad por una hipotética ilegalidad en orden al sujeto son casos en los que falta la facultad de libre disposición del objeto del contrato «cuando el realizador del acto carece de titularidad para llevarlo a cabo»[341]. A continuación, veremos estos casos que pueden tender a confundirse con la ilegalidad pero que tienen un régimen jurídico bien distinto al moverse, más bien, en el plano de los derechos reales y no en el de los derechos personales.

7. Falta de poder de disposición e ilegalidad del contrato

7.1. Consideraciones Generales

Existen muchos supuestos que parecen ser considerados como de ilegalidad contractual cuando, en realidad, se trata de casos en los que una persona

---

[340] Sentencias de 15 de diciembre de 1989, 4 de junio de 1990, 3 de enero de 1991, 23 de febrero de 1993 y 20 de junio de 1998.
[341] Nos referimos a la sentencia de 27 de mayo de 1968. En esta sentencia el Tribunal Supremo mantiene: «La ausencia en el Código Civil de una teoría general sobre la nulidad de los actos jurídicos, ha tenido que suplirse tanto por la doctrina científica como por la jurisprudencia, apoyándose en preceptos dispersos del propio Código; fijando el matiz absoluto o relativo que puede ofrecer tal nulidad, y relacionando su posibilidad con los diversos elementos que integran su relación jurídica; y así: se ha puntualizado que, la nulidad absoluta se puede apreciar en orden al «sujeto» (cuando el realizador del acto carece de titularidad para llevarlo a cabo); al «objeto» (si el acto contiene materia ilícita, contraria al orden público o que resulte imposible, en el aspecto físico o repudiable en la moral); a la «causa» (si ésta no existe o es ilícita o totalmente falsa) y hasta a la «forma» en los casos excepcionales en que ésta es absolutamente necesaria para la validez del acto; fuera de todas estas hipótesis, el acto jurídico si advino con algún vicio o produjo alguna lesión, a un derecho protegido, será simplemente «anulable», dentro de los requisitos de tiempo y forma que la Ley, para cada caso establece, siendo la posibilidad de subsanación o confirmación la que, principalmente, señala la línea divisoria entre las dos especies de nulidad.»

dispone mediante un contrato de una cosa que no le pertenece. En realidad, no son requisitos o presupuestos de carácter subjetivo de un contrato aunque, en ocasiones, se hayan confundido con ellos[342]. Nos referimos a las consecuencias de la falta de poder de disposición y la falta de legitimación para disponer y cuya solución natural no pasa por la nulidad o, en general, la ineficacia.

No faltan casos especiales recogidos en la ley en los que por estar en juego determinados intereses merecedores de tutela se contempla expresamente la ineficacia del titulo de transmisión. Pero esta mención expresa de la ineficacia en estos casos nos indica su absoluta excepcionalidad. El caso más representativo sería el supuesto de disposición de los bienes gananciales por un cónyuge sin el consentimiento del otro[343]. Todos estos casos requieren tratamiento independiente porque, a pesar de que pueden tener fundamentos de diverso orden, aquí se trata de la libertad de disposición jurídico patrimonial de una persona[344]. Tampoco se pueden incluir estos casos entre los que nosotros caracterizamos como contratos ilegales o prohibiciones legales en relación al sujeto[345].

Estos casos de falta de libertad de disposición son denominados por CARRASCO PERERA como casos de contravención e ineficacia relativa. Destaca este autor que los propios artículos del Código, donde se establecen estas limitaciones en el poder de disposición, formulan los preceptos en forma de prohibición[346]. Evidentemente, el tratar estos supuestos como casos de

---

[342] Como en la sentencia de 27 de mayo de 1968 en la que se puntualiza de forma general que «la nulidad absoluta se puede apreciar en orden al sujeto (Cuando el realizador del acto carece de titularidad para llevarlo a cabo), al objeto, a la causa y hasta a la forma en casos excepcionales».

[343] En estos casos en el Código Civil se establece que si la disposición es a titulo gratuito el acto será nulo (art. 1378) y si es a título oneroso será anulable (art. 1377, 1322 y 1301 *in fine*). Para Gordillo este es uno de los casos en los que se muestra la tendencia expansiva de la anulabilidad, (*Nulidad, anulabilidad e inexistencia*, págs. 973-976). Para más detalles sobre este supuesto vid. BELLO JANEIRO, D., *La defensa frente a tercero de los intereses de cónyuge en la sociedad de gananciales*, Barcelona, 1993.

[344] Podemos encontrar otros casos similares aunque no tan claros en la jurisprudencia. Uno de estos casos se refiere a los casos de venta de bienes de menores sin la preceptiva autorización judicial de los arts. 166, 271.2º CC. La jurisprudencia no ha mantenido siempre un criterio uniforme en lo referente a la ineficacia que se debe aplicar a estos casos. Encontramos una primera jurisprudencia en la que se aplicaba la nulidad radical (Sentencia de 28 de mayo de 1965 y 18 de marzo de 1968) y, actualmente, parece que ya se ha generalizado la aplicación de la anulabilidad (Sentencia de 9 de mayo de 1994, 19 de diciembre de 1977 y 21 de mayo de 1984). Lo mismo ha ocurrido en cuanto a la sanción correspondiente al contrato realizado en nombre de otro sin autorización ni representación (art. 1259.2 CC), la jurisprudencia ha afirmado la nulidad radical (Sentencia de 11 de junio de 1966), pero tampoco han faltado sentencias que hablan de anulabilidad (31 de diciembre de 1869 y 28 de junio 1962).

[345] En este sentido LARENZ, Tratado de derecho alemán, parte general, trad. Izquierdo, M., Jaén, 1978, págs. 585-6. LACRUZ, op. cit. pág. 261. GORDILLO, op cit., pág. 983.

[346] CARRASCO PERERA, A., Comentarios al Código Civil... cit., págs. 818-819.

ilegalidad y asociarles los efectos de la nulidad es un error. Estas prohibiciones de disponer no pueden acarrear, en ningún caso, la nulidad del contrato. Analicemos algunos de estos casos que ha tratado el Tribunal Supremo.

7.2. Disposición por un solo comunero sin consentimiento del resto respecto de bienes de titularidad «proindiviso»

En algunas ocasiones se suele confundir la ilegalidad con la mera falta de poder de disposición sobre las cosas cuando un comunero dispone de la cosa común sin el consentimiento del resto de los comuneros arts. 397 y 399 C.C. En estos casos, en los que uno de los comuneros actúa de forma independiente y vende la cosa común, de lo que en realidad se trata es de una venta de cosa ajena. En ningún caso la venta de cosa ajena, según nuestro ordenamiento jurídico, llevaría aparejada la nulidad del contrato como regla general. Sin embargo, no han sido pocos los casos que se han planteado ante nuestro Tribunal Supremo sobre este particular y en la mayoría de las ocasiones decidió aplicar la nulidad[347].

Caso similar, aunque no idéntico, es el de la sentencia de 20 de mayo de 1957 respecto a un contrato de compraventa de bienes gananciales cuando la sociedad estaba en periodo de liquidación al haber muerto la esposa. Establecía el Tribunal Supremo: «No se ha aplicado indebidamente el art. 4º del CC., toda vez que disuelto el matrimonio cesa la representación legal de la sociedad de gananciales atribuida al marido y carece de capacidad para vender los bienes que de ella forman parte, incluso su mitad indivisa, hasta que no se

---

[347] La argumentación del Tribunal Supremo se encuentra bien resumida en la Sentencia de 10 de diciembre de 1966: Se trataba de un traspaso de un local y se solicitaba la nulidad por haberlo realizado uno de los coarrendadores sin conocimiento del otro. Considera el Tribunal: «Se consumó el máximo acto de alteración de la cosa común —cual es su enajenación— por uno sólo de sus comuneros, en contra de la exigencia de unanimidad requerida para esta clase de actos por el art. 397 CC., de donde se deduce que el acto que se impugna incurre, de un lado, en la sanción de nulidad prevista en el art. 4º del mismo texto legal en cuanto es contrario a un mandato legal expreso, y dentro, está evidenciando la celebración de un contrato en el que no existe el consentimiento de todos los que jurídicamente deben pensarlo, incidiendo en el supuesto de inexistencia del art. 1261, ya que no median todos y cada uno de los requisitos indispensables para que pueda tener virtualidad jurídica, no habiendo tampoco constancia de que haya tenido lugar con posterioridad, la ratificación permitida en el art. 1259 del mismo Código. Si el acto de traspaso relatado, es nulo de pleno derecho, en la doble forma indicada, es incuestionable que no puede ser sanado, ni convertido en un contrato de enajenación parcial de la cuota del comunero, ni cabe, consiguientemente, la confirmación del mismo según el art. 1310 CC., por que sólo son confirmables los contratos que reúnan los requisitos expresados en el art. 1261, cosa que, según se acaba de decir, no sucede en este caso.» En este mismo sentido: sentencias de 6 de noviembre de 1961, 6 de julio de 1976,19 de diciembre de 1985, 29 de abril de 1986, 8 de julio de 1988 y 25 de junio de 1990, 6 de octubre de 1997.

practique la división, en cuyo momento la comunidad desaparece o se transforma, a menos que el viudo realice la enajenación junto con los herederos de la mujer por representar todos la totalidad de los derechos que pertenecen a una sociedad en liquidación, y al no hacerlo así, realizó un acto contrario a la Ley que hace surgir la aplicación del art. 4º si es invocado en casos como el actual por su generalidad». Parece que el especial régimen de mancomunidad del patrimonio, ante la insuficiencia del artículo 1139 del Código Civil, en definitiva, se reconduce a las reglas de la comunidad de bienes[348].

No únicamente se da el supuesto en los casos de comunidad de bienes puesto que en la Sentencia de 27 enero 1993 se anula un contrato de arrendamiento de un inmueble realizado por una usufructuaria. Se consideró que el contrato era contrario a la ley puesto que suponía vulnerar el artículo 467 del Código Civil que la imponía el deber de conservar la forma y sustancia de la cosa usufructuada.

7.3. Disposición de bienes de la Iglesia sin licencia de la jerarquía eclesiástica competente

Consideración especial merece el caso de los límites que se imponen en la circulación de bienes de la Iglesia Católica. La peculiaridad viene determinada por la doble regulación que puede encontrarse entre la normativa canónica y la estatal. Fruto de nuestra tradición religiosa han sido corrientes los Acuerdos entre el Estado español y la Santa Sede por los cuales se ha reconocido al Derecho Canónico un carácter complementario del Derecho Civil en estos aspectos[349]. Además, el artículo 38 del Código Civil en su párrafo 2º establece que la Iglesia se regirá por lo concordado entre ambas potestades, por lo que se ha de estar a aquellos convenios, acuerdos o concordatos para determinar la capacidad de la Iglesia en las relaciones contractuales.

---

[348] Si existe consentimiento de ambas partes contratantes se podría entender como un contrato de enajenación parcial de la cuota del comunero que efectúa el acto de enajenación art. 399 CC. y el resto de los copropietarios sólo podrán ejercitar su derecho de retracto legal del art. 1522 C.C.

[349] Criterio que se remonta a la aplicación del Código de Benedicto XV que desde el Real Decreto de 19 de mayo de 1919 es objeto de recepción (aunque no fue admitido como Ley del Reino) en aplicación del art. 3 del Convenio de 25 de agosto de 1859 mandado cumplir por la Ley de 4 de Mayo de 1860 (vigente el Concordato de 17 de octubre de 1851, anterior al de 27 de agosto de 1953) y que establecía «que el Gobierno reconoce el libre y pleno derecho a la Iglesia para adquirir, retener y usufructuar en propiedad toda especie de bienes y valores». Disponiendo este «Codex Iuri Canonici en el Canon 1530 y ss. que «la enajenación de bienes de la Iglesia, exige: la existencia de una justa causa, justiprecio de peritos, venta en pública subasta o por lo menos públicamente y que se obtenga la licencia de superior legítimo».

Este tipo de bienes de titularidad eclesiástica, excediendo de un determinado valor, no pueden ser enajenados mas que mediante autorización de la alta jerarquía eclesiástica, según el cánon 1281.1 y el Decreto de la Conferencia Episcopal Española de 26 de noviembre de 1983, art. 14.3º en relación con el canon 1297[350]. Existen algunas sentencias, algo antiguas, en las que se considera que los actos de disposición de bienes de la Iglesia por parte de alguna institución eclesiástica o algún clérigo sin la autorización correspondiente del Obispo Ordinario o, en su caso, de la Santa Sede suponían una vulneración legal y debía considerarse el contrato nulo. Se aplicaba por el Tribunal Supremo la nulidad en virtud del antiguo artículo 4º al entender que en virtud del Concordato de España con la Santa sede, tanto el de 16 de marzo de 1851 como el de 27 de agosto de 1953, se deberían considerar los cánones como normas jurídicas imperativas. Además, en el antiguo Código de Derecho Canónico «*Corpus Iuris Canonici*» los cánones establecían criterios de autorizaciones muy rigurosos[351].

Actualmente, se puede considerar superada esta concepción puesto que en virtud del Acuerdo de España con la Santa Sede de 3 de enero de 1979, sobre asuntos jurídicos, se establece que se reconoce personalidad jurídica civil a las instituciones, congregaciones, órdenes y otras instituciones y fundaciones religiosas... y crea un registro para las mismas (Art. 1 apartados 3 y 4 y Disposición Transitoria 1ª). Se considerarán a los efectos de capacidad de

---

[350] El canon 1281.1 explicita la invalidez de los actos que realizan los administradores, salvo que obtengan autorización escrita del Ordinario. La norma señalada de la Conferencia Episcopal Española alude a una equiparación del arrendamiento de bienes eclesiásticos, en determinadas condiciones jurídicas, con la enajenación.

[351] Describe perfectamente este sistema la sentencia de 22 de noviembre de 1962. En el caso se cuestionaba la validez de una fianza. El afianzamiento por un religioso respecto a la cuantía a la que ascendía el crédito asegurado necesitaba de licencia por parte de la Santa Sede. la fuerza vinculante del negocio jurídico queda sometida a las formalidades del afianzamiento, «que debieron ajustarse a lo prevenido en los cánones 534, 1530, nº 1, apartado 3º, 1532 y 1533 del «*Corpus Iuris Canonice*», que exigen, bajo pena de invalidez, la licencia de la Santa Sede Apostólica, cuando se trate de enajenar bienes o celebrar contratos que perjudiquen los intereses religiosos «*Quae valorem excedent iriginta millium libellarum seu francorum*», es decir, de concertar obligaciones de cuantía superior a 30.000 monedas de pequeño valor, elevadas, aunque con posterioridad a la convención debatida por Decreto Consistorial de 13 de julio de 1951 a 200.000 pts. y como según se declara probado en la sentencia recurrida el fiador no solicitó ni obtuvo autorización para otorgar tal escritura, de ahí que al estimar la misma que el contrato se estipuló en contravención con los cánones antes citados y decretar su nulidad por vicio de consentimiento exigido en el nº 1 del art. 1261 CC. en relación con el 1713, ap. 2ª y 1310 del CC. y aplicar el 4º del propio texto legal, y todo ello es compatible con lo establecido en el canon 1529 que dice que «todas aquellas cosas que el derecho común dispusiere sobre los contratos, ya en general, ya en especial, deben guardarse por derecho canónico salvo que sean contrarios al divino», porque tal precepto termina con la frase «a no ser que se provea otra cosa en la legislación eclesiástica». Solución idéntica a la adoptada en la sentencia de 6 de julio de 1976.

obrar como personas jurídicas de carácter privado al establecer el art. 1.4 «A los efectos de determinar la extinción y límites de la capacidad de obrar, y por tanto de disponer de sus bienes, se estará a lo que disponga la legislación canónica que actuará en este caso como derecho estatutario». Pierde por tanto su carácter de norma jurídica que pueda afectar a terceros. Además, se considerará como normativa supletoria a esta legislación canónica la normativa sobre asociaciones[352].

Por último, en el Código de Derecho Canónico actualmente vigente de 25 de enero de 1983, junto con el ya mencionado canon 1281.1 (que actúa como derecho estatutario) encontramos el canon 1290 del Codex que establece en relación con la disciplina de los contratos y respecto de los «bienes temporales de la Iglesia» —que es un concepto mucho más restringido y específico que el de bienes propios de una asociación—, que debe observarse «lo que en cada territorio establece el Derecho Civil sobre los contratos». Además, si la persona jurídica de carácter religioso posee estatutos «los bienes temporales de una persona jurídica privada» se regirían por sus estatutos propios y no por los cánones (canon 1271.2)[353].

De esta forma, al producirse esta equiparación habrá que entender que si los bienes eclesiásticos se enajenan por un religioso (persona física) sin la correspondiente autorización o permiso estaríamos ante un caso de falta de poder de disposición[354]. Si nos encontramos ante una enajenación realizada

---

[352] En estos términos se pronunciaba la sentencia de 27 de febrero de 1997. En esta sentencia se mantiene la validez de la venta de unos inmuebles realizados por la Madre Abadesa de una congregación religiosa porque se obtuvo el pertinente consentimiento del Ordinario antes de la fecha de la escritura pública aunque no se había dado en el momento que se plasmó en documento privado.

[353] En este sentido: sentencia de 6 de octubre de 1997. En esencia, la discusión de fondo se centra en la declaración de nulidad de los acuerdos adoptados por los órganos rectores de una Hermandad de fines religiosos (dotada de estatutos) acerca de la cesión del uso del monasterio de su propiedad a otra Fraternidad Monástica. El acto de cesión fue aceptado por la Autoridad religiosa y el acuerdo de la Hermandad, impugnable, fue impugnado transcurrido el plazo de caducidad fijado en la Ley de Asociaciones.

[354] En la sentencia de la Audiencia Provincial de Santander de 7 de marzo de 1994 (sección 2ª), nº 108, 327/93, se alude incidentalmente a la hipótesis de encontrarse ante un caso de venta de cosa ajena en un supuesto en el que se produce una permuta de fincas entre un particular y el cura párroco de la Iglesia del municipio. El particular muere y los herederos venden la finca permutada. En ese tiempo el nuevo párroco vende la misma finca a otro particular, en este último caso recabando la autorización eclesiástica que faltaba en la permuta. En primera instancia la sentencia ya apuntaba que el párroco no podía efectuar la trasmisión de la finca porque no era suya, faltando en aquel acto, el consentimiento de la Iglesia, que no fue otorgado al no cumplirse los requisitos establecidos. Sin embargo, el juez acaba por considerar la permuta como contrato nulo. La Audiencia Provincial comienza observando que «la especificidad de la permuta discutida no radica en la configuración o contenido del contrato como tal, sino como en la cualidad de uno de los contratantes, la Iglesia, contemplada en la sentencia recurrida como elemento determinante de la nulidad contractual que predica». Finalmente

por una entidad religiosa sobre estos bienes eclesiásticos tendríamos que considerar que estamos ante una persona jurídica privada y que la falta de representatividad de los órganos gestores, será determinante de responsabilidad interna pero no puede afectar a terceros que desconocían esos límites y contratan de buena fe ante un representante aparente[355]. Está claro que estas situaciones no pueden ser determinantes de la nulidad de pleno derecho, y menos aun apreciarla de oficio el tribunal[356].

Parece que también presentan algunas sentencias, inducidas a pronunciarse por las pretensiones planteadas por las partes, la incorrecta posibilidad de considerar que estamos ante un caso de anulabilidad, evitando la nulidad. El erróneo razonamiento vendría motivado al entender que la falta de autorización de la autoridad eclesiástica competente vicia el consentimiento y la consecuencia común de todo vicio del consentimiento es la anulabilidad. Es decir, la contratación por quien posee una capacidad de obrar restringida no provoca la nulidad radical del contrato sino tan solo la anulabilidad (sic.). Solución que, de prosperar, seguiría perjudicando sobremanera la confianza de los terceros con el consiguiente detrimento de la seguridad jurídica[357].

Otra cosa será, como hemos visto, que los bienes eclesiásticos tengan la consideración de bienes de interés histórico-artístico en cuyo caso se aplicará la Ley de Patrimonio Histórico Español que ya contempla expresamente la sanción de nulidad[358].

---

apunta el tribunal *obiter dicta* que en la venta hecha por los herederos de la permutante nos hallaríamos ante una venta de cosa ajena, sin referirse en los mismos términos a la permuta que provocó la adquisición.

[355] La sentencia de 27 de febrero de 1997 se expresa en estos términos «Pero esque, además, hay que admitir la duda referente a que dicho art. I del Acuerdo de 3 de enero de 1979 pudiera estudiarse desde un punto de vista de obligatoriedad interna, sin que dichas normas canónicas devenidas en estatutarias puedan proclamarse de obligado conocimiento para terceros, pues llevada su exigencia hacia un total voluntarismo podrían cuartearse los principios de responsabilidad, de protección a la *bona fides* y sobre todo a la seguridad jurídica, que debe presidir toda relación contractual.»

[356] Sentencias de 30 de diciembre de 1993, 17 de abril de 1998 y 18 de marzo de 1999, entre otras.

[357] En todo caso, aunque no la rechazan de plano, ninguna de las sentencias acaba finalmente apreciando la anulabilidad. En un caso porque se obtiene la licencia o autorización con posterioridad con lo que se produce convalidación, además no es alegada por la Iglesia como única legitimada y para colmo habían transcurrido más de cuatro años. (S. de 27 de febrero de 1997). En otro caso tan sólo se apunta esta solución incidentalmente, sin más disquisiciones. El problema se planteaba en una tercera trasmisión muy posterior y quien pretendía la ineficacia era un tercero, con lo que tampoco hubiese prosperado. (S. de la Audiencia Provincial de Cantabria de 7 de marzo de 1994, nº 108, 327/93.)

[358] Vid. supra epígrafe: «La prohibición de venta de bienes declarados de interés histórico artístico».

Capítulo IV
EFECTOS CIVILES DEL CONTRATO ILEGAL

I. LÍNEA DE EVOLUCIÓN. TRATAMIENTO LEGAL, DOCTRINAL Y JURISPRUDENCIAL

1. Introducción

Cuestión fundamental en los problemas de ilegalidad contractual es la determinación de las consecuencias que ésta le va a suponer a los efectos del contrato. Ha sido común considerar que la suerte que deben correr los contratos que se ven envueltos en cualquier tipo de ilegalidad viene determinada por la nulidad absoluta, radical o de pleno derecho. No en vano, ésta es la sanción general que nuestro ordenamiento jurídico y los de nuestro entorno destinan a cualquier acto que contravenga una disposición legal. Por esta razón, se va a analizar detalladamente este régimen general de ineficacia.

Por otro lado, se ha producido una enorme evolución desde que se asentaron las bases de la libertad contractual y sus límites hasta nuestros tiempos. Actualmente nos encontramos con que, en muchos casos, los fines que impulsan a contratar a las partes deben coexistir y resultar compatibles con los fines que se marcan por determinadas políticas legislativas. No basta con tratar de erradicar todo contrato que no se adecue a los imperativos legales. Por esta razón, la sanción general de nulidad, tal y como tradicionalmente se viene entendiendo, va a resultar insuficiente para responder a las expectativas que se están marcando todas las nuevas legislaciones especiales. Tanto el moderno tráfico económico como las determinadas políticas intervencionistas requieren que la contratación no se vea limitada por un único y rígido régimen jurídico de ineficacia al que irremediablemente se vea abocado todo contrato ilegal.

Ante las nuevas corrientes legislativas se ha reinterpretado el artículo 6.3 del Código Civil. Al ser los contratos los actos jurídicos más complejos también merecen sus infracciones legales soluciones más complejas que la inexorable sanción general de nulidad. Estas distintas soluciones a los problemas de ilegalidad contractual van a venir establecidas en los distintos articulados de las nuevas leyes. Las sanciones alternativas a la clásica nulidad, unas veces, se recogerán expresamente por la concreta ley que se considere vulnerada por el contrato y, otras veces, será la jurisprudencia la que ejerciendo su labor interpretadora establezca el régimen jurídico aplicable. En todo caso, estos regímenes alternativos siempre van a tomar como base de referencia el régimen jurídico de la nulidad para establecer variaciones en sus efectos.

2. *Tratamiento legal*

2.1. Imprecisión del Código civil

La ilegalidad contractual esta irremediablemente ligada con la cuestión de la ineficacia, cuestión compleja y tradicionalmente controvertida. Con la entrada en vigor del Código Civil se produjo una enorme confusión en lo referente al tratamiento de la ineficacia y todos los conceptos que la implicaban en la práctica. Había una enorme preocupación, por parte de la doctrina y jurisprudencia, por fijar los conceptos y régimen jurídico de las diferentes categorías de ineficacia que aparecían en el tráfico jurídico y que no encontraban una buena y deseable precisión en el Código.

Tampoco es conveniente que en el Código se dé una definición de los distintos fenómenos de ineficacia, porque cualquier definición de este tipo sería inútil e inoportuna en un texto legal[1]. De hecho, la mayoría de los Códigos no se ocupan de ofrecer definiciones de las diferentes clases de ineficacia que pueden observarse a lo largo de su articulado[2]. En cambio, sí que se deben ocupar de deslindar y caracterizar perfectamente los casos y condiciones en los que se debe aplicar cada régimen de ineficacia que recogen. Con una regulación clara y de precisión terminológica tendría que poder deducirse o inferirse tanto un concepto general de cada clase de ineficacia, así como el régimen aplicable a cada caso[3].

Por desgracia, en este punto nuestro Código en lugar de ayudar a la comprensión y precisión contribuye a la desorientación[4]. Se va a producir una antigua confusión entre los conceptos de nulidad y anulabilidad. Confusión perfectamente superada por los autores modernos pero que incluso, como pone de manifiesto DE CASTRO, llegó a filtrarse en alguna sentencia del Tribunal Supremo (Sentencias de 30 de septiembre de 1929 y 13 de marzo de 1920), aunque por lo general la jurisprudencia pronto supo deslindar perfec-

---

[1]   Como apunta RATTIN (respecto al código italiano) una definición legal de la nulidad hubiese supuesto un peligro ya que hubiese supuesto un limite sin duda dañoso para su aplicación en los casos concretos. RATTIN, L., *Sugli effetti dei negozi nulli*, Bologna, 1983, pág. 41.

[2]   Encontramos una tentativa de definir la nulidad en la norma del § 108 del proyecto del Código civil alemán, donde se establecía que un negocio nulo debe considerarse, con relación a los efectos queridos, como si nunca hubiese sido concluido. Pero este intento de definir la nulidad no pasó al texto definitivo.

[3]   Uno de los mejores ejemplos es el actual Código civil italiano que hace un elenco de las causas de nulidad del contrato y su régimen jurídico en su capitulo XI y se ocupa de la anulabilidad en el capitulo XII. Tampoco resulta demasiado útil realizar una enumeración exhaustiva de los casos de nulidad absoluta porque no es posible agotar los supuestos. Encontramos este tipo de enumeraciones de casos de nulidad absoluta y relativa en el Código Chileno y en el Esboço de Freitas.

[4]   Entre otros, CASTÁN TOBEÑAS, J., habla de «terminología confusa y muy imperfecta». *Derecho civil español común y foral*, T. II. 6ª ed., Madrid, 1943, pág. 639.

tamente la nulidad de la anulabilidad (Sentencias de 3 de enero de 1933, 30 de septiembre de 1959).

La nomenclatura y sistemática usada por nuestro Código llevaría a la conclusión de que no existen sino dos tipos de ineficacia la nulidad y la rescisión. Por un lado, en el aspecto terminológico nulidad y rescisión son los dos únicos conceptos empleados en el texto del Código. Por otro lado, la confusión se origina al mezclarse en un mismo capítulo denominado «de la nulidad en los contratos» (capítulo VI), dos modelos o sistemas diferentes de ineficacia[5].

El deseo de Cárdenas de que en el Proyecto de 1851 se distinguiera con mayor nitidez la nulidad de la anulabilidad se mantendrá como aspiración incumplida respecto del Código de 1889[6]. Esto se debe a que nuestro Código denominará nulidad, sin mayores precisiones, tanto a la nulidad absoluta o radical (art. 4º de su redacción original y actual 6.3) como a la nulidad relativa o anulabilidad (capítulo VI, arts 1300-1314)[7].

Para escapar de la confusión se dedujo una nueva figura de ineficacia que se denominó **inexistencia**. El término se encontraba ya en númerosos textos romanos donde era sinónimo de nulidad[8]. En efecto, en el Derecho romano se partía de la concepción de que un negocio o era perfecto o no existía[9]. El término fue rescatado por los juristas franceses para, valiéndose de él, huir de la rigidez de la regla de la nulidad textual o expresa[10]. Superada esa regla,

---

[5] DE CASTRO Y BRAVO, F., *El negocio Jurídico*, Madrid, 1991, pág. 249. También otros autores se han hecho eco de esta circunstancia como PLANAS Y CASALS, *Derecho civil español común y foral*, T. II, Barcelona, 1925, 236-237.

[6] «Lo cual —según LABANDERA— da margen a interpretaciones diversas y a sorpresas dolorosas» LABANDERA Y BLANCO, V., «*Nulidad, anulabilidad y rescindibilidad en el Código Civil*», *RDP*, 1913-1914, pág. 179

[7] El código de esta forma no plasma de forma clara la distinción que ya se hizo en el derecho romano entre la nulidad o inexistencia y la anulabilidad que aparecería más tarde como una forma de protección acordada por el pretor en los casos en los que en los que un contrato válido por cumplir todas las exigencias del Derecho Civil, causa un perjuicio inmerecido a uno de los contratantes porque medió violencia o era menor de veinticinco años y fue engañado, abusando de su inexperiencia. (D. 4,4,1,1)

[8] CAPITANT, H., *Curso elemental de Derecho Civil francés*, T. I, versión francesa, 5ª ed., París, 1927, pág. 82.

[9] Precisamente, el pretor inducido por las exigencias de la práctica, empujaba más allá esta rígida concepción y concedía remedios idóneos para remover o paralizar los efectos de un negocio, que el Derecho Civil consideraba válido, pero que sin embargo estaban afectados por ciertos vicios que perturbaban algunos de sus elementos. En el Derecho Justinianeo cuando se fusionan el *ius civile* y el *ius honorarium* se conserva la distinción entre nulidad y anulabilidad, para caracterizar por un lado los negocios carentes de alguno de sus requisitos esenciales y por otro los que contando con todos los requisitos esenciales, alguno de estos se encuentra afectado por algún vicio. DI MARZO, S., *Le basi Romanistiche del Codice Civile*, Torino, 1950, pág. 259.

[10] Como mantiene Cirilo MARTÍN RETORTILLO, el concepto civilístico de inexistencia no es un concepto nuevo, emana de la rama del Derecho matrimonial, y no deja de ser anecdótica la atribución que hacen los autores franceses de la determinación específica

la noción de inexistencia viene a coincidir prácticamente con aquella de la nulidad absoluta contraponiéndola netamente a la nulidad relativa o anulabilidad[11].

En nuestro ordenamiento era fácilmente deducible un concepto de inexistencia de las expresiones usadas en los arts 1261 y 1275 del Código, puestos en relación con los arts 1300 y 1310 C.C.[12]. Esta deducción fue más bien un recurso de los tribunales y de la doctrina ante la necesidad práctica de escapar, en los casos de nulidad radical, del régimen jurídico de la nulidad recogido en el Código (el de la relativa o anulabilidad). Sobre todo resultaba imprescindible la diferenciación en cuanto al plazo y a la legitimación. Empleando una denominación distinta de la nulidad para referirse a los supuestos de nulidad radical se evitaba la confusión con la nulidad relativa o anulabilidad. La nueva denominación superó de esta manera la confusión que se derivaba de la imprecisión terminológica del Código al referirse, en todos los casos, a la nulidad sin adjetivos[13]. Como pone de manifiesto CASTÁN: «en los antiguos derechos nacionales y en los Códigos la distinción entre actos nulos y anulables, se convierte en algo impreciso»[14].

Esta imprecisión, aunque perfectamente superada ya por la doctrina y jurisprudencia modernas[15], no deja de ser aún objeto de alusión por las más recientes sentencias de nuestro Tribunal Supremo[16].

---

del concepto de inexistencia a Napoleón. [Vid epígrafe reglas nulidad textual, nulidad virtual. Y en derecho francés (Vid por todos) en CAPITANT, H, *Curso elemental...* op. cit. pág. 82]. MARTÍN RETORTILLO, C., «*Algo sobre las acciones de inexistencia en el Derecho Civil»,* publicado en *Estudios Jurídicos del Colegio Notarial de Barcelona,* Barcelona, 1959, pág. 35 y 36

[11]   BORRELL Y SOLER, A.M., *La nulidad de los actos jurídicos según el Código Civil español,* Barcelona, 1947, págs. 8 y 10, SCOGNAMIGLIO, R., *Contirbuto alla Teoria del negozio Giuridico,* Napoli, 1950, págs. 347-348.

[12]   Vid. supra epígrafe «Inexistencia, nulidad e ilicitud».

[13]   Esta confusión y su progresiva superación se puede observar en la mayor parte de la doctrina de la época: OYUELOS, R., *Principios -Doctrina y jurisprudencia* T.V, Madrid, 1928, pág. 473. FALCÓN, M. *Comentarios al Código Civil,* T. IV, Madrid, 1889 págs. 128-129. BONEL, *Código civil español en Cataluña, Aragón y Navarra,* T. IV, libro IV, Barcelona, 1891, págs. 278-281. VALVERDE, C., *Tratado de Derecho Civil español,* T. III, Valladolid-Madrid 1913, pág. 290, PLANAS Y CASALS, *Derecho civil...* op. cit., págs. 236-243, SALA, J., DOMINGO DE MORATO, D.R., *El Derecho Civil español, 2º ed.,* T. II, Valladolid, 1877, pág. 333.

[14]   CASTÁN TOBEÑAS, J., *Derecho Civil español Común y Foral,* T.II, 6ª ed., Madrid, 1943, págs. 145 y 638-639.

[15]   EGUSQUIZA BALMASEDA, M.A., *Cuestiones conflictivas en el Régimen de la Nulidad y la Anulabilidad del Contrato,* Pamplona, 1999, págs. 15-19.

[16]   En la Sentencia de 27 de febrero de 1997 se hace expresamente esta observación: «La terminología empleada en los arts. 1300, 1301, 1302 y 1306.2 CC es muy imprecisa; por eso, cuando en dichos preceptos se habla de nulidad, **se ha discutido si ha de entenderse la misma como inexistencia contractual —*nulidad ab radice*— o como simple anulabilidad**. Y dicha cuestión ha sido prácticamente solventada por la

En definitiva, el recurso al término de la inexistencia fue una forma de escapar de la confusión que existía entre nulidad absoluta y relativa. Cuando lo que correspondía aplicar era la nulidad absoluta se recurría al término de «inexistencia» porque, de otra forma, si se denominaba simplemente como nulidad se pensaba que se tendrían que aplicar siempre los efectos y el régimen jurídico de la nulidad relativa o anulabilidad, puesto que eran los únicos contemplados por el Código[17]. Sirve para complementar esta situación el texto del artículo 1310 del Código Civil que, al comenzar a regular la confirmación de los contratos, afirma que sólo son confirmables los contratos que reúnan los requisitos expresados en el art. 1261[18]. Es decir, sólo son confirmables los contratos existentes.

En conclusión, la distinción de los distintos regímenes de ineficacia contractual se produjo como consecuencia de la derivación de la nulidad radical de los casos de ilegalidad contractual, a raíz de su deducción del antiguo artículo 4 del Código Civil. Esta nulidad hemos visto que se identificaba con la inexistencia. Por consiguiente la ilegalidad contractual debería conllevar siempre la nulidad o inexistencia del contrato.

2.2. Compatibilidad entre el Código Civil y las Leyes Especiales

El Código Civil va a ocuparse de dar una solución general a todos los casos de ilegalidad. El actual artículo 6.3 del Código Civil establece como regla la nulidad de pleno derecho de los contratos contrarios a las normas imperativas y prohibitivas. Se deja a salvo los casos en los que la propia norma vulnerada

---

doctrina y por una constante jurisprudencia, que entienden que la tacha reflejada por dichos artículos ha de entenderse como de anulabilidad, en el sentido de una clase de invalidez dirigida a la protección de un determinado sujeto, de manera que únicamente él puede alegarla y optar por convalidar el contrato anulable mediante confirmación. Dicho en otras palabras hay que estimar a dichos contratos anulables como inicialmente eficaces, pero, eso sí, con una eficacia claudicante». Sorprende la inclusión del artículo 1306.2 del Código Civil dentro de los referidos a la anulabilidad puesto que esta referido a las consecuencias restitutorias especiales de la nulidad de pleno derecho derivada de un contrato con causa torpe o ilícita cuando el hecho no ha constituido delito ni falta y la culpa está sólo de parte de uno de los contratantes.

[17] DELGADO ECHEVERRÍA, J., *Comentarios al Código Civil y compilaciones forales*, dirigidos por M Albaladejo, T.XVII, vol.2º, pág. 238. PUIG BRUTAU, J., «*Diccionario de acciones*» en *Derecho civil español*, Barcelona, 1984, pág. 199. CASTÁN TOBEÑAS, J., *Derecho Civil...* op. cit. pág. 641-642, DE CASTRO Y BRAVO, F., *El negocio jurídico...*cit., págs. 463-464.

[18] Este precepto fue introducido como novedad en el anteproyecto del Libro IV en cuyo art. 1323 se recogía que «Sólo son confirmables los contratos existentes conforme al artículo 1274 (equivalente al 1261 actual). De los convenios en que falte cualquiera de los requisitos mencionados en este artículo, no nace acción alguna contra los que aparezcan obligados.» Este texto es de influencia francesa-belga siendo al parecer tomado del art. 1319 del Código de Laurent. LASSO GAITE, J.F., *Crónica de la Codificación española*, 4, «*Códificación civil (Génesis histórica del Código)*» vol II, Madrid, 1970, pág. 674.

establezca un efecto distinto para el caso de contravención. Pero, ¿qué ocurre cuando la propia norma vulnerada establece también la sanción de nulidad expresamente? Este último supuesto no resulta nada infrecuente en las leyes más modernas. ¿Por qué se duplica la previsión de nulidad en dos normas diferentes si con la previsión genérica del Código Civil resultaría suficiente? ¿Hacen estas expresas referencias a la sanción de nulidad de las leyes especiales inútil la previsión genérica del Código Civil? ¿Cómo se explica que existiendo una regla general que establece la nulidad de los contratos ilegales se acumulen a estas reglas específicas de nulidad si sirven a un mismo propósito homogéneo?

La respuesta sería que estas declaraciones particularizadas de nulidad recogidas en las leyes especiales no siempre van a significar que se reconduzcan los efectos del contrato ilegal al régimen general de la nulidad. Aunque muchas veces sea cierto que estas previsiones de las normas especiales no cumplen sino, únicamente, la misión de enfatizar o resaltar la eficacia sancionadora de ciertos preceptos. Es decir, serviría como una forma de realzar la imperatividad de la norma para que el juez o el intérprete de la misma no la sustraiga, bajo ningún concepto, de su imperativa efectividad. En cambio, en otras ocasiones, la ineficacia a la que se refieren las nuevas normas no coincide completamente con la que el Código Civil concibe. No hace alusión concretamente a la nulidad de pleno derecho sino a nulidades especiales que tratan de hacer que se imponga el espíritu y la finalidad de la norma infringida.

Por otro lado, la regla general que se sienta en el Código tendría como función la de desterrar el dogma de las nulidades textuales y dar la mayor cobertura de control de legalidad supliendo la eventual insuficiencia de las reglas específicas.

Pero la más convincente de las explicaciones se encuentra al analizar los efectos previstos por estas normas especiales para caso de contravención. Podremos, solo entonces, comprobar cómo suelen prevenir las infracciones con soluciones que no pasan por la nulidad, o al menos no por la nulidad clásica en sentido estricto.

Hemos adelantado que la calificación de legalidad o ilegalidad puede influir en los efectos de los contratos de forma radical. Por regla general, la sanción civil que merece un contrato perfeccionado contra lo que una norma imperativa o prohibitiva dispone es la ineficacia. Pese a lo que el Código Civil pueda disponer, comprobaremos que esta ineficacia como regla general no se corresponde siempre con la nulidad en sentido estricto.

Los efectos de esta ineficacia, pese a lo que se venía manteniendo tradicionalmente, no van a ser siempre los mismos para todos y cada uno de los casos de ilegalidad (nulidad). Esta ineficacia únicamente significa que el contrato ilegal no va a producir sus efectos típicos o, al menos, no todos. Lo que no significa que no vaya a producir ningún efecto, como se venia manteniendo tradicionalmente. Al contrario, normalmente, el contrato ilegal va a producir aquellos efectos que se amolden o ajusten a los fines de la Ley vulnerada, coincidan o no, en todo o en parte, con los efectos proyectados por los contratantes o con los efectos típicos del contrato[19].

Sólo en los casos más graves de ilegalidad, donde no es posible compatibilidad alguna entre la Ley y los efectos del contrato, se tendría que acudir a la nulidad de pleno derecho y al brocardo «*quod nullum est nullum producit effectum*», aunque siempre matizado[20].

Por lo tanto, la nulidad de pleno derecho no se puede considerar como una sanción ni exclusiva ni excluyente del contrato ilegal. Podemos hablar de una pérdida de la hegemonía de la nulidad automática que va cediendo protagonismo ante soluciones mucho más racionales que se adaptan mejor a las circunstancias del supuesto planteado. Aún con todo, tampoco podemos prescindir de analizar la nulidad de pleno derecho como sanción general de la ilegalidad contractual establecida en el Código Civil. Hemos de ser conscientes, de que la nulidad sigue siendo, teóricamente, la regla común a seguir, según apunta nuestro Código Civil, pese a la flexibilidad que caracteriza su aplicación por la jurisprudencia.

Precisamente, esta flexibilización hace que actualmente esta solución natural admita tantas excepciones que se cuestione su naturalidad. Realmente, lo que produce esta inversión en la interpretación de la norma a aplicar a los contratos ilegales son las nuevas técnicas de regulación legal. El cambio de criterio se produce porque en las nuevas leyes especiales, y en los micro sistemas jurídicos por ellas creados, no va a ser la nulidad el correctivo escogido por el legislador para atajar las nuevas situaciones de transgresión.

Sin embargo, debemos recordar que el Código Civil, aún tiene vocación de ser la regulación general. Es al articulado del Código al que acudimos primeramente para que nos indique ante qué situación de ilegalidad nos hallamos y qué pasos deberemos seguir para conseguir su regularización. La flexibilidad es posible gracias a la formulación del art. 6.3 del Código Civil que tiene una cláusula final que permite salvar al contrato de la nulidad siempre que convenga al espíritu de la Ley infringida. Convirtiendo lo que en principio es la solución general en cláusula de cierre. Es decir, la nulidad será declarada como último recurso si otra cosa no se dispone ni se deduce de la Ley infringida. Si, en esta última, también se dispone la nulidad podemos permitirnos interpretar que puede estarse tratando de instaurar un régimen peculiar de nulidad que puede suponer alguna variante del general. Estas variantes han de venir siempre justificadas por la finalidad que se trata de conseguir con la norma imperativa que resulta incumplida.

---

[19] VALPUESTA FERNÁNDEZ, *Derecho de obligaciones y contratos,* Valencia, 1994, ineficacia del contrato, pág. 417.

[20] El contrato nulo producirá los efectos típicos de la nulidad. Efectos que se pueden denominar «efectos anti-efectos» LÓPEZ BELTRÁN DE HEREDIA, C., *La nulidad contractual. Consecuencias*, Valencia, 1995, pág. 37.

Pero esta flexibilidad, que va a ser la tónica general, no va a ser posible si acudimos a otros medios o vías de control de la legalidad contractual. Existen otros artículos del Código en los que no se contemplan alternativas a la nulidad radical en caso de ilegalidad y parece que, precisamente por esto, van perdiendo protagonismo estos casos en la apreciación de los jueces y en la alegación de las partes. Nos estamos refiriendo, sobre todo, a la causa ilícita del contrato por ir en contra de la Ley. Resulta claro que a través de la teoría de la causa ilícita se procede a una genérica tutela de la autonomía privada [21]. Pero también resulta clara la angostura del margen de maniobrabilidad que permite su operatividad ya que en este punto el Código Civil es terminante. En los supuestos en los que proceda la causa ilícita no cabe otra solución que la de la nulidad del contrato, con independencia de si procede o no la restitución de ciertas prestaciones ya ejecutadas y si son o no exigibles otras.

2.3. La nueva corriente legal

Con las nuevas leyes especiales se pierde la concepción que llevaba siempre de forma inexorable a considerar como solución natural de los contratos ilegales la nulidad de pleno derecho. Ahora no se considera tan idónea esta inflexible sanción del contrato ilegal. La noción de la nulidad como respuesta del Derecho, en todo caso, objetiva, rígida e «*ipso iure*» a un acto antijurídico no sirve como instrumento de solución en las nuevas leyes. Estas leyes modernas precisan de soluciones más versátiles que les permitan transformar en determinado sentido una situación jurídica. A pesar de seguir siendo esta nulidad radical la solución articulada como regla general para el contrato contrario a la Ley, en el propio Código Civil (Art. 6.3 y 1255 CC.) se van a tratar de adaptar las sanciones de los contratos ilegales a las nuevas necesidades que requieren las leyes especiales.

Las nuevas corrientes del intervencionismo estatal en el tráfico económico y jurídico aporta nuevas técnicas de control y de sanción frente a determinada transgresión de los nuevos límites impuestos por normas que obedecen a un plan de política legislativa particular [22].

Se van a dar estas nuevas formas singulares y atípicas de ineficacia al posibilitarse su existencia precisamente por la reserva que se contiene en el art. 6.3 *in fine* del Código Civil. Este precepto admite y permite que el legislador en lugar de la nulidad establezca un régimen de ineficacia distinto. Cambia la redacción en este punto de su antecedente art. 4º C.C. Precisamente para adecuar la redacción a lo que ya había interpretado y establecido la

---

[21]   Vid. infra epígrafe «*La teoria de la causa ilícita*».

[22]   Estas son las normas que hemos denominado de orden público económico, ya sean de protección o de dirección vid supra epígrafe « Normas de orden público económico».

propia jurisprudencia[23]. Lo que implica que el legislador puede crear para la consecución de sus fines un régimen de ineficacia sometido a las peculiaridades que tenga por conveniente.

Cualquier ley, indudablemente, cuenta con toda la capacidad e idoneidad para establecer variaciones en el régimen de ineficacia que pretenda aplicar a sus infracciones. Si la finalidad perseguida por la norma lo requiere, no tiene que limitarse a la hora de establecer los efectos derivados de su contravención a disponer necesariamente de uno de los tipos de ineficacia ya configurados en el Código. En la propia Ley especial se puede prever la aplicación de una ineficacia diferente que se adapte mejor a los propósitos que persigue instaurar. La Ley no tiene por qué sujetarse a los modelos estereotipados, puede crear un *tertium genus* entre nulidad y anulabilidad si es requerido para la mejor salvaguarda de los intereses protegidos por la norma. Recordemos que en la misma lógica de la ineficacia deducida del Código Civil, es la misma ley la encargada de configurar la ineficacia con la que pretende responder a las agresiones de los actos de la autonomía de la voluntad[24] (Art. 6.3 in fine del CC). Esto es, el legislador puede disponer totalmente de la disciplina de la ineficacia.

De hecho, podemos comprobar cómo cuando le resulta útil, el legislador va a modificar el régimen ordinario de ineficacia contractual. Fundamentalmente, las normas imperativas y prohibitivas del llamado orden público económico van a ser las que requieran soluciones que superen las dos formas generales y típicas de ineficacia del contrato (nulidad y anulabilidad). Las distintas formas de flexibilización de la clásica acción de nulidad que se van adoptando por exigencias de las nuevas políticas legislativas se analizarán más adelante cuando observemos las «Nuevas perspectivas de la ineficacia contractual».

Por tanto, no hay ningún problema en los caso en los que las leyes nos ofrecen expresamente las nuevas variables en los efectos que pretenden dar a los contratos que las contravienen. El problema surge cuando la Ley no se pronuncia directamente sobre las consecuencias de la ilegalidad o no hace mas que apuntar algunas de estas variables debiendo deducir el resto el intérprete de la norma. Se complica la cuestión, como ya tuvimos ocasión de analizar al señalar el problema de la normativa sobre tasas de los precios, si las normas jurídicas son de carácter reglamentario o administrativo puesto

---

[23] El antiguo art. 4º establecía que serían «nulos los actos ejecutados contra lo dispuesto en la Ley, salvo los casos en los que la misma ley ordene su validez.» En cambio en el actual art. 6.3 CC. Se establece del mismo modo la nulidad del acto contrario a las normas «salvo que en ellas se establezca un efecto distinto para el caso de contravención.» Literalmente antes solo cabía la nulidad virtual o la validez expresa. Ahora cabe cualquier tipo de solución aparte de la nulidad ya sea expresa o tácitamente establecida por la ley.

[24] DIEZ-PICAZO, L., *Fundamentos...*, vol. I, cit., págs. 432 y 443.

que habrá que atenderse a la habilitación legal de desarrollo sobre la que se sustentan[25].

También en estos casos habrá que delimitar y acotar la función y el campo que compete a la Administración y el que compete en exclusiva a los tribunales de la jurisdicción ordinaria civil. Teniendo siempre muy en cuenta que la declaración y calificación de la ineficacia de un contrato es materia de competencia exclusiva de jueces y tribunales civiles que nunca pueden hacer dejación de esta función, sin perjuicio de otras funciones sancionadoras o de control de infracciones que tengan los distintos organismos administrativos. En este sentido ya analizamos la consideración que debían merecer las resoluciones del Tribunal de Defensa de la Competencia[26].

3. Tratamiento doctrinal

3.1. Búsqueda de una regla general. De la nulidad textual a la nulidad virtual

Siempre se ha tratado de buscar una regla general que nos conduzca hacia soluciones simples y sencillas de aplicar para todos los casos de ilegalidad contractual. Sin embargo, esta panacea de los efectos de la ilegalidad hasta ahora no se ha conseguido, ni es probable que se consiga, como más adelante demostraremos. Las reglas generales son siempre fruto de una dogmática jurídica que en nada se adapta a la tópica de las situaciones de ilegalidad[27].

3.1.1. La nulidad textual

La primera regla general que se trata de aplicar surge en el momento de máximo auge del dogma de la autonomía de la voluntad. Será a consecuencia de las teorías voluntaristas que surgen en Francia a través de las corrientes iusnaturalistas no católicas desde donde se proclama la regla de la nulidad textual o expresa. Esta regla de la nulidad textual se plasma en la teoría de la norma general excluyente y la frase: «todo lo que no está prohibido esta permitido». La voluntad era el fundamento de la fuerza obligatoria del contrato y todo contrato era justo[28]. Las teorías voluntaristas consideraban,

---

[25]   Vid supra epígrafe «Reserva de Ley. El rango legal de la libertad contractual y su limitación, modificación o «derogación» por normas de rango inferior».

[26]   Vid supra epígrafe «*Contratos contra la libre competencia y el Tribunal de Defensa de la competencia*».

[27]   Por esta razón las reglas generales no se tratarán de aplicar en el Derecho romano donde de forma impecablemente correcta se sigue la técnica de la casuística. Vid. epígrafe: «Previsiones legales en la tradición civilista del Derecho Romano».

[28]   CASTRILLO SANTOS, J., op cit. pág. 591, MARTY Y RAINAUD, op cit. pág. 28. GHESTIN, J., *Traité de droit civil*, T.2º, 2ª ed, 1988, págs. 21-22 RIPERT, G., op cit. pág. 37 y ss.

en principio, vinculantes todos los convenios por el hecho de haber sido queridos y por respeto a la libertad individual.

Las experiencias jurídicas anteriores a la codificación no contienen nunca declaraciones genéricas de nulidad sino que se limitaban a declarar específicamente la nulidad en cada uno de los casos en que ésta debiera existir. Tanto en las costumbres (*coutumes*) que regían en Francia como en algunas Ordenanzas Reales, comunes a todo el imperio, parecía que se encontraba el espíritu de exigir cierta tipicidad para aplicar la nulidad. En Francia, antes de la codificación, existían zonas en las que se regían por costumbres y partes donde se regían por el derecho escrito compuesto por las leyes romanas justinianeas.

Es en la parte donde el Derecho romano se hallaba embebido de los derechos consuetudinarios locales y de las Ordenanzas Reales donde se forma la máxima de que no puede darse la nulidad no establecida por la ley[29]. Se seguía una tópica casuística y no se habla de la nulidad en general sino en actos y contratos nulos que tenían siempre la consideración de excepcionales. Este panorama era bastante anárquico y producía ciertas dosis de inseguridad.

Para corregir estos excesos el Código Civil francés, que se encuentra también dentro de la corriente liberal de defensa de la autonomía de la voluntad, opta por una vía intermedia. PORTALIS quiso introducir en el Título Preliminar una disposición al efecto, estableciendo: «Las leyes prohibitivas comportan pena de nulidad, aunque esta pena no haya sido formalmente expresada en ellas» (Tit. IV, art. 9º). Esta disposición fue rechazada por la mayoría por considerarla inútil[30]. Finalmente, en el texto del Código se va a afirmar la superioridad de la Ley frente a la autonomía de la voluntad, pero esta superioridad no incluye más que a *las leyes que interesan al orden público y las buenas costumbres* (art. 6º del Código Civil francés de 1804)[31]. La doctrina advierte que en el Código no se recoge un estatuto general de la nulidad de los contratos prohibidos aunque puede deducirse del art. 6º[32].

En una primitiva interpretación exegética de este artículo por parte de la jurisprudencia se optará por considerarlo declaración de una nulidad textual.

---

[29] MOSCHELLA, R., *Negozio...* op. Cit. págs. 262 y 263.

[30] RIPERT, G. y BOULANGER, J., *Traité de droit civil*, T. I, París, 1956, pág. 279.

[31] Este artículo del Código francés tiene su equivalente en el Código Civil español que, sin embargo, antes de la reforma del Título Preliminar recogía más bien una regla de nulidad virtual en su artículo 4º «Son nulos los actos ejecutados contra lo dispuesto en la Ley, salvo los casos en que la misma ley ordene su validez» (tras la reforma realizada mediante Ley de Bases de 17 de marzo de 1973 y aprobada por Decreto 1836/1974 esta norma cambia de redacción y ubicación pasando al actual artículo 6.3). Sin embargo, también en nuestro Código podemos atisbar cierta muestra de la influencia de esta textualidad si acudimos a la regulación de la causa ilícita y comprobamos que existe una presunción legal de que la causa existe y se presume lícita (artículo 1276).

[32] AUBRY ET RAU, *Cours de droit civil*, vol. I, París, 1935, págs. 111 y ss., PLANIOL Y RIPERT, *Traité elémentaire de droit civil* T.6, París, 1930, nª 295.

Únicamente se admitía la ineficacia de un contrato que se encontrase sancionado, de esta forma, expresamente por una Ley como literalmente aparece en el Código («*Pas de nullité sans Loi*»). Sólo el legislador podría establecer la nulidad de los actos y debería hacerlo de forma clara e indubitada. De esta forma se exigía y se obtenía un cierto grado de certeza y literalidad en las declaraciones de nulidad.

Sin embargo, el transcurrir del tiempo revelará que no va a resultar conveniente mantener o defender la textualidad de la nulidad. Se llega a esta conclusión cuando se advierte que el legislador tiene una capacidad limitada de observación de los problemas y de su regulación. Es inevitable que al legislador se le escapen supuestos y soluciones por la gran riqueza de la realidad jurídica. Es imposible que pueda abarcarse y preverse en cualquier regulación todas las posibles infracciones y violaciones que los privados puedan cometer contra la misma. Incluso aunque se hubiese hecho lo más completa posible, cubriendo cualquier posible laguna, puede que con el tiempo se ideen nuevas formas de vulneración impensables con anterioridad. La debilidad humana por buscar las maneras de beneficiarse de las situaciones no cubiertas por la Ley resulta incansable. Es fácil que se provoquen o surjan situaciones que aplicando la regla de la textualidad no habría forma alguna de poder controlar jurídicamente. Estas situaciones son las que hacen insostenible una regla como la de la nulidad textual.

Precisamente, para evitar las trabas jurídicas al control de la legalidad contractual que implicaba aplicar la rígida regla *pas de nullité sans texte (nulidad textual)*, surge en Francia el concepto de inexistencia[33]. Ante la imposibilidad del Código de preverlo todo se presentó el temor a la falta de sanción para algunas irregularidades de gravedad excepcional, ante las cuales quedan sin efecto las penas establecidas en el Código. Este temor se empezó a poner de manifiesto en la institución matrimonial a la que primero se aplicó el concepto de inexistencia y poco a poco se introdujo esta teoría a todos los actos de carácter patrimonial. La jurisprudencia francesa establece cierta diferencia en cuanto a la prescripción de las acciones declarativas. La acción declarativa de nulidad absoluta estaría sujeta a un plazo de prescripción de treinta años mientras que la acción declarativa de la inexistencia no estaría sujeta a plazo alguno[34].

La tesis que mantenía la nulidad textual partía, sin duda de la idea de que únicamente las normas prohibitivas (*normas prohibitivas perfectas y plus quam perfectas*) eran capaces de influir sobre la eficacia de un contrato o, en otras palabras, limitar la libertad contractual. Tenían la errónea concepción de que los límites a la libertad de contratación eran siempre, y en todo caso, negativos en el sentido de formularse únicamente mediante prohibiciones. Además, como este tipo de normas (normas prohibitivas) suponen una

---

[33]   Vid. infra epígrafe «Sobre la inexistencia».
[34]   MALAURIE et AYNES, *Droit civil*...cit., pág. 310, especialmente nota 16.

restricción de derechos, no cabrán interpretaciones extensivas ni analógicas. Única y exclusivamente en estos casos taxativamente prohibidos por la Ley se puede dar la nulidad del negocio jurídico[35]. Estamos ante el presupuesto característico de la **nulidad textual.**

De esta forma, se negaba virtualidad para anular un contrato o para influir en sus efectos a las normas imperativas o que, en vez de prohibir, imponían positivamente una determinada obligación que debían cumplir necesariamente los contratantes.

3.1.2. La nulidad virtual

Como reacción a la insuficiencia e insatisfacción de la regla de la nulidad textual se va a intentar superar con otra regla general que parte precisamente del supuesto contrario: la **nulidad virtual**. Son numerosos los autores franceses que como respuesta ante la experiencia de un anterior predominio de la nulidad literal proclaman el carácter virtual de todas las nulidades[36].

La nulidad virtual o tácita trata por todos los medios de llenar las posibles lagunas dictaminando la sanción de nulidad en virtud de la voluntad tácita del legislador ante cualquier fórmula imperativa. Existirían, por consiguiente, numerosas leyes que pese a no hacer pronunciamiento expreso de la nulidad que entraña su transgresión contarían con el soporte de una nulidad implícita. Se trata de evitar que por el mero hecho de existir una falta de previsión normativa expresa en la norma se tenga que concluir que el contrato transgresor de una norma imperativa sea, de forma necesaria, civilmente válido. Conclusión a la que se llegaba con la regla de la nulidad textual.

La regla de la nulidad virtual dispone que el contrato va a resultar siempre nulo cuando contravenga cualquier norma imperativa, aunque la nulidad no esté impuesta expresamente por una norma especial, a menos que la ley misma disponga otra cosa. Es decir, que pasamos de mantener una regla general a postular la inversa. La nulidad textual tiende a considerar la validez del contrato como regla general y la nulidad como excepción. Por esta razón la nulidad tiene que venir impuesta expresa y literalmente por la Ley particularmente infringida. Mediante la nulidad virtual se va a considerar la

---

[35]   A la misma consecuencia apunta DIEZ PICAZO, L., que se puede llegar aplicando el principio de legalidad de las penas (nulla poena sine lege) si extendemos su aplicación a toda sanción y consideramos que la nulidad lo es. *Fundamentos...* op. cit., págs. 427-428.

[36]   RIPERT, G. y BOULANGER, J., *Traité de droit civil*, T. I, París, 1956, pág. 279. COLIN, A., y CAPITANT, H., «*Curso elemental de derecho civil*» trad. D. De Buen, J. Castan Tobeñas, J.M. Castán Vázquez, P. Marín Pérez, Madrid, 1975, T. I, págs. 229 y 234, AUBRY, C., y RAU, C., *Cours de droit civil françois*, 4ª ed., T. IV, París, 1871, pág. 249 y T. I, París, 1869, págs. 119-121. JOSSERAND, L., *Derecho Civil*, Trad. S. Cunchillos, T. I, Vol. 1, Buenos Aires, 1950, pág. 147, BAUDRY-LACANTINERIE, G., *Précis de droit civil*, 9ª ed., París, 1905, pág. 50.

nulidad como regla o consecuencia natural de la ilegalidad contractual y no hace falta que se establezca expresamente.

Para establecer este principio de la nulidad virtual parece necesario que exista una norma de carácter general que la recoja, pues en otro caso habría que aplicar restrictivamente la sanción de nulidad. La existencia de una regla que establezca con carácter general la sanción de nulidad para todos los actos contrarios a la ley parece remontarse al Derecho romano postclásico[37].

Esta regla es la que parece aplicarse, aunque de forma matizada, en el derecho intermedio[38]. En esta recepción tiene mucho que ver la influencia del iusnaturalismo para el que todo es inválido si va en contra de las «bono mores» y se considera indistintamente los contratos inmorales e ilícitos[39].

Finalmente, el fenómeno de la codificación también rescata el principio de los textos romanos y lo reproduce con alguna que otra peculiaridad. Serán Domat, Pothier y Portalis los que van a recoger y hacer propia la norma general establecida en la Lex non dubium y los que encargarán de plasmarla en el texto del Código de Napoleón[40].

De esta regla general de nulidad derivada de la ilegalidad parten la mayoría de los códigos civiles. Son especialmente reseñables el ya aludido artículo 6º del

---

[37] Siempre se ha tratado de deducir ciertas reglas generales a raíz de dos textos clásicos del derecho romano como son: la Constitución de Teodosio II, también llamada Novella Teodosiana y Lex Non dubium que establecía rígidamente un pronunciamiento formal del principio opuesto de la nulidad virtual.

Y el famoso texto clasificatorio de las leyes que hace ULPIANO en leyes perfectae, minus quam perfectae e imperfectae. (Liber singularis regularum, § 1 y 2). De donde se puede deducir una tendencia a considerar el principio de la nulidad textual. Aunque esta clasificación es fruto de la observación de las formas de legislar de distintas épocas.

Pero a ninguno de ambos textos se les reconoce por parte de la doctrina romanística moderna particular importancia al considerarles textos fruto de una gran contingencia. Ambas normas siempre fueron mediatizadas por la iuris prudentia encargada de aplicarlas en cada caso concreto. Pero no cabe duda de que si que han tenido enorme trascendencia estos textos como material de construcción de las doctrinas sucesivas hasta la misma doctrina codificadora. Tal y como ponen de relieve VILLA G., Contrato e violazione di norma imperativa, Milano, 1993. pág. 6 y ss., MOSCHELLA, R., «Negozio Contrario a Norme Imperetive», en Legislazione económica, (Settembre 1978-Agosto 1979) pág. 252 y ss.

[38] El derecho intermedio parece que va a recoger la regla establecida en la Lex Non Dubium y la va a aplicar con amplitud. Sin embargo, una de las características de esta época —como señala DE CASTRO— es el empeño de los autores en realizar distinciones y subdistinciones dentro de las denominadas leyes prohibitivas, estableciendo numerosas excepciones a las mismas, con lo cual pierden gran parte de su virtualidad anuladora las Leges perfectae.(DE CASTRO Y BRAVO, F., Derecho Civil de España, cit. pág. 535).

[39] BUSSI, E., La formazione dei dogmi di diritto privatto nel diritto comune, Padova, 1937, pág. 218, WESENBERG, G. y WESENER, G., Historia del Derecho Privado Moderno..., cit. pág. 232.

[40] VILLA, Contratto e violazione... cit., pág. 9 y MOSCHELLA, R., Il negozio contrario...cit., pág. 264.

Código francés, el art. 1418.1 del Código Civil italiano, el parágrafo 134 del B.G.B y, por supuesto, el actual art. 6.3 y antiguo art. 4ª del Código Civil español. En las regulaciones que establecen todos estos textos legales se generaliza el resultado de la nulidad para cualquier supuesto de ilegalidad. Es, precisamente, sobre la base de esta tesis que propugna la regla de la nulidad virtual sobre la que se asientan las teorías clásicas de la ilegalidad y de la nulidad. Donde mayor aceptación y desarrollo ha adquirido el concepto y el término mismo de nulidad virtual es entre la doctrina y jurisprudencia italianas[41].

Ya hemos comprobado la tendencia a la nulidad que parece conformar la regulación de nuestro Código Civil. Pues bien, si observamos la primitiva redacción del art. 4º del Código Civil (art. 6.3 después de la reforma) vemos como está literalmente orientada hacia esta nulidad virtual. El texto de este precepto rezaba:»Son nulos los actos ejecutados contra lo dispuesto en la Ley, salvo los casos en que la misma ley ordene su validez» Es decir, parece que la excepción que supondría salvar la nulidad sólo operaria en el caso en el que el propio precepto legal infringido «ordenase su validez» de forma expresa.

Sin embargo, podemos apreciar cómo la jurisprudencia en un primer momento y a pesar del tenor literal del artículo 4º se inclinaba a considerar preferible la aplicación de una nulidad textual. La sentencia de 10 de noviembre de 1964 nos da buena muestra de ello al afirmar: «Pese a la indudable trascendencia de lo dispuesto en el artículo 4º del Código Civil, su generalidad impone la precisión de analizar en cada caso concreto las circunstancias del acto o contrato, cuya nulidad se postule, ya que, sólo podrá accederse a la misma por regla general, en cualquiera de los casos siguientes; Primero. Que exista precepto específico de la Ley que imponga la nulidad "per se" del acto o contrato.»[42] Además, no podemos olvidar que a pesar de la norma entonces contenida en el artículo 4º que establecía la nulidad virtual encontramos otros preceptos en el Código como el artículo 1277 que presumían que

---

[41]   VILLA, G., *Contratto e violazione di norme imperative*, cit., págs. 4-5, nota 10, FEDELE, *L'invalidita...*cit., págs. 175-176, STOLFI, G., *Teoria del negocio jurídico*, trad. Santos Briz, J., Madrid, 1959. pág. 80, CARIOTA-FERRARA, *Il negozio giuridico nel diritto privato italiano*, pág. 333, PETTI, G.B., «*Comentario al art. 1418*», en *Comentario al Codice Civile* dir por Vitorio DE MARTINO, Roma, 1984, pág. 159, MARTÍNEZ, G., *Principi di diritto civile Italiano*, parte general, Nápoles, 1936, págs. 656-657.

[42]   En este mismo sentido Ss. de 1 de marzo de 1934, 19 de octubre de 1944, 28 de enero de 1958, 27 de febrero de 1964.

[43]   En realidad la redacción del artículo 4º precisamente obedece a cierta preocupación ya notada en los comentarístas de las leyes de Toro y a los tratadistas que explicaron la Nueva Recopilación. Como se expresa por Germán Gamazo en los debates parlamentarios previos a la promulgación del Código Civil: «Despues del Ordenamiento de Alcalá, hubo quien creyó que todo era posible, que todo era lícito, y que la Ley 1ª, tit. 1º, libro 10º de la Novísima Recopilación, no exigíadeterminación de causa ni distinguía entre causas lícitas y causas torpes». Contestación del Sr. Gamazo al Sr. Azcárate, II B 1, 9 de abril de 1889, nº 90, pág. 2420 [1702], El Código Civil. Debates Parlamentarios. 1885-1889, Madrid, 1989.

en todo contrato existía causa y que ésta era lícita[43]. Veremos, por consiguiente, en nuestro ordenamiento jurídico una evolución parecida a la que se registró en Francia y se acaba por asumir el concepto de nulidad virtual[44].

La regla de la nulidad virtual tuvo la ventaja de extender el control de la legalidad contractual a parcelas que podían quedar inmunes por las posibles lagunas legales. Pero, por otro lado, esta teoría también tiene sus inconvenientes. El principal inconveniente es que al generalizar como solución ideal a cualquier tipo de ilegalidad unas medidas tan drásticas como las que conlleva la nulidad se van a producir con demasiada frecuencia resultados injustos. La nulidad es un remedio objetivo con consecuencias definidas, con independencia de la conducta de los contratantes. En muchos casos será peor el remedio que la enfermedad para los contratantes y, al depender de su iniciativa, promover el litigio, éstos se abstendrán de hacerlo. Además, aunque no se solicite la nulidad por ninguna de las partes, al plantear cualquier demanda justa sobre cualquier pretensión contractual se tendrá temor fundado a que el Juez de oficio pueda declarar la nulidad.

Actualmente, en muchos casos, no se va a conseguir con la nulidad el restablecimiento de la legalidad ya que, en la mayoría de las regulaciones imperativas modernas, tampoco es satisfecha la finalidad de la norma infringida con la aplicación de los efectos típicos de la nulidad. Resulta por tanto insatisfactoria esta solución de generalizar la nulidad a todos los casos de ilegalidad tanto desde la perspectiva del interés de los contratantes como desde la del interés de la ley infringida. La obcecación dogmática tradicional, no obstante la evidencia de los inconvenientes prácticos de la teoría, siguió manteniéndola y aplicándola. Los seguidores de esta teoría seguirán considerando que sólo debían mediar consideraciones de índole objetiva en materia de ilegalidad contractual y que así se salvaguarda la seguridad jurídica.

3.1.3. Virtualidad de la nulidad.-Textualidad de la anulabilidad

Parece que ya se ha descartado la tesis de la nulidad textual tras el mal resultado que dio su aplicación en Francia. Ahora, se ha optado por mantener la posibilidad de deducir la nulidad de los mandatos tácitos de las leyes imperativas (nulidad virtual). En este punto existe la opinión de que es donde radica una de las diferencias entre nulidad y anulabilidad. Suponiendo que mientras que «los casos de nulidad pueden deducirse implícitamente de las normas de la Ley; en cambio los casos de anulabilidad han de ser expresamente indicados en la Ley.»[45]. Esta concepción es fruto de criterios históricos y de

---

44   PÉREZ GONZÁLEZ B. Y ALGUER, J., en las notas al *Tratado de Derecho Civil,* de ENNECERUS, L., NIPPERDEY, KIPP, T., WOLF, M., T. I, II, 2ª, 3ª ed., Barcelona, 1981, pág. 743.

45   DE CASTRO Y BRAVO, F., *El negocio jurídico....,* op. cit., pág. 500, STOLFI, G., *Teoría negocio jurídico,* trad. Santos Briz, J., Madrid, 1959. pág. 109.

la concepción de la primera codificación[46]. La misma reglamentación de nuestro Código nos puede inducir a pensar que los casos de anulabilidad se hallan tasados en su articulado y que los casos de nulidad son los que quedan abiertos a la mas variada casuística[47].

Desde luego que, como aprecia parte de nuestra doctrina, la nulidad relativa o anulabilidad no es ninguna excepción respecto a la nulidad absoluta. Por el contrario, la categoría de la anulabilidad está alcanzando cada vez una mayor expansión al ser instrumentalizada por el legislador para aquellos fines que éste considera más oportunos[48]. En Francia la doctrina y jurisprudencia modernas han considerado más apropiada la consideración de nulidad relativa en ciertos supuestos de violación del orden público económico que la doctrina clásica enunciaba sin más entre los casos de nulidad absoluta[49].

La jurisprudencia española, en alguna ocasión, también ha venido a mantener que mientras que la nulidad absoluta del contrato se puede apreciar en orden a los sujetos intervinientes, al objeto ilícito, a la causa ilícita y excepcionalmente a la forma *ad solemnitatem*; «fuera de todas estas hipótesis, el acto jurídico si advino con algún vicio o produjo alguna lesión, a un derecho protegido, será simplemente «anulable». Esto significará interponer una acción «dentro de los requisitos de tiempo y forma que la Ley, para

---

[46]   En otras parcelas de nuestro ordenamiento jurídico como el Derecho Administrativo, en cambio, la anulabilidad merece la consideración de regla general y la nulidad de excepcional.

[47]   Nuestro Código Civil como hemos indicado no establece un elenco de causas que genéricamente produzcan la nulidad como hace por ejemplo el Código Civil italiano en su artículo 1418. De hecho, tan sólo parece ocuparse nuestro código del régimen jurídico de la anulabilidad como ya hemos tenido ocasión de observar (los artículos 1262-1270 y 1300-1314 son referidos a la anulabilidad).

[48]   CARRASCO PERERA, A., *Comentarios al Código Civil y compilaciones forales*, T. I, 2ª ed. Madrid, 1992, pág. 830. DORAL GARCÍA aprecia una «tendencia a que la nulidad relativa o anulabilidad sea el régimen general, tendencia restrictiva de nulidad y extensiva de anulabilidad.» (DORAL GARCÍA, J.A., *El contrato como fuente de obligaciones*, Pamplona, 1993, pág. 155). GORDILLO CAÑAS, mantiene la tesis de extender los casos de anulabilidad por vía deductiva más allá de los casos contemplados en la Ley. (GORDILLO CAÑAS, A., *Nulidad anulabilidad e inexistencia* en Centenario del Código Civil, T. I. 1990 pág. 935).

[49]   Pese a que la doctrina tradicional consideraba que todo contrato contrario al orden público merecía una sanción de nulidad absoluta, actualmente se altera el concepto clásico de orden público para considerar que no siempre procederá este tipo de nulidad para el caso de contravención. Para ello se introduce la figura del denominado Orden Público económico, respecto al cual, a su vez, se diversifica en Orden Público económico de dirección y de protección. El Orden público de dirección generalmente vendrá acompañado de una nulidad absoluta pero puede ser parcial y sustitutiva. El Orden Público de protección además de perseguir un interés general se trata de proteger a un colectivo que resulta ser parte débil de la relación contractual y por ello lo que proceden son sanciones de nulidad relativa (Guestin, Carbonnier).

cada caso establece, siendo la posibilidad de subsanación o confirmación la que, principalmente, señala la línea divisoria entre las dos especies de nulidad» (Sentencia de 27 de mayo de 1968)

En realidad, no se trata de relaciones de norma general a norma excepcional sino que se trata de fenómenos de ineficacia que obedecen a diferentes causas que se establecen por Ley y que por esta misma se pueden aumentar, disminuir o modificar. De hecho, prueba que se trata de fenómenos independientes es que se pueden dar casos de concurso de causas de anulabilidad con causas de nulidad en un mismo contrato. En estos casos aunque, en principio, parece que la causa de nulidad embebería a la de anulabilidad parece aconsejable, como expone DELGADO ECHEVERRÍA, considerar acumulables ambas acciones[50].

3.2. La apuesta por una solución casuística

Podemos, tras sondear la evolución doctrinal española, afirmar que en un principio se tendía a considerar la nulidad de pleno derecho de todo contrato que iba en contra de ley imperativa. Esta conclusión se obtenía de la idea de que había que aplicar a rajatabla la regla de la nulidad virtual con todas sus consecuencias.

No obstante, hoy en día no se puede deducir regla general alguna. Como hemos visto, nuestra doctrina clásica conseguía una regla general deduciendo del antiguo art. 4.1 CC (actual 6.3) una especie de *cláusula de nulidad virtual*. Esto significaba que, en caso que no establezca nada la norma, deberá decidirse a favor del carácter absoluto de la norma imperativa y por tanto por el efecto de la nulidad ya que se presume que la intención normal del legislador es la de anular aquello que va en contra de su voluntad. Pero pronto esta regla se irá matizando y diversificando tanto por la doctrina como por la jurisprudencia según los casos y las necesidades prácticas que trate de satisfacer.

Lo mismo ha ocurrido en el Derecho italiano, donde tanta acogida y aceptación tuvo el término de nulidad virtual desde un primer momento. La tendencia en este momento en el ordenamiento jurídico italiano es a admitir la nulidad virtual solo nominalmente, reduciendo notablemente su extensión respecto a su noción tradicional. De tal forma que la violación de una norma imperativa desprovista de sanción o, al menos, de sanción civil (*ley imperfecta* o *minus quam perfecta*) no llevará aparejada automáticamente la nulidad del contrato. Se va a considerar necesario proceder a un análisis caso por caso de la finalidad de la ley infringida para ver si el contrato es nulo[51].

---

[50] DELGADO ECHEVERRÍA, J., «*La anulabilidad*», en *A.D.C.*, T. **XXIX**, octubre-diciembre, 1976, págs. 1042-1043.

[51] LONARDO, L., *Ordine pubblico e illeceità del contratto*, Nápoles, 1993, págs. 75-76.

La doctrina y jurisprudencia españolas van a seguir la misma evolución que las italianas. En primer lugar tratará de ir interpretando el antiguo artículo 4º, anteriormente expuesto, en un sentido más flexible y moderado[52]. La modificación legislativa del Título Preliminar va a recoger y reflejar esta tendencia y en la nueva redacción del art. 6.3 se va a cambiar la fórmula de excepción y ya no se establece que la validez deba venir ordenada en la misma Ley, sino que se amplia la excepción a la nulidad pudiéndose modular cualquier efecto distinto.

Pronto la doctrina y jurisprudencia interpretarán el 6.3 CC dando el máximo relieve a la última parte del párrafo donde se dice, a modo de regla excepcional y complementaria que no procederá la nulidad de pleno derecho allí donde la propia ley prevea un efecto distinto para caso de contravención. Esta última regla será tomada en el sentido más amplio posible de forma que se acudirá a la nulidad como último recurso. La interpretación amplia significa que se considerará que la ley prevé un efecto distinto de la nulidad si aquel se puede inferir de la finalidad de la norma pese a que no se haya dispuesto de modo expreso o textual. Por esta razón, lo que se ha de investigar es el sentido que tienen las disposiciones imperativas para saber aplicar las medidas y efectos más acordes con los fines que haya querido y considerado el legislador. Para alcanzar este objetivo hay que hacer grandes esfuerzos de interpretación y no dejarse llevar por el sentido literal de la Ley, a veces fuente de equívocos[53]. El juego de flexibilidad que otorgan los artículos 6.3 (antiguo art. 4) y 1255 del Código Civil no escapan a la observación de la doctrina[54].

4. Tratamiento jurisprudencial

4.1. 1ª Etapa: la nulidad radical

La jurisprudencia en su primera época va a tratar de atajar todas las situaciones de ilegalidad contractual de la forma más contundente posible. Para ello se va a emplear, sin ninguna dificultad, la nulidad de pleno derecho. Nulidad de pleno derecho que se aplica con todas sus consecuencias y que se identifica con la inexistencia. Ya hemos observado cómo la jurisprudencia fundamentalmente va a seguir las técnicas clásicas del control estructural de la legalidad, analizándola desde el elemento del contrato que resulta viciado. También es cierto que es el método que le concede más discrecionalidad.

---

[52]   DIEZ PICAZO, L., «Eficacia e ineficacia del negocio jurídico», en A.D.C.., 1961, pág. 823, DE CASTRO Y BRAVO, F., Derecho civil de España, Madrid, 1984, pág. 537.
[53]   GIORGI, J., Teoría de las obligaciones, volumen III, trad española, 2ª ed. Madrid, 1978. pág. 328.
[54]   MORENO MOCHOLI, M., «Las irregularidades en el negocio jurídico» en R..D.P., 1946, pág. 25 (nota23) y pág. 27.

Un indicativo inequívoco de esta primera tendencia jurisprudencial se encuentra en la gran cantidad de sentencias en las que se procede a declarar la nulidad del contrato en virtud de la existencia de una causa ilícita. La causa ilícita es utilizada para multitud de casos de ilegalidad. La ilicitud de la causa se reconoce con una gran desenvoltura y la única consecuencia posible a este reconocimiento de ilicitud es la nulidad[55].

Pero incluso cuando se acude al control de la ilegalidad analizando funcionalmente y contrastando la norma infringida y el contrato, el resultado sigue siendo la tendencia a la nulidad radical. La jurisprudencia hace una interpretación de las normas bastante apegada a la nulidad virtual. Podemos poner como ejemplos:

a) la interpretación literal y textual que hace la jurisprudencia de la normativa sobre *arrendamientos rústicos* en el momento en el que se prohibió establecer el precio de renta en dinero siendo obligatorio establecerlo en trigo (según el art. 3 de la Ley de 23 de julio de 1942, de arrendamientos rústicos)[56]. Pues bien, la jurisprudencia interpretó literalmente la prohibición legal[57] de tal forma que declaraba nulo todo arrendamiento fijado en dinero, en contra de la finalidad de la norma y facilitando el fraude del derecho de prórroga forzosa que establecía la Ley[58].

Hasta que finalmente tuvo que ser el legislador el que viendo las consecuencias insatisfactorias de este tratamiento tuvo que manifestar y aclarar expresamente la dirección de su voluntad en otra norma posterior (D.L. de 15 de julio de 1949)[59]. Esta norma fue la que disponía que las rentas pactadas en

---

[55]   Vid. epígrafe «La teoría de la causa ilícita».

[56]   DE CASTRO Y BRAVO, F., *El negocio jurídico*, Madrid, 1991, pág. 495 y *Derecho civil...* op. cit., pág. 538. RODRÍGUEZ NAVARRO, M., *Doctrina del Tribunal Supremo sobre arrendamientos rústicos*. Madrid, 1963, págs. 149-188.

[57]   La jurisprudencia interpretó que al pasar del principio de la libertad de las partes para la fijación del precio o renta en los contratos de arrendamientos rústicos establecido en el art. 7º de la Ley de 15 de marzo de 1935 a la norma restrictiva del art. 3º de la Ley del 42 y estableciéndose únicamente reglas de conversión a cereal para las rentas señaladas anteriormente en numerario de forma legal. Es decir se pretende el ajuste de legalidad como medida general para los arrendamientos que deban persistir. De la literalidad del texto se derivaba que no es aplicable la conversión a las rentas fijadas con posterioridad a la Ley del 42 ya que, para ellas, no se ha propuesto remedio en la propia Ley. Por tanto se pasa a aplicar directamente la regla general establecida en el art. 4º del Código Civil.

[58]   Sentencias sobre todo de la sala de lo Social que resultaba la competente para conocer de estos casos: Sentencia de 28 de mayo de 1945, 19 de mayo y 18 de diciembre de 1947, S. 10 de febrero, 27 de septiembre, 8 y 22 de octubre y 10 de noviembre de 1948.

[59]   Como se puede apreciar en numerosas sentencias que se pronuncian sobre el particular se llega a la conclusión que el D:L. de 15 de julio de 1949, no solo no deroga sino que confirma expresamente el art. 3 de la Ley de 23 de julio de 1942, «en cuanto prescribe que la merced arrendaticia se fijará en una cantidad de trigo, y lo interpreta auténticamente declarando que la contravención de la norma no determinará la nulidad del contrato, sino la necesidad de subsanar el defecto...»Sentencia de 9 de marzo de

dinero pasasen, mediante un sistema de conversión, a entender que se pactaban en su equivalente en trigo y, además, fue establecido con efectos retroactivos. Convirtiendo la cantidad de dinero en la de trigo que resulte por aplicación de las reglas que el D.L. prescribe, o por decisión judicial en defecto de acuerdo de partes.

b) La misma suerte corrían, en un principio, los contratos que vulneraban las *leyes sobre tasas* como hemos tenido ocasión de observar detenidamente con anterioridad[60]. Recordemos que la primera corriente jurisprudencial de las muchas que se han ido sucediendo en esta materia propugnaba la nulidad radical como única solución posible[61].

4.2. 2ª Etapa: hacia soluciones flexibles

Al socaire de la evolución doctrinal, la jurisprudencia también va a ir evolucionando paralelamente. Se puede afirmar que, contagiada por la doctrina, la jurisprudencia va a adoptar una postura cada vez más flexible y casuística. Esta influencia es recogida expresamente por numerosas sentencias cuyo punto de partida es la de 19 de octubre de 1944. Ahora, es forzoso inferir que el precepto genérico del art. 4º del CC no puede aplicarse sin más como norma específica de nulidad respecto a cuantos actos quepa estimar que sean contrarios a la Ley[62].

Notemos de forma gráfica el cambio de planteamiento jurisprudencial:

La interpretación clásica y literal del precepto se construía de este modo: «no ha de olvidarse tampoco que *no es necesario para estimar nulo un acto contra Ley que ésta casuísticamente así lo diga:* la fórmula del párrafo 1º del art. 4º del CC., en sus dos aspectos (regla y excepción) abarca todo el camino de actos según Ley y contra Ley.» (Sentencia de 22 de octubre de1948). Otras sentencias también mantienen que son por regla general nulos todos los actos ejecutados contra lo dispuesto en el art. 4º del CC. (Sentencia de 26 de junio de 1946). En otras ocasiones, tras asumir que el art. 4º sienta un principio general de nulidad, el Supremo dice que éste sólo puede regir cuando se

---

1955. Esta regulación completa se recoge posteriormente en el reglamento de 29 de abril de 1959, en cuyo artículo 7ª.1 establece obligatoriamente que la fijación de la renta anual deberá estipularse en una cantidad determinada de trigo, y en el mismo artículo pero en su apartado 3 resuelve expresamente que «no será causa de nulidad del contrato la circunstancia de que las partes contraviniendo lo dispuesto en el párrafo 1, hubiesen fijado la renta en numerario o en especie distinta del trigo con posterioridad a la Ley de 1942, o incluso al presente reglamento». Así se ordena expresamente la validez de los contratos ejecutados contra lo dispuesto en la Ley como establecía el antiguo art. 4º del Código Civil.

[60] Vid epígrafe «Casos de Venta con precios superior al Legal».
[61] Valgan como ejemplos las sentencias de 27 de mayo de 1949, 27 de octubre de 1956, 9 de enero de 1958.
[62] Sentencia de 28 de julio de 1986.

estipule algo que la Ley prohibe o en el supuesto de que la nulidad no esté declarada expresamente, pero no cuando tal nulidad se regula en el mismo Código Civil por disposiciones concretas (sentencia de 17 de octubre de 1955)[63]

El cambio de interpretación de este precepto será drástico. Se pasará a afirmar: «El art. 4º del CC. aparte de que se limita a formular un principio jurídico de gran generalidad, lo que restringe mucho su eficacia práctica como resorte para dar impulso a la casación, no ha de ser interpretado con criterio rígido sino, como sugiere la doctrina científica, con criterio flexible y teniendo en cuenta que *no es preciso que la validez de los actos contrarios a la Ley sea ordenada de modo expreso y textual,* sin que quepa pensar que toda disconformidad con una Ley cualquiera (....) haya de llevar consigo la sanción extrema de la nulidad....» Sobre todo en casos en los que el problema suscitado reviste gran complejidad (Este párrafo será sistemáticamente reproducido por infinidad de sentencias que tienen su punto de origen en la Sentencia de 19 de octubre de 1944)[64]

La nota de flexibilidad se consigue también manteniendo que para sancionar con la nulidad sería necesario un precepto claro y terminante y, por lo tanto, no basta con la alegación genérica a lo prevenido en el art. 4º[65] y parece que aún menos con la redacción del art. 6.3 del Código Civil[66]. Es más, en muchos casos el Tribunal Supremo va a exigir que se indique ex profeso para que sea operante para la casación no sólo la Ley en la que se basa la alegación de nulidad sino el artículo o el inciso en el que se fundamente[67].

---

[63] En sentido opuesto la sentencia de 20 de noviembre de 1959 mantiene que es jurisprudencia consolidada la que mantiene que «las nulidades a las que se refiere tal precepto son las que de modo expreso se determinan en los títulos de dicho cuerpo legal, y no es de aplicación a aquellos otros actos cuya validez nulidad se encuentran definidas por otras disposiciones legales.»

[64] Sentencias de 28 de enero de 1958, 8 de abril de 1958, 20 de noviembre de 1959, 8 de marzo de 1966, 28 de octubre de 1969, 26 abril 1995.

[65] Sentencias de 8 de abril de 1958, 25 de febrero de 1967, 20 de abril de 1967, 31 de mayo de 1968.

[66] «El artículo cuarto, hoy sexto, del Código sustantivo no autoriza por sí solo, una declaración de nulidad —sentencia de 26 de mayo de 1974—, pues en cada caso concreto se han de analizar las circunstancias del acto que se pretende anular, que precisa la demostración de que se ha ejecutado contra lo dispuesto en la ley, (...), pues no basta que exista una inadecuación entre un acto y un precepto legal sino que es preciso, además, que éste establezca un mandato ineludible o imponga, siempre imperativamente, una prohibición, conforme tiene declarado la sentencia de esta Sala de 17 de mayo de 1979 y así se deduce también de los términos en que el número tres del mencionado artículo sexto aparece redactado. En este mismo sentido, Sentencias de 8 de junio de 1979, 28 de julio de 1986.

[67] Sentencias de 3 de julio de 1954, 31 de marzo de 1964, 25 de febrero de 1967, 20 de abril de 1967, 18 de diciembre de 1968, Ar, de 1969, 27 de abril de 1970.

Esta técnica de las reglas específicas para declarar la nulidad responde claramente al principio de restricción y excepcionalidad de ésta que casi nos hace pensar que estamos volviendo a la nulidad textual pero cuya única alternativa no sería la validez sino cualquier otra forma de ineficacia. En muchas sentencias el Tribunal Supremo va a mantener que para que proceda la nulidad es necesario que se infrinja algún precepto de carácter sustantivo, cuya vulneración viniera sancionada por la propia Ley, con la pena de nulidad[68]. La diferencia de esta doctrina flexible con la nulidad textual está en que existen muchas alternativas de ineficacia aplicables, vías intermedias entre la nulidad y la validez.

Alguna sentencia formula y sistematiza los casos en los que se procede a declarar la nulidad a través de la regla contenida en el art. 4º CC. (Sentencias de 26 de junio de 1982 y 10 de noviembre de 1964). «Pese a la indudable trascendencia de lo dispuesto en el art. 4º CC., su generalidad impone la precisión en cada caso concreto, de analizar las circunstancias del acto o contrato cuya nulidad se postule, ya que sólo se podrá acceder a la misma, por regla general, en cualquiera de los casos siguientes: 1º. Que exista precepto especifico en la Ley que imponga la nulidad «*per se*» del acto o contrato (Arts. 670, 1271.2, 1583 2º inciso, y 1654 del CC.) 2º. Que se trate de un acto constitutivo de un estado o condición, para cuya eficacia exige la Ley determinados requisitos y falta alguno esencial en el evento de que se trata (arts. 316 y 318 CC.) 3º. Cuando la materia, objeto o finalidad del acto impliquen un fraude de la Ley, sean atentatorios a la moral o supongan daño o peligro para el orden público, a todo lo que se refiere el art. 1255 CC. determinando la concurrencia de lo que el mismo (Código Civil) califica de «causa torpe» (Art. 1306).»

Se van a mostrar claras reticencias, hasta ahora nunca expuestas, a la declaración de oficio de la nulidad. Es muy expresiva la sentencia de 31 de marzo de 1981: «La aplicación «*ex oficio*» del deber judicial de vigilancia y sanción de los actos contrarios a la Ley mediante la declaración de su nulidad es una doctrina que hay que tomarla ` *cum grano salis*´ para *evitar el peligro de proliferación de nulidades excesivas* en materias que entran en el ámbito de la autonomía de la voluntad y que deben dejarse a la iniciativa e interés de la parte, supuesta la inexistencia de atentado flagrante al orden jurídico de cuya defensa están encargados los Tribunales, así, si bien las sentencias de 29 de enero de 1932, 15 de enero de 1949, 20 de octubre de 1949, 28 de abril de 1963 y otras, admiten la posibilidad de la declaración de oficio de la nulidad para evitar que los fallos de los tribunales, por el silencio de las partes, puedan amparar hechos torpes o constitutivos de delito. También es cierto que ello sólo tiene justificación ante actos nulos de pleno derecho (art. 6º. -3 CC.), pero

---

[68] Sentencias de 20 de noviembre de 1959, 11 de mayo de 1970, 17 de mayo de 1974, 30 de junio de 1978, 8 de junio de 1979, 13 de junio de 1986.

no ante negocios no afectos de vicio o no infractores de un precepto claro y terminante —Sentencia de 11 de marzo de 1965, 22 de marzo de 1965— y mucho menos respecto de actos o negocios cuya apariencia jurídica correcta merezca el debido respeto mientras no se impugnen en forma o eficazmente, dando así oportunidad a la otra parte para su defensa —Sentencias de 31 de diciembre de 1949, 15 de octubre de 1957, 16 de mayo de 1970— en atención a las posibles consecuencias de la acción (Arts. 1303 y sentencias. del CC., por ejemplo).» En este mismo sentido se expresa la sentencia de 5 de abril de 1986.

En esta evolución jurisprudencial apuntada, CARRASCO PERERA distingue hasta seis modelos de decisión que adopta nuestro Tribunal Supremo. Se trata de un paulatino acopio de criterios que, de forma cumulativa y algo desordenada, se van recogiendo en las sentencias[69]. Más que analizar cada una de estas secuencias de forma separada, resulta útil descubrir el resultado al que se ha llegado a través de esta tendencia o dirección. Estos serán los rasgos de la nueva corriente jurisprudencial.

4.3. La nueva corriente jurisprudencial

Las nuevas corrientes jurisprudenciales tratan de buscar soluciones más flexibles mediante una interpretación teleológica de la norma infringida. Es decir, se tiende a conseguir que la sanción que se deba infligir al contrato transgresor contribuya a la consecución del propósito o finalidad de la norma infringida (*voluntas legis*). En muchos casos es indispensable tener en cuenta que el propósito de la Ley obedece a un plan de política legislativa muy concreta (*voluntas legislatoris*), para cuya consecución no basta declarar radicalmente nulo el contrato que no se adapta a ella[70]. Esta solución tradicional de la sanción general de nulidad ha tenido que ser matizada constantemente por la jurisprudencia para amoldar las consecuencias de la ineficacia a los diferentes casos de ilegalidad contractual cuando la propia ley no lo hace expresamente.

Efectivamente, la jurisprudencia se ha visto obligada a ir diseñando las distintas soluciones desmitificando la nulidad, interpretando las Leyes vulneradas y los resultados que estas buscan producir en la realidad.

---

[69]   CARRASCO PERERA, A., *Comentarios....*cit., págs. 788-793.

[70]   Encontramos en muchas sentencias la idea de que la consecuencia de la nulidad absoluta por disparidad entre el acto ejecutado y el precepto imperativo o de ius cogens no se origina cuando la norma vulnerada tenga previstos efectos distintos para el supuesto de que tal contradicción se produzca. (Sentencia de 13 de junio de 1986). Estos efectos distintos se tienden a presumir de forma general cuando existe una normativa específica sobre la materia, es decir, cuando esta regulada este campo por legislación especial. «No se puede suponer que toda disconformidad u omisión de formas legales halla de llevar consigo la sanción extrema de la nulidad, sobre todo cuando existe una legislación especial que regula la materia.» Sentencias de 28 de enero de 1958, de 20 de noviembre de 1959, 8 de marzo de 1966, 19 de enero de 1967, 28 de octubre de 1969.

Alguna sentencia se ha ocupado de formular y sistematizar, a grandes rasgos, las reglas que va a seguir esta nueva corriente de flexibilización. La pionera en exponer estos rasgos es la sentencia de 27 de febrero de 1964.«Siguiendo la tónica jurisprudencial de las sentencias de 1 de marzo de 1934 y 19 de octubre de 1944 y 28 de enero de 1958, es forzoso inferir no sólo que el precepto genérico del art. 4º párrafo 1º CC. no puede aplicarse, sin más, como norma específica de nulidad respecto a cuantos actos quepa estimar que son contrarios a la Ley, sino que, en realidad, hay que clasificar tales actos en tres distintos grupos: 1º aquellos cuya nulidad se funda en un precepto específico y terminante de la Ley que así lo imponga; 2º actos contrarios a la Ley, en que la Ley misma disponga, a pesar de ello, su validez; 3º actos que contraríen o falten a algún precepto legal, sin que este formule declaración expresa sobre su nulidad o validez, siendo obvio que, en el primer caso, la nulidad ha de decretarse, incluso de oficio, por los tribunales; que estos, por el contrario, han de reconocer validez al acto «*contra legem*» en la segunda hipótesis y que en el tercer evento, es donde el juzgador ha de extremar su prudencia, en uso de *una facultad, hasta cierto punto, discrecional*, analizando para ello la índole y finalidad del precepto legal contrariado y la naturaleza, móviles, circunstancias y efectos previsibles de los actos realizados para concluir declarando válido el acto pese a la infracción legal, si la levedad del caso así lo permite o aconseja y sancionándole con la nulidad si median trascendentes razones que patenticen al acto como gravemente contrario al respeto debido a la Ley, la moral y el orden público, encontrándose inficionado de lo que el Código llama causa torpe.»

Para conseguir el resultado más adecuado el juez tendrá que deducir las razones por las que han sido creadas las normas imperativas afectadas y se las ha otorgado la fuerza preceptiva y no meramente dispositiva. Pese al encomiable esfuerzo que realiza la jurisprudencia en este sentido, sería extremadamente oportuno, en aras a la salvaguarda de la seguridad jurídica, que el legislador se hiciese cargo más a menudo de prever la sanción que requiere expresamente. Tengamos en cuenta que es función de la Ley, como hemos dicho, el alterar el régimen de la ineficacia cuando resulte necesario y parece que corresponde a ésta el hacerlo de la forma más precisa posible[71].

Las nuevas perspectivas de la ineficacia son más teleológicas que conceptuales. Parece que tras la consolidación conceptual de los regímenes típicos de la ineficacia, volvemos a encontrar, en la actualidad, cierto desorden que va a volver a dar una sensación de desconcierto. Aparentemente, la teoría clásica parecía haber logrado establecer unas líneas generales que se podían seguir, inequívocamente, para deducir en cada supuesto ante qué tipo de ineficacia nos encontramos.

---

[71] PETTI, GB., *Commentario al codice civile*, art. 1418, Roma, 1984, pág. 166.

Las nuevas normas coyunturales que se van creando (normas de orden público económico) y las nuevas finalidades que se persiguen van a hacer que las categorías clásicas de la ineficacia y su configuración dogmática referencial se nos muestren claramente insuficientes. Surgen nuevos casos y numerosas situaciones que no vamos a lograr encasillar en las categorías clásicas porque cuentan con importantes peculiaridades[72].

Indudablemente deberemos tratar de adaptar la ineficacia a las nuevas necesidades que demanda el tráfico jurídico. Para realizar esta adaptación será inevitable el flexibilizar al máximo las reglas de la ineficacia y renunciar a encasillar cada supuesto en una de estas categorías[73]. Analizando lo que se propone la norma jurídica que origina la ineficacia podemos deducir el nuevo régimen jurídico aplicable, que podrá coincidir con el que caracteriza alguna de las figuras clásicas o podrá participar de elementos o características de varias de ellas, como de hecho resultará ser la tónica general. No deberemos obcecarnos por acercar o alejar de una u otra categoría típica los supuestos regulados por determinada ley. Aunque los regímenes típicos sean los que cuenten con una regulación más completa y segura que servirá de modelo para la interpretación de los demás y para completar sus posibles lagunas.

Sin embargo, hemos de tener presente que antes de acudir a esta interpretación analógica de algún régimen típico de ineficacia se ha de ver cuál es el más adecuado con los intereses que se encuentran en juego y la protección que la norma en cuestión pretende darles a cada uno de ellos.

No es necesario buscar un régimen jurídico clásico en una categoría de ineficacia para aplicar todas sus características como solución a toda infracción legal. Basta con aplicar únicamente las características que respondan al espíritu de la norma. Es decir, no deberemos aplicar sino las características que mejor se adapten a su espíritu y al caso concreto, aunque no se ajusten completamente a la categoría de ineficacia de la que se toman. Se deberá seguir las nuevas pautas y efectos que requiera el caso aunque no coincidan o encajen con ninguna de las categorías típicas de la ineficacia.

En muchos casos serán ineficacias «*sui generis*» que deberemos entender que crea la propia ley. Estas nuevas formas de ineficacia son legalmente viables ya que la excepción establecida en la última parte del art.6.3 CC. permite una gran flexibilidad a la hora de articular los efectos de la ineficacia derivada de la ilegalidad. Deja la puerta abierta para que el legislador disponga de la ineficacia como mejor convenga al interés general. Flexibili-

---

[72] Es lo que PETTI, G.B., *Commentario...*, ibidem op. cit., pág. 165 denomina tipicidad relativa de la nulidad.

[73] Este concepto de ineficacia flexible forma parte de lo que RATTIN denomina «principio de adaptabilidad» que hace que la Ley articule el modelo de ineficacia que trata de imponer en un caso concreto de forma elástica obedeciendo a razones dinámicas y funcionales de naturaleza politico-legislativa y no estáticas o de naturaleza estructural. RATTIN, L., *Sugli effett...* op. cit., pág. 27 y 28.

dad, por otro lado, necesaria para adaptar las consecuencias de la ineficacia a cada caso de ilegalidad. Por lo tanto podemos afirmar que *lo formulado en el Código como excepción (sanción diversa a la nulidad) se va a convertir en la regla.*

Pese a que la jurisprudencia y la doctrina han deducido en muchos casos el régimen aplicable, sobre todo asimilándolo a alguno de los regímenes típicos, en otros aún no se acaban de poner de acuerdo. Probablemente, parte de la culpa de esta falta de acuerdo se debe a la frecuente imprecisión de la Ley que permite varias interpretaciones igualmente razonables. Pero también se debe, en buena medida, a la obsesión de los operadores jurídicos por acercar estos nuevos tipos de ineficacia a una u otra categoría de las ofrecidas por la teoría clásica de la ineficacia. Este es un tema terriblemente complicado como lo demuestran los vaivenes jurisprudenciales en la materia.

El caso es que tanto la doctrina como la jurisprudencia tienden a ser reacias a considerar nuevas categorías de ineficacia diferentes de las ya asentadas, en aras a una mayor simplicidad y claridad[74]. Quizá por esta razón se conservará, al menos teóricamente, la regla bien asentada de que la ilegalidad significa nulidad radical o de pleno derecho. Aunque en el fondo, la solución concreta que requiere el caso y que en definitiva aplican los tribunales no se ajuste de forma ortodoxa a lo que podemos considerar que serían todas las características de la nulidad radical o de pleno derecho.

Esta conclusión puede conducir a continuar con la inercia inicial de la jurisprudencia que tendía a declarar la nulidad radical de todo contrato ilegal, fuesen cuales fuesen sus consecuencias en el caso concreto. Cuando puede que lo más correcto y clarificador sea considerar que nos hallamos ante un régimen peculiar de ineficacia que no tendríamos porqué denominar nulidad aunque participe de parte de sus características. Por consiguiente nos inclinamos a considerar que no estamos propiamente ante una nulidad pese a que se califique como parcial, relativa o de cualquier otra forma, cuando se adoptan estas soluciones *sui generis.*

No creemos probable que considerando nuevas formas de ineficacia se vuelva a aquella primera imprecisión terminológica en nuestro sistema jurídico, porque la práctica ya ha confirmado que cuando la institución de la nulidad radical es inviable para numerosos casos se han aplicado los correctivos necesarios. Por esta razón, la confusión ya no tiene lugar puesto que se han consagrado y consolidado jurisprudencial y legalmente estas soluciones diferentes a la nulidad radical. Incluso se admite que ciertos contratos ilegales pueden resultar válidos en su integridad. De hecho, la tendencia jurisprudencial actualmente dominante se inclina a evitar, por todos los medios, la declaración de nulidad radical o bien algunos de sus efectos.

---

[74] No en vano costó tanto escapar de la terrible imprecisión terminológica anterior, *Vid.* infra epígrafe «Desconcierto terminológico y su superación», pág. 42.

Hemos de comenzar advirtiendo que, desde el punto de vista del contrato contrario a la ley, no nos van a interesar todos los tipos de ineficacia. En realidad, como hemos adelantado, podemos valernos de las variaciones y modificaciones que experimenta únicamente el régimen general de la nulidad. Habremos de justificar las soluciones de ineficacia que pueden emplearse para los contratos ilegales.

Analizaremos y desentrañaremos, más adelante, cada posibilidad teórica de forma independiente.

II. INEFICACIA DERIVADA DE LA ILEGALIDAD. PLANTEAMIENTO CLÁSICO

1. Precisiones terminológicas

En esta materia se ha caído tradicionalmente una gran confusión terminológica y conceptual. Para evitar continuar con lo que ha sido tónica general en el tratamiento del tema, la doctrina se ha esmerado en aclarar los conceptos que se han venido utilizando y que se van a enlazar y utilizar también en este trabajo. La teoría clásica sobre la nulidad parte de dos grandes categorías: nulidad y anulabilidad o nulidad relativa. Sin embargo, las nuevas necesidades del tráfico exigen un esfuerzo por modernizar esta teoría clásica una vez superadas las iniciales confusiones conceptuales. Antes de comenzar a explicar las novedades que se pueden sugerir en materia de ineficacia conviene reflejar con claridad los conceptos ya asumidos plenamente por la teoría clásica.

1.1. Invalidez e ineficacia

La distinción y definición de estos dos conceptos es uno de los temas más confusos del Derecho Civil[75]. Esta distinción entre invalidez e ineficacia es una precisión que han hecho y sobre la que han insistido muchos de nuestros autores[76]. Sin embargo, en nuestra exposición no vamos a utilizar la aprecia-

---

[75] Vid por todos PUIG BRUTAU, J., *Fundamentos de derecho civil*, T. II, vol. 1, 3ª ed., Barcelona pág. 279.
[76] DELGADO ECHEVERRÍA, J., en *Elementos de derecho civil*, coordinados po J.L. Lacruz, II, vol.2º, 2ª ed., Barcelona, 1990, pág. 344-345 y *Comentarios..*, arts 1300 a 1314CC, op. cit., págs. 231-233., DE DIEGO, C., *Instituciones de derecho civil español*, T.I, Madrid, 1959, pág. 315. ALBALADEJO GARCÍA, M., «*Invalidez de la declaración de voluntad*», en *A.D.C..*, 1957 *El negocio jurídico*, Barcelona 1958, pág. 398, y *Derecho civil*. T.I, vol 2º, 1989, pág. 452, LACRUZ BERDEJO, J.L., *Elementos de derecho civil*, T I, vol 3º, Barcelona, 1990, págs. 270-273 VALPUESTA FERNÁNDEZ, *Derecho de obligaciones y contratos...* op. cit, pág. 417-417, GARCÍA AMIGO, *Teoría general de las obligaciones y contratos*, Madrid, 1995, L.17 § 1.4.1

ción de estas categorías porque la consideramos innecesaria[77]. En nuestra sistematización utilizaremos únicamente el término ineficacia del contrato, que nos parece mucho mas apropiado que el de invalidez para aglutinar todos los fenómenos que pueden producirse.

La invalidez es una calificación puramente teórica, derivada de la comprobación de irregularidades o anomalías, de cualquier tipo, entre la estructura real del contrato y la estructura ideal o hipotética que debería tener según la tipicidad y regularidad que marca el esquema legal[78]. La invalidez es un término meramente clasificatorio e ilustrativo pero con el que no pueden describirse efectos jurídicos concretos. Su auténtica función no va mas allá de la exclusiva clarificación de algunos de los distintos y heterogéneos conceptos que se incluyen dentro de la ineficacia contractual. La invalidez únicamente puede indicar el posible desarrollo negativo del procedimiento normal de configuración del contrato, pero no lo asegura[79].

No se produce, por tanto, una correlación práctica de la invalidez con la ineficacia, ya que la ineficacia no es más que la constatación empírica o fáctica de que el contrato no ha producido efectos o no ha producido los efectos inicialmente previstos por las partes. Ineficacia e invalidez se mueven por tanto en dos planos distintos que no van a coincidir siempre. No podemos encontrar la influencia de esta distinción dogmática que se hace entre invalidez e ineficacia en la realidad jurídica[80]. Tampoco creemos que sea un

---

[77]   En este mismo sentido DIEZ-PICAZO, L., *Eficacia e ineficacia...*, op. cit. pág. 824, *Fundamentos...* op. cit, pág. 431-432, DIEZ PICAZO Y GULLÓN, *Sistema de derecho civil*, vol. I, cit., pág. 567 y vol. II, cit., pág. 110 DE CASTRO, *El negocio jurídico*, pág. 463, GULLÓN BALLESTEROS, A. *Curso de derecho civil. El negocio jurídico*, Madrid, 1969, págs. 192-203 MORENO MOCHOLÍ, M, *Las irregularidades...* op. cit., 1946, pág. 26. DE LOS MOZOS, JL., *El negocio jurídico*, 1987, pág. 563, CARNELUTTI, *Sistema de diritto Processuale Civile*, II, Atti del processo, 1938,pág. 488 RUGGIERO, *Instituciones de derecho civil*, Trad. Española, Madrid, 1929, pág. 305-306, ALLARA, M, L *Teoria generale del contratto*, 2ª ed., Milano, 1955, pág. 47.

[78]   BETTI, E., *Teoría general del negocio jurídico*, trad A. Martinez Perez (versión italiana de 1950), Madrid, (sin fecha), pág. 348, SANTORO-PASARELLI, *Doctrinas generales del derecho civil*, trad Luna Serrano, A., Madrid, 1964, pág. 300, y DE CASTRO Y BRAVO, F., *El negocio jurídico*, op. cit, pág. 472-473.

[79]   MESSINEO, *Il contratto in genere, in tratatto di diritto civile e commerciale, diretto da Cicu e Messineo, I,* Milano, 1973, pág. 170, STOLFI, *Teoría del negocio jurídico....* op. cit, pág. 77, SCOGNAMIGLIO, *Contributto...* op. cit. pág 407, CARIOTA-FERRARA, *Il negocio giuridico nel diritto privato italiano*, pág. 538, nota 1,

[80]   En la realidad jurídica únicamente se pueden apreciar la ineficacia y no la invalidez ya que esta segunda se mueve únicamente en el plano teórico. La invalidez aglutina una serie de irregularidades legales del contrato que potencialmente van a producir la ineficacia. Pero estas irregularidades son de muy diversos tipos y resulta inútil la categoría porque deberemos individualizar siempre el supuesto tipo de invalidez ante el que nos hallamos para poder conocer los diversos efectos de ella derivados que se deben producir en la práctica.

fiel reflejo nítido y clarificador inducido de la misma, por lo que no podemos más que considerarla como una distinción de deducción meramente teórica que resulta irrelevante en la práctica.

Fundamentalmente, la concepción de invalidez se trata de una noción no empírica sino lógico-dogmática que únicamente trata de poner de relieve que se excluye la posibilidad de una invalidez convencional. A cualquier forma de ineficacia convencional se la denominaría ineficacia (ej. Condición, término, modo, resolución,…). También se podría incluir aquí la rescisión al ser uno de los casos en los que se permite a una de las partes pedir la extinción del contrato válidamente celebrado, aunque en este caso no a su libre voluntad, cuando se ha sufrido unas determinadas lesiones.

Frente a este concepto se ha contrapuesto la invalidez, que vendría a constituir una sanción jurídica sólo cuando está dispuesta en una norma jurídica[81]. Pero lo confuso de esta distinción es que no se deduce muy bien si se está haciendo referencia a las causas o a las consecuencias de la irregularidad contractual. Con la actual atipicidad de efectos jurídicos derivados de la ilegalidad, ya no es posible configurar la invalidez como una consecuencia homogénea derivada de unas causas heterogéneas de antijuridicidad contractual.

Además, para mantener la categoría de la invalidez y distinguirla de la ineficacia se ha tenido que hacer una distinción un tanto desconcertante terminológicamente. Se complica, aún más, la ya confusa nomenclatura a utilizar en esta materia cuando se vuelve a distinguir entre ineficacia en sentido lato e ineficacia en sentido estricto. Esta nueva diferenciación sirve para dar al primer concepto de ineficacia (en sentido lato) un carácter general o aglutinador de todos los resultados que no conducen al normal desarrollo del contrato. El concepto de ineficacia en sentido estricto se utiliza para definir los casos en los que interviene la voluntad de los interesados para que el contrato no se desenvuelva con sus resultados naturales. Se sitúa, por lo tanto, la ineficacia en sentido estricto en el mismo plano que la invalidez como categoría paralela y distinta[82].

Creemos que la materia que tratamos pone de manifiesto las posibles perturbaciones que pueden resultar al mantener o, mejor dicho, contraponer categorías artificiales como las de invalidez e ineficacia en sentido estricto. Fuera del propio interés clasificatorio e ilustrativo no se pueden sacar consecuencias de estas categorías. Como es bien sabido, pueden hacerse múltiples clasificaciones sobre cualquier materia con solo cambiar el criterio clasificatorio. Comparando las similitudes y diferencias de las figuras se

---

[81]   MORENO LUQUE, C., «*Notas sobre la eficacia e ineficacia del negocio: inexistencia, nulidad, anulabilidad y rescisión*», A.C., 1986-2, 816, pág. 2624.

[82]   SCOGNAMIGLIO, R., *Contributo alla...*, op. cit. pág. 343-344 Y 420, FEDELE, A., *La invalidità...*, op. cit. págs. 8 y 14.

pueden agrupar en diversas categorías, pero estas no serán útiles mientras no se pueda generalizar e identificar cada categoría para darles un mismo tratamiento en cada uno de los supuestos que aparecen en la práctica.

Lo más distorsionante de la distinción resulta contraponer los conceptos de invalidez e ineficacia como categorías alternativas[83]. De hecho, los autores más modernos que emplean el concepto de invalidez no contraponen las categorías invalidez-ineficacia sino que consideran que operan siempre en planos distintos[84]. Obviamente los contratos ilegales se deberían incluir entre los contratos inválidos, pero se produce la paradoja de que, en determinados casos, un contrato inválido por ser contrario a derecho no va a tener como consecuencia, en el plano civil, sino la misma eficacia o validez del mismo.

Por otro lado, generalmente, el contrato ilegal tendrá como consecuencia la ineficacia, aunque no siempre se verá desprovisto de todos los efectos[85]. Esta es la premisa «Todo contrato inválido es ineficaz, pero no a la inversa»

Esta premisa parte de la hipótesis de que la invalidez incluye la nulidad y la anulabilidad[86]. Pero en el momento en el que surgen nuevas formas de sanción, que son en la mayor parte de los casos, híbridas entre la nulidad y la anulabilidad, la categoría de la invalidez se resiente. En las nuevas leyes especiales se van a prever sanciones particulares para los actos y contratos que las incumplan que no van a encajar totalmente en las figuras de la invalidez. Entre estas nuevas fórmulas de ineficacia derivada de la ilegalidad, en ciertos casos vamos a observar, incluso, las posibilidades de rescisión y de denuncia o desistimiento unilateral como un posible remedio a la ilegalidad. Este último es un remedio común en la ilegalidad sobrevenida, cuando una de las partes o resulta inocente respecto a la infracción o la propia ley vulnerada está diseñada para proteger a un colectivo de personas frente a otras. También vale como ejemplo la solución del artículo 21.3º de la Ley 6/1998, de 13 de abril, sobre Régimen de Suelo y Valoraciones que, como sus antecesoras, sanciona con facultad de rescisión del contrato en el plazo de un año a favor del adquirente si el vendedor infringió cualquiera de sus disposi-

---

[83] RUGGIERO, *Instituciones de...* op. cit., págs. 305-306.

[84] DELGADO ECHEVERRÍA, J., op. cit. pág. 344-345, TRABUCHI, A., *Instituciones de derecho civil*, Madrid, 1967, pág. 201. y otros como GARCÍA AMIGO considera la invalidez como causas de ineficacia, considerando esta ultima en un sentido lato. En la misma línea VALPUESTA FERNÁNDEZ que la considera como una clase de ineficacia en los supuestos en los que esta obedece a una sanción del ordenamiento jurídico. Por último GETE-ALONSO, M.C., lo expresa diciendo que de las dos categorías, la ineficacia sería el género resultando la invalidez una especie de ésta. (*Manual de Derecho Civil*, vol. II, Madrid, 1996, pág. 641.)

[85] DELGADO ECHEVERRÍA, *Comentarios...* op. cit., pág. 232

[86] Esta es la concepción que consideran ALBALADEJO GARCÍA, M., *Derecho Civil* Tomo II, vol. 1º, 9ª ed., págs. 493-495 y Tomo I, § 105, DELGADO ECHEVERRÍA, J., *Comentarios al...* op. cit., T. XVII, vol. 2º, págs. 280-281, VALPUESTA FERNÁNDEZ, *Derecho de...* op. cit., pág. 428 y GARCÍA AMIGO, M., *Lecciones de...* op. cit., pág. 396.

ciones, además de la posibilidadd de exigir indemnización por los daños y perjuicios que se le hubiesen irrogado.

En general, cuando se han previsto sanciones atípicas se trata de los casos en los que las normas que regulan la contratación son de una condición especial, son normas inderogables en un solo sentido o normas semi-imperativas. De tal forma que el incumplimiento de uno de los contratantes de la Ley que establece ciertas garantías o derechos y que integra el contrato pese a que no se haya pactado expresamente supondrá otorgar al otro contratante el derecho a resolver el contrato. La propia Ley otorga este derecho de resolución unilateral del contrato sin necesidad de acreditar el incumplimiento contractual como si la infracción a la Ley fuese incluida entre las obligaciones del contrato, tal y como ocurre en la legislación arrendaticia.

1.2. Inexistencia, nulidad e ilegalidad

La importancia de deslindar las nociones de inexistencia, ilegalidad y nulidad radica en evitar las fatales consecuencias de cierta confusión que es relativamente frecuente encontrar[87]. Adelantamos que uno de los errores más frecuentes es *confundir la causa* (ilegalidad o en su caso inexistencia) *con la consecuencia* (nulidad). Otro de los problemas está en que el término nulidad se emplea para significar dos cosas diferentes. En un sentido estricto y más técnico se emplea para referirse a la nulidad de pleno derecho y de esta forma se asimila a la inexistencia. En un sentido más amplio se emplea para referirse a la ineficacia en general y en este sentido se asimila a la ilicitud (como consecuencia necesaria). De aquí que se requiera delimitar los tres términos (inexistencia, nulidad e ilegalidad) y matizar sus conceptos.

1.3. Diferencia entre ilegalidad, nulidad e inexistencia

Conviene diferenciar en primer lugar, para ser rigurosos, entre requisito de existencia, es decir, todo elemento esencial y constitutivo del contrato y presupuesto de su ejecución lícita o de su juridicidad. Creemos interesante realizar esta distinción no porque creamos o defendamos la **inexistencia** como una categoría más dentro de la ineficacia contractual, sino que la

---

[87]   Esta confusión la podemos observar sobre todo en la concepción más clásica de la ilicitud. En la obra de FERRARA aparece claramente esta concepción clásica pues considera que es la Ley prohibitiva perfecta la única que tiene capacidad para cualificar a cualquier contrato que la contravenga como ilegal. Cuando debería referirse a la nulidad y no a la ilegalidad que puede provocarla cualquier ley imperativa o prohibitiva. (FERRARA, F., *Teoría del negozio illecito nel diritto civile italiano*, 2ª ed. Milán, 1914, págs. 20-22) La confusión se hace más patente cuando intenta clasificar las distintas especies de ilicitud donde claramente se está haciendo referencia a las especies de nulidad.(Ibídem. pág. 100).

finalidad que perseguimos es evitar la corriente de incorrecta confusión entre inexistencia, nulidad e ilicitud[88].

1.3.1. La inexistencia como concepto obsoleto

Debemos, en primer lugar, atender al origen histórico de la noción de la inexistencia y observar qué problemas y necesidades trata de cubrir y solucionar para saber si se encuentran ya superados[89]. En este último caso, el papel que ha jugado la inexistencia carecería de valor en la actualidad y no habría motivos para mantener la vigencia de su concepto.

Por un lado, el concepto doctrinal de la inexistencia surge, en un primer momento, en Francia con ocasión de la redacción definitiva del articulado del Código napoleónico. Ante la imposibilidad del Código de preverlo todo, se presentó el temor a la falta de sanción para algunas irregularidades de gravedad excepcional, ante las cuales quedan sin efecto las penas establecidas en el Código.

Este temor se empezó a poner de manifiesto en la regulación de la institución matrimonial. Al Primer Cónsul no le parecía correcta la redacción propuesta para el actual art. 146 del *Code* en materia matrimonial. En la redacción propuesta, se consideraba como inválido el matrimonio en el que los esposos no hubieran otorgado su consentimiento libremente. La nueva redacción que fue finalmente adoptada establece que, en realidad, no hay matrimonio si no hay consentimiento. Sin consentimiento el matrimonio no existe ni en apariencia. De esta forma se distingue la inexistencia de la nulidad, trasladando a un capítulo posterior dedicado a las demandas de nulidad del matrimonio (art. 180) los casos de violencia o error en la persona que en un principio se habían ubicado en el artículo 146[90]. Con este nuevo concepto fundado en la presunción tácita del legislador se acuña el ingenioso término de inexistencia, aparentemente derivado de la más clara y firme lógica.

Pronto esta novedosa concepción de una ineficacia tan drástica y contundente fue aprovechada por la jurisprudencia como instrumento para evitar

---

[88]   En realidad, la confusión se suele producir, más bien, entre la inexistencia y la nulidad y de ambas con la ilicitud por violación de un precepto legal (PASCUAU LIAÑO, M., *Nulidad y anulabilidad del contrato*, Madird, 1997, págs. 164-175 y 355, 356). Esta confusión se puede apreciar por ejemplo en la exposición que hace SANTOS BRIZ de los aspectos que presenta la invalidez de los negocios jurídicos. *Derecho Civil. Teoría y Practica*, T.I:, Madrid, 1978, pág. 673-674. La exposición correcta la encontramos en DIEZ-PICAZO, L., *Fundamentos...*, op. cit. T. III, Madrid, 1995, pág. 430.

[89]   Para descubrir con detalle su origen remoto resulta obligada la consulta del estudio de DE LOS MOZOS, J.L., «*La inexistencia del negocio jurídico*» en *R.G.L.J.,* 1960 pág. 465 y ss.

[90]   FENET, P.A., *Recueil complet des travaux préparatoires du code civil*, T. XIX, Osnabrück, 1968, Reimpresión de la ed. de 1827. págs. 99-101.

las trabas jurídicas al control de la legalidad contractual que implicaba aplicar la rígida regla *pas de nullité sans texte (nulidad textual)*[91]. Es decir, llegó a funcionar como un instrumento en manos de los jueces capaz de flexibilizar la severidad de la regla de la nulidad textual o literal. La inexistencia como instrumento de control judicial de determinados negocios pronto paso de su originaria aplicación en las anomalías matrimoniales a las irregularidades en contratos como los contratos de sociedad, donaciones...[92]

El concepto se afianzó rápidamente debido a que la doctrina francesa de finales del siglo XIX y principios del XX pronto adoptó y desarrollo esta idea de inexistencia en sus principales obras, tratándola siempre al lado de la nulidad[93]. Sin embargo, esta diferencia teórica tan nítidamente construida por la doctrina, de la inexistencia respecto de la nulidad absoluta, fue pronto ignorada por la jurisprudencia que las consideró como sinónimos[94]. Del mismo modo, como consecuencia de que la regla de la nulidad textual ya no es aplicada en Francia la doctrina más moderna de este país no se muestra partidaria de mantener la noción de la inexistencia puesto que queda absorbida por la de nulidad absoluta[95].

---

[91] CAPITANT, op cit. pág. 82.

[92] JOSSERAND, L., *Derecho civil*, trad. S Cunchillos y Manterola, Buenos Aires, T. I, Vol 1°, 1950, pág. 147, MALAURIE et AYNES, *Droit civil...*cit., pág. 310, LUTZESCO, G., *Teoría y práctica de las nulidades...*cit., págs. 165 y ss.

[93] JOSSERAND, L., *Derecho Civil*, trad. S Cunchillos y Manterola, Buenos Aires, T. I, Vol 1°, 1950, pág. 135-138 y 144-147, BAUDRY-LACANTINERIE, G.B., *Précis de droit civil*, 9ª ed., París, 1905, págs. 57-58, LAURENT, F., *Principes de droit civil français*, T.XV, 3ª ed., París, Bruxelles, 1878, pág. 108, BEAUDANT, CH., *Cours de droit civil français*, T. VIII, París, 1936, págs. 189-190, AUBRY, C y RAU, C, *Cours de droit civil français*, 4ª ed., T. IV, París, 1871, pág. 249, en especial nota 1 y T.I, 4ª ed, París 1869, pág. 119. Estos últimos autores afirman que existen sólo dos categorías de acciones nulidad absoluta y relativa, sin embargo establecen la distinción entre nulidad absoluta que debe ser pronunciada por el juez y la inexistencia cuya ineficacia es independiente de toda declaración judicial.

[94] COLIN y CAPITANT, *Cours élémentaire de droit civil français*, T. I, 5° ed., París, 1927, págs. 81-83.

[95] Aún así, todavía encontramos algún autor a favor de admitir la categoría de la inexistencia, CARBONIER, J., Derecho Civil, T. II, Vol. 2°, trad. MM. Zorrilla Ruiz, Barcelona, 1971, págs. 352-355 y sigue manteniendo la misma postura en la 19ª ed. de su obra, T. 4, París, 1995, págs. 177-178, BONNECASE, J., *Elementos de derecho civil*, T. I, México, 1945, págs. 494-947 y 517-520. En contra GAUDEMENT, E., *Théorie Genérale de obligations...*cit., pág. 143 Pese a que la tendencia mayoritaria es a negar entidad propia a la inexistencia por integrarse en la nulidad absoluta, algunos autores como GHESTIN también admiten algunos casos aislados de inexistencia, droit civil...cit., págs. 876-877). RIPERT G., y BOULANGER, J., niegan que la inexistencia tenga sustantividad propia, salvo en casos excepcionales donde la nulidad tiene un grado tal de certidumbre que el recurso judicial seria innecesario. (*Traité de droit civil*, T. I, París, 1956, pág. 278). Para MALAURIE et AYNES, en realidad se trata de una questión de graduación, pues hasta la inexistencia todos los grados de ineficacia son concebibles

Por otro lado, la noción de inexistencia también sirvió para clarificar la extendida confusión terminológica y conceptual que en materia de ineficacia se arrastraba desde el Derecho Romano. En España se utilizó el término inexistencia como sinónimo de la nulidad radical o de pleno derecho para distinguir sus efectos y régimen jurídico del de la anulabilidad, que nuestro Código Civil no distinguía, al menos no terminológicamente. La previsión de la nulidad como regla general aplicable a la ilegalidad o ilicitud (en sentido más amplio) sirvió como referencia para la configuración dogmática de la nulidad radical o absoluta y su distinción de la nulidad relativa o anulabilidad[96].

En nuestro país es CASTÁN quien parece introducir la tipología de la inexistencia y luego ésta se generalizará en nuestra doctrina. Según CASTÁN: «En nuestro Código Civil no aparece el término inexistencia (pues solo se habla, en general, de actos nulos), ni está reglamentada esta especie de nulidad. Pero no cabe duda que diversos artículos, especialmente el 1261 y el 1310 reconocen implícitamente, la distinción entre ella y la simple anulabilidad. Por otra parte, la jurisprudencia admite dicha distinción sin vacilaciones.»[97]

Por otro lado, podemos añadir a la observación de CASTÁN, que en texto original del Anteproyecto del Libro IV (cuaderno 1º) del Código Civil (1885-88) se incluía un precepto nuevo procedente del Proyecto de Laurent en el que al referirse a la confirmación se alude expresamente al concepto de inexistencia (nos referimos al primitivo artículo 1323 del Anteproyecto que pasaría a ser finalmente el 1310)[98].

Superadas por un lado la confusión entre nulidad de pleno derecho y anulabilidad y por otro la necesidad de la nulidad textual, la figura de la inexistencia pierde su triple función: retórica, clarificadora y de huida de la rigidez de la textualidad. En realidad, esta figura de la inexistencia, como

---

(*Droit civil...*cit., pág. 311). Para STARK, B., ROLAND, H y LAURENT, B., la inexistencia no es una tercera sanción sino una situación de hecho (*Obligations*, 2, 5ª ed., París, 1995, págs. 370-371). Por último descartan totalmente la figura: MARTY Y RAYNAUD, I, *Introduction général*, Nº 158-161, T. I, *Les obligations*, 2ª ed., pág. 221 y BÉNABENT, A., *Obligations*, 5ª ed., Paris, 1995, págs. 115 y 116. LUTZESCO, G., *Teoría y Práctica de las nulidades*, trad. M. Romero Sánchez y J. López, México, 1945, págs. 233-238.

[96] En nuestro país se utilizó, sobre todo, la figura de la inexistencia como sinónimo de la nulidad de pleno derecho para distinguirla de la anulabilidad y evitar los plazos de la acción de anulabilidad haciendo la acción imprescriptible, además de absoluta.(PUIG BRUTAU, J., *Diccionario de...*, op. cit. pág. 199) vid. también supra epígrafe Imprecisión del Código Civil.

[97] CASTÁN TOBEÑAS, J., *Derecho civil..*, op. cit. T. I, Vol. II, pág. 940.

[98] El antiguo artículo 1323 del Anteproyecto rezaba: «Sólo son confirmables los contratos existentes conforme al art. 1274 (equivalente al actual 1261). De los convenios en que falte cualquiera de los requisitos mencionados en ese artículo, no nace acción alguna contra los que aparezcan obligados» (LASSO GAITE, J.F., *Crónica de la codificación española*, cit., T. IV, vol. II, pág. 674)

hemos visto, desde sus orígenes nos revela que sus consecuencias van a coincidir siempre con las de la nulidad radical o absoluta. La única diferencia por la que la ineficacia proveniente de la inexistencia no puede asimilarse a la proveniente de la contravención a la ley estriba —como apunta MORALES MORENO— en que en la derivada de la primera los contratantes pueden, en cualquier momento, completar el contrato superando esa ineficacia inicial[99]. Por esta razón no es extraño que para la mayoría de autores, en cuanto quedan perfectamente definidas y distinguidas las categorías de la nulidad y sus supuestos, deje de tener sentido la utilización del término inexistencia[100].

Também la jurisprudencia se hace eco de la total identificación de los efectos de la inexistencia con los de la nulidad radical o de pleno derecho como expresa la Sentencia de 21 de octubre de 1997 cuyo ponente fue O´Callaghan Muñoz. El caso se definió como de simulación absoluta que, aunque crea una apariencia negocial, carece de causa. Su falta produce la inexistencia. «*Falta el elemento esencial que expresa el Nº3 del artículo 1261 del Código Civil. Negocio jurídico simulado que cae, pues en la categoría de la inexistencia, si bien, a veces en la doctrina se han fundido los conceptos de nulidad e inexistencia y en la jurisprudencia se ha empleado la expresión nulidad o nulidad absoluta o nulidad radical para referirse al negocio inexistente por falta de causa en los casos de simulación absoluta*»

Si aún utiliza la jurisprudencia esta figura de la inexistencia es para destacar que dentro de la categoría de la nulidad existen diferentes regímenes dependiendo del tipo de anomalía. Estas anomalías únicamente ponen de manifiesto la dificultad de enunciar reglas generales y no indican que debamos entender que existan dos variedades distintas (y únicas) dentro de la especie nulidad[101].

---

[99]   MORALES MORENO, A.M., «*Comentario al artículo 1261*», en *Comentario del Código Civil*, Ministerio de Justicia, Madrid, 1993, T. II, pág. 445.

[100] Hasta la doctrina francesa que acuñó, perfeccionó y propagó el concepto de inexistencia, modernamente mantiene hoy de forma mayoritaria la inutilidad del concepto. Vid. *supra* epígrafe «La nulidad textual». En la doctrina española también es mayoritaria la corriente doctrinal que considera ya superado e inservible el concepto de inexistencia; así desde TRAVIESAS quien inicia la teoría de que lo nulo es jurídicamente inexistente («*Sobre nulidad jurídica*», en *R.G.L.J.*, T. 125), DIEZ-PICAZO y PUIG BRUTAU consideran que carece de utilidad y de necesidad. DIEZ-PICAZO, L., *Fundamentos...*, op. cit. Vol. I, 4ª edición, Madrid, 1993, pág. 429. PUIG BRUTAU, J., *Fundamentos...*, op. cit. Tomo II, Vol. I, págs. 281, 283 y ss. Esta discusión sobre la conveniencia de la figura de la inexistencia continúa en las obras más recientes, así mientras que para GARCÍA AMIGO la categoría tiene sentido (GARCÍA AMIGO, M., *Teoría General....* op. cit., pág. 400, y *Derecho Civil de España. I. Parte General*, Madrid, 1997, pág. 667), VALPUESTA FERNÁNDEZ aboga por su supresión. (VALPUESTA FERNÁNDEZ, MR., *Derecho de obligaciones...*, op. cit. pág. 422).

[101] DELGADO ECHEVERRÍA, J., en *Elementos de Derecho Civil*, I, LACRUZ y otros, Vol III, Nueva edición, Madrid, 1999, págs. 254-256.

1.3.2. Inexistencia e ilegalidad como causas de nulidad

Aunque los efectos y consecuencias de la inexistencia sean los mismos que los de la nulidad radical, hemos de seguir manteniendo la distinción entre nulidad e inexistencia porque en realidad se encuentran en planos distintos.Ciertamente, la inexistencia sólo puede concebirse como una causa de nulidad y en ningún caso como una especie de la ineficacia[102]. En consecuencia, lejos de adentrarnos en esta polémica doctrinal sobre la conveniencia o no de esta distinción, con posiciones de lo más diversas entre los autores, vamos a ir sacando conclusiones tanto de la función que se le ha dado en su origen como de la función que realmente debe cumplir en nuestros tiempos[103].

En principio, la función que juegan tanto la verificación de la inexistencia, en cuanto falta de alguno de los requisitos esenciales del contrato, como de la ilegalidad es el de control de mínimos exigibles para la eficacia de un contrato. Por esta razón, tanto una como la otra son motivos concebidos por el ordenamiento jurídico como fundamento o base sobre el que puede llegar a producirse o verificarse la nulidad de un contrato. Es decir, el efecto de la nulidad puede llegar como consecuencia de la contravención por el contrato de una norma jurídica imperativa o prohibitiva o por la carencia de algún requisito esencial.

Una vez diferenciadas las causas (ilegalidad, inexistencia) del efecto (nulidad) vamos a diferenciar ambas causas entre sí. La diferencia de ambas causas trae también consecuencias importantes. No se parte de la idea de que tanto la ilegalidad como la inexistencia provocan la nulidad. En realidad, lo que ambas causas tienen en común es que se trata de vicios que, potencial-mente, pueden llegar a acarrear nulidad del contrato. Únicamente hasta aquí llegan las similitudes. A partir de aquí se puede comprobar que se está hablando de supuestos de hecho completamente diferentes.

La inexistencia va a tener como consecuencia necesaria e irremediable la nulidad radical o de pleno derecho y va a ser la causa de nulidad más absoluta (nulidad estructural). La ilegalidad, por el contrario, va a perseguir siempre

---

[102]   Como mantiene PUIG BRUTAU «las causas de nulidad radical o absoluta de los contratos forman tres grupos: infracción de normas imperativas o prohibitivas; falta de alguno de los elementos constitutivos del contrato; no ajustarse a la forma exigida con carácter esencial.» PUIG BRUTAU, J. *Diccionario de acciones en Derecho Civil español*, Barcelona, 1984, pág. 199. En el mismo sentido CASTÁN TOBEÑAS, J., *Derecho civil...*, op. cit. T.II, 6ª ed., Madrid 1943, pág. 639 y 643. Al establecer como primera causa de nulidad la falta de consentimiento, objeto y causa tanto DIEZ-PICAZO como DELGADO ECHEVERRÍA parece que están de acuerdo con este planteamiento aunque consideren que la utilización del término inexistencia es innecesario e irrelevante.

[103]   Para encontrar una exhaustiva y pormenorizada exposición de todas las opiniones doctrinales que han sido vertidas sobre el tema se puede acudir a DE LOS MOZOS, J.L., *La inexistencia del...* op. cit. pág. 476 y ss.

una finalidad concreta que marcará el legislador y, por consiguiente, va a producir en su caso una ineficacia funcional. Esta ineficacia funcional no tiene por qué traducirse siempre en un resultado de nulidad de pleno derecho. El problema de la nulidad en cuanto fruto de la ilegalidad es un problema derivado de la autonomía privada y sus límites y pertenece a la dinámica del negocio jurídico (en muchos casos responde únicamente a coyunturas) y no a su estática[104]. Es decir, debe atenderse a las normas que rigen la disciplina del negocio y sus efectos y no las que determinan su estructura[105].

Sin embargo, es precisamente ahora cuando con mayor nitidez se puede apreciar que la inexistencia puede ser, perfectamente, sinónimo de la nulidad radical puesto que ésta supone ser su sanción indisoluble. Por el contrario, también ahora se aprecia que no es cierto que los contratos en que falta alguno de los requisitos del artículo 1261 (contrato inexistente o radicalmente nulo) estén sujetos a la misma disciplina que los contrarios a las leyes (tendencia a sanciones más flexibles que la nulidad radical) como concluyen algunos autores[106].

Pese a que se ha tratado de ver también en la ilegalidad un sinónimo de la nulidad, por cierta deformación en la concepción tradicional, podemos comprobar fácilmente que no es así. Ahora se trata de lo contrario a lo que ocurría en el momento de la fijación dogmática del régimen jurídico de la nulidad. En aquel momento, se pretendía desvincular la anulabilidad de la nulidad y por ello se le asoció a la inexistencia. Ahora ocurre lo mismo, solo que entre nulidad por contravención legal e inexistencia. Por esta razón, se trata de disociar los dos conceptos para conseguir mitigar o atemperar la rigidez del régimen de la nulidad radical[107].

En consecuencia, no nos es útil esta distinción terminológica si con ello se tiende meramente a identificar la ilicitud con la nulidad de pleno derecho, diferenciándola de la inexistencia únicamente en que ésta se reserva para los casos de carencia de un requisito esencial. Una distinción de este tipo, simplemente retórica, tampoco sirve para evitar las consecuencias negativas de la tendencia en la práctica, que se traduce en una enorme falta de flexibilidad a la hora de establecer las sanciones de las ilegalidades en los contratos[108]. Esta confusión ha provocado que los tribunales se dejen llevar

---

[104]   SCOGNAMIGLIO, R., *Contributto..* op. cit. pág. 350 y 425.
[105]   DE LOS MOZOS, J.L., «*La inexistencia del negocio jurídico*» en *R.G.L.J.*, 1960 pág. 517, GÓMEZ MARTINHO FAERNA, A., «*La nulidad parcial de los negocios jurídicos*», *Estudios de Derecho Privado* I, Madrid, 1962, pág. 339
[106]   DELGADO ECHEVERRÍA, J., *Comentarios...* edersa, op. cit., pág. 308.
[107]   DE LOS MOZOS, J.L., «*La inexistencia del negocio jurídico*» en *R.G.L.J.*, 1960 pág. 518.
[108]   AMORÓS GUARDIOLA parece que es consciente de esta influencia negativa e intuye que no pueden equipararse siempre los efectos de la inexistencia y de los contratos contra la ley, aunque lo expresa de una forma un tanto somera afirmando «Nulidad que no implica inexistencia, sino simplemente carencia de los efectos voluntariamente queridos cuando son distintos a la finalidad protegida por la ley. Esta será eficaz a pesar

por la inercia de la declaración de nulidad absoluta y la apliquen en todos los casos de ilicitud contractual, sin atender ningún otro extremo regulador[109].

1.3.3. Nulidad estructural - Ineficacia funcional

Si continuamos extrayendo consecuencias de las diferencias que hemos puesto de relieve entre la inexistencia y la ilegalidad como fuentes de la nulidad contractual acabaremos justificando un tratamiento de la ilegalidad diferente del que normalmente se viene observando. Si bien no tiene sentido hacer diferencias entre nulidad radical e inexistencia una vez que se admite que ésta es una causa necesaria de la otra, en cambio, sí que tiene importancia el distinguir de forma muy nítida la nulidad radical y la ilegalidad[110]. La

---

del acto realizado por los particulares en contra de su mandato. Lo cual no significa, obviamente, que dicho acto nulo no produzca ciertas consecuencias: al menos, las resultantes de la sanción correspondiente que además de la nulidad, podrá comportar una pena, una responsabilidad civil o administrativa, etc., o la que en definitiva resulte de la propia ley incumplida.» AMORÓS GUARDIOLA, M., *Comentarios a las reformas del Código Civil*, Volumen 1º, Madrid 1977, pág. 331. DE LOS MOZOS es consciente de la conveniencia de esta flexibilidad y de romper con los dogmas tradicionales; «es preciso abandonar ese rigorismo lógico que se venía aplicando a la doctrina de las nulidades del negocio jurídico, separando y encerrando las distintas causa de ineficacia en unos marcos excesivamente rígidos y estrechos». DE LOS MOZOS, J.L., *La inexistencia del...* op. cit. pág. 518.

[109] De desafortunada cabe calificar la Sentencia de 16 de octubre de 1965. Compraventa; nulidad por falta de precio. «En las compraventas el precio constituye para el vendedor la verdadera causa del contrato, conforme al criterio sustentado, entre otras en la Sentencia de 30 de enero de 1960, dictada en armonía con lo establecido en los arts. 1261, Nº4, 1274 y 1445, y que la ausencia de tal requisito (Sentencias 9 de julio de 1948, y 20 de abril 1956, o su ilicitud, provoca la declaración de inexistencia de estos negocios jurídicos (art. 1275 CC.)».

La misma confusión podemos encontrarla en otras sentencias: Sentencia de 23 de octubre de 1992, en la que se califica de simulación absoluta una compraventa que podría encubrir una donación de un esposo a su esposa de la mitad indivisa de unas fincas, ya que tal operación se formalizó en escritura pública, pero no hubo lugar a la declaración de la simulación relativa por no haberse alegado convenientemente por la esposa. Lo desafortunado del razonamiento jurídico radica en que, evidentemente, se confunde la ilegalidad con la inexistencia al afirmar «Como el derecho no puede temer a la verdad, sino favorecer el que esta prevalezca, es llano que los intervinientes en el negocio con simulación absoluta están legitimados para pedir la declaración de su inexistencia (su nulidad e ineficacia total por incumplimiento de una norma imperativa art. 1261.3º en relación con el 6.3 del CC.)»

[110] Resulta curioso el denodado esfuerzo que realiza DE LOS MOZOS para distinguir entre nulidad e inexistencia del negocio situándolas en un mismo plano y mostrándonos la posible (obsérvese que siempre excepcional y cuando la Ley expresamente lo establece) relevancia jurídica del negocio nulo. Se está refiriendo a efectos negociales secundarios basados en la doctrina del favor negotii como aplicación del principio de buena fe (conversión del negocio nulo, la confirmación o convalidación excepcional del negocio jurídico, nulidad parcial, efectos del matrimonio putativo, y los nacidos de la *culpa in*

ilicitud o ilegalidad es otra de las causa de nulidad, pero la diferencia radica en que mientras que la inexistencia es siempre y en todo caso causa de nulidad, la ilicitud puede ser causa de nulidad pero no necesariamente (ineficacia derivada de un control funcional). Obviamente, la ilicitud está lejos de identificarse con la nulidad o la inexistencia ya que la ilicitud no constituye una mera categoría conceptual de la ineficacia, sino que se trata y siempre se ha tratado de una calificación normativa autónoma[111].

Manteniendo estas diferencias fundamentales entre la inexistencia y la ilegalidad conviene también acometer el análisis de la ilegalidad desde una óptica diferente a la que tradicionalmente se ha hecho. Viene siendo habitual, como ya hemos visto, realizar un análisis estructural de la posible ilegalidad del contrato. Se trata, en muchos casos de forma forzada, de buscar un elemento esencial del contrato que pueda cargar con el vicio de la ilegalidad. De esta forma, se trata de ubicar la ilegalidad o bien en el objeto o en la causa del contrato. Una vez realizada una de estas acomodaciones convencionales, y a veces completamente artificiales, de la transgresión legal en la estructura del contrato no cabe otra solución que declarar la nulidad del contrato (nulidad estructural). Esta nulidad estructural es la misma que opera cuando entendemos que un contrato es inexistente.

Parece lógico que se trate ahora de evitar, sobre todo, la equiparación ilicitud —nulidad— inexistencia precisamente porque en estos momentos se tiende a dar soluciones mucho más flexibles para este tipo de problemas de la ilegalidad contractual[112]. Hay que ser conscientes que la ilegalidad está

---

contrahendo), que no es posible que puedan tener cabida para los contratos inexistentes. Cuando la diferencia es mucho más clara y está estupendamente recogida por él en la última parte de su obra «La inexistencia es una causa de nulidad, si bien la más absoluta o, si se quiere más propiamente, una causa de ineficacia, y por tanto, más que hablar de acción de inexistencia se debe hablar de acción de nulidad por inexistencia.» DE LOS MOZOS, J.L., *La inexistencia de...* op. cit.

[111] MOSCHELLA, R., *Negozio contrario...* op. cit. pág. 271, SACCO, «*Il contratto*», pág. 510, también en *Trattato di Diritto Privato*, T. II, Torino, 1984, pág. 269, FERRI, GB. *Ordine pubblico, buon costume e la teoria del contrato,* Milán, 1970.

[112] Esto es lo que claramente mantiene DE CASTRO Y BRAVO «El derecho moderno, en los negocios jurídicos, acude sólo en último extremo a la declaración de su nulidad (*favor negotii*) y los salva de ella —según los casos— mediante la interpretación correctora y la figura de la conversión.» DE CASTRO Y BRAVO, *Derecho civil de...* op. cit. pág. 537. Lo mismo parece mantener AMORÓS GUARDIOLA, «El principio de conservación del negocio, la posibilidad de completarlos negocios en que falta alguno de los requisitos legales, y la técnica de la nulidad parcial, son procedimientos a través de los cuales pretende no llegar a esa radical sanción de nulidad, cuando basta con la invalidez de alguna de las estipulaciones, o cuando se puede subsanar el negocio carente de algún requisito necesario. Sólo entran en esta órbita de ineficacia los actos incompatibles con el mandato legal. *Comentarios...* ob cit pág. 327. MANRESA Y NAVARRO, JMª., cifra la principal diferencia en que en la inexistencia no cabe la nulidad en parte, solución corrientemente admitida para la nulidad por violación de un precepto legal. MANRESA

ante todo marcada por políticas que van a responder a exigencias y necesidades sociales. Sobre todo, resulta revelador observar las soluciones que se ofrecen en el caso de la infracción de legislación con contenidos de tipo social o normativas que tienen una finalidad de tipo tuitivo para determinado tipo de contratantes. La ineficacia del contrato que transgrede la legislación debe adaptarse a la función o finalidad que ésta esté persiguiendo y será siempre de carácter funcional. Desde luego la vulneración de algún tipo de esta normativa no se puede *a priori* considerar con las mismas consecuencias que la inexistencia (nulidad estructural) aunque la ilegalidad recaiga sobre algún elemento esencial del contrato que, por otra parte, será casi siempre inevitable[113].

Según GORDILLO CAÑAS, «resulta absolutamente claro que la inexistencia propiamente dicha, esto es, la consistente en la no verificación del componente intrínseco del supuesto de hecho contractual nada tiene que ver, ni estructural ni funcionalmente con el acto *contra legem*»[114]. Esta diferencia-

---

Y NAVARRO, JMª., *Comentarios al Código Civil español*, T.VIII, vol. 2º, Madrid, 1967, pág. 844.

[113] Sirva como ejemplo paradigmático el caso de las viviendas de protección oficial cuyos contratos de compraventa tienen fijado un precio superior al legalmente tasado. El precio es un elemento esencial del contrato de compraventa, en general incardinado dentro del art. 1261CC: es parte del objeto y causa de la contraprestación (art. 1274) y, además, es elemento específico en la compraventa (art. 1445) donde se exige que sea cierto y en dinero. Al pactarse un precio superior al tasado en la Ley, para empezar, el contrato ya existe con lo cual no va a ser nulo por inexistente. Partiendo de este presupuesto, habrá que ver la naturaleza de la ilegalidad de ese elemento esencial. 1º acudimos al art. 1271Cc. el dinero no es un objeto que se encuentre fuera del comercio de los hombres con lo que este art. no es infringido. 2º el precio en principio es cierto con lo cual no encontramos en principio vicio estructural que pueda llevarnos a la nulidad ahora habrá que evaluar la ilegalidad de la causa, para ello hemos de acudir a los art. 6.3 Cc y a la normativa sobre VPO y contrastarlo con los arts. 1255 y 1275 Cc. No por el hecho de afectar el vicio de ilegalidad a un elemento esencial del contrato tiene que producir necesariamente la nulidad radical porque el parámetro para medir las consecuencias de esa ilegalidad nos viene ordenado en el art. 6.3 (actos *contra legem*) donde, si bien establece una sanción general de nulidad, a renglón seguido, nos ofrece posibilidades de excepción a la nulidad de pleno derecho que habrá que estudiar en cada caso. La posibilidad de excepción se ha de encontrar en la propia norma infringida. Para ello se ha de atender no solo al tenor literal de su redacción sino que habrá que realizar una labor interpretativa (como la hecha para ver si es una norma imperativa). Ahora, para ver cual es el significado real de esos términos de imperatividad en los que se expresa y tratar de encontrar para el caso de contravención convencional el efecto mas ajustado a la *ratio iuris* del precepto. Las corrientes jurisprudenciales que predominan actualmente se han decantado sobre el particular, en ningún caso adoptando como solución la nulidad absoluta, sino más bien por mantener ciertos efectos del contrato, bien sea proclamando su nulidad parcial, bien sea incluso manteniendo su validez civil íntegramente, como se verá posteriormente con mayor detalle.

[114] GORDILLO CAÑAS, A., *Nulidad, anulabilidad...* op. cit. pág. 963. También expresa la misma idea en la *Enciclopedia Jurídica Básica*, vol III, Madrid, 1995, voz nulidad, pág. 4461

336 EDUARDO VÁZQUEZ DE CASTRO

ción resulta evidente independientemente de que se quiera concebir la inexistencia entre las causas de nulidad, al mismo nivel que la violación de ley imperativa[115],tal y como la concebimos nosotros, o como la concibe GORDILLO[116] «extraída, en principio, de la nulidad y adaptable a la anulabilidad sólo en algunos de sus supuestos, se nos manifestará como una peculiar causa, pero no como un régimen específico y típico de ineficacia negocial.».

Un contrato ilegal, en primer lugar, tiene que existir[117]. Han de darse, en principio, todos los elementos del artículo 1261 CC. También tiene que cumplir con los requisitos esenciales específicos de cada tipo contractual[118]. Para a continuación ocuparnos de su calificación como ilegal.

Ya hemos visto que desde un planteamiento funcional, la inexistencia y la ilicitud no vienen a ser sino dos causas distintas de la nulidad. La inexistencia deriva necesariamente a una nulidad radical o de pleno derecho mientras que la ilegalidad tiene abierto un campo más amplio de posibilidades.

Encontramos otro análisis de la ilegalidad y la inexistencia, atendiendo al tipo de ley que resulta infringida, en algunos autores italianos que utilizan un concepto nuevo para nosotros que es la «*fatispecie*». Este término de *fatispecie* vendría a significar la cierta tipicidad que se exige a los contratos para su validez. La concepción de la que se parte esta basada en la idea de que como los elementos constitutivos esenciales del contrato son establecidos por leyes, estas leyes se puede considerar que recogen los requisitos de existencia y se han de diferenciar de las leyes que establecen requisitos de legalidad o licitud de un contrato ya existente[119]. Ya FERRARA distinguía entre las normas que establecen los requisitos o elementos esenciales del contrato (en su obra *Teoria del negozio illecito nel diritto civile italiano*, 2ª ed., 1914, págs. 3 y 19) «*leggi ordinative*» cuya desobediencia no conduciría a un contrato ilícito, en ningún caso, sino simplemente a un «aborto de negocio», a un «negocio informe», que no llega a ser completo y perfecto[120].

---

[115] DIEZ-PICAZO, L. *Fundamentos de...* op. cit. pág. 447.

[116] GORDILLO CAÑAS, A., *Nulidad, anulabilidad...* op. cit. pág. 941.

[117] FERRARA, F., *Teoria del negozio...* op. cit. pág. 2, 17 y 18.

[118] Los requisitos esenciales a la existencia pueden dividirse en comunes y especiales de los contratos. Se consideran comunes el consentimiento, objeto y causa. Entre los especiales se pueden considerar la forma *ad solemnitatem* y los requisitos que caracterizan a cada contrato y lo diferencian de sus afines. (LABANDERA Y BLANCO, V., «*Nulidad...*», op. cit. *R.D.P.*, 1913-1914, pág. 172.)

[119] Vid. Infra epígrafe contrato ilegal, contrato inexistente y contrato imperfecto. Las **normas constituyentes** son las que conducirían a la inexistencia mientras de las **normas de conducta** serian las que llevarían a la ilegalidad del contrato.

[120] Este término de «*leggi ordinative*» ha encontrado bastante aceptación entre los autores italianos que suelen hacer referencia a él cuando tratan de analizar las normas imperativas en general. VILLA, G., *Contratto...*cit.pág. 82, LONARDO, L., *Ordine...*cit. pág. 77, FERRI, G.B., *Ordine...*cit. pág. 159.

En este tipo de leyes —según FERRARA— «no se constriñe materialmente la acción del individuo, sino que se subordina su protección a la observancia de ciertas condiciones, de ciertos requisitos materiales y formales que deben integrar el negocio para que sea acogido en el campo jurídico». Las consecuencias de esta distinción entre «*leggi ordinative*» y «*leggi imperative*» estaría en que en estas últimas si falta una circunstancia de hecho que integra el momento esencial de la prohibición, el contrato primitivo adquiriría vigor; sin embargo, en las primeras cualquier falta provoca que sea un negocio «*non nato*», no puede tener nunca fuerza jurídica, si no se le completa. FERRARA nos pone el ejemplo del requisito de la escritura pública en la donación de inmuebles y del precio en la compraventa como normas «*ordinativas*» y la prohibición de donaciones entre cónyuges y la venta de bienes litigiosos a un oficial o funcionario público como norma imperativa[121].

La diferenciación podría resultar baladí en sus resultados si se considera que todo contrato ilegal resultase siempre nulo[122]. Sin embargo, no lo resulta tanto si podemos vislumbrar que la ineficacia que resulta en alguno de estos contratos proyecta otros efectos distintos de la nulidad radical[123].

A. La distinción en la jurisprudencia

Este tema que podría parecer en la práctica baldío, sin embargo, ha sido objeto de atención por parte de la jurisprudencia que admite dicha distinción

---

[121] FERRARA, *Teoria del negozio...* op. cit., págs. 17-22.

[122] DIEZ PICAZO, L., «El concepto, así diseñado, desde nuestro punto de partida carece seguramente de utilidad y de necesidad. Carece de utilidad porque la inexistencia no produce unas consecuencias jurídicas mayores que aquellas a las que conduce la nulidad radical y absoluta. Y carece de necesidad, porque, como ya antes hemos señalado, no es preciso que la nulidad esté taxativamente impuesta por la ley, sino que basta con que venga exigida por el significado y por la finalidad que deba atribuirse a la propia ley o por obra de los principios generales del derecho.» Lo que ocurre es que la inexistencia como causa de nulidad debe tener siempre las consecuencias que esta conlleva. En cambio, la ilegalidad del contrato además de ser una posible causa de nulidad y poder ser sus consecuencias naturales, en principio, las propias de tal tipo de ineficacia, también es cierto que encuentra cada vez mayores excepciones. La regla general de la nulidad determinada para los actos contra legem en el art. 6.3 Cc. se rehuye por la jurisprudencia cada vez en mayor medida apoyándose en la ultima parte de este inciso que permite dar entrada a soluciones que van desde la nulidad parcial hasta la propia validez del contrato. Además como pone de relieve GORDILLO «particularizada la forma de nulidad en su concreción contractual tanto en su causa como en sus consecuencias (arts. 1271 y 1275, en relación con los 1305 y 1306). Parece evidente que a partir de esta configuración de la nulidad, no es posible su unificación con la inexistencia.»(Vid. «*Comentario al art. 1261*», en Comentarios del Código Civil, Ministerio de Justicia, T. II,)

[123] Como señala DIEZ PICAZO, la noción de contrato inexistente no resulta más que un intento de extender la aplicación de la nulidad radical «para romper con ella los prejuicios propios de concepciones estrechas del legalismo y del formalismo.» (*Fundamentos..., I, cit.,* pág. 430).

sin titubear[124]. En numerosas sentencias el Tribunal Supremo trata de precisar el concepto de simulación absoluta o inexistencia y de ilicitud. Las sentencias de 29 de diciembre de 1942, 27 de diciembre de 1966 y la de 14 de marzo de 1983, entre otras, consideran la diferencia del mismo modo que nosotros la apreciamos[125].

---

[124] CASTÁN TOBEÑAS, J., *Derecho civil...* op. cit., T. I, vol. II, pág. 940.

[125] Sentencia de 27 de diciembre de 1966. En esta sentencia se decide la nulidad de una compraventa por simulación o por causa ilícita al haberse establecido un precio (escriturado) superior al real para perjudicar los derechos del inquilino. El arrendatario había ya interpuesto una acción basada en el art. 53 de la LAU (impugnación venta precio excesivo), lo que según los demandados suponía reconocer ya la existencia del contrato con todos sus requisitos. Nuestro Tribunal Supremo aclara la cuestión: «resulta improcedente la aplicación del art. 1261 CC. que se refiere estrictamente y «a sensu contrario» a los contratos en que por faltar algunos de los requisitos que enumera, carecen de vida en Derecho, lo que aquí no sucede porque una cosa es que no exista causa y otra distinta que ésta sea ilícita, al modo como queda expuesto; y si consiguientemente, deben diferenciarse como dos acciones distintas, de un lado la de simulación que trata de demostrar la falsa apariencia de un contrato que carece de toda existencia real y de otro la de nulidad basada en la ilicitud que parte de la base de la realidad de un pacto uno de cuyos elementos —concretamente la causa, en este caso— existe pero es ilícito calificación que forzosamente tiene que apoyarse en aquella existencia, no es menos cierto que ambas acciones conducen a idéntico resultado, que no es otro sino la total ineficacia del acto celebrado con idéntico carácter retroactivo o «ex tunc», en un caso —por falta de un requisito esencial y en otro por incurrir en vicio de ilicitud, pero con el mismo valor radical y absoluto...». En la sentencia de 14 de marzo de 1983 se mantiene que «Entre los grados de invalidez de los contratos se distingue la inexistencia y la nulidad radical o absoluta, según que al contrato le falte alguno o algunos de sus elementos esenciales señalados en el art.1261 CC. o que haya sido celebrado, aún reuniendo esos elemento esenciales, en oposición a leyes imperativas cuya infracción da lugar a la ineficacia». Estableciendo, para estos casos, de inexistencia o nulidad absoluta una misma acción imprescriptible con legitimación para interponerla cualquier interesado incluso declararla de oficio los Tribunales. Esta exposición de la ineficacia negocial se completa al ponerla en contraposición con la ineficacia derivada de la nulidad relativa o anulabilidad. Sin embargo, también es posible encontrar sentencias en las que se pone claramente de manifiesto la confusión de categorías. Tal es el caso de la Sentencia de7 de diciembre de 1965, que se refiere a un contrato de arrendamiento y a la determinación de la renta. «Para que el art. 1547 CC. pueda poner fin a las divergencias sobrevenidas entre quienes verbalmente concertaron una relación arrendaticia, acerca cual sea la renta que estipularon, es menester que en el oportuno proceso se justifique debidamente por cualquiera de los medios admitidos en derecho, no sólo que entre los contratantes medió el concurso de voluntades a que se refiere el art. 1262, respecto a la convenio propiamente dicho sino que, además, concurrieron en su otorgamiento cuantos requisitos se señalan al efecto, de forma genérica en el art. 1261 y especialmente en el 1543 del expresado código, porque al faltar alguno de ellos el arrendamiento sería inexistente y la solución del problema no se conseguiría a través del precepto primeramente mencionado, que para su aplicación parte de la hipótesis contraria, sino de acuerdo con las directrices que establece el art. 4 en relación con el 1255 de la misma Ley Civil sustantiva, para invalidar cuantos actos o contratos se opongan al contenido de las normas legales.»

En la sentencia de 14 de marzo de 1983, en su día comentada por DELGADO ECHEVERRÍA[126], se mantiene expresamente «Entre los grados de invalidez de los contratos se distingue la inexistencia y la nulidad radical o absoluta, según que al contrato le falte alguno o algunos de sus elementos esenciales señalados en el artículo 1261 del Código Civil o que haya sido celebrado, aún reuniendo esos elementos esenciales, en oposición a las leyes imperativas cuya infracción da lugar a la ineficacia...». Tras hacer esta distinción, diferencia esta situación jurídica de los casos de anulabilidad que siguen un régimen jurídico diverso. En otras sentencias, como la de 29 de abril de 1986, se insiste en esta idea de que la inexistencia y la nulidad absoluta tienen los mismos efectos y en la sentencia de 24 de febrero de 1992 se afirma que la nulidad absoluta y la inexistencia son análogas y distintas de la anulabilidad.

En ocasiones, la jurisprudencia ha recogido el concepto de inexistencia como «una variedad» más de invalidez junto a la nulidad absoluta, y a la anulabilidad como claramente se observa en la sentencia de 18 de diciembre de 1981. En un principio es utilizado el concepto por los tribunales para aplicarlo a los contratos simulados que, de este modo, evitan la caducidad de la acción de los arts. 1300 a 1302[127]. Pero ahora su utilización no es tanto conceptual sino más bien terminológica, se utiliza junto al término ilicitud y nulidad para dar un mayor énfasis a la sanción. Como pone de manifiesto DIEZ PICAZO, lo que ocurre es que la jurisprudencia no ha logrado deslindar

---

[126] DELGADO ECHEVERRÍA, C.C.J.C., Nº 2, 42, pág. 465.

[127] Esta razón es evidente si contemplamos el régimen jurídico de la prescripción, cuestión que los tribunales no dudan en calificar como «cuestión delicada y confusa» (sentencia 10 de abril de 1947, Ar. 601). Esta institución está encaminada a dar fijeza y certidumbre a la propiedad y a toda clase de derechos emanados de las relaciones y de las condiciones en las que se desarrolla la vida, aún cuando estas no se ajusten siempre a verdadera justicia, que hay que subordinar, como mal menor, al que resultaría de la inseguridad jurídica de una inestabilidad indefinida. Parece claro que el mero transcurso del tiempo no puede cambiar la naturaleza jurídica de los actos que han de evaluarse en derecho, por lo que, obviamente, lo inexistente no alcanza realidad y del mismo modo se ha de entender que ni lo ilícito o inmoral se purifican de sus defectos por el transcurso del tiempo. Pero esto que es un principio del Derecho, no aparece reflejado en el código civil, cuyo art. 1930. 2º declara la «prescriptibilidad de todos los derechos y acciones de cualquier clase que sean», en los arts. 1303 y 1306 se establecen las obligaciones de las partes en orden a deshacer los efectos de los contratos nulos, sin establecer que las oportunas acciones restitutorias sean imprescriptibles cuyo carácter reconoce el código sólo a las que enumera en su art. 1965, en consecuencia serían aplicables los arts 1961 y 1964 que establecen la prescripción en el plazo de 15 años. Si distinguimos la acción declarativa de nulidad de la restitutoria a la que da lugar y decimos que el principio de que la nulidad es imprescriptible se refiere a la acción declarativa exclusivamente sólo para destruir la apariencia de validez creada para el caso en el que no se hubiesen ejecutado aún las prestaciones

la inexistencia de la nulidad radical con la cual aparece muchas veces borrosamente confundida[128].

En definitiva, la jurisprudencia considera que «la inexistencia es la forma más radical de la ineficacia y lógicamente la primera». Esta utilización enfática y retórica del término se puede observar en infinidad de sentencias[129]. También podemos observar cómo es posible utilizar como sinónimos ambas expresiones ya que la inexistencia siempre nos conduce a la nulidad radical o absoluta. Lo que no resultará correcto es utilizar como sinónimos los términos contrato ilícito o inexistente, del mismo modo que no se puede asimilar el contrato ilegal al nulo. Aunque en determinados casos la ilicitud o ilegalidad del contrato nos llevará a la nulidad radical, el contrato ha existido y, casi con seguridad, habrá producido ciertos efectos que es necesario enervar. Incluso aunque se intente puede que no se logren enervar todos sus efectos, pese a lo mantenido por el principio general «*Quod ab initio nullum est, nullum producit effectum*». Aforismo que en realidad hay que interpretar como que, en la medida de lo posible, no se deben mantener los efectos producidos.

No obstante, podemos encontrar alguna tentativa jurisprudencial por deslindar la inexistencia de la nulidad radical derivada de la ilegalidad o «nulidad decretada por el legislador». Esta última sería una nulidad que se aparta del régimen general del Código Civil en orden al reconocimiento de sus efectos, los cuales serán regulados de forma específica en el articulado de la ley especial que resulte infringida o los que claramente nos apunte su «*ratio legis*»[130].

---

[128]   DIEZ-PICAZO, L., *Eficacia e ineficacia del...* op. cit., pág. 825.

[129]   Por ejemplo las siguientes: Sentencia de 29 de octubre de 1949 (Ar. 1240), «los tribunales pueden y deben apreciar «ex officio» como base de un fallo desestimatorio, la ineficacia o inexistencia de los actos radicalmente nulos, conforme a lo estatuido en el art. 4º CC.», Sentencia de 24 de febrero de 1951 (Ar. 596) «...cláusulas que por haberse estipulado en contra de lo dispuesto en la Ley fueron nulas *"ab initio"* y jurídicamente inexistentes...» Sentencia de 29 de octubre de 1956. « La cláusula decimotercera debe tenerse como ilícita, inexistente, y no puesta, ya que no es potestativo de los contratantes la renuncia a la norma de conversión impuesta por imperativo legal». Sentencia 23 de abril de 1956. «...Y queda afectado de un vicio de nulidad radical, que conforme al art. 4 del Código sustantivo civil, por ser inexistente es incapaz de derivar derechos y obligaciones entre las partes cuya obligación ineludible hace la cláusula contractual nula, como contraria a la expresada Ley de arrendamientos, y a tenor del artículo 1255 del dicho código sustantivo, y así entendido ilícito el pacto...» Sentencia 10 de octubre 1977 «... actos prohibidos por la citada L. III, Tit. XXI; del Fuero de Vizcaya, con la consecuencia de la nulidad radical, absoluta, perpetua e insubsanable, equivalente a la inexistencia, en ortodoxa aplicación del brocardo jurídico de que «quod ab initio vitiosum est non potest tractu tempore convalescere...» Sentencia de 15 de diciembre de 1993 donde se cita otra de 29-10-1949 « los tribunales pueden y deben apreciar ex oficio, como base de un fallo desestimatorio, la ineficacia o la inexistencia de los actos radicalmente nulos» y a continuación se habla de la nulidad o inexistencia como si de una misma cosa se tratara.

[130]   Sobre todo ver las sentencias sobre la usura. vid supra epígrafe «Ley de Usura».

Estos intentos de nuestro Tribunal de casación son loables pero, en ocasiones, los razonamientos son confusos y poco convincentes. Lo que se debería tratar de explicar de forma clara y sin los argumentos indirectos, artificiosos y nada concluyentes que se suelen emplear en los considerandos de las sentencias y en muchos casos como *obiter dicta* es, sencillamente, que la inexistencia lleva, en todo caso, aparejada la sanción de nulidad radical y, en cambio, la ilegalidad no tiene por qué conducir necesariamente a esta sanción de nulidad radical sino que el legislador puede decretar otro tipo de ineficacia como sanción o ésta se puede deducir de la *voluntas legislatoris*[131]. Aisladamente se puede encontrar en contadas sentencias este razonamiento impecablemente expuesto[132]. En otras ocasiones se viene a acercar a esta conclusión indirectamente, como cuando el propio Tribunal Supremo admite que es «incuestionable» el principio favorable a la nulidad parcial de los contratos ilegales reiteradamente sancionado por la jurisprudencia[133].

El Tribunal Supremo parece que tiene muy claro que el contrato inexistente es aquel en el que falta uno de los elementos esenciales y que, por lo tanto, su consideración como tal no es mas que una cuestión de hecho cuya apreciación es de exclusiva competencia de los tribunales de instancia[134]. En

---

[131] Esta flexibilidad en cuanto a la sanción de los contratos ilegales es la doctrina jurisprudencial dominante e indiscutible actualmente, como podremos comprobar mas adelante.

[132] Sentencia 4 de octubre de 1969. «El art. 33 L.H., al establecer que la inscripción no convalida los actos o contratos que sean nulos con arreglo a las leyes, se ciñe a los negocios jurídicos, afectados de nulidad insubsanable o radical, bien por no haber nacido a la vida del Derecho al faltarles un elemento esencial, (inexistencia) o ya porque a su viabilidad jurídica, se opone la misma Ley, cuyos preceptos han sido vulnerados (nulidad absoluta)». A continuación la sentencia se refiere a los actos o contratos a los que se refiere el art. 35 de la misma Ley y dice que «no se refiere a los actos jurídicos inexistentes o incursos en nulidad radical» (Ar. 4478). Pero, refiriéndose el caso litigioso a un contrato ilegal con resultado de nulidad radical, el fallo en su razonamiento debería haber dicho más correctamente: «el art. 35 L.H. no se refiere a los actos jurídicos inexistentes ni a los contratos ilegales incursos en nulidad radical» o, simple y llanamente, «el art. 35 L.H. no se refiere a los actos nulos de pleno derecho». Sentencia 26 de junio de 1946. «Siendo por regla general nulos todos los actos ejecutados contra lo dispuesto en el art. 4º del Cc. No debe circunscribirse ese concepto de nulidad a la especial de los contratos a que se refiere el art. 1300 en relación con el 1261 del Código Civil (es decir, a los casos de anulabilidad por vicios en la voluntad), y **pueden existir otras muchas causas de nulidad** en las que no sea preciso tener en cuenta lo dispuesto en estos últimos citados artículos.» (Ar. 840).

[133] Sentencias de 30 de marzo de 1950 (Ar. 573), 3 junio 1953 (Ar. 1657), 10 octubre 1977 (Ar. 3895).

[134] Sentencia de 14 de febrero de 1985, 14 de julio de 1986, 5 de marzo de 1987, 16 de septiembre de 1988, 23 de octubre de 1989, 19 de noviembre de 1990, 26 de febrero de 1991, 4 de marzo y 8 de julio de 1993, 9 de febrero, 12 de marzo y 23 de marzo de 1994, entre otras.

cambio, por lo que respecta al contrato ilegal se requiere una infracción de ley que, evidentemente, no se trata de una cuestión meramente de hecho.

Resultaba también patente en cuanto al diferente tratamiento procesal que se le debía dar al plantearse el recurso casacional antes de la reforma de la anterior L.E.C.[135]. Antes de la reforma de la citada ley adjetiva, según la reiterada y constante doctrina del Tribunal Supremo[136], la existencia o inexistencia de un contrato y la concurrencia o no de los requisitos del mismo, es cuestión de mero hecho y como tal, su constatación es facultad privativa de los tribunales de instancia. Esta primera apreciación del tribunal *a quo*, obtenida a través de la apreciación y valoración de la prueba practicada, ha de ser mantenida y respetada en casación, en tanto que la misma no sea desvirtuada por la vía procesal adecuada, bien sea denunciando error de hecho con cita del documento concreto que la evidencie, bien acusando error de derecho con invocación de los preceptos valorativos de prueba que se consideran infringidos (arts. 1692. N°4 y N°5 de la antigua L.E.C.).

En cambio, la ilegalidad del contrato se debía alegar, para un correcto planteamiento del recurso a través del N° 1 del art.1692 de la antigua L.E.C. Despues, con la desaparición de entre los motivos en que pueden fundarse los recursos de casación del de error en la apreciación de la prueba basado en documentos que obren en autos esta distinción procesal pierde su sentido. En todo caso, se debería acudir al motivo 4° del art. 1692 de la misma Ley: «Infracción de las normas del ordenamiento jurídico o la jurisprudencia que fueren aplicables para resolver las cuestiones objeto de debate[137]».

1.3.4. Casos de inexistencia contractual

Partimos del presupuesto de que es difícil encontrar casos claros e inequívocos de contratos inexistentes[138]. DE CASTRO sistematizó los supuestos que se podían considerar integrantes de la inexistencia contractual[139].

---

[135] Reforma operada por la Ley 10/1992, de 30 de abril (B.O.E. N° 108, de 5 de mayo), de Medidas Urgentes de Reforma Procesal.

[136] Pueden añadirse a las anteriormente enumeradas las Sentencias de 10 y 29 de marzo de 1984, 16 de abril de 1985, 7 de junio de 1986, 23 de marzo y 1 de julio de 1988, 24 de julio y 28 de abril de 1989, y 31 de marzo de 1990.

[137] Esto es lo que mantenía el Tribunal Supremo: «el medio impugnatorio adecuado para desvirtuar la conclusión probatoria del tribunal «a quo» por ser de naturaleza fáctica (una vez suprimido el antiguo ordinal 4°, que viavilizaba la denuncia del error de hecho en la apreciación de la prueba) no puede ser otro que el de la denuncia de error de derecho en la valoración probatoria (por el cauce procesal del ordinal 4° en su nueva y vigente redacción), lo que requiere la cita inexcusable del precepto que, conteniendo una norma valorativa de prueba, se considere infringido.» Sentencia 4 de febrero de 1995.

[138] Así lo reconoce uno de los autores que defienden la distinción entre inexistencia y nulidad como CARIOTA FERRARA, C., *Il negocio jurídico... cit.*, pág. 276.

[139] DE CASTRO consideraba que los contratos inexistentes engloban tres tipos de contratos: A) los contratos incompletos, que incluyen los supuestos de los contratos en

Pero, en la práctica, la jurisprudencia no ha sido tan esmerada a la hora de tratar esos supuestos y no los distingue de los casos de nulidad radical. Lo que ocurre es que cuando hablamos de inexistencia por faltar alguno de los requisitos esenciales del contrato nos vamos a referir a casos muy restringidos y concretos[140]. En realidad, los casos en los que la jurisprudencia ha considerado reiteradamente como de inexistencia contractual son exiguos y les podemos reducir a los siguientes:

Casos de **simulación absoluta** —al hablar de simulación normalmente nos vamos a referir a **la causa del contrato**—: nos va a resultar hartamente complicado encontrar casos de simulación absoluta. Esto se debe a que en estos casos lo más corriente es que los contratantes que han procedido con la simulación suelan pretender realizar un negocio jurídico diferente al aparente —simulación relativa— y no carecen absolutamente de causa.

La simulación relativa, se caracteriza en materia contractual por encubrir un convenio con inexistencia real, otro con realidad causal subyacente. En el contrato simulado con simulación relativa, no existe el contrato que se aparenta según la terminante afirmación del art. 1261.3º CC. —no hay contrato donde no hay causa— tan sólo existe el que se encubre. De esta forma, es corriente encontrar sentencias que aplican el art. 1276 CC. y analizan la validez y licitud del contrato simulado subyacente para ver si origina derechos y obligaciones[141].

formación, los realizados por quien carece de poder suficiente para contratar y los que no respetan la forma *ad solemnitatem* requerida. B) los contratos defectuosos o que carecen de algún elemento esencial. C) los contratos aparentes o absolutamente simulados. DE CASTRO Y BRAVO, F., *El negocio...*, op. cit. pág. 472.

[140] Pese a que coincidimos en la aplicación restrictiva de este concepto, no creemos que se puedan reducir, exclusivamente, como dice DE LOS MOZOS a casos en los que se da una falta absoluta de voluntad y objeto, dejando al margen los casos en los que se da falta de causa. Resulta obvio que es un elemento esencial del contrato como lo establece el art. 1261 CC. y como este autor reconoce que cuando faltan la voluntad o el objeto normalmente coincide con la falta de causa y la consecuencia será lo que se denomina nulidad estructural. Otra cosa es que este elemento al mismo tiempo sea utilizado como crisol y medio de fiscalizar la ilicitud, pero también lo puede ser el objeto. La consideración de la forma como requisito esencial del contrato con carácter general (elementos esenciales comunes) es más discutible, pero puede caber como requisito específico del tipo contractual (elementos esenciales naturales), si bien, también en estos casos se podría considerar la falta de forma como una ilegalidad.

[141] En concreto, son muy frecuentes las compraventas que realmente encubren donaciones al no haber sino declaración simulada de entrega del precio o ser este ridículo o irrisorio. En estos casos si la donación encubierta lo es de bienes inmuebles y no se ha observado la forma legalmente exigida en el art. 633 CC. esta se ha de considerar nula de pleno derecho por defecto de forma. (Sentencias 3 de marzo de 1932, 15 de enero 1959, 30 de abril de 1986, etc....)

En cambio, resulta más difícil encontrar sentencias que apliquen directamente el art. 1275 CC. por simulación absoluta o falta de causa[142]. No obstante, podemos encontrar sentencias en las que se expresa exactamente que: «no cabe confundir la causa ilícita con la causa falsa; mientras que la causa ilícita requiere la efectiva existencia de causa aunque viciada por ser contraria a las leyes o a la moral en su conjunto; la causa falsa supone inexistencia de causa»[143].

Del mismo modo que ocurre cuando la inexistencia se debe a la falta de causa, no es fácil encontrar casos en la jurisprudencia cuando esta calificación se debe a que **falta el requisito del objeto**. En realidad, son casos en los que desde la perspectiva del consentimiento se analizan el objeto y la causa en el plano de la realidad[144]. No olvidemos que el art. 1271 CC., al contrario de lo que hace el 1275, no habla de los contratos sin objeto, sino que habla de los objetos o cosa que están fuera del comercio de los hombres y de los servicios contrarios a las leyes o a las buenas costumbres.

Verdaderamente, cuando se puede hablar de inexistencia por falta de objeto no va a ser otra cosa que en aquellos casos de falta de determinación suficiente del mismo en el momento de la contratación (supuesto contemplado

---

[142]   El que sea poco frecuente no significa que no podamos encontrar significativos exponentes como la sentencia de 21 de octubre y 23 de diciembre de 1997 o la de 2 de abril 1998. Generalmente, los escasos casos de simulación absoluta o falta de causa lo son de compraventas donde se acredita la inexistencia del precio.
Resulta sumamente importante esta acreditación porque resulta obligado desvirtuar la presunción de existencia de causa que establece el art. 1277 CC (Sentencias 11 de julio de 1992, 19 de noviembre de 1990, 19 de julio de 1989, entre otras.). La jurisprudencia admite que la desvirtuación de la presunción se lleve a efecto por cualquiera de los medios que se enuncian en el art. 1215 CC. e incluso a través de las manifestaciones de los interesados en sus respectivos escritos (Sentencias 25 de junio de 1979, 12 de diciembre de 1983 y 2 de febrero de 1984, entre otras) o por medio de meras presunciones que lleven a la convicción del juzgador la falta de seriedad del contrato y la ausencia en el mismo del tercero de los requisitos del art. 1261 CC. (Sentencias 24 de julio de 1989, 11 de junio de 1992) con lo que entraría en juego lo previsto en el art. 1275 del propio cuerpo legal. (Sentencias de 26 de febrero de 1987 y de 19 de noviembre de 1990).

[143]   Sentencia de 14 de junio de 1997 en la que se consideró la inexistencia por falta de causa o simulación de un contrato de arrendamiento de inmueble por contar con un precio o renta solo documentado y no real y verdadero por no tener materialización efectiva mediante su pago mensual como aparecía convenido al ser una relación de tracto sucesivo. La distinción frente a la causa ilícita vino motivada por la circunstancia de que el arrendamiento fue llevado a cabo con posterioridad a la constitución de una hipoteca que posteriormente resultó ejecutada. Siendo la doctrina jurisprudencial favorable a la validez de los contratos arrendaticios celebrados con posterioridad a la hipoteca salvo en los casos de inexistencia por simulación.

[144]   Para MORALES MORENO sólo se explica la celebración de un contrato sin objeto o carente de causa porque hay simulación o porque se ha padecido error. MORALES MORENO, A. M., *Comentario del Código Civil*, Ministerio de Justicia, T. II, 2ª ed. Madrid, 1993, pág. 444 y 445.

en el art. 1273 CC), o de imposibilidad (art. 1272 CC.). Cuando lo que falta es la realidad del precio en las compraventas se suele considerar que lo que se da es una simulación por causa falsa y no propiamente una inexistencia de objeto. Aunque en un concepto amplio de objeto, como contenido prestacional del contrato, se podría incluir también la falta de precio. En cambio, vence el carácter de simulado de este tipo de contratos (sentencia de 29 de abril de 1997, entre otras además de las por ella citadas).

Finalmente, **la falta de voluntad o consentimiento**[145] va a tener muy poca relevancia porque el consentimiento siempre irá referido a alguno de los dos elementos que completan el contrato (objeto y causa), nunca se puede considerar el consentimiento en abstracto. Es corriente que se den vicios en el consentimiento que provocan la anulación o anulabilidad del contrato ex arts. 1263, 1265 y 1301 CC., pero estos no son casos de inexistencia[146]. Resulta obvio que el vicio en el consentimiento será siempre motivo de anulabilidad, así lo establece el art. 1301 CC. y de hecho creemos que es más que suficiente protección[147], porque es una acción con restricciones en cuanto los legitimados para favorecer a la parte «víctima» del vicio (art.1302 CC.).

Lo mismo ocurriría en el caso de la declaración de voluntad emitida por quien carece de discernimiento por menor edad o por incapacidad mental. Por consiguiente, la total y exclusiva ausencia de voluntad que produzca la inexistencia y por tanto la nulidad radical y absoluta del contrato, es muy poco probable que se produzca[148]. Pero aunque resulta difícil, también se pueden

---

[145] En particular, según DE LOS MOZOS, para quien, como hemos dicho, a efectos de considerar un contrato inexistente sólo cabe considerar la falta de voluntad o de objeto, los supuestos de inexistencia serían principalmente los siguientes: a) «Aquellos en los que hay una falta absoluta de voluntad o acuerdo de voluntades; concubinato respecto al matrimonio, o que los cónyuges o uno de ellos dijeron no en vez de sí, simulación absoluta, fuerza absoluta, error absoluto, manifestación de voluntad *animus ludi*, falta de concurrencia entre la oferta y la aceptación. b) falta absoluta de objeto; identidad de sexos en el matrimonio, adoptar como hermano en lugar de hacerlo como hijo, entrega de una cosa no vendida, pago de lo indebido, objeto indeterminado, objeto imposible.» DE LOS MOZOS, J.L., *La inexistencia del...* op. cit. pág. 513.

[146] GARCÍA AMIGO apunta, al menos, dos casos en los que el Tribunal Supremo ha aplicado de forma poco rigurosa la falta de consentimiento como supuesto de inexistencia (Sentencia 21 de marzo de 1952 y Sentencia 13 de mayo de 1970) en un caso se trataba de un vicio en la capacidad y en otro caso un vicio de ilegalidad. GARCÍA AMIGO, M., *Lecciones de Derecho*, op. cit. 1995, pág. 400-401.

[147] Por eso no vemos necesidad de distinguir la violencia, en el sentido de fuerza irresistible, para considerar que el consentimiento arrancado de esta forma dé lugar a considerar el contrato nulo o inexistente como mantiene LUNA SERRANO, *Elementos..*, pág. 80 y ss.

[148] Para GORDILLO CAÑAS, «*Violencia viciante, violencia absoluta e inexistencia contractual*», *R.D.P..*, marzo 1983. pág. 252 y pág. 260. Los casos de violencia absoluta «tanto desde el significado propio y desde la razón de distinción entre la nulidad y anulabilidad, como desde el limitado alcance de la «inexistencia», que desde luego no es una nueva

encontrar sentencias en las que se argumenta la inexistencia del contrato sobre la base de la falta de consentimiento o voluntad. En definitiva, van a resultar ser únicamente casos de declaraciones con falta de seriedad y de simulación absoluta. Pongamos algunos ejemplos para ilustrar estos últimos supuesto:

– en el caso del consentimiento prestado *iocandi causa*, nuestro Tribunal Supremo mantiene que «sólo revela la inexistencia del contrato cuando de él se desprende la falta de objeto cierto que sea materia del mismo o la falta de causa de la obligación que se establezca.» (Sentencia de 24 de julio de 1989). En otra sentencia para argumentar la congruencia de su pronunciamiento dice *que son los mismos hechos* que destituyen de efectos la *inexistencia de causa* o ser esta falsa o simulada, siendo diferentes versiones verbales de lo alegado que *es no haberse llegado a consentir* sobre las prestaciones que había de asumir el demandado. (Sentencia de 11 de marzo de 1988).

– En una antigua sentencia encontramos un contrato de compraventa de fincas, en el que se alega inexistencia por falta de consentimiento, pues el contrato se celebró bajo la presión de las fuerzas marxistas y durante el dominio de éstas. Se objeta por el comprador que afirmando que el consentimiento se prestó bajo los efectos de la violencia o intimidación, declara inexistente la compraventa por simulada, olvidando que la simulación implica el concierto de voluntades de los contratantes, con designios de ordinario fraudulentos mediante una apariencia de verdad. Además, añade que el vicio en el consentimiento se debería apreciar como originario de anulabilidad y no de inexistencia.

El Tribunal Supremo declara inexistente la compraventa por falta de los requisitos esenciales para su validez aplicando el art.1261CC. Explica que el empleo del término simulación no se hace en sentido estricto, sino lato, como sinónimo de la mera apariencia de realidad que se advierte en toda convención vacía de contenido. En cuanto a la consideración del vicio del consentimiento como causa de anulabilidad dice que no se limita a aseverar que el consentimiento se prestó bajo los efectos de la intimidación, sino que niega también que existiera la causa por la falta de precio y de la recíproca contraprestación de las fincas que se dicen vendidas. (Sentencia de 19 de diciembre de 1951). Esto muestra como el Tribunal Supremo acaba por acudir a la falta de causa para salvar sus conclusiones.

–En otro caso se posee un inmueble en precario y se trata de deducir un contrato de arrendamiento; «La prueba aportada evidencia que nunca se alcanzó el acuerdo o concurso de la oferta, de una parte y la aceptación, de la otra, que refiere el art. 1262 CC. como manifestación del consentimiento, ni siquiera verbal, imprescindible, conforme al art. 1261, para que pudiera haber nacido el tal contrato de arrendamiento». (Sentencia 8 de julio de 1987).

---

forma o régimen general y unitario de ineficacia, el contrato celebrado bajo violencia, aún absoluta, debe considerarse anulable o impugnable, no radicalmente nulos.»

Para GARCÍA AMIGO, también serían supuestos de inexistencia los contratos en los que se exige forma *ad solemnitatem* y esta no se cumple[149]. Aquí se puede mencionar el ejemplo más conocido de una donación de bienes inmuebles sin cumplimentarse mediante el otorgamiento de escritura pública.

2. *Evolución conceptual de la ineficacia. Consolidación de la nulidad*

2.1. Introducción

En los tratados generales de Derecho Civil la teoría de las nulidades se presenta de una forma clara, simple y categórica. Sin embargo, no se puede dejar de tener en cuenta que esta teoría de las nulidades no es sino fuente y fruto de un proceso histórico. Hemos de considerar que las que consideramos como ideas tradicionales sobre la nulidad sólo marcan una etapa en nuestra marcha hacia una organización mas perfecta de la ineficacia. Como dice JAPIOT «La teoría de la nulidad está en evolución constante y no se puede tomar la fase actual como una instantánea». Siguiendo a este autor afirmamos que la teoría de la nulidad es de elaboración lenta e irregular partiendo de una confusa terminología que, en ocasiones, produjo la sensación de falsos progresos[150].

Pronto, la doctrina y jurisprudencia españolas dejarán a un lado la deficiente nomenclatura y sistemática del Código Civil en materia de ineficacia y se preocuparán por configurar y organizar correctamente todo su sistema. Esta configuración se puede apreciar de forma perfectamente completa en la *Sentencia de 27 de mayo de 1968*. *«La ausencia en el Código Civil de una teoría general sobre la nulidad de los actos jurídicos, ha tenido que suplirse tanto por la doctrina científica como por la jurisprudencia*, apoyándose en preceptos dispersos del propio Código; fijando el matiz absoluto o relativo que puede ofrecer tal nulidad, y relacionando su posibilidad con los diversos elementos que integran su relación jurídica; y así se ha puntualizado que la *nulidad absoluta se puede apreciar en orden al «sujeto»* (cuando el realizador del acto carece de titularidad para llevarlo a cabo); *al «objeto»* (si el acto contiene materia ilícita, contraria al orden público o que resulte imposible, en el aspecto físico o repudiable en la moral); *a la «causa»* (si ésta no existe o es ilícita o totalmente falsa) *y hasta a la «forma»* en los casos excepcionales en que ésta es absolutamente necesaria para la validez del acto; *fuera de todas estas hipótesis*, el acto jurídico si advino con algún vicio o produjo alguna lesión, a un derecho protegido, *será simplemente «anulable»,*

---

[149] GARCÍA AMIGO, M., *Lecciones de derecho...* op. cit., págs. 401-402

[150] JAPIOT, R., *Des nullités en matière d´actes juridiques. (Essai d´une théorie nouvelle)*, París 1909, thèses, 1er patie, pág. 45.

dentro de los requisitos de tiempo y forma que la Ley, para cada caso establece, siendo la posibilidad de subsanación o confirmación la que, principalmente, señala la línea divisoria entre las dos especies de nulidad.»

Para fundamentar y caracterizar la nulidad radical de pleno derecho se pasó a utilizar el art. 4º del Código en su formulación anterior a la reforma del Titulo Preliminar, (actualmente art. 6.3), que junto con el art. 1255 sirvió para fundamentar la nulidad radical de los contratos contrarios a la ley, la moral y las buenas costumbres. A través de estos artículos se sentó el régimen jurídico de la nulidad absoluta y se dejaron bien establecidas las diferencias con la anulabilidad, aclarando la terminología empleada por el Código. Llegando a mantenerse que sólo dos términos tienen una significación bien diferenciada y precisa por corresponder a ellos dos especies de ineficacia o invalidez del contrato: la nulidad y la anulabilidad[151]. Como expone PUIG PEÑA «la teoría clásica de la nulidad acabada es construcción de la doctrina civilística francesa, que encuentra sus cimientos en el viejo bipartismo romano nulidad-anulabilidad que se convirtió en cuatripartita por la desmembración de la inexistencia de la nulidad y de la rescisión de la anulabilidad»[152].

Por fin, se lograron dibujar perfectamente los contornos y diferencias de la nulidad radical y de la anulabilidad. La doctrina acabó por deducir el régimen jurídico de la nulidad radical que no había sido regulado expresamente en el Código. Se hizo, fundamentalmente, desde la proyección del antiguo art. 4 de nuestro Código civil. Al establecer este artículo 4º del Código Civil: «son nulos los actos ejecutados contra lo dispuesto en la ley, salvo en los casos en que la misma ley ordene su validez», se entendió que se estaba refiriendo a una nulidad diferente a la regulada en los arts 1301 y ss. del Código Civil y que era la misma a la que se referían los arts. 1255, 1261,1271 y 1275 del mismo[153].

A esta nulidad a la que se refiere el Título Preliminar del Código se la denominará de distintas formas. Nulidad absoluta, nulidad radical, nulidad de pleno derecho o simplemente nulidad. Distinguiéndose de la nulidad a la que se alude y regula principalmente en sede de contratos, Libro IV- Titulo

[151] RUGGIERO, *Instituciones del...* op. cit., pág. 306
[152] PUIG PEÑA, F., «*Ineficacia de los negocios jurídicos*», en *N.E.J.*, T. XII, 1965, pág. 453.
[153] Puede ilustrar esta consolidación de la nulidad la Sentencia de 26 de junio de 1946, en la que todavía se observa la necesidad de aclarar que «siendo nulos todos los actos ejecutados contra lo dispuesto en el Art. 4º del CC., no debe circunscribirse ese concepto de nulidad a la especial de los contratos a que se refiere el art. 1300 en relación con el 1261 del Código civil, y pueden existir otras muchas causas de nulidad en las que no sea preciso tener en cuenta lo dispuesto en estos últimos citados artículos.» En la Sentencia de 27 de mayo de 1959, se aplican los artículos 1261 y 1275 CC en relación con el art. 4º del mismo; y ello «en razón a la inexistencia de causa en el contrato por ser esta ilícita, con arreglo a la Ley, lo que determina su nulidad de pleno derecho.»

II- capítulo VI que se va a conocer con el nombre de nulidad relativa o anulabilidad.

Se deducen de la inexistencia los efectos específicos que deberían manifestarse como consecuencia de la aplicación de la nulidad radical. Estos efectos que, en un principio, necesitaban un fortalecimiento y una reafirmación para consolidarse y diferenciarse nítidamente de la anulabilidad fueron elevados a dogmas incontestables.

2.2. La nulidad como sanción general a los contratos ilegales

La ineficacia, en principio, supone una reacción del ordenamiento jurídico contra el contrato que se ha celebrado quebrantando sus normas, para borrar los efectos que le resultan disconformes. Como dice DE DIEGO «el defecto que origina la nulidad es el de mayor bulto, y la contradicción con la ley más grave que otro cualquiera».[154] En suma, el contrato nulo no produce absolutamente ningún efecto a los cuales estaba preordenado por las partes: «nullum est quod nullum producit effectum». El tipo de ineficacia que tradicionalmente se asocia a toda forma de ilegalidad o ilicitud de un contrato es la nulidad. Según expresión romana esta es la sanción que da su maximum de perfección a la prohibición (leyes perfectas), refiriéndose siempre a la nulidad radical o absoluta o de pleno derecho.

También a esta conclusión podemos llegar como consecuencia de la previsión literal del Código Civil para la suerte de contratos contrarios a las leyes (art. 6.3 y 1255 CC) y para los contratos con causa u objeto ilícitos por ilegales (arts 1275 y 1271 CC). Según una interpretación exclusivamente literal de los preceptos del Código Civil, la nulidad radical sería la sanción natural a aplicar a toda clase de ilegalidad.

2.2.1. Características de la acción de nulidad

Antes de observar el contenido de la nulidad como ineficacia vamos a entrar a analizar las características peculiares que definen este tipo concreto y representativo de la ineficacia. Estas características definitorias han resultado extraordinariamente útiles para dilucidar los efectos aplicables a un contrato ilegal. Normalmente la jurisprudencia y la doctrina se han esforzado por construir toda una teoría de la nulidad partiendo de los escasos datos que les ofrecía el Código Civil.

Sin embargo, en la actualidad los valores que tratan de proteger las más modernas leyes imperativas no van a exigir para su salvaguarda la rotundidad de todas y cada una de las características de la nulidad radical de pleno derecho. Ante lo infructífera que resultó en la realidad la aplicación de una nulidad que respondiese dogmáticamente a todas y cada una de las caracte-

---

[154] DE DIEGO, C., Instituciones de Derecho Civil español, cit. pág. 316.

rísticas ya expuestas a todo caso de ilegalidad, en la práctica se relativizó mucho su consideración al enjuiciar cada caso concreto. La tendencia será a acondicionar estas características para conseguir satisfacer todas las necesidades requeridas por los nuevos valores que inspiran la creación de las normas imperativas actuales y que entran a considerar algunos intereses particulares merecedores de protección o tutela.

Las características atribuidas a la nulidad por la doctrina tradicional a modo de dogma incontestable son:

A. Carácter automático de la nulidad

La primera característica que se suele predicar de la nulidad es que sus efectos son inmediatos. Es decir, se trata de una **ineficacia que opera automáticamente «*ipso iure*».** La nulidad implica que el contrato es ineficaz en sí mismo y, por lo tanto, no se requiere siquiera el pronunciamiento judicial para su consideración como tal ya que la ineficacia ha sido producida directamente por la ley (*Ope legis)[155]*. La intervención de los tribunales, de cualquier jurisdicción que sean, se deberá únicamente a la resistencia de quienes defienden la validez del contrato o por desarmar la apariencia de validez que ha adquirido por cualquier circunstancia como que exista título o forma (*V. gr.* porque se haya inscrito en algún registro).

En realidad, esta característica no se puede afirmar con total rotundidad[156]. Tan sólo se puede referir a un aspecto sustantivo de la cuestión. Procesalmente, sin embargo, se han de seguir otras reglas[157]. Para los casos en los que el contrato ostente cierta apariencia de validez, ha afirmado el Tribunal Supremo de forma reiterada y constante, la declaración de la nulidad de los actos y contratos sólo puede obtenerse mediante la declaración de la nulidad misma hecha en el juicio correspondiente, con citación de todas las personas

---

[155] En realidad, esta característica de la nulidad de pleno derecho fue ideada por la doctrina francesa que pretendía distinguir entre nulidad y anulabilidad. Las nulidades que podían hacerse valer «de plano» en justicia eran las que resultaban de las *coutumes* y de las ordenanzas reales. Al contrario de lo que ocurría con las que se tomaron prestadas del derecho romano. Lo que conllevaba una distinción completamente irracional. PLANIOL et RIPERT, *Traité pratique de...* op. cit., 1ère partie, T.VI, págs. 387-389. MOSCHELLA, R., *Il negozio...* op. cit., pág. 262.

[156] En Francia modernamente se ha llegado a la conclusión de que, sobre este particular, no hay diferencia práctica entre la nulidad absoluta y la relativa ya que en realidad para que ambas desplieguen sus efectos es necesaria la intervención de la justicia, sino el contrato deberá ser ejecutado como si fuese válido. PONSARD, A. Y BLONDEL, P., voz «Nullité», *Enz. Dalloz, Répertoire de Droit Civil*, 2ª ed., T.VII, 1973, Mise ajour, 1995, pág. 11. Idea sobre la que insiste PASQUAU LIAÑO, M., *Nulidad y anulabilidad del...,* op. cit. págs. 188, 202 quien dice que además de una nulidad ope legis se puede hablar de una nulidad ope iudicis.

[157] PASQUAU LIAÑO, M., *Nulidad y anulabilidad del...*, op. cit. págs. 256-258.

a que pueda afectar la declaración[158]. No es posible sin un enjuiciamiento del caso declarar los efectos de la nulidad y desplegar todas sus consecuencias. Por consiguiente, se ha de relativizar esta característica de la nulidad que es más especulativa que práctica[159].

Sin embargo, se debe afirmar que la sentencia que declara la nulidad, en realidad, únicamente comprueba o verifica que el contrato es realmente nulo pero no genera el estado de nulidad. En suma, tanto la acción como la sentencia de nulidad serían de carácter meramente declarativo y se limitarían a constatar la ineficacia en aquellos casos en los que ésta no resulte manifiestamente patente y diese lugar a conflictos o contiendas[160].

En el caso de la ilegalidad en los contratos nos encontramos ante una situación paradójica de difícil solución para los jueces civiles. Pese a que los actos ilegales serían nulos *ab initio* se va a requerir que sean las partes las que acerquen al tribunal el conocimiento de los hechos. En ningún caso, encontramos un órgano fiscalizador que se encargue de ayudar al juez en el conocimiento de la causa, informándole de la infracción y sus consecuencias (como podrían ser la propia Administración y el Ministerio fiscal en los casos en los que así lo estableciese la ley, no sólo en los procedimientos con incidencias penales y administrativas)[161].

Consecuentemente, vemos que la nulidad absoluta en realidad no lo es tanto. Esto obedece a que en la práctica, aunque la nulidad se diga que opera *ipso iure*, la jurisdicción civil no es una jurisdicción represiva como lo puedan ser las instancias administrativas o penales que se van a encargar de infligir una punición en cuanto tengan conocimiento de los hechos ilícitos.

B. Carácter absoluto de la nulidad

Prosiguiendo con los caracteres de la nulidad podemos añadir que sus efectos son generales o «*erga omnes*» de aquí que se la denomine **ineficacia**

---

[158] Esta doctrina jurisprudencial es puesta de relieve por CASTRILLO SANTOS, J., «*Autonomía y heteronomía de la voluntad en la contratación*», A.D.C.., 1949, pág. 595 y por PASQUAU LIAÑO, M., *Nulidad y anulabilidad del...*, op. cit, págs. 271-272, aunque este último autor observa críticamente como, ocasionalmente, esta doctrina no ha sido seguida por el Tribunal Casacional.

[159] MANRESA Y NAVARRO, JM., *Comentarios al...* op. cit., pág. 830.

[160] DIEZ-PICAZO, L., *Fundamentos...* op. cit. pág. 447, DE CASTRO Y BRAVO, F., *El negocio...*, op. cit., págs. 475 y 481. GORDILLO CAÑAS, *Nulidad, anulabilidad...* op. ult. cit., pág. 4460.

[161] Como ya destacamos al estudiar supuestos concretos de ilegalidad, resulta sumamente peculiar lo prevenido en el art. 44 del Real Decreto 111/1986, de 10 de enero, de desarrollo parcial de la Ley 16/1985, de 25 de Junio, del Patrimonio Histórico Español. Recordemos que en este precepto se establece: «La enajenación de los bienes muebles que forman parte del Patrimonio Histórico Español efectuada en contravención de lo dispuesto en el artículo 28 y en la Disposición Transitoria 5ª de la Ley 16/1985, es nula, correspondiendo al Ministerio Fiscal ejercitar, en defensa de la legalidad y del interés público y social, las acciones de nulidad en los procesos civiles»

absoluta. Esto quiere decir que esta ineficacia alcanza a todos, tanto a las partes como a los terceros y a sus causahabientes. Por consiguiente, cabe oponerla o tenerla en cuenta en contra y también a favor de cualquiera. Es decir, incluso a favor de quien hubiese producido la infracción y en contra de quien nada hubiese tenido que ver en ella[162]. Tampoco se hacen distinciones ni excepciones en cuanto a círculos, categorías o grupos de personas afectadas por la nulidad a la hora de aplicar sus efectos[163].

De aquí se puede inferir que procesalmente se pueda alegar la nulidad tanto por vía de acción como por vía de excepción, mientras que al no considerar la anulabilidad con este carácter absoluto se tiende a considerar que tan sólo se pueda alegar por vía de acción y no por vía de excepción. Ha sido dominante y aún persiste la tendencia jurisprudencial que considera que no puede invocarse la anulación vía excepción y que solo cabe por la vía de la acción[164]. No obstante, es cierto que todos los casos se refieren al concreto supuesto de venta de bienes de la comunidad de gananciales sin el consentimiento de uno de los cónyuges[165]. Sin embargo, el Tribunal Supremo siempre acaba por diferenciarla de la nulidad de pleno derecho en este punto, destacando que esta última sí que puede ser invocada vía excepción[166].

Sin embargo, con la doctrina mayoritaria, no encontramos suficientes motivos que justifiquen este tratamiento diferenciador y sí que vemos la conveniencia de admitir la excepción de anulabilidad con el mismo límite legitimador de la acción y ante la exigencia de cumplimiento de la contraparte[167].

---

[162] DE CASTRO Y BRAVO, F., *El negocio jurídico*, op. cit., pág. 477.
[163] DE CASTRO Y BRAVO, F. explica la razón «la nulidad se considera aquí como acto contrario a la Ley, y por tanto indigno o inadecuado para la protección jurídica»: *El negocio jurídico*, pág. 477
[164] Sentencias. T.S. (Sala 1.ª). Sentencia de 18 de junio de 1993, Sentencia de 7 junio 1990, T.S. (Sala 1.ª), T.S. (Sala 1.ª). Sentencia de 2 junio 1989, Sentencia de 25 mayo 1987. En sentido contrario, encontramos sólo una sentencia —Sentencia de 30 de diciembre de 1991— cuyo ponente Gullón Ballesteros no comparte el criterio de la imposibilidad de invocar la anulabilidad por vía de excepción. Aunque sólo sea por razones de economía procesal. También debe ponerse de relieve que, prácticamente, todas las sentencias citadas enjuiciaban un mismo supuesto. El supuesto concreto de anulabilidad recogido en el artículo 1322 del Código Civil.
[165] Vid. sobre el particular BELLO JANEIRO, D., *La defensa frente a tercero de los intereses de cónyuge en la sociedad de gananciales*, Barcelona, 1993.
[166] DÍEZ-PICAZO señala que «sólo cabe hablar de excepción en sentido sustantivo o material, ya que procesalmente más parece que tenga que existir, o que existe sin más, reconvención». *Fundamentos...* op. cit., pág. 462. Vid. infra epígrafe «La excepción de nulidad».
[167] VÁZQUEZ DE CASTRO, E., «*Comentario a la Sentencia. de 20 de junio de 1996*» en *Revista de Derecho Patrimonial*, Nº 1, págs. 227-230.

C. Carácter originario de la nulidad

Nos encontramos ante una ineficacia originaria o *ex tunc*, porque parte de un vicio que se encuentra en la misma constitución del acuerdo y que desde ese mismo momento impide su eficacia y su consideración como contrato válido. Es a este momento al que deberá retrotraerse el alcance de la nulidad para borrar todos los efectos ya desplegados por el contrato ilegal. Este carácter justifica la teoría de que la nulidad produce efectos retroactivos. Se considera que el contrato nulo no produce efecto alguno: *Quod nullum est, nullum producit efectum*[168].

Este carácter originario, junto con el carácter absoluto, hace posible incluso considerar una cadena de nulidades concatenadas en actos o contratos que se basen o deriven de un originario título nulo. Por esta razón, los límites de seguridad jurídica hacen que cedan las pretensiones de restitución *in natura* cuando el objeto del contrato se halle en poder de terceros de buena fe (arts. 464 del Código Civil y 34 de la Ley Hipotecaria)

Los vicios que originan la nulidad son tan graves que se considera que han de desaparecer todos los efectos que se han desplegado desde su aparición. Se trata de la ineficacia resultante del negocio mismo y no de las incidencias sobrevenidas durante la vida de la relación negocial ¿Como se considerarán entonces los casos de ilegalidad sobrevenida?[169]

D. La cuestión del carácter estructural o funcional

Esta es una cuestión de enorme importancia, ya que la consideración tradicional de la nulidad como algo estructural ha mediatizado y condicionado mucho el planteamiento de la ilicitud. Como podemos comprobar, en la mayor parte de los tratamientos doctrinales se analiza el tema de la nulidad y de la ineficacia del contrato. En general, suele empezarse a abordar el examen de la eventual ilicitud de un contrato desde el estudio de los vicios en sus elementos estructurales. Como un vicio intrínseco del propio contrato.

---

[168] Esta es la teoría más clásica que recoge LACRUZ BERDEJO, J.L., *Elementos....* op. cit., pág. 281. Otras teorías aún partiendo de la misma característica consideran que la nulidad no borra todos los efectos desplegados por el contrato ilegal como si este nunca hubiese existido sino que lo que hace es corregir estos efectos no deseados por el ordenamiento jurídico para que lleguen a ser compatibles con este. En realidad, dicen que resulta inevitable que el contrato despliegue algún efecto en la vida o realidad jurídica pero estos no van a ser los previsibles como si el contrato fuese válido. DE CASTRO. *Derecho Civil de...* op. cit. pág. 538, DÍEZ-PICAZO, L., *Fundamentos...* I, cit., págs. 445-446 y 423-426. En Italia entre otros MESSINEO, *Doctrina General del Contrato*, trad. R.O., Fontanarrosa, S. Sentis Melendo, Volterra, T. I, Buenos Aires, 1952, pág. 509.
[169] Vid. Supra epígrafe legalidad e ilegalidad sobrevenida.

Nuestro tratamiento de la ilicitud y de sus consecuencias, como se ha podido comprobar, pasa por un método de análisis más funcional que estructural. Recordando y partiendo del presupuesto de que la ilegalidad y la ineficacia como juicios de valor son conceptos que hacen referencia al mundo del deber ser[170]. También la jurisprudencia tiende a este análisis funcional pudiendo comprobarse en la disminución de las sentencias basadas en la causa o el objeto ilícito.

E. Carácter insanable o insubsanable de la nulidad

Siempre se ha predicado de la nulidad su carácter no convalidable ni subsanable por prescripción o confirmación, en parte debido a su carácter originario. El contrato nulo no tiene ningún efecto en el mundo jurídico porque nunca debería haberlo producido. Esta regla ha sido recogida tradicionalmente por el aforismo «*Quod ab initio vitiosum est non potest tracto tempore convalescere*». Por consiguiente, para la subsanación de un vicio de nulidad en un contrato se tendría que prescindir de lo que se ha pactado con el defecto de nulidad y entender que se pacta otro contrato, esto seria una renovación del contrato nulo[171].

En principio, no opera la convalidación en el caso en el que se produzca en un momento posterior a la celebración de un contrato ilegal una nueva regulación legal que derogue la legislación contra la que se dispuso el contrato. Es decir la legalidad sobrevenida del contrato ilegal no operará automáticamente sino que tendrá que venir dispuesta expresamente en las disposiciones transitorias o adicionales[172].

F. Carácter indisponible de la nulidad

Conforme con estos caracteres que hemos venido describiendo anteriormente, la nulidad consiste en un enérgico régimen de ineficacia indisponible y por tanto irrenunciable, exigido por la efectividad de la ley imperativa en interés de los valores que ésta trata de salvaguardar. Es decir la nulidad de pleno derecho se utiliza para preservar los intereses generales mas importantes, que contienen ciertas leyes, de las agresiones más directas o frontales que pueden sufrir por parte de un ejercicio irregular de la libertad contractual. Argumento que justifica, sobre todo, la declaración de oficio por los tribunales. La invocación de la nulidad del contrato por una de las partes sólo operaría

---

[170]   LACRUZ BERDEJO, J.L., *Elementos ...* op. cit.., pág. 347. DIEZ PICAZO. *Eficacia e ineficacia del...* op. cit., pág. 831, DELGADO ECHEVERRÍA, *Comentarios al Código Civil...* op. cit., arts 1300 a 1314 CC, pág. 234.

[171]   Así es como lo entiende el Código alemán en su § 141 «Confirmación del negocio jurídico nulo. 1. Si un negocio jurídico nulo se confirma por aquel que lo ha celebrado, ha de estimarse la confirmación como celebración renovada....»

[172]   Vid. Supra epígrafe «Ilegalidad y legalidad sobrevenidas».

como mecanismo de cognoscibililidad por parte del juez, pero las consecuencias posteriores de esa nulidad se separan o independizan de quien la alegó o de sus intereses para convertirse en canalización de los intereses generales.

Aunque podemos considerar cierta independencia de los efectos y de la propia declaración de nulidad respecto a los intereses de los contratantes, esto no es del todo cierto. Nos encontramos ante una jurisdicción rogada en la que rige el principio dispositivo. En consecuencia, si las partes no denuncian la irregularidad del contrato los jueces no están obligados a entrar en el enjuiciamiento de la ilegalidad. Por tanto la indisponibilidad de la acción es relativa ya que si las partes no accionan el resorte de la ineficacia el contrato se consumará por muy ilegal que sea. La intervención de oficio es absolutamente excepcional y, al menos, requerirá que al tribunal se le permita la posibilidad de enjuiciamiento a través de una primera iniciativa particular que ponga en marcha el mecanismo judicial.

Además, esta indisponibilidad absoluta es algo que no se corresponde con la efectividad de algunos de los valores y objetivos que se indican en las nuevas leyes cuya contravención vendría a considerarse, en teoría, como causa de nulidad[173].

2.3.2. Contenido de la sanción de nulidad como ineficacia

Según la concepción clásica, la ineficacia que merece un contrato ilegal es la que conduzca a erradicar todo vestigio de la infracción como sanción al acto antijurídico. La sanción que se entiende que merece el contrato ilegal en abstracto es la nulidad de pleno derecho o nulidad radical o absoluta que podemos considerar la más drástica y contundente de las ineficacias y en la que mejor se aprecia su contenido disciplinario. La hostilidad del ordenamiento jurídico ante los contratos que lo transgreden se manifiesta rechazando de plano los efectos contractuales que le corresponderían a ese contrato. Con esto se quiere decir que se pretende erradicar jurídicamente el contrato ilegal y todos sus efectos como si nunca se hubiese celebrado[174].

En definitiva, la primera y principal consecuencia de la nulidad es reintegrar a cada contratante en su posición primitiva. Como expresaban las

---

[173] GORDILLO CAÑAS, Voz «Nulidad» E.J.B. págs. 4460-4461. Son las normas que DIEZ-PICAZO llama semi-imperativas y otros autores hablan de imperatividad en un solo sentido o para una sola de las partes contratantes y que forman parte del orden público económico de protección. Vid supra epígrafe «Orden público económico de protección».

[174] De esta clásica consecuencia de la ineficacia que es común a todos los regímenes típicos que se pueden incardinar dentro de ella surge la equiparación entre nulidad e inexistencia. Pero como decimos no es esta una característica específica de la nulidad sino que es una tendencia que naturalmente se va a producir cuando se aprecia un supuesto de anulabilidad o de rescisión. Por tanto la principal consecuencia de la ineficacia en general es que se va a considerar el contrato como inexistente pero utilizando este término en sentido usual o común.

Partidas: «*tornar el contrato en aquel estado en que era ante; de manera que cada una de las partes haya a salvo su derecho, assi como lo avia primeramente*» (Ley 8ª, tit. XIX, Partida 6ª). De este modo se refleja en el aforismo *quod nullum est nullum effectum producit* que quiere decir que el contrato debe ser tenido como ineficaz y que no debe producir ningún efecto. Esto se refleja fundamentalmente en dos respuestas del ordenamiento jurídico:

A. La retirada de la tutela jurídica para evitar la consumación del contrato

La nulidad por causa de la ilegalidad va a suponer el desdén más absoluto del contrato por parte del ordenamiento jurídico que no va a amparar las pretensiones que las partes habían programado en el mismo. Es lo que se podría denominar la **inoperancia** del contrato nulo. Lo que va a tener dos consecuencias diferentes:

a. Inexigibilidad de efectos contractuales

En primer lugar se traduce en inexigibilidad de los efectos contractuales, si el contrato se halla en su primera fase de desarrollo una vez perfeccionado[175]. Lo que lleva a los tribunales a desestimar las pretensiones de las partes basadas en el contrato cuando éste aún no se ha consumado[176]. Generalmente ello sucederá cuando se exija la ejecución de algún tipo de cumplimiento fundado en el contrato ineficaz. Ante el contrato ineficaz desaparecen las obligaciones a las que estaban sujetos y no se puede exigir su cumplimiento.

b. Rechazo legal

En segundo lugar, conlleva desatender las situaciones ya ocasionadas como consecuencia del despliegue de algún efecto de dichos contratos. Podemos considerar que los efectos que haya podido desplegar un contrato nulo no pueden considerarse jurídicamente consolidados por el Derecho. No serán amparadas pretensiones suscitadas en estas situaciones basadas sobre contratos nulos. La nulidad va a contaminar los actos que se deriven de ella.

---

[175] De esta forma lo consideran los anglosajones cuando denominan al contrato *unenforceable*. La diferencia está en que en su sistema se retira esta tutela jurídica como regla general sea cual sea el momento de la vida del contrato en la que nos hallemos y no sólo para su primera fase cuando aún no se ha ejecutado ninguna prestación. Por lo tanto, en estos ordenamientos jurídicos, a diferencia de lo que ocurre en los sistemas continentales, la regla general es la no restitución de prestaciones ejecutadas en virtud del contrato ilegal.

[176] Se plantea la posibilidad de que esta desestimación de pretensiones se produzca incluso de oficio por parte del Tribunal, pese a que la parte interesada no haya solicitado la nulidad y haya alegado otros medios de defensa o haya demandado otro tipo de decisión al juez. (vid infra. «Legitimación»)

Aunque el contrato no llegue al conocimiento de los tribunales porque la irregularidad no sea denunciada y las partes cumplan voluntariamente con las obligaciones pactadas, la postura del ordenamiento jurídico no cambia[177]. Es decir, si ya se ha consumado el contrato y ejecutado todas o algunas de las prestaciones no por ello se considera que haya quedado afianzada o reafirmada la situación. Por el contrario, ésta será una situación irrelevante para el Derecho que posibilita el que pueda deshacerse en cualquier momento[178]. Incluso podría derivarse una reacción en cadena de la nulidad de los actos derivados del contrato nulo[179].

B. La restitución

Como hemos afirmado anteriormente la ineficacia supone que el contrato no debe producir ningún efecto. Sin embargo, la ineficacia opera en el campo del deber ser y puede que en el «mundo sensible» estos efectos se hayan producido[180].

Luego, en consecuencia, cuando estos efectos se han producido ya, la tendencia del ordenamiento jurídico será a que desaparezcan. Será materialmente imposible el borrar todas las consecuencias de un contrato que se ha venido desarrollando durante un cierto tiempo antes de ser anulado. Siguiendo los ejemplos que pone DE LA MORANDIÈRE: la nulidad de un arrendamiento de vivienda no puede impedir que el arrendatario haya estado ocupando el piso. Tampoco en la anulación de una sociedad en la que los socios hayan mezclado sus capitales y hecho operaciones en común se podrán ignorar estas[181].

Sin embargo, se tratará por todos los medios de restablecer la situación anterior a la celebración del contrato ineficaz. El contratante que pretenda la restitución de las prestaciones derivada de la anulación del contrato, como regla general, la va a conseguir[182]. En los casos que se pusieron como ejemplo por DE LA MORANDIÈRE se deberá tener en cuenta estas situaciones y se tendrá que indemnizar al propietario del piso en el primer caso.

---

[177] DIEZ-PICAZO; *Fundamentos... I*, op. cit., pág. 439.
[178] Esto se traduce en la posibilidad de actuación de oficio de los tribunales para declarar la nulidad de los contratos (Vid. Infra epígrafe «Actuación del Tribunal de oficio») y la posibilidad de la consideración como tales de los notarios y, especialmente, registradores. (Vid. Infra epígrafe «La nulidad como acción pública»).
[179] DE CASTRO Y BRAVO, F., *El negocio jurídico*, cit., pág. 477.
[180] LACRUZ BERDEJO, J.L., *Elementos ...* op. cit., pág. 347. DIEZ PICAZO. *Eficacia e ineficacia del...* op. cit., pág. 831, DELGADO ECHEVERRÍA, *Comentarios al...* op. cit., arts 1300 a 1314CC, pág. 234.
[181] DE LA MORANDIÈRE, J., *Précis de droit civil*, T. II, París, 1947, pág. 75.
[182] Al contrario de lo que ocurre en los sistemas jurídicos anglosajones como ya se observó anteriormente. Vid. supra, Epígrafe «Contratos ilegales en el Derecho del Common Law».

Además se tendrá que tener en cuenta las operaciones de la sociedad al proceder a la liquidación de las cuentas entre los socios. Pero el juez — continuará diciendo este autor— actuará aquí en equidad sin estar vinculado por las estipulaciones del contrato nulo.

Se puede hablar de que la ineficacia es de efectos retroactivos en cuanto que trata de retrotraer los efectos al periodo en el que se formó el contrato para borrar su existencia. Cuando no sea posible una retroacción efectiva se tratará de evitar cualquier perjuicio que se haya producido paliando los efectos inalterables mediante decisiones de equidad. En cambio parece que la retroacción efectiva normalmente se va a traducir en una restitución recíproca de las prestaciones si es que ya se ejecutaron éstas.

a. Restitución recíproca. Regla general

Por consiguiente, el efecto retroactivo derivado de la nulidad se aplica rigurosamente entre las partes contratantes obligándo a la restitución. La restitución de las prestaciones es una de las consecuencias naturales de la ineficacia a la que el legislador ha prestado una principal atención a lo largo de los artículos 1303 y siguientes del Código Civil. Para deshacer todos los efectos del contrato se va a obligar a la restitución de todas las prestaciones realizadas en su virtud por los contratantes, en principio por los dos. Precisamente, la regla general es la restitución recíproca de las prestaciones establecida en el art. 1303 CC. Esta consecuencia restitutoria natural e ineludible de la declaración de nulidad no requiere de una acción independiente de la principal de nulidad[183].

Cuando no se pueda restituir el bien objeto de la prestación del contrato nulo por cualquier causa no cesa la obligación restitutoria. Las causas de imposibilidad de restitución no sólo han de cifrarse en la pérdida o deterioro del bien sino también, y sobre todo, por la necesaria protección que en virtud de la seguridad del tráfico, indudablemente, conviene dispensar a los terceros de buena fe que los adquirieron (arts. 464 CC. y 34 LH). La doctrina y la jurisprudencia han atenuado esta regla de la retroactividad al considerar que

---

[183] En la Sentencia de 22 de noviembre de 1983 el prestatario en reconvención pidió la declaración de nulidad del préstamo: apreciada la nulidad, se le condena a restituir la cantidad recibida, sin que el Tribunal Supremo aprecie incongruencia. La restitución, dice el Supremo, «es un efecto inmediato y elemental, que no altera la armonía entre lo pedido y lo concedido de la anulación decretada, efecto tendente a evitar, sin necesidad de un nuevo pleito, el enriquecimiento injusto de una de las partes a costa de la otra y a dar cumplimiento *iura novit curia* a la disposición del art. 1303 Cc.» Se señala también que la «obligación de devolver no nace del contrato anulado, sino de la Ley que la establece en este artículo.» En este mismo sentido: Ss. de 11 de junio de 1971, 23 de octubre de 1973, 28 de febrero de 1974, 22 de noviembre de 1983, 24 de febrero de 1992. Sin embargo, en alguna otra sentencia aislada se considera la restitución como «cuestión nueva» en casación: Ss. de 22 de diciembre de 1973 y 19 de febrero de 1979.

los terceros de buena fe que hayan podido confiar en la validez del contrato no quedan perjudicados por la declaración de nulidad del contrato. Suponiendo ésta ya una excepción lógica y clásica a la retroactividad de los efectos de la nulidad[184].

En estos casos, la facultad o pretensión restitutoria continua siendo ejercitable y la obligación de restituir subsiste aunque se traduzca en indemnizar el valor del bien (art.1307 CC, 1295 CC), salvo que la cosa objeto del contrato se hubiese perdido por dolo o culpa del que pudiera ejercitar la acción (art. 1314 CC).

La restitución recíproca de prestaciones plasmada en el artículo 1303 del Código se establece como la regla general de todo tipo de ineficacia, pero a continuación se establecen en alguno de los artículos siguientes las excepciones a la regla de la correlativa repetición de las prestaciones ejecutadas.

En esta obra no se entrará a analizar la regla contenida en el artículo 1304 del Código Civil al ser una regla especial en materia de anulabilidad cuando el vicio del consentimiento contractual proviene de haber sido otorgado por un menor o incapaz. En cambio, sí que deberán ser objeto de análisis, más adelante, las normas excepcionales que recogen los artículos 1305 y 1306 del Código Civil para los caso de nulidad del contrato por causa torpe o ilícita.

b. Los frutos e intereses en la obligación de restitución

Una vez establecida la regla general de la recíproca restitución de cosas y precio objeto del contrato en materia de ineficacia debemos tener en cuenta las consecuencias en caso de que nos encontremos ante bienes productivos. Nos referimos a la suerte que han de correr los frutos naturales y civiles de las prestaciones correspondientes a los contratantes involucrados en la nulidad. En lo que respecta a esta cuestión cabe plantearse si se va a respetar la situación de liquidación posesoria general en relación con los artículos 451 y 455 del Código Civil o si la restitución integral supone entregar, en todo caso, los frutos e intereses de las prestaciones como literalmente parece indicar el artículo 1303 del Código Civil.

En Francia, se ha discutido la posibilidad de tener en cuenta la posesión de buena o mala fe en lo referente a la restitución de frutos e intereses. Encontrando, por un lado, partidarios de subordinar la entrega de estos elementos accesorios a la buena o mala fe de los contratantes[185] y, por otro lado, defensores de la restitución integral de la nulidad y su retroactividad independientemente de la condición de poseedores de los contratantes[186].

[184] SANTOS BRIZ, J., *Derecho Civil, teoría y práctica*, op. cit., pág. 674.
[185] DE LA MORANDIÈRE, J., *Précis de droit civil*, T. II, París, 1947, pág. 75.
[186] GUELFUCCI-THIBIERGE, C, *Nullité, restitutios et responsabilité*, París, 1992, págs. 437-438 y 459-460.

En España, si atendemos a la letra de la Ley, en principio, el contratante queda obligado a restituir los bienes con sus frutos e intereses (art. 1303 C.C.). La consecuencia es que ninguno de los contratantes que se vean afectados por la nulidad podrá conservar los frutos e intereses del bien que obtuvo como contraprestación y que como resultado de la nulidad se vió obligado a restituir[187]. Una interpretación literal del precepto es coherente con el pretendido carácter objetivo que tiene esta sanción general de nulidad. Sin embargo, tal interpretación literal podemos cuestionarnos que sea conveniente si no hubo mala fe de parte del contratante a quien se le impone la obligación de restituir los frutos. Incluso MUCIUS SCAEVOLA considera como «altamente censurable» la previsión del artículo 1303 tanto en lo que se refiere a frutos como intereses e indica que una interpretación equitativa de los tribunales podría salvar esta dificultad[188].

En todo caso, de mantener una interpretacion apegada al texto legal, podemos adelantar, que se podrá reclamar los daños y perjuicios si se logra probar que la nulidad es debida a la culpa o negligencia de la contraparte (responsabilidad por *culpa in contrahendo*).

Pero en esta materia la jurisprudencia es contradictoria y permite abrir el debate. Unas veces el Tribunal Supremo resuelve la cuestión inclinandose por la interpretación literal del art. 1303 del Código Civil sin tomar en consideración la buena o mala fe de quien está obligado a restituir los frutos *ex lege*[189]. En cambio, otras veces acude a las reglas relativas a la liquidación del estado posesorio, donde se valora la buena o mala fe del poseedor, para especificar el alcance de la mención a la restitución genérica de los frutos. Considerando que la declaración de nulidad de los contratos no lleva implicita

---

[187] PUIG BRUTAU, J., *Fundamentos de Derecho Civil,* II, 1°, 2ª ed., Barcelona, 1978, pág. 313, Diccionario de acciones, cit, pág. 202 CASTÁN TOBEÑAS, J., *Derecho Civil Común y Foral. Derecho de Obligaciones. La obligación y el contrato en general,* 13ª ed., 1983, pág. 649, DÍEZ-PICAZO, L., *Fundamentos de Derecho Civil Patrimonial, I,* cit., pág. 449 y 469, GARCÍA AMIGO, M., *Teoría General de Obligaciones y Contratos,* Madrid, 1995, pág. 404.

[188] Mantiene este comentarista que el precepto establece una «desigualdad irritante de condiciones, establecidas a ciegas, tanto mas injustas, cuanto que no tiene en cuenta para nada la conducta seguida por cada uno de los contratantes en la celebración del contrato. Una interpretación equitativa de los tribunales podría salvar esta dificultad, disconforme, sin duda, con el pensamiento del legislador, pero muy de acuerdo con la justicia del caso, y no contraria tampoco al tenor de la disposición de Ley». (MUCIUS SCAEVOLA, Q., *Código Civil,* T. I, T. XX, 2ª ed., Madrid, 1958, pág. 1023 y 1024)

[189] Ss. de 17 de mayo de 1973, 27 de junio de 1977 (en esta sentencia no sólo no se tiene en cuenta la buena o mala fe para la restitución de los frutos sino que afirma que no son de aplicación los artículos 434 y 451 y ss.), 16 de octubre de 1978, 19 de junio de 1981, 22 de noviembre de 1983, 31 de octubre de 1984 (en esta sentencia a pesar de que el tribunal considera que la acción restitutoria puede calificarse como *condictio indebiti* aplica el art. 1303 sin hacer referencia a la buena fe de los contratantes).

la declaración de mala fe sino que es preciso pueba especial para detruir la presunción de existencia de buena fe[190].

Siguiendo esta última corriente jurisprudencial, algunos autores entienden que la referencia del artículo 1303 a los frutos e intereses no determina con precisión el alcance de la devolución y que para su concrección se debe considerar la buena o mala fe que haya presidido la posición del contratante restituyente[191]. Incluso DE CASTRO considera que no son aplicables los artículos 1307 y 1308 a la nulidad absoluta sino que se tiene en cuenta la condición de poseedor de buena o mala fe del contratante. Sólo el poseedor de mala fe ha de ser condenado a la entrega de frutos y rentas (art. 445) y el de buena fe tiene derecho a los frutos y al abono de las mejoras útiles y necesarias (arts. 451 y 453). En otro caso, habrá de indemnizarse por el aprovechamiento obtenido[192].

DELGADO ECHEVERRÍA opina que la corriente jurisprudencial más correcta es la que considera que es aplicable a la acción restitutoria derivada de la nulidad las reglas de liquidación posesoria de los artículos 451 y siguientes del Código Civil. De esta forma, el contratante que actuó de buena fe y que ni siquiera conocía el vicio que provocó la nulidad haría suyos los frutos percibidos y no tendría que satisfacer nada en este concepto, en cambio el de mala fe tendrá que abonar los frutos percibidos y los que su contraparte hubiera podido percibir[193]. Parece que estamos ante una aplicación matizada de la reglas contenidas en artículo 1306 C.C., pero en lugar de referirlas a las obligaciones principales se referirían a sus accesiones.

Por su parte, CARRASCO mantiene la general aplicabilidad de las reglas de liquidación del estado posesorio a los resultados de la ineficacia, pero considera que crearía situaciones injustas cuando se trate de obligaciones sinalagmáticas y proceda una restitución recíproca[194]. La situación más problemática se daría cuando ambos contratantes hubiesen ejecutado ya sus prestaciones y, por consiguiente, pudiesen haber generado ya frutos e intereses en ambas partes.

---

[190] Ss. de 10 de febrero de 1970, de 14 de junio de 1976 (en la que se distingue el aspecto obligacional al que se dedica el art. 1303 de la situación real de orden posesorio que debe resolverse con las reglas del 451 y ss.), de 28 de noviembre de 1998.

[191] ALMAGRO NOSETE, J., en *Comentario del Código Civil*, T. 6, Barcelona, 2000, pág. 717, VALPUESTA FERNÁNDEZ, R., en *Derecho de obligaciones y contratos, 2ª ed.*, Valencia, 1995, pág. 441, COLÁS ESCANDÓN, A., en *Comentarios al Código Civil*, Pamplona, 2001, pág. 1527.

[192] DE CASTRO Y BRAVO, F., *El negocio jurídico, cit*, pág. 484.

[193] DELGADO ECHEVERRÍA, J., *Comentarios al Código Civil y Compilaciones... cit.*, págs. 423-426., *Comentario del Código Civil*, Ministerio de Justicia, T. II, págs. 552 y 553. *Elementos de Derecho Civil*, II, vol 2º, 2ª ed. Barcelona, 1987, págs. 377-378.

[194] CARRASCO PERERA, A., «*Restitución de provechos*», en A.D.C., 1987, págs. 1116-1120.

Estas posturas parten de la base, también apuntada en alguna sentencia, de que las acciones de restitución son del mismo tipo que la *condictio indebiti* (art. 1895 y ss. del Código) ya que en ambos casos se pagó algo que nunca se debió. Esto indicaría que el artículo 1303 no es un precepto completo que imponga la restitución de los frutos percibidos, en todo caso. En consecuencia, como indican DIEZ PICAZO y GÜLLÓN, se deberá proceder a la aplicación subsidiaria de las reglas del cobro de lo indebido[195]. En realidad, mantiene esta doctrina, el artículo 1303 se limita a recordar que, en su caso, habrá que abonar los frutos. Esta es la razón por la que hay que acudir a una interpretación sistemática en relación con la materia específica sobre los frutos en la liquidación del estado posesorio.

La misma suerte de discriminación habría que hacer en lo referente a la devolución de intereses, que habrá de aplicarse ya sea conforme a los intereses legales o convencionales.

c. Excepciones a la regla general de la recíproca restitución

En ocasiones muy excepcionales la ineficacia del contrato no va a llevar aparejada la consecuencia de la restitución recíproca de prestaciones entre los contratantes. En algunos casos, la ineficacia provoca la restitución unilateral de prestaciones privando del ejercicio de la restitución a uno de los contratantes y, en otros casos, se priva del ejercicio de la restitución a ambos contratantes. De esta forma se van a consolidar los efectos contractuales, manteniendo el nuevo estado posesorio de los contratantes producido por la ejecución del contrato ineficaz. Se mantiene el *status posesionis* pese a que se carece de título válido y eficaz. Estos casos son:

i. Contrato con causa torpe

Nos referimos a los casos contemplados en los arts 1305 y 1306 de nuestro Código Civil que se basan fundamentalmente en la incurrencia por parte de los contratantes de una culpabilidad o torpeza en el origen de la ineficacia que hace que se les sancione privándoles de la pretensión restitutoria[196]. Estos

---

[195] DÍEZ-PICAZO, L. y GÜLLÓN, A., *Sistema de Derecho Civil,* II, 7ª ed., Madrid, 1995, pág. 114.

[196] Artículo 1305 «Cuando la nulidad provenga de ser ilícita la causa u objeto del contrato, si el hecho constituye un delito o falta común a ambos contratantes, carecerán de toda acción entre sí, y se procederá contra ellos, dándose, además, a las cosas o precio que hubiesen sido materia del contrato la aplicación prevenida en el código penal respecto a los efectos o instrumentos del delito o falta.
Esta disposición es aplicable al caso en que sólo hubiere delito o falta de parte de uno de los contratantes; pero el no culpado podrá reclamar lo que hubiese dado, y no estará obligado a cumplir lo que hubiera prometido.
Artículo 1306 «Si el hecho en que consiste la causa torpe no constituyere delito ni falta, se observarán las reglas siguientes: 1º. Cuando la culpa esté de parte de ambos

artículos recogen de forma expresa la regla tradicionalmente conocida como «*nemo auditur*», o de forma más completa «*nemo auditur suam turpitudinem allegans, nemo de improbitate sua consequitur actionem*»[197]. Pese a ser una regla excepcional en otros ordenamientos jurídicos de nuestro continente también se aplica de igual manera[198]. La encontramos expresamente recogida en el artículo 2035 del Código Civil italiano de 1942 aunque recogido en el título VII referido al pago de lo indebido[199]. También se encuentra recogida en el parágrafo 817 del B.G.B. alemán[200] y en el artículo 66 del Código de las obligaciones suizo[201]. Por último, se debe señalar que esta regla resulta también de aplicación en el ordenamiento jurídico francés, pues aunque no se refleje positivamente en ningún artículo del Código Napoleónico es una regla tradicionalmente aplicada por la jurisprudencia y asumida por la doctrina[202].

---

contratantes, ninguno de ellos podrá repetir lo que hubiera dado a virtud del contrato, ni reclamar el cumplimiento de lo que el otro hubiese ofrecido. 2°. Cuando esté de parte de un solo contratante, no podrá éste repetir lo que hubiese dado a virtud del contrato, ni pedir el cumplimiento de lo que se le hubiera ofrecido. El otro, que fuera extrano a la causa torpe, podrá reclamar lo que hubiera dado, sin obligación de cumplir lo que hubiera ofrecido.

[197] Esta regla es conocida normalmente bajo el apotegma «*Nemo auditur propiam turpitudinem allegans*». Pero, en realidad, es más apropiado decir que se aplica el aforismo «*in pari causa melior est conditio posidentis*» o «*in pari causa turpitudinis cessat repetitio*», puesto que nuestro ordenamiento se refiere única y exclusivamente a denegar pretensión de restitución a la parte culpable pero no a denegar la pretensión de anulación.

[198] Recordemos que en el sistema del *Common Law* se aplica como regla general resultando como excepcional la restitución precisamente. Vid. supra epígrafe «La ilegalidad en el Common Law».

[199] Art. 2035. «Prestazione contraria al buon costume - Chi ha eseguito una prestazione per uno scopo che, anche da parte sua, costituisca offesa al buon costume non può ripetere quanto ha pagato».

[200] § 817. «Infracción de la ley o buenas costumbres. Si la finalidad de una prestación estaba determinada de manera que el receptor con la aceptación ha infringido una prohibición legal o las buenas costumbres, el receptor está obligado a la restitución. Se excluye la repetición si tal infracción es igualmente imputable al que realiza la prestación, a no ser que la prestación consistiese en contraer una obligación: lo entregado para el cumplimiento de tal obligación no puede repetirse.» Trad. De Martínez Sarrión en *Tratado de las relaciones obligacionales* de D. MEDICUS, Vol II.

[201] Art- 66 del Código de obligaciones suizo de 31 de marzo de 1911/18 de diciembre de 1936: «Répétition exclue- Il n´y a pas lieu à répétition de ce qui a été donné en vue d´atteindre un but illicite ou contraire aux moeurs».

[202] En un principio, tras la codificación no toda la doctrina era partidaria de considerar vigente esta regla en el derecho francés y los detractores de su aplicación defendían la aplicación del artículo 1131 del Code y la admisión de la repetición en todos los casos de ilicitud causal. (DEMOLOMBE, G., *Cours de Code Napoléon...* cit. págs. 367-369). Actualmente, la regla *nemo auditur.* sigue estando plenamente vigente, aunque de forma restringida, para la jurisprudencia francesa (vid. CHMIDT-SZALEWSKI, J., *Droit des Contrats. Jurisprudence Française*, 5, París, 1989, págs. 262-266, CARBONNIER, J., Droit Civil. T. IV, *Les obligations*, 19ª ed., París, 1995, págs. 186-187).

Estos casos de culpabilidad o torpeza han de revestir una gravedad especial[203]. Reservándose, exclusivamente, para los casos en los que se produce una nulidad por ilicitud del objeto o la causa y el hecho es constitutivo de delito o falta (art. 1305 CC.)[204] o cuando atenta de tal modo contra las buenas costumbres o el orden público que merece la sanción de nulidad por considerar que existe causa torpe (Art. 1306 CC). A pesar de que pareciese que estas reglas se basan en un principio general enunciado como «nemo auditur propiam turpitudinem allegans», éste no puede considerarse como tal, ya que tan sólo se hacen aisladas y parciales aplicaciones del mismo que no permiten una aplicación extensiva ni indiscriminada[205].

Los resultados que lleva aparejada la aplicación de estas reglas no son todo lo deseables que pudieran parecer puesto que, en numerosas ocasiones, va a suponer mantener situaciones injustas o provocar resultados contrarios a los propuestos por la Ley[206]. En principio, en estos casos, si la ilicitud proviene únicamente por parte del que recibe la prestación, el que la entregó tiene derecho a recobrarlo. Si la ilicitud proviene del que entregó la prestación no tiene derecho a recuperarla y tampoco va a poder exigir que se cumpla la contraprestación. Hasta aquí puede parecer lógica la sanción; quizá resulte excesiva en algunos casos, pero puede ser razonable como pena civil[207].

Sin embargo, la explicación racional de este resultado se complica cuando la ilicitud del contrato proviene de la conducta o culpabilidad de ambos contratantes. En este caso parece que se otorga mayor favor a la posición del contratante que ya haya recibido la prestación[208]. Al aplicar esta sanción no se atiende ya a la condición de contratante sino a la condición de actual poseedor, sin distinguir el carácter voluntario o forzoso de la entrega. De esta

---

[203] En los casos en los que haya causa ilícita en el contrato, no constitutiva de delito o falta, y no se pueda reprochar la torpeza a ninguna de las partes no se puede aplicar el art. 1306 sino el 1303 CC.

[204] Vid. infra epígrafe «Contratos constitutivo de delito o falta».

[205] DIEZ-PICAZO, Fundamentos..., I, op. cit. vol I, pág. 451.

[206] DE CASTRO Y BRAVO, F., Notas sobre las limitaciones intrínsecas de la autonomía de la voluntad... cit. pág. 1046, MORALES MORENO, A.M., Intimidación, ausencia de causa, causa ilícita y culpabilidad de los contratantes... cit. pág. 618, GARCÍA MONGE Y MARTÍN, J., «Contratos con Causa ilícita», en R.D.P., ...cit. pág. 860, LÓPEZ BELTRÁN DE HEREDIA, C., La nulidad contractual... cit. pág. 365, CERDÁ OLMEDO, M., «Nemo auditur propiam turpitudinem allegans», en R..D.P, 1987, pág. 1204, NUÑEZ LAGOS, R. «Condictio ob turpem vel injustam causam», en R.D.N., Abril-junio 1961, pág. 33.

[207] CERDÁ OLMEDO, M., «Nemo auditur propiam turpitudinem allegans», en R.D.P., 1987, pág. 1192, DE CASTRO Y BRAVO, El negocio jurídico... cit., pág. 251.

[208] SANCHO REBULLIDA, F., Notas sobre la causa de la obligación en el Código civil... cit. pág. 681, DE CASTRO Y BRAVO, El negocio jurídico... cit., pág. 251, MORALES MORENO, A.M., Intimidación, ausencia de causa, causa ilícita y culpabilidad de los contratantes... cit. pág. 618.

forma se expresa el precepto: «ninguno de los contratantes podrá repetir lo que hubiera dado a virtud del contrato, ni reclamar el cumplimiento de lo que el otro hubiese ofrecido» (art. 1306 1º). Es decir, sólo se exige que la entrega sea consecuencia del contrato y se hiciese con anterioridad a la declaración de nulidad.

Esta preferencia que se adopta, a favor del que ha recibido la prestación frente al que la ha dado, crea una situación de ventaja para el primero que no responde a ninguna pauta de justicia. Al contrario, en ocasiones, parece que trata de primar la posición del que se encontraba en mora penalizando al que se apresuró a cumplir diligentemente con la entrega de su prestación comprometida. Tampoco con este criterio se persigue fomentar el posible arrepentimiento de alguno de los contratantes denunciando finalmente la ilicitud ante los tribunales. No debe pasarse por alto que lo que puede motivar la denuncia del que ya ha recibido la prestación, más que una retractación, es su propio interés patrimonial al haber esperado a la ejecución del contrato por parte del otro contratante. Sería siempre un arrepentimiento intempestivo.

Ya advertía DOMAT que en esta regla procedente del Derecho romano «*Si et dantis et accipientis turpis causa sit, possessorem potiorem esse: et ideo repetitionem cessare. (L. 8 in fin. Ff. De cond ob turpem caus. L. 2 C.eod L 9 ff. de dol mal et met. excep)* no es la razón ni la justicia lo que hace mejor su condición (la del contratante que recibe); al contrario, exigen éstas que sea castigado no sólo con la privación de semejante ganancia, sino que también con otras penas de que puede haberse hecho merecedor. Así vemos que de nuestras leyes, siempre más filosóficas y en esta parte más equitativas que las romanas, unas adjudican a la Cámara del Rey lo que hubiese sido dado en una convención, cuyos contratantes supiesen ser ilícita (D.1 51); y otras a más de dicha adjudicación condenan al tres tanto de lo recibido y a otras penas mayores, según la calidad de la injusticia (D. 1, 52; 1.24, tit 22, P. 3).»[209]

La apreciación sobre la existencia de causa torpe requiere elaborar un juicio de valor sobre la inmoralidad del contrato o de las conductas de los contratantes. La jurisprudencia ha sido sumamente prudente a la hora de aplicar este precepto como hemos podido comprobar al estudiar la teoría de la causa ilícita[210].

La cuestión es ¿qué precepto se aplicará en el caso en el que un contrato resulte ser ilegal por contravenir una norma imperativa y al mismo tiempo encontrarse envuelto en una clara torpeza de causa? Es decir, ante un contrato que al mismo tiempo resulte ser contrario a la Ley y a las buenas costumbres ¿qué precepto hemos de aplicar: las reglas contenidas en el art.

---

[209] DOMAT, J., *Las leyes civiles*, trad. F. Vilarrubias y J. Sardá, 2ª ed., T. I, Barcelona, 1844, pág. 373.

[210] Vid infra epígrafe «La causa ilícita».

1303 CC., y por consiguiente la restitución recíproca, o, en cambio, las contenidas en el art. 1306 CC?

Pues bien, creemos que, salvo que otra cosa se desprenda de la Ley vulnerada, hemos de aplicar el art. 1303 y la recíproca restitución de prestaciones ya que es la regla general, y no se debe aplicar una regla excepcional pudiendo aplicarse la general. Debe imponerse, en consecuencia, esta interpretación restrictiva de los artículos 1305 y 1306 del Código Civil que comporta limitar la irrepetibilidad de las prestaciones a las hipótesis en las que la causa, sin estar en oposición con normas o principios jurídicos, se oponga a la moral que corresponde a las buenas costumbres o a la conciencia social[211].

LÓPEZ BELTRÁN DE HEREDIA coincide en la solución que apuntamos, basando además su conclusión en el peligro de extender la arbitrariedad del juicio de inmoralidad a casi todos los contratos que violen una norma imperativa o prohibitiva[212]. Además, debemos tener en cuenta que la primacía de la ley infringida como *lex specialis* hace que si en ésta se determina una solución distinta, en todo o en parte, a la prevista en los arts. 1305 y 1306 CC. se ha de aplicar siempre aquella[213]. En este sentido señala DIEZ-PICAZO siguiendo a RESCIGNO que «no se puede superponer al juicio de licitud ya hecho por el legislador un juicio de moralidad…aplicando una norma prevista para supuestos distintos»[214].

En general, se puede afirmar que la jurisprudencia ha buscado siempre la justicia del caso concreto que en la mayoría de las ocasiones desaconseja utilizar la regla del art. 1306 del Código Civil[215]. Por esta razón se ha reducido enormemente el campo de aplicación de este artículo[216]. Si bien, tampoco resulta inconcebible el fundamento que inspira incluso el segundo párrafo de este artículo 1306. Es comprensible que se pretenda que la incidencia de estos efectos de la causa torpe se circunscriban exclusivamente a quien la origina, pero no con extensión a quien contrata de buena fe que no tiene por qué sufrir el perjuicio de no poder recuperar lo indebidamente pagado o entregado (S. de 20 de mayo de 1985).

También resulta expresiva la sentencia de 15 de octubre de 1999 en la que se niega la posibilidad de solicitar la nulidad argumentando que «carecía de

---

[211] OSTI, G., voz «*Contratto*», en *Noviss. Digesto Italiano, diretto da Azara, A y Eula*, E., IV, pág. 508 y ss., Torino,

[212] LÓPEZ BELTRÁN DE HEREDIA, C., *La nulidad contractual...* op. cit. pág. 338.

[213] DELGADO ECHEVERRÍA, J., *Comentarios...* op. cit. pág. TORRALBA SORIANO, O.V., «*Causa ilícita; exposición sistemática de la jurisprudencia del Tribunal Supremo*», en *A.D.C..*, XIX-3, 1966, pág. 661.

[214] DIEZ-PICAZO, *Fundamentos...*, op. cit., pág. 453.

[215] LÓPEZ BELTRÁN DE HEREDIA, C., *La nulidad...* cit., págs. 351-365, MORALES MORENO, A.M., *Intimidación, ausencia de causa, causa ilícita y culpabilidad de los contratantes...* cit. págs. 615-617.

[216] CERDÁ OLMEDO, M., *Nemo auditur propiam...* cit. págs. 1207-1208.

legitimación para denunciarla la parte actora, que es causahabiente del autor de las supuestas maniobras, pues «es conocido como dice la S 8 Jun. 1957 el criterio jurisprudencial que enseña que, aun suponiendo que contra lo determinado en los arts. 1305 y 1306 CC, tuviera el copartícipe de la causa ilícita acción para utilizar ese motivo de nulidad, nunca podría hacerlo en derecho propio para eximirse de las consecuencias del incumplimiento de lo pactado»».

Se ha afirmado que para la aplicación de los efectos de la causa ilícita se impone la distinción de las dos manifestaciones que establece el artículo 1275 del Código. De esta forma cuando lo que provoca la ilicitud causal es la oposición a la Ley o al orden público, la ilicitud daría lugar siempre a la restitución, sin necesidad de apreciar si la torpeza radica en el que pide o en el que recibe o en ambos a la vez. En estos casos, sencillamente, no resulta de aplicación el artículo 1306 del Código Civil[217].

Incluso, aunque se considere que el concepto de causa torpe contenido en este precepto se puede ampliar al de ilicitud en los términos del artículo 1275, se tiende a circunscribir e identificar con la inmoralidad por las consecuencias no siempre justas que de él se derivan[218].

Esta tendencia hacia una aplicación marginal de la regla *nemo auditur* no es exclusiva de nuestra jurisprudencia. En Francia la jurisprudencia comenzó por aplicar de una forma absoluta la máxima «*in pari turpitudine cessat repetitio*» en las materias más diversas. La doctrina mayoritaria aprobaba esta aplicación mientras que otros autores la criticaban. Finalmente los argumentos contrarios a su aplicación se impusieron con tal fuerza que la jurisprudencia fue abandonando poco a poco la aplicación de la máxima[219]. El propio CAPITANT tiene que hacer una relación de casos en los que la jurisprudencia francesa aplicó el adagio «*nemo auditur*» y en un momento dado dejó de aplicarlo y de casos en los que la jurisprudencia continúa aplicándolo[220]. En la actualidad la jurisprudencia francesa no aplica la regla *nemo auditur* más que en caso de nulidad por imoralidad siendo posible la restitución si el contrato es anulado por cualquier otra causa de ilicitud[221].

---

[217] NUÑEZ LAGOS, R., *Condictio ob turpem...* cit. pág. 27.

[218] DIEZ-PICAZO Y GULLÓN, *Sistema...* vol II, op. cit. pág. 113 y en especial nota 2.

[219] Evolución descrita por PIÉDELIÈVRE, J., *Des effets produits par les actes nuls. Essai d´une théorie dénsemble*, Tesis, Paris, 1911, págs. 263-264 y 268-269.

[220] CAPITANT, H., *De la causa en las obligaciones*, cit. págs. 248-254. También reflejan esta evolución remarcando las numerosas excepciones que han venido consagrado los tribunales a la regla *Nemo auditur:* BEAUDANT, CH., *Cours de droit civil français*, T. VIII, París, 1936, págs. 206-207., DEMOGUE, R., *Traité des obligations en general,* T. II, París, 1923, págs. 802-812, JOSSERAND, L., *Cours de Droit Civil*, T. II, París, 1930, págs. 63-64.

[221] CHMIDT-SZALEWSKI, J., *Droit des Contrats. Jurisprudence Française*, 5, París, 1989, pág. 265.

ii. Contrato constitutivo de delito o falta

Respecto al supuesto de hecho del artículo 1305, que se establece de forma paralela al del 1306 para cuando el contrato es constitutivo de delito o falta, se puede considerar que será aún de más escasa aplicación. De hecho, los propios comentaristas de nuestro Código criticaron en su día la inutilidad del precepto. Consideraban estos autores, desde un principio, que para disciplinar las repercusiones civiles de las infracciones penales bastaba lo dispuesto en el Código Penal[222].

En realidad, este artículo carece de precedentes en otros Códigos europeos y reproduce exactamente la solución del precepto contiguo (1306). Como resulta evidente ambos artículos responden a un solo principio y contienen una sola norma básica (*nemo auditur*). La original aparición de este precepto, que salvo querer remontarnos al Derecho justinianeo y de Partidas, tiene su origen en el artículo 1192 del proyecto de 1851 de García Goyena[223]. Su fundamento es precisamente la inconcrección que registraba el articulado del Código Penal de 1848, modificado en 1850, lo que motiva esta regulación diferenciada en el Código Civil. En realidad, las carencias del Código Penal consistían en que su regulación respecto al decomiso de efectos e instrumentos se refería no a las faltas sino únicamente a los delitos[224]. Como el propio

---

[222] MUCIUS SCAEVOLA, Q., *Código Civil,* T. XX, 2ª ed., pág. 1124, PÉREZ GONZALEZ, B. y ALGUER, J., anotaciones al *Tratado de Derecho Civil,* de ENNECERUS, T. I, II, 2ª, 3ª ed., Barcelona, 1981, pág. 746.

[223] Estos antecedentes remotos se recogen bien expuestos por LÓPEZ BELTRÁN DE HEREDIA, C., *El contrato nulo,* Valencia, 1995, págs. 326-328.

[224] El artículo 59 del Código Penal de 1848 reza «Toda pena que se imponga por un delito lleva consigo la pérdida de los efectos de él provengan y de los instrumentos con que se ejecute. Los unos y los otros serán decomisados, á no ser que pertenezcan a un tercero no responsable del delito». Como manifiestan los comentaristas de este Código, la regla general del presente artículo 59 tiene una excepción cuando se trata de faltas. La levedad de éstas, y el valor intrínseco, muy superior al daño causado y aun al castigo por él merecido, que en muchas ocasiones podían tener los instrumentos y efectos de dichas faltas obligaron a poner en el libro que las es respectivo —originarios artículos 490 y 491— una prudentísima excepción de esta regla general, aplicable siempre en los delitos. En otros términos: el comiso es como una pena accesoria que por regla general debe imponerse siempre, salvo en los casos en que los alcaldes, jueces o tribunales competentes para juzgar las faltas a su prudente arbitrio no consideren a los contraventores dignos de este castigo. También parece que cabe en la facultad discreccional el declarar el comiso sólo de una parte y no de la totalidad de los efectos Vgr. Los comestibles adulterados caerían en comiso pero pueden concurrir circunstancias favorables al infractor, y ser de mucha importancia los comestibles que han sido objeto de la falta (PACHECO, J.F., *Código Penal concordado y comentado,* 2ª ed. 1867, T. I, pág. 374 y T. III, pág. 161, CASTRO Y OROZCO, J., y ORTÍZ DE ZÚÑIGA, M., *Código Penal explicado para la común inteligencia y fácil aplicación de sus disposiciones,* Granada, 1848, T. I., pág. 168, VIZMANOS, T.M., y ÁLVAREZ MARTÍNEZ, C., *Comentarios al Código Penal,* Madrid, 1848, 1ª ed, 1848, T. II, pág. 254-255.)

GARCÍA GOYENA admite en aquel momento: «los artículos 19, 308, 490 y 491 del Código Penal han hecho necesaria la distinción que se establece en este artículo (1305) para los casos que constituyan delitos o faltas: y como el catálogo de éstas es tan lato en dicho Código, apenas habrá caso al que no pueda aplicarse este artículo (*sic.*)»[225].

Posteriormente, el precepto pasa, sin plantear en los debates previos mayores disquisiciones, al articulado del Código Civil de 1889. En efecto, no se nota que el Código Penal de 1870 haya cambiado al respecto y su texto requería igualmente el auxilio del Código Civil para resolver la suerte de las prestaciones de los contratos que se consideraban constitutivos de algún tipo de delito o, fundamentalmente, algún tipo de falta. Como MANRESA expone, es el Código Civil el que en este punto tiene que buscar el complemento del Código Penal que disponía concretamente que toda pena que se impusiere por un delito (omitiendo alusiones a las faltas) llevará consigo la pérdida de los efectos que de él provinieren y de los instrumentos con que se hubiere ejecutado. Contemplaba también el decomiso de bienes, a no ser que pertenecicscn a un tercero no responsable del delito[226].

En todo caso, estas previsiones del Código Penal en cuanto a los contratos instrumento de delito hicieron del artículo 1305 un precepto parcialmente inútil, aunque plenamente vigente, desde el mismo momento de su promulgación. Por otro lado, el trasfondo del artículo trata de evitar que el culpable del delito pueda obtener cualquier tipo de acción derivada del contrato que se usó como instrumento del mismo. Además, en caso de que el otro contratante sea inocente del delito, o incluso víctima del mismo, se establece una sanción civil añadida consistente en la necesidad de restituirle sin reciprocidad posible[227].

Si el artículo 1305 del Código Civil partía desde su origen de una inoperancia parcial limitándose a los supuestos de faltas, en la actualidad esta inoperancia parece aumentarse si contemplamos el Código Penal actualmente vigente. Ahora, el propio Código Penal impone como pena accesoria a todo delito *o falta* dolosos el decomiso y consiguiente «pérdida de los efectos que de ellos provengan y de los instrumentos con que se haya ejecutado, así como las ganancias resultantes del delito, cualesquiera que sean las transformaciones que hubieren podido experimentar» (Art. 127 del Código penal).

---

[225] GARCÍA GOYENA, F., *Concordancias, motivos y comentarios del Código Civil español*, Reimpresión de la edición de 1852, Zaragoza, 1974, pág. 632.

[226] MANRESA Y NAVARRO, J. M., *Comentarios al Código Civil español*, Tomo VIII, vol. 2º, (comentario a los arts. 1255, 127, 1275, 1303-1308) 6ª ed., Madrid, 1967, pág. 879.

[227] Como decía SÁNCHEZ ROMÁN «penalidad civil en beneficio, quizá excesivo, del que no tuvo parte en dicha culpa». Por la índole penal y exagerada de este precepto y por la necesaria reciprocidad de prestación a que se refieren sus supuestos consideraba este autor que procedía una interpretación estricta. (SÁNCHEZ ROMÁN, F., op. cit, T. II, pág. 604)

Sólo tiene sentido la restitución y, en consecuencia, la nulidad tal y como se entiende en el ámbito contractual en el supuesto en el que no proceda el decomiso o sólo proceda parcialmente porque su valor no guarde proporción con la naturaleza o gravedad de la infracción penal. (art. 128 del Código Penal)

No significa ésto que existan pocos supuestos en los que los contratos ilegales constituyan conductas punibles y tipificadas por el Código Penal. Hemos tenido ocasión de ver numerosos casos en los que se daba o se había dado esta circunstancia: estuvo tipificado el contrato de juego y apuesta, la usura y las casas de préstamo sobre prendas. También ahora pueden darse delitos multitud de casos cuando analizamos los delitos socio-económicos y tampoco se puede descartar el que cualquier contrato pueda utilizarse como instrumento o resultado de cualquier otro delito común. Será frecuente que pueda encontrarse un contrato involucrado en delitos como los de estafa, alzamiento de bienes, falsedades, receptación, extorsión, coacciones, intrusismo... [228].

No obstante, normalmente el tribunal suele establecer para aquellos casos en los que se aprecia alguno de estos delitos en los que se ve involucrado un contrato el decomiso (total o parcial) tanto de los efectos que de ellos provinieren como de los instrumentos con que se hubieren ejecutado, a no ser que pertenecieren a un tercero no responsable del delito (esta es la regla general que establece el propio Código Penal). Cuando proceda la restitución el Código Penal la considera como una consecuencia de la responsabilidad civil (art. 110) estableciendo que cuando sea posible deberá restituirse el mismo bien, con abono de los deterioros y menoscabos que el tribunal determine (art. 111).

Partiendo el Código Penal siempre de la postura represiva y condenatoria del culpable que tendrá que restituir necesariamente, en todo caso, a la víctima del delito se puede afirmar que en los pronunciamientos penales sobre la ineficacia de los contratos constitutivos del delito se considerará poco viable la aplicación del primer párrafo del artículo 1305 del Código Civil. Efectivamente, se ha de observar que en el proceso penal únicamente puede solicitar la acción civil acumulada a la penal la acusación, bien sea el particular, o el Ministerio Fiscal, o el actor civil, con lo que de prosperar la acción siempre procederá condenar a la restitución.

De todos modos, de proceder finalmente la aplicación del artículo 1305 del Código Civil, las apreciaciones en cuanto a los posibles resultados injustos o desaconsejables que puede acarrear para alguno de estos casos siguen teniendo sentido incluso cuando existe conducta delictiva. Cuando se considera culpable a una de las partes las consecuencias pueden ser desproporcionadas considerando la condena penal y cuando la culpabilidad

---

[228]   vid. epígrafe «Normas jurídicas de carácter penal».

concurre en ambas partes y se han ejecutado las prestaciones se consiguen paradógicamente los mismos resultados que si el contrato fuese válido aún reconocida su nulidad[229].

No obstante, como parece sostener la sala primera del Tribunal Supremo la sentencia penal tampoco se tiene porqué referir a los efectos que deberán acarrear a los contratos, sus declaraciones o apreciaciones. Es decir, que ante una sentencia condenatoria penal no pasaría a aplicarse de forma automática «**ope legis**» el artículo 1305 sino que requeriría que el tribunal civil apreciase la concurrencia de la ilicitud causal en el contrato.

Respecto a esta competencia de los tribunales civiles podemos decir que deberá atender como referencia los pronunciamientos de los tribunales penales, pero no hasta el punto de condicionarlos absolutamente en la calificación de la ineficacia contractual. La afirmación anterior se mantiene salvo, evidentemente, en el caso en el que el fallo tuviese la consideración de cosa juzgada por haber ejercitado la acción civil de forma acumulada a las penal[230]. En otro caso, como dijimos, el hecho de apreciarse la existencia del delito es una cuestión que se halla estrechamente ligada a la consideración de la ineficacia y de esa apreciación depende en parte. Pero el conocimiento del juez penal de estas cuestiones se limitará al sólo efecto de la represión (artículo 3 de la Ley de Enjuiciamiento Criminal) no determinando la calificación del juez civil, sobre todo cuando ha habido reserva de acciones.

Fuera del ámbito del artículo 1305 ya tuvimos ocasión de observar esta postura en cuanto a la distinción entre juegos lícitos o prohibidos que servía para disponer los efectos de estos juegos. Cuando estos contratos estaban tipificados la diferencia se ponía en relación con respecto las normas penales. No obstante, esta distinción penal era meramente indicativa y, desde luego, no determinante para los efectos civiles. El concepto penal de ilicitud del juego era bastante más restringido que el civil[231].

Precisamente, la jurisprudencia civil ha tenido ocasión de pronunciarse, en algún caso, sobre este problema concreto. Las ocasiones en que lo ha hecho se refieren al conocido caso «MATESA» en estas sentencias la sala 1ª del Tribunal Supremo ha mantenido que «las sentencias penales se limitan a resolver en su específico ámbito sin extralimitarse a efectuar declaraciones sobre la nulidad de los contratos en la esfera civil…» además ha añadido que «la existencia de las resoluciones condenatorias de la jurisdicción represiva… *no provoca por su sola virtud la nulidad en el orden civil de los contratos en cuestión*». En cualquier caso, el Tribunal reconoce que no ha ignorado las condenas penales sino que, antes bien, las ha tenido muy presentes «al

---

[229] VÁZQUEZ DE CASTRO, E., Precio y renta… cit., págs. 115-123.
[230] Vid. infra epígrafe «*Normas jurídicas de carácter penal.*»
[231] Vid. supra epígrafe: «*Sentido de la distinción entre juegos lícitos o ilícitos*» y «normas jurídicas de carácter penal»..

entender que la cosa juzgada penal no provoca por su sola virtud la nulidad en el orden civil de los contratos en cuestión».

En los casos en los que se ha manifestado la jurisprudencia civil sobre este punto se decidió la validez del contrato. La diferencia con los casos que nos ocupa es que se trataba de un negocio jurídico complejo, pero criminalizado. No había una norma prohibitiva específica aplicable cuya vulneración lleve acarreada la sanción de nulidad. Norma específica «que obviamente habrá de buscarse entre las reguladoras de la institución concreta de que se trate, pero no en el campo del derecho punitivo, que se limita a definir las figuras delictivas y señalar la correspondiente sanción, sin olvidar que el fundamento de la antijuridicidad es de carácter general y no específicamente creada por el ordenamiento penal…»[232].

Nótese como las sentencias se refieren no ya a la aplicación del artículo 1305 sino a la aplicación general de la nulidad o ineficacia concreta que le corresponda de acuerdo con las normas reguladoras de la institución de que se trate. Por esta razón, se puede interpretar que el Tribunal Supremo se permite considerar que no en todo contrato en el que se estime que procede la ineficacia se deberá aplicar el régimen establecido de forma general en el artículo 1305 del Código Civil sino que se aplicará con preferencia el especial régimen de ineficacia que contemplen las normas especiales que se ocupen del supuesto. *V. gr.* En el caso de que se hubiese apreciado un delito de usura y el juez civil considerase que el préstamo merece anularse procedería como régimen restitutorio el especial del artículo 3º de la Ley de Usura y no el establecido en el artículo 1305.

En última instancia, se puede afirmar que la influencia de la ley penal se extenderá sobre la eficacia del contrato siempre que la relación de causalidad que vincula las conductas tipificadas con el contrato enjuiciado no sea demasiado remota. Sin embargo, determinar cuándo la relación entre ambas es o no demasiado remota no resultará sencillo de determinar y se deberá referir a cada caso concreto.

iii. La buena fe como base de la acción restitutoria

Consideramos especialmente interesante y novedoso el utilizar parcialmente la base de esta «idea motriz» para considerar que si alguien es promotor de la ilicitud del contrato carezca de acción tanto para pedir la nulidad como para pedir el cumplimiento. Se trataría de deducir una «*denegatio actionis*» derivada de la regla «*nemo auditur suam turpitudinem allegans, nemo de improbitate sua consequitur actionem*». Se trataría de salvaguardar los intereses legítimos, sobre todo de terceros, pero también sería posible incluir la protección de aquel contratante que actuó siempre de buena fe.

---

[232] Sentencia de 30 de diciembre de 1978, de 22 de noviembre de 1979, 3 de febrero y 2 de diciembre de 1981, 15 de febrero de 1982.

Manteniendo que no estamos ante un principio general puesto que no se permite una aplicación extensiva e indiscriminada[233], podemos usar su fundamento como eventual justificación a una incidental consolidación de los efectos derivados de un contrato ilegal por atender y proteger determinados intereses que se consideran legítimos. Estos intereses legítimos pueden ser la protección de la confianza de personas que de buena fe han creído en la eficacia del contrato aparente, incluyendo a cualquiera de los contratantes: ya sea alguna de las partes del propio contrato o ya sean terceras personas. De esta forma, no solo procedería desestimar la acción de restitución sino que también procedería desestimar cualquier acción, incluida la propia acción declarativa de nulidad en cualquier caso en el que el contratante que la solicita ha actuado de forma reprobable.

La aplicación de la regla general vendría a suponer que todo contrato ilegal que se considerase nulo invalidaría las adquisiciones que tuviesen como base ese contrato al verse involucradas en la ilegalidad. La cadena de la nulidad y sus efectos restitutorios sólo se detendría ante la prescripción adquisitiva (arts. 1940-1960 del Código Civil), la prescripción de derecho del comprador de almacenes o tiendas abiertas al público (art. 85 del Código de Comercio) y la especial protección que dispensa el artículo 34 de la Ley Hipotecaria al tercer adquirente de inmuebles inscritos en el registro que reúne los requisitos en él establecidos. En ocasiones no resulta justo ni adecuado otorgar ni alargar la cadena de la nulidad para extender sus efectos allí donde se ha obrado de buena fe.

Nos interesa destacar esta posibilidad que algunos autores, sobre todo franceses, creen que se encuentra abierta para proteger la confianza de alguno de aquellos contratantes a los que se puede considerar de buena fe y para tratar de evitar que al contratante deshonesto se le permita procurarse una ventaja indigna. Hay que reconocer que esta tesis es bastante discutible puesto que existen bastantes argumentos en contra, pero también podemos encontrar argumentos a favor[234].

Siguiendo esta corriente doctrinal, más adelante nos planteamos si efectivamente se puede dar el paso de considerar, en virtud de esos legítimos intereses protegibles por el ordenamiento jurídico, que se mantengan los efectos que ya haya desplegado el contrato e incluso permitiendo que estos efectos se produzcan aunque el contrato no se haya comenzado a ejecutar. De esta forma se le negaría la posibilidad de conseguir la ineficacia en perjuicio del contratante de buena fe al contratante que obró de forma culpable.

Es aquí donde se produce la posible confusión y necesario complemento entre restitución y responsabilidad porque esta última tiende a dejar el patrimonio del contratante inocente de la misma forma en que se hallaba

---

[233] DIEZ PICAZO, L., *Fundamentos...* cit. pág. 451.
[234] Vid infra epígrafe «La negación de la acción de nulidad».

antes del contrato. Por esta razón, la en su momento audaz tésis de PIÉDELIÈVRE consideró que era perfectamente posible combinar las consideraciones de buena o mala fe y de responsabilidad por *culpa in contrahendo* en materia de nulidad contractual[235].

C. Legitimación

a. Actuación de oficio del tribunal

Antes de entrar a señalar cuales son los sujetos que se encuentran legitimados activa y pasivamente ante el ejercicio de la acción debemos realizar una importante observación.

Encontramos una peculiaridad en esta materia como consecuencia derivada de la primera característica de la nulidad. En virtud de la naturaleza de ineficacia absoluta y de pleno derecho que se le asocia a la nulidad *los Tribunales* pueden constatar esta ineficacia incluso *de oficio*[236].

La nulidad que se puede declarar de oficio se refiere a aquellos actos o contratos que resulten patentemente contrarios a la Ley, a la moral y al orden público. Respecto a los casos de ilegalidad contractual, la aplicación de oficio de la nulidad por parte de los tribunales sólo encuentra justificación respecto aquellos contratos, pactos o cláusulas en los que el tribunal constate que infringen un precepto claro y terminante de forma manifiesta y sólo en estos casos. Esta condición excepcional y restrictiva de la apreciación de la nulidad *de motu propio* por jueces y tribunales viene establecida en cuanto se suple la actividad de los litigantes y ha de evitarse la proliferación de nulidades inconsistentes[237].

Esto quiere decir que el juez, en estos casos, puede declarar la nulidad del contrato aunque ninguna de las partes lo haya solicitado. Esta consecuencia

---

[235] PIÉDELIÈVRE, J., *Des effets produits par les actes nuls. Essai d'une théorie d'ensemble*, Tesis, Paris, 1911, págs. 467-487.

[236] Sin embargo, hemos de recordar que el fundamento de esta actuación de oficio no es otra que la pretendida naturaleza de nulidad de pleno derecho que se le ha atribuido históricamente y que no pasa de ser una mera ficción que se uso en su día para distinguir la nulidad de la anulabilidad y que en sus orígenes no presentaba una distribución racional de estas nulidades. Vid. supra epígrafe «Características de la acción de nulidad».

[237] En la sentencia de 24 de abril de 1997 se manifiesta la posibilidad de que la jurisprudencia declare de oficio la nulidad radical o absoluta de las relaciones contractuales, pero delimitando de forma muy clara los supuestos en los que procede y se justifica, «para evitar el peligro de una proliferación de nulidades excesivas en aquellas cuestiones que entran en el ámbito de la autonomía de la voluntad y que deben dejarse a la iniciativa e interés de las partes.» Uno de los supuestos en los que procede esta declaración de oficio se refiere a aquellos negocios en los que sus cláusulas puedan amparar hechos delictivos o ser manifiesta y notoriamente ilegales, contrarias a la moral, al orden público y los tribunales se limitan a constatar esa ineficacia radical.

se justifica por la necesidad imperante que existe en estos casos de sancionar los contratos ilícitos y corregir toda la situación de ilegalidad salvaguardando la integridad del ordenamiento jurídico, aplicando los principios de economía procesal y de seguridad jurídica[238].

Esta función de sancionar y de restablecer la legalidad debe ser realizada de forma preferente por los tribunales ya que obedece a la consecución del interés general. En un segundo lugar se deberá atender a los intereses de las partes en conflicto. Por consiguiente, la declaración de nulidad puede ser pronunciada por los tribunales pese a que no se hayan interesado las partes por su consecución.

i. Excepcionalidad de la declaración de oficio de la nulidad

Tras admitir la posibilidad de la intervención de oficio de los jueces y tribunales para declarar la nulidad absoluta surgen muchas cuestiones: ¿cómo se compatibiliza esta característica de la nulidad con el principio dispositivo que rige en esta jurisdicción que la convierte en una jurisdicción de carácter rogado? ¿Cómo es posible respetar el principio de contradicción? ¿Hasta qué punto no se incurre en incongruencia por parte del tribunal que declara la nulidad de un contrato cuando las partes están de acuerdo sobre el punto de la validez del contrato ilegal y el debate en el que se cifra el centro del litigio parte precisamente de esta validez? ¿Puede el juez cambiar los términos en los que ha sido presentado el litigio por las partes interesadas o modificar el objeto mismo de dicho litigio?

Estos son puntos difíciles de responder de manera terminante. La mayoría de los autores lo contemplan como una excepción a los principios procesales rectores del procedimiento civil[239].

Por un lado, podemos argumentar que una de las consecuencias naturales de la ineficacia es la retirada de la tutela jurídica. Es, como hemos expuesto

---

[238] Realmente, la actuación de los tribunales fue el complemento necesario de una evolución jurisprudencial que pasó de considerar que todas las acciones que se derivaran de un contrato nulo (reivindicatoria, restitutoria, modificar asientos registrales, etc.) requerían primero solicitar la declaración de nulidad, a considerar que no pueden ejercitarse acciones dependientes de la nulidad sin que previa o conjuntamente se ejercite ésta. Vid. DE CASTRO Y BRAVO, F., *El negocio jurídico*, op. cit, pág. 482.

[239] Para comenzar, CASTÁN TOBEÑAS, nos alerta de que en España la acción no es pública ni cuasipublica a diferencia de otros países. (CASTÁN TOBEÑAS, J., *Derecho civil español...*, T. I, vol. II, pág. 942 y T. II, pág. 644, Otros autores, mas modernamente y a la vista de la jurisprudencia, predican esta excepcionalidad GORDILLO, en *E.J.B.*, voz «Nulidad», vol. III, pág. 4460-4461. LACRUZ BERDEJO, J.L., *Elementos ....* op. cit.. T.I, vol. III, pág. 281, PUIG BRUTAU, J., *Fundamentos....* op. cit., pág. 291, DE CASTRO Y BRAVO, F., *El negocio jurídico*, op. cit. pág. 476, DELGADO ECHEVERRÍA, J., *Comentarios al...* op., cit., pág. 310-311. Y en la misma obra CARRASCO PERERA, A., *Comentarios al Código civil y compilaciones forales, comentario al art. 6.3. CC.,* T. I, vol. 1°, Madrid, 1992, pág. 782, nota 26.

en el epígrafe anterior, porque la nulidad persigue restablecer el interés general o el orden público que debe prevalecer sobre los intereses particulares de las partes. Por lo tanto, se podría afirmar, no solo es facultad del juez el declarar la nulidad de oficio en estos casos sino que es una obligación. Este carácter de la nulidad absoluta o radical hizo al Tribunal Supremo llegar a afirmar que el contrato nulo por contrario a una prohibición legal cuenta con una nulidad absoluta que debe ser apreciada, aún de oficio, por todas las jurisdicciones en sus respectivos órdenes, tan pronto se reconozca oficialmente el fundamento a que responde (Sentencia 27 de mayo de 1949 y 8 de marzo de 1951)[240].

Por otro lado, tampoco es conveniente generalizar y considerar obligatoria por parte del juez la declaración de oficio de la nulidad en cuanto llegue a su conocimiento la existencia del contrato ilegal, sea cual sea la cuestión que se le pida que dilucide sobre o con relación al mismo. Parece que, desde un principio, lo que los tribunales tienden a hacer en la práctica es declarar la nulidad de oficio en aquellos casos en los que el vicio es obvio, claro y evidente y las circunstancias así lo requieren[241]. Pero no se lleva a sus últimas consecuencias la obligación judicial de declarar la nulidad en todo caso, inmediatamente, en cuanto tenga noticia de un contrato de estas características. La jurisprudencia suele obrar con suma prudencia, evitando por todos los medios que cualquiera de las partes se pueda prevaler del contrato ilegal o de los efectos de éste. Pero, a la vez, evitando también que estas mismas partes se puedan prevaler en perjuicio de la contraparte de los efectos propios de la ineficacia a la que han dado lugar sus conductas.

En un principio parecería que, según la doctrina clásica y partiendo de los razonamientos expuestos, la nulidad debería ser declarada de oficio si ésta resulta de forma inequívoca a la vista del contrato. Precisamente, el juez siempre deberá negar toda aplicación del contrato nulo cuando en juicio se pretenden ejercitar pretensiones que tengan como titulo tal contrato. Además se podrá declarar esta nulidad de oficio cualquiera que sea el estado de desarrollo del juicio, ya sea en apelación o en casación. Sin embargo, no podemos olvidar que en el proceso civil rige siempre el principio dispositivo y no inquisitorio, del que estamos sólo ante una excepción que hay que

---

[240] GORDILLO CAÑAS, «*La nulidad parcial del contrato con precio ilegal*», en *A.D.C..*, XXVIII-1, 1975, pág. 131-132. MANRESA Y NAVARRO, JM., *Comentarios al...*, Tomo VIII, vol. 2, op. cit.. pág. 830-831, PUIG PEÑA, F., *Compendio de derecho civil español*, T. I, Barcelona, 1966, pág. 127.

[241] El principio recogido en el art. 359 LEC no es tan absoluto y rígido que impidan a los tribunales el hacer las oportunas declaraciones de nulidad cuando los pactos y cláusulas que integren el contenido de los contratos enjuiciados sean manifiesta y notoriamente opuestos ala moral e ilícitos. (Sentencias de 29 de marzo de 1932, 1 de junio de 1944, 15 de enero de 1949...)

interpretar en un sentido restrictivo, por lo que —concluimos— se podrá declarar en cualquier instancia siempre que no entrañe un juicio de hecho nuevo.

En este sentido de excepcionalidad de la intervención judicial de oficio para declarar la nulidad, se puede decir que se trata de una facultad de la que dispone el tribunal en cada caso y no de una obligación que le fuerce a actuar en todos los casos. Más que una nulidad de pleno derecho, en sentido estricto, estamos ante una especie de «nulidad facultativa» en la que el juez dispone de un poder de apreciación para declararla según su discrecionalidad. Obviamente, si consideramos que el juez tiene la obligación de declarar la nulidad de oficio siempre que tenga conocimiento de su existencia nos escapamos de la excepcionalidad de la medida y cambiamos la concepción del proceso civil. Podríamos decir que existe un deber de conceder la nulidad alegada si concurre pero no existe un deber de decretarla de forma espontánea. En ningún caso, estas actuaciones de oficio por parte del tribunal civil significan que en este tipo de procesos se favorezca la aplicación del principio inquisitorio.

El propio Tribunal Supremo ha expresado la compatibilidad de la congruencia con la declaración de oficio de la nulidad. Sirve como ejemplo la sentencia de 24 de abril de 1997 en la que la parte recurrente planteaba la incongruencia de la sentencia de apelación al amparo del número 3º del artículo 1692 de la anterior Ley Enjuiciamiento Civil, por infracción del artículo 359 del mismo texto procesal al haber declarado el tribunal la nulidad de la compraventa de oficio[242]. En esta ocasión, el Tribunal Supremo declara improcedente la declaración de nulidad, pero admite la posibilidad de esta declaración «ex oficio» siempre que se encuentre dentro de los supuestos en los que la jurisprudencia ha precisado y delimitado su procedencia[243].

---

[242] Art. 1692.3º de la Ley de Enjuiciamiento Civil: motivo de casación fundado en el «quebrantamiento de las formas esenciales del juicio por infracción de las formas esenciales del juicio por infracción de las normas reguladoras de la sentencia o de las que rigen los actos y garantías procesales, siempre que, en este último caso se haya producido indefensión para la parte.
Art. 359 de la Ley de Enjuiciamiento Civil: «Las sentencias deben ser claras, precisas y congruentes con las demandas y con las demás pretensiones deducidas oportunamente en el pleito, haciendo las declaraciones que éstas exijan, condenando o absolviendo al demandante, y decidiendo todos los puntos litigiosos que hayan sido objeto de debate. Cuando éstos hubieren sido varios, se hará con la debida separación el pronunciamiento correspondiente a cada uno de ellos.

[243] Esta reciente sentencia de 24 de abril de 1997 resume muy bien la postura jurisprudencial respecto a este problema: «La jurisprudencia civil admite la posibilidad de declarar de oficio, la nulidad radical o absoluta de las relaciones contractuales, pero ha precisado de forma bien delimitada los supuestos en los que procede y justifica, para evitar el peligro de proliferación de nulidades excesivas en aquellas cuestiones que entran en el ámbito de la autonomía de la voluntad y que deben dejarse a la iniciativa e interés de las partes.

Precisamente, por su carácter singular y excepcional los tribunales hacen uso de ella con mucha prudencia y en casos muy singulares. MANRESA destaca las declaraciones generales que ha realizado la jurisprudencia en favor de la validez del contrato opuestas a que se declare de oficio la nulidad, al presumirlo como válido hasta que se determina su ineficacia. También se encuentran en los fallos de las sentencias afirmaciones expresivas de la necesidad de que la nulidad se solicite de forma terminante por las partes[244].

Cuando los tribunales deciden aplicar de oficio la nulidad lo harán, fundamentalmente, en los casos en los que se solicite por una parte el cumplimiento del contrato ilegal y la contraparte se niegue por cualquier motivo. El juez en caso de no intervenir activamente en la declaración de nulidad, aunque no haya sido expresamente solicitado por ninguna de las partes, parece que estaría colaborando de forma evidente en la consecución del un fin ilícito o al menos no acorde con la ley[245]. Obviamente, la intervención se hará también, sobre todo, en aquellos casos en los que ambos contratantes tengan un interés ilícito patente y notorio en la conservación y ejecución del contrato que quebranta la Ley pero se haya suscitado un litigio entre ellos por una cuestión tangencial[246] (*V. gr.* desavenencia en cuanto al lugar, el plazo, la forma o la cantidad en el cumplimiento, etc.).

La jurisprudencia italiana excluye sin embargo la posibilidad de esta intervención de oficio del tribunal para la declaración de la nulidad cuando lo que se ha propuesto ante el tribunal es la resolución del contrato. Esta autolimitación de la facultad judicial es sin embargo criticada por la doctrina[247]. No es relevante el hecho de que lo que discutan las partes parta del supuesto de la validez del contrato. Si el contrato es ilegal en principio debe

---

En esta línea jurisprudencial (sentencias de 15 de diciembre de 1993, que cita las de 29 de marzo de 1032, 15 de enero de 1949, 20 y 29 de octubre de 1949 y 28 de abril de 1963), el precepto procesal 359 no impide a los Tribunales decidir «*ex oficio*», como base a un fallo desestimatorio, la ineficacia o inexistencia de los negocios radicalmente nulos, en los supuestos en los que sus cláusulas puedan amparar hechos delictivos o ser manifiesta y notoriamente ilegales, contrarias a la moral, al orden público, ilícitas o constitutivas de débito y hacen que los Tribunales constaten la ineficacia más radical de determinada relación obligatoria.

Por el contrario, no procede declarar de oficio la nulidad de aquellos contratos no afectados de vacío y cuya apariencia jurídica correcta merezca el debido respeto, mientras no fueren impugnados en forma o eficazmente, dando así oportunidad a la otra parte para su defensa.»

[244] MANRESA Y NAVARRO, JM., *Comentarios al...* op. cit.. T. VIII, Vol II, pág. 828.
[245] También la jurisprudencia italiana suele reducir la actuación de oficio para declarar la nulidad de un contrato, únicamente, a los casos en los que se demanda la ejecución del negocio. (ROSSI, G., en *Códice civile, anotato con la dottrina e la giurisprudenza*, T. 4.1, 2ªed., Roma, 1991, pág. 700.
[246] LACRUZ BERDEJO, J.L., pone como ejemplo más claro el de la nulidad del contrato derivada de causa torpe. *Elementos...*, op. cit, pág. 281
[247] BIANCA, C.M., *Diritto civile, 3, Il contratto*, Milano, 1987, pág. 590.

sancionarse como tal por el juez por encima de las consideraciones de cumplimiento o incumplimiento de los contratantes. Sin embargo, no se puede negar que convendría tener en cuenta este dato del cumplimiento o su voluntad por cada parte a la hora de establecer los efectos de esa sanción.

ii. La nulidad como acción pública

Por el procedimiento de declaración de oficio de la nulidad no se acaba con la incertidumbre a que dan lugar aquellos contratos cuya eficacia se deja a discreción de uno de los contratantes como ocurre con la anulabilidad, la rescisión o la resolución. Evidentemente, si los tribunales no acceden al conocimiento del contrato por cualquier iniciativa de las partes no se podrá declarar esa nulidad y el contrato podrá producir efectos.

A diferencia de lo que ocurre en nuestro ordenamiento jurídico, en la tradición jurídica del ordenamiento francés se reconoce un especial poder del Ministerio Público para instar la nulidad. Es decir, se entiende que existe una habilitación especial del Ministerio Público para actuar de oficio en un procedimiento interesándose por la declaración de nulidad de un acto o contrato. Esta idea no se recoge al regular la suerte de los actos contrarios a las leyes (art. 6°) sino que se plasma únicamente en materia de nulidad matrimonial en el artículo 184 del Código francés. El fundamento parece hallarse en el antiguo artículo 46 de la Ley de 20 de abril de 1810 que asumió la Ley de Enjuiciamiento Civil francesa donde encontramos dos disposiciones al respecto; el artículo 422 en el cual se establece que el Ministerio Fiscal puede actuar de oficio en los casos especialmente previstos en la Ley (bastante inusuales) y el artículo 423 en el que se añade «fuera de estos casos, puede intervenir para la defensa del orden público en las ocasiones en las que los hechos que se realicen atenten contra éste[248]. Sin embargo, también desde un primer momento se va a tratar de restringir y condicionar esta potestad de intervención y después de la famosa sentencia de 17 de diciembre de 1913, la Corte de Casación no admite la acción del Ministerio Público mas que cuando el orden público se encuentra directa y principalmente afectado[249].

Posteriormente, esta legitimación especial va a ser circunscrita «a los casos especificados por la Ley». Parece que el papel del Ministerio Público y su derecho de intervenir como parte principal cuando existe un interés

---

[248] ROLAND, H., STARK, B. y BOYER, L., *Obligations. 2. Contrats*, 5ª ed., París, 1995, MALORIE, PH. y AYNES, L., *Cours de droit civil*, T. VI, *Les obligations*, 6ª ed., París, 1995, pág. 318, GUESTIN, J., *Traité de droit civil…*T. 2, cit., págs. 917-919, MARTY, G., y RAYNAUD, P., *Droit civil*, T. 1, págs. 224-225.

[249] DURRY, M.G., «L´inexistence, la nullitè et l´annulabilitè des actes juridiques en droit civil français», en *Travaux de l´association Henri Capitant*, T. XIV, París, 1965, pág. 621. MAZEAUD, H., y otros, *Leçons de droit civil*, T. II, Vol. 1°, 7ª ed., París, 1985, pág. 292.

general en juego no se puede entender de forma que quepa, ni mucho menos, en todas las hipótesis de nulidad absoluta. No parece que intervenga en materia en la que sean implicadas normas de orden público económico de protección y, en general, no ejercerá la iniciativa en materia patrimonial[250]. Incluso, se llega a afirmar que pese a que en teoría el Ministerio Fiscal tiene el derecho de solicitar la nulidad no lo hará jamás, puesto que la nulidad será normalmente inútil si las partes quieren verdaderamente ejecutar el contrato[251].

Otros ordenamientos jurídicos siguieron, en este punto, la tendencia del ordenamiento francés y se aventuraron a plasmarla expresamente en el articulado de sus Códigos incluyendo al Ministerio Publico o Ministerio Fiscal dentro de los legitimados para instar una acción de nulidad de un contrato en interés de la ley o la moral, aunque su aplicación práctica ha sido siempre muy escasa y reducida. (Véanse como ejemplos el artículo 1683 del Código Civil chileno y el artículo 1047 del Código Civil argentino).

Nuestro ordenamiento jurídico no contempla la posibilidad de una acción pública de nulidad, aunque podría plantearse la misma ante la jurisdicción penal si el contrato es constitutivo de delito o falta[252]. Por eso resulta curiosamente peculiar la previsión legal recogida en la legislación referente a la defensa de nuestro patrimonio histórico artístico. En primer lugar, el artículo 8.2 de la Ley 16/1985, de 25 de junio del Patrimonio Histórico Español establece, con carácter general, una acción pública para exigir ante la Administración y los Tribunales Contencioso-Administrativos el respeto de todo lo dispuesto en la propia Ley[253]. Esta previsión legal, por tanto, no afectaría a la jurisdicción civil y, como hemos tenido ocasión de comprobar, en principio, la declaración de nulidad de un contrato y el establecimiento de sus consiguientes efectos es competencia exclusiva de la jurisdicción civil.

Sin embargo, en el artículo 44 del Real Decreto 111/1986, de 10 de enero de desarrollo parcial de la Ley 16/1985, de 25 de junio, del Patrimonio Histórico Español se va a referir expresamente a la jurisdicción civil para establecer una sanción de nulidad semi-pública para los contratos celebrados por instituciones eclesiásticas. En esta disposición contenida en el Reglamen-

---

[250] HAUSER, J., LEMOULAND, J.J., Voz «Ordre Public et bonnes moeurs», Enz. Dalloz, 1993, pág. 19, § 151, MARTY, G., y RAYNAUD, P., Droit civil, T. 1, pág. 224-225, LUTZESCO, G., Teoría y Práctica de las nulidades... cit., pág. 281.
[251] MALORIE, PH. y AYNES, L., Cours de droit civil...cit., pág. 318, GUESTIN, J., Traité.. cit. pág. 919.
[252] Vid. epígrafe «Normas jurídicas de carácter penal»..
[253] Art. 8.2 «Será pública la acción para exigir ante los órganos administrativos y los tribunales contencioso-administrativos el cumplimiento de lo previsto en esta ley para la defensa de los bienes integrantes del Patrimonio Histórico Español.» (Vid Al respecto ALEGRE ÁVILA, J.M., Evolución y Régimen jurídico del patrimonio histórico, T. II, págs. 314-316)

to del Patrimonio Histórico Español se determina que, en determinados supuestos, corresponde al Ministerio Fiscal ejercitar las acciones de nulidad en los procesos civiles en defensa de la legalidad y del interés público y social[254]. El Ministerio Fiscal una vez informado de estos hechos «tratará de restablecer la legalidad infringida y restaurar la integridad del Patrimonio Histórico menoscabado por los aludidos hechos»[255].

Podría parecer que, de esta forma, se está dando paso a lo que entendemos de forma general como acción popular. Es decir, se estaría permitiendo que cualquier individuo particular sin relación ni interés directo haga valer, de forma mediata, un interés general para el que de otro modo carece completamente de legitimación. Cualquier ciudadano puede provocar la actuación de este órgano público. Aunque no se trata propiamente de una acción popular porque el Ministerio Fiscal ejercería una función de control discrecional sobre estas iniciativas para evitar el peligro de las demandas temerarias o abusivas[256]. Por tanto, parecería correcto admitir que cualquier ciudadano pueda acudir al Ministerio Fiscal denunciando cualquier irregularidad legal en la enajenación o circulación de bienes que forman parte del patrimonio histórico y que supongan un atentado contra la integridad del mismo. No obstante, parece más aconsejable articular una tutela procesal colectiva «en favor de entidades o asociaciones constituidas para o vinculadas a, la defensa del patrimonio histórico artístico»[257].

Efectivamente, encaja mejor en nuestra concepción del Derecho privado emplear sistemas de legitimación colectiva sobre la base de intereses difusos que admitir una irrupción de la acción popular. No obstante, pese a resultar extraña a nuestro ordenamiento jurídico esta acción pública de nulidad, sí que ha sido contemplada tradicionalmente por algún otro ordenamiento jurídico como el francés o más expresamente por el chileno o el argentino[258].

---

[254] Art. 44 del R.D. 111/1986 de 10 de enero de desarrollo parcial de la Ley de 16/1985, de 25 de junio, del patrimonio histórico español: «La enajenación de los bienes muebles que forman parte del Patrimonio Histórico español efectuada en contravención de lo dispuesto en el art. 28 y en la disposición transitoria quinta de la Ley 16/1985 (se refiere a bienes declarados de interés cultural en posesión de instituciones eclesiásticas y bienes del patrimonio Histórico en manos de administraciones públicas que se enajenan a particulares), es nula correspondiendo al Ministerio Fiscal ejercitar, en defensa de la legalidad y del interés público y social, las acciones de nulidad en los procesos civiles.»

[255] ALEGRE ÁVILA, J.M., *Evolución y Régimen jurídico del patrimonio histórico*, T. II, pág. 568, nota 35.

[256] BUJOSA BADELL, L., *La protección jurisdiccional de los intereses de grupo*, Barcelona, 1995, págs. 246 y 247.

[257] LOZANO HIGUERO-PINTO, M., «*El patrimonio histórico artístico y su protección mediante las técnicas de tutela de los denominados intereses difusos*», en A.A., Nº 12, marzo, 1996, XIII, pág. 239.

[258] Una especie de acción pública de nulidad seria por ejemplo la que, como hemos dicho, se encuentra admitida de forma general en Francia. En este ordenamiento jurídico se

Por otro lado, no sorprende demasiado que, en algunos casos, se pretenda aplicar esta característica de «acción popular» a la ilegalidad de los contratos, puesto que ha sido ya conocida y desechada en la antigüedad. Hemos de mirar atrás para encontrar que esta acción popular, aunque no tal y como la concebimos ahora, tiene remotos antecedentes en el Derecho romano antiguo. Por esta razón la ubicamos dentro del planteamiento clásico, porque es allí donde se recoge verdaderamente. Lo que se plantearía, por tanto, en este punto es el resurgimiento de una institución ya olvidada. IHERING nos ilustra sobre el importante y eficiente papel que jugaba la *acción popular* en Roma, deduciendo incluso que la ley de las XII tablas prevenía ya algún recurso al efecto. Resultando esencial en los negocios que contravenían una *lex minus quam perfectae* respecto a la acción para reclamar (no la nulidad sino) el cuádruplo de lo entregado en virtud del contrato ilegal[259].

No podemos pasar por alto que una de las principales razones de esta amplitud en la legitimación activa es conseguir la mayor eficacia de la Ley. Es cierto que la «acción popular» es un medio efectivo para realizar completamente el objeto de la Ley, precisamente, porque aumenta enormemente el efecto preventivo y disuasorio. Sin embargo, admitir una acción de nulidad de estas características es contraproducente e incompatible con la seguridad y dinamismo que exige tráfico jurídico actual. No en vano la experiencia en el Derecho romano, ante los excesos y abusos que se cometieron en el uso de esta acción pública, conducen a desaconsejar su utilización.

En el ordenamiento jurídico español, por consiguiente, pese a que se establece una legitimación amplia de cualquier tercero interesado, este interés ha de ser un interés jurídico particular y personal y no el interés general abstractamente considerado. En este sentido se ha pronunciado nuestro Tribunal Supremo al reconocer por constante y uniforme jurisprudencia la legitima-

---

entiende habilitado al Ministère Public para que pueda intervenir como parte coadyuvante en un proceso sobre la validez de un contrato. Pero se estima que el Ministère Public no tiene legitimación para actuar como parte principal por si mismo para requerir la nulidad absoluta, salvo si se trata de una nulidad que afecta directamente al orden público. Pero esta acción se usa muy excepcionalmente si las partes están decididas a ejecutar el contrato que esta viciado de cualquier causa de nulidad. (Vid por todos GUELFUCCI.THIBIERGE, C., *Nullité, restitutions et responsabilité*, París, 1992, pág. 327.)

El Código Civil argentino en su artículo 1047, recoge expresamente la posibilidad de que el Ministerio Público pueda interponer la anulación absoluta en interés de la moral o de la ley.

[259] Se llegó incluso a primar económicamente al que se ofrecía a denunciar este tipo de ilegalidades siendo ésta la razón por la que se mal logró la institución y se tuvo que acabar con la excesiva proliferación de las lucrativas denuncias para impedir que tanto inocentes como culpables fueran víctimas de los «Quadruplicadores». (VON IHERING, R., *El espíritu del Derecho Romano en las diversas fases de su desarrollo*, Trad. E. Príncipe y Satorres, T. I, Granada, 1998, pág. 872 y 873.)

ción de un tercero, que no haya sido parte en el contrato, para ejercitar la acción de declaración de nulidad de dicho contrato por ser contrario a normas imperativas o prohibitivas. Sin embargo, exige siempre que el tercero tenga un interés jurídico en ello o, lo que es lo mismo, se vea perjudicado o afectado en alguna manera por el referido contrato, siendo evidente que la falta del expresado interés priva al tercero de legitimación para el ejercicio de tales acciones[260]. También, en ocasiones, de forma excepcional se establecen legalmente supuestos en los que se admite una legitimación colectiva sobre la base de lo que se han denominado «intereses difusos»[261].

iii. Nulidad *apud acta*

Finalmente, tenemos que aludir al papel que juegan los funcionarios públicos y los profesionales que ejercen tareas públicas (fedatarios públicos y registradores) cuando se presenta ante ellos un contrato nulo de pleno derecho. De la misma forma que se exigiría a los jueces la declaración de oficio de la nulidad del contrato ilegal, se viene manteniendo, desde las posiciones más puristas, que es obligación de los funcionarios públicos de todas clases, así como de los fedatarios públicos, sobre todo notarios (art.145.2º Rglto. Not.) y registradores (arts.18 y 65 L.H., arts.41 y 45 Rglto. Reg. Merc. y art.27 L.R.C.) e, incluso, abogados del Estado, negar su cooperación en cuanto se encuentren con contratos que adolecen de un vicio manifiesto de nulidad (nulidad «*apud acta*»)[262]. A este respecto resulta muy convincente lo dispuesto por nuestra Ley General para la Defensa de los Consumidores y Usuarios, Ley 26/1984, de 19 de julio, en la nueva redacción, dada por la Ley 7/1998, de 13 de abril, sobre Condiciones Generales de la Contratación, de su artículo 10.6. que difiere significativamente en este punto de la redacción que se había dado al Proyecto de Ley.

El artículo 10.6 de la Ley de Consumidores reza: «*Los Notarios y los Registradores de la Propiedad y Mercantiles, en el ejercicio profesional de sus respectivas funciones públicas, no autorizarán ni inscribirán aquellos contratos o negocios jurídicos en los que se pretenda la inclusión de cláusulas declaradas nulas por abusivas en sentencia inscrita en el Registro de Condiciones Generales.*»

La redacción que se pretendía dar a este artículo en el Proyecto de Ley de Condiciones Generales de la Contratación reducía la labor fiscalizadora de los notarios a la de simple advertencia a los contratantes y otorgaba a los

---

[260] Ss. de 14 de diciembre de 1993 y de 21 de noviembre de 1997, entre otras.
[261] Vid. Infra epígrafe «Legitimación activa».
[262] SOTO NIETO, F., *Voz «Nulidad de los contratos»*, en *Nueva Enciclopedia jurídica*, Barcelona, 1982, vol. XVII, pág. 671, DE CASTRO Y BRAVO, F., *Derecho civil de..* op. cit., pág. 539, *El negocio...* op. cit, págs. 248 y 475-476, DÍEZ-PICAZO, L., *Fundamentos...* op. cit. vol 1, págs. 465-466, 5ª ed., Madrid, 1996.

registradores la posibilidad de calificar directamente de abusivas las cláusulas y denegar su inscripción.

Establecía exactamente este Proyecto en su Disposición Adicional primera, dos: «*El artículo 10 (de la Ley 26/1984 de 19 de julio General para la defensa de los Consumidores y Usuarios) queda redactado en los siguientes términos: 10.6 « Los notarios advertirán a los consumidores del posible carácter abusivo de las cláusulas contenidas en los contratos o negocios jurídicos que autoricen, así como de su posible ineficacia o nulidad, sin perjuicio de los dispuesto en la normativa notarial.*

Los registradores de la propiedad y mercantiles, calificarán, bajo su responsabilidad, el carácter abusivo de las cláusulas que afecten a la eficacia real de los derechos inscribibles, denegando su inscripción, sin perjuicio de los recursos judicial o gubernativo, regulados por la legislación hipotecaria, que pudieran interponerse.»

Parece discutible que se pueda mantener que al ser esta nulidad parcial un tipo de nulidad absoluta, en definitiva, también se produzca *ipso iure* y pueda ser reconocida siempre sin necesidad de pronunciamiento de los tribunales[263]. Pero si algún acto que pueda ser nulo no es tratado como tal se creará una apariencia de validez que deberá ser atacada obligatoriamente en los tribunales. Sin embargo, a la vista del cambio en la redacción del nuevo artículo 10.6 de la Ley General de Consumidores y Usuarios parece que es más correcto afirmar que la nulidad de las cláusulas contractuales o, en su caso, de los contratos es competencia jurisdiccional.

Los Notarios y Registradores sólo podrán tratar como nulas las cláusulas contractuales que hayan accedido al registro de cláusulas abusivas. Se modificó la redacción que en el Proyecto permitía a los registradores directamente denegar la inscripción de los derechos afectados por contratos que, bajo su responsabilidad, decidiesen calificar como nulos por contener cláusulas abusivas. Si se hubiese mantenido esta redacción que quedó como tentativa podríamos admitir la existencia de la nulidad *apud acta*. Sin una expresa habilitación legal y para casos concretos no parece probable que se pueda entender y considerar por parte de fedatarios y funcionarios públicos que un determinado contrato es nulo y negarle cualquier valor.

---

[263] LÓPEZ FERNÁNDEZ, L.M., «*Reflexión en torno a algunos problemas planteados por la venta con sobreprecio de viviendas de protección oficial*» (a propósito de las sentencias de la Sala 1ª del Tribunal Supremo de 3 de septiembre y 15 de octubre de 1992), en *A.D.C..*, T. XLVI, fascículo III, 1993, pág. 1378. Incluso de esta forma es expresamente recogido en el art. 1038. 2º del código civil argentino que dice «actos tales se reputan nulos, aunque su nulidad no haya sido juzgada». En cuanto a las cláusulas abusivas en las condiciones generales de contratación NIETO CAROL explica el papel de los notarios en el control de la legalidad y en su obligación de informar y asesorar (NIETO CAROL, U., «El papel del corredor de comercio», en *Condiciones Generales de la Contratación y cláusulas abusivas,* dir. U. Nieto, Valladolid, 2000, págs. 514-519 y 522-525.

Este planteamiento de considerar la nulidad de un contrato *apud acta* sin declaración judicial es completamente inimaginable para la doctrina francesa que, como hemos adelantado, considera necesaria la acción de nulidad ante los tribunales. En las ocasiones que hablan de nulidad absoluta derivada de contravención legal (en las que no es patente la irregularidad legal hasta que no se aprecia como tal por los tribunales) parecen requerir, en todo caso, la sentencia judicial para que pueda hablarse de contrato nulo[264]. Por otro lado, ya vimos que una de las consecuencias prácticas que se trataba de conseguir en Francia con la creación y diferenciación de la figura de la inexistencia respecto de la nulidad era evitar la necesaria declaración de los tribunales para su apreciación, aparte de evitar el plazo de prescripción de treinta años de ésta última.

PASCUAU LIAÑO parece conectar con esta corriente doctrinal francesa al mantener que un registrador no puede denegar la inscripción de un préstamo hipotecario sobre la base de considerar una cláusula nula o no puesta, puesto que esa es tarea exclusiva del juez. Aunque admite que ésta es una materia sobre la que cabe discusión y en la que las resoluciones registrales son contradictorias[265]. PAU PEDRÓN y CURIEL distinguen tres tipos de cláusulas abusivas y consideran que el registrador puede apreciar por sí mismo uno de esos tres tipos: las cláusulas abusivas en todo caso[266].

Por otro lado, ya se ha tenido ocasión de analizar que serán los tribunales de la jurisdicción ordinaria los únicos que tienen competencia para conocer de los contratos civiles y sus incidencias. La calificación de un contrato como ineficaz en cualquiera de las distintas formas que esta ineficacia puede adquirir, así como la determinación de los efectos que deba o no deba desplegar corresponde a la jurisdicción ordinaria. Así se ha venido manteniendo por ejemplo en casos como los relativos a viviendas de protección oficial vendidas o alquiladas con precios y rentas superiores a los legalmente tasados o contratos y convenios realizados en desleal competencia o restringiendo la libertad en el ejercicio de ésta. Por consiguiente, no corresponde, en principio, ni a la Administración ni siquiera a la Jurisdicción Contencioso-Administrativa cono-

---

[264] Resume esta concepción GUELFUCCI-THIBIERGE, C., (*Nullité, restitutions, et responsabilité*, París 1992, págs. 425 y ss.) para quien la nulidad no es un estado del acto sino un derecho de impugnación y la sentencia que establece la nulidad lo hace con carácter constitutivo.

[265] PASCUAU LIAÑO, M., *Nulidad y anulabilidad del...* op. cit., págs. 201 y 202. Realmente lo que ocurre en el caso expuesto es que se trata de la consideración de una cláusula abusiva contraria al justo equilibrio de prestaciones con lo que falla el requisito de que se trate de una infracción objetivamente manifiesta para ser declarada de oficio. Se puede ver un resumen del status questionis en CHICO Y ORTIZ, J. M., *Estudios sobre Derecho Hipotecario*, 3ª ed., Madrid, 1994, (Reproducido en *La Calificación Registral*, Dir. GÓMEZ GÁLLIGO, F. J., T. II, págs. 2127-2128, Madrid, 1996.)

[266] PAU PEDRÓN, A. y CURIEL, F., en *Comentarios a la Ley sobre Condiciones Generales de la Contratación*, Madrid, 2002, pág. 885.

cer estas cuestiones de índole civil, salvo que les venga expresamente atribuidas estas facultades mediante una norma con rango de ley.

b. Personas legitimadas activamente para interponer la acción de nulidad

i. Régimen General

Tradicionalmente se ha mantenido que cualquier persona que muestre tener un interés legítimo puede requerir la declaración de nulidad con éxito. Es decir cabe admitir la legitimación activa más amplia posible. Cualquier interesado puede ser considerado titular de la acción de nulidad. En principio, no se puede desestimar o inadmitir la acción de nadie que tenga un interés legítimo o jurídicamente suficiente en dicha declaración de nulidad. Se encuentran legitimado cualquier tercero y por supuesto las partes del contrato (así como sus representantes y sus herederos).

La legitimación en la nulidad es enormemente amplia habilitando para su alegación o invocación a cualquier parte interesada. El interés del tercero, no obstante, no puede ser difuso, ha de ser siempre un interés concreto, particular o personal que puede ser de carácter pecuniario o moral. Esto significa que no se puede tratar de anular un contrato por cualquier tercero sobre la base de un supuesto interés general o abstracto. Admitir esta posibilidad podría fomentar la litigiosidad infundada con todos sus peligros.

De esta forma lo ha entendido la jurisprudencia. En las recientes sentencias de 21 de noviembre de 1997 y de 14 de diciembre de 1993 ha afirmado el Tribunal Supremo: «reconocida por constante y uniforme doctrina de esta Sala (sentencias de 22 de octubre de 1916, 12 de noviembre de 1920, 11 enero de 1928, 12 de abril de 1925, 19 de octubre de 1959, 3 de mayo de 1963 y 29 de diciembre de 1970 y 14 de diciembre de 1993, entre otras) la legitimación de un tercero (que no haya sido parte en el contrato) para ejercitar la acción de declaración de inexistencia de dicho contrato (por carencia de alguno de los requisitos esenciales que determina el artículo 1261 del Código Civil) o la de nulidad radical o de pleno derecho del mismo (por ser contrario a las normas imperativas o prohibitivas, salvo que en ellas se establezca un efecto distinto para el caso de contravención —art. 6.3º del citado Código) siempre que el tercero tenga un interés jurídico en ello o, lo que es lo mismo, se vea perjudicado o afectado en alguna manera por el referido contrato, es evidente que la falta del expresado interés priva al tercero de legitimación para el ejercicio de las aludidas acciones».

Por otro lado, en realidad, lo importante es que el juez tenga noticia de la causa de la nulidad y actúe en consecuencia, independientemente de cuál haya sido su fuente de información. Por eso, en cualquier procedimiento iniciado, ya sea por las partes o por terceros con interés legitimo, el tribunal cuenta con la potestad de la declaración de oficio sobre la base del interés general[267].

---

[267]   vid infra epígrafe «Legitimación de la acción de nulidad».

En realidad, desde una óptica tradicional no se entrará a considerar la conducta seguida por el que demanda la nulidad para evaluar la legitimidad del interés alegado o afectado y cuestionar la conveniencia de estimar sus pretensiones. La nulidad es considerada una sanción objetiva que se inflige al contrato para restablecer la legalidad por él vulnerada para la consecución del interés general al que se deben supeditar los intereses particulares de las partes. Por consiguiente, aunque la nulidad haya sido provocada por la parte que la solicita se debería declarar si concurren los presupuestos para su aplicación. Esta postura se mantiene, incluso, en el caso en el que la conducta haya sido buscada a propósito para beneficiarse, tras su denuncia, de los efectos de la prevista nulidad en perjuicio del otro contratante. El causante de la nulidad, por tanto, conservaría la legitimación para hacerla valer[268].

Con esta concepción de la acción de nulidad las partes contractuales siempre van a estar legitimadas para solicitar la nulidad del contrato ilegal. Parece que el requisito de tener un interés legítimo para ejercitar la acción de nulidad sólo se va a considerar necesario analizar para los terceros. No es esto lo que se va a mantener, en todo caso, en la actualidad. Modernamente, la jurisprudencia va a analizar el interés de las partes, no en cuanto su existencia, que habitualmente parece obvia, sino en cuanto a su carácter de legítimo[269].

Es un claro ejemplo de este nuevo control jurisprudencial, que veremos detenidamente más adelante, la Sentencia del Tribunal Supremo de 21 de noviembre de 1997. En esta sentencia, los socios de una Sociedad Anónima solicitan que se declare la nulidad radical de un contrato de compraventa concluido por el administrador único de dicha sociedad con infracción de normas de obligado cumplimiento relativas a la liquidación de este tipo de sociedades. El Tribunal argumenta la falta de legitimación de los socios manteniendo que son parte del contrato y no terceros legitimados (!?). En realidad se deniega esta legitimación no por el hecho de ser parte del contrato sino por el hecho de no considerar legítimo el interés que les mueve. El mismo administrador único pidió también dicha nulidad y el Tribunal al considerar que actuó ostentando la representación de dicha sociedad y dentro del ámbito de sus facultades no le permite ahora beneficiarse de los efectos de una posible nulidad que él mismo ha provocado. Los socios de esta sociedad se consideran por el Tribunal integrados en la personalidad jurídica social y por lo tanto constituyen una misma parte contractual, en lo que se refiere a la compraventa.

---

[268] LACRUZ BERDEJO, J.L. Elementos.... op. cit. T. I, vol III...págs. 281 y 287 y sobre todo T.II, vol. II, pág. 368. SANTOS BRIZ, J., Derecho civil... op. cit. pág. 675 opinan que puede alegarse la nulidad por el que dio lugar a ella, el primero porque dice que es una excepción a la doctrina de los actos propios y el segundo porque esta doctrina no se aplica más que a los actos que son válidos ante la Ley como destaca el Tribunal Supremo. (Sentencias de. 31 de diciembre 1931 30 de mayo de 1954 y otras)

[269] Vid. Infra «Nulidad con legitimación restringida».

Estas consideraciones subjetivas se toman en consideración, en su caso, en lo referente a la restitución de prestaciones si se aprecia que dicha culpa ha redundado en una torpeza o ilicitud de la causa[270].

Huelga decir que los titulares de la acción de nulidad lo son también de la excepción de nulidad que pueden oponer ante la exigencia del cumplimiento de las prestaciones a las que se habían comprometido en virtud del contrato nulo.

ii. Legitimación colectiva

En principio, el único que puede declarar la nulidad basándose en un interés general es el propio tribunal cuando lo hace de oficio. No obstante, también se podrán alegar la nulidad en procedimientos judiciales sobre la base de un cierto interés común de grupo, denominado «interés difuso», cuando una ley otorga este derecho a determinadas asociaciones de colectivos[271]. La mera existencia

---

[270] También en el derecho comparado esta legitimación es tan amplia incluso en el derecho francés se legitima al Ministerio Fiscal para interponer la nulidad del contrato aunque ha quedado, de sobra, demostrada la inoperatividad práctica de esta.

[271] El artículo 7.3 de la Ley Orgánica del Poder Judicial establece: «Los Juzgados y Tribunales protegerán los derechos e intereses legítimos, tanto individuales como colectivos, sin que en ningún caso pueda producirse indefensión. Para la defensa de estos últimos se reconocerá la legitimación de las corporaciones, asociaciones, y grupos que resulten afectados o que estén legalmente habilitados para su defensa y promoción.» Las acciones para la que se prevé este tipo de legitimación colectiva son las declarativas de la nulidad, junto a otras acciones que se pueden separar ya del ámbito contractual como acciones de cesación, de retractación y declarativas de condiciones generales. En este sentido, la Ley General para la Defensa de los Consumidores y Usuarios. Ley 20/1984, de 19 de julio en su art. 20 establece el derecho de las asociaciones de consumidores y usuarios no sólo de representar a sus asociados y ejercer las correspondientes acciones en defensa de los mismos y de la asociación sino también en defensa de los intereses generales de los consumidores y usuarios. En esta legitimación se incluye la acción de nulidad de las cláusulas abusivas recogida en el artículo 10 bis) 2º de la misma ley (Este articulo se añade en la Ley por en la nueva redacción dada a la misma por la Ley 7/1998, de 13 de abril, sobre condiciones generales de la contratación). Otro exponente, aunque ya no referido a la nulidad, lo podemos encontrar en el artículo 17 de la Ley 7/1998, de 13 de abril, sobre condiciones generales de la contratación, en el que se establece un amplio elenco de entidades legitimadas para ejercitar las acciones colectivas de cesación, retractación y declarativa de condiciones generales. En otros ámbitos algo más lejanos a la contratación podemos reseñar: la legitimación que otorga el artículo 25 de la Ley 34/1988, de 11 de noviembre de 1988, General de publicidad, a los órganos administrativos competentes, las asociaciones de consumidores y usuarios, las personas naturales o jurídicas que resulten afectadas. La legitimación que otorga el artículo 145 de la Ley de Propiedad Intelectual (Texto Refundido, Real Decreto Legislativo 1/1996, de 12 de abril) a las Entidades de Gestión. La legitimación que otorga el art. 19.2 de la Ley 3/1991, de 10 de enero, de Competencia Desleal, a las asociaciones, corporaciones profesionales o representativas de intereses económicos cuando resulten afectados los intereses de sus miembros, etc.

y proliferación de asociaciones de colectivos legitimadas para intervenir en un caso concreto tienen ya un efecto preventivo y disuasorio. Favoreciendo la asociación y creación de estos colectivos se desincentivará a los contratantes no identificados con los intereses «difusos», amparados por la legislación y defendidos por estas agrupaciones, de realizar contratos ilegales.

Este tipo de «acción colectiva» se encontraría a disposición de quien perteneciendo a un colectivo quiera valerse de ella cuando el individuo directamente interesado lo declare. Aunque el cauce para hacer valer la acción es a través de los órganos representativos de la asociación cualquiera puede acudir a la misma denunciando o poniendo en su conocimiento las causas de nulidad. Este tipo de acción se suele admitir cuando el directamente interesado está sometido a la dependencia o influencia del otro contratante o teme que las posibles represalias del mismo hagan su reclamación contraproducente. También en aquellos casos en los que la infracción pueda escapar del efectivo control del inmediatamente interesado por la amplitud en cuanto a su número, ámbito temporal o espacial y cuando lo que realmente se persigue es salvaguardar el interés propio de todo el colectivo obteniendo una resolución declarativa favorable.

Esta figura de la acción colectiva es relativamente moderna y para que pueda admitirse la legitimación de ciertas entidades o asociaciones, basándose en un interés colectivo, tienen que encontrarse recogidas en las leyes de forma expresa. Por la naturaleza misma de estos intereses no siempre se van a concretar directamente las específicas asociaciones, corporaciones y colectivos legitimados sino que van a ser determinables sobre la base de los requisitos para ellas establecidos.

Figura distinta de lo que hemos caracterizado como legitimación colectiva es la acción popular. La acción popular establece una fórmula abierta de legitimación a cualquier ciudadano para denunciar ante los órganos jurisdiccionales una ilegalidad extraordinariamente grave, sin necesidad de ocupar una posición subjetiva de interés lesionado o amenazado[272]. Esta acción popular es la que hemos denominado anteriormente como acción pública y sólo se da en casos excepcionales y legalmente tasados. No es ésta una figura que pueda encajar bien en las parcelas del Derecho privado ya que hasta en el Derecho público es una acción extremadamente excepcional. La propia existencia de la legitimación colectiva para la declaración, en los casos más graves o con mayor trascendencia, de la nulidad contractual parece excluir cualquier existencia de acción pública de nulidad, con la excepción que hemos visto en la Ley de Patrimonio Histórico Español[273].

---

[272] Reconocimiento en los Art. 125 C.E., art. 19.1 y 20.3 Ley Orgánica del Poder Judicial, que se cristaliza sobre todo en las normas penales y en las administrativas relacionadas con materias como la protección de medio ambiente, urbanismo, costas y patrimonio histórico.

[273] Vid. Nota 254.

No se puede predicar, de ninguna manera, que la acción de nulidad de los actos y contratos contrarios a las leyes pueda ser una acción pública en nuestro ordenamiento jurídico. Aunque, en ocasiones, pudiera plantearse como característica de la acción de nulidad radical o de pleno derecho al ser definida como una sanción de orden público en defensa de la legalidad, actualmente, no existe base legal para sustentar ningún carácter de «acción popular».

iii. Las acciones colectivas de la Ley sobre Condiciones Generales de la Contratación (Art. 12.2)

Podemos apuntar, fuera ya del estricto ámbito de la ineficacia que nos ocupa, la creación de nuevas acciones colectivas en el capítulo IV de la nueva Ley 7/1998, de 13 de abril, sobre Condiciones Generales de la Contratación, para promover un control abstracto de la inclusión de dichas condiciones en los pliegos de contratos en masa. Relativamente novedosas[274], las acciones denominadas de cesación, retractación y declarativa de condiciones generales cuentan con la peculiaridad de establecer en la legitimación activa un elenco de organizaciones, asociaciones y organismos representativos de determinados intereses públicos y de determinados colectivos que pueden resultar especialmente afectados (art. 16).

Este tipo de acciones colectivas ha sido justificada por autores como BUSTO LAGO considerando que por muy buenas que sean las disposiciones que tratan de impedir la aplicación de cláusulas ilegales o abusivas (acciones individuales) los resultados no son los deseados por motivos como la tardanza de la justicia, la ignorancia de los adherentes acerca de sus derechos, etc[275]. Si bien también cabe hacer una valoración un tanto negativa si se considera que el legislador ha diseñado un excesivo sistema registral de control, que hace que su posible eficacia quede empañada por su propia complejidad[276].

La peculiaridad estriba en que no se encuentran legitimados para interponer ninguna de estas acciones los sujetos directamente afectados que han

---

[274] La acción de cesación es ya, de sobra, conocida en nuestro ordenamiento jurídico existiendo acciones similares en legislación de diversos ámbitos. Así, encontramos la Ley de defensa de la competencia de 1989 (art. 9) y, aunque ya se contemplaba en la Ley de Represión de Practicas Restrictivas de la Competencia de 1963, y Ley de competencia desleal de 1991 (art. 18 b). También se recoge esta acción de cesación en materia de propiedad industrial, en la Ley de Patentes de 1986 (art. 63 a)), y Ley de Marcas de 1988 (art. 36 a). En cuanto a propiedad intelectual, la Ley de Propiedad Intelectual de 1987 (arts. 123 y 124). En materia de publicidad, la Ley General de Publicidad de 1988 (art. 31 b). En cambio, la ación declarativa es completamente novedosa y original.

[275] BUSTO LAGO, J.M., «El control abstracto de las Condiciones Generales de los contratos», en *Actualidad Jurídica Aranzadi*, 1998-360, pág. 2.

[276] PASQUAU LIAÑO, M., «Comentario a los artículos 9 y 10», en *Comentarios a la Ley de Condiciones Generales de la Contratación*, Pamplona, 1999, pág. 272.

sido parte adherente de los contratos concretamente enjuiciados. La naturaleza de estas acciones es, por consiguiente, exclusivamente colectiva. Sin embargo, podría promoverse indirectamente cualquiera de estas acciones denunciando o poniendo en conocimiento del Ministerio Fiscal (legitimado en último término, art. 16.6) alguna de estas situaciones. Como expusimos anteriormente al analizar la acción de nulidad contenida en la Ley de Patrimonio Histórico Español, el Ministerio Fiscal podrá o no hacerse eco de estas denuncias en virtud de su facultad discrecional.

Mediante la acción de cesación la colectividad legitimada para ejercitarla obtendrá siempre dos pretensiones indisolubles reflejadas en el artículo 12.2: una primera declaración de nulidad como presupuesto de una segunda cesación en su uso por parte del predisponente. Para eliminar de una serie de contratos tipo una o varias cláusulas o condiciones generales determinadas han de reputarse como nulas. No se especifica si se puede asumir dicha nulidad directamente por el tribunal al que se le plantea la acción de cesación o si se requiere un previo pronunciamiento judicial sobre la misma o su inscripción en el Registro *ad hoc*. PORTELLANO DÍEZ da por supuesto que no será preciso el ejercicio previo y con éxito de una acción individual de nulidad o de no incorporación[277].

BARONA VILAR considera hay que asumir que el ejercicio de esta tutela de condena a cesación de las condiciones generales que se reputen nulas se refiere a una ilicitud contractual objetiva y que puede ir precedido de un Dictamen del Registrador de Condiciones Generales. Dictámen que será una mera posibilidad potestativa, no vinculante y a instancia de parte (art. 13)[278]. Como indica esta autora, en el contenido de la sentencia que resulte del ejercicio de la acción de cesación se contendrá la condena a eliminar las condiciones generales que resulten contrarias a la Ley lo que requiere un pronunciamiento declarativo que debe solicitarse de forma acumulada y será la misma sentencia la que determine la extensión de la eficacia de la misma a efectos de considerar el requisito subjetivo de la excepción de cosa juzgada (art. 221.2° LEC)[279].

Ponía de manifiesto PAGADOR LÓPEZ una cierta incoherencia en el originario artículo 12.2 de la Ley sobre Condiciones Generales de la Contratación en cuanto a la acción de cesación, redacción modificada por la Ley de Enjuiciamiento Civil. No habría problemas para considerar que una colectividad legítimamente pueda pretender obtener una sentencia que obligue al predisponente a eliminar de todas sus condiciones generales las que se reputen nulas y abstenerse de utilizarlas en lo sucesivo. Lo paradójico de este precepto resultaba que, refiriéndose a una acción de estricto carácter colec-

---

[277] PORTELLANO DÍEZ, P., en *Comentarios a la Ley sobre Condiciones Generales...*, dir. Menéndez y Díez-Picazo, cit., pág. 588.
[278] BARONA VILAR, S., *Comentarios a la Ley de Condiciones Generales de la Contratación*, Pamplona, 1999, pág. 454.
[279] BARONA VILAR, S., *Ibidem*, págs. 457-460.

tivo, se establecía que una vez conseguida la sentencia el actor podrá solicitar al demandado la devolución de las cantidades cobradas en su caso, con ocasión de las cláusulas nulas, así como solicitar una indemnización por los daños y perjuicios causados. Estas consecuencias que son las típicas de una acción individual de nulidad no parecen casar bien con una acción colectiva. La explicación de este desatino se encuentra en una enmienda que no prosperó por la cual se pretendía atribuir legitimación activa también a las personas directamente afectadas. Pese a que no se aceptó este extremo de la enmienda sí se incorporaron otras aportaciones que partían de él, produciéndose la consiguiente confusión en el artículo 12[280].

Efectivamente, tal y como había quedado redactado originariamente el artículo 12.2 de la Ley sobre Condiciones Generales de la contratación parece que el actor (colectividad) podría pedir, declarada la cesación, la devolución de las cantidades cobradas por el demandado con ocasión de las cláusulas nulas. La devolución requería la previa acción de cesación que a su vez requeriría de la previa declaración de nulidad de la condición general concreta. De esta forma, mantiene también CORDÓN MORENO, podría admitirse que dicha declaración produciría como efecto inmediato la eliminación de la condición general y podría llevar aparejada, cuando proceda, la correspondiente restitución por parte del predisponente de las cantidades percibidas en virtud de las cláusulas declaradas nulas. Sin embargo, se encuentran dificultades insalvables en lo que se refiere a los derechos resarcitorios de los daños y perjuicios, puesto que estos derechos no son un efecto inherente de la declaración de nulidad. Para ejercitar la acción reparadora de los daños tendría que ser pedida en un juicio contradictorio previo y ser reconocida por la sentencia. Por esta razón, apuntaba ya el procesalista, que en el entonces proyecto de Ley de Enjuiciamiento Civil, de 30 de octubre de 1998, se pretendía modificar el confuso artículo 12.2 de la Ley de Condiciones Generales (Disposición Final 7ª apartado 2º). La modificación planeada vendría a establecer que a la acción de cesación podrá acumularse, como accesoria, la de indemnización de los daños y perjuicios que hubiere causado la aplicación de dichas condiciones[281].

Finalmente la reforma planeada por el Proyecto de Ley adjetiva prosperó y se da una nueva redacción al artículo 12.2 desglosandolo, a su vez, en dos párrafos. El segundo de estos párrafos —como indica BARONA VILAR— articula esta pretensión pecuniaria accesoria de condena a la devolución genérica de cantidades con indeterminación subjetiva de afectados o perjudi-

---

[280] PAGADOR LÓPEZ, J., *Condiciones Generales y Cláusulas contractuales predispuestas. La Ley de Condiciones Generales de la Contratación*, Madrid, 1999, pág. 581, en especial nota 345 y 588-589.

[281] CORDÓN MORENO, F., «*La protección de los derechos de los consumidores a partir de la Ley General para la Defensa de los Consumidores y Usuarios: la Ley de Condiciones Generales de la Contratación y el Proyecto de Ley de Enjuiciamiento Civil*», en *Aranzadi Civil*, Nº 10, septiembre, 1999, págs. 25-26.

cados. Siendo perfectamente posible la realización de esta pretensión si bien en el momento de ejecución de sentencia se deberá proceder a esta determinación conforme establecen los mecanismos de la Ley de Enjuiciamiento Civil (arts. 15.3, 221.1° y 519). Esta autora apunta que se puede observar bien la posibilidad en el supuesto de cobro de comisiones bancarias consideradas judicialmente nulas posibilitándose la reclamación colectiva de devolución de quienes contrataron con el banco[282]. No cabe duda que el ejemplo propuesto es perfecto, a medida de la disposición, porque habitualmente las comisiones son anuladas precísamente porque no se corresponden con ningún servicio o contraprestación al cliente por parte del banco. Además, en la ejecución de la sentencia se podrá determinar quienes son los clientes del banco a los que se les ha cobrado y la restitución se realizará en la propia cuenta de la que se dedujo indebidamente la comisión.

Este tipo de supuestos es a los que debe circunscribirse el precepto porque en otros casos la nulidad lleva aparejada la restitución recíproca de prestaciones (art. 1303 C.c.), y para que opere la devolución o restitución de la prestación por parte del predisponente se debería también restituir lo recibido por parte del adherente. Esto complica notablemente el supuesto teniendo en cuenta que esta acción no sólo se aplica respecto a las asociaciones de consumidores y usuarios (art. 16. 3 de la Ley de Condiciones Generales de la Contratación) sino a cualquiera de los colectivos que se encuentren contratando mediante condiciones generales y estén legitimados por el resto de los apartados del art. 16 de la Ley.

Parece que con las interpretaciones precedentes adquiere cierta coherencia el artículo 12.2 de la Ley de Condiciones generales, salvo en la legitimación activa para su interposición y la ejecución individualizada de la pretensión de restitución cuyo contrasentido parece insalvable. Parece inviable que la organización o asociación como parte actora reciba, en su caso, la devolución de todas las cantidades satisfechas, en virtud de las cláusulas nulas de todos los contratos afectados, así como todas las indemnizaciones de daños y perjuicios causados a los adherentes. Evidentemente, no se encuentran las organizaciones y asociaciones legitimadas por el artículo 16 (ni mucho menos el Ministerio Fiscal) en situación de hacer de mediadoras de los numerosos adherentes directamente afectados en la consecución de restituciones e indemnizaciones derivadas de la eliminación de cláusulas generales. Para estos concretos fines, además, siempre quedan en manos de los particulares directamente las acciones individuales de nulidad o no incorporación del capítulo II de la Ley.

c. Legitimación pasiva

Se deberá demandar del mismo modo a todas aquellas personas a las que pueda afectar la declaración de nulidad del contrato o sus efectos. Para la

---

[282] BARONA VILAR, S., *Comentarios....., cit.*, págs. 475-485.

teoría clásica es intranscendente la persona contra la que se ejerce la acción de nulidad. En realidad se considera que la acción no se dirige contra nadie en particular, sino que se dirige contra un vicio objetivo del contrato que ha de subsanarse afectando por un igual a todos. Por lo tanto no deberemos preocuparnos de la persona contra la que se dirige la acción de nulidad[283].

Sin embargo, en el Derecho español aunque en teoría y siguiendo el mismo razonamiento de las teorías clásicas de la nulidad se debería llegar a la misma conclusión, vemos que en la práctica no es así. En la práctica sí que tiene trascendencia para el ejercicio de la acción de nulidad la legitimación pasiva, ya que la demanda ha de dirigirse contra todos los interesados en la nulidad o en la validez del contrato. Resulta obligatorio dirigir la acción contra todas las partes del contrato ilegal para una correcta constitución de la relación jurídica procesal[284].

La jurisprudencia española ha establecido una relación de litisconsorcio pasivo necesario entre todos los que han participado en el contrato[285]. Además, el Tribunal Supremo no duda en apreciar de oficio esta defectuosa constitución de la relación procesal cuando el actor ha demandado a algunos de los intervinientes en el contrato, pero no a todos. La justificación para enervar la acción de nulidad inclusive cuando no se ha alegado esta razón procesal por ninguna de las partes es que las partes del contrato no demandadas podrían ser condenadas sin ser oídas[286].

Este razonamiento no se corresponde muy bien con la concepción objetiva de la nulidad como sanción del ordenamiento jurídico. Este carácter objetivo implica su aplicación ante cualquier contravención grave a alguna de sus normas imperativas o prohibitivas, en nombre de un interés general al que deben supeditarse los intereses particulares de las partes. Desde luego tampoco se comprende muy bien la compatibilidad de esta consideración con la posibilidad de declaración de oficio de la nulidad.

De hecho, encontramos también determinadas sentencias de nuestro Tribunal Supremo en las que no considera que por no intervenir en el litigio

---

[283] Ese es el planteamiento tradicional que encontramos en el derecho francés, GHESTIN, J., *Traité de droit civil*, T.2º, 2ª ed. 1988, pág. 888.

[284] PUIG BRUTAU, *Diccionario de acciones civiles*, pág. 201.

[285] Al igual que establece la jurisprudencia italiana ad. ex. Cass. 18 Maggio 1972, Nº 1518.

[286] DIEZ-PICAZO, L., *Fundamentos...* op. cit. págs. 447-448. LACRUZ apunta unas sentencias en las que se aboga por una legitimación pasiva amplia porque si así no se exigiera como la cosa juzgada perjudica únicamente a los que litigaron y sus causahabientes, el contrato continuaría siendo válido para los que no fueron llamados al proceso en el que se obtuvo la declaración de nulidad y esto no se puede sostener (Sentencia de 9 de noviembre de 1961, 20 de marzo 1964 y 14 de junio de 1969) *Elementos...* op. cit. T. II, vol. III, pág. 369. Para SANTOS BRIZ, en este sentido, la finalidad de este litisconsorcio pasivo necesario es la de «evitar la promoción de nuevos pleitos sobre la misma cuestión con la subsiguiente posibilidad de sentencias contradictorias y atender al mismo tiempo al principio de contradicción procesal.» *Derecho Civil. Teoría y Práctica*, op. cit. T. I, pág. 675.

uno de los afectados por la nulidad se esté ante una defectuosa constitución de la relación procesal. Estima la nulidad a la hora de resolver el pedimento o la alegación instando la declaración de nulidad o simplemente oponiéndola por vulnerar el contrato disposiciones imperativas, dado que los fines trascendentales perseguidos por determinada normativa privarán de eficacia a cualesquiera negocios que infrinjan sus preceptos[287]. Pero sobre ésto trataremos más adelante cuando observemos las nuevas perspectivas de la ineficacia contractual.

D. Imprescriptibilidad de la acción de nulidad

Podemos afirmar que la nulidad puede ser declarada en cualquier tiempo puesto que no está sometida a plazo de prescripción extintiva. La acción de nulidad es, por tanto, imprescriptible. Sin embargo, hemos de matizar que siempre se debe considerar, en aras de la necesaria seguridad jurídica, que el transcurso del tiempo produce importantes excepciones. Podemos afirmar con MANRESA que «la imprescriptibilidad sólo se refiere a la ineficacia del acto en sí, pero no a sus secuelas mediatas, ni tampoco a las situaciones de hecho ocurridas durante la inactividad del que pudo ejercer la acción y no la utilizó.»[288]

Hay que tener en cuenta, en todo caso, que el juego de la prescripción adquisitiva puede consolidar situaciones de hecho que en sí eran irrelevantes para el Derecho. La nulidad del contrato no puede evitar que se obtengan derechos derivados del mismo y que se consolide la situación creada mediante la usucapión extraordinaria que únicamente requiere una posesión continuada durante el lapso de tiempo establecido para cada tipo de bienes (6 años para los muebles, art.1955 CC. y 30 años para los inmuebles 1959 CC). Pese a que se consolide la situación posesoria creada por el contrato ilegal por el mero transcurso del tiempo, esto no quiere decir que se convalide el contrato que sigue siendo radicalmente nulo.

Se ha producido incluso una diferenciación por parte de algún autor entre la acción declarativa de la nulidad y la acción restitutoria. Tanto es así que se mantiene que la acción imprescriptible y que se podría ejercitar en todo

---

[287] La sentencia de 31 de diciembre de 1979, aunque reconoce que la hipótesis del litis consorcio pasivo necesario y la obligada intervención en el proceso de todos los interesados en la relación jurídica debatida a fin de evitar resoluciones que serían en otro caso *inuliter data*, ha sido aplicada por la jurisprudencia en los supuestos de ejercicio de las acciones de nulidad, mantiene que esta tesis habrá de conceptuarse inoperante cuando se trate de nulidad radical por ilicitud de causa o del objeto pues siendo el propósito negocial contrario a la Ley..., la mácula incluso debe ser apreciada de oficio por los Tribunales...» El Tribunal considera que se está en presencia de un contrato con ilicitud de causa al hallarse el contrato incurso en los supuestos tipificados por la legislación represora de las prácticas restrictivas de la competencia.

[288] MANRESA Y NAVARRO, J.M., *Comentarios al...* op. cit., T. VIII, vol. II, Madrid, 1967, pág. 854.

tiempo es la acción declarativa de la nulidad, pero en ningún caso la acción restitutoria derivada de ésta que tendría un plazo de ejercicio de 15 años (según se deduce de lo dispuesto en los artículos 1930, 1965 y 1964 CC.)[289]. La acción declarativa no prescribe ni caduca, y podrá ejercitarse cuando haya interés legítimo para ello.

En cambio, la nulidad puede impedir la obtención de derechos por medio de la usucapión ordinaria que requiere un título válido y buena fe (arts.1955 y 1957 CC). Excepcionalmente, la nulidad del título no sería obstáculo para conseguir la usucapión *secundum tabulas* recogida en el artículo 35 LH, ya que la simple inscripción se considera justo título y se presumen la continuidad y la buena fe[290]. Está claro que el artículo 35 L.H. se encuentra en aparente contradicción con los artículos 1953 y 1954 CC. y 33 L.H[291].

---

[289]   Distinción de las dos acciones LACRUZ BERDEJO, J.L., *Elementos...* op. cit. T. II, Vol. II, pág. 360-361. y plazos en T. I. vol. III., pág. 288, DELGADO ECHEVERRÍA, J., Comentarios al Código Civil y Compilaciones forales... cit., pág. 413, LÓPEZ BELTRÁN DE HEREDIA, C., *La nulidad contractual. Consecuencias,* Valencia, 1995, págs. 52-54, CASTÁN TOBEÑAS, J., *Derecho Civil español común y foral,* T. III, 16ª ed., cit., pág. 771.

[290]   Esta es la tesis sostenida más recientemente por la doctrina mayoritaria DIEZ-PICAZO, Fundamentos... op. cit., T. III, pág. 748-749, ROCA SASTRE, «*Derecho hipotecario,* T. II, 8ª ed., Barcelona 1995, págs. 555-560, VA AGUAVIVA, M., «*El negocio jurídico. La ineficacia del contrato. El registro de la propiedad y la eficacia del negocio jurídico inmobiliario*», en *Cuadernos de derecho judicial,* XXXV, Madrid, 1994, pág. 383. Pero aún así el tema no es pacífico también encontramos autores que tratan de matizar esta postura ya que no creen que una mera inscripción constituya justo título o se pueda equiparara a este. De esta forma encontramos la postura de ROCA I TRIAS, E., que pese a que trata de utilizar otros argumentos coincide plenamente con el resultado al que llega la teoría mayoritaria de que la inscripción suple al titulo ineficaz. *Derechos reales y derecho inmobiliario registral,* Valencia, 1994, pág. 223. Se distancian más DIEZ-PICAZO Y GULLÓN, (*Sistema...* cit. vol III, 5ª ed., Madrid, 1994, pág. 345.) para quienes la inscripción fundada en un acto o contrato nulo no implicaría por virtud del artículo 35 L-H., que se tiene titulo para la usucapión. Tampoco coincide con la postura mayoritaria MORALES MORENO («*La inscripción y el justo título de usucapión*», A.D.C., 1971, pág. 1123.) quien se acerca a la idea de la presunción iuris tantum de la inscripción como justo título pero para destruirla es preciso atacar y destruir la inscripción. Siguiendo el mismo planteamiento de Morales Moreno encontramos a DÍEZ-PICAZO (*Fundamentos...* op. cit. III, 4ª ed., Madrid, 1995, pág. 749) y LACRUZ BERDEJO J.L., cambia la postura mantenida en el Tomo III, bis), 1984 de sus *Elementos...* op. cit. donde se identificaba con la postura mayoritaria expuesta y en la segunda edición del Tomo III, vol.1º., 1988, pág. 212 y 213 la rectifica para identificarse con la de MORALES MORENO. Afirmando que la inscripción no suple el justo título sino que permite presumir la validez y veracidad del título inscrito. La jurisprudencia tampoco parece asumir la literalidad del artículo 35 de la L.H. y reserva su viabilidad no para los contratos radicalmente nulos sino para los anulables, rescindibles, revocables o adquisiciones a non domino. Sentencias de 4 de octubre de 1969, 13 de mayo de 1970.

[291]   Art. 1953 del CC. «El título para la prescripción ha de ser verdadero y válido».
Art. 1954 CC. «El justo Título debe probarse; no se presume nunca».
Art 33 de la Ley Hipotecaria que reza: «La inscripción no convalida los actos o contratos que sean nulos con arreglo a las leyes.»

Debemos tener en cuenta el tenor literal del art. 35 L.H. Si consideramos que se establece una presunción «*iuris tantum*» del justo título, aunque se respeta lo recogido en el art. 1253 CC., parece que sigue en abierta contradicción con el art.1954 CC. El art. 35 de la L.H. es el artículo de una Ley especial y posterior que es preferente a la general y anterior que es el Código Civil. Por consiguiente, se entiende inaplicable, para este caso, el art. 1954 del Código Civil en favor del 35 de la Ley Hipotecaria[292].

Por otro lado, si observamos bien, no existe contradicción o antinomia alguna entre el art. 33 y 35 de la Ley Hipotecaria puesto que no se refieren al mismo supuesto. El art. 35 no trata de convalidar el contrato nulo sino que simplemente se permite usucapir al titular inscrito, sea cual sea la naturaleza de su título, beneficiándole del plazo reducido de la usucapión ordinaria. Es decir, la contradicción queda salvada en cuanto que el art. 35 comienza acotando su función u objeto «a los efectos de la prescripción adquisitiva...» única y exclusivamente.

Desde otra óptica, tampoco parece descabellada la opción de política legislativa que pretende dar mayor relevancia a la realidad registral. Recordemos que se parte del principio de publicidad del mismo y que la usucapión es una figura creada, del mismo modo, sobre el principio de seguridad jurídica. No puede decirse que resulta injusto que quede consolidada la situación basada en contrato nulo si ha sido pública y notoria durante un periodo de diez años y nadie se interesó durante ese tiempo por la cancelación de la inscripción o de la declaración de nulidad del contrato, necesaria ya que debe destruir la apariencia que otorga el registro. Por otro lado, recordemos que sigue siendo necesaria la buena fe para esta prescripción ordinaria y no gozará de ella quien conoce que el contrato que sirve de base a la inscripción es nulo. Si el pretendido usucapiente, a pesar de su inscripción, no cumple las condiciones extraregistrales precisas para adquirir por prescripción ordinaria sólo se beneficia de la inversión de la carga de la prueba que le otorgan las presunciones[293].

E. La excepción de nulidad

Tanto doctrina como jurisprudencia vienen coincidiendo en admitir la posibilidad de alegar la nulidad no solo por vía de acción o reconvención sino también por vía de excepción. El Tribunal Supremo entiende que resulta

---

[292] CASTÁN TOBEÑAS, J., *Derecho civil español común y foral*, T. 2, Vol. 1, Madrid, 1992, pág. 400.

[293] Hay que tener en cuenta que para acceder al registro el título ha superado la calificación registral (art. 18 L.H. y art. 98 R.H.), uno de cuyos objetos es precisamente la nulidad del negocio. GÓMEZ GÁLLIGO, F. J.., *La calificación registral*, T. I, pág. 893, y T. II, págs. 1520 y ss, Madrid, 1996 GARCÍA GARCÍA, M., *La Calificación Registral*, T.I, cit., págs. 1188-1190.

coherente que si la declaración de nulidad de un contrato por oponerse a disposiciones imperativas, en determinados casos, se puede declarar de oficio y no sería menester la excitación de parte, es evidente que «todo interesado puede oponer la plena nulidad negocial sirviéndose del cauce agresivo de la reconvención o el de la mera excepción perentoria». (Sentencia de 31 de diciembre de 1979).

Es esta una postura que viene manteniéndose desde antiguo y que, en ocasiones, ha planteado alguna cuestión problemática. Las objeciones vienen porque la excepción de nulidad supondría en algunos casos una muestra prototípica de lo que se ha dado en llamar «excepciones reconvencionales»[294]. No se plantearía ningún problema en el caso en el que la excepción de nulidad operase como un estricto medio de defensa que trata de mantener el *status quo* cuando se pretende únicamente obstaculizar la reclamación de un contrato aún no ejecutado. Sin embargo, cuando ya se han ejecutado las prestaciones del contrato, estimar la excepción de nulidad lleva aparejadas las consabidas consecuencias restitutorias que comportan una verdadera pretensión.

Por otro lado, esta, unánimemente predicada, «reversibilidad procesal» de la nulidad viene también a ser nota característica de esta concreta categoría de ineficacia. Según la jurisprudencia española la nulidad es la única forma típica de ineficacia que puede alegarse tanto por vía de acción como por vía de excepción y, desde luego, según el Tribunal Supremo, no puede predicarse tal característica ni de la anulabilidad[295] ni de la resolución contractual[296].

En esta posición parece considerarse el hecho de que el contrato en la resolución, aunque finalmente deviene ineficaz, se trata de un contrato válido.

Respecto a la anulabilidad la jurisprudencia tiene en cuenta no solamente la concepción clásica de validez claudicante de la misma, hasta que no se declare judicialmente, sino el interés concretamente protegido y, sobre todo, el hecho del sometimiento a plazo de la acción.

Por otro lado, se puede considerar actualmente como doctrinalmente admitida e indiscutible, pese a que no encuentra formulación legal en nuestro Código, la regla tradicional contenida en el aforismo «*Quae temporalia sunt ad agendum, perpetua sunt ad excipiendum*». Ahora se está conforme en que esta regla es aplicable sin distinciones en cuanto a la naturaleza del plazo de prescripción aplicable a la concreta acción de que se trate[297]. En el caso de la

---

[294] Vid por todos: VAREA SANZ, M., «*Comentario a la Sentencia de 23 de octubre de 1996*», en *C.C.J.C.*, enero-marzo, 1997, 1168, págs. 279-292.

[295] Sentencias de 13 de mayo de 1996, 18 de junio de 1993, 2 de junio de 1989, 6 de octubre de 1988, 25 de mayo de 1988, etc.

[296] Entre otras, las sentencias de 17 de febrero de 1996, de 19 de noviembre de 1994, (y las que en ellas se citan...)

[297] No siempre ha sido pacífica la doctrina en este sentido pudiendo observarse una progresiva evolución MANRESA Y NAVARRO, J.M., *Comentarios al Código Civil*

nulidad absoluta vendría a coincidir totalmente la imprescriptibilidad de la acción con el carácter perpetuo de la excepción. Condición que no se da en ningún otro caso de ineficacia. Debemos señalar a este respecto que la doctrina española moderna admite, sin reservas, la posibilidad de excepcionar la anulabilidad del mismo modo que la nulidad, en contra del criterio mantenido por la jurisprudencia dominante[298].

En la Ley de Enjuiciamiento Civil, se incluye entre sus preceptos de forma expresa el régimen jurídico-procesal de la excepción referido a la nulidad de pleno derecho (artículo 408.2) y se recoge una regulación completa de los límites de la reconvención que ayudarán a valorar la pertinencia de alegaciones de nulidad y anulabilidad[299].

3. Características del planteamiento clásico. Crítica

3.1. Dominio del dogmatismo

Uno de los principales caracteres de la teoría clásica sobre la ineficacia es su marcado dogmatismo. Esta característica es fácilmente comprensible por la necesidad de seguridad que en esta materia se reclama. Necesidad derivada, precisamente, de la inseguridad que produce la falta de claridad que demuestra el derecho positivo, como ya hemos puesto de manifiesto.

Esta teoría de la ineficacia, llena de abstracciones conceptuales y lógicas deductivas, va a ir sistematizando unas categorías que aparecían desdibujadas en los textos legales.

No obstante, el exagerado dogmatismo en que se ve inmersa esta teoría clásica acaba por resultar contraproducente. No se pueden mantener posiciones de rigidez en una materia que trata de dar explicación a situaciones anómalas y heterogéneas en las que no cabe un encasillamiento de soluciones dogmáticas[300]. En la práctica, muchos casos a los que se debe tratar de dar solución no admiten ni resisten un encuadramiento conceptual.

---

español, T. VIII, Vol. II, pág. 849, CASTÁN TOBEÑAS, J., Derecho civil español civil y foral T. II, (6ª ed.) Madrid, 1943, págs. 648-649, y T. III, (16ª ed., 1992), págs. 770-771, DE CASTRO Y BRAVO, F., El negocio jurídico, Madrid, 1991, pág. 510.

[298]   A favor de admitir la excepción y con carácter imprescriptible teniendo en cuenta y citando las sentencias en contra: GARCÍA GOYENA, F., Concordancias, motivos y comentarios del Código Civil español, Zaragoza, 1974, págs. 629, DE CASTRO Y BRAVO, F., El negocio jurídico, Madrid, 1991, pág. 510-511, DELGADO ECHEVERRÍA, Comentarios al Código Civil y compilaciones forales, T. XVII, vol 2º, pág. 328-329 y 342, «Comentarios al Código Civil», Ministerio de Justicia, T. II, 2ª ed., Madrid, 1993, pág. 544-545. VÁZQUEZ DE CASTRO, E., Comentario a la Sentencia de 20 de junio de 1996, págs. 226-230.

[299]   EGUSQUIZA BALMASEDA, M.A., Cuestiones conflictivas en el régimen de la nulidad....., cit., págs. 61-69.

[300]   DE CASTRO Y BRAVO, F., El negocio jurídico, op. cit. pág. 461 y 468, DELGADO ECHEVERRÍA, J., Comentarios, op. cit, XVII-2, págs. 235-236, JORDANO FRAGA, Falta absoluta de consentimiento, pág. 296 y 297.

El examen de estas situaciones anómalas ha de realizarse por vía inductiva partiendo de las situaciones concretas a las que se tiende a dar soluciones. De otra forma, se corre el riesgo de no encontrar soluciones medianamente satisfactorias, entre las categorías clásicas, para situaciones concretas de ilegalidad. Además, no sería posible dar explicaciones lógicas para las concretas figuras de ineficacia que para muchos de estos supuestos vienen dadas expresamente por la propia Ley especial y que no adoptan los modelos típicos. Desde la *iuris prudentia* del Derecho romano hasta la codificación no ha habido una teoría de la nulidad, sino diversos supuestos de nulidades pensadas y construidas sobre casos problemáticos concretos[301]. El problema de la teoría clásica de la ineficacia es que al diseñar la teoría no se tiene en cuenta que se monta sobre una tópica que está en constante evolución y que tras la consolidación dogmática esa evolución continúa.

El problema de la teoría clásica es, como afirma PASQUAU LIAÑO, que se monta sobre un pretendido «soporte lógico-ontológico recubierto literariamente de una marcada retórica organicista»[302]. La construcción dogmática de la nulidad como una técnica de aplicación objetivamente mecánica y automática sin reflejo alguno en la realidad política debe ser rectificada[303]. Se deben superar las concepciones «a priori», las construcciones edificadas desde un punto de vista demasiado teórico que utiliza una lógica abstracta demasiado exclusiva, porque crea sistemas puramente artificiales que no se adaptan a las exigencias de la práctica.

Por consiguiente, aunque las categorías que se ha logrado sistematizar siguen siendo válidas para explicar y dar soluciones a la mayoría de supuestos problemáticos concretos ya estandarizados, puede que no se adapten a los nuevos supuestos problemáticos o nuevos casos litigiosos que van surgiendo con posterioridad en la realidad jurídica.

3.2. La idealización de la nulidad

La teoría clásica de la ineficacia contractual debido al abuso de la dogmática y de sus técnicas exegético-deductivas tiende a considerar a la nulidad como la panacea de todos los problemas de ilegalidad[304]. Además la

---

[301] Vid. epígrafe «Nulidad textual».
[302] PASQUAU LIAÑO, M., *Nulidad y anulabilidad del...* op. cit., Madrid, 1997, pág. 150.
[303] Así como entre la doctrina francesa ha sido ya bastante criticada la teoría clásica (entre otros por JAPIOT, PIEDELIEVRE y en menor medida por BONNECASE) como pone de relieve PUIG PEÑA *Ineficacia de los...* op. cit., pág. 453. En la doctrina española, hasta ahora, casi siempre se ha asumido y aceptado esta teoría clásica sin plantearla demasiados inconvenientes con contadas excepciones. Vid. Infra epígrafe Nuevas perspectivas de la ineficacia contractual. Las nuevas formas de ineficacia como *tertium genus* entre la nulidad y la anulabilidad.
[304] Como dice PASCUAU LIAÑO, M., «Quedó firmemente instalada entre nosotros una noción de nulidad sobredimensionada en cuanto a sus causas y en cuanto a su régimen

concepción que se tiene de la nulidad es una concepción de virtudes y efectos abstractos y artificiosos que no siempre se producen en la realidad, o al menos, no se dan de un modo tan pleno y exagerado como se predica. En realidad, lo que se ha producido ha sido una sustantivación de ficciones doctrinales que han creado sistemas puramente artificiales.

Como afirma JAPIOT, la teoría clásica de la nulidad es una teoría retórica basada en una pura ficción abstracta con un defecto grave, conduce necesariamente a un sistema rígido con graves inconvenientes prácticos[305]. Según PIÉDELIÈVRE, la teoría de las nulidades es una obra exclusiva de los autores clásicos que con sus ensayos de generalización han hecho llegar a la conclusión de que es una de las cuestiones más oscuras que podemos encontrar en el Derecho Civil. Por la imposibilidad que encuentran los autores clásicos de englobar en un pequeño número de fórmulas las soluciones también dispares han producido divergencias y contradicciones que han provocado incertidumbre y oscuridad sobre la cuestión[306].

Si se analiza el fondo práctico de la materia se cae en la cuenta de que los principios esenciales de estas grandes teorías no están definitivamente establecidos, ni universalmente aceptados. Es suficiente con abandonar, en cualquier punto, el examen de los desarrollos consagrados por los diversos autores que han tratado el tema de la nulidad y abordar el problema desde el punto de vista práctico en todas sus aplicaciones para ver aparecer cantidad de disidencias y reconocerlas.

En la teoría clásica, la nulidad se considera únicamente como una sanción objetiva que cae como una losa sobre el contrato ilegal. Una vez que se comprueba la ilegalidad se aplican irracionalmente todos y cada uno de los efectos atribuidos a dicha sanción. No procede detenerse a analizar las consecuencias o bondad de esos efectos que han sido elevados a dogmas de la nulidad.

Pero la realidad nos va a demostrar que no es conveniente ni cierta tal rigidez y severidad de efectos. La desvinculación drástica del mecanismo de la ineficacia o de la nulidad con toda fundamentación valorativa es absolutamente artificial e inviable. La realidad muestra factible el compaginar la ineficacia y sus consecuencias con elementos valorativos y de justicia. En definitiva, debemos ser conscientes de que la ineficacia se ha de aplicar

---

jurídico: una noción, en definitiva, cancerígena, incontrolada, absorbente de cualquier modalidad de ineficacia que no estuviera al otro lado de la barrera de la anulabilidad o de la rescisión, y que antepone la lógica de un régimen jurídico construido desde la deslumbrante metáfora de la inexistencia....», *Nulidad y...* op. cit., pág. 61.

[305] JAPIOT, R., *Des nullités en matière...* op. cit., 2ème partie, págs. 272-273.

[306] PIÉDELIÈVRE, J., *Des effets produits par les actes nuls. Essai d´une théorie dénsemble,* Tesis, Paris, 1911, págs. 1-2.

teniendo en cuenta dos elementos de juicio que no siempre son fáciles de conciliar: la seguridad jurídica y la justicia[307].

Además, las características y efectos atribuidos a la nulidad no dejan de ser meras aspiraciones y no dogmas inmutables aplicables en todo caso. De esta forma, las cualidades predicadas de la nulidad, como el carácter automático, el carácter absoluto, el carácter imprescriptible, el carácter originario y su eficacia *ex tunc*, y la amplísima legitimación activa, no son más que caracteres hipotéticos que no tienen porque cumplirse en todos los casos. De hecho, en la mayoría de los casos será conveniente prescindir de alguno de estos caracteres que más que esenciales de la nulidad podemos considerarlos, simplemente, como naturales.

3.3. Desconcierto terminológico y su superación

No pasa inadvertida, para cualquiera que tenga oportunidad de ojear el tratamiento de la ineficacia en mas de tres autores, la anarquía terminológica que rige en esta materia[308]. Cada autor dota de un contenido de mayor o menor amplitud a cada término o matiza su alcance[309]. De hecho, la variada terminología es utilizada de forma tan diversa por la mayoría de los autores que provocan gran confusión. Así los términos de: ineficacia, ineficacia relativa, ineficacia parcial, invalidez, inexistencia, nulidad, nulidad parcial, nulidad absoluta, nulidad ipso iure, nulidad radical, nulidad relativa, anulabilidad, anulabilidad absoluta, y otros mas peregrinos como: irregularidad, irrelevancia, inutilidad, inoponibilidad, impugnabilidad, anomalía, han sido matizados y diferenciados sin conseguir una distinción convencional común. Como hemos tenido ocasión de comprobar, la confusión se refleja en la misma regulación de nuestro Código Civil[310].

---

[307] LEGAZ Y LACAMBRA, L., *Filosofía del Derecho*, 5ª ed., Barcelona, 1979, págs. 603 y ss., RECASENS SICHES, L., *Filosofía del derecho*, 7ª ed., México, 1981, págs. 618-622, RADBRUCH, *Filosofía del Derecho*, trad. esp., Madrid, 1959, págs. 95-101.

[308] Hablan de la dificultad debido a la inseguridad e imprecisión terminológica que reina en esta materia (lo mismo en la Ley, que en la jurisprudencia y doctrina)»: ALBALADEJO GARCÍA, M., *Ineficacia e invalidez del negocio jurídico*, en *R.D.P.*, julio y agosto de 1958, pág. 603. También en este sentido DE CASTRO Y BRAVO, F., *El negocio jurídico*, op. cit. págs. 461-462, DELGADO ECHEVERRÍA, J., en *Comentarios al...* op. cit., T. XVII, Vol.2º, cit., pág. 237, DE DIEGO, C., *Instituciones de derecho civil español*, T.I, Madrid, 1959, pág. 315.

[309] SOTO NIETO, F., *Voz «nulidad de los contratos...*, op. cit., vol. XVII, Seix, XVII, 1982, y XVIII, 1986, pág. 664, BONNECASE, J., *Elementos de Derecho Civil*, trad. Cajiga, J.M., Vol. XIV, Puebla, 1945 V, pág. 285.

[310] Esta imprecisión terminológica del Código Civil para designar las «anomalías» que pueden afectar a un negocio ha sido destacada por PÉREZ GONZÁLEZ y ALGUER para quienes podría hablarse de nulidades en sentido amplio (PÉREZ GONZÁLEZ y ALGUER, en notas al *Tratado de Derecho Civil*, de ENNECERUS, L., NIPPERDEY,

Este problema y su evolución no es privativo del ordenamiento jurídico español sino que podemos afirmar que se encuentra generalizado en los ordenamientos jurídicos de nuestro ámbito más próximo. Por ejemplo, la doctrina francesa se ha lamentado que ni los artículos doctrinales, ni la propia ley observan, a este propósito, una terminología rigurosa[311]. LUTZESCO, tras hacer un completo estudio histórico de los orígenes de la nulidad, achaca la falta de claridad de la teoría de las nulidades a la tradición jurídica, a causa de que en el derecho antiguo la terminología fuese tan variada[312]. También en Italia la doctrina ha subrayado la incertidumbre del lenguaje y el caos semántico que reinaba en esta materia, verificable en la legislación, doctrina y jurisprudencia mientras duró el sistema del Código Civil de 1865[313].

Esta confusión y falta de uniformidad terminológica y conceptual en materia de ineficacia podemos observar que tiene una procedencia remota. El origen histórico de esta confusión podemos fundamentarlo en el derecho romano puesto que, como ya hemos visto, en las fuentes del *«ius civile»* se pueden observar alrededor de treinta términos para describir el resultado de la «invalidez» refiriéndose a la ineficacia[314].

Con estos orígenes no va a resultar fácil despejar el caos terminológico inicial que hemos expuesto. Por esta razón tampoco en la codificación se va a alcanzar aquella ansiada claridad conceptual. Ni el *Code* Civil francés ni las dos codificaciones alemanas tienen una terminología clara a este respecto con lo que la ciencia jurídica fue arrastrando esta dificultad[315]. Sólo posteriormente, con una observación de la práctica judicial en el transcurso del tiempo, se van a poder sistematizar y uniformar los casos y categorías de ineficacia contractual con cierto éxito. Se va a generalizar una terminología y va a quedar clara su formación conceptual. Por eso acabará por adoptarse la

---

KIPP, T., WOLF, M., T. I, II, 2ª, 3ª ed., Barcelona, 1981, pág. 748.). Vid. también epígrafe *«Imprecisión del Código civil»*.

[311] BEAUDANT, CH., *Cours de droit civil français*, T. VIII, París, 1936, pág. 208. COLIN Y CAPITANT, *Cours élémentaire de Droit civil français*, T. I, 5º ed., París, 1927, pág. 75, PLANIOL, *Droit Civil. Obligations*, 1ª partie, T. VI, págs. 386-387.

[312] Explica este autor que «a pesar de los esfuerzos de los redactores del Código de Napoleón, del propósito de crear un sistema homogéneo, a pesar del esfuerzo manifiesto de evitar un lenguaje que se prestara a confusión, el ordenamiento citado, hereda el mismo vicio y conserva la atmósfera obscura y turbia que en cierta forma se encontraba en la tradición.» LUTZESCO, G., *Teoría y práctica de las nulidades...* cit., pág. 165.

[313] FERRI, G.B., «*Appunti sull'invalidità del contratto (dal codice civile del 1865 al codice civile del 1942)»*, en *Rivista del Diritto Commerciale e del diritto generale delle obligazioni*, F. 5-6, (mayo-junio), 1996, págs. 367-368. RUGGIERO, *Instituciones de...*, op. cit., pág. 305, Más detalladamente FEDELE, A., *La invalidità del...* op. cit., págs. 2-13.

[314] VÁZQUEZ DE CASTRO, *Determinación del contenido...*, cit., pág. 25.

[315] COING, H., *Derecho privado europeo*, T. II, trad. A. Pérez Martín, Madrid, 1996, pág. 552.

distinción convencional más clara y común que se ha ido obteniendo, paulatinamente al cabo del tiempo, concretándose en los tres conceptos de ineficacia contractual clásicos, la nulidad, la anulabilidad y la rescisión[316]. Lo que se ha dado en llamar los regímenes típicos de la ineficacia contractual[317]. Fuera de estas tres categorías clásicas solo queda la confusión de múltiples figuras desdibujadas.

¿Qué ocurre con el concepto de inexistencia que aparece en los textos de los comentaristas del Código francés y en el Proyecto de García Goyena? Tras la delimitación de las dos categorías de nulidad, la nulidad relativa o anulabilidad y la nulidad absoluta o radical o de pleno derecho, para la mayoría de los autores pierde sentido la utilización del término o concepto de inexistencia, porque no es una categoría distinta de la nulidad radical y por tanto está sujeta a la misma disciplina que ésta[318].

No obstante, la distinción nulidad-inexistencia, tiene cierta trascendencia en el tema que nos ocupa para poner de manifiesto la diferencia de fundamento entre nulidad por infracción de norma prohibitiva y nulidad por inexistencia del negocio. De esta forma, la distinción puede evitar el dejarse llevar por la inercia de la idea generalizada de que todo contrato contrario a la ley es radicalmente nulo o lo que es lo mismo inexistente. Ésta parece que sea la regla general que tradicionalmente se ha venido manteniendo de una forma dogmática.

También esta es la regla general que parece sostener el Código, incluso tras la reforma del título preliminar, al tenor literal del art. 6.3. Sin embargo, no parece que actualmente se corresponda con la realidad jurídica que ha superado definitivamente este cliché.

[316] LABANDERA Y BLANCO, V., *Nulidad, anulabilidad...* op. cit., pág. 171 y ss.
[317] CASTÁN TOBEÑAS, J., *Derecho civil...* op. cit., 1943, págs. 638-639.
[318] DELGADO ECHEVERRÍA (*Comentarios edersa*, pág. 308 *y Comentarios del Ministe-rio*, pág. 542) En Francia ocurre lo mismo una vez hecha la distinción doctrinal la jurisprudencia la ha ignorado por largo tiempo y desapareciendo la regla de la nulidad textual pierde sentido la distinción que se convierte en meramente retórica reservando el término inexistencia para los casos en los que el obstáculo a la validez del contrato es un obstáculo material y el de nulidad para los casos en los que el este obstáculo legal, es decir, una prohibición legal (CAPITANT... op. cit., pág. 81 y 82).

Capítulo V
EFECTOS DE ILEGALIDAD CONTRACTUAL: NUEVAS PERSPECTIVAS

I. NUEVAS PERSPECTIVAS DE LA INEFICACIA CONTRACTUAL

1. Transformación del concepto puro de nulidad

La nulidad absoluta supone, como hemos visto, la solución natural que han ido recibiendo los contratos contrarios a las normas imperativas. Sin embargo, se ha ido poniendo de manifiesto, sobre todo por parte de la doctrina francesa, que la teoría clásica de las nulidades es renuente al nuevo orden público económico[1]. Por esta razón se acude a la noción de ineficacia como nulidad en sentido lato, puesto que la nulidad se va a tener que convertir en una sanción que se debe adaptar a la finalidad de la norma cuya observancia tiende a asegurar. Se tiene que acudir a otros métodos como son la reducción, la sustitución y, por último, la limitación en la legitimación para instar la nulidad. Esta adaptación del concepto de la nulidad a las nuevas exigencias legales se puede seguir deduciendo de la función clásica que esta figura ha venido desarrollando.

En la redacción de las disposiciones del Código relativas a la nulidad se ha empleado un tono enérgico. Sin embargo, las clásicas características que se han atribuido a su régimen jurídico se pueden reinterpretar a la luz de las nuevas exigencias del tráfico jurídico-económico. En este sentido, LUTZESCO desafiando a la doctrina francesa clásica afirma que «la noción de nulidad es tan flexible que se presta a las más variadas interpretaciones, es tan amplia que puede dividirse y afectar el acto sólo en aquellas partes en que los contratantes han violado la Ley; es de tal manera flexible que se inclina ante las circunstancias de hecho, sobre todo, cuando estas circunstancias han

---

[1]   Sobre todo a partir de JAPIOT, M., (*Des nullités en matière...* op. cit.) y PIÉDELIÈVRE, J., (*Des effets produits par les actes nuls...*, op. cit., vid. especialmente sus respectivas introducciones). Aunque este alejamiento de la doctrina clásica en Francia fue también puesto de manifiesto por otros autores como RIPERT, G. (RIPERT; G., *Le régime démocratique et le droit civil moderne, Nº 144, pág. 282, París, 1948. L´ordre économique et la liberté contractuelle, Etudes Gény,[Recueil d´études sur les sources du droit], II, París, 1934, p. 347))*. y GAUDEMENT, E., *Théorie générale des obligations*, Toulouse, 1965, capítulo I, sección III, *Sanction des conditions requises-théorie des nullités*. págs. 140-200. vid. también PUIG PEÑA, F., *Ineficacia de los...* op. cit., pág. 453. y BONNECASE, J., *Elementos de...* op. cit, vol. XIV, pág. 275. Este último autor habla incluso de «hostilidad de una parte de la doctrina contemporánea, contra la teoría clásica».

surgido de la buena fe de una de las partes o de la apariencia de regularidad»[2].
Ahora, como dice DORAL GARCÍA, «la nulidad se mide según el arco entre
la eficacia (ineficacia) de los actos y la interpretación favorable a evitar las
consecuencias dañosas personales y patrimoniales, en último término entre
la sanción y el remedio»[3].

Así pues, esta afirmación clásica de que la regla del negocio *contra legem*
es, siempre y en todo caso, la nulidad absoluta en toda su extensión merece
ser puesta en tela de juicio[4] o, en todo caso, matizada por varias razones. Las
más relevantes son:

1º- Como hemos tratado de dejar claro antes, el contrato nulo no va a
significar que sea inexistente o sin valor en el derecho. En realidad, la sanción
anuladora sólo priva al contrato de los efectos proyectados por las partes y que
provocan la transgresión, pero se colocan los efectos legales en el lugar de los
que se han eliminado. No va a suponer que siempre se traten de erradicar
absolutamente todas las consecuencias y efectos derivados del contrato
ilegal[5].

2º- Cuando el objetivo de la Ley vulnerada no implique todo el contrato
sino que se dirija sólo contra un aspecto concreto del mismo, para que se
cumpla la voluntad del legislador, se restringirá la anulación a ese aspecto
concreto que pugna con la Ley, manteniendo la validez del resto del contrato.
Es lo que se conoce con el nombre de nulidad parcial.

3º- Conviene, en cuanto a los efectos que despliega la nulidad, valorar
todas las piezas que componen las relaciones interpartes y sus intereses en
juego. La aplicación ciega de la nulidad puede conducir a consecuencias
dañosas o injustas para una de las partes contratantes y favorecer o beneficiar
inmerecidamente a la otra. En consecuencia, es aconsejable, cuando menos,
reparar y satisfacer las lesiones patrimoniales que se le ocasionen a la parte
contratante inocente o no culpable de la infracción mediante la exigencia de
responsabilidad.

4º- La realidad, de nuevo, nos indica que esta regla clásica de la nulidad
ha sido superada y que no se corresponde con las nuevas exigencias que
demanda el tráfico jurídico o la nueva legislación. Estas exigencias conducen
a diseñar legal y jurisprudencialmente nuevas categorías de ineficacia que no
se corresponden con las típicas de nulidad radical, nulidad relativa o

---

[2]   LUTZESCO, G., *Teoría y práctica de las nulidades*, trad. M. Romero Sánchez y J. López, México, 1945, pág. 308.

[3]   DORAL GARCÍA, J.A., *El contrato como fuente de obligaciones*, Pamplona, 1993, pág. 160.

[4]   GULLÓN BALLESTEROS, A., *Curso...* op. cit. pág. 195.

[5]   Es obvio que no se puede considerar que el contrato nulo desaparezca sin que deje rastro alguno, sin producir ningún efecto, ya que aunque no produzca los efectos proyectados por las partes producirá los efectos típicos de la ineficacia.

anulabilidad y rescisión. Las nuevas leyes prevén sanciones diversas ante la ilegalidad contractual y la jurisprudencia al aplicarlas instaura unas disciplinas que no van a encajar exactamente en las tipificadas por el Código o construidas por la doctrina. Estas nuevas soluciones se pretende que sean lo más ajustadas al caso concreto.

5º- El silencio de la Ley sobre las consecuencias civiles concretas derivadas de su infracción nos autoriza, la mayor parte de las veces, a tener más en cuenta las necesidades prácticas y éstas son esencialmente variables y contingentes al conducirnos a soluciones diferentes según el tipo de casos y sus circunstancias.

Las soluciones ideales pasan por una gran flexibilidad en la interpretación del propósito perseguido por la Ley. Esta flexibilidad puede conducirnos a diversos resultados: **a)** muchas veces nos llevará a la **nulidad absoluta**, pero ahora se observa la posibilidad de complementar sus efectos con la eventual exigencia de responsabilidad por parte del contratante perjudicado. **b)** otras veces se deberá aplicar una **nulidad graduada o combinada**. No se aplicará la nulidad radical con todas y cada una de las características y contenido que hemos visto que se predican de ella. Y **c)** en otros casos se podrá mantener la **validez *extralegum* del pacto sin perjuicio de** que **otras sanciones** se apliquen a los infractores **y de la responsabilidad** que se derive de su conducta (cuando con otra solución o bien se perjudique a terceros o a los contratantes que no han intervenido en la infracción ni han obrado con culpa alguna, o bien simplemente se beneficie a los infractores resultando la nulidad no como una sanción sino como un premio para los infractores).

Esta nueva concepción ha sido ya reflejada en numerosas sentencias del Tribunal Supremo que asumen que «no todo lo hecho contra Ley es nulo»[6]. El propio Tribunal Supremo es consciente de este cambio y así lo refleja justificando esta graduación y flexibilidad en la aplicación de la nulidad en los contratos *contra legem*: «la moderna doctrina jurisprudencial viene distinguiendo sobre todo después de la reforma del Titulo Preliminar del Código Civil y de la publicación de la L.O.P.J. 6/85, de 1 de julio, diversos grados dentro de la nulidad sustantiva y procesal.»[7]

Partiendo del presupuesto de que la ineficacia puede desarrollarse en distintos grados, consideramos que se pueden desglosar estas posibilidades de graduación más allá de las formas clásicas[8]. De hecho, estas formas clásicas, que han sido y son imprescindibles para evitar confusiones, servirán

---

[6] Ss. de 10 de febrero de 1944, 28 de enero de 1958, 20 de febrero de 1961, 27 de febrero de 1964, 22 de marzo de 1965, 1 de febrero y 8 de marzo de 1966, 14 de diciembre de 1971, 28 de junio de 1976, 31 de junio de 1978, 8 de junio de 1979, 17 de octubre de 1987 y 25 de septiembre de 1990, entre otras.

[7] Sentencia de 25 de septiembre de 1990.

[8] PLANIOL, *Droit Civil. Obligations*, 1ª partie, T. VI, págs. 385-386, BAUDRY-LACANTINERIE, G., *Précis de droit civil*, 9º ed., París, 1905, pág. 57.

de base estable para desglosar las variantes[9]. Como expresa DE CASTRO, en la doctrina para evitar «enfadosas y reiterativas clasificaciones se destacan ciertos tipos de ineficacia, dejando sus variantes en la penumbra»[10]. Trataremos a continuación de sacar a relucir y esclarecer estas variantes.

Respecto a la forma de graduar la nulidad podemos adelantar que dependiendo del caso: unas veces no será una nulidad absoluta imprescriptible o no podrá ser alegada por cualquier interesado, incluso cabe que tan sólo se encuentre legitimada una de las partes del contrato. En otras ocasiones, las circunstancias también pueden aconsejar anular, única y exclusivamente, aquella parte que va en contra de la Ley, dejando subsistente el vínculo contractual en el resto (**nulidad parcial**). El contrato subsistirá bien procediendo a suprimir la parte ilegal, dejando el resto del contrato tal y como quede sin la parte anulada (**nulidad parcial simple**), o bien sustituyendo lo anulado por lo que legalmente debería haberse adoptado en el convenio (**nulidad parcial sustitutiva**). La nulidad parcial sustitutiva se aplica porque la Ley ordena que ciertos extremos esenciales de determinados contratos queden obligatoriamente fijados de una determinada manera, no dejando a las partes alterar el contenido del contrato sobre este particular. Parece claro que el propósito de la Ley en caso de desobediencia será mantener el vínculo negocial con la reconducción del contrato a los términos (positivos o negativos) puntualmente impuestos por la norma, sin dar opción a que opere otro tipo de ineficacia.

2. *Las nuevas técnicas correctoras de la teoría clásica de la nulidad*

Actualmente, la legislación, doctrina y jurisprudencia tratan por todos los medios de mantener a salvo, al máximo posible, los intereses apreciables de las partes en las situaciones de ilegalidad contractual[11]. Para conseguirlo se pueden emplear dos técnicas diferentes perfectamente intercambiables. La técnica a emplear depende de la política legislativa que pretenda seguir cada ordenamiento y de las distintas concepciones que se tengan de las categorías jurídicas en juego. Las dos posibilidades que apuntamos a grandes rasgos son:

a) Ante cualquier caso de ilegalidad contractual, optar siempre por la declaración de nulidad como sanción objetiva y neutral. Como resultado de esta declaración pueden ocurrir dos cosas: los desarreglos patrimoniales que,

---

[9]   Uno de los principales reproches que hace PIÉDELIÈVRE a algunos de los detractores de la teoría clásica de la nulidad es el querer destruir la misma sin proponer nada que ocupe su lugar (PIÉDELIÈVRE, J., *Des effets produits par les actes nuls...*, op. cit., pág. 501.)

[10] DE CASTRO Y BRAVO, F., *El negocio jurídico*, cit., pág. 467.

[11] Como adelantamos en los primeros epígrafes del capítulo anterior, *vid.* epígrafes. «Línea de evolución: tratamientos legal, doctrinal y jurisprudencial».

en su caso, se produzcan por los efectos restitutorios de la nulidad o bien resultan merecidos por la conducta de los contratantes y adecuados a la violación legal, o bien, en otro caso, procederá la justicia reparadora a través de la indemnización de los daños y perjuicios aplicando las reglas de la responsabilidad por *culpa in contrahendo*.

Como veremos más adelante, ésta viene siendo la solución que adopta el ordenamiento jurídico alemán proclive a declarar siempre la nulidad del contrato prohibido o ilegal con independencia de las consecuencias de ésta, que deberán examinarse posteriormente conforme las reglas de responsabilidad[12].

b) Considerar que la nulidad no es, en todo caso, la sanción más adecuada a la violación legal a pesar de que haría desaparecer todas las consecuencias de esta infracción. Se piensa que la nulidad no es únicamente una sanción objetiva y neutra. El objetivo de la nulidad no se reduciría a reparar la legalidad vulnerada. Junto con la finalidad restauradora de la integridad del ordenamiento jurídico perseguiría, al mismo tiempo, conseguir cierta justicia reintegradora para las partes. A esta finalidad se encaminan sus efectos restitutorios, que tienen la función de tratar de restaurar el estado patrimonial en el que se encontraban los contratantes antes de celebrar el contrato.

Por esta razón se tratan de aplicar las consecuencias de la nulidad de una forma graduada y teniendo en cuenta las condiciones en las que se encuentra cada uno de los contratantes. En este aspecto se tratarían de modular los efectos y características de la nulidad en cada caso concreto de ilegalidad. Este planteamiento tampoco es incompatible con la permanente posibilidad de exigir responsabilidad por los daños y perjuicios pero, en principio, se trataría de evitar que se irrogasen estos daños mediante una aplicación discriminada de la nulidad. Una de las aplicaciones más originales es la que recogen códigos hispanoamericanos como el chileno o argentino en la cual se niega legitimación para solicitar la nulidad a la parte que conociese o pudiere conocer la causa de nulidad (vid. epígrafes «El Código Civil chileno» y «El Código Civil argentino»).

En nuestro ordenamiento jurídico es indudable que cabe aplicar la primera de las técnicas, aunque no encontremos demasiados exponentes jurisprudenciales ni haya demasiada tradición de demandas. Resulta más problemático considerar que sea aplicable la segunda técnica, habida cuenta que nuestro Código no recoge esta posibilidad de limitación en la legitimación activa de la demanda de nulidad.

---

[12] ENNECERUS, KIPP, WOLFF, *Tratado de derecho civil*, T. II, 1, cit. pág. 160. Vid infra epígrafe «Responsabilidad por *culpa in contrahendo*». Curiosamente, la jurisprudencia alemana no opta por declarar la nulidad parcial del contrato en las compraventas de inmuebles con precio superior al de tasa. En estos casos se mantiene la nulidad íntegra del contrato en razón a que la considerable cuantía del precio resulta determinante para la decisión de contratar (VÁZQUEZ DE CASTRO, E., *Precio y renta...* cit., pág. 22.

2.1. Apertura al juego de la responsabilidad. (Remisión)[13]

Esta técnica se basa en revisar los intereses de las partes *a posteri,* después de valorar la sanción que merece objetivamente la ilegalidad. Es decir, se aplica en principio y como solución general la teoría objetiva de la nulidad del contrato ilegal. El régimen de la nulidad radical se aplica o no, según la gravedad del caso de ilegalidad o lo terminante de la prohibición transgredida, sin tener en cuenta las consecuencias ulteriores que pueda tener para los intereses de los contratantes.

Una vez desplegados todos los efectos de la nulidad y restablecida la legalidad se revisa la situación en la que quedan los intereses de las partes. Se verifican los casos de coincidencia del contrato y del ilícito en aquellas situaciones en los que el desarrollo de la actividad contractual y su ineficacia determina una obligación del resarcimiento del daño. Se exigirán siempre responsabilidades *por culpa in contrahendo* en concurrencia con el remedio clásico de la nulidad.

Esta forma de operar *a posteriori* funciona considerando que la declaración de nulidad es inevitable. Entonces, las consecuencias negativas de esa declaración van a tener que ser corregidas mediante la dilucidación de responsabilidades con la consiguiente indemnización de esos daños producidos a consecuencia de la nulidad. Esta forma de solución del problema es más compleja al realizarse en dos fases. En la primera se trata de dar respuesta al interés protegido por la ley, restaurar la legalidad y reparar el quebranto ocasionado por la infracción en el ordenamiento jurídico. En la segunda se tratará de dar respuesta a las legítimas pretensiones de las partes y se tratará de la reparación de los posibles daños. Esta obligación de reparar recaerá sobre el contratante que haya causado la ineficacia de una forma culpable y habrá de solicitarse por el perjudicado. El coste adicional de restaurar la legalidad no debe repercutir o soportarse por el contratante inocente de buena fe.

2.2. Apertura a nuevas concepciones de la ineficacia

Una vez vista la concepción más rígida de la nulidad como respuesta firme y objetiva a la ilegalidad contractual debemos considerar otras perspectivas. Podemos partir también de la nulidad como regla general a la ilegalidad, pero admitiendo matizaciones. Como observa SCOGNAMIGLIO, la nulidad constituye una figura legal, como una forma concreta de invalidez. No es una categoría lógico-racional, razón por la cual su esencia —en defecto de una definición legislativa— va a ser deducida sólo de la disciplina que el Código dicta[14]. Por lo tanto, la política legislativa puede, en cualquier momento,

---

[13]   Esta técnica se explicará mas adelante vid supra epígrafe »*La responsabilidad derivada de la ineficacia*».
[14]   SCOGNAMIGLIO, R., *Contributo...* cit. pág. 413.

definir una disciplina distinta de la nulidad que concibe el Código Civil y que se aplicará de forma preferente a ésta. En lo que no especifique la nueva regulación se completará aplicando subsidiariamente la disciplina general de la nulidad. Por otro lado, se puede afirmar que existe una pluralidad y flexibilidad de las clases de invalidez puesto que «el Código Civil prosigue la tradición de no establecer criterios rígidos de clasificación y carece de rigor terminológico»[15].

No siempre se va a tener que acudir como única y excluyente solución a la nulidad radical. También se puede operar *a priori* tendiendo a evitar aquellos nocivos efectos de la nulidad desde la valoración previsora de los efectos de la sanción a aplicar al contrato ilegal. Se trata de ponderar el posible resultado cuando se puede advertir, en el caso concreto que se enjuicie, que la declaración de nulidad típica provocaría una situación injusta que no sólo no solucionaría la cuestión sino que la empeoraría. En estos casos, no sólo cabe resignarse al resultado pernicioso confiando en que posteriormente la exigencia de responsabilidad lo enmendará. También se puede optar por no declarar esa nulidad típica en todos sus efectos o, incluso, denegarla.

Se puede optar por no aplicar todos los efectos de la nulidad al no considerar imprescindible que funcione la más enérgica de las sanciones civiles hasta sus últimas consecuencias. Siempre habrá lugar para moderar las sanciones según las diversas necesidades a las que la norma imperativa deba responder. Es decir, se puede acudir a una ineficacia meramente parcial o con características combinadas con las de la anulabilidad, incluso a mantener la validez del contrato para no provocar males mayores. Se incluyen los intereses de las partes para valorar la ilegalidad y se complementa y contrasta la teoría objetiva de la nulidad con consideraciones subjetivas. Se trata de construir, caso por caso, la sanción mejor o más adecuada *a priori* para la salvaguarda de los intereses de las partes respetando los fines o finalidad de la norma sancionadora.

Este planteamiento pretende otra clasificación de la ineficacia, más numerosa, más tolerante, sin pretender la universalidad a toda costa y susceptible de combinaciones entre categorías. Esta nueva clasificación, lejos de proyectar respuestas más dudosas a las cuestiones precisas que tengan que resolver, procurará unas respuestas más certeras y ajustadas a las normas de las que provienen. Serán más próximas las especies a los géneros y la solución aparte de más segura será más inmediata[16].

Representarán estas sanciones, en la mayor parte de los casos, una solución nueva y alternativa a la de la nulidad radical. Esto significa que se tratará de evitar con una racional aplicación de las nuevas formas de

---

[15] DELGADO ECHEVERRÍA, J., en *Elementos de Derecho Civil* I, LACRUZ BERDEJO y otros, Vol. III, *Nueva edición*, Madrid, 1999, pág. 253.
[16] JAPIOT, R., *Des nullitès...* op. cit., 2ème partie, pág. 162.

ineficacia, en la medida de lo posible, el daño que pudiera ocasionar la aplicación ciega de los efectos de la nulidad a los intereses de las partes[17].

Esta posibilidad que estamos describiendo se puede afirmar que constituye ya una tendencia en nuestra realidad jurídica. GIL RODRÍGUEZ observa esta tendencia a evitar la gravedad de la sanción de la nulidad tanto en el propio legislador que llega a «"fingir la validez" en obsequio de quien incurrió en contravención (art. 79 Código Civil)». Como en la jurisprudencia que «se orienta en el sentido de no declarar la nulidad completa sino parcial, y en ocasiones, **modula el régimen de la nulidad total**, bien aplicando la regla de la irrepetibilidad de las prestaciones (1303-1306.1º), bien rechazando la pretensión de nulidad del infractor y favoreciendo, por contra, idéntica solicitud si procede de la parte a quien la norma infringida tiende a proteger»[18]. Esta tendencia que muy atinadamente describe GIL RODRÍGUEZ es la que nos va a servir de base para estudiar todas las posibles consecuencias que pueden derivarse de un contrato ilegal.

Las nuevas formas de ineficacia, curiosamente, se plantean ahora, mas bien, como una solución «alternativa» a la de la exigencia de responsabilidades por *culpa in contrahendo*. No obstante, en la medida que no se puedan evitar del todo los efectos negativos derivados de estas nuevas formas de ineficacia nada impide que también puedan exigirse responsabilidades en concurrencia con estas[19].

En resumen, desarrollando la idea de ineficacia como sanción fundamentalmente correctora, se debe observar que si la nulidad parece demasiado mal adaptada al medio o ámbito en el que tenga que funcionar, habrá que moderar sus enérgicos efectos. Esta moderación de efectos puede hacerse de dos formas: - bien sea indirectamente a través de la reparación por medio de una compensación dada al contratante-víctima (daños y perjuicios); - bien directamente por medidas que dejen, en todo o en parte, subsistente el contrato, con independencia de que se haga objeto al contratante de mala fe de un cierto mal a título de pena. Es decir, si la aplicación de la nulidad a un supuesto concreto va a conllevar previsiblemente unos efectos perniciosos para las partes y en discordancia con el espíritu de la ley que la provoca, mejor será entonces tolerar la eficacia del contrato como mal menor.

En definitiva, lo que resulta claro es que no se puede admitir que la ineficacia que se aplique, en cada caso, al contrato contribuya a obtener un resultado que el derecho no puede consolidar por no ser conforme al fin de la norma sancionadora, o por implicar un perjuicio o una lesión injustos en cuanto los efectos que despliegue. Tanto más injustos cuanto más beneficie a la parte culpable de la irregularidad. A evitar estos resultados es a lo que

---

17 PIÉDELIÈVRE, J., *Des effets produits par les actes nules..* cit., pág. 384.
18 GIL RODRÍGUEZ, J., *Manual de derecho civil*, I, Madrid, 1997, pág. 87.
19 SCOGNAMIGLIO, R., voz: «Illecito (diritto vigente)», en *Noviss. Digesto Italiano*, diretto da Azara, A. y Eula, E., V, Turín, 1968, pág. 173

tiende las dos técnicas cuya preferencia depende de la política legislativa que se elija.

2.3. Razones para aplicar una u otra técnica en cada caso

2.3.1. Tendencia hacia la declaración de nulidad del contrato

Esta es la política, a grandes rasgos, seguida por ejemplo por el sistema legal germánico en el que se dispone de un desarrollado sistema de responsabilidad por *culpa in contrahendo*. En definitiva, para comprender los motivos que llevan a seguir esta dirección hay que tener en cuenta que es una postura lógica manteniendo una teoría estrictamente dogmática y conceptual. Los sustentadores de esta tendencia consideran, como mantiene férreamente en Francia GUELFUCCI-THIEBERGE, que no deben mezclarse los conceptos de nulidad y de responsabilidad[20]. La responsabilidad se rige por parámetros de culpa y la nulidad es, en cambio, una reacción objetiva del ordenamiento jurídico ante una infracción. La nulidad se deberá declarar automáticamente en cuanto se produzca la infracción que la merezca afectando a ambos contratantes con independencia de la persona en quien recaiga la responsabilidad de esa ineficacia.

Entre la doctrina italiana, en este mismo sentido se expresa STOLFI quien observa que no se establece que el negocio sea nulo porque las partes sean culpables de la infracción de las prescripciones legales y válido en el caso contrario. Esta circunstancia daría lugar únicamente a la reparación de daños sufridos por el contratante que ignoraba la causa de invalidez[21].

En todo caso, la nulidad producirá, sin atender a la conducta observada por las partes contratantes, todos sus efectos retroactivos y restitutorios. El grado de intervención o participación de cada contratante en la causa de nulidad sólo se podrá considerar posteriormente y en otro plano. Estas consideraciones se utilizarán al aplicar los mecanismos de la responsabilidad para reparar y compensar los perjuicios producidos en el patrimonio de la parte exenta de culpa. Es a este plano donde se acude a evaluar las circunstancias subjetivas concurrentes. Se parte también de la concepción de que la nulidad es una sanción objetiva y que la responsabilidad no tiene, en ningún caso, como objeto sancionar sino reparar los daños producidos a la parte que lo solicite. Luego también en esto se cifra la diferencia.

El ordenamiento que opta por este sistema es un ordenamiento en el que se suele aplicar la nulidad radical con una gran tranquilidad. Esto se debe a que del mismo modo que declaran la nulidad y aplican sus efectos, automáticamente, van a aplicar en estos supuestos la responsabilidad por

---

[20] GUELFUCCI-THIBIERGE, C., *Nullité, Restitutions et...* op. cit., pág. 522.
[21] STOLFI, G., *Teoría del negocio jurídico*, trad. J. Santos Briz, Madrid, 1959, págs. 119-120

culpa in contrahendo. No existe temor en aplicar la nulidad puesto que se normaliza la posibilidad de dilucidar la responsabilidad para compensar o contrarrestar los efectos perniciosos que pueda provocar tan extrema sanción en el patrimonio de alguna de las partes.

Esta es la concepción que parte de la autonomía de los conceptos de nulidad y responsabilidad considerando la superioridad teleológica de la nulidad ya que tiende a suprimir la situación de ilicitud creada por la infracción de la ley, mientras que la responsabilidad tiende más modestamente a la reparación de perjuicios irrogados por esta situación. Esta es la tesis que mantiene GUELFUCCI-THIBIERGE, concluyendo que el tema de la nulidad se mantiene en un plano estrictamente objetivo mientras que la responsabilidad es la que se ocupa de las circunstancias subjetivas como la culpa de las partes. En suma, mantiene la imposibilidad de que la responsabilidad y sus elementos o condiciones puedan ejercer influencia alguna sobre el principio mismo de la nulidad y su juicio[22]. De tal forma que el rechazo de la acción de nulidad no supone una manifestación de responsabilidad y la nulidad parcial no depende más que del grado de ilicitud y no de consideraciones subjetivas[23].

Pero, en todo caso, si se pudiera considerar a la nulidad como una sanción está claro que no es correcto que ninguna sanción deba considerarse absolutamente impermeable a consideraciones de circunstancias de carácter subjetivo. No se discute que, en principio, los elementos subjetivos como la culpa deben quedar reservadas para apreciar, atribuir y evaluar la responsabilidad. Sin embargo, tampoco se puede pasar por alto que la nulidad también tiene cierto componente sancionador y por eso no debe estar completamente cerrada a consideraciones subjetivas[24].

---

[22] GUELFUCCI-THIBIERGE, C., *Nullité, Restitutions et...* op. cit., págs. 243-245.

[23] GUELFUCCI-THIBIERGE, C., *Nullité, Restitutions et...* op. cit., págs. 240-243 y 521-522.

[24] Autores tan diversos como CORBIN o JAPIOT destacan el contraste entre la adaptabilidad de las sanciones del derecho penal según las necesidades casuísticas (precisamente lo característico de las penas es que se busca una individualización completa según todas las circunstancias concurrentes) frente los métodos del derecho civil que son más de certidumbre y menos de equidad. (JAPIOT, *Des nullités...* op. cit. págs. 161-162 y CORBIN, A.L., *Corbin on contract,* St. Pablo, Minnesota, 1952. págs. 1154-1155). Por esta razón considera DURRY que en esta materia, que no está tan lejos del derecho penal ya que en último término también se trata de imponer sanciones, los tribunales deben aplicarlas con una gran flexibilidad y tratar de dosificarlas. (DURRY, M.G., *L'inexistence, la nullité* et... op. cit., pág. 630). LUTZESCO considera que hay casos en los que la nulidad absoluta reviste un doble carácter; civil y penal. Penal en cuanto constituyen una indignidad para una de las partes. Esto se traduce en que el sujeto a interdicción no tiene derecho a invocarla contra sus actos. (LUTZESCO, G., *Teoría y práctica de las nulidades,* trad. M. Romero Sánchez y J. López, México, 1945, pág. 279, MOSCHELLA, «*Il negozio contrario a norme imperative*», en *Legislazione economica,* (settembre 1978-Agosto) 1979, pág. 306-309.)

2.3.2. Tendencia hacia la conservación de la validez del contrato como sustitutiva de las reparaciones

En principio, de la formulación de nuestro artículo 6.3 del Código Civil «Los actos contrarios a las normas imperativas y a las prohibitivas son nulos de pleno derecho...» parece que la valoración de la nulidad del contrato se completa teniendo en cuenta solamente el dato objetivo de que exista una norma imperativa a la cual el contrato resulta ser contrario. Sin embargo, como señala GIL RODRÍGUEZ existe un amplio margen de apreciación del que puede hacer uso el intérprete de la norma: 1°) a la hora de establecer si la infracción es contravención en el sentido de gravemente atentatorio al respeto debido a la ley y por tanto merecedor de la, igualmente grave, sanción de nulidad y 2°) a la hora de apreciar si la norma infringida contiene un efecto distinto del de la nulidad[25].

En el sentido objetivo de la norma parecería, en todo caso, irrelevante que la voluntad de los contratantes estuviese o no dirigida a violarla. Las únicas vías de escape a esta regla objetiva serán instrumentadas a través de su coordinación con la norma que establece la nulidad por causa ilícita por ir ésta contra la ley (art. 1275 CC.) o controlar la legitimación para solicitar la declaración de nulidad examinando la efectiva legitimidad del interés del que la pretende.

No obstante, como hemos tenido ocasión de ver, la tendencia actual en nuestro propio ordenamiento pasa por dar soluciones más flexibles a los casos de ilegalidad. Esta tendencia pasa por tomar diferentes modalidades de la nulidad (ineficacia) que va a hacer que en muchos casos sea innecesaria una reparación de daños y perjuicios.

Precisamente, estas nuevas modalidades de ineficacia buscan dar una solución lo mas adecuada posible al caso concreto. Como ya analizaremos, de forma prolija, estas variantes de ineficacia son fundamentalmente:

– Tender hacia la nulidad parcial del contrato.

– Restringir la legitimación de la nulidad exclusivamente a la parte contratante protegida especialmente por la Ley.

– Negar la posibilidad de impugnación al contratante que obró de mala fe manteniendo la eficacia del contrato.

Creemos que la jurisprudencia, en nuestro país, al tender siempre a proporcionar el resultado más justo, implica en la aplicación de la nulidad y sus efectos valoraciones subjetivas de las conductas de las partes y por ello no se reclaman o no se dirimen luego responsabilidades resarcitorias. Por este motivo creemos que no se ha desarrollado —como debería— en estos casos la reclamación de responsabilidades por *culpa in contrahendo,* que tendría que

---

[25]   GIL RODRÍGUEZ, J., *Manual de derecho civil*, I, Madrid, 1997, pág. 86.

operar como acción accesoria y subsidiaria, complementando a la de ineficacia[26].

Podemos comprobar que obtenemos el mismo resultado, sin necesidad de acudir a la responsabilidad, aplicando de forma flexible las distintas variantes de ineficacia contractual derivada de la ilegalidad del contrato. Aplicando estas nuevas reglas se trata, sobre todo, de evitar los perjuicios que se pueden derivar de una indiscriminada aplicación de la nulidad. Como hemos visto, las partes tienen una serie de acciones para conseguir que el contrato pueda regularizar su situación sin anularse. Las partes se van a encontrar en situaciones diversas atendiendo al resultado al que haya conducido la ilegalidad.

Por consiguiente, si estas variantes de la teoría clásica de la nulidad evitan los daños y perjuicios en la parte que obra de buena fe ya no será operativa la reclamación de responsabilidad al faltar la condición principal. Solamente en el caso en el que no se haya logrado una completa erradicación de estos daños sino únicamente de parte de ellos es cuando cabrá una responsabilidad por culpa in contrahendo.

En definitiva, son cuestiones de política legislativa porque se puede llegar a la misma solución por las dos vías que son seguidas por los ordenamientos jurídicos, dependiendo de su tradición jurídica. Sin olvidar que también la responsabilidad tiene cabida como complemento de las nuevas modalidades de ineficacia cuando de ellas se produzca cualquier daño que no se tenga porqué soportar.

La explicación de por qué, modernamente, se prefiere no aplicar la nulidad radical, ni siquiera completada y corregida por una correcta aplicación de la responsabilidad, se encuentra en la proliferación de las alternativas flexibles de esta la nulidad clásica. Esta preferencia se debe a varios factores:

1º La falta de alegación de las partes en la práctica. En nuestro país, al menos, no es frecuente que las partes traten de dilucidar responsabilidades derivadas de la nulidad del contrato. No suele ser planteada la responsabilidad junto con la demanda de nulidad quizá debido a que no se encuentra demasiado arraigada en nuestra tradición jurídica esta modalidad de *culpa in contrahendo* y no haber sido desarrollada convenientemente en la práctica.

2º Derivada del primer factor, la tendencia de los jueces es tratar de solucionar el caso ante ellos planteado de una forma definitiva. Además de la falta de hábito en la alegación, no es fácil de admitir por un tribunal que puedan tener lugar litigios posteriores sobre la base de perjuicios ocasionados por una nulidad declarada por su propia resolución.

3º La economía procesal. Aunque no haga falta una cuantificación exacta del daño para solicitar la responsabilidad, muchas veces no se va a poder

---

[26] RUIZ MUÑOZ, M., «*La nulidad parcial del contrato y la defensa de los consumidores en el Derecho francés. (una visión desde España)*» en *A.D.C.*, 1991, F.1, pág. 328. J. GHESTIN, *Droit civil*, T. II, pág. 1091.

reclamar la indemnización hasta finalizado el juicio de anulación del contrato. Hasta entonces, aunque se pueden prever los daños y perjuicios que se irrogan, éstos no se pueden considerar producidos hasta que no se despliegan o se hacen ejecutar los efectos de esa nulidad.

4º La seguridad en el tráfico. Es preferible mantener el contrato en vigor si las consecuencias de la nulidad vienen a desbaratar expectativas y confianzas que sustentan el buen funcionamiento del mercado. Por mucho que las indemnizaciones puedan compensar los daños y perjuicios producidos no serán capaces de arreglar los trastornos que se provocan en el dinámico y complejo tráfico económico.

En todo caso, debemos destacar que este criterio tampoco se puede catalogar como reciente. Nos reencontramos con esta tendencia a evitar los efectos demasiado rigurosos y severos de la nulidad, cuya intransigencia e irreflexibilidad, según PIÉDELIÈVRE, ya antiguamente hicieron decir a SOLON: «las nulidades son odiosas»[27].

3. La nueva concepción de la ineficacia derivada del contrato ilegal. Evitar la nulidad absoluta

3.1. Las nuevas formas de ineficacia como *tertium genus* entre la nulidad y la anulabilidad

En realidad, las nuevas soluciones o alternativas que se proponen frente a la teoría clásica de la nulidad no son sino variaciones, más o menos significativas, respecto a los principales efectos y características que en ella se predican de la nulidad. Podemos afirmar que los contratos contrarios a las leyes pueden resultar con unos efectos que distan mucho de ser los que se concebían como característicos de la nulidad de pleno derecho, sin que por ello tenga que considerarse que se esté tratando de una anulabilidad.

El planteamiento general puede mantenerse al margen de la polémica sobre si la anulabilidad se reduce a un *numerus clausus* de causas mientras que la nulidad se aplica o extiende a cualquier caso de ilegalidad[28]. Hemos de advertir que puede partirse de un error si para determinar el tipo de ineficacia aplicable a una determinada infracción normativa se trata de reconducir, por todos los medios, a uno de los dos regímenes típicos. Dicha reconducción tendería artificialmente a aplicar al contrato ilegal todos los efectos y consecuencias típicos del régimen jurídico de la ineficacia escogida, cuando puede que éstos no sean los idóneos para cumplir la misión que tiene encomendada la norma.

---

[27] Quizá fuese este autor, buen conocedor de la práctica, el primero que de forma audaz manifestó su opinión favorable a esta tendencia ya en 1835 con su obra *Théorie sur la nullité* (PIÉDELIÈVRE, J., *Des effets produits par les actes nules..* cit., pág. 384.)

[28] Vid *supra* epígrafe «Virtualidad de la nulidad textualidad de la anulabilidad».

DELGADO ECHEVERRÍA comentando la sentencia de 14 de marzo de 1983 advierte del peligro de que en ella (como en muchas otras) se resuma la doctrina más común sobre ineficacia negocial y sus clases, al caer en los riesgos de la simplificación. Para este autor este resumen doctrinal que hace el Tribunal Supremo es peligroso principalmente «por dar a entender que las únicas figuras posibles de ineficacia son la anulabilidad y la nulidad radical (a la que se añade la inexistencia, si bien para darle el tratamiento de esta última). De modo que, padeciendo el contrato alguna anomalía, y no siendo anulable, habríamos de calificarlo ineludiblemente como nulo de pleno derecho, con todas sus consecuencias»[29].

La teoría clásica obraba, de esta manera, de dos formas diferentes: por un lado la inclusión de un contrato en una categoría de ineficacia conlleva la aplicación ineludible y en cadena de todas las características de esa categoría. Pero, por otro lado, también se llegó a considerar que la conveniencia o adecuación de una de estas características al contrato conducía inevitablemente a la inclusión dentro de la categoría a la que se adscriba esa característica. En consecuencia, tanto el legislador como el intérprete se hallaban condicionados por las categorías clásicas. Cuando la *ratio iuris* de la norma parecía requerir alguna característica típica bien de la nulidad o de la anulabilidad la aplicación del resto de las características de esa categoría resultaba irremediable[30].

Como tradicionalmente la sanción que merecen los actos contrarios a las leyes es la nulidad, con la teoría de la nulidad virtual siempre se aplicó la categoría en toda su extensión aunque no se ajustase a la finalidad de la norma infringida. Por este motivo pese a que, en principio, parece que debamos partir del régimen jurídico y disciplina de la nulidad no debemos aplicar todas las consecuencias de ésta de forma indiscriminada. Lo que no significa que tengamos que ponernos por ello en la tesitura de la anulabilidad. No consideramos necesario tener que denominar aquella ineficacia resultante de la ilegalidad, caracterizada por ser un régimen de nulidad debilitado o flexibilizado, como «nueva anulabilidad», tal y como la denomina CARRASCO PERERA. Aunque, evidentemente, como señala acertadamente este autor, nada obsta para que el legislador pueda utilizar la categoría de la anulabilidad para resolver conflictos relativos a la infracción de normas legales[31]. La casuística de la ilegalidad contractual y sus circunstancias es demasiado rica como para tener que encorsetar sus posibles consecuencias y soluciones alternativamente o a la nulidad o a la anulabilidad.

Aunque esta clasificación y distinción bipartita de la ineficacia nulidad-anulabilidad puede ser mantenida como referencia, se trata de sostener que

---

[29] DELGADO ECHEVERRÍA, J., «*Comentario a la sentencia de 14 de marzo de 1983*», en *C.C.J.C.*, Nº 2, 42, pág. 469.
[30] BORRELL Y SOLLER, A.M., *Nulidad...* op. cit, pág. 129.
[31] CARRASCO PERERA, A., *Comentarios al Código civil...*cit. T. I, pág. 830.

no tiene un carácter absoluto. Entre la doctrina española reciente no han faltado autores que han apostrofado esta bipartición rígida de la ineficacia[32]. Estos autores recogen, aunque con cierto retraso, el testigo de la doctrina francesa que encabezaba JAPIOT, secundaban PIÉDELIÈVRE y GAUDEMENT[33], y que parece que ha calado en la doctrina francesa actual[34]. En este sentido, LUTZESCO para lograr desmitificar la dicotomía de las nulidades mantendrá que la calificación como absoluta o relativa no se va a aplicar al concepto de nulidad en sí misma, sino a la acción y a sus diferentes condiciones y características de funcionamiento[35].

Así, de esta forma, se puede encontrar en una Ley la disposición de una ineficacia cuya legitimación fuese restringida a un determinado contratante y sin embargo no contar con límite temporal en cuanto al plazo de interposición. También es posible, al contrario, encontrar una legitimación indiscriminada para cualquier interesado y, en cambio, encontrar un límite temporal en cuanto al plazo de ejercicio de la acción que tampoco tiene porqué coincidir con el de cuatro años de la acción de anulabilidad[36]. En este último caso la fijación del plazo suele venir expresamente determinado en la Ley, pero de lo que no hay duda de que no se trata de una anulabilidad ya que en lo restante queda configurada como nulidad de pleno derecho. De no indicarse limitación en el plazo expresamente por la Ley, en principio, no se puede inducir ninguno y habría que concluir que es imprescriptible[37].

---

[32] EGUSQUIZA BALMASEDA, M.A., *Cuestiones conflictivas en el régimen de la nulidad y anulabilidad...*, cit., págs. 93-96, PASQUAU LIAÑO, M., *Nulidad y anulidad...* op. cit., pág. 18 y 19, GORDILLO CAÑAS, A., *Nulidad, anulabilidad e...*, op. cit. pág. 935, DELGADO ECHEVERRÍA, J., *Comentario al código civil...* op. cit. T. XVII, vol.2º, pág. 234, CARRASCO PERERA, A., *Comentarios al código civil,* T. I, Madrid, 1992, pág. 769-842, MIQUEL, J. M., en *Comentarios a la Ley sobre Condiciones Generales...,* cit., págs. 474-475.

[33] JAPIOT M., recoge en su obra «*Des nullités en matière d´actes juridiques, Thèse,* París, 1909, la mayoría de las críticas a la doctrina clásica y reconstruye una nueva teoría de la nulidad, (págs. 367 y ss.). Estas mismas Críticas las resumen y en buena parte asumen Jacqs PIÉDELIÈVRE (*Des effets produits par les actes nules...* op. cit., págs. 373 y 384-386) y Eugène GAUDEMENT (*Thèorie Générale des..,* op. cit., págs. 146-147.)

[34] HAUSER, J., LEMOULAND, J.J., Voz «*Ordre Public et bonnes moeurs*», Enz. *Dalozz,* 1993, pág. 18, § 141 *in fine.* DURRY, M. G., «*L´inexistence, la nullité et lánnulabilité des actes juridiques, en droit civil françois*», en *Travaux de l´association Henri Capitant,* T. XIV, París, 1965, págs. 629.630.

[35] LUTZESCO, G., *Teoría y práctica de las nulidades,* trad., M. Romero Sánchez y J. López, México, 1945, pág. 274.

[36] Pueden servir como ejemplos los plazos para impugnar los acuerdos nulos en la L P H o en la L S A o la prescripción de 15 años que la jurisprudencia viene atribuyendo a la acción de nulidad de los contratos usurarios.

[37] El caso de la acción de nulidad para impugnar los contratos usurarios que se ha establecido una prescripción de 15 años puede inducirnos a pensar que existan más casos en los que no sea conveniente predicar la imprescriptibilidad de la acción de

En definitiva, podríamos decir que en unos casos estamos ante una nulidad sometida a plazo y en otros ante una nulidad con legitimación restringida por imperativo legal. Pero en el primer caso, normalmente, el legislador suele siempre ser cuidadoso y establece expresamente las restricciones temporales de ejercicio de la acción, mientras que en cuanto a las limitaciones o restricciones en la legitimación no lo va a ser tanto. Será, sobre todo, en estos últimos casos en los que tras una interpretación de la norma habrá que deducir la intención del legislador. Verdaderamente, el intérprete no se tiene que ver obligado a optar por una de las modalidades típicas de ineficacia al interpretar las normas de las que se debe derivar algún tipo de ineficacia[38].

La mayoría de estas nuevas soluciones no van a suponer una ruptura total con la concepción de la ineficacia, cuya construcción dogmática tanto ha costado, como ya hemos visto. Por el contrario, estas nuevas soluciones van a suponer un paso más en la evolución de la teoría de la ineficacia. No se discute que la ineficacia está constituida por dos regímenes más generales, y típicos; pero como afirma GORDILLO CAÑAS «su amplitud no llega al extremo de impedir a posibilidad de formas singulares de ineficacia, no subsumibles en ninguno de los grandes regímenes.»[39] De tal forma que podremos afirmar que a las categorías tradicionales (rescisión, nulidad y anulabilidad) se pueden añadir otras categorías que por un lado participarán inevitablemente de muchas de las características de las tradicionales y por otro lado contendrán características peculiares que hacen que las podamos considerar como categorías propias *sui generis*. Estas variaciones del régimen general de la nulidad se van a centrar en determinados aspectos, fundamentalmente, en cuanto a contenido, legitimación, plazo y posibilidad de confirmación.

No es de extrañar, consecuentemente, que ya desde hace tiempo se haya visto la conveniencia de buscar una rúbrica diferente, más amplia que la de nulidad e incluso que la de «la ineficacia contractual», para encuadrar todos los efectos que se pueden derivar de la infracción de muchos de los preceptos aislados de diversas leyes especiales[40]. Todo ese conjunto de efectos que pueden originar las nuevas leyes especiales, se traducen, en definitiva, en cierto tipo de ineficacias que no afectan a todo el contrato, o que incluso, sin

---

nulidad. Nada impediría considerar que cualquier nulidad especial tenga un plazo de prescripción ya que el articulado del código no contempla ninguna excepción a la prescripción (art. 1961). En cuyo caso, al no establecerse plazo expresamente en la propia Ley que dispone la nulidad especial se le atribuye el plazo general de 15 años para todas las acciones personales que no tienen atribuido ninguno expresamente (art. 1964 del CC)

[38]   DELGADO ECHEVERRÍA, J., *Comentarios al...* op. cit. págs. 300-302. En el mismo sentido GORDILLO CAÑAS vid. Nota 166

[39]   GORDILLO CAÑAS, A., *Nulidad, anulabilidad e...* op. cit., pág. 963.

[40]   MORENO MOCHOLÍ, M., *Las irregularidades en...* op. cit., pág. 21 Habla del concepto de irregularidad como más amplio que el de ineficacia, Concepto tomado de Carnelutti

merma de sus efectos dan lugar a que el contrato presente cierta impureza externa o dé lugar a ciertas sanciones accesorias.

En general, podemos decir que es muy difícil usar una denominación común para estas nuevas soluciones, aplicables puntualmente respecto a un gran número de casos. Realmente estas nuevas soluciones no son más que diferentes variantes de las figuras clásicas de la ineficacia por lo que no es extraño que no se pueda encontrar denominación común para englobar los efectos de aquellos contratos que, pese a que en principio merecerían la nulidad, no parece adecuado ni conveniente aplicarles el régimen jurídico y todos los efectos de la misma. Por lo que a todos ellos se les puede incluir en la denominación genérica de ineficacia.

La voluntad del legislador moderno debe afrontar problemas de una realidad mucho más compleja de lo que podía serlo aquella a la que obedecía la voluntad del legislador decimonónico y ya no cabe una presunción como la que implica la nulidad virtual. Hoy en día, esta complejidad en la voluntad del legislador debe implicar una riqueza de soluciones adaptables a la concreción de cada uno de los problemas que se plantean. No se puede hablar de una regla general que solucione todos los problemas de la ilegalidad contractual. Será el criterio del mecanismo para hacer valer la ineficacia el fundamental para saber los efectos que se van a derivar del contrato ilegal. Se debe hablar de múltiples soluciones ajustadas a cada caso o problema concreto de ilegalidad.

En general, podemos observar que va a invertirse la concepción de que la regla general para la invalidez de los contratos es la nulidad absoluta y la excepción cualquier otra solución que se adapte mejor a la finalidad de la norma. Ahora la tónica general va a ser intentar buscar un correctivo acorde con el propósito perseguido por la Ley imperativa vulnerada, y se dejará la nulidad como regla residual o excepcional. Pero esta tendencia a relegar a un segundo plano la nulidad radical en los casos de ilegalidad no quiere decir que se vuelva a la concepción de que el régimen de la anulabilidad se convierta en la regla[41]. En realidad, las soluciones alternativas a la nulidad absoluta son plurales en cuanto que los efectos típicos se van a modular con cada caso y no podemos reducir la cuestión a una sola disyuntiva sobre ineficacias típicas nulidad absoluta-nulidad relativa. Pese a que en la flexibilidad de las nuevas soluciones muchas tengan más que ver con la nulidad relativa, no podemos

---

[41] Esta concepción fue mantenida inicialmente por los autores coetáneos al nacimiento de nuestro Código (García Goyena) pero fue desterrada posteriormente por la mayoría de la doctrina aunque últimamente algún autor aboga por asignarle mayor juego a la anulabilidad para que no quede reducida estrictamente a los casos recogidos en los arts. 1300 y ss. del Código Civil. (DELGADO ECHEVERRÍA J., *Comentarios al...* op. cit., T.II, pág. 543. GORDILLO CAÑAS, *Nulidad, anulabilidad e...* op. cit., págs. 973-983). Lo cual, insistimos, no significa que esta «tendencia expansiva» de la anulabilidad y restrictiva de la nulidad tenga que significar que ante un contrato ilegal haya obligatoriamente que optar entre una sanción u otra.

circunscribir el resto de las características de la ineficacia como (legitimación, plazo y confirmación) al típico régimen de la anulabilidad.

En definitiva, debemos prescindir de encasillamientos de la ineficacia en los casos de ilegalidad contractual[42]. Será la propia norma imperativa la que marque, expresa o tácitamente, las directrices a las que debe sujetarse el contrato infractor y que no tienen por qué coincidir ni sujetarse al clásico resultado de la nulidad radical como pretendía la teoría de la nulidad virtual. En suma, se tiende a adaptar la ineficacia a las características de la norma y de la infracción, de tal forma que la tradicional rigidez de las sanciones civiles cede ante las nuevas necesidades. La posibilidad de la modulación y combinación de los efectos de las categorías clásicas de la ineficacia hace que aparezcan otras categorías derivadas de éstas, categorías que podríamos considerar como un *tertium genus*. Se puede hablar de unas nuevas categorías disgregadas de las clásicas pero autónomas de éstas pese a su propia heterogeneidad.

3.2. Virtualidad de las nuevas sanciones de ineficacia

3.2.1 Consideraciones generales

Una primera cuestión importante que debemos plantearnos es si ésta posibilidad de modular los efectos del contrato ilegal, que se le brinda al legislador, es para que sea ejercitada expresamente de forma explícita o si puede entenderse que se puede aplicar al interpretar lo que exige la propia ley de forma tácita. Es decir, induciendo la variante a partir del texto o del espíritu y finalidad de la Ley. No nos planteamos si se puede inducir la nulidad absoluta de la norma que no la establece expresamente, ya que esto ya ha sido resuelto anteriormente (teoría de la nulidad virtual)[43]. Lo que nos planteamos es si se puede inducir cualquier tipo de ineficacia del espíritu de la Ley, comprendiendo cualquier variación en el régimen jurídico de la nulidad e incluida la misma validez del contrato cuando así lo aconsejen las circunstancias.

En otros términos, pese a que el legislador no contemple manifiestamente que se excluye la sanción general de la nulidad radical, que va a resultar prácticamente ser la regla residual (no ya general) ¿puede sobreentenderse que el legislador quiso excluirla acogiendo un régimen jurídico más acorde con la finalidad y con la política que en cada caso la inspira? ¿Puede acogerse una solución de ineficacia alternativa a la nulidad radical sin una expresa determinación legal que la contemple?

---

[42]   No estamos de acuerdo con las denominaciones como anulabilidad absoluta o nulidad relativa que algunos autores (TRIMARCHI, *Instituciones de Derecho civil*, trad. española, pág. 205, SCOGNAMIGLIO, R., *Contributto alla teoría...* op. cit. pág. 412, CARIOTA-FERRARA, *Annullabilità assoluta e nullità relativa*, en Studi in memoria di B Scorza, Roma, 1940) emplean para este tipo de ineficacias que siendo variaciones de la nulidad y de la anulabilidad se pueden considerara independientes de ambas.

[43]   Vid. *supra* epígrafe «Nulidad virtual».

La respuesta en uno u otro sentido tiene de forma equiparable sus propios defectos y sus inconvenientes. Pero, tras el insatisfactorio resultado de las teorías puras de la nulidad textual y de la nulidad virtual está claro que este sistema parece la única alternativa viable[44]. No existe razón alguna para mantener la imposibilidad de que el régimen jurídico diversificable de la ineficacia sea organizado por el intérprete de la Ley a raíz de su espíritu y finalidad[45]. Por otro lado, como indica CAPILLA RONCERO se puede generalizar que en el ámbito del Derecho privado no está vigente el principio de tipicidad puesto que las sanciones habituales en él no son penas en sentido estricto[46].

En realidad, no se encuentra ningún inconveniente legal para que sea la jurisprudencia la que deduzca los efectos que se deben derivar del contrato ilegal puesto que el art. 6.3 CC no establece que el efecto distinto al de la nulidad de pleno derecho tenga que estar establecido «expresamente» por la Ley[47].

En el Derecho italiano ocurre lo mismo que en el nuestro. Es decir, por lo general se admite que la sanción diversa de la nulidad pueda ser deducida de la *ratio legis* ante el silencio de la letra de la Ley[48]. Pese a que la redacción del inciso final del art. 1418.1° del Código Civil (italiano) en este punto no sea tan deseablemente correcta como lo es la del Código Civil alemán[49]. En este punto por tanto podemos afirmar que la doctrina y jurisprudencia han superado la redacción del Código Civil italiano que parecía indicar que salvo disposición expresamente diversa la regla es la nulidad. (Nulidad virtual)

La ineficacia virtual significa considerar que se tiene que tener en cuenta para aplicar la sanción de la ilegalidad no solamente lo establecido en la propia Ley de forma directa y terminante, sino lo que se desprenda del espíritu de la norma. Esto implica, en cierta forma, conferir realmente a los Tribunales, que son los indicados para interpretar y aplicar las normas, el poder para disciplinar y configurar las nuevas figuras de ineficacia contractual. De ordinario los tribunales al deducir y emplear estas nuevas formas de ineficacia, las desarrollan y adaptan de forma muy eficaz y diligente. Es en estos casos, en los que la jurisprudencia puede y debe decidir qué clase de

---

[44] Vid supra epígrafe «Búsqueda de una regla general. De la nulidad textual a la nulidad virtual».

[45] PASQUAU LIAÑO, M. *Nulidad y anulabilidad del...* op. cit, pág. 210

[46] CAPILLA RONCERO, F., *Derecho civil. Parte general*, dir. A. López y V. Montés, Valencia, 1995, pág. 218.

[47] Vid epígrafe «*Reserva de Ley. El rango legal de la libertad contractual y su limitación, modificación o «derogación» por normas de rango inferior.*»

[48] FERRARA F., *Teoría del...*, op. cit. pág. 20, GALGANO, F., *Diritto civile e commerciale*, vol. 2°, T. II., 2ª ed, Padova, 1993, pág. 277 y 278, FEDELE, A., *L´inefficacia del contratto*, Turín, 1983, pág. 66. DE MARTINO, V., Y PETTI, GB., *Commentario al códice civile*, pág. 140, DI NOVA, «*Il contratto contrario a norme imperative*», in *Riv.crit. dir. Priv.*, 1985, pág. 440 y jurisprudencia por él citada.

[49] FEDELE, A., *Commentario al códice civile*, vol I, Firenze, 1948, págs. 681 y 682

ineficacia quiso establecer el legislador, es «donde se debe extremar la prudencia en uso de una facultad hasta cierto punto discrecional». Porque, en muchos casos, la eficacia y eficiencia de una determinada política legislativa va a quedar en manos de los jueces.

3.2.2. La posibilidad de la declaración de oficio

Llegados a este punto cabe plantearse si en estos casos cabe admitir que esta particular ineficacia sea declarada de oficio por el tribunal. La cuestión es si se considera que en estos casos la variación de la nulidad absoluta, procedente de la interpretación conforme a la finalidad de la norma imperativa, puede conservar la característica de ser sanción absoluta, automática o *ipso iure* y por tanto declarable de oficio por el juez.

Partiendo del presupuesto de que nos encontramos ante una mera variación de la ilegalidad tenemos que mantener que la ineficacia conservaría la cualidad de ser declarable de oficio. Pero, por otro lado el carácter estrictamente excepcional que adquiría la declaración de oficio de la nulidad parece indicar que su extensión a cualquier variante de la nulidad absoluta podría ser un abuso.

Si recordamos la matización que hicimos al exponer esta cualidad de la nulidad, veremos que esta apreciación de oficio es en cierto modo discrecional por parte del juez. Los tribunales sólo intervendrán de oficio en los casos en los que la irregularidad tenga un carácter manifiesto, evidente y patente. Esto nos lleva a reflexionar sobre qué es necesario que se considere ostensible para la declaración de oficio, si se refiere únicamente a la infracción o si se refiere también a la sanción. Está claro que toda infracción necesita verificación judicial, pero la evidencia y notoriedad que se requiere para poder omitir la necesidad de alegaciones de las partes ¿es de la infracción únicamente o también de la especie de la sanción aplicable? Es decir, si el fundamento de la declaración de oficio es el interés social o el orden público toda infracción tendente a vulnerar éstos debería ser objeto de una posible declaración de oficio. Sin embargo, si ésta es una cualidad única y exclusivamente inherente a la sanción de nulidad radical o absoluta no cabría una aplicación judicial que condujese a otro resultado.

En primer lugar, cabría adoptar la postura más cómoda de considerar que la posible intervención de oficio de los tribunales se deberá analizar particularmente en cada caso que se altere el régimen general de la nulidad. Pero eso no sería más que posponer el problema que seguiría planteándose posteriormente en cada caso con distintas posiciones. (*V.gr.* en el caso de la nulidad de condiciones generales de contratación no hay doctrina uniforme)[50].

---

[50] CLAVERÍA mantiene que no se debe admitir una declaración de oficio en estos casos (CLAVERÍA GOSÁLVEZ, L.H., «Una nueva necesidad...», cit., pág. 1305). En cambio PASCUAU LIAÑO no encuentra inconvenientes porque la apreciación de oficio debe

Se puede considerar que al haber calificado de excepcional la declaración de oficio de la nulidad no cabe extender esta posibilidad más allá de los casos de «contratos radicalmente nulos o inexistentes». No obstante, la jurisprudencia al delimitar los supuestos en los que cabe la declaración de oficio establece claramente la necesidad de esta intervención cuando las cláusulas contractuales puedan amparar hechos delictivos o ser manifiesta y notoriamente ilegales. En otros casos en los que pueda proceder la nulidad del contrato no se admite que el tribunal actúe fuera de las estrictas pretensiones de las partes. Parece lógico pensar que es en virtud de lo manifiesto y notorio de la infracción y, en definitiva, de la gravedad de la infracción que atenta frontalmente contra la legalidad establecida por lo que se justifica esta excepcional intervención de oficio de los tribunales.

Esta es la postura que encontramos en la sentencia del Tribunal Supremo de 27 de noviembre de 1984 para aplicar una nulidad parcial de oficio. En esta sentencia se dice expresamente: «Según reiteradísima doctrina, el deber judicial de congruencia o atenimiento a las peticiones de las partes no se viola cuando, respetándose el hecho o hechos, se aplican a los mismos la norma o normas que justamente les conviene, ya porque tales hechos lo exijan de modo natural, ya porque el ordenamiento jurídico contenga disposiciones de carácter imperativo o prohibitivo que por su propia naturaleza haga obligatoria su observancia, incluso de oficio y como integrante también del deber judicial preferente según las reglas de la Jerarquía normativa, que subordinan el

---

depender no de la calificación de la nulidad sino de lo patente que resulte. (PASCUAU LIAÑO, M., en *Comentarios a la Ley de Condiciones...*, cit., págs. 285 y 287). LLODRÀ GRIMALT, F. considera que, a diferencia del sistema general de nulidad contractual, no procede la declaración del juez de oficio en la aplicación del art. 9 de la Ley de Condiciones Generales de la contratación, a pesar de mantener, curiosamente, que es una nulidad automática y estructural y no requerir siquiera pronunciamiento judicial que, en su caso, tendrá sólo efectos declarativos. (LLODRÀ GRIMALT, F. Valencia, 2002, págs. 350-351). Para SÁNCHEZ LÓPEZ y DÍEZ-PICAZO GIMÉNEZ, respecto a la ineficacia del art. 9 de la Ley de Condiciones Generales de la contratación, sí cabe apreciación de oficio cuando la cuestión surja como antecedente lógico jurídico de la cuestión principal pero la decisión del juez carece de fuerza de cosa juzgada al no ser pronunciamiento principal (SÁNCHEZ LÓPEZ B. y DÍEZ-PICAZO GIMÉNEZ, I., en el «comentario al art. 9 de la LCGC», *Comentarios a la ley sobre condiciones generales de la contratación,* Coordinación por: A. Menéndez y L. Díez Picazo, Madrid, 2002, pág. 515, pág. 486). PERDICES HUETOS considera que el art. 9 de la Ley de Condiciones generales de Contratación habilita al juez a declarar la nulidad de oficio. En cambio, mantiene que el art. 10 bis) 2 de la Ley General de Consumidores y Usuarios no permite adoptar la ineficacia *ex officio* por los jueces porque en este caso estamos ante una acción de rescisión (PERDICES HUETOS, A. B., *Comentarios a la ley sobre condiciones...* cit., págs. 533-534). Finalmente, MIQUEL considera que siempre que sea en beneficio del adherente cabe apreciación de oficio de la nulidad. Observa, de forma muy atinada, que se salva la posible indefensión y el principio de contradicción a través de la comparecencia prevista en los arts. 414 y ss. de la L.E.C., con el contenido a que se refiere el art. 426 L.E.C. (MIQUEL, J. M., *Comentarios a la ley sobre condiciones...* cit., pág. 482).

principio de la autonomía de las partes al interés social o al orden público (artículos 1255 y 6.3 del Código Civil), todo ello, como dijo la antigua sentencia de 29 de marzo de 1932, `para evitar que los fallos de los tribunales, por el silencio de las partes, pudieran tener apoyo y base fundamental en hechos torpes o constitutivos de delitos, absurdo ético-jurídico inadmisible´». Según parece lo que da fundamento y base a la declaración de oficio no es la sanción en sí sino el tipo de infracción que se produce.

A nuestro juicio, para la declaración de oficio bastará con la notoriedad de la infracción ya que, en general el resto de las consecuencias jurídicas son indisponibles por los particulares que se han de ver abocados a lo que la Ley imperativamente disponga. Si las normativas más modernas tratan de prescindir de la sanción extrema de la nulidad (poco apta para realizar su finalidad) sin renunciar a su imperatividad y a la necesidad de hacer cumplir su contenido, podemos interpretar que tampoco quieran prescindir de su restauración de oficio por los jueces. Si el choque de lo convenido por las partes es frontal y manifiesto con lo que la ley prohibe o prescribe, el juez deberá restablecer la legalidad incluso de oficio. En todo caso, habrá de conservarse escrupulosamente la excepcionalidad de la intervención referida a la gravedad y flagrancia de la infracción.

Lo que también parece lógico pensar es que en estos casos los jueces serán aún más cautelosos a la hora de decidir si se pronuncian de oficio. Sin duda, será más notorio y ostensible el supuesto de ilegalidad en los casos en los que la ley establece expresa y literalmente la sanción. Parece claro que, muchas veces, la evidencia de la infracción va íntimamente unida a la evidencia de la sanción. Como hemos visto, precisamente, es la disposición expresa de una sanción al contrato ilegal lo que revela la imperatividad de una norma o la existencia de una infracción[51]. Por esta razón, es más dudosa la posibilidad de declarar de oficio una sanción no expresa sino implícita en la finalidad de la norma.

Otro posible argumento para extender la posibilidad de aplicación de oficio de estas sanciones que suponen distintas variaciones de ineficacia es mantener la identidad de razón de éstas con la nulidad de pleno derecho[52]. Si se consideran todas estas formas de ineficacia como variantes de la misma nulidad radical o de pleno derecho, no habría inconveniente en predicar esta peculiar característica de la categoría genérica a sus variantes específicas. Se

---

[51] Vid supra epígrafe «Las normas imperativas o de derecho necesario».
[52] Como mantiene PASQUAU LIAÑO, M., *Nulidad y anulabilidad...* (op. cit. págs. 203-204) lo específico de la nulidad no es el carácter relativo de la nulidad, ni la necesidad o no de la sentencia dictada a instancia de una parte sino la disponibilidad de la acción. Los ejemplos que pone de casos en los que no considera que se pueda aplicar la sanción de oficio es porque no es la infracción patente porque se deben hacer valoraciones subjetivas y de los intereses de las partes. Los ejemplos que pone son los contratos usurarios y los contratos con causa torpe. págs. 201 y 202.

pueden seguir cifrando las diferencias con la categoría de la anulabilidad precisamente en la disponibilidad de la acción.

La necesidad de inferir las sanciones más adecuadas a la finalidad de la Ley va a ser una situación muy corriente al aplicar las leyes de orden público económico. Sobre todo será frecuente en lo que respecta a la línea de actuación del legislador administrativo. El legislador administrativo, aunque es indudable que podría y debería hacerlo, en la mayor parte de los casos no va a establecer la concreta sanción civil aplicable. Suponemos que no lo hace confiando en que los tribunales civiles sabrán aplicar el régimen más adecuado para alcanzar la consecución de los fines que se propone la norma. Aunque, en realidad, lo que sucede es que estas normas adolecen en este punto de una mala técnica legislativa.

3.2.3. Jurisprudencia

En la práctica, la jurisprudencia de forma constante se ha venido arrogando esta función componedora desde hace tiempo. Es copiosamente reiterada la doctrina del Tribunal Supremo en la que se defiende como necesaria una interpretación de la ilegalidad y de lo dispuesto en el artículo 6.3 (antiguo 4) del Código Civil con un criterio flexible.

Es fácil encontrar sobre esta materia multitud de sentencias en las que se recoge literalmente el siguiente párrafo: «No es posible admitir que, toda disconformidad con una Ley cualquiera, haya de llevar siempre consigo la sanción extrema de la nulidad, ni tampoco que sea preciso que la validez de los actos contrarios a la Ley, sea ordenada de modo expreso y textual en la ley misma»[53]. Aunque también advierte el propio Tribunal Supremo que en los contratos que contrarían algún precepto legal, sin que éste formule declaración alguna expresa sobre su nulidad o validez, «el juzgador debe extremar su prudencia en uso de una facultad hasta cierto punto discrecional, analizando para ello la índole y finalidad del precepto legal contrariado y la naturaleza, móviles, circunstancias y efectos previsibles de los actos realizados, para concluir declarando válido el acto, pese a la infracción legal, si la levedad del caso así lo permite o aconseja y sancionándole con la nulidad si mediante

---

[53] Corriente que parece iniciada por la sentencia de 19 de octubre de 1944. Sentencia de la que fue ponente José Castán Tobeñas donde recoge las sugerencias hechas —como expresamente señala en la sentencia— por la doctrina científica. Será a partir de esta sentencia a raíz de la cual se va a consolidar jurisprudencialmente el principio de la flexibilidad, desde la cual podemos admitir, a través de una interpretación judicial, tanto una nulidad virtual como una validez a pesar de la infracción, así como, obviamente, todas las soluciones intermedias posibles. (Sentencias de 28 de enero y 8 de abril de 1958, 20 de noviembre de 1959, 8 de octubre de 1963, 8 de marzo de 1966, 19 de enero de 1967, 31 de mayo y 26 de noviembre de 1968, 27 de abril de 1970, 27 de febrero de 1974, 8 de junio de 1979, 7 de febrero de 1984, 28 de julio de 1986, 17 de octubre de 1987, 29 de octubre de 1990...)

transcendentales razones que patenticen al acto como gravemente contrario a la Ley, la moral o el orden público»[54].

Cuando la norma no establezca los efectos que deben aplicarse a los contratos contraventores la jurisprudencia podrá deducirlos de acuerdo con las circunstancias del caso sin necesidad de acudir obligatoriamente a la nulidad radical que sigue operando, pero ahora, como regla residual. Es decir, la regla que el Código sienta como general es, ahora, reservada para los casos en los que se patentice significativamente que la gravedad del caso lo requiera. Lo que parece significar que la regla va a dejar de ser tan general como aparentemente podría pensarse que es, al menos, si siguiésemos aplicando la Teoría de la nulidad virtual[55].

3.3. Introducción de elementos subjetivos: los intereses privados en liza

Como hemos visto, la concepción tradicional de la nulidad no la considera una sanción en el sentido de castigo al o a los infractores que han vulnerado la legalidad vigente. La sanción de nulidad supondría una sanción que trata de restablecer la legalidad y que hace prevalecer el interés general de las leyes sobre los intereses privados de las partes. Por tanto es una sanción neutra cuya consecuencia es que el contrato no produce efectos —ni favorables ni perjudiciales— para los interesados[56].

La teoría objetiva de la nulidad como sanción civil no tiene en cuenta que la realidad en la práctica no resulta tan sencilla y simple como en el planteamiento teórico puede parecer. Resulta claro que en la terminología usual el término «sanción» tiene connotaciones de castigo o pena. Sin embargo, en el Derecho civil se refiere, más bien, al concepto más amplio de respuesta o de efecto jurídico que el legislador considera deseable[57]. Si tenemos que calificar la nulidad como sanción sobre la base de la función que trata de desarrollar para el ordenamiento jurídico tendremos que hacerlo como sanción resarcitoria más que retributiva. Esto significa que la función primordial de la nulidad es la tendencia a eliminar el daño cometido mediante el restablecimiento, si es posible, de la situación jurídica anterior a la comisión del ilícito.

En realidad, hemos de ser conscientes que los efectos de la nulidad están diseñados conforme a la figura de la «*restitutio in integrum*» y por ello la regla general es la reintegración o reposición de las cosas en el estado que tenían antes del contrato sin que se irrogue ningún daño o perjuicio para las partes

---

[54]   Sentencias de 28 de julio 1986, 17 de octubre 1987, 20 de julio de 1990 y 29 de octubre de 1990, entre otras.

[55]   PASCUAU LIAÑO, M., *Nulidad y anulabilidad...* habla de proliferación de excepciones desordenadas, op cit., págs. 145 y 354.

[56]   STOLFI, *Teoría del negocio jurídico...* op. cit., pág. 83.

[57]   DÍEZ-PICAZO, L., *Experiencias Jurídicas y teoría del derecho*, Barcelona 1975, págs. 65-66.

(art. 1303)[58]. Ambas partes son consideradas con unos intereses y pretensiones equivalentes y a ambas se trata del mismo modo. En la práctica las nuevas exigencias sociales y económicas que inspiran las nuevas leyes hacen que los nuevos efectos de la nulidad no se basen en una «*restitutio in integrum*» puesto que ésta no va a evitar perjudicar o lesionar a una de las partes del contrato o incluso a ambas. Lo único que satisface plenamente los intereses de las partes es la validez del contrato y la nulidad, pese a que conlleve la *restitutio in integrum*, ya supone sacrificar esos intereses. Este sacrificio será mayor para aquel contratante que había puesto mayores expectativas en la consecución de los fines del contrato o aquél al que le resulte más difícil contratar el mismo bien o servicio o en condiciones tan ventajosas.

En cualquier caso de ilegalidad, una de las partes o, en su caso, las dos acuden ante el juez para que declare la nulidad del contrato o incluso puede que el tribunal de oficio considere dicha nulidad. El juez al dirimir la controversia a cuya decisión se someterán las partes en litigio analizará inevitablemente las pretensiones formuladas por las partes para amparar aquellas que sean dignas de protección. La obligación del juez será impartir justicia en el caso concreto y para ello hay que admitir que se debe realizar una recomposición de los intereses de las partes. Para alcanzar este cometido el juez puede emplear dos métodos, ya sea por medio de la exigencia de responsabilidad, que sería la forma más respetuosa con la concepción objetiva de la nulidad, o bien sea modulando los efectos de la ineficacia hasta el punto de no declararla cuando sus posibles efectos puedan producir mayores desproporciones o distorsiones de los que la justicia pudiera tolerar.

Incluso en los autores que configuraron la teoría clásica de nulidad se tiende a decir que la nulidad absoluta es una medida en la que debe predominar el interés general y no se dice que sea el único que se deba tener en cuenta. La nulidad relativa o anulabilidad sería entonces, en contraposición, una medida que se establece exclusivamente en protección a los intereses de parte y no se considera que proteja ningún interés general[59]. Tenemos en cuenta tres factores: 1° la nulidad absoluta no tiene en cuenta «exclusivamente» sino «preferentemente» el interés general. 2° Que no se define qué se entiende por interés general e intereses de parte. 3° Que vamos a ver como surgen nuevas formas de ineficacia que se encuentran a mitad de camino entre la nulidad y la

---

[58] Muy descriptiva resulta la Sentencia de 25 de junio de 1960 en la que se dice «la solución justa y equitativa del asunto es la prescrita en el art. 1303 CC. Para el caso en el que se declare la nulidad de la obligación sin culpa de ninguno de los contratantes, es decir, la restitución recíproca por los mismos de las cosas que hubiesen sido materia del contrato.» Y se evita de este modo la aplicación del art 1306

[59] Es obvio que la acción de anulabilidad en favor de incapaces encierra un interés público de protección a menores e incapaces. CASTÁN, *Derecho civil...* op. cit., 6° ed. T. II, págs. 346-347

anulabilidad y que, por consiguiente, atienden a un interés general sin poder prescindir, de forma alguna, de los intereses de parte.

Para la nueva concepción de la ineficacia derivada de un contrato ilegal es fundamental no sólo el interés general o público de la ley infringida sino los intereses de las partes del contrato ilegal y su comportamiento. El primer parámetro que hemos visto, que es fundamental y que va a determinar la forma de ineficacia que se va a aplicar, es el interés protegido por la ley que representa el interés general. No obstante, esta nueva concepción se preocupa igualmente que por el interés común, que representa la Ley, por el resultado concreto y por la justicia material que se pretende administrar a las partes que han perfeccionado el contrato ilegal.

Es decir, se tratará de dar una solución que sea respetuosa con las diferencias existentes en el comportamiento y los intereses privados de cada una de las partes. Habrá en ocasiones conductas e intereses que merezcan ser sancionados, otros meramente corregidos, y por fin otros parcial o totalmente merecedores de protección[60]. Se hace inevitable un análisis de las hipotéticas repercusiones de la ineficacia sobre los intereses y el patrimonio de los contratantes para corregir las posibles iniquidades que se les puedan ocasionar.

Es importante tener en cuenta cuales son los intereses privados en liza. Cuando se acude a los tribunales se busca por parte del interesado que se le administre justicia. Es indudable que para decidir sobre un litigio el juez deba valorar las pretensiones de las partes para saber cómo fallar. No es posible que exista en la práctica una solución completamente neutra y objetiva cuando ésta influye sobre los intereses de las partes y sus situaciones patrimoniales. En consecuencia se va a tener en cuenta al enjuiciar cada caso si se obra o no de buena fe. Para apreciar la mala fe puede resultar útil analizar si la infracción y sus resultados pueden beneficiar a una de las partes quien por eso mismo la provocó. Es decir, se comprueba si la previsible sanción puede beneficiar a una de las partes que conocía dicha infracción al tiempo de contratar o incluso la provocó en previsión de instar posteriormente la nulidad cuyo resultado satisface sus aspiraciones. Resulta útil para ello analizar cuáles son los efectos previsibles de la infracción y de la sanción en los diferentes momentos de la vida del contrato:

A) Partiendo de la teoría objetiva de la aplicación de la nulidad, para la cual lo primero es el restablecimiento de la legalidad, habrá que aplicar la Ley y declarar la nulidad total o parcial y luego cabrá pedir responsabilidad por *culpa in contrahendo* para compensar al que actuó de buena fe. Se otorgarán estas indemnizaciones derivadas de la responsabilidad siempre que quepan y no se hayan compensado las culpas por completo. En estos casos, sería deseable que las partes solicitasen siempre la responsabilidad como acción

---

[60]   No creemos que sea conveniente la teoría de que el tribunal no puede conocer de ninguna ilegalidad ni interés que de ella se derive porque se contaminaría de la ilegalidad, teoría del derecho ingles, para considerar al contrato *unenfordeable*.

subsidiaria ya que el propio juez no puede establecer las indemnizaciones de motu propio, a pesar de que mantenemos que éste siempre puede declarar la nulidad de oficio. Pero, en caso contrario, obviamente, podrán solicitarse posteriormente a la declaración judicial de la nulidad las posibles indemnizaciones por los daños causados mediante un nuevo proceso. Pero, económicamente, esto no siempre es viable ni factible en el proceso civil.

B) En aras de la economía procesal y de la justicia del caso se tiende a considerar el problema partiendo de la teoría subjetiva o complementando la teoría objetiva con consideraciones subjetivas. Entonces cabría pensar no sólo que el juez no declare la nulidad de oficio sino limitar la legitimación a la parte que en principio sería la previsiblemente más perjudicada. Esta reserva en la legitimación de la nulidad suele venir acompañada o complementada por una matización del contenido de los efectos de la ineficacia que se reduce, únicamente y en la medida de lo posible, a los que no perjudiquen los intereses del legitimado. Incluso cabría no sólo limitar la legitimación a la parte previsible o teóricamente más perjudicada, sino el negar a cualquiera de las partes que actúe de mala fe la posibilidad de impugnar el contrato, esto incluye también a la parte que ha resultado beneficiada con una limitación en la legitimación. De esta forma se está, en cierto modo indemnizando «*in natura*» a la parte no culpable que verá satisfechas sus pretensiones y no sufrirá perjuicio alguno.

El intento de barajar todos los intereses implicados en los casos de ilegalidad para la consecución de resultados más justos llevan a considerar nuevas modalidades de ineficacia. La buena fe como fundamento o presupuesto para explicar las limitaciones a la nulidad radical supone la existencia de un elemento muy importante de índole subjetiva: la creencia del individuo en la existencia y validez del acto o contrato. La buena fe se traduce en una idea de favor a una de las partes contratantes a las que no conviene la nulidad y puede ser contrapuesta a una idea desfavorable o de «disfavor» para la otra parte que se puede combinar con una idea de responsabilidad. La idea de responsabilidad tiene la misma utilidad que la de limitar la nulidad radical pero tiene una mayor importancia porque se debería poder aplicar a un número más amplio de casos puesto que no es regla excepcional sino general[61].

3.4. Justificación de la nueva concepción de ineficacia

Las justificaciones de fondo que encontramos para modificar sustancialmente la teoría clásica de la nulidad derivada de la ilegalidad son fundamentalmente dos:

3.4.1. Justificación de política legislativa

La respuesta del ordenamiento ante el contrato ilegal debe seguir las pautas que marcan las nuevas líneas de política legislativa que se tratan de

---

[61]   PIÉDELIÈVRE, J., *Des effets produits par les actes nules…* cit., pág. 473.

imponer. La intervención del legislador en el mercado es activa y no se limita a observar y garantizar que se cumplan las reglas de la libertad contractual sino que trata de ordenar el tráfico conforme a ciertos criterios de política económica. Éste es el cometido que persiguen las denominadas Leyes de orden público económico. Para el desarrollo y efectividad de estas nuevas leyes se puede advertir fácilmente que no encaja la aplicación de la nulidad tradicional como remedio a su inobservancia contractual.

En el propósito del legislador se trata ahora no solo de suprimir y neutralizar los contratos que le desobedecen sino, principalmente, de rectificarlos y reconducirlos a la legalidad para que continúen de esta forma en el tráfico. Lo que tratan las nuevas leyes es de dirigir la contratación hacia los objetivos económicos y sociales que se han propuesto y para ello es obvio que resulta insuficiente la aplicación estricta de la nulidad. No se puede negar que tradicionalmente la teoría de las nulidades se ha preocupado más de sancionar que de corregir u orientar los efectos del contrato a la finalidad de la norma infringida[62]. Muchas de las leyes que hemos denominado de orden público económico recogen expresamente los «correctivos» que requieren los contratos que no las obedecen. Sin embargo, no todas estas leyes han previsto los diversos supuestos de inobservancia contractual o, simplemente, no han resuelto de forma explícita la solución a estos casos.

Donde la Ley no ha dejado constancia expresa de cuál es el remedio idóneo para los contratos que contradicen sus términos habrá que atender a la finalidad de la norma. Antes de encorsetar al contrato ilegal entre los efectos típicos de la nulidad habrá que considerar si estos responden al espíritu que ha inspirado la creación de la norma que se trata de salvaguardar. La jurisprudencia ha sido consciente del cambio que se ha experimentado en la legislación y va a colaborar de una forma activa en el definitivo triunfo de la nueva legalidad. La interpretación que van a hacer los tribunales de las leyes imperativas va a ser decisiva para superar los dogmas de la teoría clásica de la nulidad[63].

3.4.2. Justificación desde la justicia del caso

Actualmente, las nuevas teorías de la ineficacia que surgen desde la doctrina para sustituir o complementar a la teoría clásica[64] ponen de manifiesto la dicotomía que se produce también en otras cuestiones jurídicas. Los autores clásicos que pretenden el triunfo de la seguridad en cierto menoscabo de la justicia y de la equidad y los autores «anticlásicos» que tienden a colocar estas últimas por encima de aquellas[65]. Estas nuevas teorías van a tener en cuenta un principio lógico de proporcionalidad, de tal forma que no se

---

[62]   Vid supra epígrafe «Tratamiento legal».
[63]   Vid supra epígrafe «Tratamiento jurisprudencial».
[64]   Vid supra epígrafe «Tratamiento doctrinal».
[65]   PUIG PEÑA, F., *Ineficacia de...*, págs. 453-454.

considera conveniente que haya una aplicación indiscriminada de la nulidad a todos los contratos en los que se compruebe una infracción legal.

No debemos conformarnos con el planteamiento de que el único presupuesto para la admisibilidad de la acción de nulidad está en que efectivamente se haya producido violación de la Ley sin que puedan considerarse ninguna otra circunstancia en contra[66].

La justicia del caso requiere que la gravedad de la sanción legal sea directamente proporcional a la magnitud de la infracción. Valorando esta magnitud de la infracción de la ley de acuerdo a las diversas circunstancias que puedan concurrir en cada situación jurídica, entre ellas la conducta de cada parte contratante. Se requiere, por tanto, una gradación de las sanciones de ineficacia situando en el extremo de la gravedad a la sanción de nulidad radical que implicará la infracción de mayor magnitud. Además se tratará de que los efectos más negativos de esta sanción recaigan especialmente sobre el contratante que más los merezca. De esta forma se consigue compaginar las dos funciones que pretende cumplir toda sanción jurídica tanto la función resarcitoria como la función retributiva.

En resumen, la nulidad parece ser la sanción tradicionalmente ideada para las prohibiciones de la Ley. Sin embargo, no se puede aplicar una sanción automática y general de nulidad a todo contrato ilegal. Se necesitan formas de ineficacia mejor adaptadas a los nuevos imperativos legales. Para conseguir la sanción civil más idónea de un contrato ilegal se debe concebir la sanción no sólo con una idea punitiva sino también, fundamentalmente, con una idea correctora. Es necesario analizar el supuesto concreto con su características y circunstancias concurrentes para considerar la conveniente aplicación de una ineficacia determinada.

Habrá que acudir a la norma infringida para observar, en primer lugar, lo en ella dispuesto y, después, si este dato resulta insuficiente, escudriñar en su naturaleza, deducir su finalidad y espíritu. Hay que investigar los peligros que el legislador ha tratado de evitar, su origen, sus distintas formas de manifestación, su gravedad, su duración... Indudablemente, el resultado de este análisis de la norma infringida habrá que complementarlo con los artículos del Código sobre los vicios en los elementos del contrato (objeto y causa, fundamentalmente) y la ineficacia contractual. Asimismo, vamos a tratar de dar entrada, siempre que se pueda, a los propósitos, conductas e intereses de los contratantes para moderar el rigor en la aplicación estricta de la nulidad y en su caso para dilucidar responsabilidades.

Guiados por estas consideraciones se descubrirán las formas especiales que deberá revestir la ineficacia. Se reconocerán las reglamentaciones particulares a fin de adaptarse y modelarse cada solución, de la manera más ajustada posible, tanto a las concretas normas que se encarga de salvaguardar como a la justicia y equidad del caso concreto.

---

[66] STOLFI, G., *El negocio...* op. cit. pág. 110.

3.5. Las opciones alternativas a la nulidad radical en la ilegalidad contractual

Estas opciones alternativas a la nulidad radical, absoluta o de pleno derecho pueden ser establecidas por la ley de una forma expresa o tácita como ya hemos visto. Generalmente, serán configuradas y aplicadas deductivamente por la jurisprudencia en los casos concretos que se estimen pertinentes. Las variantes fundamentales serán respecto al contenido de la nulidad, la legitimación y a los intereses a considerar (protegibles o reprochables) en la aplicación de dicha nulidad. Pero estas variantes no se excluyen unas a otras sino que pueden complementarse y darse casos en los que convenga aplicar conjuntamente varias de estas variantes para conseguir compatibilizar el restablecimiento de la legalidad o del interés general con la justicia del caso concreto o con la satisfactoria resolución de controversia de intereses planteados por las partes.

3.5.1. Primera variante: la nulidad parcial

A. La nulidad parcial. El principio de conservación de los actos jurídicos

Esta primera variación del régimen clásico de la nulidad se refiere al contenido u objeto del contrato que va a abarcar la nulidad. Hemos dicho que la concepción clásica de la nulidad como sanción ideal que merece todo contrato ilegal por el hecho de serlo es la de una nulidad total. Esta nulidad es la conocida como nulidad radical o de pleno derecho. Sin embargo, junto a esta concepción convive un principio general de la contratación como es el de la conservación de los actos y negocios jurídicos. Principio que se manifiesta de numerosas maneras en el ordenamiento jurídico —en las reglas de interpretación hermenéuticas, en la confirmación, la conversión, la novación modificativa…—

Pues bien, la composición de la teoría clásica de la nulidad con este principio de conservación de negocio jurídico va a suponer una de estas manifestaciones[67]. Este principio es el que va a hacer que consideremos que la nulidad es de interpretación restrictiva[68]. Pero, también una de las más importante manifestaciones del principio es lo que se conoce genéricamente con el nombre de nulidad parcial.

El problema se plantea en estos términos: ante una infracción normativa detectada en determinados extremos de un contrato hay que decidir cuándo procede la nulidad total y cuándo la parcial. La cuestión es si se debe entender que la nulidad de una disposición, cláusula, pacto o estipulación de las varias contenidas en un contrato se extiende y propaga a todo el contrato o, por el contrario, entender que se deben restringir los efectos de la nulidad a la parte directamente afectada por la misma sin contagiar al resto que seguirán

---

[67]   CRISCUOLI, *La nullità parziale del negozio giuridico*, Milano 1959, págs. 103-105, GÓMEZ MARTINHO FAERNA, A, *La nulidad parcial de…* op. cit., pág. 355.
[68]   GARCÍA AMIGO, *Teoría General de…* op. cit., pág. 403

subsistiendo y vinculando a las partes. En caso de tratar de restringir el ámbito de la nulidad a la parte estrictamente viciada optaremos por aplicar la regla «*utile per inutile non vitiatur*». En caso de tratar de anular la totalidad del contrato y deshacer cualquier vínculo obligacional derivado de él sin desglosarlos partiríamos del brocardo «*unus actus non potest pro parte valere, pro parte non*»

Por tanto, la nulidad parcial se traduce en que antes de que se destruya el contrato en su totalidad es preferible conservar la parte o cláusula contractual no afectada directamente por la nulidad, en vez de optar por la extensión de la nulidad, de oficio o a petición de alguno de los contratantes, a la totalidad del vínculo contractual.

La nulidad parcial que se deriva del principio de conservación se admite siempre y cuando la parte nula del contrato no constituya, por su contenido intrínseco o según la intención de las partes, un elemento principal del mismo que lo haga imprescindible de la parte válida. La nulidad parcial se produce cuando la parte nula constituye un elemento no ya principal sino accesorio del contrato, de tal forma que puede ser claramente distinguido de la parte válida. Entonces los efectos de la nulidad se reducen únicamente a la parte accesoria mientras la parte principal es válida y conserva su plena eficacia[69]. En efecto, será tarea fundamental para la aplicación del principio discernir lo que se considera como parte esencial del contrato.

La conservación del negocio está conectada con la intención de las partes ya que, en definitiva, se pretende que redunde en su beneficio. Se tiene en cuenta el **principio de economía jurídica negocial** de forma que está fundado sobre una presunción de la voluntad de las partes tratando de evitar que tengan que volver a negociar otro contrato (S. de 3 de enero de 1991)[70]. La conservación del negocio trata de ser un principio realista y práctico por lo que se trata de interpretar el contrato hasta determinar la voluntad hipotética de las partes y el fin práctico perseguido por éstas.

La nulidad parcial, en sí misma, no supone ninguna novedad. La nulidad parcial siempre se ha encontrado presente en el Derecho Civil[71]. Muchos códigos, sobre todo los más modernos, la contemplan expresamente como norma general[72]. Por otro lado, el Código Civil francés y otros inspirados en

---

[69] Este es el fundamento del principio *utile per inutile non vitiantur*
[70] GÓMEZ MARTINHO FAERNA, A., *La nulidad parcial de...* op. cit., págs. 355-356. CRISCUOLI, G., *La nullità parziale del...* op. cit. págs. 113-115.
[71] GÓMEZ MARTINHO FAERNA, A., *La nulidad parcial de...* op. cit., págs. 340-347. Mas pormenorizadamente CRISCUOLI, G., *La nullità parziale del...* op. cit., págs. 17 y ss.
[72] Destacamos: el art. 1419 del Código civil italiano «la nulidad parcial de un contrato o la nulidad de singulares cláusulas (del mismo) alcanza a la totalidad del contrato, si resulta que los contratantes no lo hubiesen concluido sin aquella parte de su contenido que esta afectada de algunas de sus cláusulas, sus cláusulas serán las únicas afectadas por la nulidad a menos que no haya lugar a admitir que el contrato no se hubiera concluido sin ellas.» El art. 139 del Código alemán dispone: «si una parte del negocio jurídico es nula, el negocio jurídico es nulo en su totalidad, cuando no se hubiera querido sin la parte nula».

él, como el nuestro, pese a no contar con una norma general sobre la nulidad parcial, sí contempla muchos casos concretos y particulares en los que indudablemente se recoge[73]. La jurisprudencia se ha encargado de aplicarla y configurarla llegando a aplicarla de forma preferente[74].

Pero lo que más ha influido en su desarrollo es que va a aparecer recogida como solución general en numerosas normas especiales[75]. Esta nulidad parcial establecida por la ley no depende ya, únicamente, de la aplicación del principio de conservación del negocio jurídico, sino que tiene entidad propia al ser consecuencia de la expresa disposición de la Ley. Lo que supone novedad va a ser su progresiva afirmación de identidad como modalidad especial e independiente de ineficacia, consecuencia del progresivo protagonismo que va adquiriendo en la práctica jurídica. Efectivamente, lo que resultará primera innovación significativa que se va a presentar ante la teoría clásica de la nulidad la encontramos en cuanto a las, cada vez mayores, repercusiones de la nulidad parcial dentro de la ineficacia contractual, gracias a su generalizada acogida entre las normas especiales. En la mayor parte de los casos, la doctrina moderna va a tratar el fenómeno de la nulidad parcial de modo singular y característico, con cierta autonomía y separado de la nulidad radical.

La nulidad parcial va a adquirir cierta entidad propia y se va a justificar con base en preceptos diferentes de los que justifican la nulidad radical. De hecho, se va a plantear que su incidencia exceda del campo de la nulidad *estricto sensu* y se aplique también a las otras formas tradicionales de ineficacia[76].

DORAL GARCÍA observa también una aplicación de la nulidad parcial en relación a las personas que intervienen en el contrato. De esta forma entiende como casos de nulidad parcial: 1) Contratos en los que intervienen conjuntamente varias personas mayores y menores, la anulabilidad obtenida por los menores no se extiende a los mayores: solución adoptada por el Tribunal Supremo en la sentencia de 11 de noviembre de 1955, considerando que lo contrario sería un exceso. 2) Solución parecida según este autor a la adoptada

---

[73] Sirvan como ejemplos los arts. 641, 737, 767, 786, 793, 794, 814, 865, 1155, 1260, 1316, 1317, 1476, 1608 de nuestro Código Civil, el 1691, o la nulidad del pacto comisorio que no impide la validez del contrato de prenda o hipoteca.

[74] Sentencias de 30 de marzo de 1950, 11 de noviembre de 1955, 22 de enero y 27 de mayo de 1958, 7 de junio y 6 de diciembre de 1960, 4 de marzo de 1975, 10 de octubre de 1977, 24 de noviembre de 1983.

[75] Disposición Adicional 1ª.5 de la LAU, art. 9 LAR, art. 1.1 del Reglamento de la LAR, art. 10.bis) de la LCU, arts. 8, 9 y 10 de la Ley de Condiciones Generales, art. 3 de la Ley de Crédito al Consumo, art. 2 de la Ley sobre Derechos de Aprovechamiento por Turno de Bienes Inmuebles, art. 14 de la Ley General del Publicidad, art. 3 de la LCS, art. 8 de la Ley de arbitraje, art. 9 de la Ley de Fundaciones...

[76] GÓMEZ MARTINHO, FAERNA, A, *La nulidad parcial de...* op. cit. pág. 358, LÓPEZ FRIAS, A.M., «*Clases de nulidad parcial del contrato en el Derecho español*», A.D.C., 1990, págs. 864-866, GÓMEZ DE LA ESCALERA, C., *La nulidad parcial del contrato*, Madrid, 1995, págs. 36-43.

en la sentencia de 7 de junio de 1960, en caso de que una donación realizada a favor de dos personas de las cuales uno de ellos resulte inhábil como donatario. Esta inhabilidad de uno de ellos no puede determinar la nulidad total de la donación[77].

B. La nulidad parcial en función de la voluntad de las partes «*ex voluntate*»

Conviene precisar que en materia de ilegalidad contractual cualquier solución pasa, en primer lugar, por tener en cuenta cualquier manifestación de la voluntad de la ley vulnerada (*voluntas legis y legislatoris*). En este sentido, considerando que en nuestro ordenamiento jurídico falta una norma jurídica general sobre la aplicación de la nulidad parcial, ha de estarse para solucionar el problema, en primer término, a la disposición legal concreta que encierre la norma especial aplicable a la institución particular objeto del debate. Esta disposición legal concreta debe analizarse no sólo en su sentido literal sino en el espíritu y finalidad que entraña. Sólo en defecto de esta posibilidad de extraer una solución concreta de la norma especial deberá acudirse a la hermenéutica negocial.

En este sentido se ha manifestado la jurisprudencia quien considera que como criterio subsidiario a las indicaciones de la ley se debe tener en cuenta «además del criterio tradicional que distingue entre negocios de contenido unitario (indivisible) y plural (divisible), que el factor decisivo para apreciar la invalidez parcial o la invalidez total se halla constituido por la voluntad presumible, conjetural o hipotética del autor o autores del negocio habida cuenta de las circunstancias del caso, de la naturaleza de aquél y de las exigencias de la buena fe.»[78]

En principio, ninguna nulidad se puede decir que se produzca en función de la voluntad de las partes. La nulidad, aunque sea parcial, se produce siempre como efecto de la contravención de una ley. La nulidad parcial a la que nos referimos bajo este título es, en realidad, la directa aplicación del principio de conservación del negocio. Se trata de reconstituir el contrato afectado de nulidad parcial sobre la base de la voluntad que los interesados habrían manifestado en el caso de haber conocido con exactitud los efectos de la Ley. Como hemos tenido ocasión de examinar, es una de las aplicaciones que se ha venido dando desde hace tanto tiempo que podemos considerarla ya como una solución clásica para cierta ilegalidad. Esta solución se aplica cuando el negocio esta formado por cláusulas o estipulaciones claramente

---

[77]   DORAL GARCÍA, J.A., *El contrato como fuente de obligaciones*, Pamplona, 1993, pág. 162. En estos casos la doctrina alemana habla de «impugnación parcial» FLUME, W., *El negocio jurídico,* trad. J.M. Miquel González y E. Gómez Calle, Madrid, 1998, pág. 659.

[78]   Sentencias de 4 de marzo de 1975 y 10 de octubre de 1977, 24 de noviembre de 1983, 4 de diciembre de 1986, 17 de octubre y 12 de noviembre de 1987.

divisibles porque tienen cierta autonomía entre sí. Además, para la aplicación de esta nulidad parcial se requiere tener en cuenta que la voluntad de las partes se haya dirigido a la consecución de un fin o propósito práctico que no quede impedido ni afectado por la desaparición de la parte nula.

Ciertamente, conocer «*a priori*» la voluntad de las partes tras la anulación con la sola interpretación del contrato no es tarea sencilla. Lo esencial o accidental son conceptos relativos[79] y normalmente las partes contratantes no van a prever en el propio contrato la eventualidad de una nulidad parcial. Por esta razón la voluntad de las partes se tiene que presumir para establecer un criterio a seguir. Esto es lo que se conoce como la voluntad hipotética de las partes. Algunos códigos han resuelto expresamente este problema como el italiano y el alemán cada uno en sentido diverso. Para el italiano se debe conservar la validez del contrato en la parte no afectada manteniendo la vinculación de las partes, mientras no se demuestre que las partes no lo hubiesen concluido sin la parte nula. Para el alemán se debe optar por la nulidad de todo el contrato desvinculando a las partes de cualquier pacto del mismo, mientras no se demuestre que las partes lo hubiesen querido perfeccionar aún sin la parte nula [(art. 1419 del Código Civil italiano y parágrafo 139 del alemán) vid. nota 73].

C. La nulidad parcial imperativa o coactiva «*ex lege*»

Precisamente, lo que resulta novedoso, como hemos dicho, del tratamiento de la nulidad parcial es su utilización por parte de la mayoría de las leyes y normas especiales para hacerse valer sobre la voluntad de las partes. Obsérvese que la nulidad parcial tradicionalmente viene a constituir una consecuencia del principio de conservación del negocio y se trata de primar la voluntad de las partes sobre cualquier defecto accidental o que no afecte a la esencialidad del contrato («*utile per inútile non vitiantur*»)[80]. Pero la nulidad parcial que se defiende a raíz de su inclusión en las leyes especiales trata de primar la finalidad o efectividad de la propia Ley sobre, o independientemente de, la voluntad de las partes[81]. Es indiferente para la aplicación de la nulidad parcial «por mandato de Ley» si las partes hubiesen o no consentido el contrato en caso de conocer que se le iban a sustraer esos determinados efectos.

También resulta irrelevante, en principio, si la parte anulada es o no esencial al contrato porque la Ley, que está por encima del contrato, se

---

[79] DELGADO ECHEVERRÍA, J., *Comentarios....* op. cit. T. XVII, vol II, pág. 287, BETTI, E., *Teoría general del...* op. cit. pág. 361.
[80] Se trataría únicamente de aplicar una regla interpretativa del contrato para saber si se debe aplicar o no la nulidad parcial. Esta técnica trataría se averiguar lo que es esencial y accesorio para las partes en el contrato y se podría aplicar la famosa técnica del «*blue pencil test*».
[81] DE CASTRO, GORDILLO, LÓPEZ FRIAS, GÓMEZ DE LA ESCALERA. Vid. nota siguiente.

encargará de integrarlo hasta que tenga un sentido acorde al espíritu que trata de instaurar en todo el tráfico jurídico. Por consiguiente, para la aplicación de esta nulidad parcial no se debe atender a nada más que a lo previsto tácita o expresamente en la norma y al espíritu y finalidad de dicha norma. De esta forma la nulidad parcial imperativa adquiere una entidad propia, desvinculándose del principio de conservación del negocio jurídico que se asienta sobre la base de la voluntad de las partes.

Precisamente la nulidad parcial que interesa destacar y analizar en materia de ilegalidad es esta nulidad parcial imperativa, coactiva o por mandato de ley[82]. La denominada por DE CASTRO nulidad parcial para evitar el fraude de Ley[83] quedaría para nosotros incluida en la nulidad parcial imperativa. Consideramos que la previsión de la nulidad parcial del contrato en favor de la Ley que la requiere para su efectividad no tiene por qué ser expresa sino que puede ser tácita. La nulidad parcial puede deducirse perfectamente de la finalidad o espíritu con el que ha sido ideada la legislación imperativa.

Son numerosísimos los ejemplos que encontramos en las leyes especiales modernas de lo que podríamos considerar como prototipo de nulidad parcial coactiva. Las fórmulas empleadas para señalar la procedencia de esta nulidad que afecta tan sólo una parte del contenido del contrato es muy similar de unas a otras. Suele redactarse o bien indicando, únicamente, la concreta nulidad del preciso pacto, cláusula o condición incluida en el contrato que no se ajusten a lo dispuesto en la propia ley, o bien estableciendo que no son válidos y se tendrán por no puestos dichos pactos, cláusulas y condiciones. Estas fórmulas generales son encontradas por doquier entre las leyes modernas: *V. gr.* arts. 6.3 y 14 de la ley 28/1998, de 13 de julio de 1998 de la ley de Venta a Plazos de Bienes Muebles, art. 3 de la Ley 7/ 1995, de 23 de marzo de Crédito al Consumo, art. 8 y 10 de la Ley 7/ 1998, de 13 de abril, sobre Condiciones Generales de la Contratación, art. 10 bis) 2° de la Ley 26/1984, de 19 de julio General para la Defensa de los Consumidores y Usuarios, Disposición adicional 1ª.5, de la Ley 29/1994, de 24 de noviembre, de Arrendamientos Urbanos, art. 8 de la Ley 36/ 1988, de 5 de diciembre, de Arbitraje, art. 9.2 de la Ley 30/1994, de 24 de noviembre, de Fundaciones y de Incentivos Fiscales a la Participación Privada en Actividades de Interés General, etc.

---

[82] DE CASTRO Y BRAVO, F., *El negocio jurídico*, op. cit. pág. 493, GÓMEZ DE LA ESCALERA, C., *La nulidad del...* op. cit. págs. 100-103, GORDILLO CAÑAS, A,. *La nulidad parcial...* op. cit, pág. 184 y ss., DELGADO ECHEVERRÍA, J., *Elementos de..*, op. cit, pág. 373-376, LÓPEZ FRIAS, A.M., *Clases de nulidad parcial del...* op. cit. págs. 855-861.

[83] DE CASTRO Y BRAVO, F., *El negocio jurídico*, op. cit. pág. 494-495. Modalidad tomada del mismo modo por LÓPEZ FRIAS, A.M., *Clases de nulidad parcial del...* op. cit. pág. 857-861.

D. Clases de nulidad parcial en virtud de sus efectos

a. Nulidad parcial simple o eliminatoria

Esta nulidad parcial es la de los efectos típicos y clásicos. Se produce cuando la norma de la que se deriva la nulidad del pacto o cláusula se limita a prohibirlo y por tanto a excluirlo del resto del contenido contractual que se mantendrá válido.

Normalmente, este tipo de nulidad parcial se ocasionará en los contratos que contienen cláusulas accidentales cuya eliminación no influye en la naturaleza o tipicidad del contrato. La característica de las normas que provocan esta nulidad es, principalmente, que no proporcionan ningún contenido al contrato sino que se limitan a prohibir cierta cláusula o parte de aquél. Por consiguiente, el resto del contrato permanecerá tal y como fue pactado por las partes una vez que se elimina la cláusula o parte viciada. En esta nulidad parcial se debe proceder a una separación de las cláusulas contractuales.

Por un lado se eliminan las ilegales y por otro se mantienen las legales. Para realizar esta separación de las partes del contrato deberemos analizar su divisibilidad o indivisibilidad.

Hay que matizar que si nos referimos a la nulidad simple o eliminatoria solo cabrá en los casos en los que la cláusula ilegal sea accidental respecto al pacto principal[84]. En otro caso, se requerirá la integración del contenido esencial por la propia norma infringida y estaríamos no ante una nulidad parcial simple sino sustitutiva[85]. Si es un elemento accidental del contrato evidentemente se conservará el contrato ya que en lo esencial los contratantes han consentido y eso se mantendrá. Los extremos accidentales que resulten anulados se podrán integrar en su caso a través de las reglas generales de integración previstas en el art. 1258 CC (ley dispositiva, el uso y la buena fe).

Si es un elemento esencial y la propia norma no dictamina o no se puede deducir la corrección o reemplazo del mismo por otro derivado de su *ratio legis* habrá que deducir su nulidad total. Si la norma es meramente prohibitiva de un extremo esencial del contrato está prohibiendo la celebración del contrato mismo.

Para dilucidar sobre si estamos ante una cláusula esencial o estamos ante una cláusula meramente accidental podemos acudir a las teorías objetivas que fundamentan la nulidad parcial. Estas teorías se basan:

– en la divisibilidad/indivisibilidad de las distintas partes de la reglamentación contractual.

– En los elementos o requisitos específicos que requieren las tipicidades contractuales.

– El fin práctico del contrato y si éste se pude lograr sin la parte nula[86].

---

[84] RUGGIERO, *Instituciones de...* op. cit. pág. 308.
[85] Vid infra epígrafe «Nulidad parcial sustitutiva».
[86] GÓMEZ DE LA ESCALERA, C., *La nulidad del...* op. cit., págs. 77-78.

Sin embargo, y pese a la ayuda de los criterios de la teoría objetiva, no se va a lograr solucionar todos los problemas. Porque otro de los problemas que se plantean es el de la relatividad en la consideración de cláusula o pacto accidental. Así pues, existe dificultad subjetiva pese a que el criterio objetivo está claro. Este último serviría para delimitar los elementos esenciales de cada tipo de contrato que siempre quedan bien señalados por la tipicidad contractual. No obstante esta teoría no resulta satisfactoria para señalar o diferenciar a *sensu contrario* los elementos esenciales de los elementos accidentales. Parece que desde un punto de vista subjetivo o desde la voluntad de los contratantes no es tan sencillo dilucidar lo que les ha impulsado a contratar. Es decir, no queda, en todo caso, claro cuál sea la diferencia entre un elemento accesorio del contrato que se pactó como mero complemento del pacto principal y aquel elemento perseguido de forma principal por ambas partes junto al pacto principal y por tanto imprescindible. Ésta es una aplicación de la noción de causa impulsiva y determinante y recordemos que la causa que es un elemento esencial del contrato[87]. Esta consideración a la valoración subjetiva de los elementos del contrato estaría contrapesando la tendencia a la nulidad parcial con la nulidad total.

No hay problema cuando es la propia norma la que establece expresamente la nulidad parcial y señala la cláusula a eliminar. En consecuencia, el problema interpretativo se produce cuando la norma no se pronuncia expresamente sobre la nulidad parcial del pacto o cláusula accidental y surge la duda sobre si se está pensando en una nulidad total o en una nulidad parcial.

Verdaderamente este supuesto problemático que planteamos no va a tener demasiada virtualidad práctica porque no va a ser frecuente una norma prohibitiva de la que no se pueda deducir su finalidad. Pero es un supuesto que se ha estudiado mucho ya que supone tanto como establecer una regla general sobre la aplicación de la nulidad parcial. De tal forma, que éste es el supuesto que se contempla expresamente en los códigos que recogen en su articulado la nulidad parcial y que hemos citado anteriormente (vid. nota 73).

El tener que definirse por una regla general sobre la nulidad parcial nos pone en la tesitura de decidir si el fundamento de dicha regla se hace sobre una base subjetiva u objetiva. En todos los casos en los que se recoge positivamente en los códigos civiles parece optarse por la teoría subjetiva al decidir sobre la nulidad total o parcial en base a la voluntad hipotética de las partes[88]. Pero, esta claro que sólo combinando criterios objetivos y subjetivos

---

[87] PONSARD, A., y BLONDEL, P., Voz «*Nullité*», Enz. Dalloz, ...cit, sect.4, §155 pág. 11.

[88] Esta técnica es la típica de las teorías subjetivas que resuelven el juicio de nulidad parcial atendiendo a la intención de los contratantes. Pero esta voluntad hipotética no es más que una ficción legal, ya que se parte de la voluntad inicial u originaria de las dos partes. De hecho, en el Código italiano y en el Código de Obligaciones suizo se parte de que en principio la voluntad de las partes es el de querer el contrato aún sin la parte nula y quien pretenda la nulidad deberá probar que no se quiso sin la parte nula. Mientras que en el B.G.B. se parte de que los contratantes en principio no quisieron el

se tendrá una idea más aproximada de si procede o no la nulidad parcial. Obviamente, se deberá acudir a esa voluntad hipotética, exclusivamente, cuando en la Ley no se defina suficientemente cuál es la suerte que debe seguir el contrato. Porque en caso en el que la Ley expresamente excluya cierta cláusula contractual o explícitamente manifieste su irrelevancia se deberá acudir directamente a la nulidad parcial[89].

El problema no se produce cuando la norma prohibitiva establece la nulidad de una cláusula o parte esencial del contrato sin que se pueda deducir de la misma una regulación que integre o que proporcione el contenido necesario para obtener un contrato válido. De prohibirse una parte o contenido esencial del contrato estaremos simplemente ante un supuesto de nulidad total del contrato. Obviamente, podemos presumir que las partes no hubiesen querido el contrato que queda porque ya no es el contrato típico que se pretendía. El resultado del cercenamiento del contrato en sus elementos esenciales no supone una modificación del contrato sino que queda otro contrato diferente que no se podrá mantener, salvo que nos encontremos en un caso de simulación (art. 1276 C.C.).

En definitiva, lo común será encontrar que cuando una norma establece la nulidad parcial de un contrato, afectando esta nulidad parcial algún elemento ya sea accidental o esencial del mismo, la misma norma implícita o explícitamente establezca el contenido que debe integrar la laguna o el vacío provocado en el contrato[90]. Lo que da lugar a otro tipo de nulidades parciales que explicamos a continuación.

b. Nulidad parcial sustitutiva y nulidad parcial reductiva

Estos son los más claros exponentes de la nulidad parcial coactiva o imperativa. Hay autores que no consideran la nulidad parcial sustitutiva como una especie de la nulidad parcial sino como algo distinto[91]. Para ellos la nulidad parcial es únicamente la nulidad parcial simple o eliminatoria y no la que se

---

negocio sin la parte que resulta nula. En este ordenamiento el contratante que pretenda hacer valer la validez del resto del contrato deberá probar que este se quiso aún sin la parte nula. En nuestro ordenamiento parece que la jurisprudencia también aplica este criterio subjetivo inclinándose por la nulidad parcial «a menos que el autor o autores del negocio jurídico no lo hubiesen concluido sin la parte nula» GÓMEZ DE LA ESCALERA C., *La nulidad del...* op. cit, págs. 75-77 y 107-108

[89]   Este es el caso de muchas normas que declaran la irrelevancia jurídica de ciertos pactos por ejemplo, arts. 1102, 1260, 1608.1, 1691, etc. Son normas imperativas-eliminatorias. GÓMEZ DE LA ESCALERA, C., *La nulidad del...* op. cit., págs. 86-87

[90]   Esta es una de las razones mas importantes que nos hacen inclinarnos por las teorías normativistas como fundamentadoras de la nulidad parcial. GÓMEZ DE LA ESCALE-RA, C., *La nulidad del...* op. cit págs. 79-99

[91]   MARÍN PADILLA,, *El principio general...* cit., págs. 155 y ss. DEGADO ECHEVERRÍA, en *Elementos de...* op. cit., T. II, Vol. 2º, pág. 374.

deriva de una norma imperativa-sustitutiva[92]. Verdaderamente, nos encontramos ante una nueva forma de sanción de la ilegalidad contractual[93].

La regla de la nulidad parcial sustitutiva se puede expresar de la siguiente manera:

La nulidad de cualquiera de los extremos del contrato no implican la nulidad total cuando éstos sean convenientemente sustituidos por normas imperativas.

De esta misma forma se recoge expresamente en los códigos civiles modernos[94]. Italia es uno de los paises donde la doctrina se ha ocupado más profundamente del estudio de este tipo de sanción derivada de la nulidad. Para la mayoría de la doctrina italiana este tipo especial de la nulidad parcial no es más que un instrumento técnico en la terminología del Código pero que es esencialmente diverso a ella[95]. Sobre la naturaleza o la construcción de este fenómeno la doctrina italiana se divide. Por un lado, un determinado sector mantiene que estamos ante un fenómeno de conversión o convalidación del contrato nulo[96]. Por otro lado, la doctrina mayoritaria mantiene que estamos ante una hipótesis particular del fenómeno de integración del contrato[97].

---

[92]   Vid. Por todos RUIZ MUÑOZ, M, *La nulidad parcial del contrato y la defensa de los consumidores*, Valladolid, 1993, pág. 31.

[93]   GORDILLO CAÑAS, A., *La nulidad parcial...* op. cit., pág. 191, LÓPEZ FRIAS, A.M, *Clases de nulidad parcial...* op. cit., pág. 851.

[94]   Como el Código civil italiano de 1942 art. 1419.2 «La nulidad de singulares cláusulas no importa la nulidad del contrato, cuando las cláusulas nulas son sustituidas de derecho (*ope legis*) por las normas imperativas» y art. 1339 « Inserción automática de cláusulas. Las cláusulas, los precios de bienes o de servicios, impuestos por la ley o por normas corporativas, son de derecho (*ope legis*), insertadas en el contrato, aún en sustitución de las cláusulas disconformes establecidas por las partes».
       También se contempla expresamente la posibilidad de la nulidad parcial sustitutiva en el código civil peruano de 1984 art. 224. «La nulidad de una o más de las disposiciones de un acto jurídico no perjudica a las otras, siempre que sean separables.
       La nulidad de disposiciones singulares no importa la nulidad del acto cuando estas sean sustituidas por normas imperativas.
       La nulidad de la obligación principal conlleva la de las obligaciones accesorias, pero la nulidad de éstas no origina la de la obligación principal.»

[95]   NUZZO, *Utilità sociale e autonomia privata*, Milán, 1975, pág. 129, CASELLA, M, *Nullità parziale del contrato e insezione automatica di clausole*, Milano, 1974, pág. 7.

[96]   En este sentido se acercaría al 1424 del codice civile esta conversión necesaria o legal implica necesariamente que se parte de la nulidad del contrato, en esta línea BETTI, E., *Teoría general...* op. cit., pág. 362, DE MARTINI, «*Inserzione automatica dei prezzi di calmiere nei contratti*», en *G.C.C.C.*, 1949, III, pág. 791 y ss.

[97]   En este sentido se acercaría al art. 1374 del Códice. Están en esta linea MESSINEO, *Il contratto...* op. cit, pág. 942, *Dottina generale...* op. cit., pág. 365, NUZZO, *Utilità sociale..* op. cit., pág. 126, FERRI, G.B., *Causa e tipo...*, op. cit. pág. 334, BARCELLONA, P., *Intervento statale e autonomia privata*, Milán, 1969, págs. 156-157. En España esta es la concepción de ALFARO-AGUILA REAL, *Las condiciones generales de la contratación. Estudios de las disposiciones generales.* Madrid, 1991. págs. 403 y 423.

Podemos añadir que, por último, deberían estar los que la definen como una sanción de genero particular.

En realidad, los italianos no deben realizar grandes construcciones justificativas de esta importante ruptura de la libertad contractual[98] ya que cuentan con dos preceptos legales que disciplinan de modo unitario y general esta técnica. Uno se encargaría de evitar que la cláusula defectuosa produzca la nulidad de todo el contrato, ya que al ser cláusula o elemento esencial merecería la nulidad total (art. 1419.2), y el otro haría posible que la parte defectuosa anulada sea sustituida por la reglamentación legal (art. 1339)[99]. Ciertamente, es aceptado por la doctrina mayoritaria que estamos ante una regla general al analizar los términos del artículo 1339[100] pese a que nos encontramos en una alteración de otras reglas generales como lo son las contenidas en el art. 1418.1 y 1419.1 y, en general, del principio de autonomía de la voluntad[101]. Esto significa que se va a poder aplicar la sustitución también en los casos en los que las normas no expresen textualmente que deba ser conservado el contrato (el art. 1419.2 es una concreción del 1339) ni que se tenga que insertar una cláusula legal[102]. Todo se inducirá por la jurisprudencia de la ratio imperativa de la norma (en caso de que se contemple expresamente no será más que otra norma de concreción del art. 1339).

Esta novedosa forma de ineficacia que se aplica a los contratos ilegales es instaurada en España a raíz de las leyes especiales sobre todo por aquellas que tienen una finalidad social o protectora. Es decir, por las normas que pertenecen al orden público económico tanto de dirección como de protección[103]. En ordenamientos como el nuestro, en el que no se recoge expresamente en el Código Civil la posibilidad de sustitución o de inserción automática de las

---

[98] MESSINEO, *Il contratto...*, op. cit., pág. 161, NUZZO, *Intervento dello Stato*, cit, pág. 121. En realidad se trata de justificar precisamente porqué se considera la más grave intromisión en la autonomía de la voluntad de tal forma que se llega a considerar al contrato incluso como un hecho del que, independientemente de la voluntad de las partes, las leyes establecen unos efectos que se deben derivar en todo caso. La voluntad de las partes sólo tendría relevancia en el momento de la constitución del contrato; después se desvincula de ellos para depender de la Ley en sus efectos.

[99] BARCELLONA, P., *Intevento statale e autonomia privata*, op. cit., págs. 155-156

[100] CASELLA, M., *Nullità parziale del...*, op. cit. págs. 104-105 y 132-136.

[101] Esta constatación es recogida por CRISCUOLI, G., *Nullita parziale del...*, op. cit. págs. 225-226. Aunque desde el planteamiento de NUZZO Y de BARCELLONA que conciben estas limitaciones como parte del propio ejercicio de la libertad contractual entendida desde una perspectiva de utilidad social y de interés general no supondrían una verdadera excepción.

[102] ROPPO, E., *Il contratto*, Bologna, 1977, pág. 173, BARCELLONA, P., *Intervento Statale...*, op. cit. pág. 149, 151, 170, BIANCA, C.M., *Diritto civile...*, op. cit., págs. 486, CAPUTO, E., «*Sui criteri di determinazioni del catattere imperativo di una nomra*» in *Giust. Civ.*, 1978, I, pág. 903. (GALGANO, Il negozio giuridico, pág. 234).

[103] Art. 2.3 de la LCU, art. 11.1 de la LAR, art. 6º de la antigua LAU, art. 2 de la LCS, y art. 9.2 LF.

cláusulas legales en el contrato, se plantea no tanto su posibilidad y justificación sino su carácter de regla general y su aplicabilidad a cualquier caso. En este punto, la jurisprudencia ha sido la encargada de inferir la regla de la sustitución en cada caso de la misma naturaleza o del espíritu de la norma imperativa infringida y ha dado las pautas o criterios para saber en qué casos se viene a aplicar[104]. En definitiva, la aplicación que la jurisprudencia española viene dando a este tipo de nulidad parcial o de inserción de cláusula legal es la misma que se ha producido en el ordenamiento jurídico italiano.

En la nulidad parcial sustitutiva en realidad se pueden distinguir dos operaciones de estrecha concomitancia[105]:

1) En primer lugar la nulidad parcial simple o eliminación de los extremos del contrato que se oponen a lo establecido imperativamente en la Ley conservando el resto.

2) En segundo lugar la inserción de las disposiciones legales previstas al efecto sustituyendo las cláusulas, elementos o pactos del contrato que han sido previamente anulados.

Esta nulidad parcial no se limita a conservar la parte del contrato que no resulta afectada por la nulidad, sino que se encarga de integrar coactivamente las cláusulas o extremos anulados por los que se hayan previsto en la propia ley infringida. En realidad, lo que ocurre es que al yuxtaponerse la norma legal y la norma contractual se encuentran obligaciones positivas concurrentes incompatibles para las partes. Entonces, lo que se hace es superponer y aplicar la norma legal imperativa sobre la norma contractual voluntaria de las partes, eliminando esta última, únicamente, en lo que no sea compatible con aquella. Las leyes que integran coactivamente el contrato parcialmente ilegal están diseñadas para que en el contenido de los contratos se incluyan obligatoriamente sus previsiones positivas. Si observamos atentamente, veremos que ésta es la misma técnica utilizada para evitar el fraude de ley[106]. En el caso en el que el contrato no recoja las previsiones normativas o las vulnere se pasará a la aplicación directa de los términos legales. La aplicación debida de la Ley no deberá quedar impedida por el uso incorrecto o inadecuado de la autonomía de la voluntad de los contratantes. Por consiguiente, se aplicará lo dispuesto en la ley sobre el contrato infractor. De esta forma se

---

[104] La norma que más expresamente ha recogido la técnica de la nulidad parcial substitutiva es el Reglamento para la aplicación de la Ley de arrendamientos rústicos Art. 1.1º del Decreto 745/1959, de 29 de abril. Sin embargo es numerosa la jurisprudencia que ha aplicado esta técnica substitutiva. (Vid. ad ex. «El caso de las VPO». *Supra* epígrafe «La normativa sobre viviendas de protección oficial. Posturas jurisprudenciales»)

[105] CRISCUOLI, G., *La nullità parciale...* op. cit., pág. 216, GORDILLO CAÑAS, A., *La nulidad parcial...* op. cit, pág. 191.

[106] No es extraño que DE CASTRO Y BRAVO, F., hablase de «nulidad parcial para evitar el fraude de ley» *El negocio jurídico* op. cit. pág. 493 y 494. En idéntico sentido LÓPEZ FRIAS, «*Clases de nulidad parcial del contrato*» en *Derecho español*, cit., pág. 857-861.

mantiene la autonomía de la voluntad respetando la libertad de decisión y disponiendo de la libertad de configuración[107]. Esta heteronomía impuesta imperativamente por la norma infringida hace que a estos contratos se les considere, en ocasiones, como contratos normados.

En cuanto a la **nulidad parcial reductiva** es la que se produce en aquellos casos en los que la norma establece unos límites mínimos o topes máximos que no pueden ser sobrepasados en alguno de los extremos del contrato. Pueden establecerse estos límites bien en cuanto al tiempo de duración o ejecución del contrato, bien en cuanto a las cantidades de las prestaciones. Cuando las partes se extralimitan bien por exceso o bien por defecto en el tiempo o las cantidades establecidos imperativamente por Ley se produce la infracción. La solución consistiría en reconducir o reducir las cifras ilegalmente pactadas a las mínimas o máximas marcadas por la Ley dependiendo de si las que se han convenido no llegan o se pasan respecto de las legalmente tasadas.

El término de nulidad parcial reductiva se debe a que, por lo general, se establecen o pactan en el contrato unas cantidades mayores de las legalmente permitidas y porque se pretende controlar y atajar las posibles especulaciones sobre productos básicos[108]. La operación que se deberá realizar normalmente es la de reducir el precio abusivo de dichos bienes a los que se consideran legalmente razonables o idóneos. Las normas que establecen estos límites son las que han recibido este nombre. Pero en realidad no se trata de una categoría diferenciada de la nulidad parcial sustitutiva[109]. Además, la denominación de nulidad parcial reductiva es meramente descriptiva de los supuestos más frecuentes pero resulta incompleta e insuficiente.

Con el término nulidad parcial reductiva no se engloban aquellos casos que precisan cualquier otra adaptación numérica que no sea la reducción como pueda ser la de aumento en los casos en los que se pacten plazos más cortos de los mínimos legales o precios y cantidades de mercancía menores de los que permite la Ley (por ejemplo al realizarse en contra de la **libre competencia** o por realizarlos un mayorista que no puede comercializar

---

[107] Vid VÁZQUEZ DE CASTRO, E., *Determinación…, cit.,* págs. 72-75.

[108] En esta materia se pueden reseñar la legislación de tasas, así como numerosas normas entre ellas el Art. 25 de la LAR y los artículos 9 y 10 de la LAU en las que se fijan la duración mínima de los arrendamientos y de sus prorrogas.

[109] CASELLA, en contra, porque considera que con la reducción del término, de la duración de la obligación o de la medida de la prestación no se produce la nulidad integral de la cláusula en que sólo se determinara un ajuste. Sin embargo la sustitución presupone la incompatibilidad del conjunto de intereses contemplados por la cláusula contractual con el dictado imperativamente por la ley, con la consiguiente e inevitable nulidad de toda la cláusula. CASELLA, M., *Nullità parziale…,* op. cit., págs. 8-9. Sin embargo, como mantiene ALFARO AGUILA-REAL, J., la mayoría de la doctrina acertadamente prescinden de la distinción. (*Las cláusulas generales de la contratación,* op. cit., pág. 405 y 409.)

directamente sus productos), que pese a que son menos frecuentes también tienen cabida[110].) En realidad, es la reducción una especie dentro de la sustitución referida al *quantum* legal. No habría problema para aplicar aumentos cuantitativos si no se adaptan por defecto al modelo legal. Se trata de nulidades parciales sustitutivas cuantitativas, en general; las reductivas no serían más que una especie, la más frecuente, de éstas.

Es evidente, en el caso en el que se haya producido la declaración de la nulidad parcial substitutiva o reductiva después de haberse ejecutado el contrato, que se deberá restituir la diferencia entre lo efectivamente cumplido, que vendrá a coincidir con lo pactado, y lo que legalmente era exigible. En este punto se matiza la regla general de **restitución** de la nulidad clásica, puesto que el contrato se mantiene y sólo deberá repetir lo pagado aquel contratante que exigió y al que se le entregó mayor cantidad de la permitida por la ley y sólo en el exceso.

Si no se hubiese cumplido o ejecutado el contrato o no se hubiese hecho completamente, sólo se deberá hacerlo en la cantidad establecida legalmente y no en la pactada.

E. La Ley General para la Defensa de Consumidores y Usuarios y la Ley sobre Condiciones Generales de la Contratación

a. Cuestiones generales

Prácticamente todas las leyes modernas han optado por recurrir a la forma de la nulidad parcial (tanto la simple como la sustitutiva) como solución a las posibles infracciones que de su normativa se puedan encontrar en los contratos.

Dos de las Leyes más relevantes que recogen expresamente esta solución de nulidad parcial en su articulado son la Ley de Condiciones Generales de la contratación y la Ley General para la Defensa de Consumidores y Usuarios. Además, en el articulado de estas leyes se establecen expresamente las reglas para integrar el contenido del contrato subsistente sin la parte anulada. Sin embargo, y pese a sus diferentes formas de redacción, ambas establecen una criticable regla subsidiaria de nulidad total, después de establecer esta nulidad parcial con extraordinarias facultades modificadoras del juez.

* Ley 7/1998, de 13 de abril, sobre Condiciones Generales de la Contratación, artículos 8 y 10. Art. 8. Nulidad. 1. «Serán nulas de pleno derecho las condiciones que contradigan en perjuicio del adherente lo dispuesto en esta Ley o en cualquier otra norma imperativa o prohibitiva, salvo que ellas se establezca un efecto distinto para el caso de contravención. 2. En particular, serán nulas las condiciones generales que sean abusivas, cuando el contrato

---

[110] BÉNABENT, A., *Droit civil, les obligations*, 5ª ed. París, 1995, pág. 127 recoge como caso de reducción la corriente jurisprudencial francesa que aplica a los casos no previstos por la Ley de cláusulas de no-concurrencia que hayan de considerarse ilícitas por no estar suficientemente limitadas en el tiempo o en el espacio o hacerlo de forma desmesurada.

se haya celebrado con un consumidor, entendiendo por tales en todo caso las definidas en el artículo 10 bis) y disposición adicional primera de la Ley 26/ 1984, de 9 de julio, General para la Defensa de los consumidores y Usuarios.»
Art. 10. Efectos. 1. «La no incorporación al contrato de las cláusulas de las condiciones generales o la declaración de nulidad de las mismas no determinará la ineficacia total del contrato, si éste puede subsistir sin tales cláusulas, extremo sobre el que deberá pronunciarse la sentencia. 2. La parte del contrato afectada por la no incorporación o por la nulidad se integrará con arreglo a lo dispuesto por el artículo 1258 del Código Civil y disposiciones en materia de interpretación contenidas en el mismo.»
*Ley 26/ 1984, de 19 de julio, General para la Defensa de Consumidores y Usuarios. Artículo 10 bis) 2. « Serán nulas de pleno derecho y se tendrán por no puestas las cláusulas, condiciones y estipulaciones en las que se aprecie el carácter abusivo. La parte del contrato afectada por la nulidad se integrará con arreglo a lo dispuesto por el artículo 1258 del Código Civil. A estos efectos el juez que declara la nulidad de dichas cláusulas integrará el contrato y dispondrá de facultades moderadoras respecto de los derechos y obligaciones de las partes, cuando subsista el contrato, y de las consecuencias de su ineficacia en caso de perjuicio apreciable para el consumidor o usuario. Sólo cuando las cláusulas subsistentes determinen una situación no equitativa en la posición de las partes que no pueda ser subsanada podrá declarar la ineficacia del contrato.»
No cabe duda que el ámbito de aplicación de ambas leyes puede resultar parcialmente coincidente puesto que se solapan en todos aquellos casos en los que el adherente sea consumidor. Lo que cabe plantearse es si cuentan con causas de nulidad coincidentes y si el régimen jurídico de la misma es o no idéntico en ambas leyes. Partiendo del presupuesto de que en ambos casos la regla general es la nulidad parcial. PERDICES HUETOS incluso mantiene que el art. 10 L.G.G.C. y el 10 bis) 2 de la L.G.C.U. son perfectamente intercambiables[111].

b. Motivos generadores de la nulidad

En cuanto a los motivos generadores de la nulidad en la Ley de Consumidores y en la Ley de Condiciones Generales parece que también resultan coincidentes. En ambos casos se incluyen la contravención de normas imperativas o prohibitivas y la calificación de una cláusula como abusiva. Respecto al primer motivo de control del contenido se podría considerar como previsión reiterativa o gratuita al no añadir, a primera vista, nada que no se pueda derivar del control general de legalidad de los contratos (art. 6.3 y 1255 del Código Civil)[112].

---

[111]   PERDICES HUETOS, A. B., *Comentarios a la Ley sobre Condiciones...*, cit., pág. 526.
[112]   Críticas en este sentido BERCOVITZ RODRÍGUEZ-CANO, R., «Comentario al art. 8°» en *Comentarios a la Ley de Condiciones Generales de la Contratación*, Pamplona, 1999,

Respecto a las cláusulas abusivas el problema se centra en la posibilidad de extender el control de las mismas a los contratos en los que el adherente no es consumidor[113]. Sobre este punto se ha de destacar que de la Exposición de Motivos de la Ley sobre Condiciones Generales de la Contratación se observa un deseo del legislador de extender la categoría de las cláusulas abusivas a los contratos entre profesionales[114]. En caso de no entenderlo así el artículo 8.2 de la Ley de Condiciones Generales sería redundante e inútil al contar ya con el artículo 10 bis) y la D. A. 1ª de la Ley General para la Defensa de los Consumidores y Usuarios de 1984[115]. A pesar de lo impreciso, inadecuado y contradictorio de la redacción empleada por el legislador esta intención extensiva debe ser la interpretación más acertada[116]. Los elementos que integran la regla general prohibitiva de las cláusulas abusivas son la contravención de la buena fe y la generación de un desequilibrio entre las

---

págs. 261-262, LLODRÀ GRIMALT, F., *El contrato celebrado bajo condiciones generales,* cit., pág. 349, BALLESTEROS GARRIDO, J.A., «La Ley de Condiciones Generales de la Contratación, derecho del consumo, derecho del mercado y ámbito subjetivo del control de las cláusulas abusivas», en *Actualidad Civil,* 2000, nº 20, pág. 753, GETE-ALONSO, C., «Comentario a los arts. 8, 9 y D.A.1ª tres» en *Comentarios a la Ley sobre Condiciones Generales de la Contratación,* coord. I. Arroyo Martínez y J. Miquel Rodríguez, Madrid, 1999, págs. 83-84 y 86. Únicamente MIQUEL le encuentra algún sentido. Salva esta acusación de redundancia en la norma destacando la expresión «en principio del adherente» y sirve para negar la existencia de una cláusula general para efectuar un control específico del contenido (MIQUEL, J. M., *Comentarios a la Ley sobre Condiciones...,* cit., págs. 429-432).

[113] Nuestro propio Tribunal Supremo ha señalado la mayor dificultad que se encuentra a la hora de estimar que una cláusula es abusiva cuando no se está en presencia de un consumidor sino de un adherente profesional en el Auto de 28 de noviembre de 2000. RJ 2001/703. Vid. LETE ACHIRICA, J., «Condiciones Generales, cláusulas abusivas y otras nociones», *A.C.,* nº 17, 2000, págs. 635-649. MIQUEL encuentra extravagante la insistencia de la Ley de Condiciones Generales en distinguir categorías heterogéneas como condiciones generales y cláusulas abusivas, añadiendo que el art. 8 de la Ley sobre Condiciones Generales de la Contratación cumple la función de hacer inútil la propia Ley al privarla de su propio control de contenido (MIQUEL, J. M., *Comentarios a la Ley sobre Condiciones Generales...,* cit., págs. 433 y 435-437).

[114] BALLESTEROS GARRIDO, J.A., «La Ley de Condiciones Generales de la contratación, derecho del consumo... cit., págs. 755 y 758, BLANCO PÉREZ RUBIO, L., «El control de contenido en condiciones generales y en cláusulas contractuales predispuestas», en *R.J.N.,* 2000, nº 35, págs. 15-16. DUQUE DOMÍNGUEZ considera la aplicación analógica posible. (DUQUE DOMÍNGUEZ, J. F., «Las cláusulas abusivas...», cit., pág. 497.

[115] BALLESTEROS GARRIDO, J.A., «La Ley de Condiciones Generales de la contratación, derecho del consumo... cit., pág. 753.

[116] BERCOVITZ RODRÍGUEZ-CANO, R., «Comentario al art. 8º», en Comentarios a la Ley de Condiciones Generales... cit., pág. 267. MIQUEL, J. M., *Comentarios a la Ley sobre Condiciones...,* cit., págs. 459-462. En contra GETE-ALONSO, en *Comentarios a la Ley sobre Condiciones Generales de la Contratación,* coord. I. Arroyo Martínez y J. Miquel Rodríguez, cit., pág. 83 y 85.

partes. Ambos factores han sido aceptados por la doctrina, si bien algunos autores señalan que también sería oportuna una referencia a otros criterios delimitadores como la naturaleza del contrato[117]. En cambio, alguno de estos otros criterios como los derivados del abuso del derecho han sido calificados como insuficientes por sí solos para configurar estas cláusulas abusivas[118].

Cuando el criterio de identificación de estas cláusulas abusivas se refiere a la vulneración de las exigencias de la buena fe la doctrina coincide en configurarla como buena fe objetiva o normativa[119]. Cuando se trata de definir el desequilibrio entre los derechos y obligaciones de las partes se acude a distintos referentes: SANZ VIOLA considera que es preciso acudir a la regulación legal del contrato o la de los contratos típicos similares[120]; VATTIER FUENZALIDA mantiene que se tratará en todo caso de un desequilibrio jurídico y no económico, por lo que el control no se extiende a las cláusulas esenciales sobre el objeto del contrato ni a la relación precio-calidad, aspectos que queden a expensas de las reglas de mercado[121]; CLEMENTE MEORO considera interesante, respecto de este factor, hacer una valoración histórica del mismo observando que las circunstancias de desarrollo económico hacen que los predisponentes puedan obtener una posición privilegiada en la realidad material respecto al adherente[122].

La propia jurisprudencia del Tribunal Supremo ha venido manteniendo en sus sentencias estas mismas ideas a la hora de apreciar la existencia de una cláusula abusiva, resaltando sobre todo esa idea de desquilibrio de los derechos y obligaciones de las partes perjudicando desproporcionadamente a la más débil de ellas[123].

---

[117]   CLAVERÍA GOSÁLVEZ L.H., «Una nueva necesidad: la protección frente a los desatinos del legislador. (Comentario atemorizado sobre la Ley 7/1998, sobre Condiciones Generales de la Contratación)» en *A.D.C,* 1998-3, pág. 1304. BLANCO PÉREZ RUBIO, L., «El control de contenido en condiciones generales …cit., págs. 31-32..

[118]   ORDUÑA MORENO, J., «Derecho de la Contratación y Condiciones Generales (I), en *Revista de Derecho Patrimonial,* año 2000-1, nº 4.

[119]   SANZ VIOLA, A.M., «Consideraciones en torno a la Ley 7/1998, de 13 de abril, sobre Condiciones Generales de la Contratación», en *Actualidad Civil,* 1999, nº 30, pág. 897, VATTIER FUNZALIDA, C., «Las cláusulas abusivas en los contratos de adhesión», en *R.C.D.I.,* 1995, págs. 1537 y 1538, CLEMENTE MEORO, M., «El régimen de ineficacia de las cláusulas abusivas», en *Contratación y Consumo,* Valencia, 1998, pág. 303, BLANCO PÉREZ RUBIO, L., «El control de contenido… cit., págs. 29-30.

[120]   SANZ VIOLA, A.M., «Consideraciones en torno a la Ley 7/1998, de 13 de abril, sobre Condiciones Generales de la Contratación», en *Actualidad Civil,* 1999, nº 30, pág. 897.

[121]   VATTIER FUNZALIDA, C., «Las cláusulas abusivas en los contratos de adhesión», en *R.C.D.I.,* 1995, págs. 1537 y 1538.

[122]   CLEMENTE MEORO, M., «El régimen de ineficacia de las cláusulas abusivas», en *Contratación y Consumo,* Valencia, 1998, págs. 304 y 305

[123]   Ss. de 18 de septiembre y 13 de noviembre de 1998 y de 15 de septiembre de 1999, entre otras.

Para BERCOVITZ lo ideal hubiese sido que la Ley de Condiciones Generales determinase más nítidamente los criterios que permiten decidir cuando una condición es o no abusiva, enumerándolas incluso como hace el art. 10 bis) de la Ley de Consumidores, sin que fuese necesario siquiera aludir en el precepto (artículo 8.2 de la Ley de Condiciones Generales de la Contratación) a la sanción de nulidad que se recoge ya en los artículos siguientes[124].

c. Ámbito de la nulidad parcial

Parece que la nulidad parcial será igualmente aplicable al ámbito específico de la Ley de Condiciones Generales —que quedará regido por los artículos 9 y 10 de la Ley— contratos de adhesión entre profesionales, como a los supuestos de contratos con consumidores en los que habrá de aplicarse el art. 10 bis) 2 de la LGDCU al ser consumidor una de las partes, y en la medida que existan condiciones generales también se aplican los artículos 9 y 10 de la LCGC. Como observamos, no se descarta tampoco una eventual aplicación de la nulidad total del contrato. En el caso de la Ley de consumidores se empleará la nulidad total cuando las cláusulas subsistentes determinen una situación no equitativa en la posición de las partes y en el caso de la Ley sobre Condiciones Generales para el caso en el que quede afectado alguno de los elementos esenciales del contrato. De esta forma vemos perfectamente que la nulidad parcial que se establece en cada una de las leyes parecen estar orientadas a la nulidad parcial *ex voluntate* susceptible de ceder a una nulidad total y no hacia la nulidad parcial imperativa o coactiva que se mantendría en todo caso[125].

En primer lugar, en el caso de la Ley de Consumidores parece que se trata de tener en cuenta la hipotética voluntad de las partes (cuando debería referirse en particular a la parte consumidora), mientras que en el caso de la Ley de Condiciones Generales parece que se tiene presente en cualquier caso la regla «*utile per inutile non vitiatur*». En principio, parece ligeramente criticable la opción por este tipo de nulidad parcial en ambas leyes pero, como veremos, es más razonable en la Ley sobre Condiciones Generales que en la Ley de Consumidores.

La solución más adecuada hubiese sido la *nulidad parcial coactiva o integradora* en todo caso. Es decir, lo idóneo sería integrar el contrato para sustituir imperativamente tanto las condiciones generales ilegales como las

---

[124]   BERCOVITZ RODRÍGUEZ-CANO, R., «Comentario al art. 8°», en *Comentarios a la Ley... cit.,* págs. 262 y 268.

[125]   Disparidad de apreciaciones al respecto encontramos en BLANCO PÉREZ RUBIO para quien el art. 10 bis) 2 de la LCU establece una nulidad parcial coactiva (BLANCO PÉREZ RUBIO, L., «El control de contenido en condiciones generales ...cit., pág. 33) y CLAVERÍA GOSALBEZ que encuentra que estamos ante una nulidad parcial en atención a la voluntad de las partes. (CLAVERÍA GOSÁLBEZ, L.H., «Comentario al art. 10.4» en *Comentarios a la Ley General para la defensa de los consumidores y usuarios,* (obra coordinada por R. Bercovitz y Javier Salas), Madrid, 1992, pág. 342)

EDUARDO VÁZQUEZ DE CASTRO

cláusulas abusivas por otras que se adecúen a la Ley y a la naturaleza contractual. Esta derogación parcial de la voluntad o autonomía contractual se justifica porque en ambas leyes se manejan finalidades de orden público que quedarían frustradas en el caso de que el consumidor o adherente tuviesen que soportar la nulidad de todo el contrato.

Por esta razón muchos autores han sostenido que no puede el predisponente invocar desequilibrios para obtener la nulidad total puesto que estas contravenciones estos defectos le son imputables únicamente a él[126]. Tampoco procedería la nulidad total en las cláusulas insólitas ya que, como mantiene PASCUAU LIAÑO, este tipo de cláusulas consisten en una desviación de lo esperado razonablemente por el adherente en función de los usos negociales y contenido natural del contrato[127].

No obstante, se ha de destacar que el empleo de esta técnica de ineficacia que puede conducir a la nulidad total merece, sin duda, una mayor crítica en el caso de la Ley de Consumidores, cuestión sobre la que se incidirá más adelante[128]. No se entienden tantos recelos y reparos del legislador por mantener una nulidad parcial imperativa o coactiva ante el temor de que se cree, aún y con las facultades de integración con las que cuenta el juez, una eventual situación poco equitativa para las partes. En buena lógica, por la propia finalidad y propósito de la Ley de Consumidores, únicamente debería suscitarle cierta preocupación al legislador la hipotética posición de desequilibrio del consumidor resultante de conservar, aunque sea parcialmente, el vínculo contractual (verdadero objetivo de la medida legal)[129]. Es decir, la medida se dirigiría a evaluar si, a pesar de haberse anulado alguna o algunas de las cláusulas contractuales, la prestación que aún debe cumplir el consumidor es asumible y no resulta ya lesiva en modo alguno.

En realidad, la nulidad parcial que se impone como sanción trata de restaurar una situación de legalidad y de paridad contractual eliminando cláusulas contractuales que se consideran ilícitas y abusivas. Que, en estas circunstancias, un contrato de consumo se anule parcialmente favoreciendo al consumidor y produciéndole algún tipo de pérdida al empresario no es criticable en absoluto. De hecho, estos posibles inconvenientes que para el empresario se deriven de aplicar la nulidad parcial a concretos contratos puede servir como medida disuasoria para que en el futuro se abstenga de incluir tales cláusulas.

---

[126] VATTIER FUENZALIDA, C., «Las cláusulas abusivas... cit., pág. 1541, CLAVERÍA GOSALVEZ, L.H., «Una nueva necesidad... cit., pág. 1305.

[127] PASCUAU LIAÑO, M., en *Comentarios... cit.*, pág. 198 y 299.

[128] Vid epígrafe «*La primitiva redacción del artículo 10.4 de la Ley 26/1984, de 19 de julio, General para la defensa de consumidores y usuarios. Critica..*»

[129] No hay más que analizar el fundamento para la corrección de los desequilibrios contractuales (vid. MARTÍNEZ DE AGUIRRE, C., en «Trascendencia del principio de protección a los consumidores en el derecho de obligaciones», *A.D.C.*, nº 47, T. I, 1994, págs. 61-64 y 72-73).

La ventaja que el empresario-predisponente espera obtener de la inclusión de una cláusula ilegal o abusiva se contrarresta con el riesgo de cargar con cualquier pérdida que se pueda derivar de su anulación.

Además, ha de tenerse en cuenta que existe un sistema específicamente establecido en la Ley para determinar el régimen sustitutivo de las condiciones generales nulas donde las facultades moderadoras de jueces y tribunales son muy amplias.

En el caso de la Ley de Condiciones Generales resulta también criticable que se haya optado por establecer reservas a la nulidad parcial imperativa. No obstante, las críticas en este caso han de ser más moderadas ya que pueden resultar comprensibles ciertos temores del legislador ante las consecuencias de una nulidad parcial imperativa sin cortapisas. Ciertamente, también en este caso se sigue manteniendo ésa como solución idónea. Nos encontramos técnicamente en el mismo caso puesto que en realidad se trata de restaurar la legalidad y evitar las cláusulas que incluso no reúnan los indispensables requisitos de inclusión[130] y la sanción que mejor se adapta a esos casos es la nulidad parcial coactiva.

Pueden, sin embargo, darse supuestos excepcionales en los que se produzcan situaciones no equitativas a consecuencia de la aplicación de la nulidad parcial en los contratos realizados en el marco de las relaciones comerciales entre dos empresarios. En muchas ocasiones este tipo de contratos son de tracto sucesivo y de larga duración y la finalidad de esta ineficacia total consistiría en impedir que uno de los contratantes soporte unas condiciones demasiado gravosas al quedar vinculado por un contrato que ha quedado económicamente muy modificado en su perjuicio. Cuando la intervención judicial no puede moderar equitativamente las consecuencias económicas de los contratos cuyas cláusulas han de ser anuladas, y éstas resultan demasiado desfavorables para una de las partes que no las pudo prever, procedería la aplicación de la nulidad total.

No se considera tan censurable como en el caso de la Ley de Consumidores que el legislador haya establecido en la Ley de Condiciones Generales esta especie de garantía para evitar *in extremis* posibles desequilibrios insubsanables derivados de la nulidad parcial. Habida cuenta, además, de que en las relaciones comerciales entre empresas siempre se darán casos de un mayor equilibrio en cuanto al poder económico y de capacidad de negociación que en el caso de los consumidores. De hecho, la Ley de Condiciones Generales no persigue como única finalidad establecer un régimen tuitivo para el adherente. Al referirse también a relaciones contractuales entre empresarios y no únicamente entre

---

[130] Como señala BALLESTEROS GARRIDO, también puede resultar criticable que no se incluyan las cláusulas abusivas como en los contratos celebrados con consumidores para las situaciones de sometimiento de los pequeños profesionales a las grandes empresas. (BALLESTEROS GARRIDO. J.A., *Las condiciones Generales de los contratos y el principio de autonomía*, Barcelona, 1999, págs. 277-278.)

consumidor y empresario se persigue también una normalización del tráfico económico. Se pretende que, con independencia de la concreta capacidad económica que los contratantes puedan tener, se consigan objetivamente una mayor conmutabilidad, claridad y seguridad en la contratación en masa[131]. Coincidimos en estos concretos supuestos plenamente con la opinión de ALFARO AGUILA-REAL al observar que cuando excepcionalmente el control del contenido deja desequilibrado el contrato puede valorarse positivamente la previsión normativa de la ineficacia total[132].

Se rompería no sólo la conmutabilidad sino la propia base sobre la que se sustentaba el contrato si la nulidad afecta a un elemento esencial. Además, las consideraciones para aceptar o no la nulidad parcial se cifran en criterios objetivos como la integración para la coherencia de la reglamentación resultante que salen del paso de los planteamientos excesivamente voluntaristas[133]. Es de suponer que, pese a que se utilicen pliegos de condiciones para contratar, al empresario o profesional se le debe atribuir un nivel de diligencia cualificado que no se reduce al del buen padre de familia aplicable al consumidor. Cuando se perfecciona un contrato entre dos empresarios debemos presumir que habrán tenido muy en cuenta, si no han negociado o discutido directamente todas las condiciones, los extremos esenciales de dicho contrato al entrar dentro de lo que se sobreentiende que forma parte de la diligencia de un buen comerciante.

También deberá considerarse que las operaciones comerciales entre empresas serán siempre de mayor envergadura y en los contratos se negociarán grandes cantidades que para llegar a perfeccionarse habrán quedado perfectamente ajustadas[134]. Por esta razón, si se va a alterar alguno de estos elementos esenciales del contrato también deberemos presumir que ninguno de los dos contratantes pretendía contratar en tales condiciones y no habrá

---

[131] Cuando en el preámbulo de la Ley de Condiciones Generales se establece la distinción entre cláusula abusiva y condición general para considerar posteriormente (artículo 8.2) aplicable la nulidad de condiciones abusivas únicamente a los consumidores se está afirmando que aparte de la protección de la igualdad de los contratantes la Ley se ha marcado otros objetivos. Afirma el legislador en el preámbulo que pese a que en las condiciones generales entre profesionales puede existir abuso de una posición dominante, tal concepto se sujetará a las normas generales de la nulidad contractual.

[132] ALFARO AGUILA-REAL, J., *Las Condiciones Generales de la Contratación*, Madrid, 1991, págs. 453-457 y 481. Se debe matizar que este autor se refería a la antigua disposición (artículo 10.4) de la Ley de Consumidores mientras que nosotros hemos hecho la distinción entre los preceptos del nuevo artículo 10 bis) 2. de la Ley de consumidores y los artículos 10 y 9.2 de la Ley sobre Condiciones Generales valorando como positiva la solución, en este sentido, prevista en esta última Ley.

[133] PASCUAU LIAÑO, M., en *Comentarios...* cit., págs. 294-295 y 299-300.

[134] Recordemos que la razón por la cual la jurisprudencia alemana, con respecto a las viviendas, había variado su criterio de aplicar una nulidad parcial sustitutiva a los productos de consumo que se vendían a precio superior al que establecían las tasas era el que se trataba de bienes de gran valor y la cuantía del precio es circunstancia fundamentalmente decisiva para decidir la venta. (vid supra nota 13).

mayor problema para proceder a la anulación del contrato[135]. En todo caso, habría que hacer hincapié —como observa VATTIER FUENZALIDA— en el hecho de que esa nulidad total ha de ser probada por el predisponente y admitida de modo muy restringido, dado que priva al adherente del bien sobre el que recae la relación cotractual[136].

En consecuencia, se considera menos criticable, en estos casos, que en la redacción de la Ley se ponga más hincapié para optar por la nulidad total en que la nulidad de las cláusulas afecte o no a un elemento esencial del contrato (*utile per inutile non vitiatur*) que a la efectiva situación inequitativa a la que pueden dar lugar. Esta claro que, tal y como ha quedado redactada, en la Ley de Condiciones Generales se difumina el carácter de nulidad parcial imperativa de la sanción principal y se abre la puerta, de un modo más generoso, a la posibilidad de declarar la nulidad total del contrato. Habrá que ser extremadamente cuidadosos si finalmente se decide aplicar una nulidad total para evitar que mediante el empleo de técnicas torticeras en la redacción de los contratos el empresario predisponente pueda forzar la inaplicación de la nulidad parcial[137].

3.5.2. Segunda variante: La limitación en la legitimación activa para alegar la ilegalidad

A. Restricciones en la legitimación activa. Nulidad relativa

De entre las posibles nuevas formas de ineficacia derivadas de la nulidad clásica está aquella que se distingue bajo el perfil de la persona legitimada para interponer la acción. Algunos autores italianos han distinguido, a partir de este punto concreto, cuatro figuras distintas: por un lado la nulidad absoluta y la nulidad relativa, y por otra parte la anulabilidad relativa y la anulabilidad absoluta. Las formas fundamentales y clásicas son la nulidad absoluta y la anulabilidad relativa. Pero, desde luego que caben las otras formas de ineficacia; la política legislativa empleada en determinadas regulaciones puede interesarse por limitar o ampliar la legitimación para impugnar determinados acuerdos[138].

---

[135] CLEMENTE MEORO, M., *Contratación y consumo*, Valencia, 1998, pág. 322, PAGADOR LÓPEZ, J., *La directiva comunitaria sobre cláusulas contractuales abusivas*, Madrid, 1998, pág. 114, BARRÓN DE BENITO, J.L., *Ley sobre condiciones generales de la contratación. Aspectos procesales*, Madrid, 1998, pág. 52.

[136] VATTIER FUENZALIDA, C., «Las cláusulas abusivas… cit., pág. 1541..

[137] VATTIER FUENZALIDA, C., «Las cláusulas abusivas… cit., pág. 1542, CLAVERÍA GOSALVEZ, L.H., «Una nueva necesidad… cit., pág. 1312. PERDICES HUETOS, A.B., en *Comentarios…*, cit., págs. 533-536.

[138] TRIMARCHI, *Instituciones de… op. cit.*, pág. 205, BETTI, *Teoría general del… op. cit*, págs. 357-360, CARIOTA-FERRARA, *Annullabilità assoluta e…*, op. cit. SCOGNAMIGLIO, R., *Contributto alla… op. cit.*, pág. 412.

Nosotros no consideramos conveniente adoptar completamente esta nomenclatura sugerida por la doctrina italiana puesto que puede llegar a resultar confusa[139]. No obstante, nos sirve la distinción de estos autores para comprobar las posibles variantes en la legitimación de las formas tradicionales de ineficacia[140]. Para evitar enredar y confundir estos nuevos regímenes de ineficacia con los clásicos es preferible evitar la denominación de nulidad relativa. Esta expresión es término identificable con el clásico régimen de la anulabilidad. Por esta razón es preferible hablar de ineficacia con legitimación restringida (desde la óptica de límite a la legitimación general, de todo interesado) o de nulidad con legitimación reservada (desde el punto de vista de facultad en manos de una sola de las partes contratantes).

Efectivamente, comprobamos que es razonable y, en algunos casos, necesaria la idea de imponer una limitación en la legitimación para solicitar la nulidad radical. Aceptamos que hay determinados casos en los que la legitimación ilimitada de la nulidad de pleno derecho no tiene sentido. Estos casos se producirán siempre que la finalidad de la norma infringida esté encaminada a proteger especialmente a una categoría de personas. Habrá que analizar la influencia de este especial estatus o condición cuando esta categoría de personas, especialmente protegidas por el ordenamiento jurídico, se relacionan contractualmente. Cuando, casualmente, viene a corresponderse la cualidad de una de estas categorías de personas con la posición de una de las partes contratantes, el especial régimen jurídico tuitivo también deberá traducirse o reflejarse en el régimen jurídico de la ineficacia. Es indiscutible que una especial protección o un régimen especialmente tuitivo consistiría en reservar el ejercicio de la acción impugnatoria a esta parte contratante, generalmente la que el legislador considera más débil o en inferiores condiciones.

Cuando el legislador ha diseñado una concreta normativa de forma tuitiva para una de las partes puede dejar a elección de la parte favorecida la posibilidad de invocar o no esta norma. Es decir, si la norma establece derechos particulares a favor exclusivamente de una de las partes contratantes parece coherente que sólo ésta tenga la posibilidad de alegarlos. Será la parte especialmente protegida por la ley la que tenga la potestad de decidir si quiere anular el contrato beneficiándose de su especial consideración legal o si le interesa más aceptarlo y cumplirlo.

En lugar de denominar esta forma de ineficacia como nulidad relativa (que puede inducir a confusión con la anulabilidad, a la que también se la conoce comúnmente con tal denominación) vamos a hablar de nulidad con limitacio-

---

[139]   PETTI apunta que la doctrina italiana ha establecido, al menos hasta cuatro modos de interpretar el concepto de nulidad relativa (PETTI, G.B., «*La vinculazione e la invalidità del contratto*», en Comentario al Codice Civile, Roma, 1984, pág. 161)

[140]   Vid supra epígrafe «Las nuevas formas de ineficacia como tertius genus entre la nulidad y la anulabilidad».

nes o restricciones en la legitimación[141]. Hay mas autores que se refieren a esta variante de la nulidad como nulidad o ineficacia relativa, como decimos, aunque se refieran a una nulidad radical y de pleno derecho. En estos casos la única variante respecto a la nulidad radical está en el carácter de la legitimación activa, habilitada únicamente para un determinado tipo de contratante, a quien la norma imperativa se dirige, precisamente, para protegerle[142]. Para algunos de estos autores esta variación de la nulidad no supondría una limitación en la legitimación propiamente dicha sino que en realidad se produciría una reducción de los efectos del contrato, no extendiéndose a las personas a las que la ineficacia se refiere en sus efectos negativos.

Esta nulidad relativa no tenemos por qué identificarla con la anulabilidad, porque sería, más bien, una subespecie de la nulidad. Pero los contornos de esta nulidad relativa no están demasiado bien definidos por lo que algunos autores prefieren hablar de ineficacia relativa[143]. Nosotros preferimos hablar de nulidad con legitimación restringida o limitada. De esta forma, se puede identificar la sanción sin necesidad de indicar si es subespecie de alguna de las dos categorías clásicas, o si es categoría autónoma c independiente.

Podemos decir que no es tan difícil de diferenciar de la anulabilidad, pese a que se tienda a identificar terminológicamente los conceptos[144]. Como indica OERTMAN, ya en el Derecho Romano distinguían entre la anulabilidad y la nulidad relativa, «debido preferentemente a que en aquella época la anulabilidad había de llevarse a cabo mediante demanda y sentencia; la anulación, una vez

---

[141] Este concepto es muy criticado por OERTMAN para quien el término acuñado por WINDSCHEID en sus dos acepciones de nulidad permanente con respecto a determinadas personas con derecho a prevalerse de ella y de nulidad cuya vigencia depende de determinadas personas facultadas para ello resulta insatisfactorio y prefiere la palabra ineficacia relativa. Este autor nos apunta que ya en el derecho romano se distinguía entre nulidad relativa y anulabilidad por las peculiaridades procesales que implicaban una y otra acción pero que ya en la actualidad no existe diferencia en todos esos aspectos. OERTMAN, op. cit., págs. 67-69.

[142] MORENO MOCHOLI, M., *Las irregularidades en el...* op. cit. RATTIN, L., *Sugli effeti dei...* op. cit, pág. 57 y 58 pág. 23, PUIG PEÑA, *Introducción al derecho civil*, Barcelona, pág. 547 y ss. OERTMAN (op cit. pág. 69) lo denominan ineficacia subjetivo-relativa.

[143] OERTMAN siguiendo a WINDSCHEID califica la nulidad relativa de concepto absurdo si se entiende que es una nulidad que de un modo permanente existe para unos y para otros no existe. OERTMAN, P., «*Invalidez e ineficacia de los negocios jurídicos*», R.D.P., 1929, pág. 68. Por ello prefieren denominarlo ineficacia relativa donde incluye el régimen de tasas, ibídem, pág. 76 y 77. Aunque también apunta MESSINEO esta tendencia doctrinal a reconducir la nulidad relativa al caso de la ineficacia relativa, vemos que al caracterizar esta ineficacia relativa no se corresponde exactamente con el contenido de la nulidad relativa. La ineficacia relativa según MESSINEO es simplemente la inoponibilidad del contrato frente a terceros. Esta ineficacia no afectaría a los propios contratantes para quienes seguiría siendo eficaz, sino que solo afectaría respecto a todos o a ciertos terceros. MESSINEO, F.,_*Manual de derecho civil y comercial*, T. II. Trad española, Buenos Aires, 1954, pág. 500-501.

[144] MESSINEO, F., *Manual de...* op. cit., pág. 494.

lograda, carecía, por lo general, de efectos retroactivos —se consideraba *ex nunc*, no *ex tunc*— y muchas veces no alcanzaba a los terceros.»[145]

LUTZESCO expresa esta diferencia diciendo que «por motivos de orden público la nulidad relativa se ve forzada y elevada al rango de nulidad absoluta, con o sin la posibilidad para las partes de hacerla valer judicialmente. Así ocurre en el grupo de las nulidades que afectan los actos concernientes al principio de protección del interés privado.»[146]

B. La técnica de limitar la legitimación

La propuesta de proceder a una relativización de la nulidad radical y, en principio, absoluta, no es una innovación tan original y novedosa como puede parecer[147]. De hecho, este sistema es lo que el ordenamiento francés ha decidido adoptar hace tiempo a instancias de la doctrina y jurisprudencia. GAUDEMET propone una amplia gama de modalidades de nulidad atendiendo a los sujetos que están legitimados para invocar la violación de una ley[148]. Para articular estas variantes de nulidad parte del presupuesto de graduar la legitimación de los interesados dependiendo de la finalidad de la ley infringida. En principio, caben dos categorías fundamentales: las nulidades previstas en las leyes que protegen fundamentalmente un interés particular[149], y las nulidades que sancionan las leyes que protegen un interés general[150].

---

[145] OERTMAN, P., *Invalidez e ineficacia de los...* op. cit., pág. 69.

[146] LUTZESCO, G., *Teoría y práctica de las nulidades...* cit. pág. 279.

[147] DELGADO ECHEVERRÍA, *Comentarios al Código civil, Ministerio de Justicia*, art. 1300, págs. 541-543.

[148] GAUDEMET, E., *Théorie générale des...* op. cit., págs. 166-169

[149] Entre las que a su vez se pueden distinguir: **a) las nulidades puramente personales** que solo pueden ser invocadas *intuitus personae* por una persona determinada y que se considera sumamente excepcional. **b) las nulidades concedidas a favor de una sola persona pero sin ser de carácter puramente personal** que pueden ser ejercidos por herederos y que es el caso mas frecuente coincidiría con los casos típicos de vicios del consentimiento. **c) la nulidad atribuida a varias personas pero a titulo diferente**, pone el caso de las acciones ejercidas por el representante legal del incapaz, el curador. **d) la nulidad abierta a varias personas en virtud del mismo titulo**. Incluye personas o categorías de personas en una misma situación que merecen ser protegidas por idéntica razón, como los co-contratantes en contratos entre esposos prohibidos por el art. 1595 code. **e) Las nulidades relativas generalizadas**. Las nulidades impuestas por una idea de protección de una amplia categoría de sujetos que pueden ser invocados por estos interesados como si fuesen absolutas.

[150] Entre las que a su vez distingue entre: **a) las nulidades de orden social**, si la norma violada guarda un interés social superior o de moralidad pública en cuyo caso entiende que no solo están legitimados todos los particulares interesados en general, sino también el juez de oficio y el ministerio público que representa a la sociedad. Como ejemplo la venta en contrabando. **b) Las nulidades de carácter penal** son impuestas a modo de pena a un particular esta es una nulidad absoluta pero, obviamente, no se incluye a la persona contra la que se ha dictado la pena. También estarían legitimados el Ministerio Público y el juez podría declararla de oficio. **c) Las nulidades naturales**,

Pero esta clasificación y diferenciación, exageradamente exhaustiva en la gradación de la legitimación activa de la nulidad que propone GAUDEMET, no va a ser demasiado práctica y no va a ser acogida en su totalidad. Lo que sí que va a transcender es la idea básica de que se puede graduar la legitimación para invocar la nulidad en virtud de la finalidad que pretenda perseguir la norma. Además, se concibe esta graduación y limitación en la legitimación para alegar la nulidad como una variante de la clásica nulidad absoluta, como una nulidad especial, sin necesidad de considerar por ello que estamos ante una anulabilidad.

Esta idea se va a traducir, sobre todo, en la concepción de que existe una nulidad en la que se restringe la legitimación a una categoría de contratantes que la ley tiende a proteger. La nulidad absoluta sin límites en la legitimación se reserva para aquellos casos en los que la ley está diseñada para ordenar y orientar la economía del país sin que se persiga proteger a ninguna de las partes en especial.

Debemos recordar que en el país vecino van a distinguir nítidamente entre las normas jurídicas de orden público económico de dirección, y las normas de orden público económico de protección[151]. Reservando la legitimación en estas últimas únicamente para las personas a quién están destinadas a proteger[152].

Como decimos, la mayoría de la doctrina francesa ha subrayado la conveniencia de extender esta nueva técnica para todos los contratos que

---

incluye aquí los casos en los que falta un elemento esencial del contrato. En estos casos, cualquier particular interesado la podrá solicitar pero no el ministerio publico ni el juez de oficio puesto que la sociedad no esta interesada. **d) Las nulidades de interés privado general**, no esta en juego un interés social superior pero todos los individuos particulares pueden considerarse interesados en tanto destinatarios de la norma infringida. Se pone como ejemplo la inobservancia de requisitos dispuestos *ad solemnitatem* por la norma. No cabrá en cambio la intervención de oficio ni del Ministerio Público ni del Juez.

[151] La gran mayoría de la doctrina francesa, que hace una distinción evidente entre el orden público económico de protección y el orden público económico de dirección. Observando que el carácter absoluto de la nulidad no esta justificado como sanción en la mayor parte de las reglas pertenecientes al orden público económico de protección que tiende a proteger a una de las partes contratantes que se encuentra en una situación de inferioridad y, en consecuencia, es a esta a la que corresponde la acción de impugnación. (vid supra «Orden Publico económico».)

[152] En cuanto al orden público económico de protección. El límite de legitimación que se mantiene que lo convierte en una nulidad relativa aunque no por el número de personas autorizadas para prevalerse de ella sino en función de los intereses en juego. Precisamente, por el carácter heterogéneo y no deslindable de las nociones de interés público e interés privado permite especular con una serie de casos intermedios en los que la acción de nulidad no está abierta cualquier interesado, aunque tampoco se restrinja a una sola persona. GUESTIN, J., *Traité de...* op. cit., págs. 883 y 927-929, MARTY et RAYNAUD, Droit civil, *Les obligations*, T. 1, Les sources y T. 2, vol. 1º, 2ª ed., 1988 págs. 75 y 225, MALAURYE et AYNÈS, *Les obligations* 6ª ed. 1994, pág. 317 CARBONNIER, op. cit, pág. 131, BÉNABENT, A., *Droit civil...* op. cit., pág. 119.

interfieren en el orden público económico[153]. También una parte de la doctrina italiana admite que en algunas hipótesis particulares la nulidad sólo pueda ser hecha valer por determinadas personas como nulidad relativa[154]. Según el análisis clásico, si la anulabilidad es unilateral es porque solamente una de las dos partes del contrato tiene necesidad de ser protegida. La formulación de las leyes que recogen este tipo de normas suele ser de imperatividad en un solo sentido o para una sola de las partes contratantes.

Deberemos, además, observar que adquieren cierta relevancia las circunstancias en las que se dictan estas leyes. Muchas veces son sólo razones coyunturales de la economía las que llevan a proteger a la parte preferida por la Ley. En otras ocasiones, el fundamento de la especial protección legal es de base. Así, en unos casos las reglas del orden público de protección están destinadas a paliar la falta de equilibrio en el poder económico de las partes, protegiendo a la parte débil que en otro caso tendría que verse sometida siempre a las exigencias y abusos de la parte más poderosa. En otros casos se trata de facilitar el acceso de los ciudadanos a una serie de bienes de consumo necesarios. Estos primeros casos son los que llevan a proteger al consumidor frente a los profesionales o empresarios que producen, facilitan, suministran o expiden bienes muebles o inmuebles, productos, servicios, actividades o funciones. (Ley de Consumidores y Ley del Contrato de Seguro, Ley de Condiciones Generales de Contratación, ventas de viviendas hecha por promotores y constructores, etc.). Por tanto, en estos casos la protección se encuentra siempre justificada y con ella la limitación en la legitimación, que quedaría reservada únicamente para la parte protegida.

Desde luego, parecería razonable que si se restringe la legitimación exclusivamente a una de las partes del contrato no tenga lugar la actuación de oficio del tribunal[155]. Pues bien, maticemos que, aunque la regla general será la no interferencia del tribunal en estos casos, en determinadas ocasiones excepcionales y concurriendo determinadas circunstancias podrá intervenir de oficio. Recordemos que, como mantuvimos en su momento, cuando el tribunal interviene de oficio tiene la facultad aunque no la obligación de intervenir y, por lo tanto, han de analizarse todas las circunstancias concu-

---

[153] Sobre todo a partir de RIPERT, G. quien ha subrayado que respecto a las leyes que pertenecen al orden público económico podrían ser más útilmente defendidas de las contravenciones de los contratos si se limitase en ciertos casos la legitimación para interponer esa nulidad absoluta únicamente a la parte que ésta quiere proteger (RIPERT; G:; *Le régime démocratique et...*, op. cit. Nº 144, pág. 282, *L´ordre économique et...* op. cit., T.II, p. 347*)). En este sentido también es recogida esta teoría por JAPIOT quien defiende la existencia de nulidades relativas generalizadas, (JAPIOT, *Des nullités en...* op. cit., pág. 581.)

[154] VILLA, G., *Contratto e violazione...* cit. págs. 123-124, espec. Nota 140.

[155] BÉNABENT, A., *Droit civil...*, op. cit, pág. 118 dice que mantener esto seria ser mas papista que el Papa.

rrentes[156]. Evidentemente, si mantuviésemos que nos encontramos ante supuestos de anulabilidad en los que, en principio, el contrato es válido, salvo que la parte especialmente legitimada muestre interés en anularlo, nunca cabría admitir una declaración de oficio de la nulidad. Sin embargo, al no entender que tengamos que incluir necesariamente estos casos entre los supuestos de anulabilidad no nos vemos obligados a adoptar su régimen jurídico y podremos aceptar que pueda declararse esta nulidad de oficio en casos particulares.

Estos casos particulares y excepcionales son aquellos en los que la simple garantía de protección de los intereses de aquel contratante débil, para el que la ley otorga una especial legitimación para impugnar el contrato, no sea suficiente. No resultará suficiente esta posibilidad de impugnación cuando no pueda llevarse a cabo porque este contratante, por sí mismo, no se atreva o no acierte a solicitar la ineficacia del contrato. El legislador ante estas hipótesis ha optado por habilitar a determinadas entidades para acudir a las instancias judiciales en lugar del contratante directamente afectado, se otorga una legitimación especial a grupos representativos, incluso al Ministerio Fiscal, para interponer acciones colectivas. Por esta razón, pierde sentido seguir planteándose si sería predicable esta actuación de oficio del tribunal para declarar la nulidad de un contrato concreto[157].

En estos casos el tribunal podrá intervenir de oficio protegiendo al contratante débil o especialmente protegido frente a las exigencias abusivas e ilegales del otro contratante. En este sentido, el artículo 10 bis) 2 de la Ley 26/1984, de 19 de julio General para la defensa de los Consumidores y Usuarios y, sobre todo, el artículo 8 de la Ley 7/1998, de 13 de abril, sobre Condiciones Generales de la Contratación, siguen calificando la nulidad en ellos establecida, a favor del consumidor y del adherente, como de pleno derecho (vid. epígrafe «La posibilidad de la declaración de oficio», págs. 424-425 y en especial nota nº 50).

En Italia, esta posibilidad de relativizar la nulidad fue vivamente discutida durante la vigencia del derogado Código Italiano de 1865. Actualmente, esta discusión parece que ya ha perdido sentido puesto que en el art. 1421 del nuevo Códice civile de 1942 se puede inferir que se hace un explícito reconocimiento de esta posibilidad, aunque lo hace como una institución del todo excepcional: «*Salvo diverse disposizioni di legge*, la nullità può essere fatta valere da chiunque vi ha interesse e può.essere rilevata d´ufficio dal giudice.» No obstante, no faltan casos en los cuales la jurisprudencia y doctrina italianas admiten tal forma de nulidad fundándose no sobre los datos

---

[156] Vid supra epígrafe «Contenido de la nulidad como ineficacia, legitimación, actuación del tribunal de oficio» y «La posibilidad de la declaración de oficio». En especial vid. nota nº 50.

[157] Vid. epígrafe «Legitimación colectiva»

textuales, sino sobre la *ratio* de la norma infringida[158]. Sin embargo, todavía no faltan detractores de esta figura[159].

Curiosamente, encontramos que existen algunos ordenamientos jurídicos en los que la acción de nulidad tiene un auténtico carácter de acción cuasi pública y de interés social. Esta publificación de la acción de nulidad es como, al menos textualmente, aparece en los códigos de otros países donde el Ministerio Fiscal o Ministerio Público pueden pedir su declaración cuando sea manifiesta[160]. Aunque la práctica ha mostrado lo poco factible que resulta esta previsión legal ya que el Ministerio Público tendrá funciones mucho más importantes que realizar que promover o preocuparse de las controversias contractuales entre privados. De ocuparse de este tipo de cuestiones el funcionamiento normal de este órgano público se vería sobresaturado. Pero además, podemos destacar que, paradójicamente, es en un ordenamiento jurídico como el francés en el que se ha procedido a generalizar y justificar la práctica de esta relativización de la nulidad. Sin que este carácter de acción marcadamente pública haya supuesto un obstáculo demasiado difícil de salvar. No es extraño si consideramos que la actuación de oficio se reserva para aquellos casos manifiestos en los que exista interés público además del interés privado.

En España no existe formalmente ningún obstáculo para adoptar o proclamar la conveniencia de esta modalidad de la nulidad. Sin embargo, es en nuestro país donde con mayor timidez y reservas se acoge o se aplica esta modalidad de ineficacia.

En resumen, lo que supone esta variación de la nulidad clásica es limitar la legitimación activa para solicitar la nulidad o reservar tal legitimación a sólo una de las partes[161]. Esta técnica puede articularse de dos maneras, de forma expresa y de forma tácita: 1º La Ley que contempla la nulidad como sanción a sus posibles infracciones, pero reserva en ciertos casos la legitimación para interponer esa acción de nulidad exclusivamente a la parte contratante que desea proteger. 2ª Como hemos visto, esta posibilidad no se reduce a los casos en los que la Ley textualmente contemple este supuesto. Se puede admitir que los tribunales deduzcan esta solución de la *ratio legis* de la norma

---

[158]   VILLA, G., *Contratto e violazione...* cit., pág. 123 y 124, MIRABELLI, G., «*Dei contratti in generale*», en *Tratt. Cod. Civ.* UTET, Torino, 1967, págs. 484-485.

[159]   FEDELE, A. *La invalidità del negozio giuridico di diritto privato.* Torino, 1983, pág. 43,118-121,

[160]   Pongamos como ejemplos los art. 1683 del Código civil Chileno y 1047 del código civil argentino que serán los que analizaremos más tarde Vid. epígrafe «La nulidad como acción pública». Obsérvese que paradójicamente también en el ordenamiento jurídico francés se tiende a considerar la acción de nulidad como un estado del acto que por su gravedad requiere su desaparición incluso, si es necesario, habilitando para ello al ministerio publico mientras que la jurisprudencia y la doctrina van en sentido contrario tendiendo a considerar necesaria y constitutiva la declaración judicial.

[161]   MALAURIE-AYNÈS, *Les obligations*, op. cit, pág. 327.

infringida[162]. Aunque lo deseable, en aras de una mayor seguridad jurídica, sería que toda ley orientada a este tipo de protección, cuya sanción ideal fuese la expuesta, lo dispusiese expresamente.

C. Relación de esta regla con respecto a otras variaciones de la nulidad clásica

La limitación en la legitimación para instar la nulidad se puede y, de hecho, se suele complementar con la primera variación que hemos expuesto, variación respecto del contenido que se traducía en la nulidad parcial.

La nulidad parcial se refiere a la variación del contenido, pero en el resto de las características, incluyendo la legitimación activa, se entiende que se siguen aplicando las de la nulidad absoluta o de pleno derecho. Sin embargo, también puede darse el caso en el que una nulidad parcial implique además una variación en cuanto a restringir la legitimación para interponer la acción. De hecho, precisamente de la combinación de ambas modalidades pueden resultar eficaces técnicas protectoras de una categoría de contratantes. En realidad, ocurrirá que de resultar una parte contratante favorecida por la nulidad parcial o por los efectos de ésta, será la única interesada en instarla.

Por lo tanto, aunque no se limite la legitimación expresamente en la Ley, las circunstancias hacen que ésta se circunscriba en la práctica a una sola de las partes que va ser la única con interés en interponer dicha acción o denunciar dicho defecto de ilegalidad. Huelga decir entonces que tampoco sería necesario especificar esta limitación de la legitimación si la única sanción posible a aplicar es la de la nulidad parcial sustitutiva, ya que el contratante no protegido nunca se podrá ver favorecido si se aventurara a impugnar un contrato ya que, en principio, no le interesarán las consecuencias de la nulidad parcial. Además, en la mayoría de los casos la modificación *ad meliorem* del régimen legalmente establecido está permitido únicamente para el contratante especialmente protegido y la nulidad parcial sólo le acarrearía inconvenientes al otro contratante.

Como hemos dicho, muchas, si no la mayor parte, de las leyes que contemplan como solución la nulidad parcial sustitutiva son las que incluimos en el denominado orden público económico de protección[163]. Estas leyes tienen una característica peculiar y es que en muchos casos su imperatividad lo será solo en una sola dirección. Es decir que el contenido del contrato garantizado por la norma imperativa sólo obliga a una de las partes contratantes por pertenecer su contraparte a la categoría de personas que se tiende a proteger y en cuyo único beneficio se ha establecido ese contenido impera-

---

[162] Vid supra epígrafe «Virtualidad de las nuevas formas de ineficacia».
[163] GÓMEZ DE LA ESCALERA, C., *La nulidad parcial del...* op. cit. pág. 95-97, DE CASTRO Y BRAVO, F., *El negocio jurídico...*, op. cit., pág. 493 y 494, LÓPEZ FRIAS, A.M., *Clases de nulidad parcial del...*, op. cit, págs. 854-855 y 857-861, JOCHEN ALBIEZ DOHRMANN, K., *«La repercusión de la nulidad «dentro y fuera» del contrato»*, en *Cuadernos de Derecho Judicial*, Madrid, 1984, págs. 82-83.

tivo. Es lógico entonces que la legitimación para instar esa nulidad se tienda a limitar exclusivamente a la persona a quien se trata de proteger.

Pero retomemos ahora la cuestión, que apuntamos en otro lugar, sobre cuál es la sanción que mejor se adaptaría a las normas de orden público económico de protección. Veremos como en muchos casos que, en principio, consideraríamos que son de nulidad parcial se les podría aplicar esta especialidad en cuanto a la legitimación. En realidad, nada cambiaría si asociamos ambas modalidades en la práctica ya que verdaderamente el protegido es el único interesado en instar una nulidad parcial en la mayoría de las ocasiones.

Esta es una solución diferente de la que considera posible denegar la acción de nulidad absoluta haciendo valer consideraciones de índole subjetiva (buena o mala fe del interesado). En esta nulidad con legitimación restringida o relativa es la propia ley la que limita, claramente y de forma genérica, la legitimación para su alegación. Es decir, reduce la impugnabilidad del contrato a ciertas categorías de personas determinadas o determinables por la propia disposición legal vulnerada. En cambio, en lo que vamos a denominar denegación de la acción de nulidad es el juez el que, tras observar las circunstancias, limita la impugnabilidad del contrato a aquellos individuos que, teniendo en general legitimación para actuar, no merecen en el caso concreto dicha posibilidad por haber actuado de mala fe.

El configurar límites de legitimación en relación con un grupo o tipo de personas sigue basándose en criterios objetivos que además se pueden encontrar, bien expresa o bien implícitamente, recogidos en la Ley. Pudiendo ser esta nulidad con limitación en la legitimación también nulidad parcial sin ningún problema, como hemos dicho[164]. Podemos afirmar que esta regla especial se va aplicar de forma generalizada en la práctica, reservando la sanción de la nulidad absoluta a las contravenciones de leyes que expresa e indubitadamente lo prevean y a aquellas que podemos considerar pertenecientes al orden público económico de dirección.

D. La adopción de esta técnica en el ordenamiento jurídico español. Las Leyes de Consumidores y de Condiciones Generales

En España sólo se ha formulado este sistema de nulidad especial de una forma abiertamente clara en la Ley 7/1998, de 13 de abril, sobre Condiciones Generales de la Contratación. Aunque la doctrina moderna, como hemos visto, sí se ha hecho eco aisladamente de la necesidad de esta flexibilización de la nulidad absoluta. Sin embargo, el legislador no ha sabido o no se ha atrevido desde un primer momento a plasmar positivamente esta técnica sancionadora en previsión de posibles infracciones contractuales[165]. Será con

---

[164] GÓMEZ DE LA ESCALERA, C., *La nulidad parcial del...* op. cit., pág.....
[165] GÓMEZ LAPLAZA pone de relieve cómo por las peculiaridades de esta materia existe una necesidad de llevar a cabo una relaboración de las categorías clásicas de la

la promulgación de la nueva Ley de Condiciones Generales, y la reforma que en ella se aprovecha a hacer a la Ley General para la defensa de consumidores y Usuarios, cuando esta nulidad especial acabe por adoptarse de forma expresa.

Tampoco podemos ignorar otras disposiciones normativas que podrían considerarse como un presagio de la definitiva asunción de esta técnica por el legislador. Quizá una de las más antiguas previsiones legislativas de especial protección a una de las partes en cuanto a limitar la legitimación para instar la nulidad del contrato o de alguna de sus pactos, cláusulas y condiciones lo encontramos en el artículo 2º de la Ley 50/1980, de 8 de octubre, de Contrato de Seguro, que reza «*Las distintas modalidades del contrato de seguro, en defecto de ley que les sea aplicable, se regirán por la presente Ley, cuyos preceptos tienen carácter imperativo, a no ser que en ellos se disponga otra cosa. No obstante, se entenderán válidas las cláusulas contractuales que sean más beneficiosas para el asegurado.*»

También en este sentido, merece lugar destacado y especial atención lo dispuesto en el artículo 3º de la Ley 7/1995, de 23 de marzo, de Crédito al Consumo en el que parece consagrarse, de forma clara, la fórmula del principio de especial protección a una de las partes (la considerada consumidor) manifestado en la ineficacia del contrato: «*Art. 3º.- Carácter de las normas.- No serán válidos, y se tendrán por no puestos, los pactos, cláusulas y condiciones establecidos por el concedente del crédito y el consumidor contrarios a lo dispuesto en la presente Ley, salvo que sean más beneficiosos para este.*»

Esta especial reglamentación tuitiva del consumidor, como hemos adelantado, merece una especial consideración en lo que se refiere a la Ley General para la defensa de los Consumidores y Usuarios.

a. La primitiva redacción del artículo 10.4 de la Ley 26/1984, de 19 de julio, general para la defensa de consumidores y usuarios. Crítica

Podemos observar lo que estamos afirmando en la primitiva redacción de la Ley para la Defensa de Los Consumidores y Usuarios. En realidad, esta Ley debería ser la que de forma paradigmática recogiese expresamente esta técnica a favor del colectivo protegido: los consumidores. Aunque, éste es sólo

---

ineficacia. Elaboración que, al no ser fruto de una Ley, deberá serlo, sobre todo, de elaboraciones doctrinales y de respuestas jurisprudenciales a casos concretos. GÓMEZ LAPLAZA, M.C., «Ineficacia de las condiciones generales abusivas», en *Cuadernos de Derecho judicial*, con el título general de *Contratos de adhesión y Derecho de los consumidores*, Madrid, 1992. (Se ha consultado y manejado una versión en soporte informático facilitado por los editores). MIQUEL, al considerar la nulidad de pleno derecho relativa de la Ley sobre Condiciones Generales, afirma que la ineficacia no tiene por qué encajar en un concepto previo ni en prejuicios doctrinales sobre la nuliad (MIQUEL, J. M., *Comentarios a la Ley sobre Condiciones...*, cit., págs. 474-475.

un caso que nos sirve como ejemplo clarificador y paradigmático de la conciencia general que defiende una limitación en la legitimación para reclamar los efectos de la nulidad. Además, elegimos esta Ley de consumidores porque, precisamente, la mayor parte de las numerosas críticas que la doctrina había hecho a la redacción originaria del artículo 10.4. de la Ley se debía a que de su literalidad se podía entender que se admite la legitimación para pedir la nulidad parcial y total del contrato a cualquier interesado, incluso al empresario y predisponente del pliego de condiciones generales, parte a quien, precisamente, la Ley no pretende proteger[166]. No se entiende bien que se incluya esta legitimación amplia expresamente en la ley. Pero a esta conclusión llegamos cuando el párrafo 1º del art. 10.4. establecía que estamos ante una nulidad de pleno derecho (aunque sea parcial) y, en consecuencia, alegable por cualquier interesado[167].

En este sentido, hubiese resultado preferible un enunciado menos neutral y haber manifestado que esta acción de nulidad está diseñada para la defensa de una de las partes del contrato, el consumidor. De esta misma forma toman partido expresamente: el artículo 2º de la Ley 50/1980, de 8 de octubre, de Contrato de Seguro al disponer que sus preceptos tienen carácter imperativo, a no ser que en ellos se disponga otra cosa y que, no obstante, se entenderán válidas las cláusulas contractuales que sean más beneficiosas para el asegura-

---

[166]   Es inconcebible una legitimación ilimitada en el marco de esta Ley. Si se tiene en cuenta el artículo 1 de la Ley en el que se establece el ámbito de aplicación de la Ley y se especifica que tiene como objeto la defensa de los consumidores y después se ocupa de aclarar qué se entiende por consumidores a los efectos de la Ley, no creemos que los jueces admitan la alegación de la nulidad a quien no encaje en este concepto, pese a que esa alegación beneficie en alguna manera al consumidor. Por consiguiente, no sabemos hasta qué punto es práctico plantear las consecuencias de una legitimación amplia fuera de la actuación de oficio del propio tribunal o de la legitimación especial que la Ley otorga a las asociaciones de consumidores, tanto en interés de uno de sus asociados como en defensa del interés general. No obstante, planteamos, escépticamente, las posibilidades mas remotas que han sido sugeridas por algún autor de que se pueda invocar por el empresario predisponente y aún incluso por otros empresarios competidores, desarrollando la idea de que se trata de una nulidad absoluta.

[167]   Precisamente CLAVERÍA GOSALVEZ, pese a que no le cabe duda del carácter absoluto de esta nulidad según se establece en el precepto, sugiere la conveniencia de plantear otro modelo de invalidez. Apuntando la posibilidad de una figura mixta entre nulidad y anulabilidad que reúna las ventajas de una y otra. (CLAVERÍA GOSALVEZ, L.H., en *Comentarios a la Ley General para la defensa de los consumidores y usuarios,* (obra coordinada por R Bercovitz y Javier Salas), Madrid, 1992, págs. 339-340 y 347. En idéntico sentido se pronuncia GÓMEZ LAPLAZA M. C., *Ineficacia de las...* (op. cit.) quien considera, de *lege ferenda* para la futura regulación de las condiciones generales de los contratos, la conveniencia de revisar el perfil de los distintos tipos de sanciones y los temas de legitimación. Planteando la posibilidad de admitir nulidades con legitimaciones restringidas o anulabilidades fuera de los supuestos clásicos recogidos en el Código Civil.

do[168]. En similar sentido se expresa la Ley 7/1995, de 23 de marzo, de Crédito al Consumo, en cuyo artículo 3° se establece la nulidad parcial de las cláusulas que contradigan la Ley, salvo que sean más beneficiosos para el consumidor.

Pero tampoco tenemos que ser demasiado escrupulosos con la literalidad de la Ley en este punto concreto, al igual que no se puede serlo con la literalidad del Código Civil[169]. Porque, de otro modo, si se permitiese también impugnar la nulidad al contratante no consumidor se estaría produciendo un tremendo contrasentido con el espíritu que debe inspirar esta Ley. Además, en este sentido, tampoco debe ser excesiva la pericia del intérprete para poder deducir que en una Ley General para la Defensa de los Consumidores y Usuarios las acciones que en ella se encuentran son creadas siempre en beneficio de éstos.

Por otro lado, pensamos que quizás no se incluye esta legitimación especial simplemente porque el legislador está pensando, como regla general, en que legitimando a cualquier interesado para conseguir la nulidad parcial del contrato nunca se va a perjudicar al consumidor. El consumidor no podría salir perjudicado en ningún caso en el que se aplique esta sanción, porque precisamente se trata de anular únicamente aquellos extremos del contrato desventajosos para el propio consumidor, conservando lo que no lo sea.

Incluso, algún autor ha visto la conveniencia de una legitimación amplia de la nulidad parcial para que se encuentren legitimados a actuar también los empresarios competidores que se vean interesados puesto que la infracción jurídica puede resultar una ventaja competitiva desleal. También podrán tener interés en impugnar el contrato los empresarios competidores cuando les interese por ejemplo procurar una mala publicidad al predisponente, al poder transcender la ilicitud de ciertas cláusulas de sus contratos habituales. En estos casos, lo discutible es considerar que este interés de los competidores es legítimo. No resulta por ello extraño que pueda funcionar esta legitimación amplia como elemento disuasorio y los empresarios predisponentes se allanen a retirar las cláusulas ilícitas de sus contratos, incluso, antes de que se acuda a la vía judicial[170].

No obstante, se cuestiona la viabilidad de estas últimas consecuencias de la nulidad parcial de pleno derecho. Hay que ser conscientes de que esta

---

[168] En la Ley de Crédito al Consumo es obvio que la regla va dirigida a la protección de los consumidores. En el caso de la Ley de Contrato de Seguro su ámbito no se reduce exclusivamente a consumidores pero éstos, sector amplio de tomadores de seguro, se verán beneficiados además de la protección dispensada como asegurados la dispensada como consumidores que, en principio, debería ser mayor. La Sentencia de 11 de abril de 1991, relativa a un seguro de averías de una grúa, refuerza su argumentación, tras citar el art. 3 de la Ley de Contrato de Seguro, aludiendo a la eventual aplicación de los resortes protectores del consumidor o usuario según la Ley de 19 de julio de 1984 (art. 2,1,f) y 2 y art. 10.1.c), 3°)».

[169] Vid supra epígrafe «Imprecisión del código civil» y «Desconcierto terminológico y su superación».

[170] RUIZ-MUÑOZ, *La nulidad parcial del...* op. cit., pág. 273.

sanción está dirigida a proteger a una determinada categoría de contratante y no se entiende que nadie pueda decidir en su lugar la oportunidad de alegarla. Con la expresa previsión de la Ley de habilitar a las asociaciones de consumidores y usuarios a representar a sus asociados y a emprender las acciones legales pertinentes para su defensa, ya sea a título individual o general (art. 20 de la Ley) pierde bastante sentido el mantener una legitimación amplia de nulidad absoluta. La consideración de nulidad parcial absoluta no se encuentra ya dentro del proteccionismo de una ley de orden público económico de protección sino que incurre en el paternalismo y no siempre resulta beneficioso para los colectivos a los que se pretende proteger.

Lo que no se concibe, de ningún modo, es que se conserve esta legitimación amplia para el caso de plantearse una nulidad total. Es decir, se está pensando en una nulidad total y absoluta del contrato que potencialmente obraría en manos de cualquier interesado (incluido el predisponente), al ser recogida esta posibilidad, expresamente y de forma general, en el párrafo 2º de este apartado 4 del artículo 10.

Pese a que la nulidad total está condicionada a que «las cláusulas subsistentes determinen una situación no equitativa de las partes en la relación contractual», esta es una posibilidad que queda abierta a la alegación por cualquier parte. Significa que, al no estar únicamente legitimada la parte teóricamente protegida por la norma, es posible alegar por el empresario predisponente una excepción a la nulidad parcial para salvaguardar sus intereses sobre los del consumidor. Hay que ser conscientes que para el consumidor la nulidad total, en principio, es la solución que más le perjudica de todas las posibles. En consecuencia, los tribunales a la hora de aplicar este segundo párrafo del precepto van a hacer una interpretación sumamente restrictiva y excepcional que le hace prácticamente inservible[171].

También se podría dar, aunque de forma remota, la situación paradójica que expone, críticamente, la doctrina moderna. En principio, parece que la declaración de nulidad parcial o nulidad total del contrato «será una cuestión de interpretación, que quedará al arbitrio del juez según las circunstancias del caso concreto»[172]. La paradoja consiste en que, de ser absoluta, se puede imponer esta nulidad total (tanto de oficio como invocada por un tercero interesado) incluso en contra o al margen de los deseos del que sufre el desequilibrio en la relación contractual, normalmente el predisponente. Este desequilibrio pudiera ser de forma ocasional interesadamente soportado por

[171] Sentencia de la A.P. de Córdoba de 22 de marzo de 1996, Ar. Civil, 1996 Nº 543, Sentencia de la A.P. de Madrid de 8 de julio de 1994, Ar. Civil, 1994 Nº 1486.

[172] MASIDE MIRANDA, J.E., «Las condiciones generales de los contratos y la directiva 93/13 C.E.E., del Consejo de 5 de abril, sobre cláusulas abusivas en los contratos celebrados con consumidores», en Homenaje en Memoria de Joaquín Lanzas y Miguel Selvas, T. I, Madrid, 1998, pág. 215.

el predisponente porque a éste no le interese una publicidad negativa o no quiera perder mercado frente a los competidores.

Incluso, puestos a agotar las hipótesis, en estos casos se podría pensar en que se pudiera alegar por otros empresarios competidores el posible desequilibrio para proceder a la nulidad total de los contratos y ganar nuevas cotas de mercado. No sólo se valdrían de la mala imagen del empresario al que se le anulan una serie de contratos ilegales, como ocurriría en el caso de la nulidad parcial, sino que al romper con la nulidad total el primitivo vínculo contractual podrán ofrecer nuevos contratos que les sustituyan. Desde luego estos intereses distan mucho de ser los que merecen ser protegidos a través de una Ley de consumidores.

La sinrazón de estas consecuencias hacen que la mayoría de la doctrina que se ha ocupado del tema, en primer lugar, la critiquen duramente y, en segundo lugar, traten de matizar, interpretar o de proponer directamente unas soluciones diferentes más adecuadas a las propuestas en la Ley[173]. En cualquier caso, tras considerarse como solución ideal el mantener únicamente la nulidad parcial, se apunta como posible solución para paliar los inevitables inconvenientes del precepto el utilizar complementariamente la reparación por medio de la responsabilidad por *culpa in contrahendo*[174]. Solución que parte de la doctrina, aun compartiendo su procedencia y conveniencia, no fundamenta en la *culpa in contrahendo* sino en la idea del riesgo asumido por el predisponente derivado de la utilización en su actividad económica de cláusulas prerredactadas[175].

Todas las consideraciones que hemos podido observar nos hacen llegar a la conclusión lógica de que, para conseguir la solución más adecuada, para estos casos es necesario aplicar una limitación o restricción de la legitimación activa de la nulidad. Obviamente, se debe reservar la legitimación para alegar la nulidad total del contrato a la parte a cuya protección esta dirigida la norma, es decir, el consumidor. Esta solución que, verdaderamente, resulta

---

[173] CLAVERÍA GOSALVEZ, L.H., *Comentarios a la Ley General para la Defensa....* op. cit. págs. 342-343 y 347, «*El control de las Condiciones Generales de los contratos*», *La Ley*, 1989-2. págs. 1016-1017, SARAZA JIMENA, «La nulidad parcial de los contratos de adhesión», en VV.AA., *Cuadernos de Derecho Judicial, El negocio jurídico. La ineficacia del contrato*, Madrid, 1994, págs. 49-50.

[174] BERCOVITZ RODRÍGUEZ-CANO, R., *Estudios jurídicos sobre protección de los consumidores*, Madrid, 1987, págs. 202-203, En este mismo sentido DIEZ-PICAZO Y GULLÓN, L., *Fundamentos...* op. cit., vol. I cit., pág. 358, LACRUZ BERDEJO, J.L., *Elementos ...*op. cit., T. II, Vol. 2°, pág. 43. PERDICES HUETOS, A. B., en *Comentarios a la Ley sobre Condiciones...,* cit., pág. 533, DUQUE DOMÍNGUEZ, J. F., «Las cláusulas abusivas en Contratos de consumo», en *Condiciones Generales de la Contratación y cláusulas abusivas,* dir. U. Nieto, Valladolid, 2000, pág. 498.

[175] PAGADOR LÓPEZ, J., *Condiciones Generales y cláusulas contractuales predispuestas*, Madrid, 1999, págs. 718 y BLANCO PÉREZ RUBIO, L., «El control de contenido en condiciones generales ...cit., pág. 36.

la ideal es la que han acabado adoptando la Ley 7/1995, de 23 de marzo, de Crédito al Consumo (artículo 3º) y la Ley 50/1980, de 8 de octubre, de Contrato de Seguro (artículo 2º).

La problemática redacción de la Ley General de Consumidores, en lo referente a la posible ineficacia del contrato, no significa que tengamos que considerar que estamos ante un supuesto de anulabilidad, como hace RUIZ MUÑOZ[176]. Tampoco vemos necesario acudir a las otra figuras clásicas de ineficacia tales como la rescisión, como hace ALFARO AGUILA-REAL[177], o la resolución como hace PAGADOR LÓPEZ[178]. Estamos claramente ante un caso de contrato ilegal que merece una ineficacia especial conforme a la finalidad específica de la norma. Esta ineficacia especial es una nulidad con legitimación restringida[179].

En realidad, se observa que hay una enorme confusión de conceptos ya que se trata de remediar los posibles desequilibrios patrimoniales a través de los efectos de la nulidad a modo de satisfacción *in natura*. Esta satisfacción reparadora no es la propia función de la nulidad sino de la responsabilidad. Conviene, al menos en este caso, reservar su cometido a la responsabilidad, verdadera encargada de satisfacer y resarcir de los posibles desequilibrios y perjuicios patrimoniales que puedan ocasionar los efectos de cualquier ineficacia, incluida la nulidad parcial.

b. La Ley 7/1998, de 13 de abril, sobre Condiciones Generales de la Contratación y la reforma de la Ley General para la Defensa de los Consumidores y Usuarios

La gran novedad que puede atribuirse a la redacción del la Ley 7/1998 es la inclusión expresa de una filosofía que se encontraba ya de forma velada o implícita en la Ley de Consumidores. Ahora se recoge abiertamente que cuando la vulneración que puede motivar la ineficacia contractual no sea en perjuicio del adherente no entrará en juego la nulidad. Aunque la misma consecuencia podría desprenderse del propio espíritu de la norma dotada de imperatividad es importante su plasmación positiva precisamente para garantizar la protección a esa parte contratante. La redacción literal del artículo 8º de esta Ley de Condiciones Generales hace que en opinión de

---

[176] RUIZ-MUÑOZ, *La nulidad parcial del...* op. cit., págs. 280-281
[177] ALFARO AGUILA-REAL, *Las condiciones generales de...* op. cit., págs. 459-461.
[178] PAGADOR LÓPEZ, J., *Condiciones Generales y cláusulas contractuales predispuestas*, Madrid, 1999, págs. 707-717.
[179] En este sentido CLAVERÍA parece estar de acuerdo al declarar que «se deberían perfilar con mayor perfección los caracteres de esta ineficacia que no tienen por qué coincidir o corresponderse exactamente con las categorías tradicionales de nulidad, anulabilidad o rescisión». CLAVERIA GOSALBEZ, L.H., *Comentarios a la Ley...* op. cit., pág. 347. Tampoco encuentra inconveniente en esta solución GÓMEZ LAPLAZA, M. C., *Ineficacia de las...* op. cit.

autores como BERCOVITZ sólo se tenga en cuenta esta limitación de que la violación se produzca en perjuicio del adherente en el caso de una vulneración de esta misma Ley, no cuando es otra norma la que se contraviene puesto que no se excepcionarían todas las reglas generales de nulidad[180]. ¿Qué ocurre entonces con la ineficacia prevista en la Ley General de Consumidores y usuarios cuyo articulado es objeto de modificación en la nueva reglamentación sobre condiciones generales de la contratación?

La reforma de esta parte de la Ley General de Consumidores abordada en la disposición adicional primera de la Ley 13/1998, de 13 de abril, sobre Condiciones Generales de la Contratación no modifica de forma absoluta el antiguo artículo 10.4. Ahora pasa a regularse la nulidad en un añadido artículo 10 bis) apartado segundo, en el que se mantiene la nulidad parcial, calificada como de pleno derecho, de las cláusulas, condiciones y estipulaciones de carácter abusivo. Parece que se ha superado la neutralidad en la redacción empleada en el antiguo artículo 10.4 al referirse exclusivamente a las cláusulas abusivas. En este sentido, podría interpretarse que lo que se quería decir es que las cláusulas serán nulas en beneficio del consumidor.

Hay que tener en cuenta la definición que de estas cláusulas se da en el artículo 10 bis) apartado primero, al establecer que «se considerarán cláusulas abusivas todas aquellas estipulaciones no negociadas individualmente que en contra de las exigencias de la buena fe causen, *en perjuicio del consumidor*, un desequilibrio importante de los derechos del consumidor, un desequilibrio importante de los derechos y obligaciones de las partes que se deriven del contrato». Habida cuenta de esta concepción de cláusulas abusivas, y de que la nulidad del segundo apartado de este artículo se refiere fundamentalmente a ellas, podemos entender que se está limitando, de alguna manera, la legitimación para instar esta nulidad exclusivamente al consumidor que puede resultar perjudicado. PASCUAU LIAÑO se muestra conforme con que el legislador creé esta «*nueva causa de nulidad rompiendo con la dogmática contractualista tradiciona*l», pero, opina este autor, que debió hacerlo con el objeto claro de proteger a todo adherente y no sólo a los consumidores[181].

Con la actual redacción se plantea la duda de qué ocurre con las cláusulas no estrictamente abusivas sino ilegales en general o que no reúnan los requisitos o presupuestos impuestos en las Leyes. Parece evidente que debe entenderse que se aplica esta nulidad no sólo a las cláusulas abusivas descritas en el apartado 1º de este artículo 10 bis) sino también, y como venía refiriéndose antes, deben correr la misma suerte aquellas cláusulas, condiciones o estipulaciones que no cumplan los requisitos establecidos en al artículo 10.1 en sus tres apartados. El antiguo artículo 10.4 declaraba la nulidad

---

[180]   BERCOVITZ RODRÍGUEZ CANO, R., «Comentario al art. 8» en *Comentarios a la Ley de Condiciones Generales…* cit., pág. 263.

[181]   PASCUAU LIAÑO, M., «Comentarios a los arts. 9 y 10», en *Comentarios a la Ley de Condiciones Generales…* cit., pág. 275.

radical de las cláusulas contrarias a los requisitos establecidos en los párrafos anteriores sin distinción alguna. Esta conclusión puede deducirse tanto de una aplicación analógica de la regla del artículo 10 bis) 2, como de las reglas del capitulo II de la Ley 7/1998, de 13 de abril, sobre Condiciones Generales de la Contratación en el que se asimila, en cuanto efectos y régimen jurídico aplicable, a la nulidad y a la no incorporación de las condiciones generales [182].

De hecho, esta distinción entre no inclusión y nulidad que aparece reflejada en la Ley no tiene mayor trascendencia en cuanto a efectos jurídicos. Para esta dualidad no se encuentra otra razón que la meramente formal y sistemática, puesto que ambas hacen alusión a la ineficacia de las cláusulas [183] y, desde luego, en ambas acciones únicamente se reconoce legitimación para su ejercicio al adherente afectado [184]. Sin embargo, sí que puede también adquirir, en algún sentido, mayor dimensión como presupuesto de la acción colectiva de cesación. Estando la acción de nulidad de dichas cláusulas dirigida al servicio tanto de la protección individual como al de las instituciones jurídicas, mientras que aisladamente, sobre todo las acciones de «no inclusión» de cláusulas inusuales o sorprendentes, tienen una finalidad de protección únicamente individual [185].

En la segunda parte del nuevo artículo 10 bis) se realiza una mayor precisión de la ineficacia, pero no alcanza a limitar la legitimación únicamente al consumidor, tal y como ya había hecho en el propio articulado de la Ley de Crédito al Consumo. En esta nueva redacción, el legislador se dedica a indicar las reglas que debe seguir el juez para modular los efectos de la nulidad parcial, estableciéndose la integración del contrato subsistente conforme las reglas del 1258 del Código Civil. Insistiendo en la idea de que los jueces y Tribunales disponen de unas facultades moderadoras respecto de los derechos y obligaciones de las partes, cuando subsista el contrato, y de las consecuencias de su ineficacia en caso de perjuicio apreciable para el consumidor o usuario.

[182] CORDÓN MORENO, F., «La protección de los derechos de los consumidores...», cit., págs. 20-21, REGLERO CAMPOS, L.F., «Régimen de ineficacia de las condiciones generales de la contratación», en Aranzadi Civil, Mayo, 1999, Nº 3, pág. 21, PAGADOR LÓPEZ, J., Condiciones Generales y Cláusulas Contractuales Predispuestas. La Ley de Condiciones Generales de Contratación, Madrid, 1999, pág. 601 y 603.
[183] BALLESTEROS GARRIDO, J. A., Las condiciones generales de los contratos y el principio de autonomía de la voluntad, Barcelona, 1999, págs. 279-280, GETE-ALONSO, C., en Comentarios a la Ley sobre Condiciones Generales de la Contratación, coord. I. Arroyo Martínez y J. Miquel Rodríguez, págs. 82.
[184] CORDÓN MORENO, F., «La protección de los derechos de los consumidores...», cit., pág. 21-22. En contra GETE-ALONSO tras mostrar su opinión contraria a esta limitación en la legitimación, recurriendo para evitarla a interpretaciones de lo más originales, finalmente acaba por encontrarla con mayor sentido en la acción de no incorporación, GETE ALONSO, C., en Comentarios a la Ley sobre Condiciones Generales de la Contratación, coord. I. Arroyo Martínez y J. Miquel Rodríguez, págs. 84 y 90-91.
[185] ALFARO AGUILA-REAL, J., Las Condiciones Generales de la Contratación, cit. págs. 254-255.

Otra novedad significativa se encuentra, precisamente, en que se otorga a jueces y Tribunales estas extraordinarias facultades moderadoras de los derechos y obligaciones de las partes. Como afirma PAGADOR LÓPEZ: «parece que de este modo se trata de proveer al juez de armas a fin de evitar, a toda costa, la declaración de ineficacia total del contrato»[186]. Cuando resulta inevitable dicha declaración, este autor considera que estas facultades moderadoras de las consecuencias de la ineficacia llegarán a considerar que el adherente tendrá derecho a ser indemnizado por el predisponente de todo perjuicio que se le acarree. El derecho del adherente a ser resarcido en estas circunstancias, según este autor, no tendría como fundamento la responsabilidad por *culpa in contrahendo* sino de «la idea de que corresponde al predisponente soportar el riesgo derivado de la utilización de clausulados contractuales prerredactados». Se trata así de objetivizar esta responsabilidad del empresario[187]. Parece que del mero hecho de utilizar y redactar pliegos de clausulados contractuales irregulares, abusivos o ilícitos que posteriormente producen una nulidad del contrato ya se podría derivar una especie de responsabilidad por *culpa in contrahendo.*

Esta posibilidad de la ineficacia total que se pretende evitar, pese a que se minimiza al máximo, sigue estando presente en la Ley. Además, finaliza el legislador con un párrafo simétrico al tan criticado último párrafo del artículo 10.4 anterior. Es decir, dispone la posibilidad de declarar la ineficacia del contrato cuando las cláusulas subsistentes determinen una situación no equitativa en la posición de las partes que no pueda ser subsanada de ninguna otra forma. No obstante, ahora sí que se aprecia un carácter marcadamente excepcional, hasta el extremo de formularlo como último recurso. Pese a todo, vemos como sigue la inercia de la redacción anterior y no se atreve el legislador a limitar la legitimación para solicitar esta nulidad o ineficacia total únicamente al consumidor, aunque se añade a la situación no equitativa el requisito de la insubsanabilidad[188].

Sin embargo, de todos modos, se debe ser consciente que esta excepción de desequilibrio patrimonial derivado de una nulidad parcial, que puede ser integrada y moderada por el juez, es prácticamente inconcebible. Mas aún si tenemos en cuenta que el artículo 10 bis) 2 ha condicionado tal nulidad a que las situaciones no equitativas sean insubsanables[189]. Parece, por consiguiente, que va a ser muy difícil o improbable que se aprecie en la práctica judicial una situación de desequilibrio patrimonial alegada por un empresario para

---

[186]   PAGADOR LÓPEZ, J., *Condiciones Generales y...* op. cit. pág. 601.
[187]   PAGADOR LÓPEZ, J., *Condiciones Generales y...* op. cit. págs. 602 y 718-719.
[188]   PAGADOR LÓPEZ, J., *Condiciones Generales y...* op. cit. págs. 698-701.
[189]   BALLESTEROS GARRIDO, J. A., *Las condiciones generales de los contratos y el principio de autonomía de la voluntad*, Barcelona, 1999, pág. 281, PAGADOR LÓPEZ, J., *Condiciones Generales y ....* op. cit. págs. 698.

provocar la nulidad total del contrato[190]. Tanto la base de encontrar el presupuesto de un desequilibrio tal que aconseje la nulidad total del contrato, como la apuntada posibilidad de enmendar posteriormente los efectos de tal nulidad mediante nuevas acciones son tan difíciles que en la práctica podemos asegurar que, en realidad, funciona una legitimación activa de la nulidad limitada al consumidor.

Resulta incomprensible que, salvo en este punto concreto, el artículo 10 bis) 2° de la Ley de consumidores guarde perfecta fidelidad al texto del artículo 6.1 de la Directiva 93/13 C.E.E. del Consejo, de 5 de abril de 1993, sobre Cláusulas Abusivas en los Contratos celebrados con Consumidores, de cuya transposición se encargó la Ley 7/1998, de 13 de abril, sobre Condiciones Generales de la Contratación. En la redacción de esta norma común el texto de la Directiva añadía que es el consumidor el que no debe quedar vinculado por las cláusulas abusivas[191]. De idéntica forma, la Ley de Condiciones Generales recoge para sí la fórmula en los artículos 8 y 9 con respecto al adherente. Sin embargo, parece olvidarse de incluir expresamente esta previsión en la reforma de la Ley General de Consumidores.

Una vez expuesta la regulación del concreto régimen de nulidad establecido en materia de consumidores puede resultar interesante analizar el más innovador régimen establecido para las cláusulas generales de contratación. Como apuntamos, en el artículo 9° de la Ley 7/1998, de 12 de abril, sobre Condiciones Generales de la Contratación se establece precisamente una legitimación restringida para la acción de nulidad. Resulta llamativo porque el ámbito de aplicación de esta ley es mucho más amplio que el que abarca la Ley

---

[190] Sin embargo no era esta la opinión de la doctrina ante la antigua redacción de la Ley de consumidores. RODRIGO BERCOVITZ pensaba que la crítica al precepto debía resultar especialmente intensa ya que en la mayor parte de los casos se va a provocar esta situación inequitativa para el empresario puesto que literalmente el precepto no es demasiado estricto. BERCOVITZ RODRÍGUEZ-CANO, R., *Estudios jurídicos sobre...* op. cit. pág. 203. No obstante el peligro, observado tanto por BERCOVITZ como por GÓMEZ LAPLAZA M. C., *Ineficacia de las...* op. cit. de que este párrafo pudiese dar cabida con relativa facilidad a una sanción que debe considerarse excepcional por las consecuencias que implica no se ha hecho efectivo. Como intuía ALFARO AGUILA-REAL (*Las condiciones...* op. cit, págs. 463-464), nuestra jurisprudencia ha sido consciente de la absoluta excepcionalidad de esta regla y se le hace al predisponente harto difícil demostrar que se den estas circunstancias que conforman el supuesto de hecho del párrafo. BERCOVITZ propuso como mal menor que el empresario que consiguiese la aludida nulidad del contrato debería indemnizar al consumidor los daños y perjuicios (op. cit. idem).

[191] Artículo 6.1 de la Directiva 93/13 C.E.E. del Consejo de 5 de abril de 1993, sobre cláusulas abusivas en los contratos celebrados con consumidores: «Los Estados miembros establecerán que no vincularán al consumidor, en las condiciones estipuladas por sus derechos nacionales, las cláusulas abusivas que figuren en un contrato celebrado entre éste y un profesional y dispondrán que el contrato siga siendo obligatorio para las partes en los mismos términos, si éste puede subsistir sin las cláusulas abusivas.»

General de Consumidores. No obstante, el legislador se aventura a establecer una restricción en la legitimación a favor del adherente que no se había atrevido a realizar a favor del consumidor. Se plasma un régimen particular de nulidad de pleno derecho pero relativa[192]. Como el propio preámbulo de la ley indica, las condiciones generales de la contratación se pueden dar tanto en las relaciones de profesionales entre sí como de éstos con los consumidores. Basta con que no haya existido negociación individual. Por esta razón, no vemos demasiados inconvenientes en poder extender analógicamente esta limitación en la legitimación para instar la nulidad planteada en virtud de la Ley sobre Condiciones Generales de la Contratación a la derivada de la Ley General para la Defensa de los Consumidores y Usuarios[193].

Encontramos otro argumento para restringir la legitimación de la nulidad a favor los consumidores si tenemos en cuenta los ejemplos más concretos de esta imperatividad relativa. Nos referimos al recogido en el artículo 2º de la Ley de Contrato de Seguro[194]. En vista de la Ley de Contrato de Seguro, de no considerarse extensible la consideración de que para los consumidores se ha establecido una nulidad con legitimación restringida, incurriríamos en una paradoja. Para todo asegurado, sea consumidor o no consumidor, contaríamos con esta legitimación restringida de la Ley de Contrato de Seguro[195]. Por otro lado, para los consumidores de servicios financieros o crediticios también operaría este tipo de legitimación restringida al consumidor (art. 3º de la Ley 7/1995, de 23 de marzo de Crédito al Consumo). Además para cualquier contratante, consumidor o no consumidor, sería igualmente aplicable la legitimación restringida que contempla la Ley de Condiciones Generales. Sin embargo, para el contratante consumidor que le sería aplicable la legitimación restringida en cuanto asegurado, consumidor de productos financieros y en cuanto adherente, no le sería aplicable tal legitimación especial en cuanto consumidor mismo.

Analicemos un poco lo dispuesto en la Ley sobre Condiciones Generales de la Contratación. Pues bien, el artículo 9º.1 de esta Ley establece que «la declaración judicial de no incorporación al contrato o de nulidad de las cláusulas de condiciones generales podrá ser instada por el adherente de

---

[192] PASCUAU LIAÑO, M., en *Comentarios a la Ley de Condicionesl...* cit., pág. 278-279, SANZ VIOLA, A.M., «Consideraciones en torno a la Ley...» cit., pág. 901, CLEMENTE MEORO, M., «El régimen de ineficacia...», cit., pág. 313. MIQUEL, J. M., en *Comentarios a la Ley sobre Condiciones...,* cit., págs. 474-475.

[193] En este sentido REGLERO CAMPOS, L.F., *Régimen de ineficacia de las condiciones generales de la contratación,* cit. pág. 21.

[194] Art. 2 de la Ley 50/1980, de 8 de octubre, de Contrato de Seguro: «Las distintas modalidades del contrato de seguro, en defecto de Ley que les sea aplicable, se regirán por la presente Ley, cuyos preceptos tienen carácter imperativo, a no ser que en ellos se disponga otra cosa. No obstante, se entenderán válidas las cláusulas contractuales que sean más beneficiosas para el asegurado.»

[195] EMBID IRUJO, J.M., «*El consumidor ante el derecho de seguros*», en *Estudios sobre el derecho de Consumo,* 2ª ed., Bilbao, 1994, págs. 243-245 y 249-252.

acuerdo con las reglas generales reguladoras de la nulidad contractual.» Es decir, parece que, en cierto modo, se está vetando al predisponente la posibilidad de alegar la nulidad de cualquiera de las cláusulas que contengan sus pliegos de condiciones.

Esta restricción en la legitimación activa podía deducirse de la expresa proclamación en el artículo 8º de la nulidad de las condiciones generales que contradigan lo dispuesto en la propia Ley o en cualquier otra imperativa o prohibitiva «*en perjuicio del adherente*». Esta especial previsión hemos visto que la contemplan de forma similar otras leyes al establecer la nulidad «salvo que resulte mas beneficiosa otra cosa» para el contratante al que se pretende dar mayor protección. La conclusión lógica a la que deben conducir todas estas formulaciones de la nulidad en la legislación tuitiva es la que expresamente contempla el artículo 9º.1 de La Ley de Condiciones Generales de la Contratación. Es decir una restricción en la legitimación activa de la misma para la persona especialmente protegida.

Coincidimos con PASCUAU LIAÑO en entender que ésta es la solución más adecuada en estos casos que verdaderamente entrañan la violación de una norma de orden público de protección[196]. A pesar de que otros autores entiendan que hubiese resultado más adecuado establecer una nulidad pura sin excluir al predisponente, resulta prácticamente inocua por la extrema improbabilidad de que éste inste la nulidad de una cláusula o le pueda reportar ventaja alguna[197].

Además, el apartado 2º de este artículo 9 establece que el juez en la sentencia deberá aclarar la eficacia del resto del contrato subsistente conforme las reglas de integración contenidas en el artículo 1258 del Código Civil. Resulta sumamente plausible en todo punto la disposición que establece el régimen aplicable a la nulidad de las cláusulas generales de contratación. Sin embargo, finalmente, encontramos un único punto que requiere cierta interpretación puesto que este apartado 2º del artículo 9, en último término, establece también, aunque de una forma confusa, la posibilidad de declarar la nulidad total del contrato cuando la nulidad afecte a uno de los elementos esenciales del contrato.

Evidentemente, debemos apresurarnos a afirmar que esta nulidad total del contrato procederá única y exclusivamente como consecuencia del ejercicio de la acción individual de nulidad que, obviamente, sólo puede provenir del adherente que es el único legitimado para interponerla. Lo único que podría parecer criticable del precepto se encuentra en hacer depender la nulidad total

---

[196] PASCUAU LIAÑO, M., en *Comentarios a la Ley de Condiciones...* cit., pág. 283. En contra GETE-ALONSO, C., en *Comentarios a la Ley sobre Condiciones Generales de la Contratación,* coord. I. Arroyo Martínez y J. Miquel Rodríguez, págs. 84 y 90-91.

[197] CLAVERÍA GOSÁLBEZ, L.H., «Una nueva necesidad...», cit., pág. 1305, CLEMENTE MEORO, M., «El régimen de ineficacia...», cit., pág. 314, GETE-ALONSO, C., en *Comentarios a la Ley sobre Condiciones Generales de la Contratación,* coord. I. Miquel Martínez y J. Miquel Rodríguez, pág. 295.

del contrato a la apreciación de que la cláusula nula (o no incluible) del contrato afecte o no a alguno de los elementos esenciales del mismo en los términos del artículo 1261 del Código Civil. Cuando proviniendo de una ley tan moderna y acomodada a las necesidades de la práctica negocial tendría que optar por la nulidad funcional y no estructural. Aunque se entiende mejor esta previsión si consideramos que en el supuesto de hecho también se contempla la nulidad de contratos entre empresarios. En las relaciones comerciales entre empresarios suelen pactarse individualmente, al menos, los extremos esenciales del contrato. Es lógico que si procede la anulación de alguno de éstos puntos quepa la solicitud de nulidad total por ambas partes contratantes.

Según PAGADOR LÓPEZ se podría aplicar, analógicamente, el derecho de ser resarcido por los perjuicios apreciables para cualquier adherente afectado por la ineficacia total, de los artículos 9 y 10 de la Ley sobre Condiciones Generales de la Contratación, al que considera predicable para el consumidor o usuario[198]. No obstante, como se ha venido manteniendo, por un lado parece que la base de encontrar el presupuesto de un desequilibrio tal que aconseje la nulidad total del contrato es bastante difícil. Por esta razón, la posibilidad de enmendar posteriormente los efectos de tal nulidad mediante las acciones indemnizatorias correspondientes a favor del adherente, pese a ser menos improbables que en materia de consumidores, es bastante extraña.

Aunque, desde luego, no faltan motivos de crítica a lo dispuesto en los artículos 8º y 9º de la Ley de Condiciones Generales[199], tampoco se puede privar de méritos y halagos a estos preceptos, puesto que han venido a superar la indecisión de la Ley de Consumidores que no se atrevió a limitar o restringir la legitimación para solicitar la nulidad del contrato a los adherentes y por extensión a los consumidores.

En resumen, cuando se considera que lo que una norma ha previsto como solución idónea para su contravención, es una nulidad limitada en cuanto a las personas legitimadas para invocarla, se suele decir que estamos ante una *«nulidad relativa»*. En estos casos ha llegado a contraponerse este tipo de ineficacia a la nulidad absoluta, como si fuese una categoría distinta. Pero debemos insistir en que esta nulidad relativa no es la anulabilidad de la que claramente hay que diferenciarla para evitar confusiones. Esta nulidad relativa sería una variación de la nulidad absoluta única y exclusivamente en

---

[198] PAGADOR LÓPEZ, J., *Condiciones Generales y.....* op. cit. pág. 719.

[199] Críticas que se centran tanto en la redacción como en las remisiones a normas generales (PASCUAU LIAÑO, M., en *Comentarios a la Ley de Condicionesl...* cit., págs. 278-279, SANZ VIOLA, A.M., «Consideraciones en torno a la Ley... cit., pág. 901, BALLESTEROS GARRIDO, J.A., *Las condiciones Generales de los Contratos y principio de autonomía*, cit. págs. 277 y 278. MIQUEL es el más crítico al reprochar el carácter marcadamente ultraliberal de la Ley que no contempla un control específico de contenido y confía que la jurisprudencia supla esta carencia. MIQUEL, J. M., en *Comentarios a la Ley sobre Condiciones...*, cit., págs. 434-436).

cuanto a la legitimación. Por esta razón y para evitar confusiones preferimos hablar de *nulidad con legitimación restringida*. Las leyes pueden recoger este límite a la legitimación activa de la nulidad tanto expresa como tácitamente.

3.5.3. Tercera variante: La denegación de la acción de nulidad a la parte cuyo interés no es legítimo

A. Introducción

Más discutible y discutida que las anteriores variaciones, aunque en la práctica y bajo otro tipo de justificación se viene aplicando[200], es el **negar la acción de nulidad,** en particular, al contratante que la ha provocado. En realidad, supone una delimitación negativa de la legitimación para anular[201]. Esto se producirá cuando ese contratante provocó esa nulidad de propósito para luego prevalerse de ella o de sus efectos en perjuicio del otro contratante[202]. El resultado será que el contratante de mala fe (demandante) no puede hacer valer la nulidad contra el contratante de buena fe (demandado).

La nulidad del contrato, normalmente, viene como consecuencia de una declaración de voluntad del legitimado. El legitimado que lleva la iniciativa de «hacer valer la nulidad», en realidad, manifestaría a la autoridad judicial la propia voluntad de anular el negocio y al mismo tiempo reclamaría la emanación de una sentencia dirigida a aceptar la legitimidad de esa anulación. La autoridad judicial no puede verse abocada a pronunciarse favorablemente, sin recelo ni reserva algunos, sobre cualquier episódica nulidad del contrato instada por cualquier contratante incumplidor y por eso arrepentido de haber participado en la ilicitud.

Hemos de partir de la premisa de que no es cierto que el contrato nulo se equipara al nacido muerto y no produce efectos ni favorables ni perjudiciales para los interesados. Los efectos de la nulidad pese a ser en principio negativos para todas las partes contratantes pueden tener unos efectos más perjudiciales para una de las partes. Por eso, en muchas ocasiones, no se deberá considerar legítimo el interés del que pretende obtener la declaración

---

[200] Debemos tener presente que en cualquier caso los jueces deben indagar, para cada tipo de conflicto, cuál de las dos decisiones posible que pueden emitir, admisión o desestimación de la acción es la que mejor se adapta a los fines de la norma infringida. En la mayor parte de los casos los fines de esta norma infringida no permitirán que se admita la acción de nulidad, pues los efectos resultantes de esta chocan con el propósito de justicia que les informa.

[201] Termino empleado por PASQUAU LIAÑO, M., *Nulidad y anulabilidad del...* op cit., págs. 361 y 245.

[202] No se trata de una delimitación positiva de la legitimación para anular como podría considerarse que consiste la variación anterior sino una delimitación negativa para evitar que una de las partes del contrato aproveche en su beneficio las consecuencias de una nulidad impuesta con fines muy distintos a los que este persigue.

de la nulidad para beneficiarse indebidamente de sus efectos o, simplemente, intenta perjudicar al otro contratante.

La ineficacia que hemos caracterizado anteriormente como la segunda variante de la nulidad relativizaba la legitimación activa de la nulidad absoluta para un grupo especial de casos, estábamos ante normas especiales. Sin embargo, ahora tratamos una nueva concepción enfocada, más bien, desde la legitimación pasiva. Este nuevo análisis es concebible desde la siguiente óptica: independientemente de en quién recaiga la facultad de impugnación del contrato, ya sea una nulidad absoluta o relativa, en todos los casos por vía de excepción se le puede neutralizar al contratante-actor el derecho a reclamar la nulidad. La justificación de la desestimación de la acción de nulidad para la que se encuentra activamente legitimado estará determinada por una causa grave que contrarreste su derecho. Podemos encontrar esta causa grave en el hecho de que se le encuentre culpable de haber contratado en circunstancias dudosas. Estamos ante criterios completamente excepcionales que habrá que analizar en cada caso[203].

En realidad, en buena medida, parece que lo que se limita es la legitimación pasiva puesto que parece que se trata de evitar que los efectos negativos de la nulidad repercutan sobre un contratante de buena fe[204]. Es decir, en principio, según la teoría clásica la nulidad absoluta puede hacerse valer siempre ante la contraparte, sin límite ni excepción alguna[205]. Ahora se trata de considerar que se van a dar excepciones importantes en el carácter *ipso iure* y absoluto de la acción de nulidad. Estas excepciones consisten en limitaciones en la legitimación de la acción de nulidad, tanto en base a la inocencia o buena fe del contratante demandado, como a la mala fe del demandante. Se considera que hay casos en los que la persona que tiene interés en mantener la validez del contrato parece más digno de protección que la persona que tiene interés en la nulidad del contrato. En principio, según la técnica que se propone, este contratante de buena fe tendría derecho a que se conservase la validez del contrato y además de satisfacer el interés más digno de protección la solución debe ser la más acorde con la finalidad de la norma[206].

---

[203] CARBONNIER, J., op. cit., pág. 185.

[204] En contra de lo que opina JAPIOT que pese a que es pionero en admitir esta técnica no considera que la regla a aplicar tenga necesariamente por finalidad la protección del cocontratante o de sus herederos sino que se trata de un principio que opera en propio interés del orden público. JAPIOT, *Des nullités en...* op. cit. pág. 623.

[205] Recordemos que el límite de la buena fe solo operaría en relación a los terceros no partes el contrato y como consecuencia de otras reglas encaminadas precisamente a la protección específica de los terceros adquirentes y de la seguridad en el tráfico jurídico.

[206] Este es el planteamiento que ya propusieron en su momento JAPIOT y GAUDEMET, op cit. págs. 169-170. Las dos categorías de hipótesis propuestas fueron una 1ª limitación basada en sobre la situación personal de los interesados y una 2ª basada sobre la naturaleza de las consecuencias del acto. Nosotros no creemos que sean dos categorías de hipótesis independientes sino que son dos criterios a tener en cuenta para la aplicación de esta excepción.

EDUARDO VÁZQUEZ DE CASTRO

Sin embargo, debemos observar que no se trata exclusivamente de limitar la legitimación pasiva en función de los posibles perjuicios que acarrea la nulidad al contratante de buena fe. La razón fundamental de la regla debe residir en una aplicación correcta de la finalidad última de la norma realizando su lectura bajo el prisma de la justicia y la equidad.

El objetivo sería, si resultare posible, frustrar pretensiones ilícitas de alguno de los contratantes basadas en la mala fe. Pretensiones que pueden no reducirse a la consecución de la ejecución del contrato sino que pueden ir más allá de la voluntad pactada y extenderse a los efectos propios de la ineficacia del contrato. Se debe tratar de frustrar todas las aspiraciones del contratante de mala fe ya sea en la ejecución del contrato o en las consecuencias derivadas de la declaración de ineficacia del mismo. Para conseguirlo, a veces se va a intentar evitar la nulidad, si con ella no se pueden suprimir, aquellas consecuencias que resultan favorables para el infractor o sean perseguidas por los contratantes si ambos son culpables[207]. Con esta técnica se trata de dar apoyo y proteger los intereses y expectativas que se han creado en base a la buena fe de un tercero o de alguno de los contratantes para que no se les perjudique innecesariamente[208].

B. Plasmación positiva en Códigos hispanoamericanos

a. El Código Civil chileno

Encontramos cierto reflejo normativo expreso de esta técnica expuesta, que creemos latente en muchos otros ordenamientos jurídicos, en algunos Códigos Civiles hispanoamericanos. Vamos a observar en primer lugar el articulado del Código Civil chileno cuya influencia en América en la segunda mitad del S. XIX, según parece, pudo ser comparable a la que tuvo en Europa el modelo francés[209]. Pese a que este Código no fue el primero que vio la luz en la América española, gozando de este mérito el Código de Bolivia de 22 de octubre de 1830, es de gran perfección técnica y sustantiva.

El Código Civil Chileno de Don Andrés Bello de 1855 en su artículo 1683 recoge un singular precepto que reza: «La nulidad absoluta puede y debe ser declarada por el juez, aun sin petición de parte, cuando aparece de manifiesto en el acto o contrato; puede alegarse por todo el que tenga interés en ello, excepto el que ha ejecutado el acto o celebrado el contrato, sabiendo o debiendo saber el vicio que lo invalidaba; puede asimismo pedirse su declaración por el Ministerio Público en el interés de la moral o de la ley; y no puede sanearse por la ratificación de las partes, ni por un lapso de tiempo que no pase de diez años.»

---

[207] GARCÍA AMIGO, *Teoría General de...* op. cit., 1995, pág. 403.
[208] DE CASTRO Y BRAVO, *Derecho civil de España*, op. cit. pág. 538.
[209] LIRA URQUIETA, P., *El Código Civil Chileno y su época*, Santiago de Chile, 1956, pág. 27.

Aunque su artífice confiesa que, en general, su inspiración codificadora bebe de las fuentes del Código francés y del Proyecto de García Goyena este artículo es original. En materia de extinción de obligaciones y, particularmente, en la nulidad y rescisión el Código Civil chileno simplificó mucho esta materia. Las disposiciones del texto español proyectado por García Goyena o son refundidas o, simplemente, no seguidas[210]. Quizá en este punto la inspiración de Andrés Bello llegase desde la influencia del Derecho inglés admirado por aquella época en el continente americano y del que Bello era buen conocedor[211]. También pudo combinar esta concepción anglosajona con las ideas de los comentaristas del Código francés sobre la regla *nemo auditur* que no se recogía expresamente en el mismo pero que se encontraba en la tradición y en la jurisprudencia francesas[212].

Cuando el vicio que invalida el contrato es la ilegalidad o contravención de una norma jurídica se plantea el problema de la existencia de un deber genérico de conocimiento de la Ley. Se considera, en estos casos, que no basta el conocimiento presunto y genérico de la Ley para denegar la acción de nulidad. Sólo se tiene en cuenta el conocimiento real y efectivo del vicio que invalidaba el acto (criterio también aplicado a la imposibilidad de repetición derivada de la ilicitud causal del art. 1468 del Código Civil chileno)[213].

Encontramos otro artículo del Código chileno que contiene una disposición en el mismo sentido elevando la mala fe a elemento deslegitimador de la acción de nulidad, en este caso, relativa. Se trata del artículo 1685 que veda la acción de nulidad relativa al incapaz que ejecutó el acto si de su parte ha mediado dolo para inducir al acto o contrato, haciendo, en este caso, extensiva la inhabilidad a los herederos y cesionarios del mismo. Se discute por la doctrina, si se debe entender que la extensión de esta inhabilidad a cesionarios y herederos para interponer la acción de nulidad se aplica también a la nulidad absoluta (del art. 1683) como admite la jurisprudencia o si, por el contrario, queda circunscrita al caso expresamente previsto de nulidad relativa[214].

---

[210] LIRA URQUIETA, P., *El Código Civil Chileno y su época*, Santiago de Chile, 1956, págs. 90-91

[211] Parece que durante su estancia en Londres tomó buena nota de la aplicación del *Common Law* y la doctrina legal que exigía que demandante que acudía al amparo del tribunal debía hacerlo con las manos limpias «*clean hands*» para que éste se dignase a escucharlo. Vid. VÁZQUEZ DE CASTRO, E., «Contratos ilegales en el *Common Law*», en *A.D.C.,* nº 1, 2002.

[212] MOURLON, M.F., *Code Napoléon*, 2, París, 1866, pág. 558, ROGRON, J.A., *Code Civil*, 1, 19 ed, París, 1877, DEMOLOMBE, G., *Cours de Code Napoléon, Traité des contrats*, T. I, Paris, 1884, págs. 367-369. Vid. supra epígrafe «Excepciones a la restitución».

[213] ALESSANDRI, A.R., SOMARRIVA, M.U. y VODANOVIC, A.M., *Tratado de Derecho Civil. Partes preliminar y general,* T. II, Santiago de Chile, 1998, pág. 333.

[214] RODRÍGUEZ GREZ, P., *Inexistencia y nulidad en el Código Civil Chileno*, Santiago de Chile, 1995, págs. 215-220. ALESSANDRI, A.R., SOMARRIVA, M.U. y VODANOVIC, A.M., *Tratado de Derecho Civil...* Cit., T. II, pág. 334.

En cualquier caso, la inhabilitación recogida en el artículo 1683 no impide que los tribunales puedan solicitar la nulidad de oficio o a instancias del Ministerio Público si se pone de manifiesto en el contrato. Se considera que podría intervenir el Ministerio Público en las mismas circunstancias que posibilitan a los tribunales a declarar la nulidad de oficio, solicitando la declaración de nulidad «en nombre de la sociedad y en interés de la moral y de la Ley»[215].

Por otro lado, como ya se ha expuesto, la aplicación o no de esta técnica está directamente relacionada con la posibilidad de resarcimiento de los daños derivados de los efectos de la nulidad. De tal forma que, como hemos dicho, de lo que se trata es de evitar que se irroguen daños a la parte que actuó de buena fe. Se ve reafirmada esta relación al observar que, quizá como consecuencia de contar con la posibilidad del artículo 1683 del Código Civil, parece que para la doctrina chilena la nulidad absoluta no da lugar a la indemnización de los daños que puedan haberse causado[216].

b. El Código Civil argentino

Esta técnica ha sido también positivizada por el Código Civil argentino (Arts 1047 y 1048, antiguo art. 11 del Titulo VI, libro II, sec. IIª, de la primitiva redacción de Dalmacio Vélez Sarfield en 1869), en cuyo texto se recoge que el único que no podrá ampararse en esa nulidad del acto jurídico es el que ha ejecutado el acto sabiendo o debiendo saber el vicio que lo invalidaba. «El que conoce el vicio del acto o que por su imprudencia no lo conoció no puede invocar la protección de la Ley en su beneficio»[217]. Se debe matizar este dato haciendo notar que la aplicación de este artículo del ordenamiento argentino procede cuando el acto o contrato inválido ha sido ya ejecutado. Si el acto o contrato inválido no ha sido ejecutado es admisible que la nulidad se oponga aún por

---

[215] ALESSANDRI, A.R., SOMARRIVA, M.U. y VODANOVIC, A.M., *Tratado de Derecho Civil...* Cit., T. II, pág. 335.

[216] RODRÍGUEZ GREZ, P., *Inexistencia y nulidad en el Código Civil Chileno*, Santiago de Chile, 1995, págs. 286-287.

[217] Curiosamente, la legitimación que ofrece el Código argentino es de las más amplias que podemos encontrar al configurar la acción de nulidad absoluta como acción pública. El código admite expresamente que esta nulidad pueda y deba ser declarada por el juez, aun sin petición de parte, cuando aparece manifiesta en el acto y puede pedirse también por el Ministerio público, al igual que lo contemplado en el ordenamiento jurídico francés. La novedad está en que pese a que establece que esta nulidad puede alegarse por todos los que tengan interés en el acto, exceptúa de esta posibilidad a aquél que haya ejecutado el acto, sabiendo o debiendo saber el vicio que lo invalidaba. (CORDEIRO ÁLVAREZ, *Tratado de derecho civil*, T.I, Buenos Aires, pág. 253, BOFFI BOGGERO, L.M., *Tratado de las obligaciones*, T. I, 2ª ed., Buenos Aires, 1988, págs. 730-733, BORDA, G.A., Tratado de derecho civil. Parte General, II, 8ª ed. Buenos Aires, 1984, pág. 413).

la parte torpe que con la defensa no estaría fundando un derecho en su propia torpeza sino conservando una situación legítima preexistente.

En este caso, explica A. BORDA, «la nulidad podría ser siempre opuesta por vía de excepción incluso por la parte que celebró el acto conociendo el vicio, porque al oponerse al cumplimiento del acto torpe el excepcionante concuerda con la directiva legal y porque a nadie se puede reprochar que se arrepienta de llevar a cabo lo que es reprochado por la Ley.»[218] Cabe objetar a esta apreciación del tratadista argentino que de sospechoso, como mínimo, se podría calificar este arrepentimiento que se produce repentinamente en el mismo momento en el que se le compele el cumplimiento.

Se ha tratado de reducir el ámbito de aplicación de esta norma al limitarlo a aquellos casos en los que el vicio capaz de producir la nulidad no sea manifiesto. Si este vicio tuviese carácter manifiesto la nulidad debería ser declarada por el juez, aunque hubiese sido solicitado por quien ha celebrado el acto conociendo el vicio. En este último caso, el pronunciamiento judicial no se fundará en la petición de parte, aunque haya sido ésta el desencadenante, sino en su obligación de actuar de oficio dispuesto en el primer apartado del propio artículo 1047[219]. Es significativo que la jurisprudencia de la Corte Suprema Federal argentina acabe por concluir que el Código Civil no contiene una enunciación de los casos en que debe entenderse que hay nulidad absoluta o nulidad relativa, pues se limita a poner de relieve quiénes pueden alegarla o declararla[220].

Este precepto del Código Argentino ha sido, como muchos otros, objeto de precisión y revisión en proyectos aún en curso. Se trató de matizar más el tenor literal del precepto comentado en la redacción del artículo 210 cláusula 3ª del Anteproyecto de Código de 1954 que rezaba «la nulidad podrá alegarse por el Ministerio Público y por cualquier interesado, salvo la parte que invoque su propia torpeza para lograr un provecho». Este Anteproyecto de Código Civil del país andino parece mantener el criterio de vedar la acción de nulidad sólo a la parte que hubiese obrado de mala fe y pretendiese extraer un provecho de la declaración o pronunciamiento de la nulidad. De esta forma, la torpeza no tiene por qué alcanzar a la parte que simplemente conociese o debiese conocer el vicio, puesto que este mero reconocimiento no siempre comporta malicia. En esta incorrecta identificación del conocimiento con la mala fe se han centrado múltiples críticas de la doctrina argentina[221].

---

[218] BORDA, G.A., *Tratado de Derecho civil, Parte General, II,* 8ª ed., Buenos Aires, 1984, pág. 414.

[219] BORDA, G.A., *Tratado...*cit. págs. 413-414, MORELLO, A.M., «Inexistencia y nulidad del contrato. Perspectivas», en *Contratos. Homenaje a Marco Aurelio Risolía,* Buenos Aires, 1997, pág. 201.

[220] MORELLO, A.M., «Inexistencia y nulidad del contrato. Perspectivas», op. cit., pág. 214.

[221] BORDA, G.A., op. cit. págs. 414-415.

Como manifiesta CASTRILLO SANTOS, al actor nadie le pregunta cuando inicia la acción si obra movido por un interés egoísta al invocar la propia violación de la Ley y la petición de la tutela invocando un interés social. Como hemos tenido ocasión de observar, salvo en el caso de tipicidad delictiva, ningún órgano del Estado tiene una misión fiscalizadora del cumplimiento de la legalidad en los contratos si no es promovida por una de las partes o el tercero afectado. Al ser el actor libre de su acción se puede dar cierto «chantaje de la transacción» tal y como recoge este autor. Este «chantaje de la transacción» supone obligar, ante la amenaza de la nulidad del contrato, a renegociar ciertos extremos del contrato o a revalorizar las prestaciones [222].

c. Crítica a las formulaciones positivas

En primer lugar, puede resultar criticable la misma plasmación positiva de esta regla de «*denegatio actionis*» por significar la generalización de una técnica que debe ser extremadamente excepcional. En este sentido, la formulación adoptada por los Códigos que hemos visto resulta bastante correcta. Las disposiciones correspondientes únicamente se encargan de apuntar de forma genérica que existe esta posibilidad de controlar las concretas pretensiones que se implican en la declaración de nulidad. Puede extenderse en este sentido la idea que explica AUBERT en relación con la acción de repetición y la regla «*nemo auditur*»[223]: «Lo mejor no es decidir de una vez por todas si la repetición ha de ser admitida o rehusada, sino dejar en manos del Juez la toma de decisión en cada caso. Así, la amenaza pesa a la vez sobre el solvens (no repetición) y sobre el accipiens (repetición). De aquí resultará un sentimiento de inseguridad entre los contratantes eventuales, que temerán la máxima sin, en ningún caso, poderse beneficiar de las ventajas indirectas que puedan haber ya obtenido»[224].

Por otro lado, también cabe realizar una crítica a la concreta formulación elegida por estos códigos para plasmar la técnica. Como hemos tenido ocasión de comprobar, tanto en el Código Civil chileno como en el argentino parece que se trata de impedir el ejercicio de las acciones de nulidad cuando se ejercitan con mala fe por parte de alguno de los contratantes. Esta aspiración del legislador es en todo punto loable, sin embargo, se opta por identificar la mala fe del actor con el conocimiento u obligación de conocimiento de la existencia del vicio invalidante. Llegados a este punto caben numerosas dudas sobre la interpretación de este conocimiento del vicio, sobre todo, en los casos de

---

[222]   CASTRILLO SANTOS, J., *Autonomía y heteronomía de la voluntad en los contratos*, cit., pág. 593.

[223]   Perfectamente aplicable al problema que nos ocupa habida cuenta que en Francia, al contrario que en el Código español o el actual Código italiano, no se ha positivizado la máxima «*nemo auditur*» en su Código Civil.

[224]   AUBERT, M., «*La repetición des prestations illicites ou inmorales*» en *Droit français*, en *Droit suisse et dans la Jurisprudence belge*, Lausanne, 1954, pág. 190.

nulidad derivada de la ilegalidad del contrato. Puede una parte débil del contrato verse en la tesitura de tener que elegir entre contratar en conocidas condiciones de ilegalidad o resignarse a prescindir de los bienes o servicios que necesita. Piénsese en la víctima de un préstamo usurario o en el especial caso del apropiado adquirente de Viviendas de Protección Oficial.

De todos modos, centrar el problema en la apreciación de mala fe del actor, en lugar de en su conocimiento del vicio, pone de manifiesto la poca utilidad de que pudiese resultar traspuesta una disposición normativa de similar tenor en nuestro ordenamiento jurídico. Entre la exigencia de buena fe y la apreciación de mala fe por parte tanto de los legitimados para instar la ineficacia cabe un amplio margen de discrecionalidad que queda siempre en manos de los tribunales. En la mayoría de los ordenamientos jurídicos, entre ellos el nuestro, al establecer que los derechos deberán ejercerse conforme a la buena fe (art. 7.1 del Código Civil español) lo hacen con tal amplitud y generalidad que hacen que, o bien se concrete esta exigencia en otra disposición, o bien se vea relegada a una manifestación de principios. De no concretarse, las manifestaciones de principios, en sí mismas, no pueden servir de base jurídica legal como apoyo exclusivo de una alegación o de un recurso.

Al concretar la existencia de mala fe en el ejercicio de los derechos se puede optar por mantener un doble criterio. En primer lugar, se puede mantener un criterio más relajado de exigencia considerando constitutivo de actuación de mala fe aquella que se realiza con cierta voluntariedad (únicamente un ejercicio manifiestamente doloso o culpable de los derechos); o, en segundo lugar, se puede mantener un criterio de exigencia más severo exigiendo únicamente el mero conocimiento de la existencia de cierto vicio. De esta forma, el identificar mala fe con mero conocimiento del vicio es una forma de establecer un criterio rígido de apreciación.

Estos análisis de la potencial actuación de mala fe por parte de los contratantes se ha venido empleando tradicionalmente en sede de causa ilícita. Dijimos en su momento que para elevar a categoría de causa contractual el propósito, motivo o finalidad ilícito de una de las partes y tener entidad como para anular el contrato o bien tiene que encontrar reflejo expreso en el contrato o bien, al menos, tiene que ser conocido por el otro contratante.

Nos planteamos un problema ante el caso de posible denegación del ejercicio de la acción de nulidad de un contrato ilegal en base al conocimiento del vicio por parte del contratante que la insta. Parece que la redacción de los Códigos que hemos visto establece, sin lugar a dudas, que el mero conocimiento de la ilegalidad del contrato deslegitima al contratante que pretende la nulidad. Este es, sin duda, un criterio demasiado rígido como para que se refleje en estos términos en una disposición legal. Asimismo, es un criterio demasiado rígido que aplicado de forma estricta podría llevar a la paradoja de no poder instar la nulidad del contrato ilegal en casi ningún caso.

d. Inviabilidad de estas disposiciones en nuestro ordenamiento jurídico

Para admitir la transposición de estas normas jurídicas a nuestro ordenamiento jurídico topamos con numerosos inconvenientes doctrinales. Se pone de manifiesto la inviabilidad de esos criterios tan rigurosos que se han plasmado en los Códigos argentino y chileno. Parece que, en muchos casos, sería más adecuado buscar una voluntariedad en la infracción que no siempre va a venir aparejada al conocimiento de la ilegalidad.

Debemos poner de manifiesto que en los casos de ilegalidad contractual el hecho del conocimiento de la infracción va unido al conocimiento de la Ley. El conocimiento de las leyes en ocasiones se ha configurado como un deber. En realidad, es principio fundamental de nuestro ordenamiento jurídico que la ignorancia de las leyes no exime su cumplimiento. El desconocimiento de la norma jurídica es inexcusable según el artículo 6º de nuestro Código Civil. La ignorancia de la ley se puede vencer a un coste mínimo ya que el conocimiento de las mismas es accesible a todos los ciudadanos y, como mantiene CARRASCO PERERA «el conocimiento de la ilegalidad no sólo parece que deba ser castigado sino que procede sea incentivado»[225].

Por otro lado, hemos de tener presente, como ya advertimos anteriormente y se abundará seguidamente, que es cierto que en el derecho sancionador penal y administrativo no se aprecia la infracción cuando no existe culpa o voluntariedad por parte del infractor. Sin embargo, este sistema no es, en principio, aplicable al ámbito civil de la ineficacia contractual. Las circunstancias referidas a la culpabilidad no pueden influir en los efectos de la ineficacia, salvo en los casos de causa torpe en los que se utiliza para reglamentar las consecuencias restitutorias de la nulidad. El elemento de culpabilidad lo único que determina es la posibilidad de exigir responsabilidad y modularla. La mayor o menor voluntariedad o culpabilidad puede emplearse exclusivamente para aumentar la responsabilidad o compensarla en mayor o menor medida. Para nuestro ordenamiento jurídico el desconocimiento o inconsciencia de la ilegalidad contractual no puede borrar el hecho de que ésta se ha producido y no puede impedir que aparezcan como un resorte los mecanismos restauradores de la legalidad. Si la Ley ha previsto la ineficacia del contrato ilegal, el contrato quedará, de todos modos, falto de valor y fuerza para obligar y tener el efecto previsto, con independencia de la culpabilidad de las partes contratantes.

Vemos más adecuada la nueva redacción que pretendía darle al precepto la programada reforma del Código Civil argentino en la que se suprime la referencia al conocimiento del vicio y se añade la referencia al propósito o finalidad del contratante que «alega su propia torpeza para lograr un provecho». De esta redacción queda más patente la necesidad de que tanto la torpeza como

---

[225] CARRASCO PERERA, A., «*Comentario a la sentencia de 3 de septiembre de 1992*», en *C.C.J.C.*, Nº 30, 789, 1992, pág. 873.

el provecho han de venir apreciados por los tribunales y que no tienen por qué quedar determinadas por la posibilidad del mero conocimiento de la infracción.

e. Factores de apreciación jurisprudencial

Descartada para nuestro ordenamiento una regulación parecida a la que hemos hallado en el articulado de estos códigos hispanoamericanos, habrá que ver la posibilidad y conveniencia de su aplicación jurisprudencial. Tenemos que considerar el hecho de que, ciertamente, nuestra jurisprudencia en ocasiones tiende a evitar las consecuencias anejas a la nulidad en aquellos casos en los que se utiliza la acción por un contratante de mala fe en perjuicio de su contraparte que, de buena fe, confiaba en la validez del contrato. No encontramos tantas objeciones a que sea la jurisprudencia quien aprecie, en cada caso, la legitimidad del interés del contratante que procura la declaración de nulidad. Para semejante valoración se deberán ir analizando todas las circunstancias concurrentes y la efectiva participación del contratante en ese vicio de ilegalidad,

No olvidemos que la denegación de la acción ha de resultar excepcional siendo la legitimación de toda persona interesada (o las personas que la ley considera especialmente interesadas) la regla general para la obtención de la nulidad derivada de la ilegalidad. En este sentido, para denegar una acción de nulidad a un contratante, por actuar impulsado por intereses no demasiado legítimos como para ser amparados por la justicia, el juez o tribunal ha de atender a todos los factores, siendo el efectivo conocimiento de la infracción uno más de esos factores.

El problema se presenta cuando la parte «inocente» de la infracción no denuncia la ilegalidad sino que conociéndola, o debiendo conocerla, espera para que la contraparte le exija el cumplimiento y entonces excepcionar la nulidad derivada de esa ilegalidad.

Será necesario que realmente se compruebe que ha sido él quien ha provocado la situación para tratar de sacar provecho. Serán jueces y tribunales los que se encuentran en mejor posición para decidir si un mero conocimiento del vicio puede ser suficiente para considerar que el contratante actúa de mala fe y le lleva a participar de la ilegalidad. Es la jurisprudencia la encargada de armonizar, en cada caso, las condiciones de la seguridad jurídica con las exigencias de la justicia material.

Los jueces también darán importancia a la cualidad de la persona que ha cometido u originado la infracción. Es lógico considerar que no es disculpable o apreciable de igual manera el posible desconocimiento o mala fe de un profesional que la de cualquier particular que intervenga en el mismo contrato. *V. gr.* Se puede observar que el Tribunal Supremo ha aplicado esta técnica a favor del vendedor en materia de viviendas de protección oficial, cuando comprador y vendedor son particulares en segundas y ulteriores transmisiones. Sin embargo, no resultaría concebible que se adoptase la misma solución cuando el vendedor fuera un promotor-constructor.

En muchos casos, puede que ambos contratantes conozcan el vicio. Se puede plantear la pregunta de si ambos quedarían impedidos de ejercitar toda acción, si quedarían únicamente impedidos de ejercitar la acción de nulidad, o si por compensarse la mala fe de ambos cualquiera podría instar cualquier acción. Evidentemente, no parece lógico que, en estos casos, sea la Ley la que establezca lo que debe entenderse por mala fe para restringir el ejercicio de la acción de nulidad y menos que lo haga en unos términos tan rígidos que reduzcan todo al posible conocimiento.

Es evidente que la ineficacia será mucho más sencilla de aplicar si sólo se han formulado las prestaciones recíprocas, en cambio, si estamos en el periodo de ejecución o se han ejecutado ya las prestaciones y se ha consumado el contrato la situación se complica. Por esta razón, la jurisprudencia normalmente no aplicará esta medida denegatoria, y se concederá la nulidad, cuando se acaba de celebrar el contrato y aún no se ha procedido a su ejecución. Por el contrario, tenderá a negar la acción de nulidad cuando ya se han ejecutado las prestaciones, para no cuestionar y, en su caso, deshacer los desplazamientos patrimoniales ya realizados.

C. Justificación de la medida

a. Argumentos de la dogmática clásica para no admitir esta técnica. Crítica

La objeción a que los efectos de la nulidad obren en provecho de aquel contratante que por su voluntad se situó al margen de la ley surge en Francia. También es desde la doctrina francesa desde donde se crean los argumentos para no admitir esta técnica.

No podemos negar que esta técnica tiene cierta afinidad con la regla *nemo auditur*. Dado que los defensores de esta extensión de la regla, más allá de su tradicional función de paralizar los efectos restitutorios de la nulidad, son fundamentalmente de la doctrina francesa se ha de tener muy en cuenta que en el Código napoleónico no se recogió la regla *nemo auditur* entre su articulado. Al ser una máxima aplicada de forma jurisprudencial no existirían trabas legales para que la jurisprudencia modificase o utilizase la misma en cualquier otro caso. El panorama cambia en nuestro país puesto que existen como reglas positivas y excepcionales en el Código Civil las aplicaciones de la máxima y a los propios términos en los que se refleja en la ley es a los que tendremos que ceñir su aplicación (arts. 1305 y 1306 C.C.).

El argumento más frecuente para no admitir esta intervención excepcional para enervar la acción propia de la nulidad es que se trata de una acción de interés general y, en muchos casos, de orden público. Una acción que se sustente sobre tan elevado y notorio fundamento no es disponible por los particulares.

Esta concepción se deriva de los caracteres de nulidad absoluta e *ipso iure* que hacen que queden fuera de cualquier voluntad la existencia de la nulidad y por consiguiente su declaración. Se parte de la idea de que la nulidad es un estado jurídico objetivo del contrato que el derecho toma en cuenta, ineludiblemente, para restablecer la legalidad. Por consiguiente, no puede depender de la voluntad de los contratantes ni de sus intenciones o conducta subjetiva la declaración de nulidad del contrato[226]. El contrato es objetivamente nulo o no lo es. Con la sanción de nulidad el legislador no se ha propuesto castigar a las personas, en este caso contratantes, sino impedir el establecimiento de reglas jurídicas ilícitas.

Desde el momento en que llega al conocimiento del juez la existencia de la causa de nulidad este la debería declarar, incluso de oficio si procede, en aras a la salvaguardia del interés general. Es indiferente que este conocimiento por parte del juez se alcance gracias a la intervención de alguna de las partes contratantes o con el concurso de cualquier tercero interesado. Este interés general que se trata de restablecer mediante la nulidad está por encima de los perjuicios que se puedan producir a los intereses de las partes.

Esta es la concepción de que la nulidad tiene una finalidad distinta y superior a la de la responsabilidad que consiste en la supresión de efectos jurídicos del contrato en la medida necesaria para restablecer la legalidad transgredida mediante su conclusión[227]. Este restablecimiento de la legalidad está por encima de los intereses de las partes y por tanto se deberá tender a su consecución con independencia de que favorezca o perjudique injustamente a las partes del contrato implicadas en la infracción. Pero, qué podemos entender por interés general, ¿acaso no lo es la suma de muchos intereses privados que además tienden a ser tomados en cuenta por las normas de orden público económico para su mejor protección? Esta reflexión también se encuentra entre autores de la doctrina clásica[228].

Lo que no es cierto es el dogma de la pretendida objetividad y neutralidad de la sanción de la nulidad. El contrato para que sea impugnado ha de suponer que la parte que denuncia la irregularidad o bien se ve perjudicada por ella, o bien se teme que en un futuro tendrá repercusiones negativas, o bien hasta entonces desconocía la ilegalidad que se estaba cometiendo. Cuando se denuncia la ilegalidad, normalmente, una de las partes pedirá la nulidad porque le resultará más conveniente y esto no es reprochable, en absoluto. Sin embargo, habrá que tener en cuenta todas las circunstancias.

Por otro lado, es cierto que los jueces tienen como principal misión la de velar por el cumplimiento de las normas y restablecer la legalidad. Sin embargo, no es menos cierto que también tienen la misión no menos importante de administrar justicia en el caso que se les plantea.

También se ha alegado por algún autor que se puede cuestionar que se prohiba la simple acción declarativa de la nulidad porque puede ser valorada, a veces, como arrepentimiento de la torpeza cometida[229]. De esta forma, se

---

[226] PÉREZ y ALGUER, op. cit. pág. 373.
[227] GUELFUCCI-THIBIERGE, C., *Nulllité, restitutions et...*, op. cit., págs. 242, 366, 522.
[228] Vid supra epígrafe «Introducción de elementos subjetivos: los intereses privados en liza».
[229] CERDÁ OLMEDO, «Nemo auditur... cit., pág. 1199.

parte ya de un presupuesto distinto del tradicional que afirma la necesidad de la declaración de nulidad, en todo caso, en virtud de su carácter de sanción objetiva y determinante.

LUTZESCO afirma que esta concepción tradicional puede considerarse que es la regla general y que como tal se debe mantener. Sin embargo, afirma que «hay casos en los que la nulidad absoluta reviste un doble carácter; es civil, por una parte, en tanto que afecta los efectos del acto jurídico; pero, por otra parte, es penal en tanto que constituye una indignidad para una de las partes... En su aspecto penal se traduce en que el sujeto a interdicción no tiene derecho a invocarla contra sus actos, por la sencilla razón de que por obtener un provecho lograría evitar la aplicación de la Ley...[230]»

Resulta definitivo para corroborar esta crítica a la objetividad y neutralidad de la nulidad el hecho de que se contemplen excepciones a la regla general de la restitución recíproca de las prestaciones. La apreciación de culpabilidad de las partes contratantes en la ilicitud de la causa puede conducir a una aplicación del art. 1306 del CC que modula las obligaciones de restitución derivadas de la nulidad. Las posibles reticencias a considerar viable el resultado de una validez total del contrato, pese a que se haya verificado su ilegalidad, pueden verse disipadas si se observa que a este resultado se puede llegar aplicando las consecuencias previstas en el art. 1305 y, sobre todo, 1306 del Código. Este artículo, en su primer apartado, señala como consecuencia de la nulidad absoluta, derivada de la ilicitud de la causa, una excepción a la automática retroacción de los efectos cuando la culpa está de parte de ambos contratantes. En este caso se impide que ninguno de los contratantes culpables pueda repetir lo que hubiera dado en virtud del contrato ni pueda reclamar el cumplimiento de lo que hubiese ofrecido. Con lo cual, si ambas partes han ejecutado ya sus prestaciones se puede llegar a la misma consecuencia que manteniendo la validez del contrato. Aunque, siguiendo esta regla de la causa ilícita, en el caso en el que sólo haya cumplido una de las partes se puede dar lugar a situaciones injustas como ya expusimos[231].

Para administrar justicia en el caso concreto es indispensable valorar todas las circunstancias que concurren y, sobre todo, evaluar las pretensiones de las partes para finalmente fallar en un sentido o en otro. Esta evaluación se hace apreciando las pretensiones (todas o parte de ellas) de una de ellas y rechazando las de la otra o viceversa. En esto se traduce la labor del juez civil y en esto se diferencia de los jueces penales o contenciosos. Es decir, el juez civil no sólo tiene que velar por los intereses generales, por el orden público y por la legalidad, sino que al mismo tiempo tiene que decidir sobre un conflicto de intereses entre particulares que se deben someter a su jurisdicción para solucionar sus diferencias o sus contiendas privadas. La solución que debe aportar el juez civil debe restaurar la legalidad y al mismo tiempo ha de ser ecuánime.

---

[230] LUTZESCO, G. *Teoría y práctica de las nulidades...* cit., pág. 279.
[231] vid supra epígrafe «La causa ilícita».

Se ha afirmado además que la razón para permitir en la nulidad clásica una legitimación tan amplia y no limitarla se debe a que de esta forma no se impide que accedan a la jurisdicción casos que de otro modo nunca llegaría a conocer el juez. Esta legitimación amplia es coherente con el deber del juez de declarar la nulidad una vez que el vicio es manifiesto. El juez una vez tenga noticia de la ilegalidad cometida tendría que declarar la consiguiente nulidad, incluso de oficio. Parecería mantener una política contradictoria admitir que se pueda vedar la acción de nulidad al que hubiese conocido de antemano la existencia del vicio. De esta forma, se ahuyenta a quien mejor puede suministrar las pruebas del vicio.

Pero, por otro lado, también es cierto que en muchos casos la amenaza de acudir a los tribunales va a desincentivar la denuncia de la ilegalidad. El temor a los radicales efectos de la declaración de nulidad, que también van a perjudicar a la parte que menos ha tenido que ver en la infracción, puede ser factor inhibitorio para ésta. Podemos afirmar que la jurisprudencia siempre ha aplicado criterios de equidad y prudencia. El juzgador suele tener en cuenta si la esencia del contrato ilegal se ha buscado a propósito o ha sido provocada por una de las partes contratantes, en cuyo caso, lógicamente ha de tender a proyectar sus efectos negativos con limitación a quien la origina, pero no con extensión a quien de buena fe ve frustrada su confianza en la palabra dada. Como consecuencia de este planteamiento, los tribunales no han dudado en negar la acción o los efectos de la nulidad cuando la parte que la pretendía ha obrado de mala fe y trata de procurarse un provecho de esta declaración a costa de los intereses de la parte que obró de buena fe.

Para adecuar la sanción a la diferente culpa de los contratantes habrá que acudir, como aconseja la jurisprudencia, a la naturaleza, móviles, circunstancias y efectos previsibles de los actos realizados por ellos y combinarlos con el deber de diligencia o el deber de conocer y denunciar la ilegalidad.

b. El fundamento para la aplicación de esta regla. La buena fe

El ejercicio de derechos y acciones conforme a las reglas de la buena fe es un principio general de nuestro ordenamiento jurídico. Tampoco falta base normativa para, en virtud de este principio de buena fe, enervar una acción. Este principio se encuentra recogido, como pauta a apreciar por jueces y tribunales, en todo tipo de procedimiento. *El artículo 11.1° de la Ley Orgánica del Poder Judicial, en su apartado 2°,* establece que se rechazarán fundamentalmente las peticiones, incidentes y excepciones que se formulen con manifiesto abuso de derecho o entrañen fraude de ley o fraude procesal. Como norma sustantiva general se va a plasmar este principio en el *artículo 7.1° de nuestro Código Civil* «Los derechos deberán ejercitarse conforme a las exigencias de la buena fe.»

Nuestra postura, por tanto, parte del hecho de que existe una regla en nuestro ordenamiento jurídico que tiene en cuenta elementos subjetivos y que afecta a los contratos en todas sus vertientes y en todas sus fases. Ahora conviene explicar cómo se puede trasladar esta regla de ejercicio de derechos conforme a la buena fe a la materia de la ineficacia contractual. La regla de la buena fe como destaca DIEZ-PICAZO es tenida en cuenta por el ordenamiento jurídico principalmente de las maneras que se relacionan a continuación:

«a) como una causa de exclusión de la culpabilidad en un acto formalmente ilícito y por consiguiente como una causa de exoneración de la sanción o por lo menos de atenuación de la misma.

b) como una causa o una fuente de creación de especiales deberes de conducta exigibles en cada caso, de acuerdo con la naturaleza de la relación jurídica y con la finalidad perseguida por las partes a través de ella. (Art. 1258)

c)- Como una causa de limitación del ejercicio de un derecho subjetivo o de cualquier otro poder jurídico.»

—añadiendo que— «el ejercicio de un derecho subjetivo es contrario a la buena fe no sólo cuando se utiliza para una finalidad objetiva o con una función económico-social distinta de aquella para la cual ha sido atribuido a su titular por el ordenamiento jurídico, sino también cuando se ejercita de una manera o en unas circunstancias que lo hacen desleal, según las reglas que la conciencia social impone al tráfico. Pudiendo ser un supuesto típico de este ejercicio contrario a la buena fe el abuso de la nulidad. Sin reducir este supuesto al ya elaborado por la doctrina moderna del abuso de la nulidad por motivos formales sino extendiéndolo y generalizándolo al abuso de la nulidad cualquiera que fuese el motivo»[232]. Este referido supuesto elaborado por la doctrina moderna del abuso de la nulidad por motivos formales ha sido también aplicado abiertamente por la jurisprudencia, como bien indica PASCUAU LIAÑO[233].

Las consecuencias de considerar aplicable esta excepción a la acción de nulidad sería el mantenimiento del vínculo contractual con las obligaciones tal y como fueron pactadas por los contratantes. Sin embargo, JOCHEN ALBIEZ acepta y postula esta denegación de la nulidad basada en la buena fe cuando uno de los contratantes pide la nulidad total del contrato para obtener ventajas o beneficios en su propio provecho procediendo, en estos casos, la nulidad parcial en su lugar[234].

Este es también el planteamiento que se hace en el ordenamiento jurídico alemán y suizo, que tratan de dar no una función marginal a la buena fe sino incisiva. Sin embargo, el resultado al que llegan es distinto. En estos países la buena fe es considerado como un criterio fundamental y directamente operativo para afirmar si la economía del contrato justifica bien la nulidad total o bien la nulidad parcial. Sin embargo, curiosamente, no les sirve nunca de criterio para mantener la misma validez del contrato[235].

---

[232] DIEZ PICAZO en el prólogo a la traducción de la obra de WIEACKER, F. *El principio general de la buena fe*. Madrid, 1982, pág. 19.
[233] PASCUAU LIAÑO, M., *Nulidad y anulabilidad del...*, op. cit. pág. 248.
[234] JOCHEN ALBIEZ DOHRMAN, K., *La repercusión de la...* op. cit., 1984, pág. 87.
[235] RUIZ MUÑOZ, *La nulidad parcial del...* op. cit. págs. 54 y 62.

El ordenamiento alemán ha considerado, en numerosas ocasiones, el juego de la buena fe para denegar la legitimación de la nulidad parcial. Generalmente, lo que se deniega es la nulidad parcial en manos de una parte especialmente protegida (nulidad con legitimación restringida) inmerecedora de dicha protección por actuar de mala fe. Se va a concluir en estos casos que lo que procede es aplicar la nulidad total para no perjudicar al contratante de buena fe. Lo que ocurre en el ordenamiento alemán, con diferencia al francés o al nuestro, es que nunca se va a considerar la regla de la buena fe como indicativo de si un contrato merece o no la validez en función de la actuación de las partes o del conocimiento que estas tuvieran de la irregularidad legal. La buena o mala fe de los contratantes únicamente sirve como indicativo de la conveniencia de aplicar la nulidad parcial o la nulidad total. La validez ni siquiera se plantea como posibilidad. Esta postura no es de extrañar, habida cuenta que en el ordenamiento jurídico alemán se tiende a aplicar siempre como complemento corrector de los efectos de la ineficacia la responsabilidad por *culpa in contrahendo*[236].

No obstante, ya advierte FLUME que, en principio, como regla ni la ley prohibitiva ni la nulidad pueden ser eliminadas por el comportamiento de uno de los contratantes. Sin embargo, matiza este autor, cuando la causa de nulidad se da en lo que respecta a la actuación negocial y al acto del negocio jurídico, es adecuado limitar la nulidad en el sentido de negar a uno de los contratantes la reclamación de la nulidad en consideración a su comportamiento. Es decir, considerar válido el contrato frente al contratante que mantuvo una conducta reprobable si el otro pide o excepciona la validez y pone como ejemplo las nulidades formales[237].

De todos modos, no es ésta la concepción generalizada entre la jurisprudencia alemana. En realidad, se parte de la premisa de que cualquier ilegalidad conduce a la nulidad (total o parcial, absoluta o relativa) y en base a esta buena fe se decide el tipo o extensión de ésta. En el ordenamiento germánico si se concluye la conveniencia de aplicar esta negación de la acción de nulidad parcial en base a la buena fe no va a ser para considerar la validez del contrato en su lugar. La política jurisprudencial en estos casos consiste en que si en algún supuesto se debe denegar la nulidad parcial en base a la buena fe, lo será para dar lugar a la nulidad total que pueden declarar los tribunales incluso de oficio[238]. Aunque también se ha utilizado, en ocasiones, para denegar la acción de nulidad total en base a la buena fe para evitar su propagación a toda la operación jurídica manteniendo parcialmente la validez del contrato[239].

---

[236] Vid infra epígrafe «Responsabilidad derivada de la ineficacia».
[237] FLUME, W., *El negocio jurídico*, trad. J. M. Miquel y E. Gómez, Madrid, 1998, pág. 654.
[238] ENNECERUS-NIPPERDEY, op. cit., T-1, 2.2º. pág. 736, LARENZ, K., *Derecho civil...*cit, pág. 738 y ss., HEDDEMAN, J.W., *Tratado de derecho civil*, Vol. III, trad. Santos Briz, J., Madrid, 1958, pág. 243 y 59. Vid también infra «Contratos con precio superior al legal», epígrafe «Derecho comparado».
[239] JOCHEN ALBIEZ DOHRMANN, K., «*La repercusión de la...*» op. cit., 1984. pág. 87.

Lo curioso de la jurisprudencia alemana es que establecerá la importante excepción o salvedad a la regla antes expuesta de la nulidad parcial substitutiva cuando nos hallamos ante una compraventa a precio legalmente tasado y el bien objeto de la venta es un inmueble. El régimen de reducción del precio excesivo al legal es aplicable a los bienes de consumo en general pero, sin embargo, no es aplicable a la compraventa de inmuebles. Cuando el bien objeto de la compraventa es un inmueble no se produce la nulidad parcial con reducción del precio al máximo legalmente permitido. Por el contrario, en estos casos la jurisprudencia se muestra partidaria de mantener la nulidad íntegra del contrato con todas sus consecuencias.

El Tribunal Supremo alemán, en su día, consideró que las fincas tienen distinta consideración que las mercaderías ordinarias porque «en las fincas la cuantía del precio suele ser circunstancia fundamentalmente decisiva para decidir la venta. «Sería sorprendente —indicará— el hecho de que el propietario que haya decidido la venta de su casa por un precio determinado pudiera ser posteriormente obligado a entregar el inmueble por un precio muy inferior al convenido»[240]. Según esta jurisprudencia esto provocaría una gran inseguridad en el importante sector del tráfico inmobiliario. Únicamente por excepción, el contrato mantendrá su validez con el precio legalmente autorizado, si el vendedor está de acuerdo con éste o si el negar su conformidad debiera ser considerado como un acto de mala fe y además el adquirente ha inscrito en el registro[241]. La explicación lógica a esta jurisprudencia la encontramos en la ratio del § 139 que al regular la nulidad parcial establece que, en principio, el contrato será nulo salvo que se entienda que hubiese sido celebrado aún sin la parte nula. Por tanto, se aplica este parágrafo entendiendo que por la mayor envergadura en la cuantía del precio en las compraventas de inmuebles se entiende que el contrato no sería celebrado sin la parte nula[242].

Así pues, la regla de la buena fe es la base para negar cualquier legitimación para accionar los resortes de la nulidad:

– En algunos casos, se puede considerar que opera una negación de la nulidad parcial a quien no usa correctamente la acción acarreando en su lugar la apreciación de la nulidad total, que así funcionaria también como sanción o pena al que se le niega la nulidad parcial. En definitiva, no estaríamos ante

---

[240] HEDEMANN, J.W., *Tratado de...* op. cit., pág. 59.

[241] ENNECERUS, op. cit. pág. 29.

[242] Este problema, en la actualidad, ha quedado sin virtualidad práctica para el ordenamiento jurídico alemán que ha derogado, en principio, la limitación de precios para fincas edificadas por la Ley Federal de edificaciones de 23-VI-1960, art. 186.1. Podemos afirmar a la luz de sus últimas tendencias de política legislativa que estamos ante una economía de las más liberales de Europa. (LARENZ, K., *Tratado de Derecho Civil Alemán, Parte general*, trad. Izquierdo, M., Jaén, 1978, pág. 590).

una verdadera denegación de la acción de nulidad sino ante una recalificación de la nulidad aplicable.

– En otros casos, se puede considerar que opera una negación de la nulidad total a quien no usa correctamente la acción acarreando en su lugar la apreciación de la nulidad parcial, que así funcionaría también como sanción o pena al que se le deniega dicha nulidad total. También aquí estaríamos ante una verdadera recalificación de la nulidad aplicable.

– En otros casos, se puede considerar que ésta denegación de la nulidad parcial y/o total acarrea la proclamación de la validez total del contrato en los términos en los que fue pactado. Esta última aplicación es la que nosotros estamos considerando en estos momentos como variante viable aunque muy excepcional de la nulidad.

Existe un amplio número de casos en los que los jueces y tribunales se ven en la necesidad de acudir a la apreciación de la buena o mala fe de los contratantes para estimar o desestimar una acción de nulidad. Estas decisiones dependerán en buena medida de las conductas y circunstancias que concurran en el caso concreto. Idéntica observación hacía ya PIÉDELIÈVRE quien, pese a considerar la buena fe como fundamento general y explicación teórica de las limitaciones a la nulidad, estima que las razones de utilidad práctica hacen que la idea de la buena fe desaparezca la mayor parte de las veces o se muestre insuficiente para aplicar estas limitaciones a la nulidad[243]. En definitiva, se han de considerar y encontrar unas y otras razones como suficientes para determinar el fundamento de las limitaciones de la nulidad.

Por este motivo, no siempre los tribunales van a reconocer que se ven en la obligación de emitir un fallo con base a la buena fe o la equidad. Para fundamentar su fallo se apoyan en otros razonamientos y argumentos jurídicos positivos que consideran más técnicos e irrefutables; sólo a mayor abundamiento apuntan este razonamiento general como informador de su decisión. La técnica jurídica para aplicar, de esta forma, este principio general de la buena fe también deberá ser objeto de análisis para evitar cierto complejo de imprecisión que puede afectar a aquellos tribunales que quieran basarse en él para evitar que prospere una acción de nulidad.

D. Posibles técnicas a utilizar

a. «*Nemo auditur propiam turpitudinem allegans*»

La doctrina argentina cuando analiza la regla contenida en el artículo 1047 de su Código Civil, que acabamos de observar, entiende que es una regla que basa su principio en que nadie puede alegar su propia torpeza[244].

---

[243] PIÉDELIÈVRE, J., *Des effets produits par les actes nuls...* cit., págs. 471 y 473.
[244] Vid. Supra epígrafe «El Código Civil argentino».

Por otro lado, aunque la posibilidad de denegar una acción de nulidad a aquella parte especialmente implicada en su causa comenzó a ser apuntada en Francia, no se vinculaba a la regla *nemo auditur*. Hemos de reconocer que, generalmente, los autores siguen manteniendo que la regla *nemo auditur propiam turpitudinem allegans* únicamente significa un obstáculo en cuanto a la consecuente acción de repetición. Es decir, la regla trata justamente de evitar la repetibilidad de una prestación entregada por alguien al que se considera culpable de la ilicitud y por tanto indigno para reclamar. Es única y exclusivamente en estos casos, tal y como tradicionalmente se ha venido aplicando, donde procedería una eventual aplicación de la regla *«nemo auditur»*. No se considera aplicable esta regla más allá de estos justos términos.

La legitimación activa para interponer la acción de nulidad corresponde en primer lugar a las partes. En principio, incluso debe admitirse la acción para aquel contratante que le pueda ser imputable de forma exclusiva haber provocado la ilicitud de mala fe. Cualquiera puede hacer valer la acción de nulidad para asegurar que queda suficientemente preservado el interés público en la ineficacia del acto[245].

En Francia se viene exigiendo para apreciar la causa ilícita que exista un motivo ilícito o inmoral de ambos contratantes o, al menos, que fuese conocido o cognoscible en el momento de contratar por alguno de ellos. A algunos autores les parece injusto mantener el contrato sobre la base de que el fin ilícito o inmoral no fue conocido por la otra parte y propugnan que, en principio, debería admitírsele al contratante con conducta intachable el contar con la posibilidad de instar la nulidad. Por otro lado, se privaría de esta última posibilidad al que contratase con turbios móviles[246].

En definitiva, se trataría de aplicar, matizadamente, una especie de regla *«nemo auditur»* y la particular aplicación que los franceses hacen de la denominada *«exception d´indignité»*. Debemos aclarar, inmediatamente, que no se trata de aplicar exactamente esta regla puesto que recordemos que ésta tan solo es de aplicación, y además excepcionalmente, respecto a la acción de restitución derivada de la nulidad por torpeza de la causa u objeto. Sin embargo, la técnica que se propone aquí utilizar no es ésta, ni mucho menos. Lo que aquí se pretende va bastante más allá de lo que esta regla ha venido suponiendo. Lo que tratamos es de utilizar el principio último de equidad elemental o de razón que subyace en esta regla para aplicarlo no sólo a la restitución sino a todos los efectos de la nulidad.

Se encuentra perfectamente expuesta esta técnica por MAZEAUD y CHABAS. Estos autores parten de una concepción clásica de la regla *«nemo*

---

[245] GUESTIN, J., *Traité de droit civil*, cit, pág. 1074, MARY G. y RAYNAUD, P., *Droit Civil*, cit. pág. 225, MAZEAUD, H. y otros, *Leçons de droit civil*, cit., pág. 292.

[246] MARTY, G. y RAYNAUD, P., *Droit Civil*, T.1, 2º Ed., París, 1988, pág. 216.

auditur». Por consiguiente, la técnica propuesta queda completamente desvinculada, al menos formalmente, de la misma. Una vez asumidas las premisas clásicas, indican que la nulidad debe ser necesariamente pronunciada una vez que se verifican sus causas pero, en cambio, los efectos de la nulidad pueden ser paralizados cuando la causa de esa nulidad se debe a la conducta culpable del que pretende hacerla valer alegándola en perjuicio de la otra parte. En estos casos —sostienen— la manera más fácil y la más equitativa de reparar este perjuicio será no dejar que la nulidad produzca ningún efecto y mantener las prestaciones. De esta forma, mantienen que la nulidad no producirá ningún efecto cuando se produzca como consecuencia de la culpa de la persona que la invoca[247].

El fundamento de la teoría que acabamos de exponer ha sido aventurado, ya hace mucho tiempo, por JAPIOT en su clásica obra sobre la nulidad. Según este autor, hemos de extraer y aplicar algo de la verdad que contiene la máxima «*nemo auditur*». Este autor piensa que una aplicación integral de esta máxima como recoge nuestro Código Civil no es aceptable, y no cree que en el Derecho francés siga vigente como tal. No obstante, también opina que en ciertos casos se puede aplicar una acción un tanto parecida y oponerla como freno a ciertas pretensiones. No sería —para este autor— mencionada regla de aplicación en aquellos casos en los que ambas partes se encuentren «*in parite turpi causa*» sino, por el contrario, precisamente en aquellos casos en los que la ilicitud es, en cierta manera, unilateral y no exista más que del lado del demandante[248].

b. Influencias de la regla «*nemo auditur*» en nuestro ordenamiento jurídico

En realidad, la técnica a utilizar por la jurisprudencia es relativamente sencilla e incluso, sin demasiada consciencia de ello, excepcionalmente se ha llegado a aplicar expresamente por nuestro Tribunal Supremo[249]. En defini-

---

[247] MAZEAUD, H., y otros, *Leçons de droit civil*, cit. págs. 312-313. Esta misma idea parece estar presente también en LUTZESCO (LUTZESCO, G., *Teoría y práctica de las nulidades...* cit., págs. 283 y 287. También en este sentido aunque de forma más tímida CARBONNIER apunta que a pesar de que cualquiera de los contratantes puede hacer valer la nulidad, siempre se podría hacer que la acción fuese paralizada en las manos de un contratante por aplicación de la máxima *Nemo auditur...* (CARBONNIER, J., *Droit Civil*, T. 4, cit. pág. 203.)

[248] JAPIOT, R., *Des nullités en...* op. cit., 3 *ème* partie, pág. 620.

[249] En la sentencia de 11 de diciembre de 1957 el Tribunal Supremo falla en estos términos: «El principio general «*nemo auditur suam turpitudinem allegans*» ha sido acogido por el artículo 1306 del Código Civil en el sentido de que no hay acción para repetir lo que se hubiera dado a virtud de actos realizados con causa torpe o ilícita, por lo que, como derivación de la doctrina anteriormente expuesta, el demandante en estos autos, incurso en la causa torpe ya mencionada, no está activamente legitimado en su pretensión esencial de que se anulen los actos de renuncia y venta que él llevó a efecto

tiva, se trata de que los tribunales puedan desatender la pretensión del contratante que pretende anular un contrato porque éste haya sido quien haya provocado o previsto dicha nulidad, cuyos efectos en un momento dado le convienen, en perjuicio del otro contratante. Nos referimos, por tanto, a situaciones complejas en las que generalmente la parte que trata de hacer uso de la nulidad trata, de forma indebida, de prevalerse de la imperatividad de una Ley cuya finalidad no es beneficiar a ese contratante o, al menos, no lo es provocar perjuicios al otro. La complejidad viene dada tanto por las diversas finalidades de las numerosas normas que afectan a los contratos como por las complicadas relaciones de intereses que se articulan en los contratos modernos.

Si extraemos el fundamento que subyace y posibilita la regla «*nemo auditur*» podemos encontrar cierta justificación en la aplicación que se pretende. Este fundamento subyacente es expresado con acierto por las palabras de NUÑEZ LAGOS: «La justicia no se debe dejar equivocar por un demandante que bajo pretexto de la nulidad del contrato trata de sacar provecho: a este litigante se le puede satisfacer o no, según las circunstancias del caso.» Pensamiento claramente receptivo a las ideas de autores franceses como Aubert[250].

DE CASTRO considera fundamento decisivo de la regla «la antigua consideración de la indignidad procesal de quien basa su acción en un acto propio ilícito»[251]. Este fundamento nos sirve perfectamente para cualquier pretensión procesal incluidas la acción y excepción de nulidad. Si deducimos un principio similar aplicable no sólo a la acción restitutoria derivada de la nulidad sino a la propia acción declarativa de nulidad, ésta debería aplicarse siempre con idéntica excepcionalidad y prudencia.

En este mismo sentido se manifiesta DORAL GARCÍA para quien la restitución recíproca efecto de la nulidad «no puede representar ventaja al que fue causante de la nulidad, conforme a la regla "*nemo auditur*". Nadie puede beneficiarse de la injusticia que provoca»[252].

También CARRASCO PERERA, al analizar el concreto problema que se plantea en los casos de viviendas de protección oficial vendidas a un precio superior al que determina la ley, mantiene que la solución adecuada pasa por una aplicación matizada de la regla *in pari causa turpe* del artículo 1305 del Código Civil[253].

---

con la finalidad ilícita de perjudicar a su segunda mujer y a su hijo, habido en segundo matrimonio...»
[250] NUÑEZ LAGOS, R. Condictio ob turpem vel injustam... cit. pág. 32.
[251] DE CASTRO Y BRAVO, F., *El negocio jurídico*, cit. pág. 252.
[252] DORAL GARCÍA, J.A., *El contrato como fuente de obligaciones*, Pamplona, 1993, pág. 162.
[253] CARRASCO PERERA, A., «*Comentario a la sentencia de 3 de septiembre de 1992*», en *C.C.J.C.*, Nº 30, 789, 1992, pág. 873.

Somos conscientes de que esta nueva aplicación de la regla a la acción declarativa de la nulidad resulta impensable en el derecho clásico, tanto por su origen histórico[254], como por la propia concepción tradicional de la nulidad absoluta o radical. Siendo, por esto, bastante probable el encontrar detractores a esta aplicación entre la doctrina actual[255].

La regla «*Nemo auditur*» tiene su origen en el Derecho canónico y principalmente respecto de la inmoralidad de los contratos, de tal forma que se tiende a mantener el «*status quo*» como mal menor y como solución más justa. En realidad, en la concepción clásica de esta regla lo que se niega es la acción de restitución y no la declarativa de nulidad. Ya que lo que se perseguía era usar el recurso a la buena fe para respetar y consolidar el derecho de la posesión haciéndolo inatacable. Por eso esta regla fue sinónima de la regla «*In pari delicto melior est conditio posidentis*», que literalmente refleja mejor el significado y contenido real que se le asignaba a la regla.

Está claro que la regla no fue planteada en un principio cuando se gestó, como un tema de negación de la impugnabilidad sino como una forma de evitar que se alterase el *status quo*, fuere cual fuese, por cualquier persona afectada por la «torpeza» o inmoralidad. Aunque, en cierta manera, era una forma de negar a alguien la acción de nulidad, en cuanto a sus efectos restitutorios se refería.

Por otro lado, hemos de ser conscientes que la complejidad de la economía y de la sociedad actual no tiene nada que ver con las que se daban en el momento de creación de esta singular regla. Pongamos por caso, en nuestro contexto, el dato o criterio de la previsibilidad de la ineficacia de las numerosas y complicadas condiciones generales de un contrato por parte del predisponente. Este es un ejemplo que hace que GÓMEZ LAPLAZA se pregunte si en estos casos «el viejo principio *nemo turpitudinis* o el de que nadie pueda alegar su propia torpeza, no habría de saltar a primer plano[256].

También el Tribunal Supremo ha tenido ocasión de mencionar expresamente este principio para denegar una acción de nulidad de un contrato. El Tribunal Supremo ha tenido bien claro que cuando se había conculcado el principio de buena fe en el ejercicio de los derechos por el recurrente, se debía desestimar el recurso. Utiliza para ello tanto el argumento de que se ha actuado en contra de los propios actos como el de que «concurre en la regla "*tu quoque*" —*nemo auditur sua turpitudinem allegans*— que rechaza la invocación de una norma-

254 CERDÁ OLMEDO M., «*Nemo auditur propiam turpitudinem allegans*», R.D.P., 1980, pág. 1187-1190.
255 BÉNABENT, A., *Droit civil, Les obligations*, op. cit., 5ª ed., París, 1995, págs. 120 y 131.
256 GÓMEZ LAPLAZA, M. C., *Ineficacia de las...* op. cit. ibidem. También apuntan esta solución en materia de condiciones generales otros autores como SÁNCHEZ LÓPEZ y DÍEZ-PICAZO GIMÉNEZ (en *Comentarios a la Ley sobre Condiciones Generales...*, cit., págs. 484-485) o como PERDICES HUETOS (Comentarios a la Ley sobre Condiciones Generales..., cit., págs. 522-523).

tiva que fue voluntariamente contrariada por quien, ahora pretende ampararse en ella». Consecuencia de ello, en la sentencia de 17 de febrero de 1995 considera que el ejercicio del derecho por el vendedor contraría la buena fe al incidir negativamente en la confianza del comprador[257].

Por estas razones, sí que parece ser ésta, actualmente, la solución que apuntan, o al menos no rechazan, como factible algunos autores españoles y franceses ante las nuevas exigencias del tráfico jurídico[258]. De hecho, se va a emplear solapadamente por ambas jurisprudencias en perjuicio de una aplicación estricta y rígida de la nulidad absoluta. En unos casos junto con el complemento de la responsabilidad de daños y perjuicios por *culpa in contrahendo* y en otros, la mayoría, como sustitutivo de esta. Se llevaría hasta sus últimas consecuencias la idea que origina el principio de evitar, ante todo, con su aplicación que la nulidad aproveche o favorezca al individuo «torpe»: «*in perjuicium dolosi omnis contractus valet*». En consecuencia, se va a conseguir que el individuo o persona culpable de la ilicitud carezca de la acción de nulidad y tampoco pueda oponer excepción alguna.

Para JOCHEN ALBIEZ si tras la valoración de la conducta del que acciona la nulidad se demuestra que no sólo se trata de que el actor se proponga obtener beneficios en su propio provecho sino que se trata de una conducta antijurídica, porque se quiere al mismo tiempo dañar al otro contratante, puede recurrirse al abuso de derecho para desestimar tal pretensión[259].

En realidad, no se trata más que de aplicar la regla no sólo en el momento en el que el contrato ya se ha consumado o ejecutado, en parte o en su totalidad, para conservar los efectos del contrato ante la tutela de unos intereses que se consideran legítimos; sino también extender su aplicabilidad a toda la vida del contrato y ante cualquier pretensión y no únicamente ante la pretensión de restitución. En realidad esta aplicación, aunque nueva,

---

[257] Sentencia de 17 de febrero de 1995. El caso era una venta de un bien inmueble que estaba en régimen de bien ganancial. La venta se efectúa por un cónyuge a la muerte del otro sin contar con la libre disposición ya que el matrimonio contaba con hijos menores de edad herederos y por tanto copropietarios del inmueble y no se obtuvo ni solicitó, siquiera, la preceptiva autorización judicial habilitante. Es precisamente el vendedor quien aduce la nulidad del contrato por la falta de representación con la que él mismo actuó.

[258] RUÍZ MUÑOZ, M., *Nulidad parcial del...* op. cit., 1993, pág. 109. También LACRUZ BERDEJO, J.L., *Elementos de...*, op. cit., T. II-2°, pág. 43, refiriéndose a la protección del consumidor. DIEZ PICAZO, L., *La doctrina de los propios actos, un estudio crítico sobre la jurisprudencia del tribunal supremo*, Barcelona, 1963, pág. 201 y ss. Se lo plantea como discutible CERDA OLMEDO, M., *Nemo auditur....* op. cit., pág. 1199. Se propone como posible excepción a la regla principal por CARBONIER, J.,. *Droit civil*, T. IV, 17ª ed. pág. 179, y se admite ampliamente por GHESTIN, J., *Traité ...* op. cit. pág. 1091, MARTY-RAYNAUD, *Droit civi. ...*, op. cit., pág. 246 y ss. y los autores por ellos citados.

[259] JOCHEN ALBIEZ DOHRMANN, K., «*La repercusión de la nulidad "dentro y fuera" del contrato*», en *Cuadernos de derecho judicial*, Vol. XXXV, Madrid, 1984, pág. 87.

responde mejor a lo que literalmente significa el adagio tradicional de *nemo auditur*. Este principio traducido literalmente no se vincula, únicamente, con la repetición de prestaciones, puesto que si se reduce únicamente a la acción restitutoria y no a la declarativa en realidad estamos aplicando sólo una de las reglas que la fundamentan, la regla «*in pari causa turpitudinis, melior est conditio posidentis*»[260].

Esta técnica quizás pueda resultar de más fácil aplicación en el derecho francés donde no se ha positivizado la regla, ya que en nuestro Código civil se recoge expresamente en los artículos 1305 y 1306 y únicamente referido a la acción restitutoria. Sin embargo, no nos parece obstáculo insalvable que nuestro Código consagre la regla tradicional aplicada a la restitución para que podamos aplicar, con independencia, una nueva regla que puede ser consagrada jurisprudencialmente.

E. La técnica de la doctrina de los actos propios

No pasa desapercibido que esta técnica que pretendemos aplicar a los casos de nulidad es muy parecida a la que se utiliza en la doctrina de los actos propios. Verdaderamente, ambas tienen su misma justificación en el deber de actuar conforme al principio de la buena fe. Sin embargo, no son ambas técnicas equiparables o completamente equivalentes. Lógicamente, no podemos aplicar para estos casos de nulidad la doctrina de los actos propios si tenemos presente que frente al aforismo que encierra tal principio «*adversus factum suum venire non potest*» encontramos otro que lo excepciona «*posse quem libet contra actum a se gestum veniret quando actus esse ipso iure nullus*»[261]. En consecuencia hay que ser conscientes de que la alegación y aplicación de la nulidad de pleno derecho de un contrato no puede relegarse sobre la base de que suponga un «acto propio» de quien alega el vicio, ya que este obstáculo impide la actuación al actor solamente cuando dichos actos son válidos y eficaces[262]. Por este motivo, tendemos a considerar que la única forma de aplicación de esta variante de la nulidad es considerándola como derivada del principio de la regla *nemo auditur* y no como derivada del principio de *venire contra factum propium*.

No obstante, el criterio que mantienen, abiertamente, ambas técnicas es sustancialmente el mismo. Tanto es así que PASQUAU LIAÑO mantiene que este principio de actos propios es también invocable para enervar la acción de

---

[260]   CASTÁN TOBEÑAS, J., op. cit., T. I. pág. 645. Y T.III, pág. 765, GARCÍA GOYENA, cit. pág. «también considera fundamentadora del principio la regla «*in pari causa damno magis, quam lucro consulendum*».

[261]   DIEZ-PICAZO, L., *La doctrina de los propios actos...* op. cit., págs. 49-60. SOTO NIETO, *Voz «nulidad de los contratos»...*, op. cit., vol. XVII, pág. 675.

[262]   DE CASTRO Y BRAVO, F., *El negocio jurídico...*, op. cit., págs. 479-480, DIEZ-PICAZO, L., *La doctrina de...* op. cit., pág. 201.

nulidad contractual en ciertos casos. Estos casos serían aquellos en los que, además de celebrar el contrato nulo, el demandante haya mantenido y exteriorizado objetivamente ciertas conductas que razonablemente indujera a pensar a la otra parte que se aceptaba la nueva situación jurídica creada por el contrato. Estos casos son, fundamentalmente, casos de nulidad por defecto de forma pero no casos en los que la nulidad venga ocasionada por razones sustantivas[263].

También se muestra partidaria de la aplicación de la doctrina de los actos propios en esta materia de la nulidad EGUSQUIZA BALMASEDA, aunque observa que el Tribunal Supremo no se basa sólo en esta doctrina sino también y, básicamente, por razones de buena fe y ejercicio no abusivo del propio derecho. No obstante, reconoce que la apreciación de esta doctrina ha de ser limitada en el campo de la nulidad y que podría adquirir mayor desarrollo en el ámbito de la anulabilidad[264].

Se pueden considerar criterios diferenciadores de estas figuras. Para considerar el posible decaimiento de la acción de nulidad en virtud del aforismo «*nemo auditur*» sería importante para la valoración de la conducta la existencia de mala fe de la persona que pretende ampararse en la nulidad. Esta mala fe se puede concretar directamente en la exclusiva imputación causal del origen o subsistencia del vicio de ilegalidad del contrato. En algunos casos, en el conocimiento previo del vicio que podría provocar la ineficacia al celebrar y, en su caso, ejecutar o dejar ejecutar el contrato sin informar al otro contratante puede hacer que se le considere causante de esa nulidad. La desestimación de la acción de nulidad para este contratante constituiría una especie de sanción a su mala fe.

Por otro lado, cuando se aplica la doctrina de los actos propios (o la regla de la interdicción de *venire contra factum propium*) se tratará de supuestos en los que la valoración de la conducta no estaría dirigida a comprobar si existió o no mala fe en el contratante que alega la nulidad. Es cierto que esta doctrina se basa en la necesidad de buena fe en las relaciones contractuales pero referida, más bien, a la confianza creada en la contraparte. En estos casos, lo que se tiene en cuenta es el sentido inequívoco de una primera conducta de uno de los contratantes que crea unas determinadas expectativas y confianzas en el otro contratante que se ven frustradas por una posterior conducta contradictoria del primero (en nuestro hipotético caso la demanda de nulidad).

En estos términos parece que, en principio, en este segundo caso no se tendría que analizar quién es el «culpable» de dicha nulidad o si existía o no conocimiento previo del vicio y pese a ello se decidió contratar y no informar al otro contratante. Bastaría con probar la existencia de una conducta

---

[263] PASQUAU LIAÑO, M., *Nulidad y anulabilidad del...* op. cit. págs. 246-250.
[264] EGUSQUIZA BALMASEDA, M.A, *Cuestiones conflictivas...*, cit., págs. 81-85.

contradictoria y, con ella, la frustración de las fundadas expectativas que crearon. No parece que una conducta contradictoria o una confianza o expectativas creadas puedan ser suficientes para evitar la interposición de una acción de ineficacia de un contrato. Por definición toda ineficacia contractual frustra las expectativas que todo contratante deposita en el momento de celebración del contrato. Toda demanda de ineficacia podría considerarse como un acto contradictorio respecto a la celebración del contrato. Por esta razón, es evidente que la doctrina de los actos propios sólo puede aplicarse a los actos y contratos eficaces y vinculantes, en nuestro caso, no viciados de ilegalidad[265].

Quizá podrían tomarse en consideración ciertas conductas objetivas o un repentino cambio en las mismas si un contratante decide impugnar cuando ha pasado un largo período de tiempo desde la celebración y ejecución del contrato. También podrían tenerse en cuenta estos cambios en el comportamiento de uno de los contratantes cuando, por ejemplo, existe una ilegalidad en la persona de uno de los contratantes y tras una correcta ejecución de la prestación se denuncia esta ilegalidad[266]. En estos casos, la primera conducta o acto a tener en cuenta para luego evitar la acción de nulidad no sería la mera celebración del contrato, en sí mismo, sino la ejecución (total o parcial) de éste que autónomamente considerada no resultaría ilegal. En estos casos se le podrá denegar la acción de nulidad pero no estrictamente en virtud de la doctrina de los actos propios sino en esa buena fe o confianza que se trata de

---

[265] Es el primer presupuesto para la aplicación de la regla (DIEZ-PICAZO, L. y GULLÓN, A., *Sistema de Derecho Civil, I*, ...cit., pág. 445.

[266] Creemos que esta puede ser la razón última que impulsa al Tribunal Supremo a denegar la acción de nulidad, por ejemplo, en los casos de ilegalidad en virtud de la persona del contratante. Parece razonable pensar que cuando el contratante, conozca o desconozca la falta de los requisitos precisos en la cualidad de la persona de su contraparte, contrata una obra o servicios con persona no cualificada y ésta realiza la prestación de forma aceptable luego no se podrá solicitar la nulidad por ninguno de ellos. Los actos tenidos en cuenta no serían los relativos a la celebración del contrato viciado sino los actos de ejecución de ese contrato. En caso de que no se haya llegado a pagar la prestación por el comitente, podrían entenderse actos de ejecución la realización de todas las cargas de cooperación necesarias para el ejercicio de la prestación y la liberación de la obligación por el comisario. Nos referimos a realización de las cargas y todos los actos de cooperación necesaria que éste requiera para la realización de la prestación. Una vez realizados no parece coherente luego no pueda solicitar la nulidad sobre la base de una falta de licencia. También puede ser ésta, la razón última que llevó al Tribunal Supremo en la sentencia de 3 de enero de 1991 a alterar las reglas generales por él sustentadas en los casos de legalidad sobrevenida (vid supra epígrafe «legalidad e ilegalidad sobrevenida»). En este caso, pese a comprobarse que el contrato era inequívocamente ilegal en el momento de celebración y llevar aparejada la nulidad según aquella, se mantiene la validez. Entre otros motivos valora el Tribunal el hecho de que habiendo resultado la tradición verificada y plenamente consentida por el vendedor a lo largo de más de veinticinco años.

preservar que deslegitima el interés del que impugna. Por tanto, en estos casos podría pensarse que se cumple aquel arquetipo clásico de la doctrina de los actos propios que se define por ser aquella en la que «situándose en la órbita de los principios de la buena fe y de la confianza, entiende que existe un deber de comportarse de una manera coherente y que cuando un comportamiento ha suscitado en otro objetivamente la confianza en una posterior actitud del de su autor, es inadmisible un ejercicio de los derechos que contravenga tal confianza quedando por ende y en esa medida tales derechos limitados[267]».

Se puede considerar que aunque, como nos muestra DIEZ PICAZO, ambas reglas funcionan de modo distinto hay cierta vecindad ya que el mismo motivo último en el que se basa la doctrina de los actos propios es el que fundamenta la regla *nemo auditur* y es que ambos son impedimentos de orden jurídico para que se pueda enervar el ejercicio de un derecho subjetivo.

En ambos casos, se trataría de proteger la buena fe del demandado. Pero la regla *nemo auditur* iría más allá. Añade esta regla que cuando alguien es «culpable» de la ilicitud o de la irregularidad del negocio se carece de toda acción. En consecuencia, podría reflejarse en carecer de acción para pedir la ineficacia o, en su caso, para conseguir los efectos restitutorios de la misma. Pero, además, el que se encuentra afectado por semejante torpeza también hay que considerar que carece de acción para pedir el cumplimiento o ejecución del negocio (total o parcial)[268]. Es, por tanto, un régimen más gravoso, aun si cabe, que el de la doctrina de los propios actos. De admitirse la eventual aplicación de esta última doctrina al supuesto que nos ocupa, sólo se limitaría el ejercicio del poder de impugnación del negocio ineficaz pero este contratante no quedaría desposeído de la facultad para pedir la ejecución del negocio. Además, en el caso de proceder la nulidad, no paralizaría sus efectos restitutorios. Evidentemente, la doctrina de los propios actos sólo alcanza a exigir un comportamiento coherente con la confianza suscitada por los actos de su autor pero no vicia toda la operación.

F. La denegación de la acción de nulidad en la jurisprudencia

Como ya se ha podido advertir esta variación de la ineficacia no es una medida que se pueda encontrar recogida *a priori* por nuestro legislador. Incluso en aquellos ordenamientos jurídicos que han optado por contemplar esta técnica en el articulado de sus Códigos Civiles no se puede concretar ni dar demasiadas pistas sobre en qué casos específicos deberán jueces y

---

[267] DIEZ-PICAZO, L., «*Comentario a la Sentencia de 16 de junio de 1984*», en *C.C.J.C.*, pág. 1860.

[268] Este tipo de acción es el que nos proponía RIPERT (RIPERT, G., op ult. cit, pág. 282) y posteriormente consideran MARTY y RAYNAUD (op. cit., pág. 225) como mejor y más útil sanción para el orden público económico.

tribunales rechazar la acción de nulidad[269]. Es, por tanto, una técnica que queda en manos de los jueces para que estos puedan controlar, de una forma más efectiva, el merecimiento de las consecuencias de la nulidad en el patrimonio de los contratantes.

Esta técnica ha sido aplicada de una manera muy cautelosa y prudente por jueces y tribunales; siendo completamente excepcional se ha tratado de usar como último recurso. Se emplea como argumento a mayor abundamiento prefiriendo fundamentar la motivación del fallo o bien en no considerar que se ha producido una contravención frontal contra el precepto legal, o bien en que este precepto y su finalidad apuntan un efecto distinto al de nulidad. La jurisdicción civil no es represiva sino que trata de componer todos los intereses en liza y dar la solución más adecuada al caso que le plantean las partes. Por eso, más que tratar de castigar con la negación de la acción de nulidad al demandante, con esta medida se trata de proteger la buena fe del contratante demandado.

Recordemos que además el Derecho privado es una jurisdicción de tipo rogado y que si nadie denuncia la infracción el contrato se hubiere cumplido. De hecho, si se consuma un contrato ilegal y las partes no lo denuncian el contrato se mantendrá y conseguirán su objetivo reprobable[270]. El que nos encontremos ante una jurisdicción rogada en la que rige el principio dispositivo hace que el origen de la intervención judicial sean las pretensiones de las partes y a estas se tenga que sujetar el juez. Aunque se tenga la posibilidad de decretar de oficio la nulidad hemos de ser conscientes que, no obstante, se requerirá que se inicie el procedimiento por las partes y algunas veces, incluso, se exige que se alegue la nulidad por iniciativa de una de las partes[271].

Como hemos dicho, partimos de que esta regla se puede decir que es una idea apuntada tímidamente por parte de la doctrina francesa pero los encargados de aplicarla serán los tribunales. Por eso, sólo excepcionalmente la jurisprudencia francesa ha denegado la acción de nulidad[272]. Cuando, de

---

[269] En los códigos argentino y chileno únicamente reconoce expresamente la posibilidad de usar esta técnica por parte de los tribunales que serán los encargados de apreciar las circunstancias concurrentes para otorgar o denegar la acción de nulidad al contratante en el caso enjuiciado.

[270] STOLFI nos dice que corresponde a la común experiencia que los contratos concertados son generalmente cumplidos aunque lo hayan sido «*contra legem*», puesto que el interesado se siente obligado a ello por haberlo querido así y, por consiguiente, considera que no puede oponerse a sus derechos propios. STOLFI, G., *Teoría ...* op. cit., pág. XXV y XXVI. Además, sobre este aspecto encontramos el art. 1972. del Código italiano que considera nula la transacción relativa a un contrato ilícito.

[271] Ya hemos visto la variación de la nulidad clásica en cuanto a las restricciones en la legitimación en función de las normas de orden público económico de protección donde por regla general se dejará que sea el contratante protegido único legitimado, quien alegue la nulidad. Vid supra epígrafe 2ª variante la limitación en la legitimación.

[272] BÉNABENT, A., *Droit civil, Les...* op. cit., pág. 120. Este autor indica que al menos en una ocasión la Corte de Casación ha denegado al adquirente de una licencia fraudulen-

EDUARDO VÁZQUEZ DE CASTRO

forma excepcional, encontramos sentencias en las que se ha considerado oportuno no declarar la nulidad del contrato por la ilícita actuación del contratante que la insta, el razonamiento que subyace en los considerandos es el que vimos de la regla «*nemo auditur*». Sin embargo, la jurisprudencia francesa, respaldada por algunos autores, establece que la regla general es que no se puede hacer jugar este principio «*nemo auditur*» para obstaculizar una acción de nulidad. Se trata de una regla establecida únicamente para los efectos restitutorios y dedicada exclusivamente a los contratos torpes por ser contrarios a la moral. Pero, en definitiva, se observa con claridad que el espíritu que subyace en esta regla tiende a impedir que la persona que ha instado la acción de nulidad se pueda prevaler del carácter ilícito de la convención y tratar de evitarlo por todos los medios.

También en España, desde antiguo, se tiene ocasión de comprobar que nuestros tribunales no tienen inconveniente en aplicar esta técnica inspirados en principios de justicia material[273]. Reseñaba ya VALVERDE en su Tratado dos antiguas sentencias: una de 6 de mayo de 1902 en la que se niega el ejercicio de la acción al heredero respecto de contratos ilícitos de su causante siendo este «culpable» y otra de 11 de noviembre de 1895, en la que se niega el derecho a ejercitar la acción de nulidad, en el caso de ser «culpable», al quebrado o sus causa-habientes, pero sí se concede este derecho a los acreedores[274].

En realidad, la jurisprudencia, tanto la española como la francesa, generalmente no va a reconocer expresamente que se niega la acción de nulidad por este motivo. La razón fundamental para esta falta de reconocimiento es porque esto iría en contra del dogma clásico de la nulidad «*ipso iure*», absoluta y objetiva. Además, son más que comprensibles las reticencias y reparos de nuestro Tribunal Supremo a reconocer que se adopta una solución próxima a aquella tan criticada y desacreditada como la de nuestro artículo 1306[275]. Por esta razón, observa CARRASCO, nuestra jurispruden-

---

tamente obtenida el derecho a invocar la nulidad de la cesión para escapar del pago del canon, con el motivo de que el había participado del fraude y se había beneficiado.

[273] También contempla este fenómeno en nuestra jurisprudencia CARRASCO PERERA quien advierte que el Tribunal Supremo viene observando una regla, no expresada, en virtud de la cual «encuentra reprochable la conducta de quien quiere aprovecharse de la norma dictada "Contra él" con el objeto de exonerarse del cumplimiento de una obligación. Teniendo en cuenta que la jurisprudencia ha utilizado en ocasiones el artículo 1306 del Código Civil «como si fuera una norma que impidiera pedir la nulidad cuando la parte que la solicita incurrió (exclusivamente o en connivencia con la otra) en la infracción legal cuestionada» (CARRASCO PERERA, A., *Comentarios al Código Civil y Compilaciones forales...* cit., págs. 784 y 799-800).

[274] VALVERDE Y VALVERDE, C., *Tratado de derecho civil español*, T. III, Valladolid, 1913, págs. 292-293, nota 2 (*in fine*).

[275] Vid supra epígrafe «Contratos con causa torpe y cuando son constitutivos de delito o falta».

cia trata de evitar, por todos los medios, la alusión a la regla *nemo auditur* declarando en estos casos que no hay nulidad atendiendo a la regla de la incomunicación[276].

Basta con observar los repertorios de jurisprudencia para comprobar que no aparecen sentencias con condenas de daños y perjuicios contra el demandante de una acción de nulidad después de la declaración de la misma. Este dato, aparte de indicar que no se ha desarrollado convenientemente la responsabilidad por *culpa in contrahendo,* es revelador de que los tribunales suelen preocuparse de armonizar en sus soluciones la defensa de la legalidad y la conmutatividad en el sinalagma contractual. La jurisprudencia española no ha empleado claramente la argumentación que aquí exponemos pero encontramos en muchas sentencias algo definitivamente revelador y es la inclusión de la mala fe como criterio para especular sobre la conveniencia o no de la declaración de nulidad[277].

– Esta regla se deberá aplicar en aquellos casos en los que uno de los contratantes que ha provocado la ilegalidad se quiere prevaler de ella para obtener un beneficio o lucro que puede ser una liberación de las obligaciones contraídas en perjuicio de la otra parte contratante que había contratado de buena fe, confiando en que el contrato se llevaría a buen término. El perjuicio que se le produciría a la parte de buena fe no puede ser permitida en ningún caso, porque no se puede asentar el restablecimiento de la legalidad en un resultado injusto.

Un ejemplo gráfico de una nulidad que beneficiaría injustamente a una de las partes culpable de la infracción, perjudicando a la otra de buena fe, se puede encontrar en los contratos de seguro. Hay varias sentencias en las que se aplica esta regla conforme al criterio de protección del contratante de buena fe. Se ha aplicado esta doctrina tanto cuando coincidan la persona del tomador del seguro y beneficiario o del contratante y tercero de buena fe como cuando tomador y beneficiario no coinciden. Las compañías aseguradora que tras contar con un contrato que ha sido periódica y puntualmente cumplido por el tomador del seguro, en el momento que ocurre la contingencia para la que fue concertado, denuncian la ilegalidad del mismo para exonerarse del riesgo que se asumió. En estos casos, pese a que la ilegalidad fuese objetivamente reconocible en el clausulado de la póliza, los tribunales no han considerado correcto liberar a la compañía aseguradora de su obligación declarando la nulidad del contrato de seguro cuando el tomador del seguro había cumplido pagando las primas[278]. Además, no debemos pasar por alto el hecho de que las pólizas y sus cláusulas son redactadas unilateralmente por

---

[276] CARRASCO PERERA, A., *Comentarios al Código Civil...* cit. T. I., págs. 803-804.
[277] Sentencia de 25 de junio de 1960, Sentencia de 21 junio de 1963.
[278] Sentencias de 13 de junio de 1956, 7 de enero de 1957, 2 de junio de 1964, 20 de febrero de 1967 (sala social),

la compañía aseguradora (parte predisponente). Esto indica que ya consciente o inconscientemente la ilegalidad es directamente provocada por la
aseguradora que pretende posteriormente la anulación.

El caso que ha llegado a la jurisprudencia consiste, en particular, en que las
entidades aseguradoras concierten operaciones reservadas por Ley a la Caja
Nacional. Esta infracción de la prohibición legal no puede considerarse que
conduzca a la nulidad del contrato y la exoneración de las obligaciones
ilegalmente pactadas manteniendo el resto del contrato ya que sería paradójico
que tras haber recibido las primas no se responda del evento o siniestro una vez
producido. Esta conclusión sería contraria a la equidad y a la buena fe. De no
haberse producido el evento sí que cabría plantearse la nulidad del contrato
total o parcial con devolución íntegra o proporcional de las primas pagadas[279].

Esta es la solución que parece que ha acabado por adoptar la Ley de
Ordenación y Supervisión de los Seguros Privados, Ley 30/1995, de 8 de
noviembre, en su artículo 5.2 con una redacción de meridiana claridad. En
este precepto se establece una nulidad de pleno derecho de los contratos de
seguro cuando se advierten irregularidades en la autorización administrativa de la entidad aseguradora. El tomador del seguro no queda obligado a
pagar las primas y tiene derecho a su devolución pero la entidad aseguradora
no puede alegar la nulidad derivada de estas irregularidades para
desvincularse del contrato con el fin de no afrontar la cobertura asegurada
una vez que se ha producido la contingencia.

En muchas ocasiones el Tribunal Supremo tras haber decidido la validez
del contrato por distintos motivos, algunos de ellos de lo más peregrinos, se
plantea, unas veces *obiter dicta* y otras a mayor abundamiento, la posibilidad
de que el contrato fuese nulo para apuntar la imposibilidad de declarar la
nulidad por las consecuencias injustas que se producirían[280]. En este sentido,

---

[279] Sentencias de 2 de junio de 1964, Sentencia de 20 de febrero de 1967. Caso parecido
aunque no es idéntico es el de la Sentencia de 7 de enero de 1967, en este último caso
fue la propia compañía aseguradora la que trato de modificar unilateralmente el
contrato bajo el pretexto de adecuarla a la legislación vigente (trataba de subir las
primas) el Tribunal únicamente dice que se debe acudir a los organismos estatales
competentes o en su caso a los Tribunales de justicia pero no puede hacerlo una de las
partes contratantes de *motu propio.*

[280] La Sentencia de 19 de febrero de 1957 lo expresa de forma muy clara; se trata de un
contrato que parece ilegal pero que es válido porque se puede incluir dentro de una
excepción muy puntual que establece otra norma gubernativa posterior a la infringida.
El tribunal, *obiter dicta,* mantiene: «independientemente de en que caso de haber
existido esa causa de nulidad del contrato sería imputable a ambas partes, lucrándose
una en perjuicio de la otra, siendo asimismo desestimables ambos motivos por falta de
adecuación de la doctrina que en ellos se expone, al supuesto que ha de aplicarse.»
En la sentencia de 8 de febrero de 1958, se habían incumplido formalidades administrativas referentes a la modalidad de entrega del producto vendido que en principio no son
de entidad sustancial como para anular el contrato, pero se afirma además que esas

se pueden incluir los casos en los que se alega infracción de las normas jurídicas relativas a la titularidad de las licencias para farmacias para anular total o parcialmente un título de enajenación de las mismas. El Tribunal Supremo en estos casos comienza a argumentar lo inocuo que resultan las normas «puramente» administrativas para incidir en el plano patrimonial, como el Real Decreto 909/1978, «aparte su rango normativo». Después de estos argumentos acaba por manifestar que, en todo caso, no pueden prevalerse de la infracción de estas normas jurídicas quienes hubieren dado lugar a ellas[281].

El juez se plantea seriamente la oportunidad de la alegación de la nulidad del contrato contrario a la Ley cuando el actor prestó libremente el consentimiento, conocedor de todas las condiciones y de su situación respecto a la legalidad, y se aprovechó de todas las ventajas que podía reportar hasta entonces[282]. Sobre todo a la hora de aplicar las consecuencias de la nulidad

---

formalidades incumplidas incumbían a ambos contratantes y si esta fue consentida por el comprador no puede aprovecharse luego en perjuicio de la otra parte de esa infracción.

[281] La sentencia de 17 de octubre de 1987. En primer lugar, admite la transmisión mortis causa de la farmacia a favor de los herederos instituidos en un testamento anterior a la actual normativa sobre farmacias (Real Decreto 909/1978) puesto que la normativa anterior, entonces vigente lo permitía. Una vez establecida la validez del título de donde se originan las titularidades se cuestiona la validez de un nuevo contrato sobre la farmacia de fecha de 1 de abril de 1979 que sí que resultaría contrario a la nueva normativa sectorial. Para este caso se cambia de argumento. Se emplea el argumento que nos interesa resaltar aquí la imposible incidencia de las normas administrativas sobre los efectos de los contratos y «que las irregularidades administrativas que cupiera reprochar a la parte demandante y en las cuales participó en pie de igualdad la demandada, no son bastantes para producir la nulidad que se pretende por cuanto "la levedad del caso así lo permite" y lo que resultaría "contrario al respeto debido a la ley, la moral o el orden público" sería justamente ignorar la voluntad del causante de todos los litigantes y los derechos que de ella y de la ley se derivan para la viuda y otros descendientes, entre ellos un incapaz.»

Por último, de definitiva podemos calificar la sentencia 8 marzo 1995. Se trata de una sociedad irregular para la explotación de un negocio de farmacia. Comienza la sentencia por aseverar que las disposiciones administrativas, prohibitivas de la propiedad compartida de oficinas de farmacia no impiden la existencia de pactos privados a los que se les aplique el artículo 1669 CC. Una vez justificada la eficacia *inter partes* de los pactos, a continuación se refuerza el fallo al mantener que si el cumplimiento de las normas administrativas no puede interferir en los efectos del contrato privado consentido por las partes, «menos aún puede propiciar que una de ellas trate, con su apoyo, de beneficiarse en perjuicio de la otra, que es lo pretendido, aunque de modo equivocado, por la ahora recurrente, tan infractora de aquellas normas administrativas como los demás intervinientes en las relaciones jurídico privadas, que son las únicas que pueden traerse a la casación civil, según doctrina jurisprudencial reiterada y constante». Terminando por afirmarse al final de la sentencia que conviene «recordar que, según viene repitiendo esta Sala, no pueden aprovecharse de reales o supuestas causas de nulidad de los contratos los que hubieren dado lugar a ellas».

[282] La Sentencia de 3 de junio de 1967 trata de la posible nulidad de un contrato de transacción sobre derechos hereditarios. Tras proclamar la llamada relatividad de los

EDUARDO VÁZQUEZ DE CASTRO

absoluta de los artículos 1305 y 1306 del Código Civil es cuando el Alto Tribunal se cuestiona más la pertinencia de otorgar la acción a quien en provecho propio trate de eximirse de las consecuencias del incumplimiento de lo pactado[283]. En alguna sentencia podemos encontrar la afirmación de que la fórmula prescrita en el artículo 1303 del Código es justa y equitativa para el caso en que se declare la nulidad sin culpa de ninguno de los contratantes[284]. Como si se insinuara, *a sensu contrario*, que las consecuencias típicas de la nulidad no son justas y equitativas en caso en que haya culpa por parte de alguno o de ambos contratantes. También podemos encontrar afirmaciones como que para que la infracción de la Ley de Tasas tenga repercusión en la contratación civil es necesario que no concurra compensación de culpas[285].

Se observa muy nítidamente la aplicación de esta técnica en los casos de ventas de viviendas de protección oficial a precio superior al legal. Como ya vimos detalladamente, la última corriente jurisprudencial actualmente dominante admite la validez de los contratos. Podemos ver esta doctrina resumida en la paradigmática sentencia de 3 de septiembre de 1992. En esta sentencia se mantiene que el comprador actuó a sabiendas de la prohibición legal y por tanto no puede beneficiarse con la doctrina de la nulidad parcial a quien también es infractor de la norma. Si ha habido violación conjunta de la legislación administrativa por ambos contratantes, no cabe al comprador obtener en su solo provecho, la rectificación del precio. No cabe utilizar el régimen sancionatorio para convertir la sanción en una fuente de lucro de quien compró a sabiendas de que colaboraba necesariamente en la violación de la norma[286].

Pero este mismo argumento sirve para el enjuiciamiento de otros casos en los que lo cuestionado no es la legalidad del precio de las viviendas sino la falta de algún tipo de licencia o autorización administrativa, no esencial, para

---

efectos del contrato postulada en el art. 1257 del Código Civil concluye que «no le es lícito ahora al actor, interviniente en el contrato, postular la nulidad radical o absoluta del pacto, pese a su libre consentimiento prestado y al aprovechamiento de sus ventajas, so pretexto de una hipoteca problemática o remotamente posible lesión de eventuales derechos de supuestos terceros, que no fueron llamados a su herencia por el testador.»

[283] En la Sentencia de 8 de junio de 1957, tras haber concluido que el contrato litigioso se considera válido se mantiene *obiter dicta* que aún suponiendo que tuviera el copartícipe de la causa ilícita de un contrato acción de nulidad nunca podría utilizarla en provecho propio si conocía perfectamente al otorgar el contrato las condiciones en las que se hallaba respecto a las disposiciones administrativas y aún así las aceptó.

[284] Sentencia de 25 de junio de 1960.

[285] Se puede observar la sentencia de 21 de junio de 1963, en otros casos, pese a que no expresen esta afirmación ya hemos visto que muchas sentencias que deciden la validez de los contratos estipulados con precio o renta superior al legalmente tasado se apoyan en ésta. Vid. infra epígrafe «Contratos con precio superior al legal».

[286] VÁZQUEZ DE CASTRO, E., *Precio y renta en las Viviendas de Protección oficial. Doctrina y jurisprudencia*, Pamplona, 1999, págs. 74-79.

cualquier otra operación. Encontramos bastantes exponentes de esta doctrina legal como la contenida en las sentencias de 27 de marzo de 1981, 8 de marzo de 1995 o en la sentencia de 23 de mayo de 1997[287]. Se destaca, en estos casos, por parte de nuestro Tribunal Supremo la irregularidad que supone que se solicite la declaración de nulidad de un contrato por la persona que suscribió el contrato, se benefició de algunos de sus efectos y, en un momento dado, cambien sus intereses iniciales.

Por último, podemos reseñar que el supuesto más claramente admitido por la doctrina moderna del abuso de la nulidad por motivos formales, ha sido también aplicado por la jurisprudencia. De esta forma, subyace esta regla cuando no se admite la nulidad alegada por la ilegalidad que supone una falta de autorización cuando es alegada por quien estaba obligado a obtenerla o solicitarla o por quien ya, de alguna forma, se ha aprovechado del contrato[288].

---

[287] En la Sentencia de 27 de marzo de 1981 tratándose de una permuta también de viviendas de protección oficial se dice que no cabe que se pretenda la nulidad puesto que «el recurrente con su propia norma de conducta, no puede ser sujeto destinatario de la norma que dice violada, cuando contrariamente trata de acogerse a las consecuencias del contrato, esencialmente civiles, en aquellos extremos que le benefician aunque pudiera llegar a originar aspectos violadores de tal normativa reglamentaria que por su naturaleza son ajenas a la cuestión civil planteada».

En la sentencia de 8 de marzo de 1995 se trataba de una sociedad por la cual un farmacéutico participaba de los beneficios en la explotación de dos farmacias, cuando sólo cabe que cada titular tenga licencia y autorización para una sola. Tras afirmar que el incumplimiento de las normas puramente administrativas no deben interferir en los efectos jurídicos del contrato privado querido por las partes, añade «y menos aún propiciar que una de ellas trate, con su apoyo, de beneficiarse en perjuicio de la otra, que es lo pretendido, aunque de modo equivocado, por la ahora recurrente, tan infractora de aquellas normas administrativas como los demás intervinientes en las relaciones jurídico privadas.»

En la sentencia de 23 de mayo de 1997 se trata de la compraventa o cesión de una parcela correspondiente a un lote numerado de una finca determinado por concesión administrativa. En esta ocasión se pretendía la nulidad del contrato por falta de objeto o por ser este ilícito. El Tribunal Supremo en esta ocasión dice expresamente: «Pero es que además y sin perjuicio de la anomalía que supone que se solicite la declaración de nulidad de un contrato por la persona que lo suscribió, y más aún cuando la misma se intenta fundamentar en la carencia de derechos de quien actuó en el mismo como vendedor, yendo con ello paladinamente en contra de sus propios actos, ha de tenerse en cuenta que la actora recurrente ostentaba sobre la finca de autos unos determinados derechos que fue los que transmitió al comprador, y que el hecho de que para que tal transmisión tenga plenos efectos se requiere autorización administrativa no convierte en nula la compraventa civil realizada sin la obtención de la indicada autorización, sin perjuicio de los efectos que en el campo de lo administrativo se puedan derivar de su falta.»

[288] Pueden servir como ejemplos ilustrativos la sentencia de 30 de diciembre de 1993 en la que se alega nulidad de unas ventas de viviendas sobre la base de la falta de representatividad de órganos gestores de una cooperativa frente a los compradores de viviendas que desconocían los límites de actuación y disposición de estos gestores.

Sobre esta generalizada aplicación también indica PASCUAU LIAÑO algunos casos[289].

En resumen; si se denuncia la ilegalidad o se pide la nulidad por una de las partes el juez tiene que tener presentes dos consideraciones a la hora de estimar o desestimar la demanda y valorar como legítimo el interés de la pretensión:

1ª Independientemente de quién ha solicitado la sanción y resultando indiferente el motivo del recurso o la petición de la parte recurrente, una vez detectada la ilegalidad la primera función de la decisión que debe adoptar el juez será evitar la infracción y restablecer la legalidad. En virtud de esta infracción y pese a encontrarse vigente el principio dispositivo, el juez civil podrá, incluso de oficio, declarar la nulidad sin incurrir en incongruencia. Esta es una consecuencia lógica del deber general de no cooperar al nacimiento o subsistencia de una situación antijurídica que con mayor motivo debe ser cumplido por los órganos judiciales.

2ª Por otro lado, es también función primordial de la jurisdicción civil dar asistencia y solución adecuada a la concreta situación en la que se encuentran las partes contrantes y atender a sus pretensiones o a las de terceros perjudicados que se consideren legítimas. Por eso considera la jurisprudencia que conviene, en cuanto a los efectos del contrato ilegal, valorar todas las piezas que componen las relaciones interpartes y sus intereses en juego. Habrá que sopesar los intereses en juego en el caso concreto.

Por eso se debe considerar que, en ocasiones especiales, se puede ver excepcionada la regla general de declarar la nulidad invocada por una de las partes contratantes. La jurisprudencia aprecia que se deben adecuar los resultados de la sanción de la ilegalidad a la diferente culpa de los contratantes y para ello habrá de acudirse a la naturaleza, móviles, circunstancias y efectos previsibles de los actos realizados por ellos,

Es importante por ello tener en cuenta cuáles son los intereses privados en liza. Los tribunales deben valorar las pretensiones de las partes para saber si se obra o no de buena fe y si la infracción o sus consecuencias puede beneficiar a una de las partes, quien precisamente para prevalerse de ellas la provocó. Resulta útil por ello analizar cuales son los efectos previsibles de la infracción y de la sanción que le correspondería objetivamente.

Caso parecido al de la sentencia de 26 de abril de 1967 es un caso de cesión de derechos propios de una concesión en la que la transmisión se prohibía sin la previa autorización administrativa. Conviene advertir que se parte de la desestimación por no darse el recurso por infracción de normas de carácter administrativo, para luego abundar en que al concesionario «no le será lícito accionar o excepcionar la nulidad respecto al contrato civil, en gracia a una omisión que solo a él le es imputable.»

[289]   PASCUAU LIAÑO, M., *Nulidad y anulabilidad del...* op. cit. pág. 248.

G. Cuándo aplicar la regla

Hemos examinado los casos en los que la jurisprudencia ha tratado y aplicado la posibilidad de denegar una acción de nulidad en base a las circunstancias que concurren en el supuesto concreto. Trataremos ahora de extraer algún tipo de pauta a seguir para determinar en qué casos es probable que los tribunales desestimen una acción de nulidad contractual con base en la buena o mala fe de los contratantes y las particularidades que concurran en el caso. Desde luego, el punto de partida para la aplicación de esta regla está en el análisis de los intereses privados en liza.

A) Fundamentalmente, conviene plantearse la eventual procedencia de esta regla en **aquellos casos en los que la norma jurídica infringida establece una pena o sanción para uno de los contratantes y no se indica nada respecto a la nulidad.** Es evidente que, en estos casos, la norma parece indicar que el contratante que queda sujeto a pena merece un mayor reproche por la sanción. En consecuencia, deberá ser objeto de un cuidadoso examen la legitimidad de su interés en anular el contrato.

El supuesto paradigmático clásico de este tipo de normas jurídicas es el de las **normas administrativas.** En este caso, la nulidad será una posible sanción complementaria de esa pena que la norma jurídica ha previsto expresamente para el caso de su inobservancia. Para estos supuestos se habían elaborado ya por la doctrina del Derecho común unas reglas de la procedencia o no de la aplicación de la nulidad como sanción complementaria de otras penas[290]. Estas reglas consistirían en realizar ciertas distinciones para aplicar los efectos de la nulidad en concurrencia con la otra sanción. Si los efectos de la nulidad perjudican a la parte contratante que resulta ser destinatario de la otra pena o sanción expresamente indicada por la norma procedería la declaración de nulidad. Pero si, por el contrario, los efectos de la nulidad perjudican a la parte que aparece como «víctima» de la infracción y para la que no se ha previsto que recaiga ninguna pena o sanción, entonces no se puede predicar la procedencia de esa nulidad.

Por supuesto que esta nueva técnica, tan sólo, va a resultar de aplicación en los **casos en los que la ley infringida no establezca una sanción de nulidad con tal nitidez que no deje especular sobre ninguna otra solución.** El juego de la regla será de posible utilización con mayor margen de maniobra en los casos en los que la ley infringida no exprese la sanción terminantemente y tenga que ser deducida de la finalidad de ésta. Por ejemplo, está fuera de toda duda que procederá la nulidad, acompañada de la correspondiente responsabilidad por *culpa in contrahendo* en su caso, en la venta de cosas *extracomercium* porque no se puede dejar que se ejecute dicho

---

[290] CARRASCO PERERA, A., *Comentarios al Código Civil y Compilaciones Forales, comentario al art. 6.3 CC* T. I, Vol. 1º, 2ª ed., Madrid, 1992, pág. 775.

contrato *(V. gr.* art. 1494. 1° del Código Civil). Por mucho perjuicio que se le pueda causar a la parte contratante que lo desconocía debe evitarse el tráfico. En estos casos la Ley es clara y terminante y la sanción también lo es: no se puede comerciar con cosas que están fuera del comercio. En definitiva, se tiende a aplicar más la norma en aquellos casos de ilegalidad contractual en los que la sanción que corresponde aplicar es una nulidad especial conforme con los criterios y finalidad de la norma. Es bastante obvio que no va a estar en la finalidad de dicha norma que se haga uso de la sanción por ella prevista en perjuicio de un contratante de buena fe. Existe mayor facilidad en la aplicación de la regla en aquellos casos en los que la sanción no es expresa sino que se deduce de la misma norma y de la regla general sentada en el artículo 6.3 del Código Civil.

B) Al analizar el presupuesto general vemos que **no solo se trata de evitar un perjuicio al contratante de buena fe sino que, al mismo tiempo, se evitará que tal infracción le sea rentable al infractor**. Es evidente que esta circunstancia se dará siempre cuando quien alega la nulidad no haya cumplido con su obligación y haya sido apremiado por la otra parte que cumplió convenientemente. En este caso, parece que la intención del actor es eximirse de su obligación de cumplimiento y las consecuencias de la nulidad no harán sino procurarle su objetivo.

Esta circunstancia nos puede servir para descubrir la mala fe del contratante que insta la nulidad ¿Cuándo se entiende que existe mala fe por parte del infractor? ¿Basta con el mero conocimiento de las condiciones de ilegalidad en las que se celebra el contrato? El análisis de estos extremos significa que no sólo se analiza la norma infringida y el tipo de infracción, sino que también, por otro lado, será inevitable que, de cara al resultado final de su fallo, el juez tienda a evitar que haya perjuicios con los que tengan que cargar personas de buena fe que no tienen nada que ver con la infracción.

Parece que esta buena fe se puede atisbar, normalmente al menos, en la parte que cumplió con su obligación o que demuestre que estuvo efectivamente dispuesta a cumplir en todo momento. Es a esta parte contratante a la que mayores perjuicios puede ocasionar una eventual declaración de nulidad. Antes de llegar a un resultado injusto, que sea luego de compleja corrección, el juez preferirá no declarar la nulidad del contrato permitiendo la ejecución del mismo que supondrá al mismo tiempo una sanción para el culpable de la infracción y un resarcimiento *in natura* para el contratante inocente[291].

Como hemos visto, la técnica empleada por los tribunales para evitar la nulidad es negar la legitimación para alegarla a quien no sólo la ha provocado sino que además la ha procurado. RUIZ MUÑOZ aplaude esta técnica junto con parte de la doctrina francesa porque observa que no siempre la responsabilidad va a cubrir las expectativas de la validez del contrato. No es lo mismo

---

[291] RUIZ MUÑOZ, *La nulidad parcial del...* op. cit. ibidem.

declarar la nulidad con sus consecuencias y luego, posteriormente, resarcir a la parte inocente de los daños y perjuicios que se le haya podido irrogar que dejar que el contrato se acabe por ejecutar, frustrando las ilícitas pretensiones del culpable del vicio de nulidad y respetando la confianza en la validez del contrato[292].

El inconveniente que se puede oponer es la inseguridad que supone averiguar cuándo se va a aplicar la regla de la mala fe o de «*nemo auditur propiam turpitudinem allegans*» y cuándo se va a poder declarar la nulidad con todas sus consecuencias independientemente de la culpabilidad de los intervinientes en la operación contractual.

C) RUIZ MUÑOZ apunta que se podrá negar la acción de nulidad al causante de la misma **siempre que no estén en juego intereses generales**. Pero el problema en la nulidad por violación de normas imperativas y prohibitivas está en que al menos en teoría todas ellas protegen un interés general que se va a ver afectado siempre. Este socorrido criterio es impreciso porque no sabemos lo que se puede entender por intereses generales en cada caso concreto. Consecuentemente, la concurrencia en armonía de un interés público con un interés privado será lo que ocurre en todos los casos de nulidad. Como afirma GORDILLO CAÑAS «la frontera que separa la anulabilidad respecto de la nulidad es la calificación del interés público o privado, a cuya protección se ordenan una y otra. La protección del interés público exige la indisponibilidad de la ineficacia de los actos contrarios a dicho interés»[293].

Siguiendo esta regla, solamente cabría aplicar la regla a la anulabilidad (o como mucho a la nulidad relativa) por ser una ineficacia de carácter disponible, relativa y tuitiva. Es decir, parece que no se le podría negar la acción de nulidad al contratante que la causó puesto que su carácter indisponible hace que no podamos hacer excepciones. Pero olvidemos la teoría clásica en este punto y recordemos que hemos encontrado casos en los que la nulidad de pleno derecho admite restricciones en cuanto a la legitimación. De hecho, es en estos casos que los franceses denominan nulidades que sancionan el orden público económico de protección donde consideran aplicable esta negación de la acción de nulidad, suponiendo la mala fe en cualquier otro caso de nulidad absoluta únicamente como base para una condena de los daños y perjuicios[294]. ¿Se reduce sólo a estos casos la aplicación de la regla o podemos

---

[292] RUÍZ MUÑOZ, *La nulidad parcial del...* op cit., págs. 280-281. En este sentido también considera insuficiente esta solución CLAVERÍA GOSALVEZ ante la sugerencia de BERCOVITZ de solventar los inconvenientes de considerar que en el art. 10.4. II de la Ley de Consumidores quepa una nulidad total del contrato por el contratante predisponente de las condiciones generales de contratación mediante la exigencia de responsabilidad por *culpa in contrahendo.* CLAVERIA GOSALVEZ L. H., *Comentarios a la ley General para....* op. cit. págs. 343 y 347.

[293] GORDILLO CAÑAS, A., *Nulidad, anulabilidad e...* op. cit., pág. 976.

[294] GHESTIN, J., *Traité de...* op. cit. págs. 1091-1092 y 11094.

EDUARDO VÁZQUEZ DE CASTRO

extenderla a cualquier caso de nulidad? Parece que, en realidad, más que decir que se aplicará esta regla en aquellos casos en los que «no estén en juego intereses generales» se deberá decir que **la aplicación procede por cuanto la levedad del caso así lo permite.**

Volvemos a tener que matizar el carácter indisponible de la nulidad. Una cosa es la indisponibilidad de la acción de nulidad, que hace que incluso el juez de oficio pueda en ocasiones declararla, y otra cosa es que se le aparte la posibilidad de interponerla a la persona que precisamente buscó de propósito la infracción con manifiesta mala fe. Mala fe que se traduce en proceder luego a solicitar la nulidad y beneficiarse de sus efectos en perjuicio de la contraparte o de terceros. No se restringe la legitimación activa a interponer la acción de nulidad sino que simplemente se evalúa el conjunto de la operación y se trata de conciliar las normas procesales y sustantivas con la justicia y la equidad del caso. No se puede considerar la acción de nulidad aislada y asépticamente de las circunstancias que la motivaron y de las consecuencias que de ella se pueden derivar y no cabe duda de que nuestra jurisprudencia no se encuentra ajena a tales consideraciones. Entonces, concluimos que podemos aplicar claramente el criterio de la jurisprudencia que considera que incluso aunque se trate de asuntos que atañen al **orden público y al interés general** se puede limitar el ejercicio de una acción a una determinada persona que actúa de mala fe por faltar interés legítimo.

Versus generalis. Podría aducirse que las voluntades de los interesados son irrelevantes en una cuestión relativa, por ejemplo, al estado civil de las personas, materia de orden público e indisponible por los interesados (art. 1814 CC), o, en nuestro caso, como fuente de la nulidad basada en un interés general. Por ello, ante el carácter imperativo de las normas en esta materia, no debiera tener trascendencia la conducta de las partes para resolver la cuestión, sino tan sólo la concurrencia de los requisitos necesarios para calificar una determinada filiación. Pero la cuestión no es tan sencilla. No se discute sobre la disponibilidad de estas materias o sanciones sino sobre la posibilidad de prevalerse de su resultado en perjuicio de una persona de buena fe[295].

---

[295] Como muestra de que esta regla se puede aplicar también en los casos en los que está involucrado el orden público o el interés general no tenemos más que observar la Sentencia de 16 de junio de 1984 comentada por DIEZ-PICAZO en *C.C.J.C.*, pág. 1860. El caso era sobre la calificación como legítima o ilegítima de una determinada filiación donde ninguna cabida tiene la autonomía de la voluntad. Si el demandante puede demostrar el origen ilegítimo de su hermano, la demanda habría de prosperar, sin que su conducta contraria a la buena fe tenga alcance alguno. No obstante, ante esta alegación cabe replicar que la sanción que acarrea una conducta de mala fe afecta únicamente a quien la realiza. Las consecuencias de esta figura no van más allá de afectar a la persona que se comporta deslealmente, no admitiendo su pretensión. Esto no significa que se mantenga que por la solicitud de la rectificación registral del

En principio, mantenemos que el carácter de interés general y de orden público de la norma no van a ser definitivos a la hora de excluir la aplicación de esta regla excepcional. No obstante, obviamente, este recurso aunque quepa ser aplicado, inclusive, en los casos en los que se comprometa con el contrato la indemnidad del orden público esto se hará de forma muy ocasional y extraordinaria. Además no podemos pasar por alto que esta solución **tiene, en todo caso, carácter excepcional** ya que si se utiliza de forma generalizada puede provocar el efecto contrario, es decir que se puede fomentar la ilegalidad. Si se es consciente de que los tribunales van a mantener la validez de determinados contratos ilegales se seguirían pactando sin temor a consecuencia perjudicial alguna. Ésta es la misma excepcionalidad que caracteriza la aplicación de la regla *nemo auditur* a la pretensión resarcitoria[296]. Por lo tanto, únicamente, con la misma cautela y responsabilidad cabría ser aplicada. Ésta es una solución que sólo cabe analizando de forma atenta y pormenorizada todas las circunstancias concurrentes en la ilegalidad y sacar como consecuencia de ellas la conveniencia de restaurar el principio de buena fe y hacer fracasar en su propósito a aquél que reniega de su palabra después de haber participado en el acto ilícito.

– En realidad, sólo procederá esta peculiar solución cuando la norma infringida resulte ser imperativa o prohibitiva pero cuya finalidad se pueda ver también excepcionalmente salvaguardada o, al menos, no impedida por la aplicación de este principio en las circunstancias que procede. Dicho de otro modo, se aplicará el principio cuando la finalidad de la norma se pueda ver burlada al no encontrar su normal satisfacción con la nulidad del contrato en el caso concreto. En concreto, procederá la aplicación de este principio en aquellos casos en los que la norma imperativa vulnerada estaba especialmente diseñada en beneficio o para proteger a una de las partes que es la parte que provoca la infracción con intención de acogerse, una vez perfeccionado el contrato, a la nulidad prevista en su favor por la norma.

Es decir, también **se podría aplicar esta regla para contrarrestar o para evitar los posibles abusos de un contratante de mala fe protegido especialmente por la norma** frente a quien actúa de buena fe y no lo está[297]. Porque aunque la Ley imperativa haya sido creada por el legislador en favor de

---

demandante su hermano pase a tener una filiación distinta. El estado civil del demandado no varía. Lo único que sucede es que el demandante (sólo él) no podrá hacer valer esta pretensión, por contraria a la buena fe.

[296] DIEZ-PICAZO considera que dentro de las posibles reacciones del ordenamiento jurídico frente al contrato ineficaz está la excepcional consolidación de los efectos contractuales como medida de protección a la confianza creada en personas que de buena fe han creído en la eficacia del contrato aparente bien sean las mismas partes del negocio o alguna de ellas o bien sean terceras personas. *Fundamentos ...*, op. cit. pág. 440.

[297] Vid supra epígrafe «Relación de esta regla respecto a la nulidad parcial y a la nulidad con legitimación restringida».

una categoría de personas no significa que esta protección sea incondicional puesto que siempre se ha de exigir el deber genérico de buena fe que debe presidir todo ejercicio de contratación. Si un contratante rompe las reglas del juego generales no puede luego pretender ampararse en el resto de las normas del juego que más le convienen porque supondría hacer trampa. DE CASTRO ya advierte que resultaría contrario a la buena fe el intentar liberarse de las obligaciones contraídas con el pretexto de una modificación parcial; «especialmente si resulta que ella fue prevista o preparada por uno de los contratantes»[298]. Evidentemente, en estos casos es donde deben extremarse las cautelas. Tras un exhaustivo análisis de los comportamientos de ambas partes contratantes, se debe singularizar aquel caso en que la conducta no merece o es indigna de cualquier protección.

D) No podemos, por menos, advertir que será en los casos en los que la **ilegalidad sea causada por motivos formales o faltas más leves** cuando se admita con mayor facilidad esta excepción. Realmente, éste es uno de los casos en los que se ha aplicado mas abiertamente esta regla basada en la buena fe[299].

H. Relación de esta técnica respecto a las otras variaciones de la nulidad clásica y a la responsabilidad

a. Relación respecto a la nulidad con legitimación restringida y a la nulidad parcial

Tras haber considerado las posibles reglas jurídicas donde algunos autores han tratado de articular esta aplicación de la nulidad, armonizada con consideraciones de buena fe en la interposición de acciones, se puede advertir que esta modalidad no encaja perfectamente en ninguna de ellas. Tampoco lo consideramos necesario puesto que de lo que se trata es de modular la extensión unos determinados efectos injustos que puede acarrear la acción de nulidad. Lo que es importante plantearse es: si admitimos esta técnica de denegar la acción de nulidad al contratante que la alega de mala fe, ¿sería aplicable a todo tipo de nulidad?

En primer lugar, atendamos a los casos en los que existe una especial prohibición o mandato legal en favor de una de las partes. En estos casos, la sanción lógica vendría normalmente acompañada de una reserva de legitimación para la parte especialmente protegida por la Ley. ¿Cabría denegar la acción de nulidad en base a una hipotética mala fe del legitimado?

---

[298] DE CASTRO Y BRAVO, *El negocio jurídico...*, op. cit. pág. 494.
[299] Ya veremos como esta aplicación aparte de ser la mas ampliamente admitida por la doctrina moderna es también la mas aplicada por la jurisprudencia (vid supra epígrafe «Denegación de la acción de nulidad en la jurisprudencia»).

Planteado en estos términos no parece posible una identificación de ambas técnicas. Incluso, a primera vista parece que, en principio, la adopción de una técnica de limitar la legitimación activa de la nulidad excluiría la aplicación de la otra técnica. Sin embargo, algún autor italiano sí que ha confundido ambas técnicas[300]. Hay que tener en cuenta que el carácter tuitivo de las normas no influye en la exclusión o rechazo de la nulidad por parte de los tribunales. Estas normas lo que implican es la reducción o reserva de la posibilidad de alegación de la nulidad a una de las partes. Otra cosa es la técnica de denegar la acción de nulidad. Cuando los tribunales utilizan la técnica de denegar una acción de nulidad en principio el que la alega debe estar legitimado y lo que se valora es si el ejercicio de la acción es realizado de buena o de mala fe. Para este cometido se analiza la conducta de las partes junto con las circunstancias y el resultado perseguido. No conviene confundir ni mezclar estas técnicas.

Podemos distinguir como hacen los franceses los casos de la nulidad absoluta y los casos de «la nulidad relativa» (nosotros la llamamos nulidad con legitimación restringida para evitar equívocos con la anulabilidad).

Para los casos de la nulidad absoluta los franceses no admiten que se pueda negar la acción de la nulidad, ni siquiera al que de mala fe la ha provocado para aprovecharse de ella o de sus efectos. En esta consideración pesan todas las características que la dogmática ha venido atribuyendo tradicionalmente a la nulidad radical, absoluta o de pleno derecho.

Sin embargo, el panorama cambia en la «nulidad relativa» para estos autores. En la «nulidad relativa» la norma trata de proteger a una de las partes frente a la otra y únicamente ésta es la que puede acudir a los tribunales para reclamar la nulidad. En estos caso, la doctrina y jurisprudencia francesa son partidarios de negar la acción si la parte que la alega y en teoría estaría protegida por la ley ha incurrido en alguna causa de indignidad[301]. Allí donde la Ley otorga más derechos a determinadas personas es donde mas peligro hay de abusar de estos derechos que donde no les hay. Esta influencia de la buena fe fue considerada ya como una reserva o excepción de los principios y efectos del contrato nulo por JULLIOT DE LA MORANDIÈRE[302].

En nuestro sistema no se puede compartir, completamente, este criterio porque hemos de recordar que mientras que los franceses consideran los casos de confrontación entre un contrato y una norma perteneciente al orden publico económico de protección como casos de «nulidad relativa», en España todos los casos de contratos contrarios a las normas imperativas del orden público económico, independientemente de su carácter total o parcial, merecerán en principio la sanción de la nulidad absoluta o de pleno derecho.

---

[300] MOSCHELLA, R., *Il negozio contrario...* cit., págs. 306-307.
[301] GUELFUCCI-THIEBERGE, C., *Nullité, restitutions et...* op. cit. pág. 278.
[302] DE LA MORANDIÈRE, J., *Précis de Droit civil*, T. II, París 1947, págs. 75 y 76.

También podemos distinguir, como hacen los alemanes, la aplicación de esta regla respecto a la nulidad parcial. El principio de buena fe en Alemania viene a moderar los efectos de la nulidad parcial de forma que la extensión de la nulidad absoluta a todo el contrato no se podrá alegar y procederá la nulidad parcial cuando no se ostenta una posición de buena fe por parte del que la alega. Y de forma inversa tampoco se puede admitir la nulidad parcial y se opta por la nulidad radical cuando el que la alega carece de buena fe[303]. Con posterioridad, se van a tratar de remediar todas las posibles lesiones patrimoniales que se le puedan causar como consecuencia de cualquiera de estas nulidades a la parte contratante de buena fe mediante una estricta reclamación de responsabilidad por *culpa in contrahendo*[304].

Tampoco puede ser plenamente compartido este criterio en un ordenamiento como el nuestro. En nuestro ordenamiento el desarrollo y generalización de la acción de responsabilidad por *culpa in contrahendo* derivada de la ineficacia no están tan avanzados como en el sistema germánico. Además tiene los inconvenientes de que al tener que probarse y cuantificarse los daños producidos se va a tener que esperar a que sea declarada la nulidad con sus efectos para poder emprender la reclamación de responsabilidad. Con todos los inconvenientes que conlleva esto.

En Italia parece que se observa muy claramente que la nulidad del contrato *contra legem* opera *ipso iure*, incluso si las partes o una sola de ellas desconocían por completo las causas de la ilegalidad. Pero incluso en este país, algún autor ha sugerido que no parece ser ésta la solución más adecuada pese a que la acción de responsabilidad que obviamente le corresponde (art. 1338 CC italiano) al perjudicado por la nulidad puede solucionar ciertos resultados injustos. Esta afirmación se hace pensando, sobre todo, en los casos en los que la ilicitud proviene de la cualidad objetiva de promitente que es quien «encima» invoca la nulidad en daño de la contraparte que lo ignora[305].

Aunque la mayor parte de la doctrina italiana sigue siendo clásica y prefiere ver en estos casos una nulidad que luego debe ser corregida por la responsabilidad. En realidad, se considera que lo que debemos distinguir en estos casos es la **ilicitud** de la **mala fe**. La ilicitud es siempre un atentado directo al ordenamiento jurídico mientras que en el caso de la mala fe objetiva o del comportamiento de alguna de las partes contrario al principio de confianza, se afecta a la contraparte, y no directamente al ordenamiento jurídico. En estos casos de mala fe estos comportamientos deben ser reprimidos y la parte que la sufre debe ser protegida. Sin embargo, estos comportamientos se alejan del ámbito del contrato ilícito y se trata más bien de un hecho o acto ilícito, al que corresponde un tratamiento diferenciado[306].

---

[303] RUIZ-MUÑOZ, M., *La nulidad parcial....* op. cit., págs. 54-55.
[304] Vid. infra «El juego de la responsabilidad».
[305] SACCO, R., *Tratatto di diritto privato*, T.I I, Torino, 1984, págs. 264-265.
[306] MESSINEO, *Doctrina General del...* op. cit., pág. 481.

Una vez visto el tratamiento que recibe esta regla en otros ordenamientos vamos a adoptar una postura, ciertamente, intermedia entre las que hemos observado en otros países.

En nuestro ordenamiento no se hacen distinciones en cuanto a las sanciones correspondientes a las normas de orden público económico en las que se tiende a proteger a una de las partes. Sin embargo, nosotros pensamos que, poco a poco, se van perfilando tanto por el legislador como por la jurisprudencia porque la política social o económica en general así lo requiere. Por esta razón, vamos a partir de estas nulidades especiales.

Ya hemos admitido que es posible el rechazo de la acción de nulidad total o parcial, absoluta o relativa, en aquellos casos en los que se produzca una actuación de mala fe del actor. Pese a que esta posibilidad no está cerrada a ningún tipo especial de sanciones o ineficacia, al contrario que en Francia, podemos intuir que habrá más necesidad de emplear esta técnica en aquellos casos en los que se considere que nos encontramos ante una norma jurídica de las que podemos denominar orden público económico de protección. Indudablemente, es al analizar el tratamiento de la nulidad parcial y de la nulidad con legitimación activa restringida cuando más claramente se comprueba que, a la hora de declarar o no la nulidad, los jueces tienen que realizar una labor de interpretación de la Ley y de interpretación del contrato. Para realizar esta interpretación en definitiva tendrán que tener en cuenta todas las circunstancias del caso, la naturaleza del negocio y las exigencias de la buena fe[307]. Ya advertimos que resultaría contrario a la buena fe el intentar liberarse de las obligaciones contraídas con el pretexto de una modificación parcial; «especialmente si resulta que ella fue prevista o preparada por uno de los contratantes»[308]

En cuanto a las circunstancias del caso es conveniente que se tenga presente:

En primer lugar, vamos a distinguir si se refiere a contratos en los que tanto el contratante protegido como el contratante no protegido cuentan con un poder económico similar porque se trata de **dos particulares no profesionales** que negocian y discuten sus propios intereses y comprometen su propio patrimonio. La protección dispensada por la Ley en favor de uno solo de estos contratantes otorgándole la posibilidad de impugnar debe cesar si éste muestra un comportamiento culpable. Es decir, se le debe denegar la acción de nulidad que le venía siendo otorgada por la Ley si se prueba que la infracción ha sido causada de propósito por este contratante para beneficiarse de los efectos de la nulidad con que contaba en perjuicio de la otra parte que sin la menor oportunidad va a encontrarse perjudicada. (*V. gr.* segundas y

---

[307] DE CASTRO Y BRAVO, *El negocio jurídico...*, op. cit. pág. 493, RUIZ MUÑOZ, M., *La nulidad parcial del...* op. cit., pág. 103.

[308] DE CASTRO Y BRAVO, *El negocio jurídico...*, op. cit. pág. 494.

posteriores ventas de viviendas de protección oficial realizadas entre particulares).

Esta es la regla general.

Pero no se le podrá negar a un particular adherente la acción de nulidad de una **cláusula general de contratación** bajo ninguna circunstancia, ya que por definición nunca va a poder ser culpable la parte protegida de la ilegalidad cometida, ya que no tiene poder de decisión sobre la configuración material del contenido del contrato. No existe una paridad de situaciones en cuanto una parte (empresario profesional) es más fuerte, tanto como para imponer sus condiciones, que la otra (consumidor particular) que no le queda más remedio que aceptar accediendo a todas las condiciones. En estos casos de contratos de adhesión en los que el consumidor se limita a aceptar o rechazar la contratación no puede observarse una conducta culpable más que en la parte oferente o predisponente. Una nulidad total de un contrato dispuesto en condiciones generales de contratación es completamente injusta para el contratante adherente que en nada ha podido evitar la ilegalidad porque no estaba en su mano. Si ha contratado ilegalmente será porque no le quedaba más remedio que consentir si no quería quedarse sin el objeto que pretende. En estos casos no se entiende la procedencia de la nulidad total siquiera corregida con la responsabilidad por *culpa in contrahendo*[309].

b. Relación respecto a la responsabilidad

Antes de nada, conviene señalar que, en principio, parece que este supuesto de análisis de la buena o mala fe de los contratantes encaja mejor en el ámbito de la responsabilidad. Empero, no se debe olvidar que la responsabilidad la deben reclamar las partes —normalmente, en otro procedimiento— y el juez nunca podrá encargarse de oficio. El juzgador no se podrá ocupar de la responsabilidad si no es a instancia de parte. Aunque se pueden acumular la acción de ineficacia con la de responsabilidad, de ordinario no suele ser planteado por los abogados de esta forma. Esta iniciativa es inusual quizá por la dificultad de determinar a priori la cuantía de los daños y su relación de causalidad, al margen de la inseguridad sobre si se debe reclamar el interés contractual positivo o el interés contractual negativo[310].

Esta situación tiene que dejarle al juzgador una sensación extraña, como de promover y suscitar nuevas controversias por no haber dado una solución

---

[309] A pesar de que muchos autores consideran la responsabilidad como una herramienta necesaria para paliar los efectos de una remota pero posible nulidad total de un contrato con condiciones generales, cuando la anulación parcial provoque desequilibrios en las prestaciones, hay que considerarlo un despropósito (vid. págs. 469 y 515 especialmente notas nº 173, 174 y 291). Hay que fijarse en lo contradictorio de declarar la nulidad para evitar desequilibrios y conceder una acción de resarcimiento de otros desequilibrios patrimoniales.

[310] Vid infra epígrafe «La responsabilidad derivada de la ineficacia».

satisfactoria y definitiva. Seguramente, dejar abierta la posibilidad de reclamar una posterior responsabilidad puede dar la impresión de que no se han ventilado todos los extremos en los que el problema planteado se desarrolla y no estar seguro de que se acabe de una forma equitativa. Por esta razón, en la práctica, el juez tratará de proporcionar la mejor solución o componenda teniendo en cuenta todos los aspectos y circunstancias conjuntamente a la hora de decidir la conveniencia de declarar la nulidad. En consecuencia, la nulidad radical ha dejado de ser la regla general cediendo terreno a otros tipos de ineficacias (que limitan la legitimación para solicitarla a la parte no culpable) ineficacias cuya alegación va a ser sometida a un juicio de oportunidad basado en la buena fe.

De no ser así, el principio de economía procesal sufriría una grave debilitación. En estos casos, aunque la separación entre nulidad y responsabilidad es conceptualmente más clara y correcta, procesalmente, por razones de economía no va a resultar tan factible que se utilicen dos procedimientos que acaben por confluir para llegar a una óptima solución del caso. Serían necesarias dos acciones o en su caso dos procedimientos, uno para restaurar la legalidad y otro para conseguir la justicia del caso. Si no se solicita por el interesado la indemnización por daños y perjuicios junto con la acción de nulidad se necesitará otro juicio para conseguirla.

¿Que ocurre si la nulidad ha sido decretada de oficio? El juez observará mucha cautela a la hora de declarar la nulidad de oficio para no dar lugar a soluciones injustas cuyo remedio quede pendiente. No hay este tipo de peligro cuando ambas o todas las partes contratantes sean culpables de la ilegalidad. Las partes pueden pedir de forma acumulativa a la ineficacia las indemnizaciones en previsión de los efectos de esta ineficacia en sus patrimonios. Lo que la jurisprudencia trata de hacer es modular los efectos de la ineficacia aplicando las modalidades adecuadas a cada caso. Lo que nosotros sugerimos es que, además, en los casos en los que esta respuesta jurisprudencial no se encuentre todo lo ajustada al caso que se pretende, se pueda otorgar una indemnización de daños y perjuicios a la parte más desfavorecida.

c. La aplicación conjunta de estas técnicas de nulidad

Como ya hemos adelantado, no es difícil encontrar multitud de ejemplos legales en los que se combinan varias técnicas de ineficacia. Por otro lado, también es frecuente que las propias leyes especiales no se conformen con establecer el tipo de ineficacia que debe corresponder a los contratos infractores de sus normas, sino que se preocupan además por tratar de conseguir unas situaciones finales idóneas. Para conseguir que ciertas consecuencias inevitablemente negativas de la ineficacia repercutan en partes contratantes que han mantenido una conducta irreprochable se hace alusión expresa a derechos indemnizatorios para dirimir responsabilidades.

En definitiva, actualmente, las leyes especiales no sólo se ocupan de recoger las modalidades de ineficacia que más se ajustan a su ratio y finalidad sino que, además, tratan de componer los intereses de las partes afectados por dicha ineficacia. En algunos casos, incluso, esta preocupación por no incidir de forma negativa en el estado patrimonial de los contratantes lleva al legislador a acabar apuntando las correspondientes responsabilidades en el articulado de la ley especial.

Encontramos multitud de ejemplos que han sido relacionados parcialmente a lo largo de la exposición de cada una de las variantes de la ineficacia funcional. Para no resultar reiterativos, vamos a utilizar la normativa sobre el seguro privado como ejemplo de legislación en la que aparecen algunas formas distintas de ineficacia. Aunque se analizó el control administrativo de las cláusulas de las pólizas de seguro, veremos ahora el régimen de ineficacia establecido para un particular supuesto al que aún no se ha hecho alusión. No obstante, huelga expresar que se podían haber utilizado como exponentes de este tipo de sanciones mixtas preceptos de leyes ya observadas y citadas anteriormente y que aún tendremos ocasión de seguir analizando en lo que se refiere a responsabilidad derivada de la ineficacia, nos referimos a los artículos 7 a 10 de la Ley 7/1998, de 13 de abril, sobre Condiciones Generales de la Contratación o el artículo 10 bis) de la Ley 26/1984, de 19 de julio General para la Defensa de Consumidores y Usuarios, al igual que los artículos 3,7,9,14 de la Ley 7/1995, de 23 de marzo de Crédito al Consumo o los artículos 6,8,10 de la Ley 28/1998, de 13 de julio de 1998, reguladora de las Ventas a Plazos de Bienes Muebles, etc.

d. La normativa sobre el seguro privado

Podemos hallar en el campo del seguro privado algún precepto que apunta, como solución a determinados supuestos de ilegalidad contractual, una combinación de las nuevas técnicas de nulidad que hemos expuesto.

En primer lugar, hemos de advertir que toda la normativa existente sobre el seguro privado está, de un modo u otro, prestando protección al asegurado en la relación aseguradora. Debemos poner en relación y armonizar la Ley 30/1995, de 8 de noviembre, de Ordenación y Supervisión de los Seguros Privados con la Ley 50/1980, de 8 de octubre sobre el Contrato de Seguro. Ambas han de coordinarse puesto que ambas disponen distintos aspectos que afectan tanto a los contratos en sí mismos como a los sujetos de la relación aseguradora.

Uno de los mejores exponentes de estas combinaciones en las consecuencias de la ineficacia lo encontramos en el artículo 5. 2º de la Ley 30/1995, de 8 de noviembre, de Ordenación y Supervisión de los Seguros Privados. Se refiere este artículo a la suerte que deben correr los contratos de seguro celebrados por entidades aseguradoras que carecen de la preceptiva autorización administrativa, les resulta revocada o bien se extralimitan en su actuación de los márgenes que marca la autorización obtenida. Este precepto establece, para estos casos, una sanción que califica como nulidad de pleno derecho pero especifica unos efectos muy particulares como resultado de la aplicación de la misma.

Artículo 5.2 «*Serán nulos de pleno derecho los contratos de seguro y demás operaciones sometidas a la presente Ley celebrados o realizados por entidad no autorizada, cuya autorización administrativa haya sido revocada, o transgrediendo los límites de la autorización administrativa concedida. Quien hubiere contratado con ella no estará obligado a cumplir su obligación de pago de la prima y tendrá derecho a la devolución de la prima pagada salvo que, con anterioridad, haya tenido lugar un siniestro, amparado por el contrato si hubiera sido válido, nacerá la obligación de la entidad que lo hubiese celebrado de satisfacer una indemnización cuya cuantía se fijará con arreglo a las normas que rigen el pago de la prestación conforme al contrato de seguro, sin perjuicio del deber de indemnizar los restantes daños y perjuicios que hubiera podido ocasionar.*

Esta obligación y responsabilidad será solidaria de la entidad y de quienes desempeñando en la misma cargos de administración o dirección hubieren autorizado o permitido la celebración de tales contratos u operaciones.»

Este enunciado no se encontraba recogido en las regulaciones anteriores sobre ordenación del seguro privado. En la ley anteriormente vigente Ley 33/1984, de 2 de agosto, sobre Ordenación del Seguro Privado, encontramos una disposición similar pero referida no directamente a la autorización administrativa. Lo que condicionaba la nulidad de los contratos de seguros era la inscripción de dichas autorizaciones en el registro que se creó al efecto. Tampoco se recogían o detallaban especiales efectos de esta nulidad: Artículo 6. 6º «*Serán nulos de pleno derecho los contratos u operaciones sometidas a esta ley, celebrados con entidades no inscritas, sin perjuicio de la responsabilidad que les corresponde frente a los contratantes y los terceros*».

Pese a que se recogía en estos términos la sanción de nulidad de los contratos de seguros, quedaba claro que la autorización oficial seguía siendo requisito previo e imprescindible para comenzar a ejercer su objeto social la entidad aseguradora (art. 6.1º). Requisito de autorización impuesto por las directivas comunitarias cuya concesión era de carácter reglado por ramos y por ámbitos territoriales[311]. Las consecuencias de la revocación de la autorización, fruto de los periódicos y continuados controles que ejerce la Dirección General de Seguros, anteriormente no comportaban la nulidad sino la suspensión *ipso iure* de la contratación de nuevos seguros bajo pena de infracción muy grave (art. 43. 6º d) y liquidación de las operaciones de seguros en curso en los ramos afectados. Los contratos vigentes conservaban su vigencia hasta su vencimiento sin posibilidad de prórroga. El Ministerio de Hacienda podía establecer fecha de vencimiento. Por su parte, el asegurado

---

[311] GALLEGO DÍAZ DE VILLEGAS, J.E., *Aspectos técnicos de la legislación del seguro privado*, Madrid, 1991, págs. 121-122, TIRADO SUÁREZ, F.J., *Ley ordenadora del seguro privado. Exposición y crítica*, Sevilla, 1984, pág. 93.

o tomador del seguro podía optar por el rescate o la rescisión (evidentemente, se refiere más bien a resolución) anticipada (art. 31.7 d))[312].

De lo hasta aquí expuesto podemos aprovechar, en lo que ahora estamos refiriéndonos, que si por ejemplo la revocación de la autorización se refiere sólo a algún ramo o a un territorio concreto de los que asume la entidad aseguradora únicamente serán nulos dichos contratos directamente afectados. Si lo que ha ocurrido ha sido una extralimitación de la actuación de la aseguradora respecto de límites fijados en la autorización concedida, la nulidad tan sólo ocupará a aquellos contratos que se han quedado fuera de la cobertura establecida en la autorización.

Una vez vista la regulación anterior y el enunciado del precepto de la vigente Ley de Ordenación y Supervisión del Seguro Privado que pretendemos analizar, apreciamos distintos rasgos de esta pretendida sanción de nulidad de pleno derecho. Vemos que la rotunda afirmación de que serán nulos de pleno derecho todos los contratos realizados por entidades no autorizadas merece numerosas matizaciones. Para realizar estas matizaciones es necesario poner en relación esta Ley con lo establecido en la Ley de Contrato de Seguro.

En este sentido, por ejemplo se ha hablado en numerosas ocasiones de que la imperatividad de la Ley 50/1980, de 8 de octubre, de Contrato de Seguro pertenecen al denominado orden público económico de protección, siendo normas semi-imperativas al aplicarse la imperatividad sólo en un sentido[313]. Es decir, la imperatividad opera siempre a favor de la parte que se trata de proteger que, en nuestro caso, es el asegurado. Se considera como asegurado, en su acepción más amplia, tanto al tomador del seguro, como al beneficiario, como a terceros[314]. En este sentido, podemos apreciar el carácter pionero y original de la Ley de Contrato de Seguro que abrió brecha para la entrada de las posteriores Ley General para la defensa de Consumidores y Usuarios y la Ley sobre Condiciones Generales de la Contratación y mantiene plenamente su vigencia concordada con éstas[315]. Este tipo de normas imperativas no suelen producir la nulidad absoluta en toda su extensión y con todos sus caracteres sino que, por un lado, se tratará de conservar la parte del contrato que se pueda salvar de la

---

[312] TIRADO SUÁREZ, F.J., *Ley ordenadora del seguro privado. Exposición y crítica,* Sevilla, 1984, págs. 220-221.

[313] DUQUE DOMÍNGUEZ, J.F., «*La protección del asegurado en la relación aseguradora*», en *Derecho de Seguros*, II, Madrid, 1997, pág. 286, SÁNCHEZ CALERO, F., «*Sobre la imperatividad de la Ley de Contrato de Seguro*», en *Estudios en honor a Aurelio Menéndez*, T. III, Madrid, 1996, pág. 294 y en *Ley de Contrato de Seguro,* cit. págs. 57 y ss..

[314] SÁNCHEZ CALERO, F., «*Sobre la imperatividad de la Ley de Contrato de Seguro*», en *Estudios en honor a Aurelio Menéndez*, T. III, Madrid, 1996, pág. 294 y en *Ley de Contrato de Seguro,* cit. págs. 65-69..

[315] EMBID IRUJO, J.M., en *Comentarios a la Ley de Contrato de Seguro... cit.,* págs. 70 y 83, SÁNCHEZ CALERO, F., en *Ley de Contrato de Seguro,* cit. págs. 76 y 77.

nulidad[316]. El artículo 2º de la Ley del Contrato de Seguro parece indicar que se considerarán válidas el resto de cláusulas del contrato con lo que parte de la idea de la divisibilidad y de la nulidad parcial. Artículo 2º «*Las distintas modalidades del contrato de seguro, en defecto de Ley que les sea aplicable, se regirán por la presente ley, cuyos preceptos tienen carácter imperativo, a no ser que en ellos se disponga otra cosa. No obstante, se entenderán válidas las cláusulas contractuales que sean más beneficiosas para el asegurado.*»

En segundo lugar, llama la atención que mientras que en el artículo 2º de la Ley de Contrato de Seguro se establezca una limitación en la legitimación a favor del asegurado y en el artículo 5.2 de la Ley de Ordenación y Supervisión de los Seguros Privados no se establezca esta limitación. Pese a la predicada imperatividad de los preceptos de la Ley del Contrato de Seguro, el contrato que los vulnere será válido si es más beneficioso para el asegurado. Por consiguiente, sólo a éste se le posibilita solicitar la nulidad. En el caso de la Ley de Ordenación y Supervisión se propone la nulidad de pleno derecho y, en consecuencia, cualquier interesado está legitimado para interponer la acción de nulidad del contrato, incluido el asegurador. Por esta razón se modulan los efectos de dicha nulidad.

Se permite al asegurador instar la nulidad por no tener la autorización en regla pero esta posibilidad se limita más bien a facilitar el arrepentimiento del mismo. Se limita la posibilidad de que pueda pedir la nulidad condicionándola a que aún no haya sucedido la contingencia que se pretende asegurar. Es decir, la nulidad lleva aparejada la restitución de las prestaciones y la desvinculación del contrato. Como en el contrato de seguro el que realiza las prestaciones inicialmente es el asegurado, normalmente en forma de primas periódicas, éstas deberán ser restituidas y no tendrá obligación de seguir pagándolas. No obstante, ésta es una nulidad peculiar porque en el momento en el que ocurre la contingencia asegurada y nace la obligación por parte de la aseguradora ya no cabe alegar dicha nulidad. En el momento que acaece el siniestro o se produce la contingencia que el contrato trata de amparar no cabe que la entidad aseguradora trate de exonerarse de la obligación de pago de su prestación en virtud de dicha nulidad. Lo que ocurre es que en lugar de decir que no puede invocar la nulidad para procurar su exoneración del pago de la prestación pactada se prefiere articular como una indemnización de idéntica cuantía. Se prefiere acudir al concepto de responsabilidad para mantener el concepto clásico de la nulidad de pleno derecho.

En todo caso, creemos que aunque la Ley no lo diga expresamente tampoco procedería estimar una acción de nulidad por parte de la entidad aseguradora

---

[316] MENÉNDEZ, A., *Comentarios a la Ley de contrato de seguro*, dir. E. Verdera, Madrid, 1982, T. I, pág. 123, DUQUE DOMÍNGUEZ, J.F., «*La protección del asegurado en la relación aseguradora*», en *Derecho de Seguros*, II, Madrid, 1997, pags 322-323, SÁNCHEZ CALERO, F., en *Ley de Contrato de Seguro*, cit. pág. 70, EMBID IRUJO, J.M., en *Comentarios a la Ley de Contrato de Seguro*, cit., pág. 65.

en base a estas irregularidades de la autorización puesto que, en este caso, es evidente que lo que se alega para impugnar el contrato es una anomalía o infracción única y exclusivamente imputable a la propia entidad aseguradora. Es evidente que las autorizaciones y controles administrativos sirven fundamentalmente para controlar la solvencia y capacidad de cumplimiento de las entidades aseguradoras en favor del asegurado. Por consiguiente, no puede perjudicar, de ningún modo, una posible sanción de nulidad de un contrato de seguro al asegurado cuando el obtener y mantener en regla la autorización es obligación exclusiva del asegurador.

Por último, se debe poner de manifiesto la estrecha relación en la que se encuentra la sanción de nulidad y las acciones de responsabilidad. Inmediatamente después de considerar como nulos de pleno derecho los contratos de seguro realizados por entidades no autorizadas, se apunta que todos los efectos de la nulidad se llevarán a cabo sin perjuicio de la responsabilidad derivada del deber de indemnizar tanto el pago de la prestación pactada como los restantes daños y perjuicios que hubiera podido ocasionar a los clientes del seguro. Como una mayor garantía para el asegurado no sólo se establece la obligación del asegurador de indemnizar la prestación pactada sino que se establece una responsabilidad solidaria de la entidad y de los cargos de administración y dirección de la misma.

Esta garantía se establece en previsión de la posible insolvencia de las entidades que quizás por este motivo no obtuvieron o perdieron las autorizaciones pertinentes. Ante la posibilidad de que la entidad aseguradora no pueda afrontar el pago de las prestaciones pactadas en los contratos de seguros que tiene convenidos se establecen especiales mecanismos de responsabilidad. Tendremos seguidamente ocasión de analizar con mayor profundidad este aspecto de la responsabilidad como complemento o sustitutivo de la nulidad en general.

4. La Responsabilidad derivada de la ineficacia

4.1. Introducción

Este supuesto de responsabilidad derivada de la nulidad del contrato es uno de los primeros que se le ocurrió a IHERING al crear la teoría de la responsabilidad por *culpa in contrahendo*. El caso paradigmático que puso este autor como ejemplo de este tipo de responsabilidad es el de la nulidad del contrato por contravenir una norma prohibitiva. Se trataba de una compraventa prohibida como es aquella en la que se halla el objeto fuera del comercio (*bona sacra vel religiosa vel publica*)[317]. Esta tesis ha sido plenamente

---

[317] GARCÍA RUBIO, M.P., *La responsabilidad precontractual en el derecho español*, Madrid, 1991, pág. 27, ASUA GONZÁLEZ, C.I., *La culpa in contrahendo*, Bilbao, 1989, págs. 26 y 148., LACRUZ BERDEJO, J.L., *Elementos de...* op. cit., T. II, vol 2°, pág. 388,

adoptada por el ordenamiento jurídico alemán[318]. Este tipo de responsabilidad tiene en cuenta la culpa en el desenvolvimiento de la prestación dentro del contrato ya concluido. Como advierte FLUME: «cuando un negocio jurídico nulo aún no ha sido puesto en práctica, ocurre lo mismo que cuando el negocio ni siquiera se ha celebrado. La responsabilidad según los §§ 307 y 309 (BGB) constituyen una excepción»[319] A partir de aquí nos podemos plantear varias cuestiones sobre el complemento de la responsabilidad en los casos de ineficacia contractual que pasaremos a analizar más adelante.

El impacto de la doctrina de la «*culpa in contrahendo*» ha tenido gran alcance, superando las fronteras del derecho contractual alemán. Como observan en un análisis comparado KESSLER y FINE, esta doctrina ha tenido gran influencia en el derecho contractual de Austria y Suiza, ha sido ampliamente discutido entre la doctrina francesa influyendo indirectamente en su jurisprudencia, ha inspirado directamente al legislador italiano en la redacción de los preceptos 1337 y 1338 del Código italiano de 1942 e, incluso, se ha empleado en el *Common Law*. Mantienen estos autores que mientras que en los países del *Civil Law* se emplea la doctrina de la *culpa in contrahendo*, en gran medida, para mitigar la teoría de la voluntad, en el *Common Law*, que parte del otro extremo, se ha empleado como arma para suavizar el rigor de la teoría objetiva de los contratos[320].

En España no se ha positivizado concretamente en ningún precepto del Código Civil esta posibilidad de reclamación de daños y perjuicios en los casos de ineficacia contractual[321]. Aún así, nuestra doctrina ha considerado perfec-

---

PUIG BRUTAU, J., *Fundamentos de...* op. cit., pág. 248, DIEZ-PICAZO, *Fundamentos de...*, op. cit., pág. 271.

[318] Resulta revelador que en los tratados, al explicar que todo contrato contrario a una prohibición legal es nulo por aplicación del § 134 del B.G.B., seguidamente, se pase a matizar el significado de ese parágrafo concordándolo con el 309 del mismo texto legal. «Pero aquella parte que conociera o tuviera que conocer la circunstancia de ser el contrato contrario a la prohibición legal, tiene que resarcir a la otra el interés negativo a menos que también ésta conociera o tuviera que conocer esa prohibición». ENNECERUS, *Tratado...* cit., T. II, 1, pág. 142, HEDEMANN, J.W., *Tratado de Derecho Civil*, vol. III, cit., págs. 164-166, MEDICUS, D., *Tratado de las relaciones obligacionales*, vol. I, cit., pág. 59, LARENZ, K., *Derecho de obligaciones*, T. I., cit., págs. 106-111.

[319] FLUME, W., El negocio jurídico, trad. J.M., Miquel González y E. Gómez Calle, Madrid, 1998, pág. 651.

[320] KESSLER F., y FINE, E., «*Culpa in contrahendo, bargaining in good faith, and freedom of contract: a comparative study*», en *Harvard Law Review*, vol. 77, Nº 3, Enero, 1964, págs. 406-407 y 437.

[321] Por supuesto, el primer ordenamiento que recogió positivamente estas teorías sobre la *culpa in contrahendo* fue el alemán: El B.G.B. tiene una regulación de la responsabilidad por *culpa in contrahendo* recogida en el epígrafe 309 titulado «contrato que infringe una Ley» dispone: «Si un contrato infringe una prohibición legal, se aplicarán respectivamente los epígrafes 307 y 308.» El epígrafe 134 establece «prohibición legal»: «Un negocio jurídico que infringe una prohibición legal, es nulo, si no resulta otra cosa de la Ley».

tamente importable la teoría alemana y la ha venido desarrollando para facilitar su aplicación por los tribunales[322]. Sin embargo, la jurisprudencia en la materia, pese a que no parece tener inconvenientes en emplear estas teorías[323], no deja de ser bastante escasa.

4.2. Justificación

La nulidad clásica no es una sanción en el sentido de coerción[324], pero no podemos olvidar que mientras la eficacia implica siempre el alcanzar los intereses de las partes, la ineficacia perjudica estos intereses, en principio, los de ambas partes. Obviamente, lo que satisface plenamente los intereses y expectativas de las partes es la eficacia del contrato que pactaron.

En realidad, —como decimos— la nulidad no es una sanción, porque no es una pena que la Ley establece para el que la infringe con mayor o menor

---

El 307 adaptado a la ilegalidad dispondría lo siguiente: «Interés negativo». El que en la conclusión de un contrato que infringe la Ley, conoce o debe conocer la infracción de la legalidad, está obligado al resarcimiento del daño que la otra parte sufra, debido a que confiaba en la validez del contrato, sin sobrepasar, no obstante, el montante del interés, que la otra parte tiene en la validez del contrato. La obligación resarcitoria no tiene lugar, si la otra parte conoce o debe conocer la ilegalidad.

En el derecho italiano, otro de los que recogen positivamente en el texto de su Código Civil la responsabilidad por culpa in contrahendo. Primero se recoge la responsabilidad precontractual en el art. 1337, en el cual pese a la denominación no establece nada más que las partes en desarrollo de los tratos previos y en la formación del contrato deben comportarse según la buena fe. Lo relevante del Código es que recoge un **precepto de culpa in contrahendo cuando el contrato es inválido. art. 1338.** Bajo el epígrafe de conocimiento de la causa de invalidez se contiene la siguiente norma. La parte que conociendo o debiendo conocer la existencia de una causa de invalidez del contrato (1418), no ha dado noticia de ello a la otra parte está obligada a resarcir el daño por ésta padecido por haber confiado, sin su culpa, en la validez del contrato.

Pero para estos ordenamientos jurídicos, en los que se recoge expresamente en el articulado de sus respectivos códigos una previsión de responsabilidad, es más frecuente su alegación por las partes y aplicación por los tribunales. También es un tema más tratado por la doctrina.

[322] Blas PÉREZ GONZÁLEZ y José ALGUER en las notas al *Tratado de Derecho Civil* de ENNECERUS, KIPP y WOLF, en cuanto a la aplicación al Derecho español de la posibilidad de reparar el daño que pueda ocasionar la nulidad de los contratos contrarios a una prohibición legal manifiestan expresamente: «*Entendemos que la parte que conociera la prohibición legal está sujeta a indemnizar el interés negativo a la parte que no lo conociera, pero esta doctrina no puede afirmarse sin hacer la salvedad de la valoración poco uniforme que la jurisprudencia da al error de derecho. (Sentencias de 12 de febrero 1898, 4 de abril 1915 y 27 de abril de 1921)»* ENNECERUS, L, KIPP, T., WOLF, M., *Tratado de Derecho Civil*, T. II. 1, pág. 161.

[323] Así las sentencias de 3 de febrero y 30 de diciembre de 1986 y 23 de junio de 1992 consideran expresamente que no existe incompatibilidad de clase alguna entre ambas acciones (de nulidad de la relación contractual y la indemnización de daños y perjuicios nacida de ella).

[324] RATTIN, L., *Sugli effetti dei...* op. cit., pág. 25.

gravedad dependiendo de la magnitud de la infracción. En realidad, la nulidad no es sino la consecuencia de un vicio que disminuye o anula (según sea parcial o total) la estimación de una cosa y que hace que el contrato quede falto de valor y fuerza para obligar y tener el efecto previsto por las partes. Esta consideración de la nulidad priva tanto de una imputación individualizada de la infracción legal a cualquiera de las partes como de la consiguiente gradación de consecuencias derivadas del nivel de culpabilidad y de la gravedad de la ilegalidad.

Como sabemos ya, el planteamiento clásico resulta sencillo: la Ley ha sido infringida o no lo ha sido; en el primer caso el contrato será nulo, con lo cual se aplican los efectos de la nulidad con todo su rigor. Según la teoría clásica, resultaría indiferente para la aplicación de la nulidad el que las partes hayan perseguido a propósito la infracción o que no fuesen conscientes de ella. Para esta teoría clásica no caben consideraciones subjetivas a la hora de evaluar las consecuencias de la ilegalidad. Por consiguiente, este tipo de consideraciones se han de reservar para dilucidar responsabilidades por daños una vez aplicada la ineficacia que objetivamente corresponda.

Siguiendo este sencillo planteamiento, para esta teoría resulta fácil distinguir entre la consecuencia de la ilegalidad y la responsabilidad. La consecuencia inmediata de la ilegalidad es la nulidad que restablece la legalidad, mientras que la responsabilidad es la obligación de reparar y satisfacer los daños y perjuicios derivados de la nulidad, consecuencia de una culpa o de otra causa legal. Los daños y perjuicios derivados de la nulidad existen porque sus efectos no llegan a conseguir totalmente dejar a las partes como si nunca se hubiese producido el contrato ilegal. Además, aunque se consiga restaurar el estado en el que se encontraban las partes antes de realizar el contrato siempre se pueden producir ciertos daños derivados del lucro cesante o los beneficios dejados de obtener por esa ineficacia.

Lo que ocurre es que los efectos naturales de la nulidad son la no obligatoriedad de cumplimiento (inejecutividad) y la restitución de las prestaciones ya cumplidas. Efectos que no afectan de la misma forma a los intereses y patrimonios de las partes y puede suponer un resultado injusto (verdadera «sanción») para alguna de ellas. Esto puede significar en la práctica —tal y como se lo plantean los tribunales— el infligir un correctivo a las partes, sea parte culpable o no, desproporcionado con la naturaleza de la falta.

En muchos casos puede darse la paradoja de que la supuesta «sanción» que suponen los efectos de la nulidad beneficie o premie, en cuanto incumplimientos y efectos restitutorios, a la parte culpable de la infracción o a aquella a la que la ley infringida no trata de proteger en perjuicio de la parte que obró de buena fe. Si se llega a estos resultados —porque no se han podido evitar con la aplicación de las distintas variantes de ineficacia— es lógico que proceda una inmediata reparación de los daños y perjuicios producidos en el patrimonio del contratante de buena fe.

En resumidas cuentas, los efectos de la nulidad pueden producir lesiones en los diversos intereses y patrimonio de las partes. Muchas veces, la causa última de estos daños podrá ser imputable al responsable de la ilegalidad o ilicitud del contrato. Estos daños y perjuicios son también consecuencia, aunque indirectamente, de la ilegalidad y su reparación, cuando proceda, tendrá que considerarse corrector de sus efectos[325].

Dentro de la ineficacia derivada de la ilegalidad, si se aplica la modalidad más severa, esto es, **la nulidad radical**, los drásticos efectos que ésta va a producir pueden suponer un verdadero «castigo» para las partes (en principio para las dos partes al quedar frustrados los intereses que les empujaron a contratar)[326]. Es lógico que con el correctivo más grave que se aplicaría, rígida y objetivamente, en los casos de ilegalidad se produzcan desajustes patrimoniales que si luego no se tratan de corregir, resarciendo a la parte que no ha tenido culpa en la infracción, el resultado podría ser injusto. Partimos de que todo contrato supone una distribución de riesgos entre las partes. Podemos considerar que la posibilidad de la nulidad se puede considerar uno de esos riesgos. El comportamiento de alguna de las partes puede modificar esa distribución de riesgos, sobre todo si conoce su realidad o la provoca. Si el juez quiere rectificar los drásticos efectos que produce la aplicación de la nulidad radical conforme al comportamiento de cada parte, deberá hacer su corrección posteriormente dilucidando responsabilidades.

Si no se tienen en cuenta consideraciones subjetivas a la hora de aplicar la ineficacia derivada de la ilegalidad, al menos, se tendrán que tener en cuenta con posterioridad para adecuar sus efectos. Es decir, conviene, una vez conocidos y producidos los efectos del contrato ilegal, valorar todas las piezas que componen las relaciones interpartes y sus intereses en juego aplicando las reglas de la responsabilidad. Esta valoración se considera importante porque, en general, el derecho contractual tradicional siempre ha carecido de la más mínima flexibilidad en cuanto al correctivo aplicable a una infracción legal.

Esta flexibilidad en la aplicación de las reglas de la ineficacia derivada de la ilegalidad contractual parece que ya se está teniendo en cuenta, no sólo por la jurisprudencia, también por el legislador directa o indirectamente[327]. Ya se ha tenido ocasión de comprobar cómo se van creando nuevas variantes en la

---

[325] LÓPEZ BELTRÁN DE HEREDIA, C., *La nulidad contractual...* op. cit. pág. 369, LACRUZ BERDEJO, J.L., *Elementos de...* op. cit. págs. 387-388, DIEZ-PICAZO, L., *Fundamentos de...* op. cit. págs. 442-443, DÍEZ-PICAZO Y GULLÓN *Sistema de...* op. cit. pág. 123.

[326] DÍEZ-PICAZO y GULLÓN BALLESTEROS en su *Sistema de...* op. cit. vol. II, pág. 123, proponen como primer supuesto indudable de aplicabilidad de la acción de reclamación de daños y perjuicios, cuando el contrato es nulo absolutamente y en segundo lugar se lo plantean en los casos de anulabilidad para acabar respondiendo lógicamente en sentido afirmativo también.

[327] Vid. Supra. Epígrafe «Virtualidad de las nuevas sanciones de ineficacia».

ineficacia para adecuar perfectamente los casos de ilegalidad contractual a los supuestos concretos. La adecuación supone tratar de que no se deriven daños tanto de la declaración de ineficacia como, sobre todo, de sus efectos restitutorios y que si aquellos se tienen que producir sean los menores posibles. En consecuencia, si no hay daños no puede posteriormente derivarse responsabilidad.

Por esta razón, no consideramos asumible en nuestro ordenamiento jurídico la crítica que hacen KESSLER y FINE al poner de relieve que el éxito de la doctrina de *la culpa in contrahendo* (éxito relativo en nuestro país) indica la inadecuación del modelo empleado o presupuesto en la teoría clásica de contratos y las grandes codificaciones del *Civil Law*[328]. La doctrina de la *culpa in contrahendo* tan sólo serviría de complemento en aquellos casos en los que el efecto restitutorio de la ineficacia no consiga su finalidad reintegradora al tratar de reponer la situación preexistente a la infracción. Además, como veremos, este tipo de responsabilidad se adecúa perfectamente al régimen general de responsabilidad que prevé nuestro Código Civil.

4.3. La responsabilidad como complemento de la ineficacia contractual

Será bastante frecuente que el que trate de obtener el resarcimiento de los daños sea el contratante que, efectivamente, ignoraba la causa de ilegalidad del contrato al momento de contratar y, posteriormente, al conocerla lo denuncia ante los tribunales. En este caso la acción de nulidad puede acompañarse accesoriamente de una acción solicitando la indemnización de los daños y perjuicios. Es decir, en general, podemos indicar que la acción de responsabilidad por *culpa in contrahendo* se suele interponer de forma accesoria junto con la acción de nulidad por el actor demandante.

Sin embargo, el que la acción resarcitoria sea complemento de los efectos de la nulidad no quiere decir que sea exclusivamente el que interpone la acción de nulidad el que tenga la posibilidad de reclamar la indemnización, aunque de ordinario así suceda.

Ocasionalmente, puede darse la circunstancia de que precisamente sea el demandado quien en reconvención, o con posterioridad en otro procedimiento, reclame la reparación de todos los perjuicios que le suponga la nulidad del contrato. Éste es el caso en el que el contratante que conocía la ilegalidad del contrato en el momento de contratar considera más ventajoso para sus intereses conseguir o provocar la nulidad del contrato, con los efectos de ésta, que soportar el cumplimiento del mismo. Realmente, los efectos de la nulidad no serán otros que los que produciría una resolución unilateral del contrato. En estos casos en los que la misma parte que insta la nulidad es la que actúa

---

[328] KESSLER, F., y FINE, E., «*Culpa in contrahendo...*, cit., pág. 407.

de mala fe cabría, en algunos casos, la posibilidad de negarle la acción[329]. Pero, en el caso en el que no se aplique esta denegación de la acción de nulidad, por supuesto, cabe otorgar una indemnización por los daños al contratante de buena fe. Se trata de llegar a un mismo resultado de justicia por dos vías de política legislativa completamente diferente.

La primera opción sería optar por una medida preventiva no otorgando acción al contratante que pretende la nulidad del contrato después de actuar de mala fe conociendo y provocando la ilegalidad. La segunda sería respetando la tradicional concepción de la nulidad como categoría absoluta y automática y tratando de mitigar sus efectos.

Por último, queda señalar que esta accesoriedad de la acción resarcitoria respecto de la acción de nulidad, obviamente, tampoco se dará en aquellos casos en los que la nulidad absoluta del contrato haya sido declarada de oficio o sea requerida por un tercero. Aunque en este último caso nos salimos del supuesto típico de la *culpa in contrahendo*.

En principio, los efectos de la nulidad establecidos en el artículo 1303 del Código Civil tratan de restablecer el orden preexistente antes de que se hubiese celebrado el contrato y equilibrar, de la mejor forma posible, la situación creada por la ilicitud. Sin embargo, no siempre se va a conseguir a resultas de estas medidas restitutorias una idónea y equitativa situación patrimonial en ambas partes contratantes. Por esta razón siempre queda la posibilidad de exigir resarcimiento de daños y perjuicios derivados de la ineficacia contractual en manos de los contratantes perjudicados frente a los contratantes que causaron dicha ineficacia.

Buena muestra de que no en todos los casos estos remedios que ofrece la ineficacia del contrato tienen unas consecuencias deseables es que encontramos algunos preceptos legales que tratan de regular ciertas liquidaciones a realizar por la ineficacia o resolución del contrato:

– Este es el caso del artículo 9 de la Ley 7/1995, de 23 de marzo de Crédito al Consumo. En este artículo se establece en primer lugar la regla general de la nulidad de restitución recíproca de prestaciones pero se añade: «En todo caso, el empresario o el prestamista a quien no sea imputable la nulidad del contrato tendrá derecho a deducir:

a) El 10 por 100 del importe de los plazos pagados en concepto de indemnización por la tenencia de las cosas por el comprador.

b) Una cantidad igual al desembolso inicial por la depreciación comercial del objeto. Cuando esta cantidad sea superior a la quinta parte del precio de venta, la deducción se reducirá a esta última.

Por el deterioro de la cosa vendida, si lo hubiere, podrá exigir el vendedor, además, la indemnización que en derecho proceda».

---

[329] Vid supra epígrafe «3ª Variante: La negación de la acción de nulidad a la parte culpable de la ilegalidad».

Podemos plantearnos la cuestión de si no resulta superflua e innecesaria esta última previsión legal de la Ley de Crédito al Consumo. Ciertamente, aplicando las reglas generales de responsabilidad derivada de la ineficacia que estamos analizando, no haría falta que la Ley apuntase nada al respecto. Sin embargo, por un lado, la poca experiencia jurídica que se tiene en materia de responsabilidad por *culpa in contrahendo* y, por otro lado, el hecho de que nos encontremos ante una Ley especial que, en general, está diseñada para la tutela o defensa de la parte contratante compradora que coincide precisamente con el colectivo de consumidores parece que impulsaron al legislador a dejar bien dibujada esta posibilidad en la Ley. Además, se encarga de cuantificar y objetivizar la responsabilidad exigible.

Se ha tenido ocasión de observar el extraño régimen de responsabilidad que parecía establecer el artículo 12.2 de la ley de Condiciones generales al vincularlo a la acción colectiva de cesación[330].

Por último, merece la pena reseñar que PAGADOR LÓPEZ entiende que existe en el artículo 10 bis) 2 de la Ley General para la Defensa de los Consumidores y Usuarios unos derechos resarcitorios del consumidor que sufra un perjuicio derivado de la ineficacia total del contrato. Ya conocemos la peculiaridad de esta nulidad derivada de una hipotética situación no equitativa en la posición de las partes y la excepcionalidad de que esta situación no pueda ser subsanada. Este especial reconocimiento legal de responsabilidad, según este autor, sería extensible por analogía no sólo a consumidores o usuarios sino a cualquier predisponente que viese su contrato totalmente anulado en virtud del artículo 9.2 de la Ley sobre Condiciones Generales de la Contratación. Entiende este autor que se encuentran dentro de las facultades moderadoras del juez para atemperar las radicales consecuencias de tal ineficacia el reconocer estos derechos indemnizatorios. Sin embargo, mantiene que el fundamento de esta facultad resarcitoria no estriba en la responsabilidad por *culpa in contrahendo* sino en la idea de que corresponde al predisponente soportar el riesgo derivado de la utilización de clausulados contractuales ilícitos o abusivos[331].

La intención de cambiar el fundamento de los derechos indemnizatorios del consumidor o predisponente no es caprichosa. Se parte de la idea de que, en principio, no se va a poder exigir responsabilidad por culpa al predisponente que ha instado y obtenido la nulidad total del contrato. Como expone RUIZ MUÑOZ se parte del presupuesto de que al predisponente en ningún caso le va a estar permitido invocar la nulidad total en tanto en cuanto le sea imputable la utilización de un clausulado contractual ilícito o abusivo. En estos casos esta nulidad era perfectamente previsible por parte del predisponente que primero

---

[330] Vid. supra epígrafe «Las acciones colectivas de la Ley sobre Condiciones Generales de la Contratación»

[331] PAGADOR LÓPEZ, J., *Condiciones generales y....* op. cit. págs. 718-719.

la provoca y después la invoca. Ya tuvimos ocasión de observar como juega en estos casos la buena o mala fe del actor como factor determinante para que jueces y tribunales otorguen o denieguen la acción de nulidad. Cuando se puede declarar la nulidad total del contrato es porque la posición del predisponente que la alega es totalmente irreprochable y, en consecuencia, no se le puede imputar responsabilidad alguna *por culpa in contrahendo*[332].

Por esta razón, se trata de incardinar esta responsabilidad del empresario predisponente dentro de la especial responsabilidad que se deriva de la propia Ley 26/1984 General para la Protección de Consumidores y Usuarios. Esta ley en su afán de tutelar a los consumidores y usuarios les reconoce el derecho a ser indemnizados por los daños y perjuicios que sufran como consecuencia del consumo de bienes o la utilización de productos o servicios. El régimen especial de responsabilidad se encuentra contenido en sus artículos 25 a 29, en los que en ocasiones se emplea la responsabilidad por culpa, aunque se invierta la carga de la prueba a favor del consumidor (artículos 26 y 27), mientras que en otras ocasiones se establece la responsabilidad objetiva (artículo 28). Podríamos utilizar uno de estos regímenes de responsabilidad por riesgo o responsabilidad objetiva para el caso que nos ocupa, habida cuenta que esta separación de regímenes no aparece nítidamente establecida en el articulado de la ley pero que se aplican tanto en el ámbito contractual como extracontractual, es decir, aunque el consumidor no tenga vínculo jurídico con el empresario[333].

Ciertamente, si se puede entender que el artículo 10 bis) 2 está estableciendo un especial régimen de responsabilidad, al disponer que el Juez que declara la nulidad dispone de facultades moderadoras respecto de las consecuencias de la ineficacia en caso de perjuicio apreciable para el consumidor o usuario, no habría necesidad de acudir a las reglas generales de responsabilidad por *culpa in contrahendo*. De esta forma se podría acudir a una responsabilidad objetiva del predisponente y se podrían exigir indemnizaciones con independencia de que se cumplan o no los presupuestos de la responsabilidad por *culpa in contrahendo*. Más discutible es, sin embargo, que se pueda extender analógicamente este especial régimen de responsabilidad a los contratos anulados en virtud de la Ley sobre Condiciones Generales de la Contratación pues parece que para escapar del régimen general que sería el de la *culpa in contrahendo* la Ley debería indicar otro especial y en este punto, como el propio PAGADOR LÓPEZ reconoce, los artículos 9 y 10 de dicha ley guardan silencio.

Por esta razón, y aunque la propuesta de PAGADOR LÓPEZ sea plausible, tampoco nos parece necesario realizar tal esfuerzo interpretador puesto

---

[332] RUIZ MUÑOZ, M., *Nulidad del contrato con condiciones generales*, cit. págs. 265-266 y 281-285.

[333] vid SÁNCHEZ CALERO, F., *Instituciones de derecho mercantil*, T. I, 18ª ed., Madrid, 1995, pág. 76 y jurisprudencia citada.

que, en todo caso, el supuesto al que se trata de dar solución es prácticamente inexistente. Sencillamente no acertamos a ver el problema. Cualquier tipo de nulidad que se produzca en el contrato como consecuencia de inclusión de cláusulas irregulares o de contenido ilegal, va a ser achacable al predisponente que las redactó o las asumió en su tráfico comercial. Al menos tenemos seguro que a la parte adherente no le va a ser, en ningún caso, imputable dicha nulidad. Por esta razón se aplicará la *culpa in contrahendo* para derivar las consecuentes responsabilidades del predisponente, derivadas de la nulidad que provocaron determinadas cláusulas del contrato. En el caso en el que se le niegue la acción de nulidad por el juez precisamente por observarse que el que ha provocado la nulidad pretende declararla para aprovecharse de sus efectos se evitarán los perjuicios de la contraparte. Se llegaría a la misma solución desde dos vías diferentes.

A pesar de todo lo expuesto, se debe insistir en que todo el problema que hemos expuesto se acabaría de admitir que la legitimación para instar la nulidad total queda vedada al empresario o predisponente. No se comprenden tantas reservas y temores en restringir esta legitimación activa de la acción de nulidad, habida cuenta del carácter tan marcadamente tuitivo de las leyes que tratamos. Con esta limitación en la legitimación eliminamos el problema, puesto que siendo la parte que se trata de proteger la única que pueda instar la nulidad total no la solicitará si esto supone más perjuicios que beneficios.

Creemos que basta realizar el ajuste que propugnamos en la legitimación de la acción de nulidad y que no es necesario llegar al extremo que propugna RUIZ MUÑOZ, para quien lo mejor hubiera sido que el legislador no hubiese recogido esta posibilidad de la nulidad total de una viabilidad tan extremadamente escasa[334].

También de esta forma evitaríamos complicar más aún el tema con disquisiciones un tanto baldías sobre la naturaleza jurídica de la ineficacia que establece el artículo 10 bis) 2°. Naturaleza que se ha tratado de asimilar a la de la anulabilidad, la rescisión e incluso la resolución contractual[335]. Realmente la ineficacia a la que se refiere tal artículo es la misma que expresamente califica el artículo 9.2 de la Ley de Condiciones Generales como de nulidad. Nulidad que es la sanción propia y general que nuestro ordenamiento jurídico atribuye a los contratos ilegales. Lo único que se debe matizar es que los efectos especialmente marcados por el propio espíritu que preside la ratio de las normas estudiadas se hacen depender de la iniciativa de una de las partes contratantes que será el consumidor o predisponente[336].

---

[334] RUIZ MUÑOZ, M., *Nulidad parcial del contrato con condiciones generales*, cit. pág. 285.

[335] PAGADOR LÓPEZ, J., *Condiciones generales y cláusulas contractuales predispuestas...* cit. págs. 707-717.

[336] Estos autores no son los únicos que propugnan la aplicación de la responsabilidad como una óptima, aunque no siempre suficiente, solución en los casos de excepcional aplicación de la nulidad total, en lugar de la nulidad parcial, por existir insalvables

4.4. Los sujetos de la responsabilidad

De ordinario, obligada a indemnizar estará la contraparte de quien reclama la invalidez. Pero también puede estarlo, por el contrario, el mismo que reclama la nulidad en la medida en que la contraparte ni conoció ni debió conocer la causa de invalidez (e imponer tal indemnización no contradiga la finalidad protectora de la norma infringida que ha otorgado legitimación para impugnar). Esta responsabilidad podría exigirse, por ejemplo, en caso de apreciarse causa torpe por parte de quien la invoca para negarse a cumplir[337]. En definitiva, para aplicar la responsabilidad deberemos analizar la buena o mala fe, culpabilidad o negligencia de los contratantes.

Como hemos dicho, en el caso en el que se produzca una ilegalidad contractual no bastará con aplicar los modelos de ineficacia de una forma objetiva, tendiendo a evitar que la infracción se consume o se consolide (verdadera función de la ineficacia). Posteriormente, habrá que atemperar sus posibles efectos negativos para la parte de buena fe con la posibilidad de la exigencia de responsabilidad. Pero para que se pueda aplicar esta responsabilidad se han de dar ciertas circunstancias en la conducta de las partes contratantes. Procederá esta responsabilidad cuando una de las partes haya actuado de buena fe y la otra de mala fe respecto de la ineficacia. El contratante de mala fe será aquél que conocía o debía conocer la ilegalidad del contrato programado y su incidencia y no la manifiesta. Por el contrario, será considerado de buena fe el contratante que ignoraba el vicio de ilegalidad del contrato y sus repercusiones.

Resulta especialmente problemático, en el caso que nos ocupa, no apreciar cierta negligencia en la parte perjudicada, presumiblemente de buena fe. No resulta fácil considerar que existe un contratante de buena fe si pensamos que las prohibiciones legales deben ser conocidas por todos los que empleen un mínimo de diligencia. Por esta razón no va prosperar con frecuencia la acción indemnizatoria[338].

---

desequilibrios patrimoniales en las prestaciones (BERCOVITZ, R., *Estudios jurídicos sobre protección...*, cit., págs. 202-203, DÍEZ-PICAZO y GULLÓN, *Sistema de Derecho Civil...*, vol. I, cit., pág. 358, LACRUZ BERDEJO, J. L., *Elementos de Derecho Civil...*, T. II, vol. 2, cit., pág. 43, BLANCO PÉREZ RUBIO, L., «El control del contenido...», cit., pág. 36, PERDICES HUETOS, A. B., *Comentarios a la Ley sobre Condiciones...*, cit., ág. 533, DUQUE DOMÍNGUEZ, J. F., «Las cláusulas abusivas...», cit., pág. 498, CLAVERÍA GOSÁLVEZ, L. H., *Comentarios a la Ley General para...*, cit., págs. 343 y 347). Sin embargo, ninguno apunta el contrasentido que supone tener que declarar una nulidad total del contrato, en lugar de mantener algún efecto del mismo mediante una sencilla nulidad parcial, para evitar irremediables desequilibrios en las prestaciones y, a renglón seguido, conceder una indemnización para el resarcimiento de otros desequilibrios patrimoniales, pero éstos provocados por la propia anulación.

337 Sentencia de 10 de febrero de 1962.
338 ASUA GONZÁLEZ, C. I., *La culpa in...* op. cit., pág. 148, nota 479.

Esto nos puede llevar a proponer, en algún caso, que cuando ambas partes hayan actuado de mala fe no se compensen ambas culpas. Se podría entender que puesto que siempre estaremos ante comportamientos diferentes se agrave la situación de quien ha actuado con una mala fe mayor[339]. En este caso, la menor mala fe sería la de aquel que ignoraba realmente la existencia del vicio del imperativo legal que pesaba sobre el contrato y de sus consecuencias, aunque podría o debería haberlo conocido. Tengamos presente que todo ciudadano podría conocer las leyes que le afectan empleando una diligencia media y que, incluso, podría presumirse, en principio, su conocimiento dada la publicidad formal que ostenta toda norma jurídica.

La iniquidad de la consideración de que la *ignorantia legis* es siempre inexcusable y por lo tanto no puede tenerse en cuenta ha hecho que en Italia parte de la doctrina se haya inclinado a atenuarla[340]. Sin embargo, no vemos aquí como inconveniente insalvable para aplicar la responsabilidad la disposición de que la ignorancia de las leyes no excusa de su cumplimiento prevista en el art. 6.1º de nuestro Código. Al contrario de lo que nos ocurría para justificar la aplicación de la inoponibilidad de la nulidad por causa de mala fe, pensamos que si se admite que se aplique la nulidad con todas sus consecuencias para cumplir la norma se tenga en cuenta la ignorancia de la ley para afinar o armonizar la responsabilidad. Esta aplicación de la nulidad en cumplimiento de la norma no impediría que posteriormente se reclamase el resarcimientos de los daños por el que ignoraba la norma y tuvo que cumplirla.

También esta dificultad de declarar si las partes son más o menos responsables existe si ambas tienen excusas suficientes para confiar en una aparente regularidad del contrato. Este último supuesto, según PIÉDELIÈVRE, permite que en lugar de hacer referencia a la noción subjetiva de culpa puedan funcionar solamente criterios de imputabilidad objetiva basados en circunstancias de hecho, actuaciones de las partes y no sólo en lo que hayan creído o confiado, aunque siempre será necesaria cierta negligencia o reprochabilidad[341].

4.5. Naturaleza jurídica, plazo de prescripción y alcance de la indemnización

4.5.1. *Naturaleza jurídica de esta responsabilidad por 'culpa in contrahendo'*

Esta responsabilidad podemos decir que recibe la denominación genérica de responsabilidad precontractual. Pero, aún bajo esta denominación, esta

---

[339] DIEZ-PICAZO, L., *Fundamentos* ... op. cit. pág. 442.
[340] RIZZO, V., *Códice Civile...* cit., T. 4.1, art. 1338. pág. 327.
[341] PIÉDELIÈVRE, J., *Des effets produits par les actes nuls...* cit., págs. 481-482 y 486-487.
[342] No vamos a entrar en la polémica doctrinal sobre la naturaleza jurídica de esta responsabilidad que escapa al alcance del objeto de esta tesis. Todos los tratados y manuales al uso, cuando tratan de la responsabilidad precontractual, se pronuncian sobre su naturaleza contractual o extracontractual. Nosotros, simplemente, vamos a

responsabilidad parece que plantea innumerables controversias sobre su naturaleza jurídica contractual o extracontractual[342]. Esta polémica llega hasta el punto de encontrar entre ambos posicionamientos otras teorías eclécticas o, incluso, que la consideran como una responsabilidad independiente[343]. Las consecuencias de esta calificación son fundamentalmente en cuanto al plazo de prescripción de la acción, responsabilidad por los auxiliares, responsabilidad de terceros, carga de la prueba y alcance de la indemnización.

Debemos partir de que el concepto desde el Derecho alemán, que lo recoge positivamente tal y como fue concebido por IHERING, se incardina dentro de la responsabilidad contractual[344]. Pero, también debemos ser conscientes de que la responsabilidad extracontractual en Derecho alemán tiene un régimen específico y casuístico (§ 823.1 y 2 y § 826) cuya configuración no protege directamente el patrimonio (§ 823.1). Por el contrario, el régimen jurídico de la responsabilidad obligacional cuenta con una cláusula general según la cual el deudor responde por dolo y culpa (§ 276)[345].

Pero fuera de las peculiaridades del Derecho alemán, el más amplio sector doctrinal en el derecho comparado la suele incluir en la categoría de la responsabilidad extracontractual[346]. Esta es la opinión dominante en todos

---

apuntar algunas ideas al hilo de los casos que nos atañen. Es decir nos vamos a referir, exclusivamente, a la responsabilidad respecto a la nulidad del contrato ilegal.

[343] En España lo ponen de manifiesto ASUA GONZÁLEZ, C. I., *La culpa in...* op. cit., pág. 194-195, GARCÍA RUBIO, M.P., *La responsabilidad precontractual en...* op. cit., págs. 78-84. Pero esta discusión es muchísimo mas atendida en Italia DE CUPIS, A., *El daño*, trad. A. Martinez Sarrión, Barcelona, 1975, pág. 166, LOI, M.L., TESSITORE, F., op. Cit., págs. 110-114, en este país es fácil encontrar autores que varían su posición de una postura extracontractualista a una contractualista o a una ecléctica como MESSINEO o GALGANO, GALGANO, F., GALGANO, «*Il negozio giuridico*», en *Tratt. dir. civ. comm.* dirigido por CICU y MESSINEO, continuado por MENGONI, Milán, 1988, pág. 249. *El negocio jurídico*, trad. Española, F. Blasco y L. Prats, Valencia, 1992 pág. 464, nota 25 a)

[344] ENNECERUS-LEHMANN, op. cit. Vol. II, VON TUHR, A., *Tratado de las obligaciones*, T. I y II, trad. Roces, W., 1ª ed., Madrid, 1934. T.I, pág. 142 y 263 nota 2, Sin embargo, LARENZ, K. en su *Derecho de obligaciones, Tomo I,* trad. Santos Briz, J. Madrid, 1958, pág. 107 reconoce que el fundamento jurídico del deber de indemnización de daños no puede ser una relación contractual.

[345] ASUA GONZÁLEZ, C. I., *La culpa in...* op. cit, pág. 36-38, GARCÍA RUBIO, M.P., *La responsabilidad precontractual en...* op. cit., pág. 62.

[346] Aunque todavía no deja de haber división de opiniones y posicionamientos de importantes autores sobre el tema en el derecho italiano. Valga de ejemplo ilustrativo el caso de GALGANO. Este autor, que figuraba entre los autores extracontractualistas, ha cambiado, recientemente, de parecer y ahora parece inclinarse por la teoría contractualista. GALGANO *El negocio jurídico,* trad. Blasco Gascó P., y Prats albentosa L., Valencia 1992, pág. 464. Sin embargo, en el derecho francés las tesis contractualistas no son ya mantenidas por la doctrina moderna. GARCÍA RUBIO, M.P., *La responsabilidad precontractual en...* op. cit., págs. 64-66.

los ordenamientos que, como el nuestro, tienen una concepción amplia y flexible de la responsabilidad civil[347]. Esta conclusión en el caso de la ilegalidad contractual es lógica ya que la *culpa in contrahendo* encuentra su fundamento en la violación de un general deber de conducta, independientemente de la preexistencia de una específica obligación de cumplir respecto a una contraparte. Además, se puede considerar que al provocar la declaración de nulidad la retroacción de todos los efectos al momento anterior a la celebración del contrato, como si tal contrato no se hubiese celebrado, indica claramente que no cabe una responsabilidad contractual.

La naturaleza de esta responsabilidad, en realidad, no es trascendental para las partes que la alegan ya que pueden ejercitar ambas acciones de forma alternativa o subsidiaria[348]. Incluso, aparte de la permisividad en cuanto a la posible yuxtaposición de responsabilidad contractual y extracontractual, en ocasiones, se admite que baste con proporcionar los hechos al juzgador para que éste aplique las normas en concurso (de ambas responsabilidades) que más se acomoden a ellos, todo ello en favor del perjudicado[349]. En la práctica, por tanto, basta con reclamar una responsabilidad genérica por los daños derivados de la culpa de la contraparte para que el juez la conceda. La calificación de dicha responsabilidad como de contractual o extracontractual se puede hacer por el juez en el mismo procedimiento o corregirse en caso en el que se considere incorrecta la calificación de las partes[350]. Además, en

---

[347] GARCÍA RUBIO, MP., *La responsabilidad precontractual en...* op. cit., pág. 67 y 78

[348] Como se afirma en la Sentencia de 20 de junio de 1995 «A tenor de la jurisprudencia de esta sala (citando una considerable cantidad de sentencias en las que se dice que nada obsta a la invocación correcta tanto del art. 1101, como del 1902 del código civil) no es anómalo el ejercicio alternativo o subsidiario de acciones basadas en culpa contractual y extracontractual» aunque en el caso se refiere a un supuesto en el que el hecho lesivo consecuencia del incumplimiento del contrato con una negligencia extraña a la materia propia del contrato, que se proyecta a terceros no parte del contrato.

[349] Sentencias de 15 de febrero de 1993 (Ar. 771), 5 de julio, 27 de septiembre y 29 de noviembre de 1994 (Ar. 5602, 7307 y 9165), 15 de junio de 1996 (Ar. 4774), entre otras.

[350] En este último punto no siempre encontramos unanimidad de criterio en la jurisprudencia. En unas sentencias, que parecen ser mayoritarias, se considera que en el caso en el que haya una demanda fundada, sólo, en culpa contractual o, sólo en culpa extracontractual: el juzgador no incurre en incongruencia si funda su decisión en normas de culpa distinta de las invocadas. Incluyéndose este caso dentro del supuesto del principio «Iura novit curia» (Sentencia 18 de febrero de 1997 (Ar. 1240) y las citadas en ella. Por otro lado, también podemos encontrar alguna sentencias que, por el contrario, mantenga que si se opta por sólo una de las acciones de responsabilidad, ya sea contractual o extracontractual, el juzgador ha de atenerse a la clase de acción ejercitada sin que pueda variarla, por alterar así la «*causa petendi*». Dentro de estos últimos está el reseñable caso de la sentencia de 26 de diciembre de 1997 (Ar. 9663). En este supuesto se pretendía cambiar, en fase de apelación y casación, la calificación de la acción de inicialmente interpuesta ante el juzgado de primera instancia. El motivo de pretender un cambio de calificación de la culpa de extracontractual a contractual no era otro que el procurar desvirtuar la excepción de prescripción estimada en la sentencia

virtud de la identidad en la finalidad reparadora de ambos tipos de responsabilidad el Tribunal Supremo no duda en hacer una aplicación analógica de
los preceptos reguladores de la responsabilidad contractual para algunos
supuestos indemnizatorios nacidos de un acto ilícito[351].

Pero aunque para las partes no es necesaria la concreción del concepto de
responsabilidad por el que se reclama, esta calificación no es intrascendente.
De esta calificación depende, en cierto modo, el objeto de reclamación, es decir,
el interés indemnizable y el plazo para reclamarlo. También, se pueden
observar algunas diferencias, aunque cada vez mas desvirtuada, en cuanto al
onus probandi de la culpa o negligencia, que en el caso de la responsabilidad
contractual favorece a la víctima del daño[352].

4.5.2. El alcance de la indemnización

Los daños y perjuicios, en estos casos, no son sencillos de cuantificar. En
muchos casos no se podrá determinar la indemnización de forma inmediata,
teniendo en cuenta que, en muchos casos, se solicita dicha indemnización en
el mismo proceso en el que se ventila la nulidad misma del contrato de la que
se derivan los daños.

En general, parece comúnmente aceptado que la indemnización del daño
viene limitada por el interés negativo. Se trata de restablecer en el patrimonio
de la víctima el equilibrio económico preexistente a la celebración del
contrato. En definitiva, se trata de resarcir tanto **el daño emergente como**

---

apelada alegando como aplicable el plazo de 15 años. Al tratarse de un accidente laboral,
apunta el Tribunal Supremo que de sustentarse la acción en la culpa contractual con
base en el contrato de trabajo que ligaba a las partes, entonces habría que declarar la
incompetencia de la jurisdicción civil.

[351] En la sentencia de 20 de marzo de 1990 se denunciaba por el recurrente la infracción de
los artículos 1101 y 1104 del Código Civil en atención a que no pueden ser aplicados, por
tener que descartar en la obligación de indemnización su origen legal, el contractual (por
tratarse de un contrato radicalmente nulo) y el delictivo. Sin embargo el tribunal va a
admitir la aplicación del art. 1101 y 1104 del Código Civil afirmándose que «tal y como
tiene declarado la doctrina de esta sala, que ni por su texto ni por su interpretación
analógica puede sostenerse que sean aplicables solamente a las obligaciones contractuales, ya que se refieren a todas las obligaciones, sin distinguir su origen y por lo tanto
alcanzan igualmente a todas las obligaciones que según el artículo 1089 del Código Civil
no nacen solamente de los contratos sino también de los actos y omisiones ilícitas... —
concluyendo que— conforme al principio de que quien produce un daño lo debe
indemnizar, lo mismo si se produce por incumplimiento de una obligación establecida
que cuando proviene de culpa o negligencia no referida a vínculo contractual, puesto que
hace la responsabilidad que en estos supuestos se derivan de los artículos 1101 por una
parte y 1902 por otra con sus respectivas concordancias.» También observa esta
circunstancia GARCÍA RUBIO, MP., *La responsabilidad precontractual en...* op. cit.,
pág. 88.

[352] GARCÍA RUBIO, M.P., *La responsabilidad precontractual en..* op. cit., págs. 216-217 y
218-219.

el lucro cesante. Es decir, la disminución patrimonial que no hubiera sufrido si no se hubiese contratado (y se indemnizará el coste de la negociación, el tiempo invertido, los gastos del contrato...) y las ventajas que de otro modo se hubiesen conseguido con otro contrato válido. *V.gr.* Haber vendido a otro o haber comprado a otro el mismo objeto en el momento favorable en el que se pactó el contrato que devino invalido (lucro cesante). El problema surgirá, sobre todo, en torno a la prueba de este lucro cesante.

Se ha planteado si el resarcimiento del interés negativo está limitado por el interés positivo o daño derivado de la falta de ejecución del contrato inválido o si, por el contrario, puede incluso ser superior a éste sobre la base de incluir el lucro cesante. *V. gr.* En un contrato de compraventa el comprador podría haber podido revender ventajosamente las mercancías no llegadas a adquirir con el contrato inválido. En un contrato de seguro la consecuencia de un evento dañoso hubiese estado cubierta si el contrato de seguro hubiese sido válido.

Parece que el Tribunal Supremo sí ha limitado el alcance de la indemnización del interés negativo aplicando el art. 1107 del Código Civil en la exigencia del nexo causal entre el dolo o culpa y el daño[353].

En cuanto si el alcance de la indemnización puede llegar a ser sancionado con el interés positivo; encontramos que según la construcción teórica original no se puede indemnizar sino exclusivamente el interés negativo y, en muchos casos, para el derecho comparado ésta es una exigencia institucional. Sin embargo, algunos autores españoles no ven inconveniente para que en nuestro ordenamiento, en algunos casos, pueda tener justificación el resarcir el interés positivo[354].

4.5.3. El plazo de ejercicio de la acción

Este es uno de los puntos en los que más trascendencia puede tener la calificación de la responsabilidad por *culpa in contrahendo* como contractual o extracontractual. La diferencia en el plazo de prescripción de la acción es importante ya que de considerarla responsabilidad extracontractual el plazo sería de un año (Art. 1968.2° del CC), mientras que si la consideramos contractual sería de quince años (art. 1964).

Parece prudente el plazo de un año desde que lo supo el agraviado para este tipo de responsabilidad. Lo más acertado sería interponer conjuntamente la acción de nulidad con la de responsabilidad o bien en la reconvención correspondiente. Pero para aquellos contratantes que no solicitaron el resarcimiento bien al interponer la acción de nulidad, bien como réplica ante la misma, o que no tuvieron esa ocasión al ser declarada de oficio, la podrían interponer dentro de ese plazo de un año. Un plazo de quince años parece un

---

[353] Sentencia de 26 de octubre de 1986 citada por LÓPEZ BELTRÁN DE HEREDIA, *La nulidad contractual...*. op. cit. pág. 372.

[354] GARCÍA RUBIO, M.P., *La responsabilidad precontractual en..* op. cit., págs. 251-253.

margen un tanto desmesurado para quien pudo plantear la cuestión de la reparación simultáneamente a la cuestión de la nulidad al tener conocimiento de ella. Además, hemos de tener presente los problemas de prueba que habría de haber transcurrido un plazo demasiado dilatado[355].

4.5.4. La aplicación de la responsabilidad en la jurisprudencia

No es frecuente encontrar fallos en los que se condene a indemnizar los daños producidos por la ineficacia contractual porque tampoco es frecuente la alegación de responsabilidades por las partes contratantes perjudicadas[356]. Sin embargo, cuando el tribunal se pronuncia sobre la posibilidad de resarcimiento no suele hacer ninguna referencia al concepto en el que procede estimarlo. No solemos encontrar en los fallos de las sentencias calificación alguna de la responsabilidad en virtud de la cual procede la indemnización en estos casos. Sin embargo, debemos señalar que las sentencias que basan el fundamento indemnizatorio en el art. 1101 del Código Civil son las más frecuentes[357].

En estos casos, hacen mucho hincapié las sentencias del Tribunal Supremo en la necesidad de probar convenientemente por el actor los hechos constitutivos de su pretensión[358]. Se exige que quede perfectamente acreditada la realidad de los perjuicios cuya reparación se pretende mediante cualquier medio de prueba que se aporte en autos para su debida cuantificación, aunque su definitiva fijación se tenga que postergar al periodo de ejecución de sentencia[359]. El rigor exigido en la prueba del daño no es más que consecuencia del hecho de que constituye éste el principal argumento de la parte demandada al oponerse a la indemnización[360]. En el caso de haberse otorgado dicha indemnización por el tribunal de instancia su impugnación correcta en casación sería sólo por concurrir error material o jurídico en la apreciación de la prueba. (Motivo del recurso que no tiene cabida desde 1992 y que tampoco se incluye en el art. 447 LEC).

---

[355] PANTALEÓN PRIETO, F., «Comentario a la Sentencia de 19 de junio de 1984», en C.C.J.C., Nº 6, pág. 1876.

[356] ASUA GONZÁLEZ, C. I., La culpa in... op. cit,. pág. 272.

[357] Sentencia de 3 de febrero de 1989, 20 de marzo de 1990, STSJ de Navarra de 23 de junio de 1992 AC 562/1992, Nº 1236, Sentencia de Ap de Girona de 20 de noviembre de 1992 AC.380/1992, Nº 615. Observemos, que en los casos en los que se aplica el artículo 1494.1 del Código Civil aparte de ser el objeto ilegal y expresamente declarado nulo, también hay incumplimiento contractual grave al entregar los animales objeto del contrato con el grave vicio que invalida el contrato.

[358] Coinciden en esta observación LÓPEZ BELTRÁN DE HEREDIA, La nulidad contractual.... op. cit., pág. 373 y ASUA GONZÁLEZ, C. I., La culpa in... op. cit., pág. 272.

[359] Tener en cuenta los arts. 219 y 712 LEC. No basta con invocar la responsabilidad derivada de la culpa in contrahendo cuando no se han aportado pruebas sobre los daños ocasionados, razón por la que la Sentencia de 6 de julio de 1976 absolvió a los demandados.

[360] Sentencias 20 de marzo de 1990, 6 de julio de 1976 y STSJ de Navarra de 23 de junio de 1992.

5. La acción de enriquecimiento sin causa

Los contratos ilegales no pueden ser fuentes de enriquecimiento válidas puesto que faltaría la causa de la atribución patrimonial. Pero, al ser esta una acción subsidiaria, prácticamente nunca se va a llegar a aplicar en los casos en los que se produzcan atribuciones patrimoniales en virtud de contratos ilegales. Precisamente en la propia dinámica de la ineficacia contractual se prevén estos efectos y quedan regulados expresamente. Nos estamos refiriendo a la previsión de restitución recíproca de prestaciones que establece el artículo 1303 del Código Civil para el caso de nulidad. Si partimos de la idea de que los enriquecimientos conseguidos a través de los contratos libres no son nunca injustos puede establecerse, en consecuencia, que los enriquecimientos derivados de la restitución de las prestaciones contractuales tampoco serían propiamente injustos si empleamos la misma regla que opera para las estipulaciones[361]. Además, esta reciprocidad objetiva «legal o formal», como expone BASOZABAL ARRUE, también se manifiesta en la simplicidad que se da a las partidas restitutorias de frutos e intereses[362].

De lo hasta aquí expuesto, parece poder deducirse que la regla que prohíbe los enriquecimientos injustificados queda relegada a las relaciones jurídicas de naturaleza no contractual[363]. No obstante, la posibilidad de emplear, en último término, una acción de enriquecimiento sin causa en un caso de ilegalidad contractual tampoco puede ser descartada de plano. Como bien advierte CAPILLA RONCERO, en principio cuando se observan los tipos básicos del enriquecimiento sin causa nos movemos al margen del Derecho de la contratación que cuenta con remedios específicos, «sin perjuicio de que allí donde no alcancen las acciones aludidas podrá ejercitarse una pretensión restitutoria basada en el enriquecimiento sin causa»[364].

En realidad, nuestro Tribunal Supremo ha admitido que la ineficacia de un contrato puede ser uno de los presupuestos para que pueda prosperar una pretensión de enriquecimiento[365]. Es decir, deberemos comprobar de qué

---

[361]   DÍEZ PICAZO, L., *Doctrina del enriquecimiento injustificado*, en DE LA CAMARA, M., y DÍEZ PICAZO, L., *Dos estudios sobre el enriquecimiento sin causa*, Madrid, 1988, págs. 52-53.

[362]   Como destaca este autor, «si la cosa no es fructífera, la restitución será de cosa por precio, cuyo eventual valor devaluado se compensa con el deterioro por uso de la cosa. Si la cosa produce frutos la devolución de estos conlleva la recíproca de intereses. No se trata de averiguar si el valor real de los frutos es equiparable al de los intereses, ni siquiera si uno y otros han sido efectivamente obtenidos». BASOZABAL ARRUE, X., *Enriquecimiento injustificado por intromisión en derecho ajeno*, Madrid, 1998, págs. 217-218.

[363]   DÍEZ PICAZO, L., *Doctrina del enriquecimiento...* cit, pág. 53.

[364]   CAPILLA RONCERO, F., *Derecho de obligaciones y contratos*, dir. por Valpuesta Fernández, 2ª ed. Valencia, 1995, pág. 461.

[365]   En estos términos se manifiesta la sentencia de 8 de junio de 1995 que pese a acabar, en este caso, desestimando la acción de enriquecimiento por considerar que el contrato

forma se podría compatibilizar una acción de enriquecimiento con ciertos efectos de la ineficacia que provocan pérdidas patrimoniales no programadas en el momento de contratar, al menos por el que desconocía la infracción. También tendremos que analizar su posible utilidad en los casos en los que la ineficacia no lleva aparejada los típicos efectos restitutorios del artículo 1303.

Es decir, el hecho de que el contrato ilegal tenga su propia sanción o remedio, sea el tipo de ineficacia que sea, hace que la eventualidad de enriquecimiento sin causa quede normalmente superada por los efectos propios de esta específica ineficacia. En la regulación de la ineficacia contractual uno de los elementos que mayor atención obtiene es, precisamente, el de la reciprocidad en la restitución de las prestaciones que es donde la idea de enriquecimiento puede aparecer. En consecuencia, pese a que la acción de restitución derivada de la ineficacia y la derivada del enriquecimiento sin causa sean independientes, la objetividad de las primeras tienden, en último término, a evitar que se puedan plantear acciones por enriquecimientos injustos.

Por otro lado, como hemos tenido ocasión de observar, es relativamente común el considerar que si de la aplicación de los efectos de la ineficacia se deriva algún perjuicio para una de las partes «no culpable» de la infracción puede haber lugar a su compensación por medio de la exigencia de responsabilidad por *culpa in contrahendo*. En definitiva, como indica BASOZABAL ARRUE, la restitución que se establece como consecuencia de la acción de nulidad viene a neutralizar la responsabilidad por el enriquecimiento, lo cuál no excluye que pueda proceder una responsabilidad resarcitoria por los daños que ocasione la nulidad[366].

La acción de responsabilidad siempre comportará una satisfacción más completa puesto que la indemnización se mide por la cuantía del daño, con

---

fue plenamente válido y eficaz afirma: «La base jurídica de la teoría del enriquecimiento injusto ha de referirse necesariamente al desplazamiento patrimonial de una parte a otra, careciendo de toda causa que lo pueda amparar o justificar y no, como en el caso de autos, que medió un contrato válido y eficaz, cuya nulidad no se declara procedente y que podía facilitar, al quedar desprovistas las relaciones entre las partes de toda vinculación contractual, la aplicación de la teoría del enriquecimiento injusto, que tiende efectivamente a rectificar, en acomodo a justicia estricta, el referido desplazamiento no justificado. La causa deja de ser injusta y se convierte en suficiente y justa, cuando exista una disposición legal o cuando, como sucede en este caso, se da negocio jurídico suficiente y dotado de legalidad, que permitía y autorizaba a Rumasa, S.A., a mantener el precio fijado para la venta de las acciones del Banco de Descuento, S.A., y así lo ha declarado la doctrina jurisprudencial (Sentencias de 28 de enero de 1956, 20 de noviembre de 1964, 5 de diciembre de 1992, 19 de mayo de 1993 y 17 de febrero de 1993 4 de noviembre de 1994). El motivo se desestima.»

[366] BASOZABAL ARRUE, X., *Enriquecimiento injustificado por intromisión en derecho ajeno*, Madrid, 1998, págs. 214-215.

independencia de que haya o no proporcionado provecho al responsable. En el caso de la acción de enriquecimiento injusto la restitución queda sujeta a unos límites muy concretos: no puede ser mayor del incremento patrimonial experimentado por el accipiens ni de la pérdida concreta del que resultó empobrecido. Por otro lado, para exigir el enriquecimiento sin causa no hace falta probar ni la culpa ni la imputabilidad, basta con atender al desplazamiento patrimonial de valor de uno a otro sin fundamento legal alguno. La última de las diferencias y quizá una de las más relevantes en la práctica es el diferente plazo de prescripción. En el caso de la acción de enriquecimiento será de 15 años al ser una acción personal que no tiene señalado plazo especial (art. 1964 del Código Civil) mientras que en el caso de la acción de responsabilidad estaríamos ante el plazo anual desde que lo supo el agraviado.

Quizá pueda verse como una fuente de enriquecimiento injustificado aquellos casos en los que se ha previsto un especial régimen restitutorio como en los artículos 1305 y 1306 del Código Civil. Sin embargo, podemos aventurarnos a indicar que de haber enriquecimientos derivados del especial régimen restitutorio establecido cuando la nulidad proviene de resultar torpe la causa del contrato no serán ya injustificados puesto que tienen apoyo legal. Es decir, ese resultado es el que está buscando la ley como sanción de un comportamiento gravemente torpe de una o de ambas partes contratantes[367]. En todo caso, además reiteramos que pueden complementarse todos estos efectos de la ineficacia con una acción subsidiaria de responsabilidad. Por consiguiente, como mantiene DIEZ-PICAZO parece que, de este modo, la regla que veda el enriquecimiento injusto queda, prácticamente, relegada a las relaciones de naturaleza no contractual, aunque no pueda excluirse la posible aplicación por analogía de algunos de sus preceptos a la restitución derivada de la nulidad[368].

CARMEN LÓPEZ siguiendo a DÍEZ-PICAZO considera que la restitución derivada de la ineficacia contractual es independiente de la acción del cobro de lo indebido y que, «pese a todo, podrá aplicarse a la restitución derivada de la nulidad, con carácter subsidiario, las reglas del cobro de lo indebido para

---

[367] Revelador de la consciencia del legislador de los eventuales enriquecimientos y correlativos empobrecimientos de alguno de los contratantes en virtud de estos regímenes restitutorios es precisamente la previsión que realiza con respecto a los menores e incapaces en el artículo 1304 de nuestro código. Para este tipo de contratantes no se establece una obligación de restitución «in integrum» sino que únicamente están obligados a restituir en cuanto obtuvo algún provecho o enriquecimiento con la cosa o precio que recibió. Es decir, estableciendo esta regla excepcionalmente tuitiva para el resto de los casos del artículo 1303 resultará indiferente si la operación produce ventajas o pérdidas a los contratantes.

[368] DÍEZ-PICAZO, L., *Fundamentos de derecho civil patrimonial. Op. cit.* vol. 1°, 4ª ed., 1993, pág. 448. DÍEZ-PICAZO Y GULLÓN BALLESTEROS, *Sistema de Derecho Civil. Op. cit.* II 7ª ed. 1995, pág. 575.

suplir o integrar lagunas y la buena o mala fe de quien aceptó la prestación podrá ser tenida en cuenta a la hora de determinar el alcance de la obligación de restitución[369]. En definitiva, lo que la autora quiere decir es que en ocasiones las consecuencias de la restitución derivada de una ineficacia contractual se hacen depender, en buena medida, de consideraciones de buena o mala fe de los contratantes que son consideraciones de la *condictio indebiti* más que de la restitución derivada de la nulidad[370].

GARCÍA RUBIO, postula que en algún supuesto concreto en el que la única vía del resarcimiento fuese la del 1902 y la víctima hubiese dejado transcurrir involuntariamente el plazo del año aún pudiera existir la posibilidad última de utilizar la acción de enriquecimiento sin causa, cuando concurriesen los presupuestos requeridos[371].

Partimos del supuesto de que la acción de enriquecimiento sin causa en estos casos puede potencialmente ser aplicable. Pero somos conscientes de que encontrar esta aplicación no va a resultar fácil al poder acudir a una acción de responsabilidad para compensar desequilibrios o perjuicios. Llegados a este punto debemos plantearnos si la acción de reclamación de daños puede ser acumulable con la de enriquecimiento. Como mantiene DORAL GARCÍA la acumulación de ambas acciones es dudosa. Tanto la acción de enriquecimiento como la aquiliana son acciones subsidiarias y se suele reprochar a quien quiere utilizar la acción de enriquecimiento que únicamente lo hace para huir del plazo más corto de prescripción que tiene la de responsabilidad[372]. PUIG BRUTAU apunta algún caso en el que el Tribunal Supremo ha admitido la procedencia en el ejercicio de la acción de enriquecimiento cuando ya había prescrito la acción de responsabilidad civil. Como mantiene este mismo autor: «se trata de un problema de interpretación que permita saber si el Derecho, al conceder una acción, ha querido o no eliminar a cualquier otra que tenga el mismo fundamento o que persiga sustancialmente el mismo resultado»[373]. De nuevo, en esta cuestión encontramos algún pronunciamiento del Tribunal Supremo favorable a la compatibilidad de estas acciones, cuestionando incluso su carácter subsidiario[374].

---

[369] LÓPEZ BELTRÁN DE HEREDIA, *La nulidad contractual....* op. cit. págs. 55-56 y 262.

[370] Observación que ya hemos hecho nosotros al tratar las distintas variantes de ineficacia que son requeridas por las nuevas circunstancias legales y de equidad.

[371] GARCÍA RUBIO, M.P., *La responsabilidad precontractual en..* op. cit. pág. 229 y 261.

[372] DORAL GARCÍA, J.A., *El contrato como fuente de obligaciones*, Pamplona, 1993, pág. 155

[373] PUIG BRUTAU, J., *Diccionario de acciones en derecho civil español*, Barcelona, 1984, pág. 134.

[374] En la sentencia de 8 de junio de 1995, anteriormente citada, nuestro alto tribunal aborda expresamente este concreto asunto afirmando: «El motivo primero, por la vía del número quinto del precepto procesal 1692 argumenta que la sentencia que combate incurre en violación del principio general que prohibe el enriquecimiento injusto, en

Por último, podemos apuntar como elemento a tener en cuenta en esta interpretación que en algún caso la jurisprudencia ha considerado a la acción restitutoria derivada de la nulidad como una variante de *la condictio indebiti,* como la sentencia de 31 de Octubre de 1984. En otra sentencia, la sentencia de 14 de noviembre de 1980, se reclama cantidad indebidamente percibida al amparo de un enriquecimiento injusto por las cantidades percibidas con exceso sobre las que la Ley autoriza, ya que el efecto que establece la ley no es la nulidad del acto sino la devolución de esas cantidades. Pero hemos de observar que, en realidad, en este último caso no se reclama en base a un enriquecimiento injustificado sino en base a los efectos previstos por la norma que resulta infringida.

Una vez analizada la función que cumple nuestra acción de enriquecimiento sin causa y la que cumplen las reglas restitutorias establecidas en materia de ineficacia contractual, podemos concluir con DIEZ PICAZO que en nuestro Derecho estas reglas restitutorias —podemos añadir completadas con las reglas de responsabilidad por daños— «cubren buena parte de las hipótesis que en otros derechos o en otros sistemas pertenece al campo de la *condictio indebiti.* (La «condictio» de prestación)»[375].

---

relación con la doctrina jurisprudencial elaborada por esta Sala, contenida en las sentencias que se aportan. La tesis debidamente estudiada se presenta sugestiva y pone de relieve una depurada actividad intelectiva y profundos conocimientos técnico-jurídicos. Se expresa para obtener en esta vía casacional la acogida de la pretensión referida y que se integró en la demanda creadora del pleito como acción acumulada y de condición de segunda subsidiaria, respecto a las demás que con carácter principal conforman el núcleo de la contienda. En este sentido conviene decir pronto que no resulta preciso que la acción de enriquecimiento injusto sea ejercitada necesariamente en forma subsidiaria, lo que sí sucede en el Derecho francés y en el italiano (Código Civil de 1942), pues ningún precepto legal así lo establece, por lo que la jurisprudencia, tras una vacilante doctrina anterior, a partir de la Sentencia de 12 de abril de 1955, ha declarado de forma rotunda y continuada (Sentencias más recientes de 10 y 20 de mayo de 1993 y 14 de diciembre de 1994), que la acción de enriquecimiento injusto es del todo compatible con otras acciones y con las que puede coincidir en los pronunciamientos o resultados que se trate de conseguir en vía judicial. Asimismo, dicha acción no actúa como idéntica a la propia de indemnización de daños y perjuicios.»

[375] DÍEZ PICAZO, L., *Doctrina del enriquecimiento...* cit, págs. 104 y 105, *Fundamentos...* cit. pág. 106.

CONCLUSIONES

I. No es corriente en nuestra doctrina ver tratado de forma autónoma el problema de la ilegalidad contractual. La principal explicación se encuentra en la extraordinaria dificultad que supone realizar una clasificación y sistematización a la hora de darle un tratamiento unitario. La materia de la ilegalidad contractual ofrece la posibilidad de abordar el estudio desde una doble perspectiva la conceptual o doctrinal por un lado y la jurisprudencial por otro.

Resultaba necesario conseguir un tratamiento conjunto desde ambas perspectivas. Una vez que se ha recabado toda la información, ha de olvidarse en el punto de partida cualquier prejuicio y estar abierto a todas las distintas ópticas desde las que es posible abordar y resolver este problema jurídico. En muchos casos y con cierto respeto, será necesario no dejarse condicionar por ciertos convencionalismos de la doctrina clásica y abrir las concepciones sobre ilegalidad o ineficacia tanto a la nueva política legislativa como a las corrientes jurisprudenciales más recientes. No en vano resulta ineludible tener que manejar y adaptar la firme dogmática civilista tradicional, tan cautivadora y convincente, a las nuevas necesidades y coyuntura.

Siempre se había tratado de buscar o de ofrecer una solución general para todo tipo de ilicitud. Sin embargo, la proliferación de multitud de nuevos supuestos de ilegalidad contractual muestra la necesidad de cambiar el método. Ha de partirse de lo concreto a lo abstracto. Hasta ahora siempre se había abordado el tratamiento de la ilegalidad contractual desde una perspectiva demasiado teórica, elucubrando sobre la causa ilícita y sobre la teoría clásica de la nulidad.

En nuestro ordenamiento jurídico se ha venido asociando inmediatamente la ilegalidad en los contratos con la ilicitud de la causa. Merecía por tanto cierta atención o lugar de honor, aunque actualmente sea el lugar de una vieja gloria venida a menos. En este sentido, el esplendor y la atención que recababa el artículo 1275 y sus concordantes artículos 1305 y 1306 del Código Civil se ven cada vez más desplazados por el artículo 6.3 del Código Civil y otros preceptos contenidos en leyes especiales fuera del Código a los que éste reenvía.

En todo caso, la que aparece como regla general aplicable a los casos de ilegalidad contractual en nuestro ordenamiento jurídico no varía sustancialmnete. La idea de la nulidad del contrato ilegal y sus efectos de restitución recíproca de prestaciones es la que funciona como regla en nuestro ordenamiento jurídico (artículos 6.3, 1271 y 1275 del Código Civil en relación con el artículo 1303 del mismo cuerpo legal). La excepción la encontramos en la causa torpe y la consecuencia derivada de la máxima *Nemo auditur propiam turpitudinem allegans* (artículo 1275 en relación con los artículo 1305 y 1306 del Código Civil).

Sin embargo, se han sucedido otras numerosísimas excepciones a aquella regla general aprovechando el último inciso del artículo 6.3 del Código Civil, que ofrece alternativas a la nulidad de los actos o contratos contrarios a las normas imperativas o prohibitivas siempre que el propio legislador lo considere oportuno. Actualmente estas excepciones se han incrementado de forma tan exagerada, tanto cuantitativa como cualitativamente, que incluso hacen poner en cuestión esa pretendida generalidad de la regla de la nulidad.

Es evidente que en esta materia el acudir a la vía tópica resulta absolutamente necesario. Por esta razón, no puede extrañar que sean los autores del *Common Law* los que abordan de forma directa y expresa el fenómeno de la ilegalidad en los contratos.

II. El control de la legalidad contractual puede acometerse a través de dos vías diferentes. Por un lado, se puede realizar un control estructural a través de los elementos del contrato que puedan resultar viciados por la ilegalidad. En el control estructural se presupone que cualquier confrontación del contrato con una norma jurídica tiene que tener un reflejo o bien en la causa o bien en el objeto del contrato. La ilegalidad se fiscalizaría a través de los artículos 1271 (ilicitud del objeto) y 1275 (ilicitud de la causa) del Código Civil y su consecuencia sería inevitablemente la nulidad de pleno derecho de todo el contrato.

Por otro lado, se puede realizar un control funcional que trataría de contemplar directamente la finalidad perseguida por la norma jurídica que se considera vulnerada y medir tanto la magnitud de la infracción como el alcance de ésta respecto al contenido del contrato. En este caso, se tendría que acudir al artículo 6.3 del Código Civil, necesariamente complementado con la disposición que se considera concretamente infringida. Las consecuencias que pueden derivarse del ejercicio de este control dependen, en primer lugar, de lo establecido en la propia norma infringida textual o implícitamente. Finalmente, como regla general, aunque de aplicación subsidiaria, de hecho actualmente casi residual, se establece la nulidad de pleno derecho.

III. Puede observarse cierta tendencia, por parte de la jurisprudencia moderna, a emplear el control funcional en detrimento del control estructural que ha sido el más utilizado tradicionalmente. Las razones fundamentales son, en primer lugar, la dificultad de encajar todos los casos de ilegalidad en alguno de los elementos esenciales del contrato. No resulta tarea fácil deslindar los supuestos de causa ilícita de los de objeto ilícito. Por otro lado, se va a forzar y deformar el concepto de causa ilícita al convertirlo en una especie de «cajón de sastre» para tratar de recoger muchos supuestos que, en sentido estricto, no podrían incluirse técnicamente como un vicio de la causa del contrato.

Al difuminarse, de este modo, los conceptos de causa y objeto del contrato para adaptarlos a los supuestos de ilegalidad se va a provocar una cierta discrecionalidad judicial a la hora de apreciar la ilicitud causal. Al enjuiciar la legalidad del contrato, el juez no valora con criterios puramente objetivos la infracción cuando acude a la causa ilícita. En la valoración de la causa ilícita siempre se suele tener en cuenta aspectos subjetivos que llevan a considerar la nulidad como una verdadera sanción.

El último de los factores que ha influido para llegar a prestar una menor atención al control estructural de la ilegalidad es la rigidez de las consecuencias a las que conduce. Cualquier contrato que llegue a ser considerado como con causa u objeto ilícitos será irremediablemente nulo con nulidad radical de pleno derecho, sin que quepa ninguna matización al respecto para equilibrar los resultados que se produzcan. Se parte de una concepción de la nulidad como un estado orgánico cuando en realidad ha de concebirse como una sanción destinada a asegurar el respeto a la Ley.

Pese a todas las críticas que cabe hacer al control estructural de la legalidad contractual y, en particular, a la teoría de la causa ilícita, se puede considerar que tampoco ha perdido toda su utilidad. Que existan dos medios de controlar la ilegalidad de los contratos debe valorarse de forma positiva. Cualquier precaución es poca para evitar que cualquier forma de inadecuación legal de un contrato pueda resultar inmune por no estar perfectamente contemplada su fiscalización.

La causa ilícita se define con extraordinaria amplitud en el artículo 1275, abarcaría a los contratos contrarios a la Ley, la moral y el orden público. No obstante, en la práctica se puede observar que la causa ilícita viene siendo utilizada para aquellos casos que revisten algún matiz de inmoralidad o de contravención a las buenas costumbres y al orden público, más que para la ilegalidad. Existen muchos casos de infracción de normas legales en las que también concurre una conducta que podría considerarse como contraria a las buenas costumbres. En este sentido, se comprende sin dificultad que los contratos que infringen normas penales sean considerados como contratos con causa ilícita. Influye en esta categorización la idea de la fuerte inmoralidad que lleva aparejada la comisión de un injusto penal (artículo 1305 del Código Civil).

Sin embargo, se ha de entender que, en principio, desde que existe una norma jurídica que regule la situación queda sin sentido la previsión relativa a la inmoralidad. Podríamos decir que la ilegalidad desplaza a la ilicitud. Si un contrato contraviene lo dispuesto en una ley y al mismo tiempo a las buenas costumbres bastará con aplicarse lo prevenido en la Ley vulnerada. Se aplica el artículo 6.3 del Código Civil. En el caso en que la norma infringida nada disponga, implícita o explícitamente, se aplicará la regla general de la nulidad y sus consecuencias serán las establecidas en el artículo 1303 del Código Civil.

IV. El control funcional de la legalidad contractual va a mostrarse como instrumento principal y necesario ante el paulatino incremento del límite legal. El concepto de contrato ilegal ha de venir referido siempre con relación a una norma infringida. A resultas de la evolución de la libertad contractual, el control estructural va a revelarse como insuficiente, habida cuenta de los defectos que le aquejan.

Mediante el control funcional se va a proceder a analizar la norma jurídica infringida y se va a poner en relación con el contenido del contrato al que afecta. Se parte de la idea de que será la propia norma jurídica la que va a marcar los pasos a seguir para restaurar la legalidad. Sólo en un segundo momento nos detendremos a estudiar las vicisitudes de las obligaciones contraídas por las partes ante la posible ineficacia o integración del contrato.

En primer lugar, se debe determinar qué tipo normas son las que podemos considerar como capaces de incidir en las relaciones contractuales particulares.

V. La imperatividad es la primera nota que se exige en una norma jurídica para que pueda influir, de forma contundente, en el contenido de un contrato. Se tratará de verificar que la norma jurídica que regula una determinada materia sobre la cual se proyecta el objeto de determinados contratos no es dispositiva. No siempre resultará fácil su distinción como derecho necesario o *ius cogens y,* en ocasiones, será necesaria una minuciosa interpretación. Dentro del *ius cogens,* tampoco resultará sencillo diferenciar las normas prohibitivas de las imperativas equiparables, en cuanto a efectos legales se refiere (art. 6.3 Código Civil). En principio, ambas resultan igualmente idóneas para alterar los efectos de los contratos que no respetan sus disposiciones, hasta provocar su ineficacia. En realidad, se trata tan sólo de diferentes modos de formular un precepto.

No obstante, la técnica de emplear normas imperativas da un mayor margen de maniobra al legislador que puede intentar proyectar su política social o económica haciendo que sea asumida en el contenido de los contratos. Por esta razón el legislador moderno se vale en mayor medida de las normas imperativas y no cuenta con técnicas represivas sino correctoras de la infracción, manteniendo en la medida de lo posible los efectos del contrato. Las normas imperativas pueden llevar aparejada cualquier modalidad específica de ineficacia. En cambio, las normas prohibitivas, por la rotundidad de sus formulaciones, están abocadas a provocar la nulidad de pleno derecho del contrato.

VI. En principio, tanto las normas de Derecho Público como las de Derecho Privado resultan aptas para limitar la libertad contractual. El hecho de la inclusión de la norma jurídica en una disciplina jurídica concreta, por sí mismo, no tendría que suponer relegación o desatención alguna. Es admitida por todos la idea de unidad sustancial del ordenamiento jurídico y pese a su complejidad se tendrá que considerar la estrecha conexión que tienen entre sí todas las normas jurídicas.

Habrá que defender una eficacia total sancionadora del Derecho al analizar las contravenciones legales. Se deben relacionar todas las normas infringidas y sus finalidades (ya sean civiles, penales, administrativas, o incluso, fiscales) con todas las soluciones de que dispone el ordenamiento jurídico. No ser puede reservar, *a priori,* únicamente a las leyes civiles la facultad potencial de subordinar los efectos del contrato a su observancia.

El problema se presenta fundamentalmente con las normas de carácter administrativo. Ciertas corrientes jurisprudenciales niegan que una norma «meramente» administrativa pueda influir en el contrato. El Tribunal Supremo, en ocasiones, no considera las normas de carácter administrativo como idóneas para servir de base a la casación por infracción de Ley. Mantiene, de forma discutible, que este recurso debe referirse a su materia propia, que son las normas de derecho privado en aras a la salvaguardia del principio de unidad de doctrina. En realidad, se trata de un argumento más, a mayor abundamiento, para el fallo. El recurso formulado con base en estas normas sí que se refiere a una materia propia y exclusiva del Derecho Civil (el Derecho Contractual), puesto que hablamos de los efectos producidos en los contratos por las normas jurídicas.

La expresa previsión de sanciones administrativas o penales no indican ninguna exclusión de las incidencias que en el contrato pueda producir la violación legal. Las sanciones impuestas desde otros ámbitos del ordenamiento jurídico no determinan los efectos civiles ni prejuzgan la actuación del juez civil. Tan sólo se señala la reacción de la ley infringida desde sus posibilidades y con sus medios disponibles ante un acto infractor. Acto que no sería técnicamente el contrato en sí, que sólo se considera como tal, con toda su complejidad, en el Derecho Civil. Serán los jueces y tribunales civiles los encargados de analizar y, en su caso, declarar la ineficacia del contrato.

Para lo que sí pueden servir estas otras sanciones es como indicativo de la gravedad de la infracción o sobre la culpabilidad de las partes contratantes. En definitiva, ayudarán al juez civil a decidir sobre la posible ineficacia del contrato ante la insuficiencia de estas sanciones extraciviles para la consecución de la finalidad de la norma infringida. Esta competencia en materia contractual de los tribunales civiles ordinarios es indiscutible, independientemente del carácter de las normas jurídicas que establezcan los mandatos y prohibiciones.

VII. Estrechamente relacionado con el ámbito al que pertenecen las normas jurídicas se encuentra la cuestión sobre el rango de las mismas. En el concepto de norma jurídica (utilizado por el artículo 6.3 del Código Civil tras la reforma del Título Preliminar) tienen cabida todos los rangos que ésta puede presentar.

a) Se podría incluir la aplicación de los preceptos constitucionales por tener en nuestro ordenamiento jurídico la Constitución valor normativo. Sin embargo, por la propia naturaleza de los preceptos que pueden resultar de directa aplicación en las relaciones entre privados, relativos a la dignidad (art. 10 C.E.) y la igualdad (art. 14 C.E.), será más apropiada su alegación de forma mediata a través de una interpretación constitucional del Código Civil. En todo caso, parece que estos derechos fundamentales plantean un problema de límites a la renunciabilidad de los derechos mediante contrato (artículo 6.2 C.C.) y ejercicio abusivo de un derecho (art. 7.2 CC.) En definitiva, no se trataría de un problema estrictamente de ilegalidad del artículo 6.3 C.C.

b) Evidentemente, no por razón de rango sino de competencia puede plantearse la idoneidad de las leyes autonómicas para intervenir en las relaciones contractuales. La respuesta ha de ser, en todo caso, afirmativa. Sin embargo, su incidencia será, relativamente, poco relevante ya que no tienen competencia para legislar directamente en materia civil. Las Comunidades Autónomas forales pese a que tienen competencia en esta materia, en todo caso, han de respetar las bases de las obligaciones contractuales configuradas por la legislación estatal. (art. 149.1.8° C. E).

Al tener toda Comunidad Autónoma competencia sobre un amplio elenco de materias, cualquiera de ellas puede incidir directa o indirectamente en la contratación privada. Existen sectores que caen dentro de las competencias autonómicas inevitablemente vinculados con importantes ámbitos de contratación. Por otro lado, el derecho autonómico o foral no siempre va a restringir más la libertad contractual respecto al estatal. En algunos casos, puede aumentarla y en otros puede, simplemente, articularla de forma diferente.

c) Las normas de rango reglamentario pueden también tener transcendencia para llegar a provocar la ineficacia de un contrato. Todo reglamento cuenta con una cobertura legal que es la que le habilita para desarrollarla. Se podría pensar que el principio de libertad contractual, al encontrarse recogido en una norma de rango legal (artículo 1255 CC.), no admitiría limitación, modificación o «derogación» por normas de rango inferior. Basta que esta intervención administrativa se encuentre legitimada por una Ley General, que reenvíe a las disposiciones reglamentarias la determinación del propio contenido, para salvar el inconveniente. La única condición que deben cumplir es que no se produzca ninguna extralimitación por parte de la Administración en la materia para la que la Ley le ha habilitado a regular.

No obstante, la jurisprudencia utiliza el carácter reglamentario de las normas, junto con su ámbito administrativo, para argumentar que las infracciones de este tipo de normas no son idóneas para servir de base al recurso de casación por infracción de Ley o que no pueden afectar a la autonomía de la voluntad. Por desgracia, lo que empezó como un argumento *obiter dicta, y* a mayor abundamiento por parte de cierta corriente jurisprudencial, ya se está convirtiendo en una cláusula de estilo en todas las sentencias sobre la materia. La reiterada insistencia en este argumento, aunque sea en la parte incidental en la sentencia, parece que ya ha sentado criterio en buena parte de la jurisprudencia.

VIII. Es imposible configurar un concepto de contrato ilegal referido a los efectos o consecuencias que pueda originar su ilegalidad. No va a ser posible generalizar unos efectos comunes a todos los contratos ilegales. La vieja aspiración de asignar una única solución sancionadora para todos los supuestos en los que nos topemos con un contrato ilegal debe abandonarse. La consideración de la nulidad de pleno derecho como consecuencia inmediata e incontestable de la ilegalidad no ha dado resultados satisfactorios. La nulidad como único remedio de la ilegalidad (con sus distintos efectos restitutorios, arts. 1303, 1305 y 1306, según los casos) no va a ser siempre la mejor solución y actualmente, en la práctica, tampoco puede configurarse como regla general.

La ineficacia, en la práctica, no se va a revelar como una respuesta o reacción objetiva del ordenamiento jurídico. No se va a aplicar automáticamente como un mero efecto asociado a la infracción de una norma jurídica. Las consecuencias de la ilegalidad en los contratos no funcionan así. Buena muestra de ello es que si se consuma un contrato ilegal y las partes no lo denuncian el contrato se mantendrá y conseguirán su objetivo reprobable. Por esta razón, al enjuiciar la legalidad del contrato, el juez no se limita a valorar objetivamente la infracción y aplicar automáticamente la sanción correspondiente. La consideración del juez suele ser integral y en ella confluyen aspectos muy distintos. La jurisprudencia al tender siempre a proporcionar el resultado más justo posible, implica en la aplicación de la ineficacia y sus efectos valoraciones de ecuanimidad en su resultado.

IX. En este contexto se impone un método casuístico con la pretensión de realizar posteriormente una sistematización de las soluciones más adecuadas. Aparte de tener en cuenta la finalidad de la norma, es importante tener en cuenta cuáles son los intereses privados en liza. Es evidente que la ineficacia será mucho más sencilla de aplicar si sólo se han formulado las prestaciones recíprocas, en cambio, si estamos en el periodo de ejecución o se han ejecutado ya las prestaciones y se ha consumado el contrato la situación se complica.

En el momento en el que se producen desplazamientos patrimoniales entran en función las reglas restitutorias. En principio, procede la recíproca restitución de prestaciones (art. 1303 C.C.) Las reglas contenidas en los artículos 1305 y 1306 C.C., en las que se retira la acción restitutoria a la parte que se considera culpable de la infracción, son de aplicación totalmente excepcional. En esta consideración influyen las situaciones y resultados poco satisfactorios a los que conducen.

En todo caso, tras aplicar la ineficacia parece fundamental, para evitar soluciones de injusticia, el evaluar los posibles enriquecimientos y los posibles daños que se resulten entre las partes contratantes.

No obstante, la jurisprudencia al apreciar la ineficacia del contrato tiende a adecuar los resultados de ésta al diferente comportamiento que hayan adoptado los contratantes. No aplica objetiva y fríamente la nulidad a todo contrato ilegal sino que a la hora de apreciarla va a acudir a la naturaleza, móviles, circunstancias y efectos previsibles de los actos realizados por los contratantes. Este análisis va a implicar necesariamente valoraciones de la buena o mala fe y culpabilidad de las partes, aunque éstos sean criterios propios para la evaluación de responsabilidades. Por este motivo, puede que no se haya desarrollado —como debería— en estos casos de ilegalidad la reclamación de responsabilidades por *culpa in contrahendo,* que tendría que operar como acción complementaria y accesoria a la de ineficacia. No se puede olvidar que no es función de la ineficacia reestructurar el posible desequilibrio patrimonial que se pueda producir entre las partes (disminuciones patrimoniales y enriquecimientos injustos).

X. Las nuevas leyes especiales han venido a complicar más el ya complejo panorama de la ineficacia contractual. Las nuevas normas imperativas no se conforman con impedir determinadas iniciativas contractuales, tratan de dirigir directamente el contenido de los contratos hacia la consecución de sus finalidades. Para este cometido se van a servir de nuevas soluciones que flexibilizan mucho la clásica concepción de la nulidad.

La tarea de glosar las nuevas soluciones sería más sencilla si en cada ley en la que se contemplasen supuestos que inciden directamente en el ámbito contractual se recogiesen, expresamente, los remedios para restablecer la legalidad y las posibles sanciones civiles que merecen. El legislador, sin embargo, no va a ser siempre tan aplicado y pondrá a prueba la labor del intérprete.

Tampoco parece viable, pese a que sea el medio usualmente aceptado por nuestro espíritu positivista, modificar el Código Civil para agregarle una pormenorizada reglamentación sancionatoria. Es cierto que la tipificación de las distintas variantes con que la ilicitud contractual puede presentarse, podría considerarse como un gran adelanto en la resolución de todos los problemas que la ilegalidad contractual plantea. La articulación de todos y cada uno de los problemas de ilicitud contractual podría hacerse atendiendo no sólo al principio de seguridad, sino contemplando las peculiaridades concretas de cada supuesto y adaptando sus soluciones a criterios de justicia. Sin embargo, las regulaciones sancionadoras con pretensiones de exhaustividad en materia contractual, pese a lo loable de su intención, no parecen resultar prácticas. No existe reglamentación sancionadora de la que no escapen múltiples situaciones y contra la cual no pueda prevalecer la riqueza de la realidad y su constante evolución.

En fin, resulta evidente la tendencia hacia una aplicación jurisprudencial de principios generales extraídos de las normas jurídicas infringidas por los contratos enjuiciados. La razón fundamental es que ésta es una técnica que guarda la flexibilidad necesaria para adaptarse a las nuevas exigencias de equilibrio entre la seguridad jurídica y la justicia del caso concreto.

Se puede constatar que con la progresiva flexibilización de las sanciones de la ilegalidad contractual se ha ido superando, paulatinamente, el concepto rígido de nulidad como regla general para dar paso a un concepto flexible de ineficacia adaptable a cada caso. Este concepto de ineficacia es comprensivo de cualquiera de los efectos típicos de la nulidad y de la anulabilidad, considerados cada uno con independencia del resto que les completan como tipicidad. Se utiliza cada uno de los caracteres de estas figuras de la ineficacia como mecanismos independientes. Las características que determinan cada uno de los efectos típicos de cada especie de ineficacia van a estar disponibles para el operador jurídico como un *totum revolutum* de combinaciones posibles, sin que sean atendibles para ello otras reglas que no sean las de procurar la efectiva consecución del fin de la norma y reprobar la conducta ilícita o, al menos, procurar que ésta no resulte rentable al infractor.

XI. Dentro de las nuevas formas del fenómeno de la ineficacia derivadas de la ilegalidad contractual cabe destacar de manera diferenciada las siguientes:

a) La nulidad parcial. Entre las nuevas modalidades de ineficacia derivadas de la ilegalidad, la nulidad parcial es la más común. Aunque no se recoge expresamente en el Código Civil, ha sido adoptada por buena parte de la legislación especial. Ampliamente tratada por la doctrina y desarrollada por la jurisprudencia. Está en la línea de conservar, en la medida de lo posible, la validez de lo pactado por las partes. En sus vertientes de nulidad parcial simple y reductiva o sustitutiva puede afirmarse que ha desplazado totalmente a la nulidad total o de pleno derecho en los subsistemas de las legislaciones especiales.

b) Restricciones en la legitimación activa para interponer la nulidad. En aquellas normas jurídicas especiales diseñadas para la protección de un determinado grupo o colectivo de contratantes se tenderá a reservar, exclusivamente, a éstas la posibilidad de impugnación del contrato basándose en sus preceptos. Es una medida lógica en aquellas normas que pertenecen al llamado orden público económico de protección.

c) Denegación de la acción de nulidad a la parte cuyo interés no es legítimo. Con esta medida se trataría de evitar que aquella parte que participó o provocó la ilegalidad del contrato trate de sacar provecho de ella alegando su nulidad. Esta regla ha sido contemplada positivamente en el texto de algunos Códigos hispanoamericanos. En nuestro ordenamiento jurídico es discutida tanto su aplicación como su fundamento u origen. No obstante, no cabe duda de que se trata de un factor que tiene en cuenta la jurisprudencia en muchos casos, aunque no lo haga explícitamente.

Estas variantes de la ineficacia pueden combinarse y compatibilizarse entre sí. La aplicación de una o alguna de ellas va a depender, en última instancia, de la finalidad de la norma jurídica infringida y de la interpretación que de ella hagan jueces y tribunales.

SENTENCIAS DEL TRIBUNAL SUPREMO

- Sentencia de 4 de abril de 1865.
- Sentencia de 31 de diciembre de 1869.
- Sentencia de 9 de marzo de 1874.
- Sentencia de 5 de octubre de 1883.
- Sentencia de 27 de marzo de 1881.
- Sentencia de 6 de julio de 1894.
- Sentencia de 11 de noviembre de 1895.
- Sentencias de 12 de febrero 1898.
- Sentencia de 12 de abril de 1898.
- Sentencia de 20 de junio de 1900.
- Sentencia de 6 de mayo de 1902.
- Sentencia de 4 de abril 1903.
- Sentencia de 22 de junio de 1910.
- Sentencia de 11 de marzo de 1911.
- Sentencia de 18 de junio de 1913.
- Sentencia de 17 de diciembre de 1913.
- Sentencia de 5 de febrero de 1914.
- Sentencia de 1 de julio de 1915.
- Sentencia de 6 de junio de 1916.
- Sentencia de 22 de octubre de 1916.
- Sentencia de 3 de noviembre de 1916.
- Sentencia de 13 de marzo de 1920.
- Sentencia de 12 de noviembre de 1920.
- Sentencia de 27 de abril de 1921.
- Sentencia de 18 de febrero de 1924.
- Sentencia de 12 de abril de 1925.
- Sentencia de 2 de octubre de 1926.
- Sentencia de 17 de enero de 1927.
- Sentencias de 8 de junio de 1927
- Sentencia de 11 enero de 1928.
- Sentencia de 23 de mayo de 1929.
- Sentencia de 30 de septiembre de 1929.
- Sentencia de 24 de febrero de 1930.
- Sentencia de 29 de marzo de 1930.
- Sentencia de 9 de abril de 1930.
- Sentencia de 30 de junio de 1930.
- Sentencia de 6 de diciembre de 1930.
- Sentencia de 1 de abril de 1931.
- Sentencia de 9 de noviembre de 1931.
- Sentencia de 31 de diciembre 1931.
- Sentencia de 29 de enero de 1932.
- Sentencia de 3 de marzo de 1932.
- Sentencia de 29 de marzo de 1932.

- Sentencia de 24 de octubre de 1932.
- Sentencia de 16 de noviembre de 1932.
- Sentencias de 3 de enero de 1933.
- Sentencia de 9 de enero de 1933.
- Sentencia de 1 de marzo de 1934.
- Sentencia de 16 de febrero de 1935.
- Sentencia de 23 de diciembre de 1935.
- Sentencia de 23 de diciembre de 1939.
- Sentencia de 16 de mayo de 1940.
- Sentencia de 14 de diciembre de 1940.
- Sentencia de 2 de abril de 1941.
- Sentencia de 13 de febrero de 1941.
- Sentencia de 29 de diciembre de 1942.
- Sentencia de 10 de febrero de 1944.
- Sentencia de 2 de abril de 1944.
- Sentencia de 12 de abril de 1944.
- Sentencia de 9 de mayo de 1944.
- Sentencia de 1 de junio de 1944.
- Sentencia de 19 de octubre de 1944.
- Sentencia de 28 de mayo de 1945.
- Sentencia de 31 de mayo de 1945.
- Sentencia de 5 de junio de 1945.
- Sentencia de 18 de junio de 1945.
- Sentencia de 12 de abril de 1946.
- Sentencia de 2 de abril de 1946
- Sentencia de 12 de abril de 1946.
- Sentencia de 26 de junio de 1946.
- Sentencia de 10 de abril de 1947.
- Sentencia de 19 de mayo de 1947.
- Sentencia de 26 de mayo de 1947.
- Sentencia de 10 de octubre de 1947.
- Sentencia de 7 de noviembre de 1947.
- Sentencia de 6 de diciembre de 1947.
- Sentencia de 18 de diciembre de 1947.
- Sentencia de 10 de febrero de 1948.
- Sentencia de 22 de marzo de 1948.
- Sentencia de 9 de julio de 1948.
- Sentencia de 27 de septiembre de 1948.
- Sentencia de 8 de octubre de 1948.
- Sentencia de 22 de octubre de 1948.
- Sentencia de 10 de noviembre de 1948.
- Sentencia de 15 de enero de 1949.
- Sentencia de 27 de mayo de 1949
- Sentencia de 3 de junio de 1949.
- Sentencia de 20 de junio de 1949.
- Sentencia de 20 de octubre de 1949.

- Sentencia de. 29 de octubre de 1949.
- Sentencia de 6 de diciembre de 1949.
- Sentencia de 14 de diciembre de 1949.
- Sentencia de 31 de diciembre de 1949.
- Sentencia de 24 de marzo de 1950.
- Sentencia de 28 de marzo de 1950.
- Sentencia de 30 de marzo de 1950
- Sentencia de 4 de julio de 1950.
- Sentencia de 24 de febrero de 1951.
- Sentencia de 8 de marzo de 1951.
- Sentencia de 25 de abril de 1951.
- Sentencia de 10 de octubre de 1951.
- Sentencia de 19 de diciembre de 1951.
- Sentencia de 12 de marzo de 1952.
- Sentencia de 21 de marzo de 1952
- Sentencia de 13 de noviembre de 1952.
- Sentencia de 3 de junio de 1953.
- Sentencia de 3 de octubre de 1953.
- Sentencia de 13 de noviembre de 1953.
- Sentencia de 9 de febrero de 1954.
- Sentencia de 30 de mayo de 1954.
- Sentencia de 3 de julio de 1954.
- Sentencia de 30 de mayo de 1954.
- Sentencia de 4 de febrero de 1955.
- Sentencia de 25 de enero de 1955.
- Sentencia de 9 de marzo de 1955.
- Sentencia de 12 de abril de 1955.
- Sentencia de 30 de mayo de 1955.
- Sentencia de 17 de octubre de 1955.
- Sentencia de 31 de octubre de 1955.
- Sentencia de 11 de noviembre de 1955.
- Sentencia de 26 de noviembre de 1955.
- Sentencia de 23 de diciembre de 1955.
- Sentencia de 28 de diciembre de 1955.
- Sentencia de 28 de enero de 1956.
- Sentencia de 1 de marzo de 1956.
- Sentencia de 10 de abril de 1956.
- Sentencia de 20 de abril 1956.
- Sentencia de 23 de abril de 1956.
- Sentencia de 13 de junio de 1956.
- Sentencia de 28 de junio de 1956.
- Sentencia de 5 de octubre de 1956.
- Sentencia de 27 de octubre de 1956.
- Sentencia de 29 de octubre de 1956
- Sentencia de 12 de noviembre de 1956.
- Sentencia de 7 de enero de 1957.

- Sentencia de 11 de febrero de 1957.
- Sentencia de 19 de febrero de 1957.
- Sentencia de 26 de febrero de 1957
- Sentencia de 20 de mayo de 1957.
- Sentencia de 4 de junio de 1957.
- Sentencia de 8 de junio de 1957.
- Sentencia de 15 de octubre de 1957.
- Sentencia de 27 de noviembre de 1957.
- Sentencia de 2 de diciembre de 1957.
- Sentencia de 11 de diciembre de 1957
- Sentencia de 9 de enero de 1958.
- Sentencia de 22 de enero de 1958.
- Sentencia de 28 de enero de 1958.
- Sentencia de 8 de febrero de 1958.
- Sentencia de 5 de marzo de 1958.
- Sentencia de 14 de marzo de 1958.
- Sentencia de 8 de abril de 1958.
- Sentencia de 5 de mayo de 1958
- Sentencia de 7 de mayo de 1958.
- Sentencia de 27 de mayo de 1958.
- Sentencia de 11 de octubre de 1958.
- Sentencia de 21 de octubre de 1958.
- Sentencia de 19 de diciembre de 1958.
- Sentencia de 15 de enero 1959.
- Sentencia de 22 de enero de 1959.
- Sentencia de 12 de mayo de 1959.
- Sentencia de 20 de mayo de 1959.
- Sentencia de 25 de mayo de 1959.
- Sentencia de 27 de mayo de 1959.
- Sentencia de 6 de junio de 1959.
- Sentencia de 12 de junio de 1959.
- Sentencia de 14 de junio de 1959.
- Sentencia de 25 de junio de 1959.
- Sentencia de 6 de julio de 1959.
- Sentencia de 30 de septiembre de 1959.
- Sentencia de 13 de octubre de 1959.
- Sentencia de 15 de octubre de 1959.
- Sentencia de 17 de octubre de 1959.
- Sentencia de 19 de octubre de 1959.
- Sentencia de 24 de octubre de 1959.
- Sentencia de 20 de noviembre de 1959.
- Sentencia de 26 de noviembre de 1959.
- Sentencia de 9 de diciembre de 1959.
- Sentencia de 28 de diciembre de 1959.
- Sentencia de 4 de febrero de 1960.
- Sentencia de 30 de enero de 1960.

- Sentencia de 7 de junio 1960.
- Sentencia de 25 de junio de 1960.
- Sentencia de 27 de junio de 1960.
- Sentencia de 30 de junio de 1960.
- Sentencia de 18 de octubre de 1960.
- Sentencia de 27 de octubre de 1960.
- Sentencia de 29 de octubre de 1960.
- Sentencia de 17 de noviembre de 1960.
- Sentencia de 6 de diciembre de 1960.
- Sentencia de 3 de febrero de 1961.
- Sentencia de 20 de febrero de 1961.
- Sentencia de 6 de marzo de 1961.
- Sentencia de 11 de marzo de 1961.
- Sentencia de 4 de abril de 1961.
- Sentencia de 20 de abril de 1961.
- Sentencia de 17 de octubre de 1961.
- Sentencia de 20 de octubre de 1961
- Sentencia de 21 de octubre de 1961.
- Sentencia de 6 de noviembre de 1961
- Sentencia de 9 de noviembre de 1961.
- Sentencia de 23 de noviembre de 1961.
- Sentencia de 10 de febrero de 1962.
- Sentencia de 17 de febrero de 1962.
- Sentencia de 26 de abril de 1962.
- Sentencia de 28 de junio de 1962.
- Sentencia de 22 de noviembre de 1962.
- Sentencia de 23 de noviembre de 1962.
- Sentencia de 29 de noviembre de 1962
- Sentencia de 12 de diciembre de 1962.
- Sentencia de 24 de diciembre de 1962.
- Sentencia de 6 de abril de 1963.
- Sentencia de 23 de febrero de 1963.
- Sentencia de 11 de marzo de 1963.
- Sentencia de 22 de marzo de 1963.
- Sentencia de 25 de marzo de 1963.
- Sentencia de 6 de abril de 1963.
- Sentencia de 8 de abril de 1963.
- Sentencia de 28 de abril de 1963.
- Sentencia de 3 de mayo de 1963.
- Sentencia de 18 de mayo de 1963.
- Sentencia de 28 de mayo de 1963.
- Sentencia de 21 junio de 1963.
- Sentencia de 21 de julio de 1963.
- Sentencia de 8 de octubre de 1963
- Sentencia de 31 de octubre 1963
- Sentencia de 27 de noviembre de 1963.

- Sentencia de 4 de diciembre de 1963.
- Sentencia de 14 de febrero de 1964.
- Sentencia de 21 de febrero de 1964.
- Sentencia de 27 de febrero de 1964.
- Sentencia de 20 de marzo 1964.
- Sentencia de 31 de marzo de 1964.
- Sentencia de 18 de mayo de 1964.
- Sentencia de 26 de mayo de 1964.
- Sentencia de 29 de mayo de 1964.
- Sentencia de 2 de junio de 1964.
- Sentencia de 30 de septiembre de 1964.
- Sentencia de 29 de octubre 1964.
- Sentencia de 30 de octubre 1964.
- Sentencia de 10 de noviembre de 1964.
- Sentencia de 20 de noviembre de 1964.
- Sentencia de 1 de diciembre de 1964.
- Sentencia de 4 de enero de 1965.
- Sentencia de 15 de febrero de 1965.
- Sentencia de 23 de febrero de 1965.
- Sentencia de 11 de marzo de 1965.
- Sentencia de 22 de marzo de 1965.
- Sentencia de 29 de abril de 1965.
- Sentencia de 28 de mayo de 1965.
- Sentencia de 5 de julio de 1965.
- Sentencia de. 16 de octubre de 1965.
- Sentencia de 2 de noviembre de 1965.
- Sentencia de 7 de diciembre de 1965.
- Sentencia de 1 de febrero de 1966.
- Sentencia de 2 de febrero de 1966.
- Sentencia de 10 de febrero de 1966.
- Sentencia de 8 de marzo de 1966.
- Sentencia de 11 de marzo de 1966.
- Sentencia de 31 de marzo de 1966.
- Sentencia de 11 de abril de 1966.
- Sentencia de 11 de junio de 1966.
- Sentencia de 23 de junio de 1966.
- Sentencia de 4 de octubre de 1966.
- Sentencia de 20 de octubre de 1966.
- Sentencia de 27 de octubre de 1966.
- Sentencia de 24 de noviembre de 1966.
- Sentencia de 4 de noviembre de 1966.
- Sentencia de 10 de diciembre de 1966.
- Sentencia de 27 de diciembre de 1966.
- Sentencia de 7 de enero de 1967.
- Sentencia de 19 de enero de 1967.
- Sentencia de 20 de febrero de 1967.

- Sentencia de 25 de febrero de 1967.
- Sentencia de 10 de marzo de 1967.
- Sentencia de 11 de marzo de 1967.
- Sentencia de 31 de marzo de 1967.
- Sentencia de 19 de abril de 1967.
- Sentencia de 20 de abril de 1967.
- Sentencia de 26 de abril de 1967.
- Sentencia de 3 de junio de 1967.
- Sentencia de 3 de noviembre de 1967.
- Sentencia de 2 de febrero de 1968.
- Sentencia de 18 de marzo de 1968.
- Sentencia de 3 de abril de 1968.
- Sentencia de 27 de mayo de 1968.
- Sentencia de 31 de mayo de 1968.
- Sentencia de 14 de junio de 1968.
- Sentencia de 20 de junio de 1968..
- Sentencia de 28 de octubre de 1968.
- Sentencia de 31 de octubre de 1968.
- Sentencia de 26 de noviembre de 1968.
- Sentencia de 18 de diciembre de 1968.
- Sentencia de 29 de enero de 1969.
- Sentencia de 25 de febrero de 1969.
- Sentencia de 24 de mayo de 1969.
- Sentencia de 31 de mayo de 1969.
- Sentencia de 10 de junio de 1969.
- Sentencia de 14 de junio de 1969.
- Sentencia de 4 de octubre de 1969
- Sentencia de 8 de octubre de 1969
- Sentencia de 14 de noviembre de 1969.
- Sentencia de 10 de febrero de 1970.
- Sentencia de 27 de abril de 1970.
- Sentencia de 11 de mayo de 1970.
- Sentencia de 13 de mayo de 1970.
- Sentencia de 16 de mayo de 1970.
- Sentencia de 29 de diciembre de 1970.
- Sentencia de 11 de junio de 1971.
- Sentencia de 15 de marzo de 1971.
- Sentencia de 3 julio de 1971.
- Sentencia de 14 de diciembre de 1971.
- Sentencia de 15 de marzo de 1972.
- Sentencia de 20 de marzo de 1972.
- Sentencia de 17 de abril de 1972.
- Sentencia de 20 de octubre de 1972.
- Sentencia de 31 de marzo 1973.
- Sentencia de 17 de mayo de 1973.
- Sentencia de 23 de octubre de 1973.

- Sentencia de 22 de diciembre de 1973.
- Sentencia de 27 de febrero de 1974.
- Sentencia de 28 de febrero de 1974.
- Sentencia de 16 de mayo de 1974.
- Sentencia de 17 mayo de 1974.
- Sentencia de 26 de mayo de 1974.
- Sentencia de 7 de junio de 1974.
- Sentencia de 28 de junio de 1974.
- Sentencia de 16 de noviembre de 1974.
- Sentencia de 13 de diciembre de 1974.
- Sentencia de 4 de marzo de 1975.
- Sentencia de 16 de mayo de 1975.
- Sentencia de 28 de noviembre de 1975.
- Sentencia de 5 de marzo de 1976
- Sentencia de 14 de junio de 1976.
- Sentencia de 28 de junio de 1976.
- Sentencia de 6 de julio de 1976.
- Sentencia de 13 de octubre 1976.
- Sentencia de 21 de octubre de 1976.
- Sentencia de 24 de enero de 1977.
- Sentencia de 7 de mayo de 1977.
- Sentencia de 4 de junio de 1977.
- Sentencia de 27 de junio de 1977.
- Sentencia de 8 de julio de 1977.
- Sentencia de 10 octubre 1977.
- Sentencia de 17 octubre de 1977.
- Sentencia de 15 de noviembre de 1977.
- Sentencia de 23 de noviembre de 1977.
- Sentencia de 29 de noviembre de 1977.
- Sentencia de 19 de diciembre de 1977.
- Sentencia de 13 de abril de 1978.
- Sentencia de 17 de abril de 1978.
- Sentencia de 30 de junio de 1978.
- Sentencia de 31 de junio de 1978.
- Sentencia de 4 de julio de 1978.
- Sentencia de 7 de julio de 1978.
- Sentencia de 16 de octubre de 1978.
- Sentencia de 30 de diciembre de 1978.
- Sentencia de 19 de febrero de 1979.
- Sentencia de 17 de mayo de 1979.
- Sentencia de 8 de junio de 1979.
- Sentencia de 25 de junio de 1979.
- Sentencia de 22 de noviembre de 1979.
- Sentencia de 31 de diciembre de 1979.
- Sentencia de 14 de noviembre de 1980.
- Sentencia de 3 de febrero de 1981.

- Sentencia de 13 de febrero de 1981.
- Sentencia de 27 de marzo de 1981.
- Sentencia de 31 de marzo de 1981.
- Sentencia de 19 de mayo de 1981.
- Sentencia de 19 de junio de 1981.
- Sentencia de 2 de diciembre de 1981.
- Sentencia de 18 de diciembre de 1981.
- Sentencia de 22 de diciembre de 1981.
- Sentencia de 15 de febrero de 1982.
- Sentencia de 1 de abril de 1982.
- Sentencia de 26 de junio de 1982.
- Sentencia de 4 de marzo de 1983.
- Sentencia de 14 de marzo de 1983.
- Sentencia de 25 de mayo de 1983.
- Sentencia de 16 de junio de 1983.
- Sentencia de 8 de julio de 1983.
- Sentencia de 22 de noviembre de 1983.
- Sentencia de 24 de noviembre de 1983.
- Sentencia de 12 de diciembre de 1983.
- Sentencia de 2 de febrero de 1984.
- Sentencia de 7 de febrero de 1984.
- Sentencia de 10 de marzo de 1984.
- Sentencia de 29 de marzo de 1984.
- Sentencia de 31 de marzo de 1984.
- Sentencia de 4 de abril de 1984.
- Sentencia de 21 de mayo de 1984.
- Sentencia de 164de junio de 1984.
- Sentencia de 16 de junio de 1984.
- Sentencia de 19 de junio de 1984.
- Sentencia de 27 de junio de 1984.
- Sentencia de 11 de julio de 1984.
- Sentencia de 4 de octubre de 1984.
- Sentencia de 6 de octubre de 1984.
- Sentencia de 31 de octubre de 1984.
- Sentencia de 27 de noviembre de 1984.
- Sentencia de 14 de febrero de 1985.
- Sentencia de 16 de abril de 1985.
- Sentencia de 19 de abril de 1985.
- Sentencia de 18 de mayo de 1985.
- Sentencia de 11 de octubre de 1985.
- Sentencia de 20 de diciembre de 1985.
- Sentencia de 16 de diciembre de 1985.
- Sentencia de 30 de diciembre de 1985.
- Sentencia de 19 de febrero de 1986.
- Sentencia de 5 de abril de 1986.
- Sentencia de 10 de abril de 1986.

- Sentencia de 29 de abril de 1986.
- Sentencia de 30 de abril de 1986.
- Sentencia de 7 de junio de 1986.
- Sentencia de 13 de junio de 1986.
- Sentencia de 23 de junio de 1986.
- Sentencia de 30 junio de 1986.
- Sentencia de 14 de julio de 1986.
- Sentencia de 28 de julio de 1986.
- Sentencia de 16 de septiembre de 1986.
- Sentencia de 26 de octubre de 1986.
- Sentencia de 19 de noviembre de 1986.
- Sentencia de 4 de diciembre de 1986.
- Sentencia de 11 de diciembre de 1986.
- Sentencia de 26 de febrero de 1987.
- Sentencia de 5 de marzo de 1987.
- Sentencia de 13 de marzo de 1987.
- Sentencia de 25 de mayo de 1987.
- Sentencia de 15 de junio de 1987.
- Sentencia de 8 de julio de 1987.
- Sentencia de 25 mayo de 1987.
- Sentencia de 30 de septiembre de 1987.
- Sentencia de 2 de octubre de 1987.
- Sentencia de 6 de octubre de 1987.
- Sentencia de 17 de octubre de 1987.
- Sentencia de 12 de noviembre de 1987.
- Sentencia de 23 de febrero de 1988.
- Sentencia de 11 de marzo de 1988.
- Sentencia de 23 de marzo de 1988.
- Sentencia de 25 de mayo de 1988.
- Sentencia de 1 de julio de 1988.
- Sentencia de 16 de septiembre de 1988.
- Sentencia de 6 de octubre de 1988.
- Sentencia de 21 de noviembre de 1988.
- Sentencia de 12 de enero de 1989.
- Sentencia de 3 de febrero de 1989.
- Sentencia de 24 de febrero de 1989.
- Sentencia de 14 de marzo de 1989.
- Sentencia de 27 de marzo de 1989.
- Sentencia de 28 de abril de 1989.
- Sentencia de 8 de mayo de 1989.
- Sentencia de 10 de mayo de 1989.
- Sentencia de 2 de junio de 1989.
- Sentencia de 19 de julio de 1989.
- Sentencia de 24 de julio de 1989.
- Sentencia de 27 de septiembre de 1989.
- Sentencia de 23 de octubre de 1989.

- Sentencia de 28 noviembre de 1989.
- Sentencia de 15 de diciembre de 1989.
- Sentencia de 19 de enero de 1990.
- Sentencia de 28 de febrero de 1990.
- Sentencia de 20 de marzo de 1990.
- Sentencia de 31 de marzo de 1990.
- Sentencia de 4 de abril de 1990.
- Sentencia de 11 de mayo de 1990.
- Sentencia de 4 de junio de 1990.
- Sentencia de 7 de junio de 1990.
- Sentencia de 20 de julio de 1990.
- Sentencia de 25 de junio de 1990.
- Sentencia de 25 de septiembre de 1990.
- Sentencia de 6 de octubre de 1990
- Sentencia de 29 de octubre de 1990.
- Sentencia de 9 de noviembre de 1990.
- Sentencia de 19 de noviembre de 1990.
- Sentencia de 10 de diciembre de 1990.
- Sentencia de 3 de enero de 1991.
- Sentencia de 26 de febrero de 1991.
- Sentencia de 11 de marzo de 1991.
- Sentencia de 5 de abril de 1991.
- Sentencia de 11 de abril de 1991.
- Sentencia de 24 de abril de 1991.
- Sentencia de 11 de octubre de 1991.
- Sentencia de 19 de octubre de 1991.
- sentencia de 8 de noviembre de 1991
- Sentencia de 30 de diciembre de 1991.
- Sentencia de 17 de febrero de 1992.
- Sentencia de 4 de febrero de 1992.
- Sentencia de 24 de febrero de 1992.
- Sentencia de 8 de abril de 1992.
- Sentencia de 11 de junio de 1992.
- Sentencia de 11 de julio de 1992.
- Sentencia de 3 de septiembre de 1992.
- Sentencia de 4 de septiembre de 1992.
- Sentencia de 29 de septiembre de 1992.
- Sentencia de 15 de octubre de 1992.
- Sentencia de 23 de octubre de 1992.
- Sentencia de 20 de noviembre de 1992.
- Sentencia de 5 de diciembre de 1992.
- Sentencia de 15 de diciembre de 1992.
- Sentencia de 27 de enero de 1993.
- Sentencia de 7 de febrero de 1993.
- Sentencia de 15 de febrero de 1993.
- Sentencia de 17 de febrero de 1993.

- Sentencia de 23 de febrero de 1993.
- Sentencia de 4 de marzo de 1993.
- Sentencia de 11 de marzo de 1993.
- Sentencia de 24 de marzo de 1993.
- Sentencia de 19 de abril de 1993.
- Sentencia de 10 de mayo de 1993.
- Sentencia de 19 de mayo de 1993.
- Sentencia de 20 de mayo de 1993.
- Sentencia de 18 de junio de 1993.
- Sentencia de 26 de junio de 1993.
- Sentencia de 8 de julio de 1993.
- Sentencia de 24 de julio de 1993.
- Sentencia de 30 de septiembre de 1993.
- Sentencia de 14 de diciembre de 1993.
- Sentencia de 15 de diciembre de 1993.
- Sentencia de 30 de diciembre de 1993.
- Sentencia de 30 de diciembre de 1993.
- Sentencia de 21 de febrero de 1994.
- Sentencia de 4 de mayo de 1994.
- Sentencia de 9 de mayo de 1994.
- Sentencia de 7 de julio de 1994.
- Sentencia de 9 de febrero de 1994.
- Sentencia de 17 de febrero de 1994.
- Sentencia de 12 de marzo de 1994.
- Sentencia de 23 de marzo de 1994.
- Sentencia de 9 de mayo de 1994.
- Sentencia de 5 de julio de 1994.
- Sentencia de 21 de julio de 1994.
- Sentencia de 27 de septiembre de 1994.
- Sentencia de 10 de octubre de 1994.
- Sentencia de 4 de noviembre de 1994.
- Sentencia de 19 de noviembre de 1994.
- Sentencia de 29 de noviembre de 1994.
- Sentencia de 14 de diciembre de 1994.
- Sentencia de 30 de enero 1995.
- Sentencia de 4 de febrero de 1995.
- Sentencia de 17 de febrero de 1995.
- Sentencia de 8 de marzo 1995.
- Sentencia de 26 abril de 1995.
- Sentencia de 5 de mayo de 1995.
- Sentencia de 8 de junio de 1995.
- Sentencia de 20 de junio de 1995.
- Sentencia de 17 de febrero de 1996.
- Sentencia de 13 de mayo de 1996.
- Sentencia de 15 de junio de 1996.
- Sentencia de 19 de junio de 1996.

- Sentencia de 20 de junio de 1996.
- Sentencia de 22 de julio de 1996.
- Sentencia de 23 de octubre de 1996.
- Sentencia de 10 de septiembre de 1996.
- Sentencia de17 de febrero de 1997.
- Sentencia de18 de febrero de 1997.
- Sentencia de 27 de febrero de 1997.
- Sentencia de 13 de marzo 1997.
- Sentencia de 7 de abril de 1997.
- Sentencia de 24 de abril de 1997.
- Sentencia de 29 de abril de 1997.
- Sentencia de 23 de mayo de 1997.
- Sentencia de 14 de junio de 1997.
- Sentencia de 20 de junio de 1997.
- Sentencia de 22 de julio de 1997.
- Sentencia de 21 de octubre de 1997.
- Sentencia de 23 de octubre de 1997.
- Sentencia de 21 de noviembre de 1997.
- Sentencia de 24 de noviembre de 1997.
- Sentencia de 23 de diciembre de 1997.
- Sentencia de 26 de diciembre de 1997.
- Sentencia de 13 de febrero de 1998.
- Sentencia de 23 de febrero de 1998.
- Sentencia de 7 de marzo de 1998.
- Sentencia de 20 de marzo de 1998.
- Sentencia de 2 de abril de 1998.
- Sentencia de 18 de abril de 1998.
- Sentencia de 29 de abril de 1998.
- Sentencia de 5 de mayo de 1998.
- Sentencia de 20 de junio de 1998.
- Sentencia de 26 de junio de 1998.
- Sentencia de 18 de septiembre de 1998.
- Sentencia de 26 de octubre de 1998.
- Sentencia de 13 de noviembre de 1998.
- Sentencia de 28 de noviembre de 1998.
- Sentencia de 13 de marzo de 1999.
- Sentencia de 18 de marzo de 1999.
- Sentencia de 15 de junio de 1999.
- Sentencia de 9 de julio de 1999.
- Sentencia de 15 de septiembre de 1999.
- Sentencia de 30 de septiembre de 1999.
- Sentencia de 15 de octubre de 1999.
- Sentencia de 1 de abril de 2000.
- Sentencia de 31 de octubre de 2000.
- Sentencia de 21 de noviembre de 2000.
- Sentencia de 27 de noviembre de 2000.

EDUARDO VÁZQUEZ DE CASTRO

- Sentencia de 31 de noviembre de 2000.
- Auto de 28 de noviembre de 2000.
- Sentencia de 29 de diciembre de 2000.
- Sentencia de 5 de febrero de 2001.

SENTENCIAS DE TRIBUNALES SUPERIORES DE JUSTICIA Y DE AUDIENCIAS PROVINCIALES

- Sentencia del Tribunal Superior de Justicia de Navarra de 23 de junio de 1992 A.C. 562/1992, N° 1236.
- Sentencia Audiencia Provincial de Girona de 20 de noviembre de 1992 AC.380/1992, N° 615.
- Sentencia de la Audiencia Provincial de Madrid de 8 de julio de 1994, Ar. Civil, 1994 N° 1486.
- Sentencia de la Audiencia Provincial de Córdoba de 22 de marzo de 1996, Ar. Civil, 1996 N° 543.
- Sentencia de la Audiencia Provincial de Palma de Mallorca de 17 de octubre de 1994.
- Sentencia de la Audiencia Provincial de Cantabria de 28 mayo 1998 (A.C./1998, 1689).

BIBLIOGRAFÍA UTILIZADA

AGUAVIVA, M., «*El negocio jurídico. La ineficacia del contrato. El registro de la propiedad y la eficacia del negocio jurídico inmobiliario*», en *Cuadernos de Derecho judicial*, XXXV, Madrid, 1994

ALBACAR J.L., *Legislación de arrendamientos urbanos. Doctrina y jurisprudencia.* Tomo I, 2ª ed., Madrid, 1996.
  - *Código Civil. Doctrina y jurisprudencia*, Tomos I, y IV, Madrid, 1991.

ALBALADEJO GARCÍA, M, *Derecho Civil, I*, vol. 1º, 12ª ed., Barcelona, 1991, *y vol II,* 2º, 8ª ed., Barcelona, 1989.
  - «*Ineficacia e invalidez del negocio jurídico*», R.D.P., julio-agosto de 1958.
  - «*Invalidez de la declaración de voluntad*», A.D.C., 1957.
  - «*La nulidad de los préstamos usurarios*», A.D.C., enero-marzo, 1995.
  - *Derecho Civil,* Tomo I, vol. 1º, 12ª ed., Barcelona, 1991, y T. II, vol.1º, 8ª ed., 1989, Tomo II, vol. 1º, 9ª ed., Barcelona, 1993.
  - *El negocio jurídico*, Barcelona, 1958.

ALCARAZ VARÓ, E., *El Inglés Jurídico, Textos y Documentos*, Barcelona, 1994.

ALEGRE ÁVILA, J.M., *Evolución y régimen jurídico del patrimonio histórico*, Tomos I y II, Madrid, 1994.

ALESSANDRI, A., SOMARRIVA, M., VODANOVIC, A., *Tratado de Derecho Civil. Partes Preliminar y General*, Tomos I y II, Santiago de Chile, 1998.

ALFARO AGUILA-REAL, J., *Las condiciones generales de la contratación. Estudios de las disposiciones generales*, Madrid, 1991.
  - «*Autonomía privada y derechos fundamentales*», en *A.D.C.*, Tomo XLVI, Fascículo l, enero-marzo, 1993.
  - Voz «*Condiciones Generales de la Contratación*», en *E.J.B.*, Madrid, 1995.
  - *Voz «Igualdad»* en *Enciclopedia Jurídica Básica*, Vol. II, Madrid, 1995.
  - *Comentarios a la Ley sobre condiciones generales de la contratación,* dir. A. Menéndez y L. Díez-Picazo, Madrid, 2002.

ALLARA, M, L *Teoria generale del contratto*, 2ª ed., Milano, 1955.

ALMAGRO NOSETE, J., *Comentario del Código Civil,* coord. por I. Sierra Gil de la Cuesta, Tomo 6º, Barcelona, 2000.

ALONSO MARTÍNEZ, M., *Código Civil*, Madrid, 1884.
  - *Código Civil español, resumen crítico de M. Pedregal y Cañedo*, Madrid, 1889.

ALONSO SOTO, R., voz «*Seguro*», en *E.J.B.*, T. IV, Madrid, 1995.

ALPA, G., BESSONE, M., ROPPO, E., *Rischio contrattuale e autonomia privata*, Napoli, 1982.

ALPA, G., «*La morte del contratto. Dal principio dello scambio eguale al dogma della volontà nella evoluzione della disciplina negoziale del "Common Law"*, en *Causa e Consideration, Quaderni di diritto comparato*», Padova, 1984.
  - *Contratto e Common Law*, Padova, 1987.

AMORÓS GUARDIOLA, M., «Comentario al art. 1275», en *Comentario del Código Civil, Ministerio de Justicia*, T.II, 2ª ed., Madrid, 1993.

- «La reforma del Título Preliminar», en Comentarios a las reformas del Código Civil, Vol. I, Madrid, 1977.
- Las limitaciones de la autonomía de la voluntad según el pensamiento de Federico de Castro, en A.D.C., XXXVI-3, 1983.

ANDREU MARTI, M.M., «La reciente normativa sobre protección del prestatario hipotecario», R.D.B.B., Nº 57, Enero-marzo, 1995.

ANGOITIA GOROSTIAGA, V., Extracción y transplante de órganos y tejidos humanos, Madrid, 1996.

ARCE Y FLÓREZ VALDÉS, J., Derecho Civil Constitucional, Madrid, 1991.

ARIAS RAMOS J. y ARIAS BONET J.A., Derecho Romano, I, 16ª ed., Madrid, 1981.

ASCARELLI, Appunti di diritto commerciale, Catania, 1931.

ASÚA GONZÁLEZ, C.I., La culpa in contrahendo, Bilbao, 1989.

ATAZ LÓPEZ, J., Comentarios al Código Civil y compilaciones forales, Tomo XVII, Vol. 1-B.

ATIYAH, P.S., An introduction to the law of contract, 5º edición, Oxford, 1995.
- The rise and fall of freedom of contract, Oxford, 1979.
- «Contract, Promises and the Law of Obligations», The Law Quarterly Review, 94, 1978.

ATTARD ALONSO, E., «La causa ilícita», en R.C.D.I. (352-353), 1957.

AUBERT, M., «La repetición des prestations illicites ou inmorales» en Droit français, en Droit suisse et dans la Jurisprudence belge, Lausanne, 1954.

AUBRY, C. et RAU, C., Cours de droit civil français, 4ª ed., Tomo I, París, 1869, y Tomo IV, París, 1871.

AVILÉS GARCÍA, J., «Cláusulas abusivas, buena fe y reformas del derecho de la contratación en España», en R.C.D.I., Nº 648, 1998.

AZORÍN RONCERO, J., «La ley General de Protección de los Derechos de Usuarios y Consumidores. Operaciones Bancarias», en R.G.D., 1985.

BALLARÍN HERNADEZ, R., «Limitaciones de la autonomía privada», en Homenaje a Vallet de Goytisolo, vol. II, Madrid, 1988.

BALLESTEROS GARRIDO. J.A., Las condiciones Generales de los contratos y el principio de autonomía, Barcelona, 1999.
- «La Ley de Condiciones Generales de la Contratación, derecho del consumo, derecho del mercado y ámbito subjetivo del control de las cláusulas abusivas», en Actualidad Civil, 2000, nº 20.

BARCELLONA, P., «Potestà di autodeterminazione», en su obra Istituti fondamentali del diritto privato, Napoli, 1971.
- «Sui controlli della libertá contrattuale», en Rivista di diritto civile, 1965-II.
- Intervento statale e autonomia privata, Milán, 1969.

BARONA VILAR, S., Comentarios a la Ley de Condiciones Generales de la Contratación, Pamplona, 1999.

BASOZABAL ARRUE, X., *Enriquecimiento injustificado por intromisión en derecho ajeno*, Madrid, 1998.

BASTÍDA, F. J., *Jueces y franquismo: el pensamiento político del Tribunal Supremo en la dictadura*, Barcelona, 1986.

BATLLE SALES, G., «*Las convenciones ilícitas en los negocios mercantiles. Reflexiones en torno al art. 53 del Código de Comercio*», en *R.D.M.*, Nº 205, (julio-septiembre), 1992.

BAUDRY-LACANTINERIE, G., *Précis de droit civil*, 9ª ed., París, 1905.
– *Traité théorique et pratique*, Tomo II, ed. supervisada, París, 1925.

BAUM, L., *El Tribunal Supremo de los Estados Unidos de América, trad. J.J. Queralt, Barcelona, 1987.*

BEALE, H.G., BISHOP W.D., FURMSTON, M.P., *Contracts. Cases and materials*, 2ª ed., Londres, 1990.

BEAUDANT, CH., *Cours de droit civil français*, Tomo VIII, París, 1936.

BELLO JANEIRO, D., *La defensa frente a tercero de los intereses de cónyuge en la sociedad de gananciales*, Barcelona, 1993.

BELTRÁN SÁNCHEZ, E., «*La unificación del Derecho Privado*», *Colegios notariales de España*, Madrid, 1995.

BÉNABENT, A., *Droit civil, les obligations*, 5ª ed. París, 1995.

BENDITO CAÑIZARES, M.T., *Compraventa de viviendas de protección oficial: ¿precio libre?*, Madrid, 1994.

BERCOVITZ RODRÍGUEZ-CANO, R., «*Numeros Rojos*», portada de *Aranzadi Civil*, Nº 11, octubre, 1997.
– *Estudios jurídicos sobre protección de los consumidores*, Madrid, 1987.
– *Comentarios a la Ley de venta a plazos de bienes muebles*, Madrid, 1997.
– «*Comentario al art. 8º*» en *Comentarios a la Ley de Condiciones Generales de la Contratación*, Pamplona, 1999.

BERLIN, I., *Cuatro ensayos sobre la libertad*. Madrid, 1988.

BERNAL-QUIRÓS, «*Consideraciones sobre el nuevo título preliminar*», en *R.C.D.I.*, 1976.

BESSONE, M., «*Dalla freedom of contract al controllo sociale. (Osservazioni sul metodo di una raccolta di cases and materials)*», en *Rivista di Diritto Civile*. 1969.
– «*Strategia d'impresa e teoria oggettiva della responsabilità contrattuale dal dogma della consideration alla politica del diritto dell'emerging capitalism*», en *Causa e Consideration, Quaderni di diritto comparato*, Padova, 1984.
– *Casi e questioni di diritto privato*, IV, *Obligazioni e contratti*, Milán, 1993.

BETTI, E., *Teoría general del negocio jurídico*, trad. A. Martínez Pérez (versión italiana de 1950), Madrid, (sin fecha)

BEUDANT, CH., *Cours de droit civil français*, 2ª ed., T. VIII, París, 1936.

BIANCA, C.M., *Diritto civile, 3, Il contratto*, Milano, 1987.

BLANCO PÉREZ-RUBIO, L., *La nulidad de las cláusulas de sumisión expresa en los contratos de adhesión*, Madrid, 1998.
- «El control de contenido en condiciones generales y en cláusulas contractuales predispuestas», en *R.J.N.*, 2000, n° 35.

BLANDINO GARRIDO, M.A., «*Régimen jurídico de la ineficacia de los actos sometidos a la Ley 28/1998, de 13 de julio, de venta a plazos de bienes muebles*», en *R.G.D.*, N° 661-662, octubre-noviembre, 1999.

BLANQUER UBEROS, R., «*Influencia del Derecho público sobre el derecho de la contratación*», en *R.D.N.*, 1986.

BLASCO GASCO, F., *Derecho de Obligaciones y Contratos*, Coord. R. Valpuesta, 3ª ed., Valencia, 1999.

BOFFI BOGGERO, L.M., *Tratado de las obligaciones*, Tomo 1, 2ª ed., Buenos Aires, 1988.

BONEL, *Código Civil español en Cataluña, Aragón y Navarra*, Tomo IV, libro IV, Barcelona, 1891.

BONET CORREA, J., «*La validez de los contratos afectados por el régimen del control de cambios*», en *A.D.C.*, 1960.
- «*Los actos contrarios a las normas y sus sanciones*», en *A.D.C.*, XXIX-2, 1976.
- *Código Civil con concordancias, jurisprudencia y doctrina*, Tomo IV, (comentarios a los arts. 1255, 1271 y 1275), Madrid, 1990.

BONFANTE, P., *Instituciones de Derecho Romano*, trad. Bacci, L. y Larrosa, A., 5ª ed., Madrid, 1979.

BONNECASE, J., *Elementos de Derecho Civil*, trad. Cajiga, J.M., Vols. I y XIV, Puebla, México, 1945.

BORDA, G.A., *Tratado de Derecho Civil. Parte General*, II, 8ª ed. Buenos Aires, 1984.

BORRELL Y SOLLER, A. M., *Nulidad de los Actos jurídicos según el Código Civil Español*, Barcelona, 1947.

BOYER, L., *Obligations*, 2, 5ª ed., París, 1995.

BUGANI, I., *La nullità del contratto*, Padova, 1990.

BUJOSA BADELL, L., *La protección jurisdiccional de los intereses de grupo*, Barcelona, 1995.

BURGOS CRUZADO, A., «*La usura y sus remedios*», en *R.G.L.J.*., 1932, Tomo 160.

BIRKE, V., «*Libertà contrattuale e norma imperative*», in «Riv. Crit. Diritto privato», 1985.

BUSSI, E., *La formazione dei dogmi di diritto privato nel diritto comune, (Diritti reali e diritti di obbligazione)*, Padova, 1937.

BUSTO LAGO, J.M., «El control abstracto de las Condiciones Generales de los contratos», en *Actualidad Jurídica Aranzadi*, 1998-360.

CABANILLAS SÁNCHEZ, A., «*Las Condiciones Generales de los Contratos y la protección del consumidor*», en *A.D.C.*, 1983.

CABELLO DE LOS COBOS Y MANCHA, L. M., *La ley de Condiciones Generales de la Contratación,* Centro de Estudios Registrales, Madrid, 1998.

CALAMARI, J.D. Y PERILLO, J.M., *Contracts,* 3ª ed., San Pablo, Minnesota, 1987.

CALVO ÁLVAREZ, J., *Orden público y factor religioso en la Constitución española,* Pamplona, 1983.

CALVO SORIANO, «*Ensayo sobre los límites institucionales del negocio jurídico patrimonial*», en *Estudios Castán Tobeñas,* V, Pamplona, 1969.

CANO MARTÍNEZ DE VELASCO, «*Orden público y orden privado en el ordenamiento jurídico*», *R.D.N.,* 1989.

CANO TELLO, A., «*El Derecho Civil cauce y límite de la autonomía privada*», en *R.C.D.I.,* 1979.

CAPERNA, A Y LOTTI, L., «*Il fenomeno dell`usura tra esperienze giudiziarie e prospettive di un nuovo assetto normativo», Banca, Borsa e Titoli di Credito,* anno LVIII, enero-febrero, 1995.

CAPILLA RONCERO, F., «*Comentario a la Sentencia de 18 de diciembre de 1985*», en *C.C.J.C.,* Nº 10.
  - *Derecho Civil. Parte general,* dir. A. López y V. Montés, 2ª ed., Valencia, 1995.
  - *Derecho de obligaciones y contratos,* dir. por Valpuesta Fernández, 2ª ed. Valencia, 1995.

CAPITANT, H., *Curso elemental de Derecho Civil francés,* Tomo I, versión francesa, 5ª ed., París, 1927.
  - *De la causa de las obligaciones,* trad. Tarragato y Contreras (el original data de 1922), Madrid, (sin fecha).

CAPUTO, E., «*Sui criteri di determinazione del carattere imperativo di una norma*», in *Giust. Civ.,* 1978, I.

CARBONNIER, J., *Derecho Civil,* Tomo II, volumen II, Trad. M.Mª. Zorrilla Ruíz, Barcelona, 1971.
  - *Droit Civil.* T. IV, *Les obligations,* 19ª ed., París, 1995.

CARIOTA-FERRARA, «*Annullabilità assoluta e nullità relativa*», en *Studi in memoria di B Scorza,* Roma, 1940.
  - *Il negozio giuridico nel diritto privato italiano,* Napoli, 1952.

CARNELUTTI, *Sistema di diritto Processuale Civile,* II, Atti del processo, 1938.
  - *Teoria generale del diritto,* Roma 1951,

CARRANCHO HERRERO, M. T., *La circulación de bienes culturales muebles,* Madrid, 2001.

CARRASCO PERERA, A., «*Comentario a la sentencia de 3 de septiembre de 1992*», en *C.C.J.C.,* Nº 30, 1992.
  - «*Comentario al artículo 6.3 del Código Civil*», en *Comentarios al Código Civil y Compilaciones forales,* dir. M. Albaladejo, Tomo I, Vol. 1º, 2ª ed., Madrid, 1992.
  - «*El Derecho Civil con función urbanística*», en *Aspectos civiles e hipotecarios de la Ley de Suelo,* Valencia, 1999.
  - *Relaciones civiles con contenido urbanístico,* Pamplona, 1999.
  - «*Restitución de provechos*», en A.D.C., 1987.

CARRESI, F., *«Il Negozio illecito per contrarietá al buon costume»*, en *Riv. Trim.* dir. e proc. civ., 1949.
- «Il contratto», en Tratatto di diritto civile e commerciale, dir. A. Cicu y F. Messineo, Vol. XXI, T. 1, Milán, 1987.
- *La causa dei negozi giuridici e l'autonomia della volontà nel diritto privato,* Napoli, 1947.

CASADO CERVIÑO, A., *«El crédito al consumo y la protección de los consumidores»*, en *R.D.B.B.*, Nº 11, Julio-septiembre, 1983.

CASELLA, M, *Nullità parziale del contrato e insezione automatica di clausole,* Milano, 1974.

CASSONI, E., *«Spurti in tema di norme di aplicazione neccesaria»*, in *Giur. it.*, 1986, III.

CASTÁN TOBEÑAS, J., *Derecho Civil Español Común y Foral*, T. 1, vol. II, Tomo 2º, 12ª ed., T. 4, 12ª ed., (Puesta al día por J. Ferrandis Vilella),. Madrid, 1978-1989. y Tomo 3º, 16ª ed., Madrid, 1992.
- *Hacia un nuevo Derecho Civil, Madrid,* 1933.
- *Humanismo y Derecho (el humanismo en la historia del pensamiento filosófico y en la problemática jurídico-social de hoy),* Madrid, 1962.
- *Los sistemas jurídicos contemporáneos del mundo occidental,* 2ª ed., Madrid, 1957.
- La socialización del Derecho y su actual panorámica, Madrid, 1965.

CASTELLI-AVALIO, *Attività negoziale e disciplina valutaria,* in «*Banca, Borsa e Titoli di Credito*», II, 1983.

CASTRILLO SANTOS, J., *«Autonomía y heteronomía de la voluntad en los contratos»*, en *A.D.C.*, 1949.

CASTRO Y OROZCO, J., y ORTÍZ DE ZÚÑIGA, M., Código Penal explicado para la común inteligencia y fácil aplicación de sus disposiciones, Granada, 1848, T. I.

CATAUDELLA, A., *Sul contenuto del contratto*, Milán, 1974.

CERDÁ OLMEDO, M., *«Nemo auditur propiam turpitudinem allegans»,* en *R.D.P.*, 1980.

CERRILLO QUILEZ, F., *«Los pactos contra legem en la vigente ley de arrendamientos urbanos»*, en *Pretor*, Nº 9, 1953.

CHESHIRE FIFOOT & FURMSTON´S, *Law of contract*, 11º edición, Londres, 1986.

CHEVALLIER, J. et BACH, L., *Droit Civil*, Tomo I, 11ª ed. París 1993.

CHICO Y ORTIZ, J. M., *Estudios sobre Derecho Hipotecario*, 3ª ed., Madrid, 1994, (Reproducido en La Calificación Registral, Dir. GÓMEZ GÁLLIGO, F. J., T. II, Madrid, 1996.)

CHMIDT-SZALEWSKI, J., *Droit des Contrats. Jurisprudence Française*, 5, París, 1989.

CLAVERÍA GOSÁLBEZ, L.H., *«La predisposición del contenido contractual»*, en *R. D. P.*, 1979.
- «Comentario a la sentencia de 11 de diciembre de 1986», en *C.C.J.C.*, Nº 13.
- «Comentario a la sentencia de 30 de diciembre de 1985», en *C.C.J.C.*, Nº 10.

- *Comentarios a la Ley General para la defensa de los consumidores y usuarios*, (obra coordinada por R. Bercovitz y Javier Salas), Madrid, 1992.
- *Comentarios al Código Civil y Compilaciones forales, (comentario del art. 1275 Cc.)*, Tomo XVII, Vol. 1-B, Madrid, 1993.
- *La Causa del Contrato*, Zaragoza, 1998.
- «*El control de las Condiciones Generales de los contratos*», *La Ley*, 1989-2.
- «*Derecho del Seguro y Derecho Civil patrimonial*», en A.D.C., 1984.
- «Comentario al art. 10.4" en *Comentarios a la Ley General para la defensa de los consumidores y usuarios*, (obra coordinada por R. Bercovitz y Javier Salas), Madrid, 1992.
- «Una nueva necesidad: la protección frente a los desatinos del legislador. (Comentario atemorizado sobre la Ley 7/1998, sobre Condiciones Generales de la Contratación)», en *A.D.C.,* 1998-3.

CLAVERO, «*Prohibición de la usura y constitución de ventas*», *Moneda y Crédito*, 1977.

CLEMENTE MEORO, M., «El régimen de ineficacia de las cláusulas abusivas», en *Contratación y Consumo,* Valencia, 1998.

COING, H., *Derecho privado europeo*, T. I y II, trad. A. Pérez Martín, Madrid, 1996.

COLÁS ESCANDÓN, A., en *Comentarios al Código Civil,* Pamplona, 2001.

COLIN A., CAPITANT, H., *Traitè de droit civil*, refondué par J. De La Morandière, T. París, 1953.
- *Cours élémentaire de droit civil français*, T. I, 5º ed., Paris, 1927.
- *Curso elemental de Derecho Civil* trad. de la 2ª ed. Francesa por D. De Buen, J. Castán Tobeñas, J.M. Castán Vázquez, P. Marín Pérez, Madrid, T.I, 1975, T. III, 1960.

COLLINS, H., «*Contract and legal theory*», en *Legal Theory and Common Law*, Oxford, 1986.

COOKE, P.J. y OUGHTON, D.W., *The Common Law of obligations*, 2ª ed., Londres-Dublín-Edimburgo, 1993.

CORBIN, A.L., *Corbin on contract*, ST. Pablo, Minnesota, 1988.

CORDEIRO ÁLVAREZ, E., *Tratado de los privilegios: Derecho Civil y comercial argentino*, T.I, Buenos Aires, 1941.

CORDÓN MORENO, F., «*La protección de los derechos de los consumidores a partir de la Ley General para la Defensa de los Consumidores y Usuarios: la Ley de Condiciones Generales de la Contratación y el Proyecto de Ley de Enjuiciamiento Civil*», en *Aranzadi Civil*, Nº 10, septiembre, 1999.

CREMADES, I., Y GUTIÉRREZ-MASSON, L., *Introducción al Discurso Preliminar al Código Civil francés de Portalis*, Madrid, 1997.

CRISCUOLI, G., «*"Causa e consideration" o della loro incomunicabilità*» en *Quaderni di diritto comparato*, Padova, 1984.
- *Il contratto nel diritto inglese*, Padova, 1990.
- *La nullità parziale del negozio giuridico*, Milán, 1959.

CRISTOBAL MONTES, A., *La vía pauliana*, Madrid, 1997,

D'ORS, A., *Derecho Privado Romano*, 9ª ed., Pamplona, 1997.
- «*Sobre la causa de los actos jurídicos*», en *A.D.C.*, Tomo IX, 1956.
- *De la guerra y de la paz*, Madrid, 1954.

D'ENTREVES, P., *Il negozio jurídico*, Torino, 1934.

D'EUFEMIA, *L'autonomía Privata e y suoi limiti nel diritto corporativo*, Milano, 1942.

DA NUZZO, M., «*Negozio illecito*», in *Enc. Giur.* Treccani, XX, Roma, 1989.
- *Utilità sociale e autonomia privata*, Milan, 1975.

DABIN, J., *La teoría de la causa*, trad. De Pelsmaeker, F., Madrid, 1955.

DAVID, R. y PUGSLEY, D., *Les Contrats en Droit Anglais*, 2ª ed., París 1985.

DAVID, R., *Les contrats en droit anglais*.

DE ANGEL YÁGÜEZ, R., *Comentario del Código Civil*, T. II, Madrid, 2ª ed., 1993.

DE ASÍS ROIG, R., «*El Derecho y la Moral en la doctrina civil española*», en *Revista jurídica de Castilla-La Mancha*, diciembre, 1987, Nº 2.

DE CASTRO Y BRAVO, *Derecho Civil de España*, Madrid, 1984.
- *El negocio jurídico*, Madrid, 1991.
- «*Las condiciones generales de los contratos y la eficacia de las leyes*», *A.D.C.*, XIV-1, 1961.
- «*Las leyes nacionales, la autonomía de la voluntad y los usos en el proyecto de ley uniforme sobre la venta*», en *A.D.C.*, XI-4, 1958.
- «*Notas sobre las limitaciones intrínsecas de la autonomía de la voluntad*», en *A.D.C.*, T. XXXV-4, 1982.
- *Temas de Derecho Civil*, Madrid, 1976.

DE CUPIS, A., «*Leggi prohibitive, norme imperative e ordine publico*» en *Teoria e practica del diritto civile*, Milán, 1967.
- *El daño*, trad. A. Martinez Sarrión, Barcelona, 1975.

DE DIEGO, C., *Instituciones de Derecho Civil español*, Tomo I, Madrid, 1959.

DE HINOJOSA, J., «*Sobre la imprescriptibilidad de la acción nacida de los préstamos usurarios*», en *R.D.P.*, 1934.

DE LA CAMARA, M., y DÍEZ PICAZO, L., *Dos estudios sobre el enriquecimiento sin causa*, Madrid, 1988.

DE LA CRUZ LAGUNERO, J.M. Y CUENCA ANAYA, F., «*Influencia del Derecho Público sobre el derecho de contratación*», en *R.D.N.*, 1988.

DE LA MORANDIÈRE, J., *Précis de Droit civil*, Tomo II, París 1947.

DE LOS MOZOS, J. L., «*El objeto del negocio jurídico*», en *R.D.P.*, 1960.
- «*La causa del negocio jurídico. Notas para una reconstrucción dogmática de su concepto*», en *R.D.N.*, 1961, 9, II.
- «*La inexistencia del negocio jurídico*» en *R.G.L.J.*, 1960.
- *El negocio jurídico*, Madrid, 1987.

– Derecho Civil español, I, Parte General, vol. 1, Salamanca, 1977.

DE MARTINI, «Inserzione automatica dei prezzi di calmiere nei contratti», en G.C.C.C., 1949, III.

DE NOVA, G. «Il contrato contrario a norme imperative», en Rivista Critica del Diritto Privato, a. III, N°. 3-4, diciembre, 1985.

DE SOTO, P., De la justicia y del Derecho, trad. M. González Ordoñez T. I, (libro 1°, Cuestión II, Artículo II), Madrid, 1967.

DE VERDA BEAMONTE, J.R., «Compraventa de Bienes inmuebles sujetos a vínculos urbanísticos», en Revista de Derecho Patrimonial, N° 1.
– «Remedios jurídicos con que cuenta el comprador de un inmueble afectado por limitaciones urbanísticas», en A.C., N° 38, 1999, LX.

DE ZUMALACÁRREGUI MARTÍN-CÓRDOBA, T., Causa y abstracción causal en el Derecho Civil español, Madrid, 1977.

DEKKERS, R., «El Derecho privado de los pueblos», trad. F.J. Osset, Madrid, 1957.
– Précis de droit civil belge, T.2°, Bruselas, 1955.

DEL SAZ CORDERO, S., «Desarrollo y crisis del Derecho Administrativo. Su reserva constitucional», en Nuevas Perspectivas del Derecho Administrativo. Tres estudios, Madrid, 1992.
– «La huida del Derecho Administrativo: últimas manifestaciones. Aplausos y críticas», en R.A.P., 133, enero. abril, 1994.

DELGADO ECHEVERRÍA, J., «Comentario a la Sentencia de 27 de marzo de 1989», en C.C.J.C., N° 20, 1989.
– Comentarios al Código Civil, Ministerio de Justicia, T. II, 2ª ed., Madrid, 1993.
– «Comentario a la sentencia de 14 de marzo de 1983», en C.C.J.C., N° 2, 42.
– «Comentario a los artículos relativos al capitulo VI del titulo II, libro IV», en Comentario del Código Civil, Ministerio de Justicia, T.II, 2ª ed., Madrid, 1993.
– Comentarios al Código Civil y compilaciones forales, Dirigidos por M. Albaladejo, Comentario al cap. VI, Título II del Libro IV del Código Civil, T. XVII, vol. 2ª, 2ª ed., Madrid, 1995.
– Elementos de Derecho Civil, coordinados por J.L. LACRUZ, II, vol. 2°, 2ª ed., Barcelona, 1990.
– Elementos de Derecho Civil, Parte General, I, Vol.1°, Nueva edición, Revisada y puesta al día por J. Delgado Echeverría, Madrid, 1998.
– La anulabilidad, en A.D.C., T. XXIX, octubre-diciembre, 1976.

DELL´AQUILA, E., Introducción al estudio del Derecho Inglés, Valladolid, 1992.

DEMOGUE, R., Traité des obligations en general, sources des obligations, T. I, vol. 2 y T. II, París, 1923.

DEMOLOMBE, C, Cours de Code Napoleon. Traité des contrats, T. I, París, 1884.

DE RUGGIERO, R., Instituciones de Derecho Civil, Trad. R Serrano Suñer y J. Santa Cruz Teijeiro, Madrid, 1929.

DESANTES GUANTER, J.M., «*Una reelección sobre la causa*», en *A.D.C.*, VIII, 2, 1955.

DI MAJO, A., «*Condizioni generali di contratto el tutela del contraente debole*», en *Atti della Tavola rotonda tenuta presso l'instituto di diritto privato dell'Università di Catania, 17-18 maggio*, 1969, publicada en Milán en 1970.

DI MARZO, S., *Le basi Romanistiche del Codice Civile*. Torino, 1950.

DI NOVA, «*Il contratto contrario a norme imperative*», in *Riv.crit. dir. Priv.*, 1985.

DI PAOLA, S., *Contributi ad una teoria della invalidità e della inefficacia in diritto romano*, Roma, 1966.

DÍAZ ALABART, S., *Comentarios a la Ley General para la Defensa de los Consumidores y Usuarios* (coord. R. Bercovitz), Madrid, 1992.
– «Las cláusulas contractuales abusivas», en *Contratos de adhesión y derechos de los consumidores*, C.G.P.J., Madrid, 1993.

DIETER MEDICUS, *Tratado de las relaciones obligacionales*, vol. I, Trad. Martinez Sarrión, A., Barcelona, 1995.

DÍEZ-PICAZO GIMÉNEZ, I. y SÁNCHEZ LÓPEZ, B., en *Comentarios a la Ley sobre Condiciones Generales de la Contratación*, dir. A. Menéndez y L. Díez-Picazo, Madrid, 2002.

DÍEZ-PICAZO Y PONCE DE LEÓN, L, «*Comentario al artículo 1255 del Código Civil*» en *Comentario al Código Civil, Ministerio de Justicia*, II, Madrid, 2ª ed. 1993.
– «*Eficacia e ineficacia del negocio jurídico*», en *A.D.C.*, 1961.
– «*La autonomía privada y el Derecho necesario en la L.A.U.*», en *A.D.C.*, IX-3, 1956.
– *Experiencias jurídicas y teoría del Derecho*, Barcelona, 1983.
– *Fundamentos de Derecho Civil patrimonial*, T.I, 5ª edición, Madrid, 1996 y T. II, 4ª ed., Madrid, 1993.
– *La doctrina de los propios actos, un estudio crítico sobre la jurisprudencia del tribunal supremo*, Barcelona, 1963.
– «*¿Una nueva doctrina general del contrato?*», en *A.D.C.*, Tomo XLVI, Fasc. IV, octubre-diciembre, 1993.
– «*Comentario a la Sentencia de 16 de junio de 1984*», en *C.C.J.C.*, nº 6, 151, 1984.
– «*Eficacia e inexistencia del negocio jurídico*», *A.D.C.*, II, julio-diciembre, 1961.
– «*El concepto de causa en el negocio jurídico*», en *A.D.C.*, XVI, 1º (1963).
– «*El juego y la apuesta en el Derecho Civil*», en *R.D.I.*, 1967.
– *Estudios sobre la jurisprudencia civil*, Vol. II, 3ª ed., Madrid, 1981.

DÍEZ-PICAZO, L y GULLÓN, A., *Sistema de Derecho Civil, vol. I, 8º ed., Madrid, 1995, y* vol. 2º, 8ª ed., Madrid, 1999.

DOMAT, J., *Las leyes civiles*, trad. F. Vilarrubias y J. Sardá, 2ª ed., Tomo I, Barcelona, 1844.

DORAL GARCÍA, J.A., *El contrato como fuente de obligaciones*, Pamplona, 1993.
– *La noción de orden público en el Derecho Civil español*, Pamplona, 1967.

DUALDE, J., «*Los imperativos contractuales*», en *A.D.C.*, 1949.
- *Concepto de la causa de los contratos.* (La causa es la causa), Barcelona, 1949.

DUQUE DOMÍNGUEZ, J.F., *La protección del asegurado en la relación aseguradora, en Derecho de Seguros*, II, Madrid, 1997.
- «Las cláusulas abusivas en contratos de consumo», en *Condiciones generales de la contratación y cláusulas abusivas,* dir. U. Nieto Carol, Valladolid, 2000.

DURRY, M. G., «*L 'inexistence, la nullité et lánnulabilité des actes juridiques, en droit civil françois*», en *Travaux de l'association Henri Capitant*, T: XIV, París, 1965.

ECHEVARRÍA DE RADA, T., *Los contratos de juego y apuesta*, Barcelona, 1996.

EGUILLOR MUNIOZGIREN, J.R, *Las Leyes,* libro V, Vol. III, Cap. XIX, v.e., Madrid, 1968.

EGUSQUIZA BALMASEDA, M.A., *Cuestiones Conflictivas en el Régimen de la Nulidad y Anulabilidad del Contrato*, Cuadernos de Aranzadi Civil, Pamplona, 1999.

EMBIZ IRUJO, J.M., «*El consumidor ante el derecho de seguros*», en *Estudios sobre el derecho de Consumo*, 2ª ed., Bilbao, 1994.
- «*Aspectos institucionales y contractuale de la tutela del asegurado*», R.E.S., Nº 91, 1997.

EMBIZ IRUJO, J.M., «*Comentario al art. 3º*» en Comentarios a la Ley de Contrato de Seguro, Valencia, 2002.

ENNECERUS, L., NIPPERDEY, KIPP, T., WOLF, M., *Tratado de Derecho Civil ,* trad. B. Pérez González y J. Alguer, , T. II, 2º, Barcelona. 1966 y T. I, II, 2ª, 3ª ed., Barcelona, 1981.

ESPERT SANZ, V., *La frustración del fin del contrato*, Madrid, 1968.

ESPÍN CÁNOVAS, D., «*Las nociones de orden público y buenas costumbres como límites de la autonomía de la voluntad en la doctrina francesa*», en *A.D.C.* XVI, 1ª (1963).
- «*Los límites de la autonomía de la voluntad en el Derecho privado*», en *Anales de la Universidad de Murcia*, 1954.
- *Manual de Derecho Civil español*, Vol. III, 6ª ed., 1983.

ESTASÉN, P., «*La Ley sobre préstamos usurarios*», R.G.L.J., 1909, Tomo 114. Y en R.G.L.J., 1910, Tomo 117.

FAIRÉN, M., «*Técnica y moral en lo jurídico*», en *R.D.N.*, 20, 1958.

FALCHI, G.L., *Sulla codificazione del diritto Romano nel V e VI secolo*, Roma, 1989.

FALCÓN, M. *Comentarios al Código Civil,* T. IV, Madrid, 1889.

FEDELE, A. *La invalidità del negozio giuridico di diritto privato*, Turín, 1943.
- *Commentario al códice civile*, vol I, Firenze, 1948.
- *L 'inefficacia del contratto*, Turín, 1983.

FELIU REY, M.I., *La prohibición del pacto comisorio y la opción en garantía*, Madrid, 1995.

FENET, P.A., *Recueil complet des travaux préparatoires du code civil*, T. XIX, Osnabrück, 1968, Reimpresión de la ed. de 1827.

FENOY PICÓN, N., «*Comentario a la Sentencia de 4 de octubre de 1989*», en *C.C.J.C.*, N° 21.

FERNÁNDEZ CAMPOS, J.A., *El fraude de acreedores: la acción pauliana*, Bolonia, 1998,

FERNÁNDEZ FLORES, F., «*Normas de contratación*», en *Revista de Derecho bancario y bursátil*, 5-8, 1982.

FERNÁNDEZ RODRÍGUEZ, T. R., *La doctrina de los vicios en el orden público*, Madrid, 1970.
- «*Los poderes normativos del Banco de España*», en *R.D.B.B.*, N° 13, Enero-marzo 1984.

FERNÁNDEZ-LERGA GARRALDA, C., *Derecho de la competencia. Comunidad Europea y España*, Pamplona, 1994.

FERRANDIZ GABRIEL, J.R., «*El contrato en fraude de ley*», en *C.D.J.*, Vol. XXXV, 1994.

FERRARA, F., *Teoria del negozio illecito nel diritto civile italiano*, 2ª ed., 1914.

FERRI, G.B., «*Appunti sull´invalidità del contratto (dal codice civile del 1865 al codice civile del 1942)*», en *Rivista del Diritto Commerciale e del diritto generale delle obligazioni*, F. 5-6, (mayo-junio), 1996.
- *Il negozio giuridico tra libertá e norma, 2ª*ed., Rimini, 1989.
- *Ordine Publico, buon costume e la teoria del contrato*, Milán, 1970.

FERRI, L., *La autonomía privada*, trad. Sancho Mendizábal, L., Madrid 1968.
- *Lezioni sul contratto. Corso de diritto civile*, 2ª ed., Bolonia, 1987.
- *Lezioni sul contratto. Corso di diritto civile*, 2ª ed., Bolonia, 1982.

FLORES MICHEO, *La seguridad en la contratación y sus excepciones*, en La Ley, 1981-1.

FLUME, W., *El negocio jurídico*, trad. J. M. Miquel y E. Gómez, Madrid, 1998.

FOYER, J., *Le Droit Français, Les Systèmes de Droit Contemporains, T. II, Principes et tendances du droit français, sous la direction de René* David, Paris, 1960.

FRAGA MANDIAN, A., «*Sobreprecio y viviendas de protección oficial*», en *La Ley*, año XVI. N°. 3928, 8 de diciembre de 1995.

FRANCESCHELLI, R., «*Causa e consideration nel diritto privato italiano e anglosassone*», en *Causa e Consideration, Quaderni di diritto comparato*, Padova, 1984.

FRIEDMAN, L.M., *A history of American Law*, 2ª ed., New York, 1984.

GALÁN CORONA, E., *Acuerdos restrictivos de la competencia*, Madrid, 1977.

GALGANO, F., *Diritto civile e commerciale*, vol 2°, T. II, 2ª ed., Padova, 1993.
- *El negocio jurídico*, trad. Blasco Gascó, P. y Prats Albentosa, L., Valencia 1992.
- *Atlante di diritto privatto comparato*, Bologna, 1992.

GALLEGO DÍAZ DE VILLEGAS, J.E., *Aspectos técnicos de la legislación del seguro privado*, Madrid, 1991.

GALLO, P., voz «*Nullità ed annullabilità in diritto comparato*», en *Digesto*, sec. Civil, T. XII, Turín, 1995.

GARCÍA AMIGO, M., «*La norma civil y sus fuentes*», en *A.C.*, N° 1, diciembre 1996-enero 1997.
- *Condiciones Generales de los Contratos*, Madrid, 1969.
- «Ley alemana occidental sobre las condiciones generales», en *R.D.P.,* 1978.
- *Derecho Civil de España. I. Parte General*, Madrid, 1997.
- *Lecciones de Derecho Civil II, Teoría General de las obligaciones y contratos,* Madrid, 1995.
- *Teoría general de las obligaciones y contratos*, Madrid, 1995.

GARCÍA CANTERO, G., «*Notas sobre la ilicitud de la mediación matrimonial en el Derecho español*», en *A.D.C.*, 1963.
- «*Préstamo, usura y protección de los consumidores*», en *A.C.*, 1989-1, N° 58.
- «*Venturas y desventuras del artículo 10 de la Ley General para la defensa de consumidores y usuarios*», en *A.C.*, 1991-2.

GARCÍA DE ENTERRÍA, E., *La lengua de los derechos. La formación del Derecho Público europeo tras la revolución francesa*, Madrid, 1994.

GARCÍA GARCÍA, M., *La Calificación Registral*, Tomo I, 1188-1190.

GARCÍA GARRIDO, M.J., *Derecho Privado Romano. Acciones, casos, instituciones*, 4ª ed., Madrid, 1988.

GARCÍA GIL, F.J., *La compraventa de vivienda*, Madrid, 1994.

GARCÍA GOYENA, F., *Concordancias, motivos y comentarios del Código Civil español*, Reimpresión de la edición de 1852, Zaragoza, 1974.

GARCÍA MONGE Y MARTÍN, J., «*Contratos con causa ilícita*», en *R.D.P.*, 1964.

GARCÍA MONGE, A., «*Contratos con causa ilícita*», en *R.D.P.*, 1964.

GARCÍA RUBIO, M.P., *La responsabilidad precontractual en el Derecho español*, Madrid, 1991.
- «La forma en los contratos celebrados fuera de los establecimientos mercantiles. Una aproximación al formalismo como característica del Derecho de Consumo», en *A.C.,* 1994-2
- «La forma en los contratos celebrados fuera de los establecimientos mercantiles. Una aproximación al formalismo como característica del Derecho de Consumo», en *A.C.,*1994-2

GARCÍA TORRES, J./ JIMÉMEZ-BLANCO, A., *Derechos fundamentales y relaciones entre particulares*, Madrid, 1986.

GARCÍA-CRUCES GONZÁLEZ, J.A., «*La protección de la clientela en el ordenamiento sectorial de la banca*», *R.D.B.B.*, N° 46, Abril-junio, 1992.

GARRIGUES, J., *La defensa de la competencia mercantil*, Madrid, 1964.

GAUDEMENT, E., *Théorie générale des obligations*, Toulouse, 1965, capítulo I, sección III, Sanction des conditions requises-théorie des nullités.

GAUDEMENT, J., *Institutions de l'antiquité*, París, 1967.

GAYA SICILIA, R., »*Comentario a la STS de 23 de febrero de 1988*», *C.C.J.C.*; N° 16.

GAZZONI, F., *Equità e autonomia privata,* Milán, 1970.

– *Obbligazioni e contratti*, Nápoles, 1990.

GELDART, W., *Introduction to English Law: originally elements of English Law*, 9ª ed., Oxford, 1995.

GETE-ALONSO Y CALERA, M.C., *Manual de Derecho Civil*, LL. Puig-ferriol y otros, T. II, Madrid, 1996.
– «*Comentario al artículo 1271*», en *Comentario del Código Civil, Ministerio de Justicia*, T. II, Madrid, 1993.
– «Comentario a los arts. 8, 9 y D.A.1ª tres» en *Comentarios a la Ley sobre Condiciones Generales de la Contratación*, coord. I. Arroyo Martínez y J. Miquel Rodríguez, Madrid, 1999.

GHESTIN, J., *Traité de droit civil*, Tomo 2º, 2ª ed, 1988.

GIL RODRÍGUEZ, J., *Manual de Derecho Civil*, I, Madrid, 1997.
– «Acotaciones para un concepto del Derecho Civil», en *A.D.C.*, 1989.

GIMENO SENDRA, V., y otros autores, *Los recursos en el proceso Civil*, (Comentarios, jurisprudencia y formularios), Valencia, 1995.

GIORGI, J., *Teoría de las obligaciones en el Derecho moderno*, trad. Española, Vol.III y IV, Madrid, 1978.

GITRAMA GONZÁLEZ, M., *Comentario del Código Civil, Ministerio de Justicia, Comentario al art. 1798*, T. II, 2ª ed., Madrid, 1993.

GLENDON, M.A., GORDON, M.W., OSAKWE, O., *Comparative Legal Traditions*, ST. Pablo, Minnessota, 1982.

GÓMEZ DE LA ESCALERA, C., *La nulidad parcial del contrato*, Madrid, 1995.

GÓMEZ GÁLLIGO, F.J., y otros, *La Calificación Registral*, Tomo I y Tomo II, Madrid, 1996.

GÓMEZ LAPLAZA, M.C., «*Ineficacia de las condiciones generales abusivas*», en *Cuadernos de Derecho judicial*, con el título general de *Contratos de adhesión y Derecho de los consumidores*, Madrid, 1992. (No se apuntan las páginas concretas de referencia en esta obra puesto que al agotarse la edición se ha consultado y manejado una versión en soporte informático facilitado por los editores)

GÓMEZ MARTINHO FAERNA, A., «*La nulidad parcial de los negocios jurídicos*», *Estudios de Derecho Privado I*, Madrid, 1962.

GONDRA, J.M., *Derecho Mercantil I, Introducción*, Madrid, 1992.

GONZÁLEZ PAGANOWSKA, I., «Comentario al art. 7º» en *Comentarios a la Ley de Condiciones Generales de la Contratación*, Pamplona, 1999.

GONZÁLEZ PALOMINO, J., «*La adjudicación para pago de deudas*», *A.A.M.M.*, 1945.

GORDILLO CAÑAS, A., «*La nulidad parcial del contrato con precio ilegal*», en *A.D.C.*, XXVIII-1, 1975.
– «*Violencia viciante, violencia absoluta e inexistencia contractual*», en *R.D.P.*, marzo 1983.
– voz «*Nulidad*» en *Enciclopedia Jurídica Básica*, Vol III, Madrid, 1995.

– «*Nulidad anulabilidad e inexistencia*» en *Centenario del Código Civil*, T. I. 1990 935

– *Precio ilegal: ¿Un salto atrás en la jurisprudencia del Tribunal Supremo? (Comentario a las sentencias de 3 de septiembre y de 14 de octubre de 1992.)*, en *A.D.C.*, Tomo XLVI, Fascículo II, 1993.

– *Transplante de órganos «pietas» familiar y solidaridad humana*, Madrid, 1987.

GORLA, G, «*La causa nel pensiero dei giuristi di common law*», en *Rivista del Diritto Commerciale*, 1951, I.

– «*La teoria dell'oggetto del contratto nel diritto continentale (Civil Law). Saggio di critica mediante il metodo comparativo*», en *J.U.S.*, *1953*.

– *El contrato*, trad. Ferrandis Vilella, J., Tomos I y II, Barcelona, 1959.

– *Il diritto comparato e nel «mondo occidentale» e una introduzione al «dialogo civil law-common law»: [relazione del congresso]*, Milano, 1983.

GUARNIERI, A., *L'ordine pubblico e il sistema delle fonti del diritto civile*, Padova, 1974.

GUASP, J., «El individuo y la persona», en *R.D.P.*, 1959.

GUELFUCCI-THIBIERGE, C., *Nullité, restitutions et responsabilité*, París 1992.

GUESTIN, J., *Traité de droit civil, Tome 2*, 2ª ed., Paris, 1988.

GUGGENHEIM, D., *Le Droit Suisse des Contrats*, 2ª ed., Ginebra, 1989.

GUILARTE ZAPATERO, V., «*Proyección de la sentencia de 23 de febrero de 1988 del Tribunal Supremo en el régimen de los juegos de azar sancionado en el Código Civil: ¿Una interpretación derogatoria de su artículo 1798?*», en *Centenario del Código Civil*, (1889-1989), T. I, Madrid, 1990.

– *Comentarios al Código Civil y Compilaciones forales*, T. XXII, Vol. 1º, Madrid, 1982.

GULLÓN BALLESTEROS, A, *Curso de Derecho Civil. El negocio jurídico*, Madrid, 1969.

– «*Comentario al art. 6º del Código Civil*», en *Comentario al Código Civil*, I, *Ministerio de Justicia*, Madrid, 2ª ed. 1993.

– «Comentario al art. 6º del Código Civil», en *Comentario del Código Civil*, coord. por I. Sierra Gil de la Cuesta, Tomo 1º, Barcelona, 2000.

– «En torno a los llamados Contratos en daño a tercero», en *R.D.N.*, 1958.

GUTIÉRREZ FERNÁNDEZ, B., *Derecho Civil español*, 4ª ed., Tomo IV, Madrid, 1884.

GUTIÉRREZ TERÁN, E., «*El juego y su normativa*», en *R.G.D.*, enero-febrero, 1985.

HAMILTON, R. W., RAU, A.S. y WEINTRAUB, R.J., *Contracts. Cases and materials*, ST. Pablo, Minnesota, 1992.

HAUSER, J., y LEMOULAND, J.-J., voz «*Ordre public et bonnes moeurs*», en *Enc. Dalloz.*, París, 1993.

HEDEMANN, J. W., *Tratado de Derecho Civil*, Vol. III, trad. Santos Briz, J., Madrid, 1958.

HEMARD, J,.: «L´Economie dirigé et les contrats commerciaux», en Le droit privé français au milieu du Xxe siècle, T. II.

HERNÁNDEZ GIL, A., Derecho de obligaciones, Madrid, 1983.

HINOJOSA, J., DE, «Sobre la imprescriptibilidad de la acción nacido de los préstamos usurarios», en R.D.P., 1934.

IGARTÚA SALAVERRÍA, J., «La moral en la justificación de las decisiones judiciales», en Anales de la cátedra Francisco Suárez, 28, 1988.

IGLESIAS J., Derecho romano. Instituciones de Derecho romano privado, 6ª ed., Barcelona, 1972.

ILLESCAS, R., «Los contratos bancarios: reglas de información, documentación y ejecución», R.D.B.B., Nº 34, Abril-junio, 1989.

IRTI, N., La edad de la descodificación, trad. Rojo Ajuria, L., Barcelona, 1992.

JAPIOT, R., Des nullités en matière d´actes juridiques. (Essai d´une théorie nouvelle), París 1909, thèses, 1er patie

JERÉZ DELGADO, C., Actos jurídicos objetivamente fraudulentos, Madrid, 1999.

JOCHEN ALBIEZ DOHRMANN, K., «La repercusión de la nulidad «dentro y fuera» del contrato», en Cuadernos de Derecho judicial, Vol. XXXV, Madrid, 1984.

JORDANO BAREA, J.B., «Causa, motivo y fin del negocio, (Sentencia de 30 de junio de 1948)», en A.D.C., 1949.
 – «La causa en el sistema del Código Civil español», en Centenario del Código Civil (1889-1989), l, Madrid, 1990.
 – «Concepto y valor del Derecho Civil», en R.D.P., 1962.

JORDANO FRAGA, F., Falta absoluta de consentimiento. Interpretación e ineficacia contractuales, Bolonia, 1988..

JOSSERAND, L., Cours de droit Civil, Tomo II, París, 1930.
 – Derecho Civil, Trad. S. Cunchillos y Manterola, Tomo I, vol.1, Buenos Aires, 1950.
 – Los móviles en los actos jurídicos de Derecho privado trad. E. Sánchez Larios, y J.M. Cajica Jr., México, 1946.

KANT, I., La metafísica de las costumbres, trad. A. Cortina Orts y J. Connill sancho, Madrid 1989.
 – Teoría y Práctica, en torno al Tópico: «Tal vez eso sea correcto en teoría, pero no sirve para la práctica», trad. J.M. Palacios, M. F. Pérez lópez y R. Rodríguez Aramayo, Madrid, 1986.

KEENAN, D., English Law, 8ª ed., Londres, 1986.

KELSEN, H., Teoria pura del Derecho, trad. Vernengo, R.J., México, 1983.

KENNEDY, D. «Distributive and paternalist motives in contract and tort law, with special reference to compulsory terms and unequal bargaining power», 41, Md. L. Rev. (1982).

KESSLER, F. y GILMORE, G., Contracts, Cases and Materials, 2ª ed., Boston-Toronto, 1970.

KOSCHAKER, P., *Europa y el Derecho romano*, trad. J. Santa Cruz Teijeiro, Madrid, 1955.

KRONMAN, «*Paternalist and the law of contracts*», 92, Yale Law Journal 763 (1983).

LABANDERA Y BLANCO, V., «*Nulidad, anulabilidad y rescindibilidad en el Código Civil*» R.D.P., 1913-1914.

LACRUZ BERDEJO, J.L., *Comentarios a la Compilación del Derecho Civil de Aragón*, (comentario al art. 3, «Standum est Chartae»), Vol.1º, Zaragoza, 1988.
- *Elementos de Derecho Civil*, Tomo I, Vol. 3º, y Tomo II, Vol. 2º, 2ª ed., Barcelona, 1990.
- Elementos de Derecho Civil, I, Vol.1º, *nueva edición*, 1998 y II, Vol. 1º, *nueva edición,* Madrid, 1999.

LALAGUNA DOMÍNGUEZ, E., *Sobre la causa en los contratos, en La Ley*, 1988-4.
- *Estudios de Derecho Civil. Obligaciones y contratos*, 2ª edición, Valencia, 1993.
- *La libertad contractual*, en *R.D.P.*, 1972.

LAPEYRE, A., *Intervención del Estado en los contratos y en la vida económica*, en R.I.N., (octubre-diciembre), 1952.

LARENZ, K., *Derecho de obligaciones, Tomo I,* trad. Santos Briz, J. Madrid, 1958
- *Tratado de Derecho Civil Alemán, Parte general*, trad. Izquierdo, M., Jaén, 1978.
- *Derecho Justo*, trad. Diez-Picazo, L., Madrid, 1990.
- *Metodología de la ciencia del Derecho*, trad. M. Rodríguez Molinero, Barcelona, 1994.

LASARTE ÁLVAREZ, C., *Principios de Derecho Civil*, Tomo III, 3ª ed., Madrid, 1995.

LASSO GAITE, J.F, *Crónica de la Codificación española*, 4, Codificación civil (Génesis histórica del Código) vol II, Madrid, 1970.

LAURENT, F., *Principes de droit civil français*, Tomos I y XV, 3ª ed., París, Bruxelles, 1878.

LEGAZ Y LACAMBRA, L., *Filosofía del Derecho*, 5ª ed., Barcelona, 1979.

LEHMANN, H., *Tratado de Derecho Civil*, trad. J.M. Navas, Madrid, 1956.

LEÓN HURTADO, A., «*Limitaciones a la autonomía de la voluntad*», en *R.C.H.*, 98 (octubre-diciembre), 1956.

LETE ACHIRICA, J., «La configuración de la multipropiedad en España. La Ley 42/1998, de 15 de diciembre, sobre derechos de aprovechamiento por turno de bienes inmuebles de uso turístico y normas tributarias», en *A.C.,* nº 5, 1999.
- «Condiciones generales, cláusulas abusivas y otras nociones que conviene distinguir», en *A.C.,* nº 17, 2000.

LETE DEL RÍO, J.M., «*Comentario a la sentencia de 4 de junio de 1993*», en *C.C.J.C.*, Nº 32, 1993, 863.

LINDE PANIAGUA, E., «*La administración en la Ley 50/1980, de 8 de octubre, de contrato de seguro*», en *Comentarios a la Ley de Contrato de Seguro*, dir. E. Verdera Tuells, vol. I, Madrid, 1982.
- *Derecho Público del seguro*, Madrid, 1977.

LIRA URQUIETA, P., *El Código Civil Chileno y su época*, Santiago de Chile, 1956.

LLEDÓ YAGÜE, F., «*Contratos normados. Nulidad parcial. Los actos propios. La rectificación del registro*. (Comentario a la sentencia de 16 de septiembre de 1986)», en *C.C.J.C.*, 12 (septiembre-diciembre), 1986.

LLOBET AGUADO, J., «*El contrato de juego y apuesta*», en *La Ley*, año XIV, N° 3297, julio de 1993.

LLODRÀ GRIMALT, F., *El contrato celebrado bajo condiciones generales,* Valencia, 2002.

LONARDO, L., *Ordine pubblico e illicità del contratto*, Nápoles, 1993.

LÓPEZ BELTRÁN DE HEREDIA, C., «*Venta de viviendas de protección oficial a precio superior o inferior al máximo autorizado. Última doctrina jurisprudencial: validez y eficacia civil en los términos convenidos por las partes (Sentencias de 3 de septiembre y 15 de octubre de 1992 y 14 de julio de 1993, de la sala 1ª del Tribunal Supremo)*», en *R.G.D.*, año L, N° 594, marzo, 1994.
– *La nulidad contractual. Consecuencias*, Valencia, 1995.

LÓPEZ-CARCELLER, P., *La reivindicación de los bienes culturales muebles ilegalmente exportados,* Valencia, 2001.

LÓPEZ FERNÁNDEZ, L.M., «*Reflexión en torno a algunos problemas planteados por la venta con sobreprecio de viviendas de protección oficial*» (a propósito de las sentencias de la Sala 1.ª del Tribunal Supremo de 3 de septiembre y 15 de octubre de 1992), en *A.D.C.*, T. XLVI, fascículo III, 1993.

LÓPEZ FRIAS, A.M., «*Clases de nulidad parcial del contrato en el Derecho español*», *A.D.C.*, 1990.

LÓPEZ MORENO, A., «*Moral en el derecho positivo: una dimensión parcial en el estudio de las relaciones morales*», en *Anales de la cátedra Francisco Suárez*, 28, 1988.

LÓPEZ SÁNCHEZ, M.A., «*Las condiciones generales de los contratos en el Derecho español*», en *R.G.L.J.,* 1987, 11.

LOSCERTALES FUERTES, D., «*La compraventa por precio superior al fijado en viviendas de protección oficial*», en *Tapia*, Año XII, N°. 67, diciembre de 1992.

LOZANO HIGUERO-PINTO, M., «*El patrimonio histórico artístico y su protección mediante las técnicas de tutela de los denominados intereses difusos*», en *A.A.*, N° 12, marzo, 1996, XIII.

LUCAS FERNÁNDEZ, F., «*Eficacia del negocio jurídico otorgado sin autorización militar. (Comentario a la sentencia de 28 de abril de 1978)*», en *A.D.C.*, XXXII-1, 1979.

LUNA SERRANO, A., *Elementos de Derecho Civil patrimonial*, I ,Vols. 1° y 3°, .Barcelona, 1988.
– «*Comentario a los artículos 1089-1091*», en *Comentario del Código Civil*, T. II, Ministerio de justicia, Madrid, 1993.

LUTZESCO, G., *Teoría y práctica de las nulidades*, trad. M. Romero Sánchez y J. López, Mexico, 1945.

MAC GREGOR, H., *Contract Code: Proyecto redactado por encargo de la Law Commision inglesa*, trad. C. Vattier Fuenzalida y J.M. de la Cuesta Sáez, Barcelona, 1997.

MACNEIL, I.R., «*Values in Contract: internal and external*», en *Northwestern University Law Review*, 78, 1983.

MAJOR, W.T., *Law of contract*, revisado por A. Harvey, 8ª ed., Londres, 1993.

MALORIE, PH. y AYNES, L., *Cours de droit civil*, T. VI, *Les obligations*, 6ª ed. 1994.

MANCINI, F., «*La consideration nel diritto nordamericano dei contratti*», en *Causa e Consideration, Quaderni di diritto comparato*, Padova, 1984.

MANRESA Y NAVARRO, J. M., *Comentarios al Código Civil español*, Tomo I, (comentario al arT. 4º), 7ª ed., Madrid, 1956.
  – *Comentarios al Código Civil español*, Tomo VIII, vol. 2º, (comentario a los arts. 1255, 127, 1275, 1303-1308) 6ª ed., Madrid, 1967.

MANS PUIGARNAU, J.M., *Los Principios Generales del Derecho*, Barcelona, 1979.

MANTOVANI, *Divieti legislativi e nullità del contratto*, in «Nuova giurisprudenza civile commerciale», II, 1987.

MANTOVANI, M. y ZATTI, P., *Commentario al Codice Civile*, dir. P. Cendon, Vol. 4º, Turín, 1991.

MARICONDA, V., *Commentario al Codice civile, Dei contratti in generale*, art. 1418. Cause di nullità del contratto, Milán, 1984.

MARÍN CASTÁN, F., *Las causas de inadmisión del recurso de Casación Civil*, Madrid, 1997.

MARÍN PÉREZ, P., *Comentarios al Código Civil y compilaciones forales*, dir. M. Albaladejo, T. XXII, vol. 1º, Madrid, 1982.

MARSH, P.D.V., *Comparative Contract Law*, Hampshire, 1993.

MARTÍ SÁNCHEZ, N., «*Actividad aseguradora y contrato de seguro*», en Derecho de Seguros II, *Cuadernos de Derecho Judicial*, Madrid, 1997.

MARTÍN PÉREZ, J.A., *Comentario a la sentencia de 3 de diciembre de 1993*. en *C.C.J.C.*.
  – *La rescisión del contrato*, Barcelona, 1995.

MARTÍN RETORTILLO, C., «*Interferencias de las leyes fiscales en los negocios jurídicos privados*», en *A.D.C.*, IX-2, 1956.
  – «*Algo sobre las acciones de inexistencia en el Derecho Civil*», en *Estudios jurídicos del Colegio Notarial de Barcelona*, Barcelona, 1959.

MARTÍN RETORTILLO, S., *Cláusula de orden público como límite imperioso y creciente al ejercicio de los derechos*, Madrid, 1975.
  – *Derecho administrativo económico*, Madrid, 1991, Tomos I y II.
  – *Las sanciones de orden público en Derecho español*, Madrid, 1970.

MARTÍNEZ DE AGUIRRE, C., *La venta a plazos de bienes muebles*, Madrid, 1988.
  – *El Derecho Civil a finales del Siglo XX*, Madrid, 1991.
  – *Derecho Comunitario y protección de los consumidores*, Madrid, 1990.

- «Trascendencia del principio de protección a los consumidores en el derecho de obligaciones», en *A.D.C.*, nº 47, t. I, 1994.

MARTÍNEZ GARCÍA, J.I. *La imaginación jurídica* Madrid, 1992.

MARTÍNEZ ROLDÁN, L., *Moral y derecho positivo*, en Anales de la Cátedra Francisco Suárez, 1988.

MARTINEZ, G., *Principi di diritto civile Italiano*, parge general, Nápoles, 1936.

MARTOS CALABRÚS, M.A., «*El pacto de Cuota litis*», en *A.C.*, Nº 33, 1999.

MARTY et RAYNAUD, *Droit civil, Les obligations*, Tomo 1, Les sources y Tomo 2, Vol.1º, 2ª ed., 1988

MASIDE MIRANDA, J.E., «*Las condiciones generales de los contratos y la directiva 93/13 CEE, del Consejo de 5 de abril, sobre cláusulas abusivas en los contratos celebrados con consumidores*», en *Homenaje en Memoria de Joaquín Lanzas y Miguel Selvas*, T. I, Madrid, 1998.

MAZEAUD, H., y otros, *Leçons de droit civil*, T. II, Vol. 1º, 7ª ed., París, 1985, T. II, 8ª ed., París, 1978.

MEDICUS, D., *Tratado de las relaciones obligatorias*, I, trad. A. Martinez Sarrión, Barcelona, 1995.

MEHREN, A.T., RUSSELL GORDLEY, J., *The civil law system. An introduction to the comparative study of law*, Boston, Toronto, 1977.

MENÉNDEZ MENÉNDEZ, A., «*Preliminar. Artículos 1 a 4*», en *Comentarios a la Ley de contrato de seguro*, dir. E. Verdera Tuels, vol. I, Madrid, 1982.

MENGONI, *Le forme giuridiche dell'economia contemporanea*, in Justitia, 1962.
- *El negocio jurídico*, trad. Española, F. Blasco y L. Prats, Valencia, 1992. Milán, 1988.

MERRYMAN, J.H., *The Civil Law tradition*, 2ª ed., California, 1987.

MESSINEO, F., «*Il contratto in genere*», *in tratatto di diritto civile e commerciale, diretto da Cicu e Messineo, I*, XXI, T. 2, Milano, 1973.
- *Doctrina General del contrato*, Tomo I, trad. R.O. Fontanarrosa, S. Sentis Melendo, M. Volterra, Buenos Aires, 1952.
- *Manual de Derecho Civil y comercial*, Tomo II. Trad. española, Buenos Aires, 1954.
- *Manuale di diritto civile e comerciale*, Tomo I, Milán, 1957.

MIQUEL en *Comentarios a la Ley sobre Condiciones Generales de la Contratación*, dir. A. Menéndez y L. Díez-Picazo, Madrid, 2002.

MIRABELLI, G., «*Dei contratti in generale*», en Trat. Cod. Civ. UTET, Torino, 1967.

MONATERI, P.G., y SACCO, R., voz «Contratto in diritto comparato», en Digesto, sec. Civil., T. IV, Turín, 1990.

MONTÉS PENADÉS, L.V., «*Comentario al art. 348 del Código Civil*», en Comentario del Código Civil, Ministerio de Justicia, Madrid, 2ª ed., 1993.
- «Comentario a los arts. 348 y 349 del Código Civil», en Comentarios al Código Civil y Compilaciones Forales, dir. M. Albaladejo, T. IV, vol. 1º, 2ª ed., Madrid, 1990.

MONTÓN REDONDO, A., Voz «*Proceso en materia de préstamos usurarios*», en *E.J.B.*, Madrid, 1995.

MORALES MORENO, A. M., «*La inscripción y el justo título de usucapión*», *A.D.C.*, 1971.
- *Comentario del Código Civil, Ministerio de Justicia*, Tomo II, 2ª ed. Madrid, 1993.
- Voz «*Causa*» en la *EJB*, Vol. I, Madrid, 1995.
- «*Comentario a la Sentencia de 21 de octubre de 1988*», en *C.C.J.C.*, Nº 18.
- «*Comentario al artículo 1261*», en *Comentario del Código Civil, Ministerio de Justicia*, Madrid, 1993, T. II.
- «*Intimidación, ausencia de causa, causa ilícita y culpabilidad de los contratantes. Anotaciones a la Sentencia 11-XII-1986*», en *A.D.C.*, 1988, T. XLI, Fascículo II, abril-junio.

MORENO LUQUE, C., «*Notas sobre la eficacia e ineficacia del negocio: inexistencia, nulidad, anulabilidad y rescisión*», *Actualidad Civil*, 1986-2, ref. 816.
- «*La legislación de tasas y el contrato de compraventa*», en *R.G.L.J.*, octubre, 1946.
- «*Las irregularidades en el negocio jurídico*», en *R.D.P.*, 1946.

MORENO QUESADA, B., «*Las disposiciones testamentarias con causa ilícita*», en *A.D.C.*, 1967.

MORENO VERDEJO, J., *Código Penal de 1995* (Comentarios y jurisprudencia), VV.AA., Granada, 1998.

MOSCHELLA, R., «*Il negozio contrario a norme imperative*», en *Legislazione economica*, (settembre 1978-Agosto 1979).

MOTOS GUIRAO, M., «*La administración pública, la jurisprudencia del Tribunal Supremo y las condiciones generales del contrato de seguro*», en *VV.AA.*, bajo la dirección de E. Verdera Tuells, *Comentarios a la Ley de Contrato de seguro*, Vol. 1º, Madrid, 1982.

MOURLON, M.F., *Code Napoléon*, Tomos 1 y 2, París, 1866.

MUCIUS SCAEVOLA, Q., *Código Civil*, T. I, 6ª ed., Madrid, 1949, T. XX, 2ª ed., 1958, T. XXVIII, Madrid, 1953, T. XIX, 2ª ed., Madrid, 1957.

MUÑÍZ CERVERA, M., «*El interés y la usura*», en *Crédito y protección del consumidor*, Madrid, 1996.

NADAL GÓMEZ, I., *El ejercicio de acciones civiles en el proceso penal*, Valencia, 2002.

NAVARRO TORRES, M., «*Limitaciones del principio de autonomía de la voluntad*», en *R.G.D.*, 1946.

NAVARRO VILARROCHA, P., «*Los contratos usurarios en nuestro ordenamiento civil*», en *R.G.D.*, 1973.

NIETO CAROL, U., «*El papel del corredor de comercio colegiado*», en *Condiciones generales de la contratación y cláusulas abusivas*, dir. U. Nieto, Valladolid, 2000.
- «*Contratos de adhesión y derechos de los consumidores. Situaciones específicas de las condiciones generales en los contratos bancarios*», en *A.C.*

NUÑEZ LAGOS, R., «*Condictio ob turpem vel injustam causam*», en *R.D.N.*, abril-junio, 1961

O'CALLAGHAN MUÑOZ, X., *Compendio de Derecho Civil*, T. II, Vol. 1º y T. I, vol 1º, Madrid, 1987.
- «*Sinopsis de los derechos de la personalidad*», en *A.C.* 1986-2.
- «*Condiciones Generales de Contratación: conceptos generales y requisitos*», en *Contratos de adhesión y derechos de los consumidores*, C.G.P.J., Madrid, 1993.

OERTMAN, P., «*Invalidez e ineficacia de los negocios jurídicos*», *R.D.P.*, 1929.

OPPO, G., «*Diritto privato e interessi pubblici*», in *Riv. di Dir. Civ*, Padova, 1994.
- *Il contratto*, Bolonia, 1977.
- «*Formazione e nullità dell'assegno bancario*», in *Riv. Dirit. comm.*, 1963, I.
- «*Ordinamento valutario e autonomia privata*», in *Riv. Diritto civile*. I, 981.

ORDUÑA MORENO, F.J., «*Derecho de la Contratación y Condiciones Generales*», en *Contratación y servicio financiero*, Valencia, 1999.
- *La acción rescisoria por fraude de acreedores* en *la jurisprudencia del Tribunal Supremo*, 2º ed., Barcelona, 1992.
- *La insolvencia*, Valencia, 1994

OSSORIO MORALES, J., «*La doctrina de la `consideration´ en derecho contractual inglés*», en *Estudios de Derecho privado*, Barcelona, 1942.
- «*Crisis en la dogmática del contrato*», *A.D.C.*, 1952.

OSTI, G., voz «Contratto», en *Noviss. Digesto Italiano*, diretto da Azara, A y Eula, E., IV., Turín, 1968.

OYUELOS, R., *Principios - doctrina y jurisprudencia*, T. V, Madrid, 1928.

PACHECO, J.F., *Código Penal concordado y comentado*, 2ª ed. 1867, T. I, y T. III.

PAGADOR LÓPEZ, J., *Condiciones Generales y Cláusulas contractuales predispuestas. La Ley de Condiciones Generales de la Contratación*, Madrid, 1999.
- *La directiva comunitaria sobre cláusulas contractuales abusivas*, Madrid, 1998.

PALERMO, G., *Funzione Illecita e Autonomia Privata*, Milán, 1970.

PALOMO, L., *Ley contra la Usura*, Madrid, 1908.

PANTALEÓN PRIETO, F., «*Comentario a la Sentencia de 19 de junio de 1984*», en *C.C.J.C.*, Nº 6.

PANZA, G., *L´antinomia fra gli art. 2033 e 2035 C.C. nel concorso fra illegalità de inmoralità del negozio*, en *Riv. trim. di dir. e proc.civ.*, 1971.

PARADA VÁZQUEZ, J.R., «*Valor jurídico de la Circular*», en *R.D.B.B.*, Abril-junio 1981.

PARRY, D. H., *The sanctity of contracts*, Londres, reedición de 1986 de la publicación original de 1959.

PAREJO GAMIR, R., «*Trasmisión y gravamen de concesiones administrativas*», en *R.A.P.*, Nº 107, 1985.

PAREJO GAMIR, R., y RODRÍGUEZ OLIVER, J.M., *Lecciones de dominio público,* Madrid, 1976.

PASCUAL QUINTANA, J.M., «La encrucijada del Derecho Civil» *en Estudios en Honor del Profesor Castán Tobeñas,* I, Pamplona, 1969.

PASQUAU LIAÑO, M., *«Propuestas para una protección jurídica de los consumidores en materia de créditos de consumo: medidas de prevención y de solución a los problemas derivados del sobreendeudamiento»,* en *Estudios sobre consumo,* N° 18, 1990.
  - *Nulidad y anulabilidad del contrato,* Madrid, 1997
  - «Comentario a los artículos 9 y 10", en Comentarios a la Ley de Condiciones Generales de la Contratación, Pamplona, 1999.

PASSETTI, *Parità di trattamento e autonomia privata,* Padova, 1970.

PAU PEDRÓN, A. y CURIEL, F., en *Comentarios a la Ley sobre Condiciones Generales de la Contratación,* dir. A. Menéndez y L. Díez-Picazo, Madrid, 2002.

PEDREGAL Y CAÑEDO, M., *Código Civil español,* Madrid, 1889.

PENA LÓPEZ, J. M., «*Sobre el fundamento legal de la necesidad del carácter cogente en la norma contravenida para los supuestos de nulidad de pleno derecho del arT. 6.3 del Código Civil»,* en *A.C.,* XIX, 1990, N° 19.

PEÑA Y BERNALDO DE QUIRÓS, M., «*Causa ilícita y fraude de acreedores.* (Comentario a la sentencia de 26 de abril de 1962)» en *A.D.C.,* XV-4, 1962.

PERDICES HUETOS, A. B., en *Comentarios a la Ley sobre Condiciones Generales de la Contratación,* dir. A. Menéndez y L. Díez-Picazo, Madrid, 2002.

PÉREZ ÁLVAREZ, M.A., *Curso de Derecho Civil, I, (Derecho privado. Derecho de la persona),* Madrid, 1998.

PÉREZ GONZÁLEZ, B. y ALGUER, J., anotaciones al *Derecho de Obligaciones* de ENNECERUS, 3ª ed., T. II. Vol. 2°, Barcelona, 1966.

PÉREZ LUÑO, A. E., «*Derecho, moral e ideología (una aproximación a la jurisprudencia del Tribunal Supremo»),* en *Anales de la Cátedra Francisco Suárez,* 28, 1988.

PÉREZ RUIZ, C., *La argumentación moral del Tribunal Supremo (1940-1945),* Madrid 1987.

PÉREZ SERRANO, «*La fijación de renta en dinero y la nulidad de los arrendamientos rústicos»,* en *A.D.C.,* I, 3,1948.

PÉREZ-SERRABONA GONZÁLEZ, J.L., *El contrato de seguro. Interpretación de las Condiciones Generales,* Granada, 1993.

PETIT, E., *Derecho Romano,* trad. J. Fernández González, 8ª ed., Mexico, 1991.

PETTI, GB., *Commentario al Codice Civile, art. 1418,* dir. DE MARTINO, V., Roma, 1984.

PIÉDELIÈVRE, J., *Des effets produits par les actes nuls. Essai d´une théorie dénsemble,* Tesis, Paris, 1911.

PLANAS Y CASALS, *Derecho Civil español común y foral,* Tomo II, Barcelona, 1925.

PLANIOL, M. et RIPERT, G., *Traité pratique de droit civil français*, 2ª ed., vol.VI, París, 1960
- *Traité elementaire de droit civil* T. 6, Paris, 1930.

POLO, E., *La protección del contratante débil y condiciones generales de los contratos*, Madrid, 1990.
- «*La extensión de la eficacia del control judicial sobre las condiciones generales del contrato de seguro*», en *VV.AA..*, bajo la dirección de E. Verdera Tuels, *Comentarios a la Ley de Contrato de seguro*, Vol. 1º, Madrid, 1982.
- *La protección del consumidor en el Derecho privado*, Madrid, 1980.

PONSARD, A. Y BLONDEL, P., Voz «*Nullité*», *Enz. Dalloz, Répertoire de Droit Civil*, (2ª ed.), Tomo VII, 1973, Mise ajour, 1995.

PORTALIS, J.E.M., *Discurso preliminar al Código Civil francés*, trad. I. Cremades y L. Gutierrez-Masson, Madrid, 1997.

POTHIER, R.J., *Traité des obligations*, en Oeubres de Pothier, París, 1848.

PRENTICE D.D., *Chitty on Contracts, General Principles*, 26ª ed., Londres, 1991.

PUIG BRUTAU, J., *Introducción al Derecho Civil*, Barcelona, 1980.
- «*Actos nulos*», en *Enciclopedia Jurídica Seix*, Tomo II., 1968.
- *Diccionario de acciones en Derecho Civil español*, Barcelona, 1984.
- *Fundamentos de Derecho Civil*, Tomos I y II, Vol. I, 3ª ed. Barcelona, 1988.

PUIG FERRIOL, L. *Voz «Autonomía privada»*, en *Enciclopedia Jurídica Básica*, Vol. I, Madrid, 1995.

PUIG PEÑA, F., «*Ineficacia de los negocios jurídicos*», en N.E.J., Tomo XII, 1965.
- *Compendio de Derecho Civil español*, Tomo I, Barcelona, 1966.

QUADRA-SALCEDO, T., *El recurso de amparo y los derechos fundamentales en las relaciones entre particulares*, Madrid, 1981.

QUINTANO RIPOLLÉS, A., «*Usura civil y usura penal*», en *R.D.P.*, 1965.

RADBRUCH, G., *Filosofía del Derecho*, trad. Esp., Madrid, 1959.

RAGEL SÁNCHEZ, L.F., *Estudio legislativo y jurisprudencial de Derecho Civil: Familia*, Madrid, 2001.

RAMOS OREA, T., *Autonomía de la voluntad y consentimiento. Letra de la ley y deber ser jurídico*, en B.M.I.J., 1401-1402, (15-25 de noviembre), 1985.

RAMS ALBESA, J., «*Comentario al artículo 1271 del Código Civil*», en *Comentarios al Código Civil y compilaciones forales*, dir. M. Albaladejo, T. XII, vol. 1-B, Madrid, 1993.
- *Elementos de Derecho Civil, II*, vol. 2º, 3ª ed., dir. por LACRUZ, Barcelona, 1995.

RATTIN, L., *Sugli effetti dei negozi nulli*, Bologna, 1983.

REBOLLEDO VARELA, A., «*Comentario a la Sentencia de 10 de octubre de 1994*», en *C.C.J.C.*, Nº 37, 1001.
- *La nueva ley de arrendamientos urbanos*, dir. V. Guilarte Gutiérrez, Valladolid, 1994.

RECASENS SICHES, L., *Filosofía del Derecho*, 7ª ed., México, 1981.

REGLERO CAMPOS, L.F., «*Régimen de ineficacia de las condiciones generales de la contratación*», en *Aranzadi Civil,* Mayo, 1999, Nº 3.

RESCIGNO, P., *Manuale del diritto Privato Italiano,* 8ª ed., Napoli, 1989.
  – voz «*Contratto*», en la *Enc. Giur Trec., IX,* Roma, 1988.

REVERTE NAVARRO, A., «comentario del art. 1255» en *Comentarios al Código Civil y Compilaciones Forales,* dir. por M. Albaladejo, Tomo XVII, Vol. 1-A, Madrid, 1993.

REYES LÓPEZ, M.J., «*Intereses Usurarios y Cláusulas abusivas. (Comentario a la Sentencia del Tribunal Supremo de 7 de marzo de 19982)*», en *Revista de Derecho Patrimonial,* Nº1, 1998.

RIERA AISA, L., voz «Juego», en *Nueva Enciclopedia Jurídica*, de Seix, vol. XIII, 1968

RIPERT, G. y BOULANGER, J., *Traité de droit civil,* Tomo I, París, 1956.

RIPERT, G., *L´ordre économique et la liberté contractuelle, Etudes Gény, [Recueil d´études sur les sources du droit],* II, París, 1934.
  – *La règle morale dans les obligations civiles,* 4ª ed., París, 1949.
  – *Le regime democratique et le Droit Civil moderne,* 2ª ed., Paris, 1948.

RIZZO, V., «art.. 1338», *Codice Civile,* dir. P. Perlingieri, 2ª ed., T. 4.1,.

ROBLES POZO, J., *Código Civil,* Madrid, 1896.

ROCA GUILLAMÓN, J., «*Codificación y crisis del Derecho Civil*», en *Centenario del Código Civil (1889-1989),* T. II, Madrid, 1990.

ROCA I TRIAS, E., *Derechos reales y derecho inmobiliario registral,* Valencia, 1994

ROCA SASTRE, R.M., y ROCA–SASTRE MUNCUNILL, L., *Derecho hipotecario,* T II, 8ª ed., Barcelona 1995.

ROCAMORA, P., *Libertad y voluntad en el Derecho,* Madrid, 1947.

RODOTÀ, S., *Le fonti di integrazione del contratto,* Milán, 1969.

RODRÍGUEZ ESPEJO, J., «*El interés en los préstamos bancarios,* (*Comentario a la Sentencia de la Audiencia Territorial de Madrid, de 12 de diciembre de 1984)*», en *RDBB*, 1986.

RODRÍGUEZ GREZ, P., *Inexistencia y nulidad en el Código Civil Chileno,* Santiago de Chile, 1995.

RODRÍGUEZ MOLINERO, M., «*La moral en el Derecho vigente*», en *Anales de la Cátedra Francisco Suárez,* 28, 1988.

RODRÍGUEZ NAVARRO, M., *Doctrina del Tribunal Supremo sobre arrendamientos rústicos.* Madrid, 1963.

RODRÍGUEZ TAPIA, J.M., *Comentarios a la Ley de Arrendamientos Urbanos,* Coordinados por Carlos Lasarte, Madrid, 1996.

RODRÍGUEZ-PIÑEIRO, M. / FERNÁNDEZ LÓPEZ, M.F., *Igualdad y discriminación,* Madrid, 1986.

ROGRON, J. A., *Code Civil,* 1, 19 ed., París, 1877.

ROJO AJURIA, L., «Sentido y aplicación de la ley de Usura de 23 de julio de 1908 en los momentos actuales», en Economist & Jurist, año III, N° 11, julio- septiembre 1994.
- «Validez del contrato y ámbito de aplicación sustantivo de la Convención de Viena sobre contratos de compraventa internacional de mercaderías», en Cuadernos de Derecho y Comercio, N° 21, diciembre de 1996.
- El dolo en los contratos, Madrid, 1994.

ROLAND, H., STARK, B. y BOYER, L., Obligations. 2. Contrats, 5ª ed., París, 1995,

ROMANO, Salvatore, «Autonomia privata», en la Riv. Trim. di Dir. Pub., 1956.

ROMANO, Santi, Frammenti di un dizionario giuridico, voces: Autonomía, Atti e Negozi Giuridici, Diritto e Morale, Milano, 1947.

ROPPO, E., «Il controllo sugli atti di autonomia privata», en Rivista Critica del Diritto Privato, a. III, 3-4, diciembre, 1985.
- Il Contratto, Bologna, 1977.
- voz «contratto», en Digesto, T. IV, Turín, 1995.

ROSETT, A., Contract law and its applications, 5ª ed., New York, 1994.

ROSSI, G., en Códice civile, anotato con la dottrina e la giurisprudenza, T. 4.1, 2ªed., Roma, 1991.

ROUBIER, P., Théorie generale du droit, París, 1946.

ROYO MARTINEZ, M., «Los contratos de adhesión», A.D.C., 1949.
- Transformaciones del contrato en el Derecho moderno, en R.G.L.J., 1945.

RUBIO TORRANO, E., «Comentario a la Sentencia del Tribunal Supremo de 11 de julio de 1984», C.C.J.C., 1984, N° 6.
- El sobreprecio en la compraventa de viviendas de protección oficial, en Aranzadi civil, Febrero de 1993, N° 4.

RUIZ MUÑOZ, M., La nulidad parcial del contrato y la defensa de los consumidores en el Derecho francés. (una visión desde España), en A.D.C., 1991.
- La nulidad parcial del contrato y la defensa de los consumidores, Valladolid, 1993.

RUIZ SERRAMALERA, R., Derecho Civil, El negocio jurídico, Madrid, 1980.

SABATER BAYLE, I., Préstamo con interés, usura y cláusulas de estabilización, Pamplona, 1986.

SACCO, R., Tratatto Di Diritto Privato, 10, T. II, Obligazioni e contratti, dir. P. Rescigno, Turín, 1986.
- Voz «Autonomía nel diritto privato», en Digesto IV, sección civil, I, Turín, 1987, voz «Nullità e annullabilità», en Digesto XII, Sec. Civil, 2ª ed., Madrid, 1995.

SAGRERA RULL, J., «Los acuerdos entre empresas y la nueva ley española de Defensa de la Competencia», en Derecho de los Negocios, N° 0, septiembre de 1990.

SAINTE-ROSE, J., «Pour un renouvellement de la notion de cause illicite en matière contractuelle», en Recueil Dalloz, N° 40, 1998.

SAINZ MORENO, F., «*El principio de libre competencia y el orden público económi-co*», en *R.E.D.A.*, N° 24, 1980.
 – «*La restitución del precio indebidamente cobrado ¿cuestión civil o cuestión administrativa?*», *R.E.D.A.*, 16, 1978.
 – «*Orden público económico y restricciones de la competencia*», *R.A.P.*, N° 84, septiembre-diciembre. 1977.

SALA J., DOMINGO DE MORATÓ, D.R., *El Derecho Civil español*, 2ª ed., Tomo II, Valladolid, 1877.

SALVESTRONI, *Incommerciabilità di beni e autonomia negoziale*, Padova, 1989.

SAN JULIÁN PUIG, V., *El objeto del contrato*, Pamplona, 1996.

SÁNCHEZ ANDRÉS, A., «*El control de las condiciones generales en derecho compa-rado: panorama legislativo*» en *R.D.M.*, 1980.

SÁNCHEZ CALERO, F., «*Comentario al artículo 3°*», en *Comentarios al Código de Comercio y Legislación Mercantil Especial. Ley del Contrato de Seguro*, T. XXIV, vol. 1°, Madrid, 1984.
 – «*Sobre la imperatividad de la Ley de Contrato de Seguro*», en *Estudios en honor a Aurelio Menéndez*, T. III, Madrid, 1996.
 – *Instituciones de Derecho Mercantil*, T. I, 18ª ed., Madrid, 1995 y T. II, 19ª ed., Madrid, 1996.

SÁNCHEZ ISAAC, J., *Teoría y práctica de las concesiones de dominio público local*, Barcelona, 1994.

SÁNCHEZ CALERO, «*Comentario al art. 3*», en Ley de Contrato de Seguro, Comentarios a la Ley 50/1980, de 8 de octubre, y a sus modificaciones, 2ª ed., Pamplona, 2001.

SÁNCHEZ MIGUEL, M., «*Modificación de las normas sobre condiciones de crédito y defensa del cliente en el Derecho español*», *R.D.B.B.*, N° 34, Abril-junio, 1989.

SÁNCHEZ ROMÁN, F., *Derecho Civil español civil y foral*, Tomo IV, 2ª ed., Madrid, 1899.

SANCHO REBULLIDA, F.,, «*Notas sobre la causa de la obligación en el Código Civil*», en *R.G.L.J.*, 1971. Vid también epígrafe «*Ámbitos de aplicación de los artículos 1275 y 6.3 del Código Civil*».

SANJULIÁN PUIG, V., *El objeto del contrato*, Pamplona, 1996.

SANTORO-PASARELLI, F., *Doctrinas generales del Derecho Civil*, trad. Luna Serrano, A., Madrid, 1964.
 – *Dottrine Generali del Diritto Civil, 9ª ed.* Napoli, 1966.

SANTOS BRIZ, J., *Código Civil (Comentarios y jurisprudencia), Granada, 1991.*
 – *Derecho Civil. Teoría y Practica*, Tomo I, Madrid, 1978.
 – *La contratación privada. Sus problemas en el tráfico moderno*, Madrid, 1966.
 – *Los contratos civiles. Nuevas perspectivas*, Granada, 1992.

SANZ VIOLA, A.M. «Consideraciones en torno a la Ley 7/1998, de 13 de abril, sobre Condiciones Generales de la Contratación» en *A.C., 1999*, n. 30.

SAVIGNY, M.F.C., *Sistema de Derecho romano actual,* trad. Mesía, J. y Poley, M., Tomo I y II. (Sin fecha).

SCHULZ, F., *Principios del Derecho Romano*, trad. Abellán Velasco, M., Madrid, 1990.

SCOGNAMIGLIO, R., «*Sulla invalidità succesiva dei negozi giuridici*», in *Annuario di diritto comparatto e di studi legislati*, 1950, Vol 21 N° 1.
– *Contirbuto alla Teoria del negozio Giuridico*, 2ª ed., Napoli, 1969.
– *Tratatto di diritto civile*, 2ª ed., Milán 1966.
– *Contratti in generale, in Trattato de Diritto Civile*, a cura di G. Grosso e F. Santoro-Pasarelli, 2ª ed., Milán, 1966.
– Voz: «*Illecito*» *(diritto vigente)*, en *Noviss. Digesto Italiano*, diretto da Azara, A. y Eula, E., V, Turín, 1968.

SÉROUSSI, R., *Introducción al Derecho inglés y norteamericano*, versión de E. Alcaraz varó, Barcelona, 1998.

SERRANO DE NICOLÁS, A., *Los Arrendamientos de Viviendas de Protección Oficial según la Nueva Legislación*, Barcelona, 1998.

SHAPIRO, D. L., «*Courts, legislatures, and paternalism*», *Virginia Law Revue*. 74 (1988).

SILLERO CROVETTO, B., y DE LA FUENTE NÚÑEZ DE CASTRO, M.S., *Multipropiedad y aprovechamiento por turno. Comentarios sistemáticos a la Ley sobre Derechos de aprovechamiento por turnos*, dir. por J.M. Ruíz-Rico Ruíz y A. Cañizares Laso, Madrid, 2000.

SILVÁ MELERO, V., «*Contribución al estudio del negocio jurídico ilícito en el Derecho civil*», en *R.G.L.J.*, Tomo 159, 1931.

SOTO NIETO, F., Voz «*Nulidad de los contratos*» y Voz «*Nulidad*», en *Nueva Enciclopedia jurídica*, Seix, Barcelona, 1982, vol. XVII, y XVIII, 1986

STAMMLER, R., *Tratado de Filosofía del Derecho*, Trad. W. Roces, 1ª ed., reimpresión, México, 1980

STARCK, B., ROLAND, H., BOYER, L., *Obligations, 2. Contrats*, 5ª ed., París 1995..

STOLFI, G., *Teoría del negocio jurídico*, trad. Santos Briz, J., Madrid, 1959.

STORCH DE GRACIA Y ASENSIO, J. G., «*Acerca de la "Causa impulsiva" en la formación y cumplimiento de los contratos. Comentario a la Sentencia de 30 de diciembre de 1985*», en *La Ley*, 1986, T. I.

SUÁREZ, F., *Las leyes*, v.e. por. Eguillar Muniozguren, J.R., vol. II (libros III y IV), Madrid, 1967.

SUSTEIN, C.R., «*Legal interference with Private Preferences*», *University Chicago Law. Revue*. 53 (1986).

TAPIA HERMIDA, A., «*La vigencia de la Ley de Usura como mecanismo de protección del consumidor a crédito*», *R.D.B.B.*, N° 25, 1987.
– «*Ley de Usura y protección del consumidor a crédito*», *R.D.B.B.*, N° 25, 1987.

TIRADO SUÁREZ, F.J., *Ley ordenadora del seguro privado. Exposición y crítica*, Sevilla, 1984.

TORNOS MAS, J., *Régimen jurídico de la intervención de los poderes públicos en relación con los precios y las tarifas*. Bolonia, 1982.

TORRALBA SORIANO, O.V., «*Causa ilícita; exposición sistemática de la jurisprudencia del Tribunal Supremo*», en *A.D.C.*, XIX-3, 1966.

TORRENTE, A. y SCHESINGUER, P., *Manuale di Diritto Privato*, 14ª ed., Milán, 1994.

TORRES LANA, J.A., «*Notas críticas a la Ley de Venta a Plazos*», en *R.D.P.*, Julio-agosto, 1975.

TRABUCCHI, A., *Instituzioni di diritto civile*, 32ª ed., Padova, 1991.
– *Instituciones de Derecho Civil*, trad. esp., Madrid, 1967.

TRAVIESAS MIGUEL, M., «*El juego y la apuesta*», en *R.D.P.*, 1917.
– «*Sobre nulidad jurídica*», en *R.G.L.J.*, 1914, (Tomo CXXIV).

TREITEL, G.H., *The law of contract*, 9ª ed., Londres, 1995.

TRIMARCHI, P., *Atto giuridico e negozio giuridico*, Milano, 1940.
– *Instituzioni di diritto privatto*, Milan, 1991.
– Voz «*Illecito*», en *Enz. Del Dir.*

TRONCOSO Y REIGADA, M., «*Marco normativo de los ilícitos desleales de relevancia antitrusT. (Reflexiones en torno al arT. 7 LDC)*», en *Estudios Jurídicos en Honor a Aurelio Menéndez*, Madrid, 1996.

TUR FAUNDEZ, M. N., «*Condiciones generales en contratos celebrados con consumidores y usura. Cuenta corriente bancaria en descubierto. (Comentario a la sentencia de la Audiencia Provincial de Palma de Mallorca de 17 de octubre de 1994)*», en *R.G.D.*, 608, mayo, 1995.

URÍA, R., Derecho Mercantil, 18ª ed., Madrid, 1991.
– «*Reflexiones sobre la contratación mercantil en serie*», en *R.D.M.*, 1956,

V.V. A.A., *Actas de las Jornadas de Derecho Civil aragonés*, (Jaca, 27, 28 y 29 de septiembre de 1985), Zaragoza, 1986.

V.V. A.A., *Comentarios a las reformas del Código Civil, (El nuevo título preliminar del Código y la Ley de 2 de mayo de 1975)*. Vol. I, Madrid, 1977.

V.V.A.A., Actas de la tabla redonda celebrada en el Instituto de Derecho Privado de la Universidad de Catania, (17-18 de mayo de 1969), «Condizioni generali di contratto e tutela del contraente debole», publicadas en Milan en 1970.

V.V. A.A., *El arrendamiento de viviendas de protección oficial. Doctrina jurisprudencial*, Madrid, 1998.

V.V. A.A., *Causa e consideration*, Padova, 1984.

V.V. A.A., *Chitti on contracts*, vol. 1, ed. 26ª, Londres, 1989 y vol. 2, ed 25ª, Londres, 1983.

V.V.A.A., *Travaux de l'association Henri Capitant*, Tomo XIV, 1961-1962, París, 1965.

VALIANI, R., «*L 'Economia Della Deregolamentazione*», en *Quadrium*, 1985.

VALLESPINOS, C. G., «*El mundo contemporáneo y el contrato*», en *R.G.L.J.*, (diciembre), 1984.

VALPUESTA FERNÁNDEZ, R., *Derecho de obligaciones y contratos*, 2ª edic., Valencia, 1995

VALVERDE Y VALVERDE, C., *Tratado de Derecho Civil*, T. III, Valladolid, 1913.

VAN CAENEGEM, R.C., *An historical introduction to private law*, Cambridge, 1992.
- *Historia del nacimiento del Common Law*, trad. J.L. Moreno Torres, Madrid, 1998.

VAREA SANZ, M., «*Comentario a la Sentencia de 23 de octubre de 1996*», en *C.C.J.C.*, enero-marzo, 1997, 1168.

VASSALLI, F., «*In tema di norme penali e nullità del negozio giuridico*», in *Riv.Crit. diritto privato*, 1985.

VATTIER FUNZALIDA, C., «Las cláusulas abusivas en los contratos de adhesión», en *R.C.D.I.*, 1995.

VÁZQUEZ DE CASTRO, E., «*Comentario a la Sentencia. de 20 de junio de 1996*» en *Revista de Derecho Patrimonial*, Nº 1.
- *Precio y renta en las Viviendas de Protección oficial. Doctrina y jurisprudencia*, Pamplona, 1999.

VÁZQUEZ IRUZUBIETA, C., «*La moral y las buenas costumbres en el Derecho español*», *Actualidad Civil*-Nº 40.

VICENT CHULIÁ, F., *Introducción al Derecho Mercantil*, 5ª ed., Valencia, 1992.
- «*La unificación del derecho de obligaciones*», en *Revista de Derecho Patrimonial*, Nº 2, 1999.
- *Compendio crítico de Derecho mercantil*, T. I, vol. 2º, 3ª ed., 1991.
- *Concepto y caracteres del contrato de seguro, Comentarios a la Ley de Contrato de Seguro*, I, Madrid, 1982.

VILLA, G., *Contrato e violazione di norma imperativa*, Milano, 1993.
- «*Contratto illecito ed irrepetibilità della prestazione. Una analisi economica*», en *Quadrium*, 1992.

VILLAR EZCURRA, J.L., Voz «*Circular*», en *Enciclopedia Jurídica Básica*, Madrid, 1995.

VILLAR PALASÍ, J.L., voz «Concesiones administrativas», en *N.E.J.S.*, IV.

VIZMANOS, T.M., y ÁLVAREZ MARTÍNEZ, C., *Comentarios al Código Penal*, Madrid, 1848, 1ª ed, 1848, T. II.

VOLTERRA, E., *Instituciones de Derecho Privado Romano*, trad. J. Daza Martínez, Madrid, 1988.

VON HUMBOLDT, W., *Los límites de la acción del Estado*, Trad. J. Abellán, Madrid 1988.

VON IHERING, R., *El espíritu del Derecho romano en las diversas fases de su desarrollo*, trad. E. Príncipe y Satorres, T. I, Granada, 1998.

VON MEHREN, A.T. y RUSSELL GORDLEY, J., *The civil law system. An Introduction to the comparative study of law*, 2ª ed., Boston-Toronto, 1977.

VON TUHR, A., *Tratado de las obligaciones*, Tomos I y II, trad. Roces, W., 1ª ed., Madrid, 1934.

WEBER, M., *Economía y sociedad,* trad. esp., 2ªed., México, 1979.
– *Historia económica general,* trad. esp., México, Madrid, 1974.

WESENBERG, G. y WESENER, G., Historia del Derecho Privado Moderno...,

WHEELER S. y SHAW J., *Contract Law, cases, materials, and commentary*, Oxford, 1994.

WHINCUP, M.H., *Contract law an Practice, The English system and Continental comparisons*, 2ª ed., Deventer, 1992.

WIEACKER, F. *El principio general de la buena fe.*, trad. J.L. Carro, prólogo. Díez-Picazo, Madrid, 1982.

WINFIELD, *Public Policy and the English Common Law*, 42, Hardvard Law Revue, 376.

WINDSCHEID, B., *Diritto delle Pandette*, trad. it., I, Turín, 1925.

ZIMMERMANN, R., *The law of obligations. Roman foundations of the civilian tradition*, South Africa, 1992.

YZQUIERDO TOLSADA, M., *Aspectos civiles del nuevo Código Penal: (responsabilidad civil, tutela del derecho de crédito, aspectos de derecho de familia y otros extremos)*, Madrid, 1997.
– *«Alcance real de la competencia del juez penal para conocer de cuestiones civiles: responsabilidad civil y más cosas. En particular, la tutela civil de crédito en el proceso penal»*, en Perfiles de la responsabilidad civil en el nuevo milenio, VV. AA., Madrid, 2000.

ZWEIGERT, K. y KÖTZ, H., *An introduction to Comparative Law*, 2ª ed., Oxford, 1994.